IM SPIEGEL DER ZEIT

Erlebtes

Erfahrenes

Erforschtes

DEUTSCHLAND · SCHWEIZ · ÖSTERREICH

Die vier Kurzfassungen in diesem Band erscheinen
mit Genehmigung der Autoren und Verleger.
Dies gilt auch für Briefe, Zitate und Dokumente, die
in leicht gekürzter Form wiedergegeben sein können.

Alle Rechte an Bearbeitung und Kurzfassung,
insbesondere das der Übersetzung, Verfilmung und
Funkbearbeitung, im In- und Ausland vorbehalten.

© 2008 Reader's Digest
– Deutschland, Schweiz, Österreich –
Verlag Das Beste GmbH,
Stuttgart, Zürich, Wien

935 / 631

Printed in Germany

ISBN Softcover: 978-3-89915-456-6
ISBN Hardcover: 978-3-89915-455-9

INHALT

6

72 TAGE IN DER HÖLLE

von Nando Parrado mit Vince Rause

148

ABER MEIN HERZ BLEIBT IN AFRIKA

von Claudia Tabbert und Sabine Eichhorst

258

DENN ERSTENS KOMMT ES ANDERS ...

von Joachim Fuchsberger

416

FEUER GEFANGEN

von Angelika Jung-Hüttl

NANDO PARRADO
mit Vince Rause

72 TAGE
IN DER HÖLLE

Wie ich den Absturz
in den Anden überlebte

„Parrados Buch ist ein packendes Dokument dessen, was menschliche Gemeinschaft, Wille und Liebe vollbringen können."

Blick. Die Tageszeitung der Schweiz

PROLOG

In den ersten Stunden war nichts. Keine Angst, keine Trauer, kein Gefühl für die Zeit, nicht einmal der Schimmer eines Gedankens oder einer Erinnerung. Nur schwarze, vollkommene Stille. Dann schien Licht auf, ein dünner grauer Fleck Tageslicht, und zu ihm trieb ich aus der Dunkelheit empor wie ein Taucher, der langsam zur Oberfläche aufsteigt. Ganz allmählich erlangte ich das Bewusstsein wieder und erwachte unter großen Mühen in einer Welt voller Zwielicht, die sich auf halbem Weg zwischen Traum und Wahrnehmung befand. Ich hörte Stimmen und registrierte Bewegung um mich herum, aber meine Gedanken waren trübe und mein Blick war verschwommen. Ich konnte nur Flächen aus Licht und Schatten ausmachen. Als ich verwirrt darauf starrte, erkannte ich, dass manche Schatten sich bewegten. Schließlich wurde mir klar, dass einer von ihnen sich über mich beugte.

„Nando, kannst du mich hören? Geht es dir gut?"

Der Schatten kam näher und kristallisierte sich zu einem menschlichen Gesicht heraus. Ich sah einen zerzausten Schopf aus dunklen Haaren, darunter tiefbraune Augen.

„Na komm, Nando, wach schon auf!"

Warum ist mir so kalt? Warum tut mein Kopf so entsetzlich weh? Verzweifelt versuchte ich, diese Gedanken auszusprechen, aber mein Mund konnte die Laute nicht formen. Ich schloss die Augen und ließ mich wieder in die Welt der Schatten gleiten. Aber wenig später hörte ich andere Stimmen, und als ich die Augen aufschlug, schwebten noch mehr Gesichter über mir.

„Ist er wach? Kann er dich hören?" – „So sag doch was, Nando!" – „Nicht aufgeben, Nando. Wir sind bei dir. Wach auf!"

Wieder versuchte ich zu sprechen, aber mehr als ein heiseres Flüstern brachte ich nicht heraus. Jemand beugte sich über mich und sprach mir ganz langsam ins Ohr. „Wir sind abgestürzt. Das Flugzeug ist abgestürzt. In den Bergen. Verstehst du mich, Nando?"

Ich verstand nicht. Der ruhigen, eindringlichen Art, in der die Worte ausgesprochen wurden, entnahm ich jedoch, dass es eine Nachricht von größter Wichtigkeit war. Aber ich begriff ihre Bedeutung nicht. Die Wirklichkeit erschien mir weit entfernt und gedämpft, als wäre ich in einem Traum gefangen und könnte mich nicht zum Aufwachen zwingen.

Stundenlang schwebte ich in diesem Nebel, aber schließlich schärften sich meine Sinne, und ich konnte mir nach und nach einen Überblick über meine Umgebung verschaffen. Mir war bereits zuvor eine Reihe runder, über mir schwebender Lichter aufgefallen. Jetzt erkannte ich darin die kleinen Fenster eines Flugzeugs. Mir wurde klar, dass ich in der Passagierkabine einer Verkehrsmaschine auf dem Fußboden lag, aber nichts an diesem Flugzeug hatte seine Ordnung. Der Rumpf war auf die Seite gerollt, sodass mein Rücken und mein Kopf auf dem unteren Teil der rechten Seitenwand ruhten und meine Beine in den schräg aufwärtsgeneigten Mittelgang ragten. Die meisten Sitze fehlten. Von der beschädigten Decke hingen Kabel und Schläuche, aus den ramponierten Bordwänden quoll Isoliermaterial. Der Boden um mich herum war mit Plastik- und Metallstücken übersät. Es war taghell und die Luft war von einer wilden, aggressiven Kälte, die auf der Haut brannte wie Säure. Da ich auf dem zugigen Boden lag, hatte ich keine Möglichkeit, mich zu wärmen. Der Schmerz ging mir durch Mark und Bein. Ich bibberte krampfartig, und jeder Augenblick schien eine Ewigkeit zu dauern.

Aber die Kälte war nicht meine einzige Sorge. Im Kopf spürte ich ein grobes, ungestümes Hämmern, als wäre in meinem Schädel ein wildes Tier eingesperrt, das verzweifelt ausbrechen wollte. Vorsichtig griff ich mir oben an den Kopf. Meine Haare waren mit Klumpen aus getrocknetem Blut verklebt, und über dem rechten Ohr bildeten drei blutende Wunden ein Dreieck mit gezackten Rändern. Unter dem geronnenen Blut ertastete ich die rauen Kanten gebrochener Knochen, und als ich ein wenig drückte, spürte ich ein schwammiges Nachgeben. Als mir klar wurde, was das bedeutete, drehte sich mir der Magen um – ich drückte Stücke meines zerschmetterten Schädels gegen mein Gehirn. Mein Herz hämmerte gegen den Brustkorb. Der Atem kam in flachen Stößen. Ich war kurz davor, in Panik zu geraten, da sah ich über mir wieder diese braunen Augen und erkannte endlich das Gesicht meines Freundes Roberto Canessa.

„Was ist passiert?", fragte ich. „Wo sind wir?"

Roberto beugte sich zu mir herunter, um die Verletzungen an meinem Kopf zu untersuchen. „Du warst drei Tage bewusstlos", erwiderte er ohne jedes Gefühl in der Stimme. „Wir hatten dich schon aufgegeben."

Die Worte erschienen mir sinnlos. „Was ist mit mir geschehen? Und warum ist es so kalt?"

„Verstehst du mich, Nando? Wir sind im Gebirge abgestürzt. Das Flugzeug ist abgestürzt. Wir sitzen hier fest."

Voller Verwirrung schüttelte ich schwach den Kopf; vielleicht wollte ich es auch nicht wahrhaben. Aber lange konnte ich nicht mehr leugnen, was um mich herum geschah. Ich hörte leises Stöhnen und jähe Schmerzensschreie, und allmählich begriff ich, dass sie von anderen leidenden Menschen kamen. Überall im Rumpf sah ich Verletzte in behelfsmäßigen Betten und Hängematten liegen. Andere Gestalten beugten sich über sie, um ihnen zu helfen.

„Verstehst du, Nando?", fragte Roberto noch einmal. „Erinnerst du dich? Wir waren im Flugzeug … wollten nach Chile …"

Ich schloss die Augen und nickte. Ich war jetzt aus den Schatten getreten; meine Verwirrung konnte mich nicht länger von der Wahrheit abschirmen. Ich begriff, und während Roberto mir das verkrustete Blut aus dem Gesicht wusch, kehrte meine Erinnerung zurück.

DAVOR

Es war Freitag, der 13. Oktober. Wir machten Witze darüber, dass wir an einem solchen Unglückstag über die Anden fliegen wollten, aber junge Männer sind mit derartigen Scherzen schnell bei der Hand. Unser Flug hatte einen Tag zuvor in meiner Heimatstadt Montevideo in Uruguay begonnen; Ziel war Santiago de Chile. Die gecharterte zweimotorige Fairchild-Turbopropmaschine sollte meine Rugbymannschaft zu einem Freundschaftsspiel gegen ein chilenisches Spitzenteam bringen. An Bord befanden sich einschließlich der fünf Besatzungsmitglieder 45 Personen. Die meisten Passagiere waren Mannschaftskameraden von mir, aber mit uns flogen auch Freunde, Angehörige und Anhänger unseres Teams, darunter meine Mutter und meine kleine Schwester Susy. Die beiden saßen eine Reihe vor mir auf der anderen Seite des Mittelganges. Ursprünglich war vorgesehen gewesen, nonstop nach Santiago zu fliegen, was in etwa dreieinhalb Stunden gedauert hätte. Aufgrund ungünstiger Wettervorhersagen hinsichtlich der vor uns liegenden Berge sah sich der Pilot aber gezwungen, eine Zwischenlandung im argentinischen Mendoza einzulegen, einer alten spanischen Kolonialstadt am östlichen Fuß des Anden-Vorgebirges.

Wir setzten um die Mittagszeit auf und hofften, in ein paar Stunden wieder in der Luft zu sein. Doch die Wetterberichte waren alles andere als ermutigend, und schon bald war klar, dass wir über Nacht bleiben mussten. Niemand hatte Lust, unnötig Zeit zu verlieren, aber wir beschlossen, das Beste aus unserem Aufenthalt zu machen. Ich verbrachte den Nachmittag mit Freunden auf einer Rennstrecke außerhalb von Mendoza, wo wir uns ein Autorennen ansahen. Meine Mutter und Susy erkundeten die Geschäfte der Stadt und kauften Souvenirs für die Daheimgebliebenen. Am Abend gingen wir ins Kino, andere zum Tanzen.

Am nächsten Morgen wollten wir nichts wie weg von hier, doch von Abflug war immer noch keine Rede. Also sahen wir uns nochmals ein bisschen in Mendoza um.

Schließlich erhielten wir die Nachricht, uns Punkt 13 Uhr am Flughafen einzufinden. Als wir dort ankamen, stellten wir jedoch fest, dass der Pilot Julio Ferradas und sein Kopilot Dante Lagurara sich immer noch nicht entschieden hatten zu fliegen. Wir reagierten frustriert und verärgert, denn keiner von uns begriff, vor welch schwieriger Frage die beiden standen. Nachdem Ferradas mit dem Piloten einer Frachtmaschine gesprochen hatte, die kurz zuvor aus Santiago eingetroffen war, zeigte er sich recht zuversichtlich, dass die Fairchild das schlechte Wetter gefahrlos überfliegen könne. Das eigentliche Problem war die Tageszeit. Bis wir an Bord und alle Formalitäten mit den Flughafenbehörden erledigt wären, würde es nach 14 Uhr sein. Und nachmittags, wenn warme Luft aus dem argentinischen Vorgebirge aufsteigt und auf die kalte Luft über der Schneegrenze trifft, entstehen in der Atmosphäre über dem Gebirge gefährliche Instabilitäten. Unsere Piloten wussten, dass dies die risikoreichste Zeit für einen Flug über die Anden war. Wo diese Strömungswirbel zuschlügen, ließ sich nicht vorhersagen.

Andererseits konnten wir nicht in Mendoza bleiben, denn wir hatten unser Flugzeug von der uruguayischen Luftwaffe gechartert. Nach den argentinischen Gesetzen durfte sich eine ausländische Militärmaschine aber nicht länger als 24 Stunden auf argentinischem Boden aufhalten. Ferradas und Lagurara mussten sich also schnell entscheiden: Sollten sie den nachmittäglichen Flugbedingungen trotzen und Kurs auf Santiago nehmen, oder war es besser, nach Montevideo zurückzukehren und unserem Ausflug damit ein vorzeitiges Ende zu bereiten?

Während sie hin und her überlegten, wuchs unsere Ungeduld. Wir waren junge Männer – furchtlos, selbstbewusst und voller Tatendrang –, und es ärgerte uns, dass unsere kleine Reise wegen der vermeintlichen Ängstlichkeit der Piloten ins Wasser fallen sollte. Als wir sie am Flughafen sahen, pfiffen wir, machten uns über sie lustig und stellten ihre

Fähigkeiten infrage. Ob unser Verhalten ihre Entscheidung beeinflusste, lässt sich nicht sagen – es schien sie allerdings schon zu verunsichern –, jedenfalls teilte uns Ferradas nach einer letzten Besprechung mit Lagurara mit, der Flug nach Santiago werde fortgesetzt. Wir quittierten die Nachricht mit rüpelhaftem Jubel.

Um 14.18 Uhr Ortszeit hob die Fairchild endlich ab. Während des Steigfluges legte sie sich in eine steile Linkskurve, und wenig später waren wir in Richtung Süden unterwegs. Zu unserer Rechten verliefen am westlichen Horizont die argentinischen Anden. Ich starrte durch das Fenster auf die gewaltigen Berge, die sich abweisend und majestätisch aus der trockenen Hochebene unter uns erhoben. Sie erstreckten sich nach Norden, Süden und Westen, so weit das Auge reichte, und obwohl sie viele Kilometer entfernt waren, ließen ihre Höhe und Masse sie unüberwindlich wirken. Kein Wunder, dass unsere Vorfahren sie für heilige Orte hielten, für Stufen zum Himmel und den Wohnort der Götter.

Die Anden sind das zweithöchste Gebirge der Erde. Höher ist nur der Himalaja. Der Teil, der Mendoza und Santiago trennt, gehört zu den höchsten Abschnitten der ganzen Andenkette und weist einige der höchsten Gipfel der Welt auf. Irgendwo dort drüben erhob sich beispielsweise der Aconcagua, mit 6963 Metern der höchste Berg außerhalb Asiens und weltweit die Nummer sieben.

Da sich entlang der Strecke solche Giganten auftürmten, konnte die Fairchild Santiago mit ihrer maximalen Flughöhe von 6700 Metern unmöglich direkt in ostwestlicher Richtung ansteuern. Die Piloten hatten sich eine Route ausgesucht, die uns von Mendoza rund 160 Kilometer nach Süden zum Planchón-Pass führen sollte, einem schmalen Korridor durch das Gebirge, wo die Grate und Kämme niedrig genug waren, damit die Maschine darüber hinwegkäme. Sobald wir die Berge auf der chilenischen Seite hinter uns hätten, würden wir Kurs zurück nach Norden nehmen. Für den gesamten Flug waren eineinhalb Stunden veranschlagt. Wir sollten noch vor Einbruch der Dunkelheit in Santiago sein.

Auf der ersten Etappe herrschte ruhiges Wetter, und nach einer knappen Stunde näherten wir uns dem Planchón-Pass. Natürlich kannte ich damals weder seinen Namen noch irgendwelche Einzelheiten der Flugroute. Aber mir fiel auf, dass wir die Berge bislang immer zu unserer Rechten in der Ferne gesehen hatten und jetzt in westlicher Richtung direkt ins Herz der Andenkette vordrangen. Ich hatte einen Fensterplatz auf der linken Seite der Maschine, und während ich hinausblickte, veränderte sich die Landschaft: Zunächst überflogen wir zerklüftete Vorgebirge, dann ragten die Gipfel „richtiger" Berge wie riesige Speerspitzen bedrohlich in die Höhe. Enge Gletschertäler schnitten sich tief in die steilen Hänge und bildeten mit ihren gewundenen, schneegefüllten Korridoren ein endloses Labyrinth aus Eis und Fels. Mir fiel auf, dass sich immer mehr Nebelschleier sammelten.

Da spürte ich eine Hand auf meiner Schulter. „Lass uns mal die Plätze tauschen, Nando. Ich möchte die Berge sehen."

Es war mein Freund Panchito, der neben mir saß. Ich nickte und erhob mich von meinem Sitz. Als ich mich an Panchito vorbeischieben wollte, rief jemand: „Achtung, Nando!" Ich konnte mich gerade noch rechtzeitig umdrehen, um einen Rugbyball aufzufangen, den jemand aus dem hinteren Teil der Kabine geworfen hatte. Ich spielte ihn nach vorn weiter und ließ mich auf meinen Platz sinken. Um uns herum wurde gelacht und geredet, die Leute gingen im Mittelgang auf und ab, um ihre woanders sitzenden Freunde zu besuchen. Hinten spielten einige mit dem Steward Karten. Als der Ball jedoch in der Kabine herumflog, stand der Flugbegleiter auf und versuchte, die Gemüter zu beruhigen. „Weg mit dem Ball!", rief er. „Und nehmen Sie bitte Ihre Plätze wieder ein!" Aber wir waren junge Rugbyspieler und hatten keine Lust, auf unseren Spaß zu verzichten. Unsere Mannschaft, die „Old Christians", war eine der besten Uruguays, und wir nahmen unsere Pflichtspiele sehr ernst. In Chile sollten wir allerdings nur eine Freundschaftspartie bestreiten, also war diese Reise für uns eigentlich eine Art Urlaub, und im Flugzeug herrschte eine Stimmung, als ob er bereits begonnen hätte.

Viele von uns kannten sich schon über zehn Jahre, seit wir unter Anleitung der Irish Christian Brothers als Schülermannschaft an der „Stella Maris" gespielt hatten, einer privaten Lehranstalt für neun- bis sechzehnjährige Jungen. Das wichtigste Ziel einer katholischen Erziehung war für die Ordensbrüder nicht die geistige, sondern die charakterliche Bildung; entsprechend spielte die Vermittlung von Disziplin, Frömmigkeit, Selbstlosigkeit und Respekt in ihren Lehrmethoden eine große Rolle. Um diese Werte auch außerhalb des Klassenzimmers zu fördern, trieben sie uns die südamerikanische Leidenschaft für Fußball aus – einen Sport, der ihrer Überzeugung nach dem Egoismus und der Profilsucht Vorschub leistete – und dirigierten uns in Richtung des raueren, in Irland sehr beliebten Rugby. Die Ordensbrüder waren felsenfest davon überzeugt, dass Rugby die gleichen Charaktereigenschaften erforderte wie ein anständiges Leben als Katholik: Demut, Selbstbehauptungswillen, Selbstdisziplin und Einsatz für andere. Es war ihr erklärtes Ziel, dass wir gut Rugby spielen sollten.

In langen, harten Übungsstunden auf dem Spielfeld hinter der Schule brachten sie uns alle ruppigen Regeln und Kniffe bei. Doch Rugby ist nicht nur ein brutaler Kraftsport, es erfordert auch eine solide Strategie, schnelles Denken und Beweglichkeit. Vor allem aber verlangt es unerschütterliches Vertrauen. Stürze ein Mitspieler oder werde er von den Beinen geholt, so erklärten uns die Ordensbrüder, werde er „zu Gras". Die gegnerische Mannschaft könne auf ihm herumtrampeln, als wäre er Teil des Rasens. Mit als Erstes brachten sie uns deshalb bei: „Ihr müsst zu seinem Beschützer werden. Ihr müsst euch selbst opfern, um ihn abzuschirmen. Er muss wissen, dass er sich auf euch verlassen kann." Kein anderer Sport lehre so eindringlich, was es bedeute, im Interesse eines gemeinsamen Ziels zu kämpfen, zu leiden und sich zu opfern. Diese Haltung vertraten die Irish Christian Brothers so leidenschaftlich, dass uns nichts anderes übrig blieb, als ihnen zu glauben, und als wir das Spiel allmählich immer besser verstanden, merkten wir selbst, dass sie Recht hatten.

Acht Jahre lang spielten wir uns für die Ordensbrüder die Seele aus dem Leib – voller Stolz trugen wir auf unseren Trikots das leuchtend grüne irische Kleeblatt. Das Spiel wurde so sehr zu einem Teil unseres Lebens, dass viele den Gedanken an ein Ende der Rugbyzeit nicht ertragen konnten, als wir mit sechzehn unseren Abschluss machten. Unsere Rettung war der Old Christians Club, ein privater Rugbyverein, den frühere Stella-Maris-Absolventen 1965 gegründet hatten, weil sie nachrückenden Generationen die

Unser Rugbyteam 1971 in Chile. Ich laufe als Zweiter von rechts aufs Feld. Direkt vor mir befindet sich unser Kapitän Marcelo Pérez. Mein guter Freund Panchito Abal ist der Vierte von links.

Gelegenheit verschaffen wollten, den Sport auch nach dem Ende der Schulzeit weiter auszuüben.

Noch im selben Jahr wurden wir Mitglied der Nationalen Rugbyliga Uruguays, und wenig später hatten wir als eine der Spitzenmannschaften unseres Landes Fuß gefasst. 1968 und 1970 gewannen wir die Meisterschaft. Durch den Erfolg ermutigt, setzten wir Spiele in Argentinien an und stellten dabei fest, dass wir auch dort mit den besten Teams mithalten konnten. 1971 reisten wir nach Chile, wo wir gegen harte Konkurrenz ebenfalls gut abschnitten, sodass wir beschlossen hatten, dieses Jahr, 1972, wiederzukommen.

Ich hatte mich schon seit Monaten auf den Ausflug gefreut, und als ich in der Flugzeugkabine umherblickte, sah ich zu meiner Freude, wie viele Freunde mich begleiteten. Da war Coco Nicolich, einer unserer größten und kräftigsten Spieler, der als Zweitereihestürmer für die Vorwärtsbewegung im Gedränge sorgte, jener gewühlartigen Standardsituation, in der die Mannschaften um den Ballbesitz ringen. Der ernste, unerschütterliche Enrique Platero war ein *Prop,* einer der stämmigen Außenstürmer, die im Gedränge die erste Reihe verankerten. Mit seiner Schnelligkeit wich der Flanker Roy Harley den Gegnern, die ihn zu Fall bringen wollten, so flink aus, dass sie nur noch in die Luft greifen konnten. Roberto Canessa, ein Flügelstürmer aus der Hintermannschaft, war einer der stärksten und zähesten Spieler im Team. Der Verbinder Arturo Nogueira konnte großartige lange Pässe schlagen und den Ball besser treten als jeder andere von uns. Den breiten Rücken und den dicken Hals von Antonio Vizintín brauchte man nur zu sehen, dann wusste man, dass er als einer aus der ersten Reihe im Gedränge dem größten Druck standzuhalten hatte. Gustavo Zerbino, dessen Mut und Entschlossenheit ich bewunderte, war ein vielseitiger Spieler und konnte viele Positionen besetzen. Und Marcelo Pérez del Castillo, ein weiterer Flanker, war sehr schnell und tapfer, ein großartiger Ballträger und knallhart, wenn es darum ging, einen Gegner von den Beinen zu holen. Außerdem war er unser Mannschaftskapitän, eine Führungsgestalt, der wir unser Leben anvertraut hätten. Es war seine Idee gewesen, noch einmal nach Chile zu reisen, und ohne seinen Einsatz wäre das Unternehmen nicht auf die Beine gestellt worden. Er hatte das Flugzeug gechartert, die Piloten engagiert, das Spiel organisiert und bei uns allen eine gewaltige Vorfreude auf die Reise geweckt.

Mein ältester Freund war jedoch Guido Magri. Wir hatten uns an meinem ersten Schultag kennen gelernt und waren seither unzertrennlich. Guido war ein zuverlässiger Freund mit Sinn für Humor und immer

72 TAGE IN DER HÖLLE

einem Lachen auf den Lippen. Außerdem war er ein ausgezeichneter Gedrängehalb, schnell und schlau wie ein Fuchs.

Mein zweiter Busenfreund war Panchito Abal. Wir hatten uns erst vor ein paar Jahren angefreundet, nachdem er zu den Old Christians gekommen war. Trotzdem waren wir mittlerweile wie Brüder. Panchito war Flügelstürmer, eine Position, die eine Kombination aus Schnelligkeit, Kraft, Intelligenz, Beweglichkeit und blitzschnellen Reaktionen erfordert. Er füllte sie perfekt aus. Langbeinig, breitschultrig und schnell wie ein Gepard, agierte er mit einer solch natürlichen Eleganz, dass selbst seine brillantesten Spielzüge etwas Müheloses hatten. Aber so schien es ihm ohnehin in allem zu gehen, besonders bei seiner anderen großen Leidenschaft: der Jagd auf hübsche Mädchen. Dabei war es natürlich kein Nachteil, dass er wie ein Filmstar aussah und jenes natürliche Charisma ausstrahlte, von dem die meisten nur träumen konnten. Ich zum Beispiel war ebenso auf attraktive junge Frauen versessen wie Panchito, wusste aber genau, dass ich nicht in seiner Liga spielte. Ein wenig schüchtern und schlaksig, mit dicker Hornbrille und durchschnittlichem Aussehen, musste ich mich anstrengen, um das Interesse eines Mädchens zu wecken.

Das Gleiche galt für Rugby: Zwar teilte ich Panchitos Leidenschaft, aber mühelos war der Sport für mich nie. Als kleines Kind hatte ich mir bei einem Sturz vom Balkon beide Beine gebrochen, und die Verletzung hatte bei mir zu einem leicht x-beinigen Gang geführt, der mir die notwendige Gewandtheit für die herausragenden Positionen in einer Rugbymannschaft nahm. Aber ich war groß, zäh und schnell, also machte man mich zum Zweitereihestürmer.

Alles in allem waren Panchito und ich junge Burschen, die im Hier und Jetzt lebten. Ich hatte keine strengen Grundsätze, keine fest umrissenen Ziele oder Antriebe. Hätte man mich zu jener Zeit nach dem Sinn und Zweck des Lebens gefragt, hätte ich wahrscheinlich gelacht und geantwortet: „Spaß haben!" Damals war mir nicht im Entferntesten bewusst, dass ich mir den Luxus dieser sorgenfreien Einstellung nur leisten konnte, weil mein Vater große Opfer brachte. Er hatte sein Leben schon in jungen Jahren sehr ernst genommen, sich Ziele gesetzt und mir durch Disziplin und Selbstbeherrschung jene privilegierte, sichere Existenz ermöglicht, die ich für selbstverständlich hielt.

Mein Vater Seler wurde in einem staubigen Kaff im fruchtbaren Landesinneren geboren. Sein eigener Vater war ein Hausierer, der mit dem Pferdewagen von einer Rinderfarm zur nächsten zog und Sättel, Zaumzeug, Stiefel und andere Gegenstände des landwirtschaftlichen Bedarfs an die Farmbesitzer und die raubeinigen Gauchos verkaufte, die die Herden beaufsichtigten. Es war ein schweres Leben voller Entbehrungen und Unsicherheiten. Als Gehilfe seines Vaters verbrachte Seler alles andere als eine sorgenfreie Kindheit, aber er lernte den Wert harter Arbeit kennen und erkannte, dass ihm nichts geschenkt werden würde – sein Leben war immer nur das, was er selbst daraus machte.

Meine Eltern, 1970

Als er elf war, zog seine Familie nach Montevideo. Dort eröffnete sein Vater einen Laden und verkaufte die gleichen Waren wie auf dem Land. Als er sich zur Ruhe setzte, übernahm Seler das Geschäft. Sein Vater hatte es an einer klug gewählten Stelle in der Nähe des Hauptbahnhofs eröffnet, und wenn Rancher und Gauchos zum Einkaufen kamen, standen sie nach dem Aussteigen aus dem Zug direkt vor der Ladentür. Doch als Seler die Verantwortung übernahm, hatten sich die Verhältnisse bereits geändert. Busse waren als beliebtestes Transportmittel an die Stelle der Züge getreten und der Busbahnhof befand sich weit vom Laden entfernt. Außerdem hatte das Maschinenzeitalter die ländlichen Gebiete Uruguays erreicht. Lastwagen und Traktoren machten die Bauern unabhängig von Pferden und Maultieren, was ebenfalls zu einem drastischen Rückgang der Nachfrage führte. Der Umsatz sank, und es sah so aus, als werde Seler den Laden bald schließen müssen.

Daraufhin machte er ein Experiment: Er räumte seine Verkaufsfläche zur Hälfte und bot dort stattdessen Eisenwaren an – Schrauben, Muttern, Nägel, Drähte und Scharniere. Sofort ging es mit den Geschäften aufwärts. Wenige Monate später hatte Seler den Landwirtschaftsbedarf völlig aufgegeben und alle Regale mit Eisenwaren gefüllt. Als der Umsatz weiter stieg, wusste er, wo seine Zukunft lag.

Diese wurde noch rosiger, als er 1945 heiratete. Seine Frau Eugenia, meine Mutter, war ebenso ehrgeizig wie er, und von Anfang an waren sie mehr als nur ein Ehepaar: Sie bildeten ein schlagkräftiges Team, das eine leuchtende Vorstellung von der Zukunft teilte. Auch Eugenia hatte eine schwierige Jugend hinter sich. Im Alter von 16 Jahren war sie 1939 mit ihren Eltern aus der Ukraine ausgewandert, um den Wirren des

72 TAGE IN DER HÖLLE 19

Zweiten Weltkrieges zu entgehen. Sie ließen sich in Uruguay auf dem Land nieder, wo sie sich mit Bienenzucht und dem Verkauf von Honig über Wasser hielten. Es war ein bescheidenes, hartes Leben. Deshalb zog Eugenia mit zwanzig nach Montevideo, wo sie sich eine bessere Zukunft versprach.

Als sie Seler heiratete, arbeitete sie in einem Büro und half zunächst nur in ihrer Freizeit in dem Laden. In der Anfangszeit ihrer Ehe war das Geld so knapp, dass sie sich keine Möbel leisten konnten; ihr gemeinsames Leben begann in einer leeren Wohnung. Aber irgendwann warf das Geschäft Gewinn ab. Als 1947 meine ältere Schwester Graciela geboren wurde, konnte meine Mutter die Bürostelle aufgeben und bei meinem Vater Vollzeit mitarbeiten. Ich kam 1949 zur Welt, drei Jahre später folgte Susy. Meine Mutter war mittlerweile zu einer treibenden Kraft des Familienunternehmens geworden und sicherte uns mit Fleiß und Geschäftstüchtigkeit einen sehr angenehmen Lebensstandard.

Als ich zwölf war, verkündete sie eines Tages, sie habe in Carrasco, einem der besten Wohnviertel von Montevideo, das ideale Heim für uns gefunden: ein modernes zweistöckiges Haus am Strand mit großen Fenstern, geräumigen hellen Zimmern, großen Rasenflächen und einer luftigen Veranda. Ich weiß noch, welche Begeisterung in ihrer Stimme lag, als sie schwärmte: „Jetzt können wir den Sonnenuntergang über dem Meer sehen!" In ihren Augen glänzten Tränen. Sie hatte so klein angefangen und jetzt einen Ort gefunden, der ein Zuhause für ein ganzes Leben sein konnte.

Eine Adresse in Carrasco gilt in Montevideo als Statussymbol. Unsere Nachbarn waren die bekanntesten Industriellen, Freiberufler, Künstler und Politiker Uruguays. Aber meine Mutter stand mit beiden Beinen fest auf der Erde und ließ sich davon nicht über Gebühr beeindrucken. Sie vergaß nie, woher sie kam. Sie hatte etwas gegen Vergeudung und Protz und verlor nie den Glauben an den Wert harter Arbeit. Die Firma verlangte ihr eine Menge ab, doch den Mittelpunkt ihres Lebens bildete stets ihre Familie.

Als ich zur Oberschule ging, besaßen meine Eltern drei große, gut gehende Eisenwarengeschäfte. Außerdem importierte mein Vater Produkte aus der ganzen Welt und vertrieb sie als Großhändler an kleinere Läden in ganz Südamerika. Der arme Junge vom Land hatte es im Leben weit gebracht, und das verschaffte ihm ein Gefühl großer Befriedigung. Dennoch bestand für mich nie der geringste Zweifel, dass er das alles für uns getan hatte, um uns, so gut er konnte, zu beschützen.

Als ich klein war, nahm er mich häufig in den Laden mit, ging mit mir an den Regalen entlang und weihte mich geduldig in die Geheimnisse der glänzenden Waren ein, auf die sich unser Wohlstand gründete. Es gefiel mir, wie er mit sanfter Ernsthaftigkeit sein Wissen weitergab, und ich empfand ein starkes Gefühl der Nähe zu ihm, weil er mich für alt genug hielt, um mir seine Kenntnisse anzuvertrauen. Er brachte mir diese Dinge bei, weil ich sie wissen musste, wenn ich ihm im Laden helfen sollte. Aber schon als Kind spürte ich, dass er mir noch etwas Tiefergehendes vermittelte: Es gibt im Leben eine Ordnung, das Leben hat einen Sinn. Für jeden Zweck gibt es das richtige Werkzeug. Begib dich nicht in ein Wolkenkuckucksheim. Achte auf die Details. Du kannst dein Leben nicht auf Träumen und Wünschen errichten. Du baust es von unten nach oben auf, mit harter Arbeit und klaren Entscheidungen. Es gibt Regeln und Dinge, die sich nicht verändern werden, nur weil du es gern so hättest. Deine Aufgabe ist es, diese Regeln zu verstehen. Wenn du das schaffst, wenn du dir Mühe gibst und klug bist, geht alles gut.

Ich hatte unendlichen Respekt vor meinem Vater und wollte unbedingt so werden wie er, aber als ich in die Oberschule kam, musste ich mich mit der Tatsache auseinandersetzen, dass wir ganz unterschiedliche Menschen waren. Ich besaß weder seinen Scharfblick noch seinen realistischen Behauptungswillen. Nach meiner Überzeugung musste man das Leben entdecken, wenn es zu gegebener Zeit auf einen zukam. Ich war nicht faul oder selbstverliebt, aber ich träumte gern. Ich konnte mir nicht vorstellen, mein ganzes Leben lang Eisenwaren zu verkaufen. Ich wollte reisen, sehnte mich nach Abenteuer, Spannung und Kreativität. Vor allem aber träumte ich davon, Rennfahrer zu werden wie mein Idol Jackie Stewart, der dreimalige Weltmeister und vielleicht beste Rennfahrer aller Zeiten.

Doch solche Träume erschienen unerfüllbar. Als die Zeit gekommen war, ein geeignetes College auszuwählen, entschied ich mich für die Landwirtschaftsschule, denn dorthin gingen die meisten meiner Freunde. Als mein Vater davon erfuhr, lächelte er und meinte: „Nando, die Familien deiner Freunde haben Farmen und Viehzuchtbetriebe. Wir führen Eisenwarengeschäfte." Es fiel ihm nicht schwer, mich zu einer Änderung meines Entschlusses zu überreden. Am Ende tat ich das Sinnvollste und ging auf die Wirtschaftsschule, ohne mir ernsthaft Gedanken darüber zu machen, wohin meine Entscheidung führte. Ich würde einen Abschluss machen oder auch nicht. Ich würde die Eisenwarengeschäfte weiterführen oder auch nicht. Wie mein Leben aussah, würde sich zeigen, wenn es so weit war. Bis dahin war ich den Sommer über einfach nur Nando: Ich spielte Rugby, stieg mit Panchito den Mädchen nach, raste mit meinem kleinen Renault über die Strandstraßen des Badeorts Punta del Este, wo wir eine Wohnung hatten, ging zu Partys und lag in der Sonne. Ich lebte für den Augenblick und war stets gern bereit, anderen den Vortritt zu lassen.

ALS DIE Fairchild über die Anden flog, musste ich an meinen Vater denken, der uns am Flughafen von Montevideo abgesetzt hatte. „Viel Vergnügen! Ich hole euch am Montag wieder ab." Er hatte meine Mutter und meine Schwester geküsst, mich herzlich umarmt und war zurück in sein Büro gefahren. Während wir in Chile unseren Spaß hatten, würde er tun, was er immer tat: Probleme lösen, hart arbeiten, für uns sorgen. Aus Liebe zu seiner Familie hatte er alles gut geplant; die Parrados wären für alle Zeiten glücklich. Daran glaubte er ganz fest.

„Bitte schnallen Sie sich an!", forderte der Steward uns nun auf. „Vor uns liegen Turbulenzen."

Panchito saß immer noch am Fenster, aber wir flogen durch dichten Nebel, sodass es nicht viel zu sehen gab. Plötzlich kippte die Fairchild zur Seite. Dann spürten wir vier heftige Stöße am Rumpf, als die Maschine hart auf einzelne Turbulenzen traf. Einige Passagiere johlten, als säßen sie in einer Achterbahn. Ich beugte mich nach vorn und blickte beruhigend zu Susy und meiner Mutter hinüber. Diese wirkte besorgt. Sie hatte das Buch, das sie gerade las, beiseitegelegt und hielt die Hand meiner Schwester. Ich wollte ihnen sagen, dass sie sich keine Sorgen machen sollten, aber noch bevor ich den Mund öffnen konnte, schien der Boden aus dem Rumpf zu brechen. Als die Maschine unvermittelt etwa hundert Meter weit absackte, rebellierte mein Magen.

Während die Piloten sich darum bemühten, die Fairchild zu stabilisieren, spürte ich Panchitos Ellbogen in meiner Seite. „Sieh mal, Nando. Ist das richtig, dass wir so dicht an den Bergen fliegen?"

Ich beugte mich hinüber und blickte durch das kleine Fenster. Wir flogen durch eine dichte Wolkendecke, aber durch Lücken sah ich, wie eine riesige Wand aus Fels und Schnee vorüberglitt. Die Fairchild wackelte heftig, und die schwankende Spitze der Tragfläche war keine zehn Meter von den schwarzen Berghängen entfernt. Einen kurzen Augenblick starrte ich sie ungläubig an, dann heulten die Motoren auf, weil die Piloten verzweifelt zu steigen versuchten. Der Rumpf vibrierte so heftig, dass ich fürchtete, er würde in Stücke brechen. Meine Mutter und Susy drehten sich um und sahen mich über die Sitzlehnen hinweg an. Einen kurzen Moment trafen sich unsere Blicke, dann erschütterte ein heftiges Zittern die Maschine. Das schreckliche Kreischen von schleifendem Metall erklang. Plötzlich sah ich über mir den offenen Himmel. Eisige Luft schlug mir ins Gesicht, und mit einer seltsamen Ruhe bemerkte ich, dass Wolken durch den Mittelgang wirbelten. Um das alles zu begreifen, blieb keine Zeit. Alles geschah während eines einzigen Herzschlags.

Dann wurde ich mit unglaublicher Kraft aus meinem Sitz gerissen und nach vorn geschleudert, in völlige Dunkelheit und Stille.

ALLES, WAS IM LEBEN ETWAS BEDEUTET

Hier, Nando, hast du Durst?"
Gustavo Zerbino kroch neben mich und drückte mir einen Schneeball auf die Lippen. Der Schnee war kalt und brannte beim Schlucken in meinem Hals, aber ich war so ausgedörrt, dass ich ihn in Klumpen hinunterwürgte und um mehr bettelte. Es war jetzt mehrere Stunden her, seit ich aus dem Koma erwacht war. Ich konnte wieder etwas klarer denken und hatte tausend Fragen.

Ich winkte Gustavo näher heran. „Wo ist meine Mutter? Wo ist Susy? Geht es ihnen gut?"

Sein Gesicht verriet nichts. „Ruh dich aus. Du bist immer noch sehr schwach." Er entfernte sich, und eine Zeit lang blieben alle auf Distanz. Immer wieder flehte ich sie an, mir etwas über meine Angehörigen zu sagen, aber meine Stimme war nur ein heiseres Flüstern, und sie konnten leicht so tun, als hörten sie es nicht.

Bibbernd lag ich auf dem Boden des Flugzeugrumpfes, während die anderen sich um mich herum zu schaffen machten. Mein Blick irrte umher. Verzweifelt sehnte ich mich danach, das warmherzige Lächeln meiner Mutter zu sehen, in ihre Arme geschlossen zu werden und zu hören, dass alles gut werde. Sie war der Mittelpunkt unserer Familie, und jetzt fehlte sie mir so sehr, dass mir das schlimmere Schmerzen zuzufügen schien als die Kälte oder das Pochen in meinem Kopf.

Als Gustavo wieder mit einem Schneeball zu mir kam, packte ich ihn am Ärmel. „Wo sind sie?", beharrte ich. „Bitte!"

Er blickte mir in die Augen. Offenbar erkannte er, dass ich für die Antwort bereit war. „Nando, du musst jetzt stark sein. Deine Mutter ist tot."

Einen Augenblick lang überkamen mich Trauer und Panik in derart heftiger Weise, dass ich fürchtete, den Verstand zu verlieren, aber dann formte sich in meinem Kopf ein Gedanke. Ich hörte ihn mit einer so klaren, von all meinen Gefühlen so losgelösten Stimme, als flüsterte mir jemand ins Ohr. *Weine nicht,* sagte die Stimme. *Tränen verschwenden Salz. Und Salz wirst du noch zum Überleben brauchen.* Ich war verblüfft, mit welcher Ruhe der Gedanke kam, und erschrocken über die kaltblütige Stimme, die ihn aussprach. Nicht um meine Mutter weinen?

„Das ist noch nicht alles", fuhr Gustavo fort. „Panchito ist tot. Guido auch. Und viele andere."

Ungläubig schüttelte ich schwach den Kopf. Wie konnte das passieren? Mir stieg ein Schluchzen in der Kehle hoch, aber noch bevor ich mich meiner Trauer und dem Schock ausliefern konnte, sprach die Stimme wieder. *Sie sind alle fort. Sie alle gehören zu deiner Vergangenheit. Vergeude deine Kraft nicht mit Dingen, die du nicht ändern kannst. Schau nach vorn. Sei vernünftig. Du wirst überleben.*

Da fiel mir meine Schwester ein, und ohne mich anstrengen zu müssen, tat ich, was die Stimme mir geraten hatte: Ich ließ die Trauer um meine Mutter und meine Freunde in die Vergangenheit gleiten. Angst um meine Schwester ergriff mich. Ich nahm meinen ganzen Mut zusammen und stellte die unvermeidliche Frage. „Gustavo, wo ist Susy?"

„Sie liegt da drüben." Er zeigte auf den hinteren Teil des Flugzeugs. „Aber sie ist schwer verletzt."

Plötzlich waren mir meine eigenen Verletzungen egal. Ich wollte nur noch meine Schwester sehen. Mühsam kam ich auf die Beine und versuchte zu gehen. Aber die Schmerzen in meinem Kopf ließen mich taumeln und unsanft stürzte ich wieder zu Boden. Einen kurzen Augenblick ruhte ich mich aus, dann rollte ich mich auf den Bauch und robbte auf den Ellbogen los. Um mich herum lagen zersplitterte Plastiktassen, zerfledderte Zeitschriften, Spielkarten und Bücher. Nicht weit vom Cockpit stapelten sich Flugzeugsitze kreuz und quer übereinander, und beiderseits des Mittelganges sah ich die zerborstenen Metallklammern, mit denen sie am Boden befestigt gewesen waren. Einen Moment lang malte ich mir aus, welch ungeheure Kraft notwendig gewesen war, um sie aus einer derart soliden Verankerung zu reißen.

Meine Schwester Susy, 1970

Zentimeterweise näherte ich mich Susy, doch schon bald verließen mich die Kräfte. Ich ließ den Kopf zum Ausruhen auf den Boden sinken, dann spürte ich Arme, die mich hochhoben und weitertrugen. Susy lag auf dem Rücken. Auf den ersten Blick schien sie nicht allzu schwer verletzt zu sein. An den Augenbrauen erkannte ich Blutspuren, aber offenbar hatte ihr jemand das Gesicht gewaschen. Sie hatte den neuen Mantel aus Antilopenleder an, den sie sich extra für die Reise gekauft hatte; sein weicher Pelzkragen strich in dem kalten Wind über ihre Wange.

Mit der Hilfe meiner Freunde konnte ich mich neben sie legen. Ich schlang die Arme um sie und flüsterte ihr ins Ohr: „Ich bin bei dir, Susy. Ich bin's, Nando." Sie drehte sich um und sah mich an, aber ihr Blick war leer, und ich war mir nicht sicher, ob sie mich überhaupt erkannte. Sie rollte sich in meinen Arm, als ob sie mir noch näher sein wollte, aber dann stöhnte sie leise und löste sich wieder von mir. Ich ließ sie eine weniger schmerzende Position finden, bevor ich meine Arme und Beine um sie schloss, damit sie so gut wie möglich vor der Kälte geschützt war. Stundenlang lagen wir so zusammen. Die meiste Zeit war sie still, nur manchmal schluchzte oder stöhnte sie leise. Ab und zu rief sie nach unserer Mutter. „Mama, bitte", weinte sie, „mir ist kalt, Mama, lass uns nach Hause gehen!"

Ihre Worte stachen mir ins Herz wie Pfeile. Susy war der kleine Liebling meiner Mutter gewesen, immer schon hatten sich die beiden besonders nahegestanden. Sie waren sich vom Wesen her sehr ähnlich – so sanft und geduldig, so unbeschwert in der Gegenwart der anderen. Ich kann mich nicht erinnern, dass sie jemals Streit gehabt hätten. Stundenlang waren sie zusammen, kochten, gingen spazieren oder redeten einfach nur. Ich glaube, meine Schwester erzählte meiner Mutter alles und fragte sie in allen wichtigen Dingen um Rat.

Als kleine Kinder spielten Susy und ich am liebsten miteinander. Als wir älter waren, wurde ich zu ihrem verlässlichen Vertrauten. Sie weihte mich in ihre Geheimnisse ein, erzählte mir von ihren Hoffnungen und Kümmernissen. Ich weiß noch, wie sie sich ständig Sorgen wegen ihres Gewichts machte – sie hielt sich für zu dick, was überhaupt nicht stimmte. Sie hatte den kräftigen, ausgeprägten Körperbau einer Turnerin oder Schwimmerin. Aber sie war jung, hatte noch nie einen Freund gehabt und fürchtete, die Jungs fänden sie nicht attraktiv. Ich sah die Schönheit ihrer klaren hellbraunen Augen, ihrer zarten Haut und ihres liebenswürdigen Gesichts. Wie konnte ich sie davon überzeugen, dass sie etwas ganz Besonderes war? Meine kleine Schwester bedeutete mir vom Augenblick ihrer Geburt an unendlich viel, und ich wusste, dass es meine Aufgabe sein würde, sie zu beschützen.

Als ich sie jetzt in den Armen hielt, empfand ich eine Hilflosigkeit, die entsetzlich wehtat. Ich hätte alles unternommen, um Susy die Schmerzen zu ersparen und sie nach Hause zu unserem Vater zu schicken.

Mein Vater! In dem ganzen Chaos hatte ich noch keine Zeit gehabt, daran zu denken, was er durchmachen musste. Vermutlich hatte er die Nachricht vom Absturz vor drei Tagen erhalten und lebte seitdem im Glauben, uns alle verloren zu haben. Mir war klar, dass er sich den Luxus trügerischer Hoffnungen nicht gestattete. Einen Flugzeugabsturz in den Anden überleben? In dieser Jahreszeit? Unmöglich. Ich sah ihn vor mir, wie er sich im Bett herumwarf, durch diesen unvorstellbaren Verlust fast um den Verstand gebracht. Nach all der Arbeit und Planung, bei seinem Vertrauen in die Ordnung der Welt und unser gesichertes Glück – wie konnte er da die brutale Wahrheit ertragen, dass er uns nicht beschützen konnte? Es brach mir das Herz. Der Gedanke, dass er mich tot glaubte, war mir unerträglich. Mich überfiel ein fast überwältigendes Verlangen, bei ihm zu sein, ihm zu zeigen, dass er uns nicht alle verloren hatte.

Aber der Nachmittag verging, es wurde kälter und dunkler und ich versank in schierer Verzweiflung. Mir kam es vor, als wären wir durch einen Spalt im Himmel in eine Hölle aus Eis hinabgestürzt, aus der jede Rückkehr in die normale Welt unmöglich war. Ich dachte an die Mythen und Legenden, in denen Helden in eine böse Unterwelt geraten, aus der es kein Entrinnen gibt. Wenn sie nach Hause zurückkehren wollen, müssen sie zahlreiche Prüfungen bestehen, mit Drachen und Dämonen kämpfen, ihre Kräfte mit Zauberern messen und mit dem Schiff über aufgewühlte Meere reisen. Selbst solch großen Helden gelingt die Rückkehr nur mit magischer Hilfe – einem fliegenden Teppich, einem geheimen Zauberspruch oder einem Wunderschwert. Wir hingegen waren unbedarfte junge Burschen, keiner hatte je auch nur einen Fuß ins Gebirge gesetzt. Die wenigsten hatten überhaupt schon einmal Schnee gesehen. Welches Zaubermittel würde uns nach Hause führen?

Ich vergrub mein Gesicht in Susys Haaren, um mein Schluchzen zu unterdrücken. Plötzlich flackerte eine alte Erinnerung in mir auf, eine Geschichte, die mein Vater mir unzählige Male erzählt hatte. Als junger Leistungssportler war er einer der führenden Ruderer Uruguays gewesen und eines Sommers zu einem Wettkampf nach Argentinien gereist. Er konnte das Hauptfeld schnell hinter sich lassen, aber ein argentinischer Konkurrent blieb ihm auf den Fersen. Beide kämpften mit aller

Kraft, um einen kleinen Vorsprung herauszuholen, aber selbst als die Ziellinie nahte, war nicht abzusehen, wer gewinnen würde. Meinem Vater brannte die Lunge, Krämpfe peinigten seine Beine, er wollte nur noch der Strapaze ein Ende machen. Es gibt andere Rennen, sagte er sich, als er den Griff um die Riemen lockerte. Aber als er zu seinem Konkurrenten hinüberblickte, sah er in dessen Gesicht die schiere Qual. „Da wurde mir klar, dass er ebenso litt wie ich", erzählte mein Vater, „und ich entschied, doch nicht aufzugeben, noch ein bisschen länger zu leiden." Mit neuer Entschlossenheit tauchte er die Riemen ins Wasser und zog mit aller Kraft, die er noch aufbringen konnte. Sein Herz raste, die Muskeln fühlten sich an, als würden sie von den Knochen gerissen, aber er zwang sich zu kämpfen, und im Ziel überquerte der Bug seines Bootes die Linie um wenige Zentimeter früher als der seines Konkurrenten.

Als er mir dieses Erlebnis zum ersten Mal schilderte, war ich fünf. Ich wurde nie müde, die Geschichte zu hören. Wenn ich ihn viele Jahre später in seinem Büro sah, wie er sich spätabends müde über den Schreibtisch beugte und durch seine dicken Brillengläser die Stapel von Rechnungen und Bestellformularen prüfte, sah ich im Geist immer noch den jungen Mann auf jenem Fluss, der litt, kämpfte und sich weigerte aufzugeben.

Als ich mich nun in dem Flugzeug an Susy kuschelte, suchte ich in mir nach der gleichen Stärke, fand aber nur Hoffnungslosigkeit und Angst. Ich hörte die Stimme meines Vaters: *Sei stark, Nando, sei klug. Du bist deines Glückes Schmied. Kümmre dich um die Menschen, die du liebst.* Aber jetzt weckten die Worte in mir nichts anderes als ein tiefes Gefühl des Verlustes.

Susy wand sich in meinen Armen. „Keine Sorge", flüsterte ich ihr zu, „sie werden uns finden. Dann bringen sie uns nach Hause." Ob ich selbst daran glaubte, weiß ich nicht. Mein einziger Gedanke war, meine Schwester zu trösten.

Die Sonne ging unter, und als das Licht im Flugzeugrumpf schwächer wurde, nahm die eisige Kälte der Luft noch an Schärfe zu. Die anderen, die bereits zwei lange Nächte im Gebirge erlebt hatten, suchten ihre Schlafstellen auf und bereiteten sich innerlich auf die Schrecken vor, die – wie wir alle wussten – noch vor uns lagen.

Wenig später herrschte in der Maschine völlige Dunkelheit, und die Kälte schloss sich um uns wie ein Schraubstock. Ihre Heftigkeit nahm mir den Atem. Es schien, als attackiere sie uns mit mörderischer Wut, und die einzige Möglichkeit, ihrem Angriff zu begegnen, bestand darin, mich noch enger an meine Schwester zu kuscheln. Selbst die Zeit schien eingefroren zu sein. Gequält von eisigen Böen, die durch Löcher und Risse pfiffen, lag ich auf dem kalten Boden und bibberte unkontrolliert. Einen gefrorenen Atemzug um den anderen, von einem zitternden Herzschlag zum nächsten durchlitt ich die Nacht. Als ich glaubte, es nicht mehr ertragen zu können, zog ich Susy näher an mich, und nur der Gedanke, dass ich sie tröstete, ließ mich bei Verstand bleiben. In der Dunkelheit konnte ich ihr Gesicht nicht sehen, hörte nur ihr mühsames Atmen. Ich schlang die Arme so sanft wie möglich um sie, wobei ich an ihre Verletzungen dachte, und legte meine Wange an ihre, sodass ich ihren warmen Atem im Gesicht spürte. So hielt ich sie die ganze Nacht umfangen. Sachte hielt ich sie in meinen Armen, als umarmte ich alles, was ich an Liebe, Frieden und Freude jemals gekannt hatte, als könnte ich so verhindern, dass mir alles, was mir im Leben etwas bedeutete, entglitt.

EIN VERSPRECHEN

In jener ersten Nacht nach dem Ende des Komas schlief ich sehr wenig, und mir kam es so vor, als wolle die Morgendämmerung nie mehr einsetzen. Aber endlich erhellte schwaches Licht die Fenster des Flugzeugrumpfes, und die anderen begannen sich zu rühren. Als ich sie sah, war ich entsetzt: Ihre Haare, Augenbrauen und Lippen glitzerten von dickem Raureif, und sie bewegten sich steif und langsam wie Greise. Als ich mich erheben wollte, bemerkte ich, dass meine Kleidung am Körper steif gefroren war und an meinen Brauen und Wimpern Eisklumpen hingen. Ich zwang mich aufzustehen. Immer noch pochte der Schmerz in meinem Kopf, aber es hatte aufgehört zu bluten. Ich stolperte nach draußen und warf einen ersten Blick auf die eigenartige weiße Welt, in die wir gestürzt waren.

Die Morgensonne beleuchtete die schneebedeckten Hänge mit einem harten, grellweißen Licht, und als ich den Blick über die Landschaft rund um die Absturzstelle schweifen ließ, musste ich die Augen zusammenkneifen. Der zerschmetterte Rumpf der Fairchild war auf einem verschneiten Gletscher zu liegen gekommen, der den östlichen Abhang eines gewaltigen Berges bedeckte. Die verbeulte Nase der Maschine zeigte ein wenig bergab. Der Gletscher schob sich in ein breites Tal hinab, das sich kilometerweit zwischen den Gebirgsketten hinzog und schließlich am östlichen Horizont in einem Labyrinth schneebedeckter

Bergrücken verschwand. Nur in dieser östlichen Richtung konnten wir eine größere Entfernung überblicken. Nach Norden, Süden und Westen versperrten hoch aufragende Berge die Sicht. Wir wussten, dass wir uns weit oben in den Anden befanden, aber über uns wuchsen die verschneiten Abhänge noch höher empor, und wenn ich die Gipfel sehen wollte, musste ich den Kopf in den Nacken legen. Ganz oben ragten die schwarzen Spitzen aus der Schneedecke; sie waren geformt wie grob behauene Pyramiden oder abgebrochene Backenzähne. Die Bergrücken bildeten einen gezackten Halbkreis, der die Absturzstelle umschloss wie ein gigantisches Amphitheater, und mitten auf der Bühne lag das Wrack der Fairchild.

Der seltsam traumartige Charakter der Gegend verblüffte mich. Nur mit Mühe konnte ich mich zu der Überzeugung durchringen, dass sie real war. Die Berge waren so weit von allen Dingen aus meinem Erfahrungsbereich entfernt, dass ich jede Bezugsmöglichkeit verloren hatte. Mein ganzes Leben hatte ich in Montevideo verbracht, einer Stadt mit eineinhalb Millionen Einwohnern, einem künstlichen Gebilde, das zum Nutzen der Menschen errichtet worden war. Dagegen waren die Anden von der Erdkruste in die Höhe geschoben worden, und das schon Jahrmillionen bevor die ersten Menschen auf unserem Planeten wandelten. In diesem Umfeld kam nichts dem menschlichen Leben entgegen oder nahm auch nur seine Existenz zur Kenntnis. Die Kälte quälte uns. Die dünne Luft machte unseren Lungen zu schaffen. Das ungefilterte Sonnenlicht blendete uns und ließ Blasen auf Lippen und Haut entstehen. Und auf den endlosen, kilometerlangen gefrorenen Hängen um uns herum gab es keinen Vogel, kein Insekt, keinen einzigen Grashalm. Selbst wenn wir auf einer Insel mitten im Ozean gestrandet wären oder uns in der Sahara verirrt hätten, wären unsere Überlebenschancen besser gewesen. Wir waren auf absurde Weise deplatziert wie ein Seepferdchen in der Wüste oder eine Blume auf dem Mond. Ein grässlicher Gedanke wurde in meinem Kopf immer konkreter: Leben ist hier etwas Anomales, und die Berge werden diese Anomalie nicht lange dulden.

Wir spielten gegen einen unbekannten, unnachsichtigen Gegner. Unser Einsatz war immens hoch, und dabei kannten wir noch nicht einmal die wichtigsten Spielregeln. Mir war klar, dass ich über sie Bescheid wissen musste, wenn ich mein Leben retten wollte, aber die kalte weiße Welt um mich herum bot mir keinerlei Anhaltspunkte.

Ich hätte mich besser in die neue Realität hineingefunden, wenn ich mehr Erinnerungen an den Absturz gehabt hätte. Doch ich hatte ja schon früh das Bewusstsein verloren. Die meisten anderen Überlebenden hatten hingegen jede Sekunde der Katastrophe miterlebt, und als sie über die Einzelheiten und die Verzweiflung der nachfolgenden Tage berichteten, wurde mir eines deutlich: Es war ein Wunder, dass wir noch lebten.

Ich konnte mich an den Flug über den Planchón-Pass erinnern. In der dichten Wolkendecke hatte die Sichtweite bei null gelegen, und die Piloten hatten sich auf ihre Instrumente verlassen müssen. Irgendwann erfasste uns ein Abwind, der die Maschine mindestens hundert Meter nach unten, unter die Wolken, riss. In diesem Augenblick sahen die Piloten vermutlich zum ersten Mal den dunklen Bergrücken unmittelbar vor uns aufragen. Sie gaben sofort Gas, woraufhin die Nase der Fairchild sich um ein paar Grad aufrichtete, sodass ein frontaler Aufprall vermieden wurde. Aber die Maßnahme erfolgte so spät, dass die Maschine es nicht mehr ganz über den Berg schaffte. Ungefähr an der Stelle, wo die Tragflächen am Rumpf befestigt waren, krachte ihre Unterseite gegen den Grat. Die Folgen waren katastrophal. Zuerst wurden die Tragflächen abgerissen; die rechte trudelte in Spiralen zum Pass hinunter, die linke schlug gegen den Rumpf und schlitzte ihn mit dem Propeller auf. Einen Sekundenbruchteil später brach die Maschine direkt über meinem Kopf entzwei, und der Schwanz stürzte in die Tiefe. Alle, die hinter mir gesessen hatten, waren verloren – darunter der Navigator, der Steward und die drei Kartenspieler. Einer von ihnen war Guido.

Genau in diesem Augenblick hob mich eine unbeschreibliche Kraft von meinem Sitz und schleuderte mich nach vorn, wo ich irgendwo aufprallte, vermutlich gegen die Wand zwischen Passagierraum und Cockpit. Ich verlor das Bewusstsein und der Absturz war für mich vorüber. Die anderen erlebten eine weitere entsetzliche Phase: Ohne Tragflächen, Motoren und Schwanz schoss der Rumpf vorwärts wie eine außer Kontrolle geratene Rakete. Dabei ereignete sich das erste von vielen Wundern. Das Flugzeug flatterte nicht und geriet nicht ins Trudeln, sondern hielt sich – aufgrund welcher aerodynamischen Prinzipien auch immer – noch so lange in der Höhe, bis es einen weiteren Bergrücken überquert hatte. Schließlich aber verlor es an Bewegungsenergie, die Nase kippte vornüber, und die Maschine begann nach unten zu sacken. Jetzt rettete uns ein zweites Wunder: Der Fallwinkel der Fairchild entsprach fast genau dem Gefälle des steilen Abhangs, über den wir in diesem Moment flogen. Wäre dieser Winkel nur ein paar Grad flacher oder steiler gewesen, hätte sich der Rumpf beim Aufprall überschlagen und wäre völlig zu Bruch gegangen. Stattdessen landete die Maschine auf dem Bauch und raste wie ein Rodelschlitten den schneebedeckten Hang hinunter. Die Menschen an Bord schrien und beteten laut, während das Flugzeug mit dreihundert Stundenkilometern über vierhundert Meter abwärtsschoss. Zum Glück fand es einen Weg zwischen Felsbrocken und Gesteinsvorsprüngen hindurch und blieb schließlich mit einem gewaltigen Ruck in einer riesigen Schneewehe stecken. Die Nase wurde eingedrückt wie ein Pappbecher. Im Passagierraum rissen die Sitze aus ihren Verankerungen und prallten mit den in ihnen befindlichen Menschen gegen die Trennwand zum Cockpit. Mehrere Passagiere wurden sofort zerquetscht, als sich die Reihen ineinanderschoben wie der Balg eines Akkordeons. Am Ende bildeten die Sitze einen wüsten Haufen, der den vorderen Teil der Kabine fast bis zur Decke ausfüllte.

Coche Inciarte, ein Anhänger der Mannschaft, berichtete, der Rumpf sei nach dem Aufprall zur Seite gekippt und leicht schräg im Schnee liegen geblieben. Erst herrschte nur benommenes Schweigen, aber schon wenig später wurde die Stille von leisem Stöhnen und dann von spitzen Schmerzensschreien durchbrochen. Coche lag unverletzt in dem Durcheinander der Sitze und war erstaunt, dass er noch lebte.

Gustavo Zerbino erzählte, er habe beim ersten Aufprall gegen den Bergkamm gesehen, wie der Sitz auf der anderen Seite des Ganges losgerissen worden und im Himmel verschwunden sei. Als der Rumpf den Abhang hinabschoss, stand Gustavo auf und klammerte sich an die Gepäckablage über seinem Kopf. Er schloss die Augen und betete. Er war überzeugt, dass er sterben würde. Wie durch ein Wunder stand er immer noch, als die Maschine in die Schneeverwehung raste und plötzlich zum Stillstand kam.

Als Gustavo die Augen öffnete, trat er unwillkürlich einen Schritt zurück und versank sofort bis zu den Hüften im Schnee. Als er aufblickte, erkannte er die gezackte Bruchkante, wo der Schwanz vom Rumpf abgerissen war, und begriff, dass alle und alles hinter ihm verschwunden waren. Der Fußboden befand sich jetzt auf Höhe seiner Brust, und als er sich wieder ins Flugzeug zog, musste er über den bewegungslosen Körper einer Frau mittleren Alters klettern. Ihr Gesicht war voller Blutergüsse und blutverschmiert, aber er erkannte meine Mutter. Gustavo, ein Medizinstudent im ersten Studienjahr, bückte sich und fühlte ihren Puls, aber sie war schon tot.

So begab er sich nach vorn zu dem Haufen mit den Sitzen, hob einen herunter und fand darunter Roberto Canessa, auch er Medizinstudent und ebenfalls unverletzt. Im nächsten Augenblick zogen die beiden weitere Sitze weg und versorgten, so gut es ging, die verletzten Passagiere.

Zur gleichen Zeit erhob sich in dem Wrack Marcelo Pérez. Er hatte bei dem Aufprall einen Schlag in die Seite bekommen, und sein Gesicht war voller Blutergüsse, aber das waren unbedeutende Verletzungen. Als unser langjähriger Mannschaftskapitän übernahm er sofort das Kommando. Als Erstes rief er die Unverletzten zu sich und wies sie an, jene Passagiere zu bergen, die noch unter den Sitzen gefangen waren.

Als sie einer nach dem anderen zum Vorschein kamen, untersuchten Roberto und Gustavo ihren Zustand und gaben sich alle Mühe, die Verletzungen zu versorgen. Arturo Nogueira hatte sich beide Beine mehrfach gebrochen. Alvaro Mangino und Pancho Delgado, beide mit Spielern unseres Teams befreundet, hatten jeweils ein gebrochenes Bein. Ein 15 Zentimeter langes Stahlrohr hatte sich wie eine Speerspitze in Enrique Plateros Magen gebohrt, und Gustavo musste seinem Freund das Rohr aus den Eingeweiden ziehen. Noch grauenhafter war die Verletzung am rechten Bein von Rafael Echavarren, der ebenfalls mit verschiedenen Spielern befreundet war: Der Wadenmuskel war vom Knochen abgerissen und hatte sich nach vorn verdreht, sodass er als glibberige Masse quer über das Schienbein hing. Der Beinknochen lag völlig frei. Gustavo unterdrückte seinen Ekel, griff nach dem losen Muskel, drückte ihn an seinen Platz zurück und bandagierte das blutige Bein mit Stoffstreifen von einem Hemd. Er verband auch Enriques Bauch, woraufhin unser ruhiger, unerschütterlicher Außenstürmer sofort mithalf, andere aus ihrem Gefängnis unter den Sitzen zu befreien.

Die „Ärzte" stellten zu ihrem Erstaunen fest, dass die meisten Überlebenden nur kleinere Verletzungen erlitten hatten. Roberto und Gustavo säuberten und verbanden die Wunden. Danach schickten sie jene, die an Armen und Beinen verletzt waren, hinaus auf den Gletscher. Dort konnten die Patienten ihre Gliedmaßen im Schnee kühlen und so die Schmerzen betäuben. Alle unverletzten Überlebenden aber machten sich an die Arbeit, und schon bald waren sämtliche Passagiere aus dem Sitzstapel geborgen – mit einer Ausnahme: Señora Mariani, eine Frau mittleren Alters, die ihr Ticket direkt bei der Luftwaffe gekauft und sich so einen preisgünstigen Flug zur Hochzeit ihrer Tochter in Chile gesichert hatte. Beim Aufprall war ihr Sitz nach vorn abgeknickt und hatte ihre Beine eingeklemmt. Auch mit noch so viel Anstrengung war sie nicht zu befreien. Sie schrie vor Schmerzen, aber niemand konnte etwas für sie tun.

Auch unserem Mannschaftsarzt und seiner Frau konnte niemand helfen. Beide waren aus ihren Sitzen geschleudert worden und lagen tot nebeneinander vorn im Passagierraum. Susy wurde neben der Leiche meiner Mutter gefunden. Sie war zwar bei Bewusstsein, litt aber unter

Verwirrungszuständen. Blut lief ihr über das Gesicht. Roberto wischte es ab und stellte fest, dass es von einer oberflächlichen Platzwunde stammte, doch völlig zu Recht nahm er an, dass sie wesentlich schwerere innere Verletzungen erlitten hatte. Ein paar Meter weiter stieß er auf Panchito, der am Kopf blutete und halb bewusstlos dahindämmerte. Roberto wischte auch ihm das Blut vom Gesicht, redete ihm gut zu und ging weiter.

Vorn in der Maschine entdeckte er mich. Ich war bewusstlos, mein Gesicht war voller Blut und Blutergüsse, und mein Kopf war bereits auf die Größe eines Basketballs angeschwollen. Roberto fühlte mir den Puls und war überrascht, dass mein Herz noch schlug. Aber meine Verletzungen erschienen ihm so schwer, dass er mir keine Chance gab. Daher ging er mit Gustavo weiter; sie wollten ihre Bemühungen auf die konzentrieren, denen sie nach ihrer Einschätzung noch helfen konnten.

Aus dem Cockpit war ebenfalls ein Stöhnen zu hören, aber die Tür zur Pilotenkabine war durch die Wand aus verhakten Sitzen immer noch versperrt. Roberto und Gustavo mussten hinaus ins Freie klettern und sich durch den Schnee zum vorderen Teil des Rumpfes quälen, wo sie dann durch den Gepäckraum ins Cockpit klettern konnten. Ferradas und Lagurara saßen noch angeschnallt auf ihren Sitzen. Der Aufprall in die Schneewehe hatte die Nase der Fairchild zusammengedrückt und den Piloten die Instrumententafel gegen den Brustkorb geschoben. Ferradas lebte nicht mehr. Lagurara war bei Bewusstsein, hatte aber schwere Verletzungen und entsetzliche Schmerzen. Roberto und Gustavo versuchten, die Instrumententafel von seiner Brust wegzuzerren, aber sie bewegte sich nicht. „Wir haben Curicó passiert", murmelte Lagurara derweil, „wir haben Curicó hinter uns." Es gelang den beiden, das Rückenpolster seines Sitzes zu entfernen und so den Druck auf seinen Brustkorb zu verringern, aber viel mehr konnten sie nicht für ihn tun. Um seinen Durst zu lindern, gaben sie ihm ein wenig Schnee zu essen, dann fragten sie, ob sie das Funkgerät der Fairchild benutzen könnten. Lagurara erklärte ihnen, wie sie den Sender einstellen sollten, aber als sie einen Funkspruch absetzen wollten, stellte sich heraus, dass das Gerät tot war. Der Kopilot bat um mehr Schnee, und die Ärzte versorgten ihn damit, bevor sie sich zum Gehen wandten. Lagurara bettelte sie an, ihm den Revolver aus seinem Pilotenkoffer zu geben, aber sie beachteten ihn nicht weiter, sondern begaben sich wieder in den Passagierraum.

Dort stellte Marcelo derweil ein paar gruselige Berechnungen an. Wir waren um 15.30 Uhr abgestürzt. Nach seiner Vermutung könnten die

Behörden frühestens um vier bestätigen, dass die Maschine vermisst wurde. Bis sie den Einsatz von Rettungshubschraubern organisiert hätten, wäre es halb sechs oder sechs. Die Hubschrauber könnten bestenfalls um halb acht bei uns sein, da aber kein Pilot, der bei klarem Verstand war, nachts in die Anden flöge, liefe die Rettungsaktion erst am nächsten Tag an. Wir müssten die Nacht hier verbringen. Das Tageslicht wurde bereits schwächer. Die Temperatur, die schon beim Absturz unter dem Gefrierpunkt gelegen hatte, sank schnell. Marcelo wusste, dass wir nicht auf die Kälte einer Andennacht eingerichtet waren. Wir trugen leichte Sommerkleidung. Wir hatten keine warmen Mäntel, keine Decken, nichts, was uns vor der grimmigen Kälte schützen konnte. Wenn es nicht gelang, den Flugzeugrumpf zu einer brauchbaren Behausung zu machen, würde keiner von uns den nächsten Morgen erleben.

Marcelo sammelte eine Truppe von Helfern und gab ihnen den Auftrag, die Toten und Verletzten ins Freie zu tragen. Danach wies er sie an, auf dem Fußboden möglichst viel Fläche frei zu machen. Es war eine zermürbende Arbeit und sie ging quälend langsam voran. Als die Dunkelheit hereinbrach, hatten sie erst ein kleines Stück in der Nähe des klaffenden Lochs am hinteren Rumpfende frei geräumt.

Um 18 Uhr ließ Marcelo die Verletzten wieder hereinbringen; dann kamen die Gesunden hinzu und richteten sich auf die vor ihnen liegende lange Nacht ein. Nachdem jeder seinen Platz gefunden hatte, baute Marcelo eine behelfsmäßige Wand, um die große Öffnung im Rumpf zu verschließen. Mit Roy Harleys Hilfe stapelte er Koffer, Flugzeugtrümmer und Sitze in dem Loch auf und verfugte die Lücken mit Schnee. Die Wand war alles andere als winddicht, und in der Maschine herrschten immer noch eisige Temperaturen, aber Marcelo hoffte, dass wir wenigstens vor den schlimmsten Minusgraden geschützt sein würden.

An Bord der Fairchild waren 45 Passagiere und Besatzungsmitglieder gewesen. Man wusste von fünf Toten an der Absturzstelle. Das Schicksal acht weiterer Personen war ungeklärt. Damit befanden sich noch 32 Menschen lebend vor Ort. Die meisten kauerten dicht an dicht auf dem Boden des Rumpfes. Die Fläche maß nicht mehr als zweieinhalb mal drei Meter. Es war schrecklich unbequem und trotz Marcelos Wand erwies sich die Kälte als unerträglich. Die Überlebenden drängten sich zusammen, und einige baten ihren Nebenmann, ihnen in die Arme und Beine zu kneifen, um so die Durchblutung anzuregen.

Irgendwann fand Roberto heraus, dass man die Stoffbezüge der Sitze ganz leicht durch das Öffnen von Reißverschlüssen abnehmen und als Decken verwenden konnte. Sie bestanden aus dünnem Nylon und boten kaum Schutz gegen die Kälte, aber Roberto war klar, dass die Überlebenden alles in ihrer Macht Stehende tun mussten, um so viel Körperwärme wie möglich zu speichern.

Mich legten sie neben Susy und Panchito an den Fuß von Marcelos Wand. Es war der kälteste Teil der Kabine. Der Boden war beim Absturz weggerissen worden und von unten strömte kalte Luft herein. Sie brachten uns dort unter, weil sie die Hoffnung, dass wir noch lange leben würden, bereits aufgegeben hatten und die wärmeren Plätze für die aufsparen wollten, denen sie größere Überlebenschancen gaben. Susy und Panchito waren bei Bewusstsein und müssen entsetzlich gelitten haben, ich aber lag noch im Koma und bekam nichts davon mit. Möglicherweise rettete die eisige Luft mir sogar das Leben, weil sie die Schwellung verminderte, die mein Gehirn ansonsten zerstört hätte. Irgendwann erkannte Diego Storm, auch er ein Medizinstudent, in meinem Gesicht Anzeichen, dass ich vielleicht am Leben bleiben würde, und zog mich an eine wärmere Stelle im Rumpf.

Als das letzte Tageslicht schwand, war es, als sickerte die Dunkelheit in die Seelen der Überlebenden. Nach dem Absturz hatte zielgerichtete Arbeit sie davon abgehalten, sich ihren Ängsten hinzugeben, und durch die körperliche Tätigkeit war ihnen warm geworden. Jetzt aber schützte nichts sie vor der Kälte und – noch schlimmer – vor der Verzweiflung. Selbst diejenigen, die im Hellen noch eine unerschütterliche Ruhe an den Tag gelegt hatten, weinten jetzt oder schrien vor Schmerzen. Panchito flehte mit dünner Stimme herzzerreißend um Hilfe. Susy betete und rief nach unserer Mutter. Señora Mariani schrie und jammerte in ihrem Schmerz. Im Cockpit delirierte der Kopilot, bettelte um seine Pistole und wiederholte immer wieder: „Wir haben Curicó hinter uns, wir haben Curicó hinter uns." Einige schafften es, ein wenig zu schlafen, aber die meisten litten einfach nur vor sich hin.

Endlich graute der Morgen. Marcelo war als Erster auf den Beinen. Die anderen mochten sich nicht erheben, aber er rüttelte sie auf. Als sie sich in dem Tageslicht bewegten, das jetzt in die Kabine fiel, besserte sich die Stimmung. Heute würden die Rettungsmannschaften sie bestimmt finden, und sicher hätten sie das Schlimmste hinter sich.

Roberto und Gustavo schauten nach den Verletzten. Panchito lag steif und unbeweglich da. Er war während der Nacht gestorben. Im Cockpit fanden sie Laguraras leblosen Körper. Auch Señora Mariani bewegte sich nicht, aber als Roberto sie anfasste, schrie sie wieder vor Schmerzen. Er ließ sie in Ruhe. Als er das nächste Mal nach ihr sah, war sie tot.

Susy war bei Bewusstsein, fantasierte aber immer noch. Roberto massierte ihr die von Erfrierungen schwarzen Füße und wischte ihr das Blut aus den Augen. Susy war immerhin so weit bei Verstand, dass sie sich bei ihm für seine Fürsorge bedankte.

Während die Ärzte ihre Runde machten, hatten Marcelo und Roy die Wand teilweise wieder eingerissen. Für die Überlebenden begann der zweite Tag im Gebirge. Den ganzen Tag über suchten sie am Himmel nach Anzeichen der Rettungsmannschaft. Am späten Nachmittag hörten sie ein Flugzeug vorüberfliegen, aber der Himmel war bewölkt, und sie wussten, dass man sie nicht gesehen hatte. Im schwindenden Tageslicht sammelten sie sich im Rumpf und machten sich auf eine weitere lange Nacht gefasst. Marcelo hatte eine bessere, winddichtere Wand errichtet. Dennoch litten sie entsetzlich.

Am Nachmittag des dritten Tages erwachte ich aus dem Koma, und als mein Verstand wieder zu arbeiten begann, sah ich, dass die Gesichter meiner Freunde aufgrund der Anspannung und des Schlafmangels müde und blass waren. Körperliche Erschöpfung und die kräftezehrende dünne Luft machten ihre Bewegungen langsam und unsicher. Viele stolperten und schlurften auf der Unglücksstelle herum, als wären sie in den letzten 36 Stunden um Jahrzehnte gealtert.

Wir waren jetzt noch 29 Überlebende, die meisten zwischen 18 und 25 Jahre alt. Mit 38 war Panchitos Onkel Javier Methol der Älteste; er litt so stark an Höhenkrankheit, dass er kaum stehen konnte. Einzig überlebendes Besatzungsmitglied war der Flugingenieur Carlos Roque, aber der Absturz hatte bei ihm einen derart schweren Schock verursacht, dass wir von ihm nur sinnloses Gerede zu hören bekamen. Er konnte uns nicht einmal sagen, wo die Notfallausrüstung wie Leuchtpistolen und Decken aufbewahrt wurde. Niemand wusste Bescheid, niemand hatte auch nur die geringste Ahnung vom Gebirge, von Flugzeugen oder Überlebenstechniken, aber in Panik gerieten wir nicht. Führungsgestalten kristallisierten sich heraus, und wir handelten so, wie wir es bei den Christian Brothers gelernt hatten: als Team.

Das Verdienst, uns an diesen entscheidenden ersten Tagen das Überleben gesichert zu haben, gebührt zum größten Teil Marcelo, der mit seiner entschlossenen Führung vielen von uns das Leben rettete. Er reagierte sofort auf die beängstigende Herausforderung und legte dabei die gleiche Kombination aus Mut, Entschlossenheit und Weitsicht an den Tag, die uns auch auf dem Rugbyfeld so viele Siege gesichert hatte. Er begriff sofort, dass man sich hier kaum Fehler erlauben durfte und der Berg unzweifelhaft seinen Tribut für Dummheiten fordern würde.

Nachts schlief er im kältesten Teil des Rumpfes und forderte die Unverletzten jedes Mal auf, es ihm gleichzutun. Er zwang uns, etwas zu unternehmen, wenn viele sich einfach nur in das Wrack legen und auf die Rettungskräfte warten wollten. Vor allem aber verbreitete er Zuversicht. Er war sicher, dass Hilfe unterwegs war, und konnte auch andere von dieser Ansicht überzeugen. Einem natürlichen Überlebensinstinkt folgend, ging er trotzdem auf Nummer sicher und sammelte alles Essbare ein, das sich in Koffern befand oder in der Kabine verstreut lag. Viel war es nicht: ein paar Schokoriegel und andere Süßigkeiten, einige Nüsse und Kekse, getrocknete Früchte, mehrere Gläser mit Marmelade, drei Flaschen Wein, etwas Whisky und einige Flaschen Likör. Bereits am zweiten Tag fing Marcelo an, die Nahrung behutsam zu rationieren. Jede Mahlzeit bestand nur aus einem kleinen Stück Schokolade oder einem Klecks Marmelade, die mit einem Schluck Wein aus dem Deckel einer Spraydose hinuntergespült wurde. Es reichte bei niemandem, um den Hunger zu stillen, aber es war ein Ritual und gab uns Kraft.

In jenen ersten Tagen glaubten wir, die Rettungsmannschaft sei unsere einzige Überlebenschance, und an diese Hoffnung klammerten wir uns mit beinahe religiösem Eifer. Selbst als nach mehreren Tagen immer noch keine Rettung in Sicht war, ließ Marcelo keinen Zweifel daran aufkommen, dass man uns alle in Sicherheit bringen würde. Ob er wirklich selbst daran glaubte, kann ich nicht sagen. Mir war damals nicht klar, welche Vorwürfe er sich machte, dass er uns alle zu dieser Katastrophenreise überredet hatte.

Am Nachmittag des vierten Tages flog eine kleine Propellermaschine über die Absturzstelle, und mehrere Überlebende waren sicher, dass sie mit den Flügelspitzen gewackelt hatte. Wir hielten es für ein Signal, dass man uns gesehen hatte, und Jubel machte sich breit. Wir warteten, während die langen Schatten des Spätnachmittags die Berge hinabkrochen, aber bei Einbruch der Dunkelheit waren immer noch keine Retter da. Marcelo behauptete steif und fest, die Piloten des Flugzeugs würden schon bald Hilfe schicken, aber andere bekannten sich erstmals zu ihren Zweifeln.

„Warum dauert es so lange, bis sie uns finden?", fragte jemand.

Vielleicht, so erläuterte Marcelo, könnten Hubschrauber in der dünnen Gebirgsluft nicht fliegen, sodass die Rettungsmannschaft zu Fuß kommen müsse, und das dauere länger.

„Aber warum sind sie dann nicht über uns hinweggeflogen und haben Vorräte abgeworfen?"

Das sei unmöglich, erwiderte Marcelo. Alles, was ein Flugzeug ab-

72 TAGE IN DER HÖLLE

werfen könne, versinke unweigerlich im Schnee und sei verloren. Das wüssten die Piloten.

Die meisten gaben sich mit seinen Erklärungen zufrieden. Außerdem vertrauten sie zutiefst auf Gottes Güte. „Er hat uns davor bewahrt, bei dem Absturz ums Leben zu kommen", sagten sie. „Warum sollte er das getan haben, wenn er uns hier sterben lassen will?"

Ich hörte solchen Gesprächen zu, während ich mich viele Stunden lang um Susy kümmerte. Wie gern hätte ich zu Gott ebenso viel Vertrauen gehabt wie sie! Aber er hatte mir bereits meine Mutter, Panchito und viele andere genommen. Warum sollte er uns retten und sie nicht? Ich wurde das quälende Gefühl nicht los, dass wir auf uns allein gestellt waren. Ich litt unter einem Gefühl entsetzlicher Hilflosigkeit und der Gewissheit, dass dringend etwas geschehen müsse. Ich wusste, dass Susy im Sterben lag und für sie nur dann Hoffnung bestand, wenn sie bald in ein Krankenhaus kam. Jeder verlorene Augenblick war eine Qual für mich. Obwohl ich unablässig für das Eintreffen der Retter oder einen göttlichen Eingriff betete, beunruhigte es mich, dass viele sich ganz und gar auf die Ankunft der Rettungskräfte verließen.

Aber schon bald bemerkte ich, dass auch andere so dachten wie ich. Zu den „Realisten", wie ich uns insgeheim nannte, gehörten Roberto und Gustavo, aber auch Fito Strauch, ein früheres Mitglied der Old Christians, der auf Einladung seines Cousins Eduardo an der Reise teilgenommen hatte, sowie Carlitos Páez, ein Stella-Maris-Absolvent, der selbst nicht Rugby spielte, aber noch alte Schulfreunde im Team hatte. Unsere Gruppe diskutierte schon seit Tagen darüber, den Berg über uns zu besteigen, um das Gelände dahinter überblicken zu können. Vielleicht würden wir es auf diese Weise schaffen, Hilfe zu holen, denn wir alle wussten, was der im Sterben liegende Kopilot gestöhnt hatte: „Wir haben Curicó hinter uns, wir haben Curicó hinter uns …" Jemand hatte im Cockpit einen Satz Flugkarten gefunden, und Arturo Nogueira, der mit seinen zerschmetterten Beinen an die Kabine gefesselt war, hatte sie stundenlang studiert. Schließlich hatte er die Kleinstadt Curicó gefunden: jenseits der chilenischen Grenze lag sie ein ganzes Stück hinter den westlichen Hängen der Anden. Keiner von uns war ein Experte im Lesen solch komplizierter Karten, aber eines schien klar zu sein: Wenn wir tatsächlich schon bis Curicó gekommen waren, hatten wir den Gebirgszug in seiner ganzen Breite überquert. Demnach musste sich die Absturzstelle irgendwo im westlichen Vorgebirge der Anden befinden. Bestärkt wurden wir in dieser Ansicht durch den Höhenmesser der Fairchild, der für unsere Position eine Höhe von gut 2100 Metern anzeigte.

Wären wir mitten in den Anden gewesen, hätte die Stelle viel höher gelegen. Wir befanden uns sicherlich im Vorgebirge und die hohen Bergrücken westlich von uns waren die letzten hohen Gipfel der Andenkette. Wir waren überzeugt, dass dahinter die grünen Felder Chiles lagen. Dort würden wir ein Dorf finden, oder zumindest die Hütte eines Schäfers. Dort würde jemand sein, der uns helfen würde. Ein ganz klein wenig verspürten wir das Gefühl, die Dinge in den Griff zu bekommen. Zumindest eines wussten wir: *Im Westen liegt Chile.* Dieser Satz wurde für uns sehr schnell zu einer stehenden Redewendung und gab unseren Hoffnungen Auftrieb.

AM MORGEN des 17. Oktober – es war unser fünfter Tag im Gebirge – waren Carlitos, Roberto, Fito und der 24-jährige Numa Turcatti der Ansicht, es sei an der Zeit, auf den Berg zu steigen.

Numa gehörte nicht zu den Old Christians – er hatte die Reise als Freund Pancho Delgados und eines unserer Spieler mitgemacht –, war aber ebenso fit wie wir und hatte den Absturz fast ohne eine Schramme überstanden. Ich kannte ihn noch nicht sehr gut, doch in den wenigen schwierigen Tagen, die wir jetzt zusammen waren, hatte er mich mit seiner Ruhe und stillen Kraft beeindruckt. Numa geriet nie in Panik und wurde nie wütend. Er verfiel nie in Selbstmitleid oder Verzweiflung. An ihm war etwas Edles, Selbstloses, das für jeden zu erkennen war. Es schien, als liege ihm das Wohlergehen der anderen ebenso am Herzen wie sein eigenes, und wir alle schöpften aus seinem Vorbild viel Kraft. Wenn wir irgendwann aus diesen Bergen herauskämen, hätte Numa einen Anteil daran, das wusste ich, und es überraschte mich nicht im Mindesten, dass er sich freiwillig für die Klettertour gemeldet hatte.

Als wir kurz nach dem Absturz Schwierigkeiten gehabt hatten, in dem tiefen, weichen Schnee rund um den Flugzeugrumpf vorwärtszukommen, war Fito auf die Idee gekommen, dass wir uns die Sitzkissen der Fairchild mit Sicherheitsgurten oder Kabelstücken an die Füße binden sollten. Auf diese Weise erhielten wir behelfsmäßige Schneeschuhe. Auch als die vier Kletterer nun über die tiefen Schneewehen in Richtung Berg loszogen, hatten sie die Kissen an ihren Schuhen befestigt. Auf dem Weg zum angestrebten Gipfel wollten sie auch nach dem abgebrochenen Schwanz der Maschine suchen, der – wie wir alle hofften – voller Lebensmittel und warmer Kleidung war. Wir fragten uns sogar, ob darin vielleicht noch jemand überlebt hatte. Außerdem hatten wir von Carlos Roque, der wieder halbwegs bei Verstand war, erfahren, dass auch die Batterien für das Funkgerät im Heck verstaut gewesen waren. Wenn wir sie fanden, konnten wir vielleicht das Funkgerät reparieren und einen Hilferuf senden.

Die vier machten sich bei gutem Wetter auf den Weg. Ich wünschte ihnen alles Gute und beschäftigte mich dann wieder mit der Pflege meiner Schwester.

Als die Kletterer zurückkehrten, lagen bereits die Schatten des Nachmittags über der Fairchild. Ich blickte auf und sah, wie die vier in die Maschine stolperten und zu Boden sanken. Sie waren körperlich am Ende und schnappten nach Luft. Sofort wurden sie von den anderen umlagert und mit Fragen bestürmt; alle waren erpicht auf ermutigende Neuigkeiten. Ich erkundigte mich bei Numa, wie es gewesen sei.

Er schüttelte den Kopf und warf mir einen finsteren Blick zu. „Verdammt hart, Nando." Er rang nach Luft. „Es ist viel steiler, als es von hier unten aussieht."

„Die Luft ist zu dünn", fügte Roberto hinzu. „Man kann nicht atmen. Und man kann sich nur ganz langsam bewegen."

Numa nickte. „Der Schnee ist zu tief, jeder Schritt ist eine Qual. Und unter dem Schnee lauern Gletscherspalten. In eine wäre Fito beinahe hineingefallen."

„Habt ihr im Westen irgendwas gesehen?", fragte ich.

„Wir haben es kaum bis auf die halbe Höhe geschafft. Gesehen haben wir überhaupt nichts. Die Berge versperren die Aussicht."

Ich wandte mich an Roberto. „Was meinst du? Können wir hinaufklettern, wenn wir es noch mal versuchen?"

„Keine Ahnung, Mann", flüsterte er, „ich weiß es nicht."

„Diesen Berg können wir nicht besteigen", murmelte Numa. „Wir müssen einen anderen Weg finden – wenn es einen gibt."

In dieser Nacht hing eine düstere Stimmung in der Luft. Die vier Kletterer waren von uns allen die Kräftigsten und Gesündesten, aber der Berg hatte sie mit Leichtigkeit besiegt. Ich sagte mir, sie seien zu nachgiebig gewesen, sie hätten zu viel Angst gehabt und zu schnell aufgegeben. Wenn wir die richtige Route und den richtigen Zeitpunkt wählen, wenn wir uns einfach weigern würden, der Kälte und Erschöpfung nachzugeben, konnten wir den Gipfel erreichen, dessen war ich mir sicher. An diese Überzeugung klammerte ich mich mit dem gleichen blinden Glauben, mit dem die anderen um Rettung beteten. Mir kam die Sache schrecklich einfach vor: Leben ist hier nicht möglich. Ich muss an einen Ort, wo es Leben gibt. Im Westen liegt Chile. *Im Westen liegt Chile.* Ich ließ die Worte in meinem Inneren widerhallen wie ein Mantra. Und ich wusste, dass ich irgendwann klettern musste.

IN DEN ersten Tagen unseres Martyriums wich ich kaum von der Seite meiner Schwester. Ich massierte ihre erfrorenen Füße, gab ihr Wasser in kleinen Schlucken zu trinken und fütterte sie mit den kleinen Schokoladenstücken, die Marcelo für sie vorgesehen hatte. Vor allem aber redete ich ihr gut zu und wärmte sie. Ich konnte nie genau sagen, ob sie sich meiner Gegenwart bewusst war. Sie war immer nur halb bei Bewusstsein. Auf ihrer Stirn standen ständig sorgenvolle oder verwirrte Falten, und in ihrem Blick lag eine hilflose Traurigkeit. Immer wieder rief sie nach unserer Mutter.

Als ich am Spätnachmittag des achten Tages neben ihr lag und meine Arme um sie geschlungen hatte, bemerkte ich eine Veränderung. Der unruhige Ausdruck verschwand aus ihrem Gesicht, in ihrem Körper löste sich die Anspannung. Ihr Atem wurde flach, und ich spürte, wie ihr Leben aus meinen Armen glitt. Dann hörte sie auf zu atmen und wurde ganz ruhig.

„Susy?", schrie ich. „Mein Gott, Susy, bitte nicht!"

Ich rappelte mich auf die Knie hoch, drehte sie auf den Rücken und begann mit einer Mund-zu-Mund-Beatmung. Zwar wusste ich noch nicht einmal genau, wie man das macht, aber ich wollte sie unbedingt retten. „Los, Susy, bitte!", brüllte ich. „Du darfst mich nicht allein lassen!" Ich mühte mich über ihr ab, bis ich erschöpft zu Boden fiel. Roberto nahm meinen Platz ein, aber auch er hatte keinen Erfolg. Dann versuchte es Carlitos – vergeblich. Schweigend versammelten sich die anderen um mich. „Es tut mir leid, Nando, aber sie ist tot", sagte Roberto. „Bleib heute Nacht bei ihr. Morgen früh werden wir sie bestatten."

Ich nickte und nahm meine Schwester in den Arm. Wenigstens konnte ich sie jetzt mit aller Kraft umarmen und brauchte keine Angst mehr zu haben, ihr wehzutun. Ich bemühte mich, mir das Gefühl ihres Körpers, den Duft ihres Haares einzuprägen. Als ich daran dachte, was ich alles verloren hatte, überrollte mich das Unglück wie eine Welle, und mein Körper erbebte von heftigem Schluchzen. Aber gerade als die Trauer mich überwältigen wollte, hörte ich wieder, wie die nüchterne Stimme mir ins Ohr flüsterte: *Tränen sind Salzverschwendung.*

Ich lag die ganze Nacht wach neben Susy. Meine Brust wurde vom Schluchzen erschüttert, aber ich gestattete mir nicht den Luxus, Tränen zu vergießen.

AM NÄCHSTEN Morgen schleppten wir Susy aus dem Flugzeugrumpf zu der Stelle im Schnee, wo auch die anderen Toten bestattet waren. Die gefrorenen Leichen waren deutlich zu erkennen, nur wenige Zenti-

72 TAGE IN DER HÖLLE

meter Eis und Schnee verdeckten die Gesichter. Ich hob neben meiner Mutter eine flache Grube aus, dann legte ich meine Schwester hinein und strich ihr die Haare zurück. Ich bedeckte sie mit kristallweißem Schnee, wobei ich ihr Gesicht bis ganz zum Schluss frei ließ. Sie wirkte friedlich, als schliefe sie unter einer dicken Decke. Ich warf einen letzten Blick auf Susy, dann häufte ich sanft ein paar Handvoll Schnee auf ihre Wangen, bis das Gesicht unter den glitzernden Kristallen verschwunden war.

Als wir fertig waren, kehrten die anderen in den Rumpf zurück. Ich wandte mich um und schaute zu dem steil ansteigenden Gletscher und den Bergrücken empor, die uns den Weg nach Westen versperrten. Deutlich erkannte ich die breite Furche, die das Flugzeug in den Schnee gepflügt hatte, als es wie ein Schlitten den Hang hinuntergerast war. Mein Blick folgte der Spur den Berg hinauf bis zu der Stelle, wo wir aus dem Himmel gestürzt waren, und plötzlich überfiel mich ein bedrückendes Gefühl der Leere. Bislang hatte ich mich die ganze Zeit nur um meine Schwester gekümmert. Das hatte meine Stunden ausgefüllt und mich von meinen eigenen Schmerzen und Ängsten abgelenkt. Jetzt war ich so entsetzlich allein. Es gab nichts, was mich von den schrecklichen Verhältnissen um mich herum ablenkte. Über eine Woche war vergangen und immer noch hatten keine Rettungskräfte uns gefunden. Ich spürte die brutale Macht der Berge, und als ich mit bedrückender neuer Klarheit begriff, wie weit wir von zu Hause entfernt waren, versank ich in Verzweiflung.

Eigentlich war ich schon tot. Ich würde nie zu meinem Vater zurückkehren. Im Geiste sah ich ihn wieder vor mir in seinem Leid, und ich spürte eine so starke Sehnsucht, bei ihm zu sein, dass ich fast auf die Knie gesunken wäre. Hilflose Wut stieg mir die Kehle hoch und ließ mich würgen. Für kurze Zeit fühlte ich mich so besiegt und gefangen, dass ich glaubte, ich verlöre den Verstand. Dann sah ich meinen Vater am Rand der Niederlage auf jenem Fluss in Argentinien – und mir fielen seine Worte des Kämpfens ein: *Ich entschied, doch nicht aufzugeben, noch ein bisschen länger zu leiden.*

Eine geradezu gespenstische Ruhe überkam mich. Ich starrte auf die riesigen Berge im Westen und malte mir aus, wie ein Weg über sie hinweg nach Hause führte. Ich spürte die Liebe meines Vaters an mir ziehen wie eine Rettungsleine und sie zog mich zu diesen Hängen hin. Da legte ich meinem Vater gegenüber ein stillschweigendes Gelübde ab: Ich werde kämpfen. Ich werde nach Hause kommen. Ich verspreche dir, ich werde hier nicht sterben!

HOL NOCH EINMAL LUFT

In den Stunden nach Susys Bestattung saß ich allein in dem dunklen Flugzeugrumpf. Den zerschmetterten Schädel in die Hände gestützt, lehnte ich an der schiefen Wand. Machtvolle Gefühle – Unglauben, Empörung, Trauer und Angst – stürmten auf mich ein. Irgendwann jedoch fand ich mich erschöpft mit meinem Kummer ab. Zu jenem Zeitpunkt war ich so deprimiert und verwirrt, dass ich nicht wahrnahm, mit welch halsbrecherischer Geschwindigkeit ich die Stadien der Trauer durchlief. In meinem alten Leben, meinem normalen Leben in Montevideo, hätte der Tod meiner kleinen Schwester mein ganzes Dasein zum Stillstand gebracht. Aber hier war nichts mehr normal, und instinktiv begriff ich, dass ich mir an diesem unbarmherzigen Ort den Luxus der Trauer nicht leisten konnte. *Blick nach vorn*, sagte die Stimme in mir.

Während der langen Nacht verblassten meine Empfindungen und die Gefühle für meine Schwester lösten sich einfach auf wie ein Traum, der sich beim Erwachen verflüchtigt. Am nächsten Morgen spürte ich nur noch eine dumpfe Leere. Die Berge zwangen mich dazu, mich zu ändern. Urtümliche Instinkte fassten Fuß, unterdrückten komplizierte Gefühle und engten die Richtung meiner Gedanken ein, bis es nur noch zwei Dinge zu geben schien: die beängstigende Erkenntnis, dass ich sterben würde, und das tiefe Bedürfnis, bei meinem Vater zu sein.

Die Liebe zu ihm war jetzt das Einzige, was mich davor bewahrte, den Verstand zu verlieren. Immer wieder rief ich mir ins Gedächtnis, dass ich versprochen hatte, zu ihm zurückzukehren. Der Gedanke an ihn löste in mir jedes Mal eine so gewaltige Welle der Liebe aus, dass es mir den Atem nahm. Ich konnte die Vorstellung, dass er auch nur eine Sekunde länger leiden sollte, nicht ertragen.

In meiner Verzweiflung beschimpfte ich lautlos die hohen Gipfel, die mir den Weg zu ihm versperrten und mich an diesem üblen Ort festhielten. Ich geriet in Panik. Eine tief sitzende Furcht ergriff mich, als wäre die Erde unter meinen Füßen eine tickende Bombe, die jede Sekunde hochgehen konnte. Dieses entsetzliche Gefühl der Verletzlichkeit verließ mich zu keinem Zeitpunkt. Und es erzeugte in mir den fast manischen Drang zu fliehen. Ich gab mir große Mühe, Ruhe zu bewahren und nüchtern zu denken, aber in manchen Augenblicken musste ich meine ganze Kraft zusammennehmen, um nicht blind ins Gebirge hineinzustürmen.

Anfangs gab es für mich nur eine Methode, um etwas gegen solche Ängste zu tun: ich stellte mir den Moment vor, in dem die Rettungskräfte eintrafen. An diese Hoffnung klammerten wir uns alle. Marcelo nährte sie mit seiner Zuversicht, aber als ein Tag nach dem anderen verstrich und das Ausbleiben der Retter immer schwerer zu erklären war, griff er als tiefgläubiger Katholik mehr und mehr auf die Überzeugungen zurück, die sein Leben schon immer geprägt hatten. „Gott liebt uns", betonte er. „Er würde nicht von uns verlangen, dass wir solche Leiden erdulden, nur um sich dann von uns abzuwenden und uns einen sinnlosen Tod sterben zu lassen." Er beharrte darauf, unsere Pflicht gegenüber Gott, unseren Angehörigen und den anderen in der Gruppe sei es, unsere Ängste und Qualen anzunehmen und am Leben zu bleiben, bis die Retter uns endlich fänden.

Marcelos Worte verfehlten ihre Wirkung bei den meisten nicht. Auch ich hätte ihm gern geglaubt, aber je mehr Zeit verstrich, desto weniger konnte ich meine Zweifel zum Schweigen bringen. Sie zwangen mich dazu, zwei grausige Schlussfolgerungen in Erwägung zu ziehen: entweder machten die Behörden sich eine falsche Vorstellung davon, wo wir abgestürzt waren, sodass sie in anderen Gebirgsregionen suchten, oder sie hatten überhaupt keine Ahnung, wo wir uns befanden, und konnten das Suchgebiet nicht vernünftig eingrenzen. Und wenn sie unsere Position nicht einmal grob feststellen konnten, würden sie uns niemals finden.

Anfangs behielt ich solche Gedanken für mich. Ich sagte mir, ich wolle die Hoffnung der anderen nicht zerstören. Vielleicht aber wollte ich meine Ängste auch nicht laut aussprechen, weil ich befürchtete, sie könnten dann Wirklichkeit werden. Trotz aller Zweifel an den Aussichten auf Rettung wollte ich nur zu gern an ein Wunder glauben. Und so betete ich jede Nacht mit den anderen und flehte Gott an, die Retter schneller vorwärtskommen zu lassen. Ich lauschte auf das Knattern eines nahenden Hubschraubers und nickte zustimmend, wenn Marcelo uns aufforderte, den Glauben nicht zu verlieren. Dennoch setzte in meinem Kopf in stillen Augenblicken ein Trommelfeuer ängstlicher Fragen ein: Was, wenn wir hier aus eigener Kraft herausklettern müssen? Habe ich genug Kraft, um eine Wanderung durch diese Wildnis zu überleben? Was passiert, wenn ich stürze? Und immer wieder: Was liegt im Westen hinter diesen schwarzen Bergrücken?

Tief in meinem Innern wusste ich die ganze Zeit, dass wir uns selbst retten mussten. Irgendwann teilte ich meine Überzeugung auch den anderen mit, und je mehr ich darüber sprach, desto versessener wurde ich aufs Klettern. Im Geist spielte ich meine Flucht so oft und realistisch durch, dass meine Tagträume einem Film glichen, der in meinem Kopf ablief.

Ich sehe vor mir, wie ich über die weißen Hänge zu den kahlen Gipfeln hinaufsteige, stelle mir jeden brüchigen Haltepunkt im Schnee vor, prüfe jeden Fels auf Festigkeit, bevor ich danach greife, bedenke sorgfältig jeden Schritt. Ich werde von eisigen Winden gepeitscht, ringe in der dünnen Luft nach Atem, kämpfe mich durch hüfttiefen Schnee. Jeder Schritt des Aufstiegs ist eine Qual, aber ich bleibe nicht stehen. Schließlich erreiche ich den Gipfel und kann nach Westen blicken. Vor mir breitet sich ein weites Tal aus, das in einem Mosaik aus braunen und grünen Feldern bis zum Horizont abfällt. Ich stolpere den westlichen Berghang hinunter und wandere stundenlang durch felsiges Gelände, bis ich eine Straße erreiche. Dann geht es auf der glatten Asphaltfläche nach Westen. Wenig später höre ich einen Lastwagen heranrumpeln. Ich winke dem verblüfften Fahrer, bis er anhält. Er lässt mich ins Fahrerhaus klettern. Zwischen grünen Äckern fahren wir nach Westen bis zur nächsten Ortschaft, wo ich ein Telefon finde. Ich wähle die Nummer meines Vaters, und im nächsten Augenblick höre ich sein erstauntes Schluchzen, als er meine Stimme erkennt. Ein, zwei Tage später sind wir zusammen. Er sagt nichts außer meinem Namen. Als ich ihn in die Arme nehme, spüre ich, wie er zusammenbricht...

Ich schmückte diesen Traum immer weiter aus, schliff ihn zurecht, bis er in meinem Geist glitzerte wie ein Edelstein. Das Versprechen, das ich meinem Vater gegeben hatte, nahm die Kraft eines heiligen Gelübdes an. Es ließ mich zielgerichteter denken, verwandelte meine Ängste in Motivation und hob mich aus dem schwarzen Loch der Hilflosigkeit, in das ich gefallen war. Immer noch betete ich mit Marcelo und den anderen, aber wenn meine Furcht zu groß wurde, schloss ich die Augen, erneuerte mein Versprechen und kletterte im Geiste auf den Berg.

NACH Susys Tod blieben noch 27 Überlebende. Angesichts der Kräfte, die bei dem Unglück frei geworden waren, und nach dem dreimaligen schweren Aufprall bei hoher Geschwindigkeit war es ein Wunder, dass nur so wenige Passagiere schwere Verletzungen davongetragen hatten. Von diesen befanden sich Pancho Delgado und Alvaro Mangino, die beide je ein Bein gebrochen hatten, auf dem Weg der Besserung und humpelten bereits über die Unglücksstelle. Auch Antonio Vizintín, der an einer Wunde am Arm fast verblutet wäre, kam zunehmend zu Kräften.

Mein Schädelbruch zählte zu den ernsthaftesten Verletzungen, doch die zerschmetterten Knochen wuchsen allmählich wieder zusammen. Damit blieben noch zwei Schwerverletzte: Arturo Nogueira, der beide Beine mehrfach gebrochen hatte, und Rafael Echavarren, dessen Wadenmuskel vom Knochen gerissen worden war. Beide hatten ständig starke Schmerzen. Wir taten für sie, was wir konnten. Roberto baute ihnen einfache Hängematten aus Aluminiumpfosten und kräftigen Nylongurten, die wir aus dem Gepäckraum geholt hatten. So blieb den beiden die Qual erspart, mit uns anderen in einem unruhigen Durcheinander von Leibern auf dem Boden des Rumpfes zu schlafen. Andererseits konnten sie in ihren schaukelnden Betten nicht von der Wärme unserer zusammengedrängten Körper profitieren. Dennoch war die Kälte für sie das kleinere Übel.

Rafael gehörte nicht zu den Old Christians, Freunde in der Mannschaft hatten ihn zu der Reise eingeladen. Ich hatte ihn vor dem Flug nicht gekannt, aber in der Maschine war er mir aufgefallen. Er lachte fröhlich mit seinen Kameraden und schien ein freundlicher, aufgeschlossener Bursche zu sein. Ich mochte ihn sofort, und als ich jetzt sah, wie er sein Leid ertrug, wurde er mir noch sympathischer. Roberto behielt Rafaels Wunden immer im Blick und behandelte ihn so gut es ging, aber unsere medizinische Ausrüstung war spärlich, und die Haut an Rafaels Bein wurde bereits schwarz. Gustavo und Roberto vermuteten Wundbrand, doch Rafael gestattete es sich nie, in Selbstmitleid zu versinken. Er behielt Zuversicht und Humor, selbst als das Fleisch an seinem Bein vor seinen Augen verfaulte. „Ich bin Rafael Echavarren!“, rief er jeden Morgen. „Und ich werde hier nicht sterben!“

Arturo hingegen war stiller und ernster. Obwohl er ein Teamkollege war, hatte ich ihm vor dem Absturz nicht besonders nahegestanden. Dass er nun so tapfer durchhielt, nahm mich für ihn ein. Wie Rafael wäre auch er ein Fall für die Intensivstation gewesen. Stattdessen lag er hier ohne Antibiotika oder Schmerzmittel mitten in den Anden, und als Pfleger dienten ihm nur ein paar Medizin-Erstsemester sowie eine Gruppe unerfahrener junger Kerle. Pedro Algorta, ein weiterer Anhänger der Mannschaft, saß oft stundenlang bei seinem Freund Arturo, brachte ihm zu essen und zu trinken und gab sich Mühe, ihn von den Schmerzen abzulenken. Auch wir anderen wechselten uns an seinem Lager ab. Ich freute mich jedes Mal auf die Unterhaltung mit ihm.

Zu Anfang unterhielten wir uns meist über Rugby, aber als ich Arturo besser kennen lernte, gingen unsere Gespräche auch über den Sport hinaus. Besonders faszinierten mich seine Gedanken über Religion. Wie die meisten Überlebenden war ich katholisch erzogen worden, und obwohl ich alles andere als ein praktizierender, gläubiger Katholik war, hatte ich die grundlegenden Lehren der Kirche nie angezweifelt. In den Gesprächen mit Arturo war ich jedoch gezwungen, mich mit meinen religiösen Überzeugungen auseinanderzusetzen und Werte, die ich bisher nicht hinterfragt hatte, auf den Prüfstand zu stellen.

„Es gibt viele heilige Bücher auf der Welt. Wieso bist du so sicher, dass gerade das, an das du nach deiner Erziehung glauben sollst, das einzig wahre Wort Gottes enthält?", fragte er zum Beispiel. „Woher weißt du, dass deine Vorstellung von Gott die einzig richtige ist? Wir sind ein katholisches Land, weil die Spanier kamen, die Indianer unterwarfen und Jesus Christus an die Stelle des Indianergottes setzten. Hätten die Mauren Südamerika erobert, würden wir jetzt nicht zu Jesus, sondern zu Mohammed beten."

Ich teilte Arturos Auffassung nicht immer, aber sein Denken hatte etwas Faszinierendes. Außerdem begeisterte es mich, dass er bei aller religiösen Skepsis ein sehr spiritueller Mensch war. Er spürte meine Wut auf Gott und drängte mich, ich solle mich trotz all unserer Leiden nicht von ihm abwenden. „Du bist zornig auf den Gott, an den zu glauben du als Kind gelernt hast", meinte er. „Auf den Gott, der angeblich über dich wacht und dich beschützt, der deine Gebete erhört und dir deine Sünden vergibt. Dieser Gott ist eine Legende. Die Religionen bemühen sich, Gott zu vereinnahmen, aber er steht jenseits der Religion. Der wahre Gott übersteigt unser Begriffsvermögen. Wir können seinen Willen nicht verstehen; man kann ihn nicht in einem Buch erklären. Er hat uns nicht aufgegeben, und er wird uns nicht retten. Er hat nichts damit zu tun, dass wir hier sind. Gott verändert nicht, er *ist*. Ich bete nicht zu Gott um Vergebung oder Vergünstigungen, ich bete nur, um ihm näher zu sein, und wenn ich bete, füllt sich mein Herz mit Liebe. Wenn ich so bete, weiß ich, dass Gott Liebe ist. Und wenn ich diese Liebe spüre, erinnere ich mich daran, dass wir keine Engel und keinen Himmel brauchen, weil wir schon ein Teil Gottes sind."

Ich schüttelte den Kopf. „Ich habe so viele Zweifel."

„Vertrau auf deine Zweifel", erwiderte Arturo. „Wenn du den Mut hast, alles infrage zu stellen, was du über ihn gelernt hast, wirst du vielleicht den wahren Gott finden. Er ist uns nahe, Nando. Ich spüre ihn überall um uns herum. Mach die Augen auf, dann siehst du ihn auch."

Ich blickte Arturo an, wie er da in seiner Hängematte lag, in den Augen das Leuchten von Vertrauen und Zuversicht, und eine Welle der Zuneigung stieg in mir hoch. Wie konnte ein so junger Mann sich selbst so gut kennen? Im Gespräch mit Arturo musste ich der Tatsache ins Auge sehen, dass ich mein eigenes Leben nie ernst genommen hatte. So vieles war für mich selbstverständlich gewesen; ich hatte nur Mädchen, Autos und Partys im Sinn gehabt und mich treiben lassen. Es hatte immer ein Morgen gegeben... Traurig lachte ich in mich hinein und dachte: Wenn es einen Gott gibt und er mich auf sich aufmerksam machen will, ist ihm das jetzt gelungen.

Hier im Angesicht der lebensfeindlichen Berge zeigte sich, dass es viele Formen der Tapferkeit gibt, und in meinen Augen ließen selbst die Stillsten unter uns großen Mut erkennen, einfach weil sie von einem Tag zum nächsten lebten. Alle trugen zum Gefühl der Gemeinschaft und gemeinsamer Ziele bei, das uns einen gewissen Schutz gegen unsere erbarmungslose Umwelt bot. Coche Inciarte zum Beispiel schenkte uns seinen spontanen, respektlosen Humor und sein warmes Lächeln. Carlitos war ein Quell ununterbrochenen Optimismus. Pedro Algorta war ein unkonventioneller, eigensinniger und sehr kluger Denker. Einen besonderen Beschützerinstinkt verspürte ich gegenüber dem liebenswürdigen und sanften Alvaro Mangino; er war einer der Jüngsten in der Maschine gewesen. Ohne Diego Storm, der mich aus der Kälte ins Innere des Wracks gezerrt hatte, als ich noch im Koma gelegen hatte, wäre ich mit Sicherheit erfroren. Daniel Fernández, auch er ein Cousin von Fito, war eine feste, gleichmütige Größe und wirkte allein durch seine Gegenwart einer Panik entgegen. Pancho Delgado, ein intelligenter Jurastudent, hielt mit seiner beredten Versicherung, die Retter seien schon unterwegs, unsere Hoffnung aufrecht. Und dann war da noch Bobby François, ein enger Freund von Carlitos, der uns mit seiner geradlinigen, unumwundenen und fast fröhlichen Weigerung, um sein Leben zu kämpfen, irgendwie bezauberte. Er schien nicht in der Lage zu sein, auch nur mit den einfachsten Dingen selbst zurechtzukommen, deshalb passten wir anderen auf ihn auf. Hier in den Bergen waren wir alle eine große Familie, und jeder half, so gut er konnte.

Ganz besonders bewunderte ich die Stärke und den Mut von Liliana Methol, der 35-jährigen Ehefrau von Javier. Die beiden gingen äußerst vertraut und liebevoll miteinander um. Sie waren leidenschaftliche Fans unserer Mannschaft, aber die Reise hatte für sie auch ein kurzer romantischer Ausbruch aus dem Alltag werden sollen, eine seltene Gelegenheit, allein ein gemeinsames Wochenende zu genießen, nachdem sie ihre vier Kinder zu Hause bei den Großeltern gelassen hatten. Unmittelbar nach dem Absturz hatte Javier begonnen, unter schwerer Höhenkrankheit zu leiden, die sich in ständiger Übelkeit und unüberwindlicher

Müdigkeit äußerte. Er konnte kaum mehr tun, als in einem Zustand partieller Teilnahmslosigkeit über die Absturzstelle zu stolpern. Liliana kümmerte sich um ihn und ging den Rest der Zeit Roberto und Gustavo als unermüdliche Krankenschwester zur Hand.

Nach Susys Tod war sie die einzige überlebende Frau, und anfangs behandelten wir sie besonders rücksichtsvoll: Wir bestanden darauf, dass sie bei den Schwerverletzten im Gepäckraum der Fairchild schlief, dem wärmsten Teil der Maschine. Nach einigen Nächten erklärte sie jedoch, sie werde eine solche Sonderbehandlung nicht mehr annehmen. Von da an schlief sie bei uns anderen im Hauptteil der Kabine, wo sie die Jüngeren um sich sammeln und nach ihnen sehen konnte. Ständig sorgte sie sich um ihre eigenen Kinder, und doch brachte sie die Kraft und die Liebe auf, diese verängstigten jungen Männer zu trösten, die so weit weg von ihren Angehörigen waren. Sie wurde für uns alle zu einer zweiten Mutter und verkörperte alles, was man sich von einer solchen Frau wünscht: stark, liebevoll, geduldig und sehr tapfer.

Wir waren Leidensgenossen. Wir hatten schon zu viele Freunde verloren. Für uns war jedes Menschenleben kostbar. Wir täten alles in unserer Macht Stehende, damit sämtliche Freunde überlebten. „Hol noch einmal Luft", forderten wir die Schwächeren auf, wenn Kälte, Angst oder Verzweiflung sie an den Rand des Aufgebens getrieben hatten. „Solange du atmest, kämpfst du noch ums Überleben." Tatsächlich lebten wir alle von einem Atemzug zum nächsten, und nur mit Mühe brachten wir die Willenskraft auf, um es von Herzschlag zu Herzschlag weiter zu ertragen. Wir litten auf vielerlei Weise, aber am allerschlimmsten setzte uns die Kälte zu.

In den Anden herrschte immer noch Winter; häufig wüteten Schneestürme rund um die Uhr, sodass wir nicht aus dem Flugzeug herauskamen. An schönen Tagen wiederum brannte die Gebirgssonne auf uns herunter, und dann verbrachten wir möglichst viel Zeit im Freien, um die warmen Strahlen aufzusaugen. Wir hatten sogar ein paar Sitze aus der Maschine geholt und wie Liegestühle im Schnee aufgebaut, sodass wir uns richtig in die Sonne setzen konnten. Nur allzu schnell versank sie jedoch wieder hinter den Bergrücken, und dann verwandelte sich das leuchtende Blau des Himmels in scheinbar nur wenigen Sekunden in dunkles Violett. Sterne gingen auf, die Schatten flossen von den Berghängen herab wie eine Flut und die Temperaturen fielen rapide. Dann zogen wir uns in den Rumpf zurück und machten uns bereit für das Elend einer weiteren Nacht.

In großer Höhe dringt die Kälte in jede Körperzelle ein und drückt einen mit einer Kraft nieder, als könnte sie alle Knochen brechen. Der zugige Rumpf schützte uns vor dem Wind, der uns umgebracht hätte, aber die Luft im Innern war immer noch gefährlich kalt. Wir hatten Feuerzeuge und hätten ohne Weiteres ein Feuer entzünden können, aber es gab hier oben so gut wie kein brennbares Material. Zwar ging unser gesamtes Papiergeld – etwa 7500 Dollar – in Rauch auf, und wir fanden in der Maschine auch noch so viele Holzreste, dass wir zwei-, dreimal ein kleines Feuer machen konnten. Doch es war jedes Mal sehr schnell niedergebrannt, und nach dem kurzen Luxus der Wärme erschien uns die Kälte nur umso schlimmer. Das beste Gegenmittel bestand meist darin, dass wir uns auf den Sitzpolstern, die wir auf dem Boden ausgebreitet hatten, eng zusammendrängten und die dünnen Decken über unsere Körper zogen; so konnten wir hoffen, dass wir uns gegenseitig genügend Wärme spenden und wieder einmal eine Nacht am Leben bleiben würden. Stundenlang lag ich in der Dunkelheit, und mein Körper bibberte so stark, dass meine Hals- und Schultermuskeln ständig verkrampft waren. Ich schlief immer mit einer Decke über dem Kopf, um die Wärme meines Atems aufzufangen, und manchmal legte ich meinen Kopf auch dicht an das Gesicht meines Nachbarn, um ihm ein wenig Atem, ein wenig Wärme zu stehlen.

In manchen Nächten redeten wir, aber das war schwierig, denn unsere Zähne klapperten und die Kiefer zitterten. Manchmal blieb einem nichts anderes übrig, als die Sekunden bis zum Morgen zu zählen.

Ein verblüffendes Foto: Der Tod rückte näher, doch wir wirken wie Studenten im Skiurlaub. Aber vielleicht würde die Kamera einmal gefunden werden und die Welt erfahren, dass wir noch gekämpft hatten. Das gab uns den Mut, ins Objektiv zu lächeln.

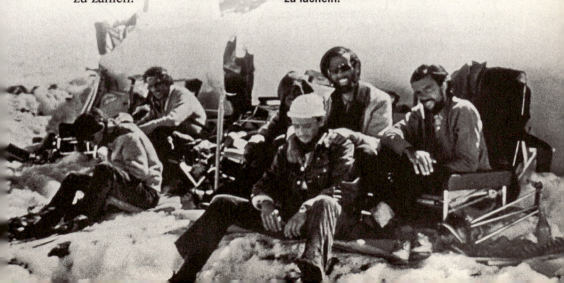

Die Kälte war immer unser schlimmster Feind, aber die größte Gefahr ging vom Durst aus. In großer Höhe dehydriert der menschliche Organismus wegen des geringeren Sauerstoffgehalts in der Atmosphäre fünfmal schneller als auf Meereshöhe. Um aus der dünnen Gebirgsluft genügend Sauerstoff zu gewinnen, zwingt sich der Körper zu sehr schnellem Atmen, aber beim Ausatmen geht jedes Mal kostbare Flüssigkeit verloren. Auf Meereshöhe kann ein Mensch bis zu einer Woche oder länger ohne Wasser überleben. In den Anden ist der Zeitrahmen viel kürzer.

Im Innern des zerstörten Rumpfes trinke ich einen Becher mit geschmolzenem Schnee.

Wassermangel herrschte im Gebirge natürlich nicht – wir waren von Millionen Tonnen gefrorenem H_2O umgeben. Die Schwierigkeit bestand darin, es trinkbar zu machen. Wir verfügten über keine effiziente Methode, um den Schnee zu schmelzen. Anfangs steckten wir uns einfach eine Handvoll in den Mund, aber schon nach wenigen Tagen waren unsere Lippen von der trockenen Kälte so spröde und wund, dass es uns unerträgliche Schmerzen bereitete. Dann stellten wir fest, dass wir, wenn wir einen Schneeball in den Händen erwärmten, die Tropfen von der schmelzenden Masse lecken konnten. Ebenso schmolzen wir Schnee, indem wir ihn in leeren Weinflaschen herumschwenkten. Außerdem schlürften wir das Wasser aus jeder kleinen Pfütze, die uns unterkam. Zum Beispiel taute der Schnee oben auf dem Flugzeugrumpf in der Sonne, sodass ein Rinnsal an der Cockpitscheibe herunterlief und sich in der kleinen Aluminiumrinne an deren unterem Rand sammelte. Aber es war nie so viel, wie wir gern gehabt hätten, oder genug, um eine Dehydration zu verhindern. Wir wurden immer schwächer und teilnahmsloser, weil Giftstoffe sich in unserem Blut ansammelten.

An einem sonnigen Morgen fiel Fito auf, dass die dünne Eisschicht, die sich jede Nacht auf dem Schnee bildete, in der Sonne taute. Da kam ihm eine Idee. Schnell durchwühlte er einen Haufen Wrackteile und entdeckte unter den zerrissenen Polstern eines Sitzes eine kleine Platte aus dünnem Aluminium. Er bog ihre Ecken nach oben, sodass sie eine flache Schale bildete, und drückte anschließend eine Ecke zusammen, bis eine Art Tülle entstanden war. Dann füllte er Schnee in die Schale und stellte sie in die pralle Sonne. Schon nach kurzer Zeit schmolz der Schnee und aus der Tülle tropfte ununterbrochen Wasser. Fito fing es mit einer Flasche auf, und als die anderen sahen, wie gut seine Erfindung funktionierte, holten auch sie sich solche Aluminiumplatten – unter jedem Sitz befand sich eine – und formten sie genauso. Marcelo war von Fitos Apparatur so beeindruckt, dass er eine kleine Gruppe mit der Aufgabe betraute, die Wassergewinnung zu beaufsichtigen. Von nun an waren wir ständig mit dem kostbaren Nass versorgt. Zwar konnten wir nicht so viel herstellen, wie wir eigentlich gebraucht hätten, aber dank Fitos Einfallsreichtum nahmen wir nun ausreichend Flüssigkeit zu uns, um zu überleben. Mit Klugheit und Teamgeist hatten wir dieses Problem gemeistert, aber wenig später standen wir vor einem neuen, das wir auf diese Weise nicht lösen konnten. Wir hungerten.

Gegen Ende der ersten Woche betrachtete ich eines Morgens die schokoladenumhüllte Erdnuss in meiner Hand. Unsere Vorräte waren erschöpft, und mehr als dieses Stückchen Nahrung würde ich nicht mehr bekommen. Ich war fest entschlossen, lange damit auszukommen. Am ersten Tag lutschte ich langsam die Schokolade ab, dann steckte ich die Erdnuss in meine Hosentasche. Am zweiten Tag nahm ich die beiden Erdnusshälften vorsichtig auseinander, ließ die eine wieder zurück in die Tasche gleiten und steckte die andere in den Mund. Stundenlang lutschte ich behutsam an der Erdnuss, und hin und wieder gestattete ich mir, ein winziges Bröckchen abzubeißen. Genauso verfuhr ich auch am dritten Tag, bis von der Erdnuss schließlich nichts mehr übrig war.

Der menschliche Organismus hat in großer Höhe einen astronomischen Kalorienbedarf. Ein Bergsteiger, der auf einen der Gipfel rund um die Absturzstelle geklettert wäre, hätte täglich bis zu 15 000 Kalorien benötigt, nur um sein Körpergewicht zu halten. Zwar kletterten wir nicht, aber unser Kalorienbedarf lag dennoch erheblich höher als zu Hause. Schon bevor die Rationen zu Ende gingen, hatten wir nie mehr als ein paar Hundert Kalorien am Tag zu uns genommen. Jetzt lag die Energiezufuhr bereits seit einigen Tagen bei null. Die Gesichter meiner Freunde sahen schmal und mitgenommen aus. Alle bewegten sich unbeholfen, und in ihren Augen lag eine erschöpfte Stumpfheit. Der Hunger wurde so heftig, dass wir mit der Zeit von der Suche nach Nahrung besessen waren. Aber was uns antrieb, hatte nichts mit normalem Appetit zu tun. Wenn das Gehirn spürt, dass der Prozess des Verhungerns beginnt – wenn es also bemerkt, dass der Körper sein eigenes Muskelgewebe abbaut, um Energie zu gewinnen –, setzt es als Alarmzeichen einen kräftigen Adrenalinschub frei. Dieser urtümliche Instinkt war weniger Hunger als vielmehr Angst und trieb uns immer wieder dazu, den Flugzeugrumpf nach Essbarem zu durchstöbern. Wir versuchten, von Gepäckstücken losgerissene Lederstreifen zu essen, obwohl wir wussten, dass sie mit schädlichen Chemikalien behandelt waren. Wir rissen die Sitzpolster auf in der Hoffnung, Stroh darin zu finden, aber sie enthielten nur Polsterschaum. Stundenlang zermarterte ich mir zwanghaft den Kopf, woher man etwas zu essen beschaffen könnte. *Vielleicht gibt es irgendwo eine Pflanze, oder unter einem Stein sind Insekten. Vielleicht hatten die Piloten Snacks im Cockpit. Haben wir alle Taschen der Toten durchsucht, bevor wir sie bestatteten?*

Immer wieder gelangte ich zu derselben Schlussfolgerung: Hier gab es nichts außer Aluminium, Plastik, Eis und Fels. Manchmal schrie ich meine Frustration laut hinaus: „An diesem verfluchten Ort gibt's nichts zu essen!" Aber natürlich gab es etwas – Fleisch, eine ganze Menge sogar und leicht erreichbar. Es war so nahe wie die Leichen, die unter einer dünnen Frostschicht lagen. Heute ist es mir ein Rätsel, warum ich so lange nicht auf diesen Gedanken kam. Ich glaube, manche Grenzen überwindet unser Geist nur sehr langsam, aber als ich sie schließlich überschritt, tat ich es aus einem so primitiven Impuls heraus, dass ich selbst erschrak.

Es war später Nachmittag; wir lagen in der Maschine und machten uns für die Nacht bereit. Da fiel mein Blick auf die Wunde am Bein eines Nachbarn. In der Mitte war sie feucht und blutig. Ich musste immer wieder hinsehen, und als ich den schwachen Blutgeruch in der Luft bemerkte, erwachte mein Appetit. Ich schaute auf und bemerkte, dass andere die Wunde ebenfalls anstarrten. Beschämt lasen wir gegenseitig unsere Gedanken und wandten den Blick rasch ab. In mir hatte eine Veränderung stattgefunden, die ich nicht leugnen konnte: Ich hatte Menschenfleisch instinktiv als Nahrung erkannt. Nachdem diese Tür einmal aufgestoßen war, konnte ich sie nicht mehr schließen, und von diesem Augenblick an wusste ich, dass die Leichen unter dem Schnee unsere einzige Überlebenschance darstellten.

Irgendwann konnte ich nicht mehr schweigen und fasste eines Nachts den Entschluss, mich Carlitos Páez anzuvertrauen, der neben mir in der Dunkelheit lag. „Bist du wach?", flüsterte ich.

„Ja", murmelte er. „Wer kann in dieser Gefriertruhe schon schlafen?"

„Hast du Hunger?"

„Was glaubst du denn?", schnappte er zurück. „Ich habe seit Tagen nichts gegessen!"

„Wir werden hier verhungern. Ich glaube nicht, dass die Rettungskräfte uns rechtzeitig finden."

„Das kannst du nicht wissen."

„Ich weiß es, und du weißt es. Aber ich werde hier nicht sterben."

„Hast du immer noch diese Klettertour vor? Nando, dazu bist du zu schwach."

„Ich bin schwach, weil ich nichts gegessen habe."

„Aber was sollen wir denn machen? Es gibt hier nichts zu essen."

„Es gibt sehr wohl etwas. Du weißt, was ich meine."

Carlitos rückte in der Dunkelheit hin und her, schwieg aber.

„Es gibt hier viel zu essen", fuhr ich fort, „aber du musst dir sagen, dass es nur Fleisch ist. Unsere Freunde brauchen ihren Körper nicht mehr."

Carlitos schwieg eine Zeit lang, dann meinte er leise: „Gott helfe uns. Genau das Gleiche habe ich auch schon gedacht …"

Im Laufe der folgenden Tage weihte er ein paar andere in unser Gespräch ein. Einige gestanden, sie hätten ebenfalls schon daran gedacht, insbesondere Roberto, Gustavo und Fito. Ein paar Tage lang diskutierten wir nur unter uns darüber, dann beschlossen wir, eine Versammlung einzuberufen und das Thema an die Öffentlichkeit zu bringen. Alle drängten sich im Flugzeugrumpf zusammen. Es war später Nachmittag.

Roberto ergriff das Wort. „Wir verhungern. Unser Körper frisst sich selbst auf. Wenn wir kein Protein zu uns nehmen, werden wir sterben, und das einzige Protein, das es hier gibt, ist in den Leichen unserer Freunde."

Seinen Worten folgte tiefes Schweigen. Schließlich fand jemand die Sprache wieder. „Was sagst du da? Wir sollen die Toten essen?"

„Wir wissen nicht, wie lange wir hier noch gefangen sind", fuhr Roberto fort. „Wenn wir nichts essen, werden wir sterben. So einfach ist das. Wenn ihr eure Familien wiedersehen wollt, müsst ihr es tun."

„Ich kann das nicht", meldete sich Liliana leise zu Wort. „Ich könnte das nie tun."

„Du machst es ja nicht für dich", erwiderte Gustavo, „sondern für deine Kinder. Du musst am Leben bleiben und zu ihnen zurückkehren."

„Aber was richtet das mit unserer Seele an?", warf ein anderer ein. „Kann Gott uns so etwas vergeben?"

„Wenn du nichts isst, entscheidest du dich zu sterben", antwortete Roberto. „Würde Gott das vergeben? Nach meiner Überzeugung will Gott, dass wir alles tun, um am Leben zu bleiben."

„Wir müssen fest daran glauben, dass es jetzt einfach nur noch Fleisch ist", erklärte ich. „Die Seelen sind weg. Wir müssen Zeit gewinnen, sonst sind wir tot, bis uns die Rettungskräfte finden."

„Und wenn wir allein hier rauskommen müssen, brauchen wir Kraft, sonst können wir es nicht mit den Bergen aufnehmen", setzte Fito hinzu.

„Er hat Recht", pflichtete ich ihm bei. „Und wenn unsere toten Freunde uns helfen können, am Leben zu bleiben, sind sie nicht umsonst gestorben."

Die Diskussion setzte sich den ganzen Nachmittag fort. Viele weigerten sich, an den Verzehr von Menschenfleisch überhaupt nur zu denken, aber keiner versuchte, uns anderen die Idee auszureden. Daraus entnahmen wir, dass wir Einigkeit erzielt hatten. Jetzt mussten wir uns mit der grausigen Logistik beschäftigen.

„Wie sollen wir es machen?", fragte Pancho Delgado. „Wer hat den Mut und schneidet einem Freund das Fleisch ab?"

Nach langem Schweigen sprach Roberto. „Ich mach's."

Gustavo erhob sich. „Ich helfe dir."

„Aber wen zerschneiden wir als Ersten?", wollte Fito wissen. „Wie wählen wir aus?"

Alle blickten Roberto an.

„Das lasst mal Gustavos und meine Sorge sein", erwiderte er.

Fito stand auf. „Ich komme mit."

Einen Augenblick lang bewegte sich niemand, dann streckten wir alle die Arme aus, legten die Hände ineinander und gelobten, dass jeder, der vielleicht noch sterben würde, den anderen als Nahrung dienen dürfe.

Nach diesem Schwur erhob sich Roberto und suchte im Rumpf, bis er ein paar Glasscherben gefunden hatte; dann ging er mit seinen Gehilfen zu den Gräbern. Als sie zurückkamen, hatten sie kleine Fleischstücke in der Hand. Gustavo gab mir eines und ich nahm es. Es war weißlich grau, hart wie Holz und sehr kalt. Ich sagte mir, dass dies hier kein Teil eines Menschen mehr war. Dennoch führte ich das Fleisch nur zögernd zum Mund. Ich vermied es, irgendwelche Blicke zu erwidern, aber aus den Augenwinkeln sah ich die anderen um mich herum. Einige saßen da wie ich, das Fleisch in der Hand, und sammelten Kräfte zum Essen. Bei anderen hatten die Kiefer ihre grausige Tätigkeit bereits aufgenommen.

Schließlich nahm ich meinen ganzen Mut zusammen und steckte das Fleisch in den Mund. Es schmeckte nach nichts. Ich kaute ein- oder zweimal, dann zwang ich mich zu schlucken.

Zwar begriff ich, welch großes Tabu wir gerade gebrochen hatten, aber ich empfand weder Schuld noch Scham, sondern nur Widerwillen gegen das Schicksal, das uns gezwungen hatte, zwischen diesem Schrecken und dem sicheren Tod zu wählen. Bei normalem Geisteszustand findet man so etwas wahrscheinlich unbegreiflich und abstoßend, doch der Überlebenstrieb sitzt tief, und wenn der Tod so nahe ist, kann ein Mensch sich an alles gewöhnen.

Meinen Hunger stillte das Fleisch nicht, aber es beruhigte meinen Geist. Mein Organismus würde das Protein nutzen, um Kraft zu gewinnen. In dieser Nacht spürte ich zum ersten Mal einen kleinen Funken Hoffnung. Mit unserem Mut hatten wir ein ganz klein wenig Kontrolle über unsere Lebensumstände zurückerlangt und kostbare Zeit gewonnen. Jetzt machte sich niemand mehr Illusionen. Wir wussten, dass unser Kampf ums Überleben viel hässlicher und qualvoller werden würde, als wir es uns vorgestellt hatten, aber alle gemeinsam hatten wir gegenüber den Bergen eine Erklärung abgegeben: Wir würden uns nicht ergeben.

AUFGEGEBEN

Früh am nächsten Morgen – es war der elfte Tag im Gebirge – lehnte ich mich draußen gegen den Rumpf der Fairchild und wärmte mich in den ersten Strahlen der Sonne. Der Himmel war klar. Bei mir waren Marcelo, Coco Nicolich und Roy Harley, der unter uns allen am ehesten das war, was man als Elektronikfachmann bezeichnen könnte. Unmittelbar nach dem Absturz hatte er in den Trümmern ein verbeultes Transistorradio gefunden und mit ein wenig Bastelei wieder funktionsfähig gemacht. Hier in den Bergen war der Empfang sehr schlecht, aber Roy hatte aus Elektrokabeln, die er aus dem Flugzeug ausgebaut hatte, eine Antenne konstruiert, und mit etwas Mühe konnten wir Sender aus Chile einstellen. Jeden Morgen bewegte Marcelo die Antenne, während Roy die Senderabstimmung betätigte. Bisher hatten sie aber nur Fußballergebnisse, Wetterberichte und Propaganda der von der chilenischen Regierung kontrollierten Sender aufgefangen.

Wie jeden Tag wurde das Signal auch an diesem Morgen mal stärker, mal schwächer, und selbst bei bestmöglichem Empfang ließen statische Aufladungen den kleinen Lautsprecher des Radios knistern. Roy wollte die Batterien schonen; nachdem er ein paar Minuten mit der Sendersuche herumgespielt hatte, war er gerade im Begriff auszuschalten, als wir einen Nachrichtensprecher hörten. Den blechernen Klang seiner Stimme und seinen leidenschaftslosen Tonfall werde ich nie vergessen. Er berichtete, die chilenischen Behörden hätten nach zehntägiger vergeblicher Suche alle Bemühungen eingestellt, die uruguayische Chartermaschine zu finden, die am 13. Oktober über den Anden verschwunden sei. Rettungsaktionen seien einfach zu gefährlich und nach so langer Zeit bestehe keine Chance mehr, dass noch jemand überlebt habe.

Nach einem kurzen Moment verblüfften Schweigens begann Roy zu schluchzen.

„Was?", schrie Marcelo. „Was hat er gesagt?"

„Sie haben die Suche eingestellt. Sie geben uns auf!", rief Roy.

Marcelo fiel auf die Knie und stieß ein gequältes Geheul aus, das zwischen den Bergen widerhallte. Innerlich am Boden zerstört, beobachtete ich die Reaktion meiner Freunde schweigend. Alle Ängste, die ich bisher mühsam unterdrückt hatte, brachen sich jetzt Bahn wie Hochwasser hinter einem nachgebenden Deich. Machtvoller als je zuvor trieb mich der animalische Drang, blindlings in die Berge hineinzulaufen, und wie ein Verrückter suchte ich den Horizont ab, so als könnte ich plötzlich einen Fluchtweg entdecken, den ich zuvor nicht gesehen hatte. Dann wandte ich mich langsam nach Westen und hatte die hohen Bergrücken vor mir, die mich von zu Hause trennten. Mit neuer Klarheit erkannte ich, wie töricht mein Gedanke gewesen war, ein unerfahrener Kerl wie ich könnte solche erbarmungslosen Hänge bezwingen! Die Realität bleckte die Zähne und mir ging auf, dass alle meine Träume vom Klettern nichts anderes als Fantastereien waren. Ich wusste jetzt, was ich zu tun hatte: Ich würde zu einer tiefen Gletscherspalte laufen und in den grünlichen Abgrund springen. Ich würde dafür sorgen, dass die Felsen alles Leben, alle Angst und alles Leiden aus meinem Körper trieben. Aber selbst als ich mir ausmalte, wie ich in Stille und Frieden hinabfiel, klebte mein Blick an den Bergrücken im Westen, schätzte ich Entfernungen ab und versuchte mir den Steigungsgrad vorzustellen. Wieder flüsterte mir die kühle Stimme der Vernunft ins Ohr: *Die graue Felslinie dort drüben könnte den Füßen guten Halt bieten ...*

Es war wirklich eine Art Wahnsinn, mir Hoffnungen auf ein Entkommen zu machen, obwohl ich genau wusste, dass kein Entkommen möglich war. Die innere Stimme ließ mir jedoch keine andere Wahl. Mit grimmiger Entschlossenheit nahm ich eine einfache Wahrheit zur Kenntnis: Ich würde alles daransetzen, um von hier wegzukommen. Sicher würde ich dabei ums Leben kommen, aber ich wollte mich um jeden Preis auf die Klettertour begeben.

„Ich muss weg!", brüllte ich. „Ich kann hier keine Minute länger bleiben!"

Coco nickte in Richtung Flugzeug. „Die anderen haben uns gehört."

Ich wandte mich um und sah, wie einige Freunde aus dem Rumpf kamen. „Was gibt's Neues?", rief einer. „Haben sie uns gesichtet?"

„Wir müssen es ihnen sagen", flüsterte Coco.

Wir blickten beide zu Marcelo hinüber, der zusammengesunken im Schnee saß. „Ich kann es ihnen nicht sagen", murmelte er. „Das schaffe ich nicht."

Die anderen kamen näher. „Was ist los? Was habt ihr gehört?"

Ich wollte sprechen, aber die Worte blieben mir im Hals stecken. Da trat Coco vor und ergriff mit fester Stimme das Wort. „Gehen wir nach drinnen, dann erkläre ich's euch." Wir alle folgten ihm in die Kabine und drängten uns um ihn. „Hört mal zu, Leute", begann er, „wir haben Nachrichten gehört. Sie suchen nicht mehr nach uns."

Alle waren wie vor den Kopf gestoßen. Manche fluchten, einige fingen an zu weinen, aber die meisten starrten Coco einfach nur ungläubig an.

„Aber macht euch keine Sorgen", fuhr er fort, „das ist eine gute Nachricht. Wir müssen Ruhe bewahren. Jetzt wissen wir, was wir zu tun haben. Es gibt keinen Grund mehr, noch länger zu warten. Jetzt können wir planen, wie wir allein hier rauskommen."

„Meine Pläne sind schon fertig", schnauzte ich ihn an. „Ich gehe, und zwar *jetzt*! Ich will hier nicht sterben."

„Immer mit der Ruhe, Nando", sagte Gustavo.

„Verdammt, nein, nicht mit der Ruhe! Gebt mir ein bisschen Fleisch zum Mitnehmen. Irgendjemand kann mir eine zweite Jacke leihen. Wer kommt mit? Wenn es sein muss, gehe ich allein. Ich werde Hilfe holen. Aber ich bleibe keine Sekunde länger hier!"

Gustavo fasste mich am Arm. „Du redest Unsinn. Wenn du jetzt gehst, wirst du sterben. Du hast keine Winterausrüstung, du hast keine Klettererfahrung, du bist schwach. Jetzt loszugehen wäre Selbstmord."

„Er hat Recht", stimmte Numa ihm zu. „Du bist noch nicht stark genug. Dein Kopf ist angeknackst wie ein Ei."

„Wir müssen gehen!", schrie ich. „Sie haben uns zum Tod verurteilt! Wollt ihr einfach hier warten, bis ihr sterbt?" Blindlings wühlte ich im Rumpf und suchte nach Dingen – Handschuhen, Decken, Socken –, die mir unterwegs von Nutzen sein konnten.

Da sprach Marcelo mich leise an. „Was du auch tust, du musst dabei ebenso an das Wohl der anderen denken. Sei bedächtig. Setz dein Leben nicht sinnlos aufs Spiel. Wir sind immer noch ein Team, und wir brauchen dich." Seine Stimme klang ruhig und fest, aber es lag jetzt auch eine Traurigkeit, ein Gefühl von verletzter Resignation darin. Als er gehört hatte, dass man nicht mehr nach uns suchte, war irgendetwas in ihm zerbrochen, und innerhalb weniger Augenblicke hatte er die Kraft und Zuversicht verloren, die ihn zu einem so vertrauenswürdigen Anführer gemacht hatten. Wie er da an der Wand lehnte, wirkte er klein und grau. Ich wusste, dass er in Verzweiflung versank. Aber ich hatte großen Respekt vor ihm und konnte nicht leugnen, dass seine Worte klug waren. Also nickte ich widerwillig und suchte mir neben den anderen einen Platz auf dem Kabinenboden.

„In einem hat Nando Recht", meinte Gustavo. „Wenn wir hierbleiben, werden wir sterben, also müssen wir früher oder später klettern. Aber wir müssen es so klug wie möglich anstellen. Wir müssen wissen, wogegen wir kämpfen. Ich schlage vor, zwei oder drei von uns klettern heute los. Vielleicht können wir einen Blick auf das werfen, was hinter diesen Bergen liegt."

„Eine gute Idee", stimmte Fito zu. „Und unterwegs können wir noch mal nach dem Schwanz der Maschine suchen. Vielleicht sind darin noch Lebensmittel und warme Kleidungsstücke. Außerdem enthält er ja auch die Batterien für das Funkgerät."

„Gut", erwiderte Gustavo. „Ich gehe. Wenn wir uns bald auf den Weg machen, können wir vor Sonnenuntergang zurück sein. Wer kommt mit?"

„Ich", schloss Numa sich an, der bereits den ersten Anlauf zur Besteigung des Berges im Westen überstanden hatte.

„Ich auch", setzte Daniel Maspons hinzu, einer unserer Mannschaftskameraden bei den Old Christians.

Gustavo nickte. „Sehen wir zu, dass wir möglichst warme Kleidung finden, und dann los. Wir haben keine Zeit zu verlieren."

Er brauchte nicht einmal eine Stunde, um das Unternehmen zu organisieren. Jeder Teilnehmer schnallte sich ein Paar der Sitzkissenschneeschuhe an und bekam eine der Sonnenbrillen, die Fitos Cousin Eduardo konstruiert hatte, indem er Gläser aus den getönten Sonnenblenden im Cockpit geschnitten und sie mit Kupferdraht verbunden hatte. Ansonsten waren die drei kaum geschützt. Sie trugen nur Pullover über leichten Hemden und dünne Sommerhosen. Ihre Füße steckten in leichten Mokassins. Keiner hatte Handschuhe, und sie führten auch keine Decken mit sich. Immerhin herrschte gutes Wetter mit schwachem Wind, und die Sonne spendete so viel Wärme, dass die Gebirgsluft erträglich

72 TAGE IN DER HÖLLE

war. Wenn die Kletterer vor Sonnenuntergang zurückkehrten, durfte eigentlich keine Gefahr bestehen.

„Betet für uns", sagte Gustavo, als sie sich auf den Weg machten.

Wir sahen zu, wie sie über den Gletscher in Richtung der hohen Gipfel im Westen marschierten, wobei sie in der Spur blieben, die das Flugzeug in den Schnee gepflügt hatte. Während sie sich in immer größerer Entfernung langsam bergauf bewegten, wurden sie kleiner und kleiner, bis sie nur noch drei winzige Punkte waren.

Den ganzen Vormittag verfolgten wir sie mit den Blicken, aber irgendwann waren sie nicht mehr zu sehen. Danach hielten wir Wache und spähten an den Hängen nach Anzeichen für ihre Rückkehr. Als das Tageslicht schwand, war immer noch nichts von ihnen zu entdecken. Dann brach die Dunkelheit herein, und die bittere Kälte zwang uns, Zuflucht im Flugzeugrumpf zu suchen. In dieser Nacht rüttelte heftiger Wind an dem Wrack und fegte Schneefahnen durch jede Ritze ins Innere. Mit den Gedanken waren wir bei unseren Freunden. Wir beteten inbrünstig um ihre gesunde Rückkehr, aber die Hoffnung zu bewahren fiel schwer. Mittlerweile wussten wir alle sehr genau, wie der Tod aussah, und ich konnte mir leicht vorstellen, wie die drei steif gefroren im Schnee lagen: ihre wachsartig bläuliche Haut, eine Eiskruste an Augenbrauen und Lippen …

„Vielleicht haben sie einen Unterschlupf gefunden", sagte jemand.

„Auf diesem Berg gibt es keinen Unterschlupf", erwiderte Roberto.

„Aber ihr seid auch da hochgeklettert und habt überlebt", gab ein anderer zu bedenken.

„Wir sind bei Tag geklettert, und das war schon schlimm genug. Nachts muss es da oben vierzig Grad kälter sein."

„Sie sind kräftig."

Andere nickten und hielten aus Respekt ihre Zungen im Zaum.

Doch Marcelo brach das Schweigen. „Es ist meine Schuld", sagte er leise. „Ich habe euch alle in den Tod geführt."

„So darfst du nicht denken", entgegnete Fito. „Wir teilen hier alle das gleiche Schicksal. Niemand macht dir einen Vorwurf."

„Ich habe das Flugzeug gechartert!", blaffte er zurück. „Ich habe die Piloten angeheuert! Ich habe das Spiel organisiert und euch alle überredet mitzukommen!"

„Meine Mutter und meine Schwester hast du nicht überredet", widersprach ich. „Das habe ich gemacht, und jetzt sind sie tot. Wenn ein Flugzeug vom Himmel fällt, ist das nicht unsere Schuld."

„Jeder von uns hat selbst entschieden", meinte jemand. „Du bist ein guter Kapitän, Marcelo. Nur nicht den Mut verlieren!"

Aber er *verlor* den Mut, und zwar rapide. Mir machte es Sorgen, ihn in einem so elenden Zustand zu sehen. Er war für mich immer ein Held gewesen. Auf dem Spielfeld strahlte er Führungsstärke und Begeisterung aus, aber er weckte meine Bewunderung nicht nur durch sein sportliches Talent. Marcelo war prinzipientreuer und reifer als wir Übrigen. Er war ein gläubiger Katholik und bemühte sich nach Kräften, ein tugendhaftes Leben zu führen. Dabei war er nicht selbstgerecht, sondern gehörte zu den bescheidensten Mitgliedern unserer Mannschaft. Er war von seinem Glauben überzeugt, hatte eingehend über alle wichtigen Fragen seines Lebens nachgedacht und kannte seinen Standpunkt. Für ihn war die Welt genau geordnet und wurde von einem weisen, liebenden Gott beaufsichtigt, der versprochen hatte, uns zu beschützen. Unsere Aufgabe war es, seine Gebote zu befolgen und unseren Nächsten zu lieben, wie Jesus es gelehrt hatte. Diese Weisheit bildete die Grundlage von Marcelos Leben und gab ihm jenes Selbstvertrauen und jene Ausstrahlung, die ihn zu einer so starken Führungspersönlichkeit machten. Sich einem Mann anzuschließen, der keine Zweifel hat, ist einfach. Wir hatten Marcelo immer völlig vertraut. Wie konnte er versagen – gerade jetzt, wo wir ihn am dringendsten brauchten?

Vielleicht, so dachte ich, war er in Wirklichkeit nie so stark gewesen, wie es den Anschein gehabt hatte. Aber dann begriff ich es: Marcelo war nicht zusammengebrochen, weil sein Glaube *zu wenig* gefestigt, sondern *zu stark* war. Er glaubte absolut und kompromisslos an die Rettung. Die Nachricht, dass man die Suche aufgegeben hatte, musste sich für ihn angefühlt haben, als bräche der Boden unter seinen Füßen weg. Gott hatte uns den Rücken zugekehrt. Gerade die Eigenschaften, die Marcelo zu einer so großartigen Leitfigur gemacht hatten – seine Zuversicht, seine Entschiedenheit, seine Selbstsicherheit –, führten jetzt dazu, dass er den Schlag nicht wegstecken konnte. Als sich die Spielregeln änderten, zerbrach Marcelo wie Glas.

Als ich sah, wie er leise vor sich hin schluchzte, begriff ich plötzlich, dass zu viel Selbstsicherheit an diesem schrecklichen Ort tödlich sein konnte. Ich schwor mir, nie zum Gefangenen meiner eigenen Erwartungen zu werden. Und ich würde nie behaupten, ich wüsste, was als Nächstes passieren würde. Hier herrschten wilde, fremde Regeln. Ich musste mir selbst beibringen, in ständiger Unsicherheit zu leben – Augenblick für Augenblick, als hätte ich nichts mehr zu verlieren. Auf diese Weise würden meine Ängste mich nicht davon abhalten, meinen Instinkten zu folgen, und kein Risiko würde zu groß werden.

SCHLIESSLICH wurde es Morgen. Wir versammelten uns vor dem Flugzeug und suchten die Berge mit den Blicken nach Spuren unserer vermissten Freunde ab. Es war schönes Wetter, die Sonne hatte die Luft bereits erwärmt, und der Wind war zu einer leichten Brise abgeflaut. Obwohl einigermaßen gute Sichtverhältnisse bestanden, konnten wir keine Bewegung an den Abhängen ausmachen.

Am späten Vormittag stieß plötzlich jemand einen Schrei aus. „Da bewegt sich was! Da, oberhalb dieses Grates!"

„Ich sehe es auch!", bestätigte ein anderer.

Ich starrte auf den Berg, und schließlich sah ich das Gleiche wie sie: drei schwarze Punkte im Schnee.

„Das sind Felsen", murmelte einer. „Ist doch alles nur Einbildung."

„Seht doch, sie bewegen sich!"

Ein Stück weiter unten an jenem Hang war ein Felsvorsprung. Ich benutzte ihn als Vergleichspunkt und hielt den Blick auf die Punkte gerichtet. Nach ein, zwei Minuten zeigte sich eindeutig, dass sie dem Vorsprung näher gekommen waren. Es stimmte! „Sie leben noch!"

Unsere Stimmung besserte sich schlagartig. In unserer Freude klopften wir uns auf die Schultern.

„Los, Numa! Los, Daniel! Los, Gustavo! Ihr schafft das!"

Zwei Stunden brauchten die drei, bis sie den Weg bergab hinter sich gebracht hatten. Die ganze Zeit feuerten wir sie an. Aber als sie so nahe kamen, dass wir erkennen konnten, in welcher Verfassung sie sich befanden, verflog die Freude sehr schnell. Vor Schwäche konnten sie die Füße kaum mehr aus dem Schnee heben und mussten sich gegenseitig stützen. Gustavo blinzelte und machte tastende Bewegungen, als wäre er blind. Das Schlimmste war der Ausdruck in ihren Gesichtern. Sie sahen so aus, als seien sie über Nacht um zwanzig Jahre gealtert, und in ihren Augen erkannte ich eine beunruhigende Mischung aus Furcht und Resignation.

Wir stürmten auf sie zu, stützten sie auf dem Weg zum Flugzeugrumpf und gaben ihnen Kissen zum Hinlegen. Roberto untersuchte sie sofort und sah, dass ihre Füße fast erfroren waren. Dann bemerkte er, dass Tränen aus Gustavos trüben Augen strömten.

„Es war das Glitzern auf dem Schnee", erklärte Gustavo. „Die Sonne war so stark."

„Hast du die Sonnenbrille nicht aufgesetzt?", fragte Roberto.

„Die ist kaputtgegangen. Es fühlt sich an, als hätte ich Sand in den Augen. Ich glaube, ich bin blind."

Roberto träufelte ihm ein paar Tropfen in die Augen – er hatte sie in einem Koffer gefunden und war überzeugt, dass sie die Reizung lindern konnten – und wickelte ihm ein T-Shirt um den Kopf, um die geschädigten Augen vor dem Licht zu schützen. Dann wies er uns andere an, den dreien abwechselnd die Füße zu massieren. Jemand brachte ihnen eine große Portion Fleisch und sie aßen mit großem Appetit. Nachdem sie sich ausgeruht hatten, berichteten sie von ihrem Unternehmen.

„Der Berg ist unheimlich steil", erläuterte Gustavo. „An manchen Stellen ist es, als würde man an einer Mauer hochklettern. Man muss vor sich in den Schnee greifen und sich hochziehen."

„Und die Luft ist dünn", fügte Daniel hinzu. „Man schnauft, das Herz rast. Man macht fünf Schritte und hat das Gefühl, als wäre man einen Kilometer gerannt."

„Warum seid ihr nicht umgekehrt, bevor es dunkel wurde?", wollte ich wissen.

„Wir waren den ganzen Tag geklettert und hatten es an dem Hang erst bis auf halbe Höhe geschafft", antwortete Gustavo. „Wir wollten nicht zurückkommen und euch sagen, dass wir versagt haben. Wir wollten gute Nachrichten mitbringen. Also beschlossen wir, für die Nacht einen Unterschlupf zu suchen und am Morgen weiterzuklettern."

In der Nähe eines Felsvorsprungs fanden sie eine ebene Stelle, bauten sich dort aus herumliegenden Steinen eine Mauer und kauerten sich dahinter zusammen. Auf diese Weise, so hofften sie, wären sie nachts vor dem Wind geschützt. Sie hielten es nicht für möglich, dass man noch stärker unter der Kälte leiden könne als bisher. Aber sehr schnell stellten sie fest, dass sie sich geirrt hatten.

„Da oben am Berg herrscht eine unbeschreibliche Kälte", erzählte Gustavo. „Die reißt dir das Leben raus. Es tut weh wie Feuer."

Während die Stunden vorüberschlichen, überkam sie die Gewissheit, dass die Entscheidung, am Berg zu bleiben, sie das Leben kosten würde, aber irgendwie hielten sie bis zur Morgendämmerung durch. Erstaunt darüber, dass sie noch am Leben waren, ließen sie sich von der Sonne auftauen und kletterten weiter.

„Habt ihr den Flugzeugschwanz gefunden?", fragte Fito.

„Wir haben nur Wrackteile und ein paar Gepäckstücke gesehen", erwiderte Gustavo. „Und einige Tote." Wie er weiter berichtete, hatten sie die Leichen all derer gefunden, die aus der Maschine gefallen waren; die meisten waren noch an den Sitzen angeschnallt. „Das hier haben wir von ihnen mitgenommen." Er brachte ein paar Armbanduhren, Brieftaschen, Heiligenbildchen und andere persönliche Habseligkeiten zum Vorschein. „Die Leichen lagen ziemlich hoch oben am Berg, aber wir waren immer noch weit vom Gipfel entfernt. Wir hatten keine Kraft mehr, um weiterzuklettern, und wollten nicht noch eine Nacht dort festsitzen."

Am späteren Abend, als alles ruhig war, ging ich zu Gustavo. „Was habt ihr da oben gesehen?", erkundigte ich mich. „Konntet ihr hinter die anderen Gipfel blicken?"

Müde schüttelte er den Kopf. „Sie sind zu hoch. Man kann nicht weit sehen."

„Aber irgendetwas müsst ihr doch gesehen haben."

Er zuckte die Achseln. „Zwischen zwei Gipfeln, ganz in der Ferne … Ich weiß nicht, Nando, vielleicht etwas Gelbliches oder Braunes, ich konnte es nicht genau erkennen. Aber eines solltest du wissen: Von oben am Berg habe ich zurück auf die Absturzstelle geschaut. Die Fairchild ist ein winziges Pünktchen im Schnee. Man kann sie nicht von einem Felsen oder einem Schatten unterscheiden. Es ist völlig aussichtslos – ein Pilot könnte sie von einem Flugzeug aus nie erkennen. Wir hatten nie eine Chance, gerettet zu werden."

NACH Gustavos fehlgeschlagenem Unternehmen waren wir entmutigt, und unsere Stimmung wurde noch weiter getrübt. Wir mussten erkennen, dass Marcelo in seiner Verzweiflung die Führungsrolle in aller Stille aufgegeben hatte. Und offensichtlich nahm kein anderer seinen Platz ein. Gustavo war nach der Bergtour am Ende und gewann seine Stärke nicht mehr wieder. Roberto strahlte immer noch Kraft aus, und wir verließen uns gern auf seinen Verstand und seinen großen Ideenreichtum, aber er war äußerst halsstarrig. Mit seiner Reizbarkeit und Streitsucht weckte er bei uns nicht dasselbe Vertrauen wie Marcelo.

Als sich keine starke Leitfigur herauskristallisierte, entwickelte sich eine lockerere, weniger formale Form der Führung. Auf der Grundlage früherer Freundschaften, ähnlicher Temperamente und gemeinsamer Interessen entstanden Bündnisse. Die stärkste derartige Allianz war die zwischen Fito und seinen Cousins Eduardo Strauch und Daniel Fernández. Unter den dreien war Fito der Jüngste und Auffälligste. Er war ein stiller, zurückhaltender junger Mann, aber schon bald erwies er sich als klug und vernünftig, und ich wusste, er wollte mit aller Kraft daran mithelfen, dass wir am Leben blieben. Die drei standen sich sehr nahe und stellten eine einheitliche Kraft dar. „Die Vettern", wie wir sie nannten, bildeten das Zentrum unserer Gemeinschaft, was verhinderte, dass die Gruppe in Grüppchen zerfiel. Außerdem konnten sie den meisten begreiflich machen, dass wir unser Schicksal jetzt ausschließlich selbst in der Hand hatten und ein jeder alles daransetzen musste, um zu überleben. Auf diesen Ratschlag hin sagten sich Liliana, Numa, Coche und die Übrigen, die sich bislang geweigert hatten zu essen, wenn sie Leben aus ihren toten Freunden bezögen, sei es das Gleiche, als wenn sie bei der Kommunion spirituelle Stärke aus dem Leib Christi bezögen.

Ich war erleichtert, dass sie wieder etwas zu sich nahmen, und stellte solche Überlegungen nicht infrage. Für mich jedoch war der Verzehr dieses Fleisches nicht mehr als das Ergebnis einer harten, pragmatischen Entscheidung, die ich getroffen hatte, um am Leben zu bleiben. Mich rührte der Gedanke, dass meine Freunde mir noch im Tod gaben, was ich zum Leben brauchte, aber ich verspürte kein erhebendes Gefühl in dem Sinn, dass ich eine spirituelle Verbindung zu den Toten eingegangen wäre. Meine Freunde waren nicht mehr da. Diese Leichen waren Gegenstände. Wir wären Dummköpfe gewesen, wenn wir sie nicht genommen hätten.

Wir alle aßen jetzt genug, um den Hungertod in Schach zu halten. Mir zuliebe hatten die anderen versprochen, meine Mutter und Susy nicht anzurühren, aber auch ohne sie reichten die Leichen noch für Wochen, wenn wir das Fleisch sorgfältig einteilten.

Dennoch stillte es nie meinen Hunger, und wie die anderen schwand ich immer weiter dahin. Die Zeit lief uns davon, und meine allergrößte Angst war, dass wir zu schwach wurden, um hier wegzukommen. Die Beinahekatastrophe von Gustavos Expedition hatte mir aufs Neue klargemacht, wie schwierig eine Klettertour werden würde. In schwachen Augenblicken sagte ich mir: Es ist unmöglich, wir sind hier gefangen. Wir sind am Ende. All unser Leiden war vergeblich. Aber jedes Mal wenn mich dieses Selbstmitleid überkam, tauchte in meinen Gedanken das Bild meines Vaters auf; er erinnerte mich daran, wie er gelitten und dass ich gelobt hatte, zu ihm zurückzukommen. Die Liebe zu ihm war stärker als meine Angst. Eines Tages würde ich den Berg hinaufklettern müssen, das wusste ich, auch wenn ich damit ins Verderben steigen würde. Was spielte es noch für eine Rolle? Warum nicht bei meinem Ende der Heimat einen Schritt näher sein? Aber auch wenn dieser Tod unausweichlich zu sein schien, so spürte ich doch einen Funken Hoffnung, dass ich es irgendwie durch die Wildnis bis nach Hause schaffen könnte. Der Gedanke, die Fairchild zu verlassen, erschreckte mich zwar, andererseits konnte ich es kaum erwarten, endlich aufzubrechen. Allerdings war mir klar, dass ich niemals den Mut aufbringen würde, es allein zu tun. Ich brauchte einen Kameraden, der mich bestärkte. Also fing ich an, die anderen zu beobachten, ihre Stärken abzuwägen, ihr

72 TAGE IN DER HÖLLE

Temperament, ihre Leistungsfähigkeit in schwierigen Situationen, versuchte mir vorzustellen, welche dieser abgerissenen, hungernden, verängstigten Gestalten ich am liebsten an meiner Seite haben würde.

Vierundzwanzig Stunden früher wäre meine Wahl auf Marcelo und Gustavo gefallen. Aber jetzt war Marcelo ein einziges Häuflein Elend und Gustavo war durch die Strapazen am Berg mitgenommen und erblindet. Also richtete ich den Blick auf die anderen gesunden Überlebenden. Fito hatte beim ersten Versuch der Besteigung seine Tapferkeit bewiesen und sich mit seiner ruhigen, überlegten Art unseren Respekt erworben. Er stand eindeutig weit oben auf meiner Liste. Das Gleiche galt für Numa. Obwohl er für die meisten von uns vor dem Absturz ein Fremder gewesen war, wurde nach meinem Dafürhalten kein anderer so geschätzt wie er, der durch sein stilles Heldentum auffiel. Niemand weckte mehr Hoffnung, und niemand zeigte mehr Mitgefühl für jene, die am meisten zu leiden hatten.

Ein weiterer Kandidat war Daniel Maspons, der so mutig mit Gustavo losgezogen war. Ebenso Coco Nicolich, der mich mit seiner Selbstlosigkeit und Ausgeglichenheit beeindruckte. Auch Antonio Vizintín, Roy Harley und Carlitos Páez waren gesund und kräftig. Und dann war da noch Roberto, der Klügste und Komplizierteste von uns allen.

Der Umgang mit ihm war immer schwierig gewesen. Der Sohn eines bekannten Kardiologen aus Montevideo war ein hochintelligenter Egoist, der keine Lust hatte, irgendwelche Regeln mit Ausnahme seiner eigenen zu befolgen. In der Schule hatte er ununterbrochen Schwierigkeiten gehabt, und seine Mutter war ständig in das Büro des Schulleiters bestellt worden. In der Hoffnung, ein konstruktives Ventil für sein unbändiges Wesen zu finden, hatten ihn die Christian Brothers zum Rugbyspielen ermuntert. Er besetzte auf dem linken Flügel die gleiche Position wie Panchito auf dem rechten, aber während dieser elegant antäuschte und sich bis zur Mallinie durchwand, kämpfte sich Roberto lieber einen direkten Weg durch die gegnerischen Reihen. Er gehörte nicht zu unseren größten Spielern, aber seine Beine waren so kräftig, dass sie ihm in Verbindung mit seinem berühmten Durchsetzungswillen den Spitznamen „Muskel" eingebracht hatten. Mit seinen stämmigen Gliedmaßen und seiner natürlichen Kampfeslust war Roberto auch für viel größere Gegner ein schwerer Brocken. Doch seine Halsstarrigkeit wurde auch durch das Spiel nicht geringer.

Wegen seiner Starrköpfigkeit war er als Freund sehr schwierig, und er konnte arrogant und anmaßend sein. Immer wieder setzte er sich über Entscheidungen der Gruppe hinweg und legte sich mit jedem an, der ihn zur Rede stellte. Mehr als einmal hätte seine starrsinnige Aggressivität fast zu Handgreiflichkeiten geführt. Dennoch hatte ich Achtung vor ihm. Er war der Intelligenteste und Einfallsreichste von uns allen, und er zeigte Verantwortungsgefühl. Ohne seine zupackende medizinische Versorgung unmittelbar nach dem Absturz wären viele vielleicht schon tot gewesen. Unsere Werkzeuge und das kleine Sortiment an medizinischem Material hatte er zum größten Teil aus Gegenständen hergestellt und improvisiert, die wir aus dem Wrack geborgen hatten.

Mir war bewusst, dass Robertos Findigkeit von großem Vorteil für mich wäre. Außerdem schätzte er realistisch ein, in welch verzweifelter Situation wir uns befanden. Vor allem aber wollte ich ihn einfach deshalb dabeihaben, weil er der entschlossenste Mensch war, den ich je kennen gelernt habe. Er war sicher kein einfacher Weggefährte, aber ich begriff, dass Robertos Willenskraft auf ideale Weise die ungezügelten Impulse ergänzen würde, die mich dazu trieben, blindlings loszustürmen. Er war derjenige, den ich an meiner Seite brauchte.

Als der richtige Zeitpunkt gekommen war und wir unter vier Augen sprechen konnten, fragte ich ihn, ob er mich begleiten wolle.

„Du bist verrückt!", schnauzte er mich an. „Sieh dir nur diese Berge an. Hast du überhaupt eine Vorstellung, wie hoch die sind?"

Ich blickte zum höchsten Gipfel hinauf. „Vielleicht zwei- oder dreimal so hoch wie der Pan de Azúcar", antwortete ich in Anspielung auf den höchsten „Berg" Uruguays.

Roberto schnaubte. „Idiot! Auf dem Pan de Azúcar liegt kein Schnee! Der ist nur vierhundertfünfzig Meter hoch! Dieser Berg hier ist zehnmal höher. Mindestens!"

„Haben wir denn eine andere Wahl? Wir müssen es versuchen. Ich habe meine Entscheidung getroffen. Ich werde hinaufsteigen, Roberto, aber du musst mitkommen."

Traurig schüttelte er den Kopf. „Du hast doch gesehen, wie es Gustavo ergangen ist. Und der hat es nur bis auf die halbe Höhe geschafft."

„Wir können nicht hierbleiben. Das weißt du doch. Wir müssen so bald wie möglich aufbrechen."

„Kommt nicht infrage! Wenn überhaupt, dann muss es genau geplant werden. Wir müssen es so klug wie möglich anstellen und in allen Einzelheiten durchdenken. Wie wollen wir klettern? Über welchen Hang? In welche Richtung?"

„Über solche Dinge denke ich ständig nach", erwiderte ich. „Wir brauchen Nahrung, Wasser, warme Kleidung ..."

„Der Zeitpunkt ist sehr wichtig", fügte er hinzu. „Wir müssen warten, bis das Wetter besser wird."

„Aber wir können nicht warten, bis wir so schwach sind, dass wir den Aufstieg nicht mehr schaffen."

Er schwieg kurze Zeit. „Wir werden dabei umkommen, das ist dir klar?"

„Ja, vermutlich. Aber wenn wir hierbleiben, sind wir schon tot. Ich kann es nicht allein machen, Roberto. Bitte, komm mit!"

Einen Moment lang musterte er mich mit seinem durchdringenden Blick, als hätte er mich noch nie gesehen. Dann nickte er in Richtung des Flugzeugrumpfes. „Gehen wir rein. Der Wind wird stärker."

DAS GRAB

In der letzten Oktoberwoche hatten wir die Gruppe zusammengestellt, die sich von der Absturzstelle auf den Weg machen und Hilfe holen sollte. Dass ich dabei war, stand für alle außer Zweifel – sie hätten mich an den Felsen festbinden müssen, um mich daran zu hindern. Roberto hatte sich am Ende bereiterklärt mitzukommen. Vervollständigt wurde unser Gespann durch Fito und Numa. Die anderen bezeichneten uns als „Expeditionsteam". Es wurde entschieden, dass wir ab sofort größere Nahrungsrationen erhielten, um Kräfte aufzubauen. Ebenso gab man uns die wärmsten Kleidungsstücke sowie die besten Schlafplätze, und wir wurden von Alltagstätigkeiten befreit, sodass wir unsere Energie für die Tour aufsparen konnten.

Unsere Fluchtpläne erschienen endlich realistisch, und die Stimmung in der Gruppe besserte sich. Nach zwei Wochen im Gebirge hatten wir auch andere Gründe zur Hoffnung: Trotz aller Qualen war seit dem achten Tag, seitdem ich Susy verloren hatte, niemand mehr gestorben. Die Leichen im Schnee lieferten genug Nahrung, damit wir am Leben blieben, und obwohl wir in den eisigen Nächten immer noch litten, wussten wir doch, dass die Kälte uns nicht umbrachte, wenn wir uns im Wrack zusammendrängten. Wir hatten den Eindruck, als liege der Höhepunkt der Krise hinter uns. Die Verhältnisse waren stabiler. Vielleicht hatten wir die schlimmsten Schrecken überstanden. Vielleicht war es allen 28 bestimmt, am Leben zu bleiben. Mit solchen Gedanken trösteten sich viele von uns, als wir am Abend des 29. Oktober in den Rumpf krochen und uns zum Schlafen bereit machten.

Es war eine windige Nacht, aber bald glitt ich in einen Halbschlaf. Eine Zeit lang döste ich, dann wachte ich verängstigt und orientierungslos auf, weil etwas mit gewaltiger Kraft gegen meine Brust schlug. Ich spürte etwas Eisiges, Nasses im Gesicht, und ein erdrückendes Gewicht presste mir die Luft aus der Lunge. Nach kurzer Verwirrung wurde mir klar, was geschehen war: Eine Lawine war den Berg hinuntergerollt und hatte den Rumpf mit Schnee gefüllt. Einen Augenblick lang herrschte völlige Stille, dann hörte ich ein langsames, feuchtes Quietschen: Der Schnee kam unter seinem eigenen Gewicht zur Ruhe und schichtete sich um mich herum auf wie ein Fels. Ich wollte mich bewegen, aber es war ein Gefühl, als wäre mein Körper in Beton eingegossen; ich konnte nicht einmal einen Finger krümmen. Mir gelangen ein paar flache Atemzüge, aber der Schnee drang mir in Mund und Nase, sodass ich keine Luft mehr bekam.

Das ist mein Tod, sagte ich mir ruhig. Jetzt werde ich erfahren, wie es auf der anderen Seite aussieht. Ich versuchte nicht zu schreien oder mich zu befreien. Ich wartete einfach, und als ich mich mit meiner Hilflosigkeit abgefunden hatte, überkam mich ein Gefühl des Friedens. Geduldig wartete ich ab, dass mein Leben zu Ende ging. Es war vorüber. Keine Anstrengung mehr.

Da klaubte eine Hand den Schnee von meinem Gesicht und ich wurde wieder in die Welt der Lebenden gezerrt. Jemand hatte durch über einen Meter Schnee einen schmalen Schacht gegraben, um zu mir zu gelangen. Ich spuckte den Schnee aus und sog die kalte Luft ein.

Über mir hörte ich Carlitos Stimme. „Wer ist das?", rief er.

„Ich", stotterte ich. „Nando."

Er verschwand. Über mir hörte ich großes Durcheinander, Geschrei und Schluchzen.

„Grabt nach den Gesichtern! Seht zu, dass sie Luft bekommen!"

„Coco! Wo ist Coco?"

„Helft mir hier!"

„Hat jemand Marcelo gesehen?"

„Wie viele haben wir? Irgendjemand muss mal zählen!"

Das Chaos dauerte nur wenige Minuten, dann trat Stille ein.

Wenig später hatten sie mich so weit ausgegraben, dass ich mich selbst aus dem restlichen Schnee befreien konnte. Das Feuerzeug, das Pancho Delgado in der Hand hielt, erfüllte den Flugzeugrumpf mit gespenstischem Licht. Ich sah einige meiner Freunde bewegungslos daliegen. Andere erhoben sich aus dem Schnee wie Zombies aus ihren Gräbern. Javier kniete neben mir, Liliana in den Armen. Ihr Kopf und ihre Arme hingen schlaff herunter; da wusste ich, dass sie tot war. Ungläubig schüttelte ich den Kopf, während Javier zu schluchzen begann.

„Nein", ächzte ich. „Nein." Als hätte ich mit dem, was gerade geschehen war, diskutieren können. Ihm verbieten können, real zu sein.

Ich blickte zu den anderen. Einige weinten, einige trösteten Javier, andere starrten einfach benommen ins Dunkle. Kurze Zeit sprach niemand, aber als der Schock nachließ, erzählten mir die anderen, was sie gesehen hatten.

Es hatte mit einem dumpfen Grollen in den Bergen begonnen. Roy Harley hörte das Geräusch und war sofort auf den Beinen. Wenige Sekunden später brach die Lawine durch die provisorische Wand am hinteren Ende des Rumpfes und begrub ihn bis zu den Hüften. Entsetzt sah er, dass alle, die auf dem Boden geschlafen hatten, jetzt unter dem Schnee verschüttet waren. Er begann zu graben. Schnell befreite er Carlitos, Fito und Roberto, die daraufhin ebenfalls losbuddelten. Hektisch suchten sie unter dem Schnee nach den Freunden, aber sie waren nicht schnell genug, um alle zu retten. Wir hatten schwere Verluste zu beklagen. Marcelo war tot, ebenso Enrique Platero, Coco Nicolich und Daniel Maspons. Der Flugingenieur Carlos Roque und Juan Carlos Menéndez, der Freund eines Mannschaftskameraden, waren unter der einstürzenden Wand umgekommen. Liliana und Diego Storm, der mich, als ich noch im Koma gelegen hatte, ins Warme gezogen und mir damit das Leben gerettet hatte, waren ebenfalls nicht mehr unter uns.

Wir waren vom Tod unserer Freunde wie vor den Kopf gestoßen. Jetzt war klar, dass wir an diesem Ort niemals sicher sein würden. Der Berg konnte uns auf vielerlei Weise umbringen. Daniel und Liliana hatten nur wenige Zentimeter links und rechts neben mir geschlafen. Sie hatten einfach weniger Glück gehabt als ich. Ich dachte daran, wie meine Mutter und Susy sich ihre Plätze im Flugzeug ausgesucht hatten und wie Panchito wenige Augenblicke vor dem Absturz mit mir den Sitz getauscht hatte. Die Beliebigkeit dieser Todesfälle empörte mich, aber sie ängstigte mich auch: Wenn der Tod so zufällig zuschlug, konnte mich nichts vor ihm bewahren, weder Planung noch Entschlossenheit.

Als wollte der Berg sich über meine Ängste lustig machen, schickte er später in derselben Nacht noch eine zweite Lawine den Abhang hinunter. Wir hörten sie kommen und machten uns auf das Schlimmste gefasst, aber dieses Mal rollte sie einfach über uns hinweg. Die Fairchild war bereits unter Schnee begraben.

NACH der Lawine wurde der zuvor schon zugige und enge Unterschlupf im Wrack endgültig zur Hölle. Der eingedrungene Schnee lag so hoch, dass wir nicht mehr stehen konnten. Wir hatten jetzt gerade noch so viel

Platz, dass wir auf allen vieren herumkriechen konnten. Sobald wir es verkraften konnten, stapelten wir die Toten am hinteren Ende des Flugzeugs, wo der Schnee am höchsten war. Für die Lebenden blieb zum Schlafen nur noch eine kleine Lücke in der Nähe des Cockpits. Dort drängten wir uns zusammen – wir waren jetzt noch 19 und quetschten uns auf eine Fläche, die vielleicht für vier Personen bequem gewesen wäre. Uns blieb keine andere Wahl, als uns dicht an dicht zu legen, wobei unsere verhakten Knie, Füße und Ellbogen die albtraumhafte Form eines Rugbygedränges bildeten. Wir waren alle unter dem Schnee begraben gewesen, der jetzt durch die Körperwärme schnell taute, und wenig später war unsere Kleidung völlig durchnässt. Noch schlimmer wurde die Sache dadurch, dass alle unsere Habseligkeiten unter mehr als einem Meter Schnee am Boden der Kabine lagen. Wir hatten keine provisorischen Decken mehr, um uns zu wärmen, keine Schuhe, die unsere Füße vor der Kälte geschützt hätten, und keine Kissen, die uns von dem Schnee trennten. Über unseren Köpfen blieb so wenig Platz, dass wir mit nach vorn gebeugten Schultern und dem Kinn auf der Brust schlafen mussten. Als ich nach einer bequemen Haltung suchte, spürte ich Panik in mir hochsteigen, und ich musste mich zusammennehmen, um nicht zu schreien. Wie viel Schnee lag über uns? Ein halber Meter? Fünf? Waren wir lebendig begraben? War die Fairchild zu unserem Sarg geworden? Der Schnee schirmte uns vom Klang des Windes draußen ab und veränderte auch die Geräusche in der Maschine, schuf eine dicke, dumpfe Stille und verlieh unseren Stimmen ein schwaches Echo, so als sprächen wir am Boden eines Brunnenschachts. So fühlt es sich also an, wenn man am Meeresgrund in einem U-Boot eingeschlossen ist, dachte ich.

Die folgenden Stunden gehörten zu den düstersten des gesamten Martyriums. Javier weinte bitterlich um Liliana, und auch fast alle anderen Überlebenden beklagten den Tod eines besonders engen Freundes. Und alle zusammen trauerten wir um Marcelo.

Wenig später begannen einige zu husten oder zu niesen. Mir wurde klar, dass die Luft im Rumpf sich verschlechterte, weil der Schnee uns eingeschlossen hatte. Wenn wir nicht bald für Frischluftzufuhr sorgten, erstickten wir. Ich bemerkte, dass die Spitze eines Aluminiumpfostens aus dem Schnee ragte. Ohne lange nachzudenken, zog ich ihn heraus, packte ihn wie eine Lanze, kniete mich hin und begann, sein spitzes Ende in die Decke zu treiben. Mit aller Kraft rammte ich ihn immer wieder in das Kabinendach, bis es mir gelang, die Außenhaut der Fairchild zu durchstoßen. Ich drückte den Stab nach oben und spürte über der

Maschine den Widerstand des Schnees, der jedoch irgendwann nachließ. Der Stab stieß ins Freie.

Wir waren nicht hoffnungslos begraben. Über der Fairchild lag höchstens ein Meter Schnee. Durch das Loch strömte frische Luft herein, und nachdem wir alle leichter atmen konnten, bildeten wir wieder unser Menschenknäuel und versuchten zu schlafen.

Als endlich der Morgen dämmerte, hellten sich die Fenster ein wenig auf – schwaches Licht drang durch den Schnee. Wir vergeudeten keine Zeit mit dem Versuch, uns durch Graben aus unserem Aluminiumsarg zu befreien. Wir wussten, in welcher gekippten Position das Flugzeug auf dem Gletscher lag und dass die Fenster auf der rechten Seite des Cockpits zum Himmel zeigten. Da unser bisheriger Ausgang am Heck der Maschine durch viele Tonnen Schnee blockiert war, entschieden wir, dass diese Fenster den besten Fluchtweg boten. Mit Metallgegenständen und abgebrochenen Kunststoffstücken gruben wir uns einen Weg in Richtung Cockpit. In dem beengten Raum konnte immer nur einer zurzeit arbeiten; also wechselten wir uns in Viertelstundenschichten ab: Der Erste löste den steinharten Schnee, die anderen schaufelten ihn zum hinteren Ende des Rumpfes.

Bis wir den Durchgang zum Cockpit frei geräumt hatten, vergingen Stunden, aber schließlich hatte Gustavo sich bis zum Pilotensitz vorgearbeitet und konnte das Fenster erreichen. Er drückte dagegen und wollte es aus dem Rahmen sprengen, auf dem Glas lag allerdings eine zu große Schneelast, sodass seine Kraft nicht ausreichte. Als Nächster versuchte es Roy Harley, und ihm gelang es, mit einer energischen Bewegung das Fenster aufzustoßen. Er kletterte durch die Öffnung, während er sich durch einen knappen Meter Schnee grub, und gelangte schließlich ins Freie, wo er sich umsehen konnte. Ein Unwetter fegte mit hoher Windgeschwindigkeit über die Berge und der Schnee stach ihm ins Gesicht. Roy blinzelte in den Wind und erkannte, dass der Schnee das Flugzeug völlig unter sich begraben hatte.

„Das ist ein Schneesturm", verkündete er, als er wieder in den Rumpf hinuntergeklettert war. „Der Schnee rund um das Flugzeug ist so tief, dass man nicht darin gehen kann. Beim Verlassen des Flugzeugs würden wir einfach einsinken und wären verloren. Wir sitzen hier drin fest, bis der Sturm zu Ende ist, und es sieht nicht so aus, als wäre das schnell der Fall."

Uns blieb nichts anderes übrig, als uns in unserem erbärmlichen Gefängnis zusammenzukauern. Um die Stimmung aufzuheitern, unterhielten wir uns über unseren Fluchtplan. Im Laufe der Diskussionen kristallisierte sich eine neue Idee heraus: Nach zwei gescheiterten Versuchen, die Berge über uns zu besteigen, waren die meisten überzeugt, eine Flucht nach Westen wäre unmöglich. Ihre Aufmerksamkeit richtete sich nun auf das breite Tal, das sich von der Absturzstelle nach Osten den Berg hinunterzog. Wenn wir Chile so nahe waren, wie wir glaubten, so lautete die Überlegung, musste das gesamte Wasser aus dieser Region durch das chilenische Vorgebirge in den Pazifik fließen. Wenn wir dem Weg dieses Wassers durch das Gebirge folgen konnten, hatten wir unsere Fluchtroute.

Ich hielt nicht viel von einem solchen Plan. Es erschien mir verrückt, die einzige Tatsache zu ignorieren, die wir sicher wussten – *im Westen liegt Chile* –, und einen Weg einzuschlagen, der uns mit ziemlicher Sicherheit tiefer in die Anden hineinführte. Aber als die anderen diesen Plan favorisierten, leistete ich keinen Widerstand.

„Sobald der Sturm zu Ende ist, müssen wir aufbrechen", sagte ich.

„Wir müssen abwarten, bis sich das Wetter grundsätzlich bessert", widersprach Fito.

„Ich habe das Warten satt", entgegnete ich. „Woher sollen wir wissen, ob das Wetter an diesem verfluchten Ort überhaupt irgendwann besser wird?"

Da erinnerte sich Pedro Algorta an eine Unterhaltung, die er einmal in Santiago mit einem Taxifahrer geführt hatte. „Er meinte, dass man nach dem Sommer in den Anden die Uhr stellen kann. Er beginnt immer am 15. November."

„Das sind nur noch gut zwei Wochen, Nando", gab Fito zu bedenken. „So lange wirst du doch noch warten können."

„Na gut, ich warte. Aber nur bis zum 15. November. Wenn dann kein anderer mitkommt, gehe ich allein."

DIE TAGE, als wir unter der Lawine festsaßen, waren die schlimmsten. Da wir drinnen eingeschlossen waren, konnten wir Fitos Wasserherstellungsmaschinen nicht mehr benutzen, und der Durst war nur noch dadurch zu stillen, dass wir Brocken des schmutzigen Schnees kauten, auf dem wir herumkrochen und schliefen. Da wir von den Leichen draußen abgeschnitten waren, hatten wir nichts mehr zu essen und wurden schnell schwächer. Uns war zwar bewusst, dass die toten Lawinenopfer in unserer Reichweite lagen, aber mit dem Gedanken, sie zu zerlegen, freundeten wir uns nur langsam an. Bisher war das Fleisch stets außerhalb des Flugzeugs klein geschnitten worden, und außer denen, die es getan hatten, hatte niemand dabei zusehen müssen. Wir hatten nie gewusst, von wem das Fleisch stammte. Außerdem waren die Leichen im Freien derart gefroren, dass es einfacher war, sie als leblose Objekte zu betrachten. Die Toten in der Maschine so distanziert zu sehen war unmöglich. Sie waren noch einen Tag zuvor warm und lebendig gewesen. Wie konnten wir ihr Fleisch essen? Stillschweigend kamen wir überein, dass wir lieber hungern wollten.

Aber am 31. Oktober, dem dritten Tag unter der Lawine, hielten wir es nicht mehr aus. Jemand fand ein Stück Glas, fegte den Schnee von den Toten und fing an. Es war entsetzlich. Als man mir ein Stück in die Hand drückte und ich es in den Mund steckte, musste ich heftig würgen, und es bedurfte meiner ganzen Willenskraft, es hinunterzuschlucken. Viele andere musste Fito energisch drängen, bevor sie aßen, und seinem Cousin Eduardo stopfte er sogar mit Gewalt etwas in den Mund. Manche jedoch, vor allem Numa und Coche, ließen sich nicht überreden. Insbesondere Numas Weigerung machte mir Sorgen. Er gehörte zum Expeditionsteam und ich baute fest auf ihn; der Gedanke, ohne ihn loszuziehen, gefiel mir gar nicht.

„Du musst etwas essen", drängte ich ihn. „Wir müssen dich bei uns haben, wenn wir losgehen. Du musst stark bleiben."

Er schnitt eine Grimasse und schüttelte den Kopf. „Ich konnte das Fleisch schon vorher kaum essen. Und so wie jetzt kann ich es nicht ertragen."

„Wenn du deine Familie wiedersehen willst, musst du etwas essen."

„Tut mir leid, Nando." Er wandte sich ab. „Ich kann einfach nicht."

Ich wusste, dass hinter Numas Weigerung mehr steckte als nur der Ekel. Irgendwie hatte er einfach genug, und seine Weigerung war eine Auflehnung gegen unser Leben, das zu einem unentrinnbaren Albtraum geworden war. Ich empfand ebenso. Wer konnte solche Schrecken überleben, wie wir sie erdulden mussten? Womit hatten wir das ganze Elend verdient? Was für ein Gott konnte so grausam sein? Solche Fragen verfolgten mich, aber ich begriff, dass es gefährliche Gedanken waren. Sie führten zu nichts außer zu ohnmächtiger Wut, die schnell in Teilnahmslosigkeit umschlug. Und die bedeutete an diesem Ort den Tod, also bekämpfte ich die Fragen, indem ich an meine Familie dachte. Ich stellte mir meine Schwester Graciela mit ihrem neugeborenen Jungen vor. Immer noch besaß ich die roten Babyschuhe, die meine Mutter in Mendoza für ihn gekauft hatte, und ich malte mir aus, wie ich sie ihm über die kleinen Füße streifte, ihn auf den Kopf küsste und flüsterte: „Ich bin dein Onkel Nando."

Als ich in dem feuchten Schnee bibbernd die rohen Fleischbrocken kauen musste, die man vor meinen Augen von meinen Freunden abgehackt hatte, konnte ich an alles, was vor dem Absturz gewesen war, kaum noch glauben. Es fiel mir schwer, eine Verbindung zu dem glücklichen Leben früherer Zeiten herzustellen, und zum ersten Mal klang das Gelübde gegenüber meinem Vater hohl. Der Tod kam näher. Unser Leiden hatte jetzt etwas Schmutziges, Unanständiges.

NACH OSTEN

Am Morgen des 1. November ging der Schneesturm endlich zu Ende. Bei klarem Himmel schien die Sonne kräftig und ein paar von uns kletterten auf das Dach des Flugzeugs, um Schnee zum Trinken zu schmelzen. Wir anderen machten uns an die mühsame Arbeit, den tonnenweise im Innern der Fairchild aufgeschichteten Schnee zu beseitigen. Acht Tage brauchten wir, bis der Rumpf wieder leer war. Als Mitglied des Expeditionsteams war ich offiziell von dieser ermüdenden Arbeit freigestellt, aber ich bestand darauf mitzumachen. Nachdem der Termin unserer Tour feststand, musste ich mich beschäftigen, denn ich fürchtete, Untätigkeit könnte meine Entschlossenheit schwächen.

In der Zwischenzeit bereiteten sich meine Expeditionskameraden Numa, Fito und Roberto auf die große Tour vor. Indem sie an einer Hälfte eines Hartschalenkoffers einen Nylongurt befestigten, bauten sie einen Schlitten und luden alle Ausrüstungsgegenstände darauf, die uns nützlich sein konnten: Sitzbezüge als Decken, Fitos Sitzpolsterschneeschuhe, eine Flasche zum Schmelzen von Schnee und anderes. Roberto hatte auch Rucksäcke angefertigt. Dafür hatte er Hosenbeine abgeschnitten und Nylongurte so hindurchgezogen, dass wir sie auf den Rücken binden konnten. Wir packten weitere Ausrüstung in die Rucksäcke, ließen aber noch Platz für das Fleisch, das für uns abgeschnitten worden war und im Schnee kühlte. Alle beobachteten genau das Wetter und warteten auf Anzeichen, dass der Frühling im Anmarsch war. In der zweiten Novemberwoche sah es dann tatsächlich so aus, als lockere sich der Griff des Winters. Wenn die Sonne schien, herrschten milde Temperaturen von bis zu zehn Grad. Aber schon der leiseste Windhauch machte die Luft wieder schneidend kalt. Die Nächte waren nach wie vor eisig und immer noch fegten Unwetter über das Gebirge, vielfach ohne Vorwarnung.

Bereits in der ersten Novemberwoche hatten wir beschlossen, auch Antonio Vizintín ins Expeditionsteam aufzunehmen. Mit breiten Schultern und Beinen wie Baumstämmen spielte „Tintin", wie wir ihn nannten, bei den Old Christians eine tragende Rolle, die er mit der Kraft eines Stiers ausfüllte. Er konnte ebenso aufbrausend und anmaßend sein wie Roberto, und ich fürchtete, mit diesen beiden Hitzköpfen an meiner Seite die Katastrophe geradezu herauszufordern. Aber Tintin war nicht so kompliziert wie Roberto, er besaß nicht dessen überbordendes Selbstbewusstsein und hatte nicht das Bedürfnis, allen anderen Befehle zu erteilen. Trotz meiner Bedenken war ich froh, dass er mit uns kam. Wenn wir uns zu fünft auf den Weg machten, stieg nach meiner Überzeugung die Wahrscheinlichkeit, dass zumindest einer lebend durchkam. Aber kurz nachdem wir dieses neue Mitglied aufgenommen hatten, verloren wir ein anderes: Fito litt so stark unter Hämorriden, dass er mit solchen Schmerzen unmöglich das Gebirge durchqueren konnte. Deshalb kamen wir überein, dass wir uns zu viert auf den Weg machen wollten. Fito musste zurückbleiben.

Als der Tag des Aufbruchs näher rückte, verbesserte sich zwar die Stimmung in der Gruppe, dennoch wurden wir alle von Stunde zu Stunde schwächer, und bei einigen schwanden die Kräfte beunruhigend schnell. Einer der Schwächsten war Coche Inciarte. Der langjährige Fan der Old Christians hatte sich immer mit charmanten Worten den wärmsten Schlafplatz zu sichern gewusst; man musste ihn einfach mögen. Er hatte eine liebenswürdige Art und ein unwiderstehliches Lächeln. Mit seiner jovialen Ausstrahlung sorgte er selbst in den düstersten Augenblicken für bessere Laune. Indem er Spannungen auflöste und uns zum Schmunzeln brachte, trug Coche auf seine Weise dazu bei, dass wir alle am Leben blieben.

Er gehörte zu denen, die der Gedanke, Menschenfleisch zu essen, nach wie vor so abstieß, dass er nie genügend hinuntergewürgt hatte, um bei Kräften zu bleiben. Er war erschreckend dünn geworden, und sein Immunsystem war so geschwächt, dass der Organismus sich nicht mehr gegen Infektionen zur Wehr setzen konnte. Deshalb hatten sich einige kleinere Wunden entzündet, sodass sich an seinen spindeldürren Beinen jetzt große, hässliche Geschwüre wölbten.

„Was meinst du?", fragte er, während er ein Hosenbein bis zum Knie hochzog und den Unterschenkel kokett hin und her drehte. „Ganz schön dürr, was? Würdest du ein Mädchen mit so mageren Beinen anmachen?" Die entzündeten Stellen mussten ihm große Schmerzen bereiten, aber er war eben Coche und hatte wieder einen Weg gefunden, um mich zum Lachen zu bringen.

Roy Harley war anscheinend noch schlimmer dran. Auch ihm war es schwergefallen, Menschenfleisch zu essen, und seine große, breitschultrige Gestalt hatte schnell an Fett- und Muskelmasse verloren. Jetzt ging er gebeugt und unsicher, als wären seine Beine nur dünne Stöcke, die von faltiger Haut zusammengehalten wurden. Auch sein geistiger Zustand verschlechterte sich. Bei den Old Christians war er immer ein ruppiger, mutiger Spieler gewesen, jetzt jedoch war er ein reines Nervenbündel und schien ständig an der Grenze zur Hysterie zu stehen: Er sprang bei jedem Geräusch auf, weinte beim geringsten Anlass und hatte das Gesicht stets zu einer Grimasse der Furcht verzogen.

Auch Arturo Nogueira und Rafael Echavarren wurden immer schwächer. Trotzdem war Rafael nichts von seinem Kampfgeist verloren gegangen. Er war mutig und trotzig geblieben, und zu Beginn jedes Tages legte er das lautstarke Bekenntnis ab, dass er überleben wolle. Arturo dagegen war jetzt noch ruhiger und in sich gekehrter als sonst, und als ich mich zu ihm setzte, spürte ich, dass sein Kampf zu Ende ging.

„Wie fühlst du dich, Arturo?"

„Mir ist so kalt. Schmerzen habe ich kaum noch. Ich spüre meine Beine nicht mehr. Und ich bekomme schlecht Luft." Seine Stimme war leise und dünn, aber seine Augen leuchteten, als er mich zu sich zog. „Ich weiß, dass ich Gott immer näher komme. Manchmal spüre ich seine Gegenwart ganz nahe bei mir. Ich kann seine Liebe spüren. Da ist so viel Liebe, dass ich am liebsten weinen würde."

„Du musst durchhalten, Arturo."

„Ich glaube, für mich wird es nicht mehr lange dauern. Ich merke, wie er mich zu sich zieht. Bald werde ich Gott kennen lernen, und dann habe ich die Antwort auf alle deine Fragen."

„Soll ich dir ein bisschen Wasser holen?"

„Nando, ich möchte, dass du an eines denkst: sogar hier, an diesem Ort, hat unser Leben einen Sinn. Unser Leiden ist nicht umsonst. Selbst wenn wir hier für immer gefangen sind, können wir unsere Familien und Gott und uns gegenseitig lieben, solange wir leben. Selbst an diesem Ort ist unser Leben lebenswert."

Als Arturo das sagte, leuchtete aus seinem Gesicht eine heitere Stärke. Ich schwieg, denn ich fürchtete, meine Stimme könnte versagen, wenn ich zu sprechen versuchte.

„Du wirst meiner Familie sagen, dass ich sie liebe, ja? Das ist das Einzige, was für mich jetzt noch wichtig ist."

„Das wirst du ihnen selbst sagen", erwiderte ich.

Arturo lächelte über meine Lüge. „Ich bin bereit, Nando. Ich habe vor Gott gebeichtet. Meine Seele ist rein. Ich werde ohne Sünde sterben."

„Was heißt denn das?" Ich lachte. „Ich dachte, du glaubst nicht an den Gott, der uns die Sünden vergibt."

Arturo brachte ein dünnes, selbstkritisches Grinsen zuwege. „In Zeiten wie dieser erscheint es mir klug, alle Möglichkeiten in Betracht zu ziehen."

Während der ersten Novemberwoche wurde er immer schwächer und rückte weiter von uns weg. Pedro Algorta, sein bester Freund, blieb die ganze Zeit in seiner Nähe, brachte ihm Wasser, wärmte ihn und betete mit ihm. Eines Abends fing Arturo leise zu weinen an. Als Pedro ihn nach dem Grund fragte, erwiderte er mit in die Ferne gerichtetem Blick: „Weil ich Gott so nahe bin." Am nächsten Tag bekam er hohes Fieber. Achtundvierzig Stunden lang fantasierte er, war dazwischen immer wieder ohne Bewusstsein. An seinem letzten Abend halfen wir ihm, aus der Hängematte zu klettern. So konnte er neben Pedro schlafen, und irgendwann vor dem Morgengrauen starb Arturo Nogueira, einer der tapfersten Männer, die ich jemals kennen gelernt habe, in den Armen seines besten Freundes.

AM MORGEN des 15. November blickten Numa, Roberto, Tintin und ich in das Tal im Osten hinunter. Wir waren bereit, es konnte losgehen. Numa stand neben mir, und obwohl er es zu verbergen versuchte, merkte ich, dass er Schmerzen hatte. Seit der Lawine hatte er sich trotz seines Widerwillens zum Essen gezwungen. Dennoch brachte er wie Coche jedes Mal nur ein paar Bissen hinunter. Ein paar Nächte zuvor war jemand auf dem Weg durch den dunklen Flugzeugrumpf auf seinen Unterschenkel getreten. Sehr schnell hatte sich ein hässlicher Bluterguss gebildet, und als Roberto sah, wie stark das Bein angeschwollen war, riet er Numa, auf die Expedition zu verzichten. Aber Numa versicherte, man brauche sich wegen des Blutergusses keine Sorgen zu machen, und lehnte es strikt ab zurückzubleiben.

„Wie fühlst du dich?", fragte ich ihn, nachdem wir unsere Sachen gepackt und uns von den anderen verabschiedet hatten. „Bist du sicher, dass du es mit dem Bein schaffst?"

Numa zuckte die Achseln. „Nicht der Rede wert. Ist schon alles wieder gut."

Als wir den Abhang hinunterstiegen, waren der Himmel bewölkt und die Luft eisig, aber es wehte nur ein leichter Wind, und trotz meiner Bedenken wegen der östlichen Route war es ein gutes Gefühl, die Absturzstelle endlich zu verlassen. Anfangs kamen wir bergab gut voran, aber nach ungefähr einer Stunde verdunkelte sich der Himmel, es wurde noch kälter, und um uns herum wirbelte im nächsten Augenblick in wilden Spiralen der Schnee.

So schnell wir konnten, kämpften wir uns wieder den Abhang hinauf. Gerade als das Unwetter sich zu einem ausgewachsenen Schneesturm entwickelte, torkelten wir verängstigt und durchgefroren in den Rumpf. Roberto und ich tauschten nüchterne Blicke aus. Ohne dass wir ein Wort sagen mussten, war uns eines klar: Hätte der Sturm nur ein, zwei Stunden später eingesetzt und uns auf dem offenen Hang erwischt, wären wir jetzt tot oder lägen im Sterben.

Der Sturm war einer der schlimmsten, die wir in all den Wochen in den Anden erlebten. Er fesselte uns zwei Tage an das Wrack. Während wir abwarteten, dass er vorüberging, machte Roberto sich immer größere Sorgen um Numas Bein. Dieser hatte jetzt zwei große Geschwüre, jedes fast von den Ausmaßen einer Billardkugel. Als Roberto die Stellen punktierte und die Flüssigkeit abfließen ließ, gelangte er zu der Erkenntnis, dass Numa in diesem Zustand nicht durchs Gebirge wandern konnte.

„Dein Bein sieht schlimmer aus", meinte Roberto. „Du wirst hierbleiben müssen."

Zum ersten Mal seit dem Absturz ging mit Numa das Temperament durch. „Mit meinem Bein ist alles in Ordnung!", schrie er. „Ich bleibe nicht hier!"

Roberto sah ihn an und erklärte mit seiner typischen Schroffheit: „Du bist zu schwach. Du wirst uns nur aufhalten. Wir können es uns nicht leisten, dich mitzunehmen."

Numa wandte sich zu mir. „Nando, bitte, ich schaffe das. Lass mich nicht hier zurück."

Ich schüttelte den Kopf. „Tut mir leid. Ich bin der gleichen Ansicht wie Roberto. Deinem Bein geht es schlecht. Du musst hierbleiben."

Als die anderen den gleichen Rat gaben, zog Numa sich wütend in sich selbst zurück. Ich wusste, wie gern er mit uns gegangen wäre und wie schwer es ihm fallen würde, uns aufbrechen zu sehen. Ich selbst hätte eine solche Enttäuschung nicht überstanden, und ich hoffte, dass der Rückschlag Numas Lebenswillen nicht zerstörte.

Am 17. November wachten wir morgens bei klarem, ruhigem Wetter auf. Ohne viel Aufhebens packten Roberto, Tintin und ich unsere Sachen und machten uns erneut bergab auf den Weg, dieses Mal bei strahlendem Sonnenschein und schwachem Wind.

Ich fiel schnell in einen gleichmäßigen Rhythmus, und Kilometer um Kilometer hörte ich nichts als das Knirschen meiner Rugbyschuhe im

72 TAGE IN DER HÖLLE

Schnee. Roberto zog den Schlitten und war uns ein Stück voraus. Nachdem wir etwa eineinhalb Stunden gewandert waren, hörte ich ihn rufen. Er stand auf einer hohen Schneewehe. Als wir ihn erreichten, sahen wir, worauf er gezeigt hatte: Ein paar Hundert Meter vor uns lagen die Trümmer des Flugzeugschwanzes.

Wenige Minuten später waren wir dort. Überall waren Koffer verstreut. Wir rissen sie auf, um an die darin verstauten Schätze zu gelangen: Socken, Pullover, warme Hosen. Überglücklich rissen wir uns die schmutzigen Fetzen vom Leib und zogen saubere Kleidung an.

Im Schwanz selbst fanden wir weitere Gepäckstücke mit noch mehr Kleidung. Außerdem ein wenig Rum, eine Schachtel mit Schokolade, ein paar Zigaretten und eine kleine Kamera mit eingelegtem Film. Im hinteren Teil der Maschine hatte sich auch die Küche befunden, und dort entdeckten wir drei kleine Fleischpasteten, die wir sofort verschlangen. Ein schimmliges, in Folie eingewickeltes Sandwich hoben wir für später auf.

Angesichts dieser unerwarteten Beute waren wir so aufgeregt, dass wir fast die Batterien für das Funkgerät vergessen hätten, von denen Carlos Roque gesprochen hatte. Nach kurzer Suche fanden wir sie hinter einer Klappe in der Außenhaut. Sie waren größer, als ich gedacht hatte. Außerdem entdeckten wir im Gepäckraum ein paar leere hölzerne Getränkekisten, die wir ins Freie brachten und als Brennstoff für ein Feuer benutzten. Roberto grillte ein wenig von dem Fleisch, das wir mitgenommen hatten, und wir aßen mit großem Appetit. Von dem gefundenen Sandwich kratzten wir den Schimmel ab, dann verzehrten wir es ebenfalls. Als die Nacht hereinbrach, breiteten wir die Kleidungsstücke aus den Koffern auf dem Boden des Gepäckraums aus und legten uns schlafen.

Mit Kabeln, die Roberto aus den Wänden der Maschine gezogen hatte, verband er die Batterien mit einer Lampenfassung an der Decke, sodass wir zum ersten Mal nach Sonnenuntergang noch Licht hatten. Wir lasen ein paar Zeitschriften und Comics, die wir im Gepäck gefunden hatten, und mit der Kamera machte ich einige Bilder von Roberto und Tintin. Wenn wir es nicht lebend schafften, so mein Gedanke, fände vielleicht jemand die Kamera und entwickelte den Film; dann wüsste man, dass wir noch eine Zeit lang gelebt hatten. Aus irgendeinem Grund war mir das wichtig.

Im Gepäckraum war es geradezu luxuriös warm und geräumig – wie angenehm, dass ich die Beine ausstrecken und mich in jede gewünschte Position drehen konnte! Sehr schnell wurden wir schläfrig. Roberto schaltete das Licht aus, wir schlossen die Augen und schliefen so gut wie seit Langem nicht mehr. Am Morgen waren wir versucht, noch eine Weile in der gemütlichen Unterkunft zu bleiben, aber dann dachten wir daran, wie es den anderen ging und welche Hoffnungen sie in unsere Expedition setzten. Kurz nachdem wir aufgestanden waren, wanderten wir weiter nach Osten.

An diesem Morgen schneite es, aber am späten Vormittag klarte der Himmel auf und die Sonne brannte auf unsere Schultern. Nach so vielen Wochen bei eisigen Temperaturen waren wir in der plötzlichen Hitze schnell erschöpft, und gegen Mittag blieb uns nichts anderes übrig, als uns im Schatten eines Felsvorsprungs auszuruhen. Wir aßen einen Teil des Fleisches und tauten ein wenig Schnee auf, um etwas zu trinken, doch auch nachdem wir uns erfrischt hatten, verfügte keiner über die Energie zum Weitergehen. Also entschlossen wir uns, an dem Felsen unser Nachtlager aufzuschlagen.

Im Laufe des Nachmittags wurde die Sonne immer stärker, nachdem sie jedoch untergegangen war, sanken die Temperaturen. Wir gruben uns im Schnee ein und wickelten uns in unsere Decken, doch als die schneidende Kälte der Nacht uns überfiel, schien das alles nicht den geringsten Schutz zu bieten. Die Kälte brach so aggressiv über uns herein, dass ich fürchtete, das Blut wäre mir in den Adern gefroren. Wir entdeckten, dass wir am besten ein Sandwich bildeten: Wenn einer zwischen den beiden anderen lag, blieb der in der Mitte einigermaßen warm. Auf diese Weise wechselten wir uns stundenlang in der mittleren Position ab, und obwohl wir nicht schliefen, blieben wir doch bis zum Tagesanbruch am Leben. Als endlich der Morgen graute, erhoben wir uns und wärmten uns in den ersten Sonnenstrahlen auf.

„Noch so eine Nacht halten wir nicht durch." Roberto starrte nach Osten auf die Berge. Es schien, als wären sie im Laufe unserer Wanderung größer geworden, gleichzeitig aber auch weiter in die Ferne gerückt. „Ich glaube nicht, dass dieses Tal sich irgendwann nach Westen öffnet. Wir wandern immer weiter ins Gebirge hinein."

„Vielleicht hast du Recht", stimmte ich zu, „aber die anderen verlassen sich auf uns. Vielleicht sollten wir noch ein bisschen weitergehen."

„Es ist aussichtslos!", schnauzte er zurück. „Sind wir für die anderen von Nutzen, wenn wir tot sind?"

„Was sollen wir also machen?"

„Wir sollten die Batterien aus dem Schwanz holen und zur Fairchild bringen. Wir können sie auf dem Schlitten hinter uns herziehen. Wenn wir das Funkgerät flottmachen, können wir uns retten, ohne unser Leben aufs Spiel zu setzen."

Ich hatte zu dem Funkgerät nicht mehr Zutrauen als zu der Idee, nach Osten zu wandern, aber ich sagte mir, dass wir alles versuchen mussten, ganz gleich, wie schwach die Aussicht auf Erfolg war. Also packten wir unsere Sachen und kehrten zum Wrack des Hecks zurück.

Wenig später hatten wir die Batterien nebeneinander auf die Kofferschale gesetzt. Aber als Roberto den Schlitten vorwärtsziehen wollte, versank dieser tief im Schnee und rührte sich nicht mehr.

„Verdammt, die sind zu schwer!", fluchte Roberto. „Wir können sie unmöglich den Berg hinaufziehen."

„Tragen können wir sie auch nicht", fügte ich hinzu.

Roberto schüttelte den Kopf. „Nein. Aber wir können das Funkgerät aus der Fairchild hierherbringen. Wir nehmen Roy mit. Vielleicht kann er herausfinden, wie man es an die Batterien anschließt."

In meinen Ohren klang das nicht gut. Das Funkgerät war mit Sicherheit so beschädigt, dass es sich nicht reparieren ließ, und ich fürchtete, Robertos Versuche, es in Ordnung zu bringen, würden uns nur ablenken. In Wirklichkeit, das erkannten wir jetzt ganz deutlich, hatten wir nur eine Überlebenschance: Wir mussten die Berge im Westen besteigen.

„Ich fürchte, damit verlieren wir zu viel Zeit", gab ich zu bedenken.

„Musst du über alles diskutieren?", schimpfte Roberto. „Dieses Funkgerät könnte uns das Leben retten."

„Na gut, ich helfe dir. Aber wenn es nicht funktioniert, klettern wir. Abgemacht?"

Er nickte. Nachdem wir uns zwei weitere angenehme Nächte im Gepäckraum gegönnt hatten, machten wir uns auf den Rückweg. Von der Absturzstelle bergab durch das Tal war es einfach gewesen. Doch jetzt stiegen wir gerade einmal wenige Minuten bergauf und stießen schon an unsere Grenzen. An manchen Stellen mussten wir eine Steigung von 45 Grad überwinden und der Schnee reichte mir häufig bis zu den Hüften. Ich schnappte nach Luft, meine Muskeln schmerzten und alle paar Schritte musste ich eine Pause einlegen. Der Abstieg von der Fairchild zum Schwanz hatte zwei Stunden gedauert; in umgekehrter Richtung nahm der Weg die doppelte Zeit in Anspruch.

Am späten Nachmittag waren wir wieder an der Absturzstelle, wo uns die anderen in düsterer Stimmung begrüßten. Sechs Tage waren seit unserem Aufbruch vergangen, und sie hatten gehofft, wir befänden uns mittlerweile in der Nähe der Zivilisation. Aber das war nicht der einzige Grund für ihre gedrückte Laune: Während unserer Abwesenheit war Rafael Echavarren gestorben.

Dass er ungeachtet allen Mutes und Trotzes nicht überlebt hatte, war für uns ein weiterer Grund zu der Annahme, dass der Berg uns früher oder später alle besiegen würde. Seit der Lawine hatten einige sich an die Überzeugung geklammert, Gott habe 19 Leute vor der Katastrophe verschont, weil wir diejenigen seien, die er als Überlebende ausgewählt habe. Nach Rafaels Tod fiel es noch schwerer zu glauben, dass Gott sich überhaupt um uns kümmerte.

Als wir uns an diesem Abend im Flugzeugrumpf zusammensetzten, erklärte Roberto, warum wir umgekehrt waren. Als er ausführte, wie er das Funkgerät reparieren wollte, hörten die anderen schweigend zu. Es war einen Versuch wert, darin waren sich alle einig, aber aus ihrer Reaktion sprach keine große Begeisterung. In ihrem Blick lag eine Art erschöpftes Sichabfinden. Ich spürte, dass sie die Hoffnung fast aufgegeben hatten, und konnte es ihnen nicht zum Vorwurf machen. Wir hatten schon so viel durchgemacht, und die Vorzeichen waren schlecht. Es war, als knallte man uns jede Tür, durch die wir gehen wollten, vor der Nase zu.

Am nächsten Morgen machten Roberto und ich uns daran, das Funkgerät der Fairchild auszubauen. Das Cockpit war mit komplizierten Instrumenten vollgestopft, und angesichts unserer Unkenntnis konnten wir manchmal nur raten, was zum Funkgerät gehörte und was nicht. Schließlich stellten wir fest, dass es aus zwei Teilen bestand: der eine war im Armaturenbrett des Cockpits befestigt, der andere steckte hinter einer Kunststoffabdeckung im Gepäckraum. Der Teil im Armaturenbrett ließ sich leicht herausnehmen. Der zweite dagegen war fester verankert und schwerer zugänglich. Mit unseren Fingern sowie Kunststoff- und Metalltrümmern als einzigen Werkzeugen versuchten wir unbeholfen, die Bolzen und Klammern zu lösen, die den Sender festhielten, aber es vergingen zwei frustrierende Tage, bis wir ihn von der Wand abnehmen konnten. Als wir ihn endlich neben die Komponente aus dem Cockpit stellten, sah ich, dass unsere Bemühungen vergeblich gewesen waren. Aus der Rückseite beider Teile ragte ein Gewirr winziger elektrischer Drähte.

„Seht euch nur dieses Durcheinander an!", rief ich. „Das haut nie und nimmer hin!"

Roberto beachtete mich nicht, sondern zählte sorgfältig die Drähte. „Aus der Rückseite dieses Teils kommen siebenundsechzig heraus und aus dem Sender auch", verkündete er.

„Aber welcher muss mit welchem verbunden werden?"

„Jeder Draht ist anders gekennzeichnet. An den Markierungen können wir sehen, welche Drähte zusammengehören."

„Ich weiß nicht. Wir vergeuden so viel Zeit, und dabei wissen wir noch nicht einmal, ob das Gerät funktioniert."

Robertos Augen flackerten vor Wut. „Es kann uns das Leben retten! Wir sind es uns schuldig, dass wir es versuchen, bevor wir in die Berge tappen und unser Leben wegwerfen."

„Okay, okay", beschwichtigte ich ihn. „Aber wir sollten Roy bitten, einen Blick darauf zu werfen." Ich rief ihn her und zeigte ihm das Funkgerät.

Er runzelte die Stirn und schüttelte den Kopf. „Ich glaube nicht, dass man das reparieren kann."

„Wir werden es reparieren", knurrte Roberto. „*Du* wirst es reparieren."

„Das kann ich nicht!" Roys Stimme wurde schrill. „Es ist viel zu kompliziert. Ich habe von solchen Funkgeräten keine Ahnung."

„Nun krieg dich mal wieder ein! Wir werden dieses Funkgerät zum Flugzeugschwanz tragen. Du kommst mit. Wir machen das Gerät flott und rufen damit um Hilfe."

Roys Augen weiteten sich vor Entsetzen. „Ich kann da nicht hingehen!", kreischte er. „Ich bin zu schwach! Sieh mich doch an! Ich kann kaum gehen. Bitte, ich schaffe es nicht bis zum Schwanz und zurück!"

„Du wirst es schaffen, weil du es schaffen musst", erwiderte Roberto.

Roy verzog das Gesicht und fing an zu schluchzen. Es war für ihn ein entsetzlicher Gedanke, sich vom Rumpf zu entfernen, und während der folgenden Tage bettelte er jeden an, der ihm zuhörte, man solle ihn von der Aufgabe entbinden. Die Vettern blieben hart und forderten ihn auf, auch an das Wohl der anderen zu denken. Sie zwangen ihn sogar, für den Fußmarsch zu trainieren. Roy fügte sich widerstrebend, aber häufig weinte er, während er durch den Schnee stapfte.

Er war kein Feigling. Ich wusste, wie er Rugby spielte und sein Leben führte. Er hatte Marcelo zur Seite gestanden, als sie unmittelbar nach dem Absturz im Flugzeug aufgeräumt hatten, und ihm auch beim schwierigen Bau der Wand geholfen, die uns vor dem Erfrieren bewahrt hatte. Außerdem hatte ich nicht vergessen, dass wir ohne Roys schnelles Handeln nach der Lawine ausnahmslos unter dem Schnee erstickt wären. Aber er war sehr jung. Er war mit den Nerven am Ende und das Martyrium hatte ihn körperlich mitgenommen. Er war jetzt einer der Schwächsten und ich hätte für ihn eigentlich ebenso viel Mitgefühl empfinden müssen wie für die anderen. Aber er machte mich mit der häufigen Zurschaustellung seines Elends wütend. Als er mich nun in seiner Verzweiflung anflehte, dafür zu sorgen, dass er nicht mit zum Schwanz gehen müsse, sah ich ihm nicht einmal in die Augen.

„Wir brechen bald auf!", fuhr ich ihn an. „Stell dich besser drauf ein."

Mehrere Tage lang untersuchte Roberto das Funkgerät. Während ich darauf wartete, dass er fertig wurde, machte ich mir immer größere Sorgen um Numa. Seit wir ihn aus dem Expeditionsteam ausgeschlossen hatten, war er in stumme Grübelei versunken, ärgerte sich über die Art, wie sein Körper ihn verraten hatte. Er weigerte sich mittlerweile, überhaupt noch etwas zu essen. Deshalb nahm er schnell ab, und die beiden Geschwüre an seinem Bein waren eindeutig entzündet. Am meisten Sorge bereitete mir aber der resignierte Ausdruck in seinem Blick.

Eines Abends setzte ich mich neben ihn. „Könntest du nicht mir zuliebe etwas essen, Numa? Wir gehen bald los. Es wäre schön, wenn ich dich vorher noch etwas essen sehen würde."

„Ich kann nicht. Für mich ist das eine Qual."

„Das ist es für uns alle, aber du musst es tun. Du musst immer daran denken, dass es einfach nur Fleisch ist."

„Ich habe nur gegessen, um Kräfte für die Wanderung zu sammeln. Warum sollte ich mich jetzt dazu zwingen?"

„Du darfst nicht aufgeben. Halte durch. Wir kommen hier raus."

Er schüttelte den Kopf. „Ich bin so schwach. Ich kann noch nicht einmal stehen. Ich glaube, lange schaffe ich das nicht mehr."

„So darfst du nicht reden. Du wirst nicht sterben."

Er seufzte. „Ist schon gut, Nando. Ich habe über mein Leben nachgedacht, und eines weiß ich: Wenn ich morgen sterbe, waren es trotzdem großartige Jahre."

Ich lachte. „Genau das hat Panchito auch immer gesagt. Und er hat nach diesem Motto gelebt. Er hat so viel erlebt, so viele Abenteuer durchgestanden und so viele schöne Mädchen geliebt."

„Vielleicht hat Gott ihn deshalb zu sich genommen", meinte Numa. „Damit für uns andere noch ein paar Mädchen übrig bleiben."

„Für dich wird es noch jede Menge Mädchen geben", erwiderte ich. „Aber zuerst einmal musst du essen und am Leben bleiben. Ich will, dass du am Leben bleibst."

Er lächelte und nickte. „Ich werd's versuchen." Aber als die anderen ihm später ein wenig Fleisch brachten, winkte er ab.

AM NÄCHSTEN Morgen brachen wir um acht Uhr auf. Bergab kamen wir gut voran. Als wir uns dem Schwanz näherten, bemerkte ich im Schnee eine rote Ledertasche und erkannte darin sofort die Kosmetiktasche meiner Mutter. Im Innern fand ich einen Lippenstift, mit dem ich meine

Lippen vor der Sonne schützen konnte, ein paar Süßigkeiten und ein wenig Nähzeug. Ich verstaute alles in unseren Rucksäcken.

Knapp zwei Stunden nachdem wir uns auf den Weg gemacht hatten, waren wir wieder beim Wrackteil. An diesem ersten Tag ruhten wir uns aus. Am nächsten Morgen fingen Roy und Roberto an, sich mit dem Funkgerät zu beschäftigen. Sie versuchten, die richtigen Anschlüsse mit der Batterie zu verbinden. Aber gerade als es aussah, als machten sie Fortschritte, blitzten und zischten die Drähte, und wir hörten einen lauten Knall. Roberto fluchte und fuhr Roy an, er solle vorsichtiger sein. Dann begannen sie von vorn.

Tagsüber herrschten wieder mildere Temperaturen, und rund um das Wrack taute es schnell. Noch Tage zuvor unter Schnee und Eis begrabene Koffer waren jetzt deutlich zu sehen. Tintin und ich durchsuchten sie und fanden in einem zwei Flaschen Rum. Wir öffneten eine und nahmen ein paar Schlucke.

„Die andere heben wir auf", sagte ich. „Die können wir beim Klettern noch gut gebrauchen."

Tintin nickte. Wir wussten beide, dass das Funkgerät nie funktionieren würde, aber Roberto und Roy machten sich immer noch mit wilder Entschlossenheit daran zu schaffen. Den ganzen Nachmittag und auch am nächsten Morgen bastelten sie herum. Ich hingegen wollte nichts wie weg von hier und die Klettertour in Angriff nehmen.

„Wie lange noch, was meinst du?", erkundigte ich mich bei Roberto.

Irritiert sah er mich an. „Es dauert so lange, wie es dauert", knurrte er.

„Langsam geht uns das Essen aus. Ich glaube, Tintin und ich sollten zurückgehen und noch etwas holen."

„Das ist eine gute Idee. Wir arbeiten hier weiter."

Wir packten unsere Sachen, und Minuten später stiegen wir wieder das Tal hinauf in Richtung Fairchild. Stundenlang schleppten wir uns vorwärts, bis wir am späten Nachmittag das Flugzeug erreichten. Wieder wurden wir mürrisch begrüßt, und ich konnte nicht übersehen, dass die anderen noch schwächer und teilnahmsloser waren als bei unserem Abmarsch.

„Wir sind gekommen, um noch etwas Fleisch zu holen", erklärte ich. „Mit dem Funkgerät dauert es länger als erwartet."

Fito runzelte die Stirn. „Langsam wird das Essen knapp. Wir haben überall nach den Leichen gesucht, die wir durch die Lawine verloren haben, aber der Schnee ist so tief, und wir sind so müde. Wir sind sogar mehrmals die Abhänge hinaufgestiegen und haben die Leichen geholt, die Gustavo beim Klettern entdeckt hat."

„Keine Sorge. Tintin und ich werden graben."
„Wie klappt es mit dem Funkgerät?"
„Nicht gut. Ich glaube nicht, dass sie's hinkriegen."
„Die Zeit läuft uns davon. Das Essen reicht nicht mehr lange."
„Wir müssen nach Westen gehen", bekräftigte ich. „Es ist unsere einzige Chance. Und wir müssen so bald wie möglich aufbrechen."
„Denkt Roberto das auch?"
„Ich weiß nicht, was er denkt. Ihr kennt doch Roberto. Der macht, was er will."
„Wenn er sich weigert, komme ich mit dir."
Gerührt lächelte ich Fito an. „Das ist wirklich tapfer von dir. Aber du kannst keine fünf Meter weit laufen. Nein, wir müssen Roberto überzeugen, mit nach Westen zu gehen."

Tintin und ich blieben zwei Tage und gruben im Schnee nach den Leichen. Als wir sie gefunden hatten, schnitten die Vettern für uns Fleisch ab, und nachdem wir uns eine Zeit lang ausgeruht hatten, wanderten wir erneut den Gletscher hinunter.

Am späten Vormittag waren wir wieder bei Roy und Roberto, die sich immer noch mit dem Funkgerät abmühten. Sie waren der Meinung, sie hätten alle Anschlüsse richtig hergestellt, aber als sie den Strom einschalteten, hörten sie nur ein Rauschen. Die Antenne war bei dem Absturz beschädigt worden und Roy vermutete, es liege an ihr, dass das Ganze nicht funktionierte. Also baute er aus Kupferdrähten, die er aus den elektrischen Schaltkreisen des Schwanzes ausgebaut hatte, eine neue Antenne. Mit ihr ging es aber nicht besser. Roy klemmte sie wieder ab und verband sie mit dem kleinen Transistorradio, das er mitgebracht hatte. Mit der langen Antenne empfing es ein starkes Signal. Roy stellte einen Sender mit Musik ein und ging wieder

Im hinteren Teil des Flugzeugwracks während des Versuchs, das Funkgerät zu reparieren. Tintin blickt in die Kamera, links hinter ihm Roberto. Roy wendet sich dem Wrackinnern zu.

an die Arbeit. Wenige Augenblicke später wurde die Musik von Nachrichten unterbrochen, und zu unserer Überraschung erfuhren wir, dass die uruguayische Luftwaffe eine Douglas C-47 mit Spezialausrüstung losschicken wollte, die nach uns suchen sollte.

Roy brüllte vor Freude, und Roberto wandte sich mit einem breiten Lächeln zu mir. „Hast du gehört, Nando? Sie suchen nach uns."

„Macht euch nur nicht zu viele Hoffnungen", erwiderte ich. „Denkt daran, was Gustavo gesagt hat. Selbst vom Berg aus ist die Fairchild nur ein kleiner Punkt auf dem Gletscher. Und außerdem wissen sie nicht, wo wir sind. Selbst wenn sie uns irgendwann finden, kann das noch Monate dauern."

„Wir müssen ihnen ein Zeichen geben." Roberto ignorierte meinen skeptischen Blick. Er ließ uns Koffer einsammeln und im Schnee in Form eines großen Kreuzes auslegen. Als wir damit fertig waren, erkundigte ich mich bei ihm nach dem Funkgerät.

„Ich glaube nicht, dass wir es reparieren können", gab er seufzend zu. „Wir sollten wieder zum Flugzeug gehen."

„Und uns darauf vorbereiten, nach Westen zu wandern, wie wir es ausgemacht haben", fügte ich hinzu.

Geistesabwesend nickte er und ging daran, seine Sachen zusammenzupacken. Als ich meine eigene Ausrüstung einsammelte, kam Tintin zu mir. In der Hand hielt er ein kleines, rechteckiges Stück Isoliermaterial aus dem Wrack. „Das Zeug ist da drin um alle Rohrleitungen gewickelt", erklärte er. „Irgendwie müssten wir das doch nutzen können."

Ich befühlte das Material. Es war leicht und fest, innen flauschig und außen mit einem kräftigen, glatten Stoffüberzug versehen. „Vielleicht können wir damit unsere Kleidung füttern", meinte ich. „Sieht aus, als könnte es uns wärmen."

Wenig später hatten wir das Isoliermaterial von den Leitungen gerissen und in unsere Rucksäcke gestopft. Während wir damit beschäftigt waren, hörten wir draußen ein Getöse, und als wir nachschauten, sahen wir, wie Roy mit den Füßen wütend das Funkgerät zertrat.

„Er sollte sich seine Kräfte sparen", sagte ich zu Tintin. „Der Aufstieg ist ganz schön anstrengend."

Am späten Vormittag setzten wir uns bergauf in Bewegung. Roberto und Tintin gingen voraus, Roy stolperte durch den knietiefen Schnee hinter mir her. Häufig mussten wir stehen bleiben, um auszuruhen. Besonders Roy setzte die Anstrengung zu. Immer wieder verlangsamte ich meinen Schritt, damit er nicht zu weit zurückfiel.

Nachdem wir ungefähr eine Stunde gegangen waren, wandte ich den

Blick zum Himmel. Was ich sah, verblüffte mich: Die Wolken hatten sich verdächtig dunkelgrau verfärbt und hingen so tief, dass ich glaubte, sie berühren zu können. Noch während ich sie beobachtete, kamen sie auf uns zu wie eine mörderische Welle. Bevor ich reagieren konnte, fegte über uns auch schon einer jener plötzlichen Schneestürme hinweg, die Andenkenner als „weißen Wind" bezeichnen. Innerhalb von Sekunden herrschte Chaos. Es wurde schlagartig kälter. In dicken Spiralen wirbelte der Schnee um mich herum und stach mir ins Gesicht. Von den anderen war keine Spur zu sehen. Ich geriet in Panik.

Dann hörte ich Robertos Stimme. Sie klang in dem Sturm schwach und weit entfernt. „Nando! Hörst du mich?"

„Roberto! Ich bin hier!"

Ich blickte mich um. Roy war verschwunden.

„Roy! Wo bist du?"

Keine Antwort. Etwa zehn Meter hinter mir sah ich undeutlich einen grauen Haufen im Schnee. Roy war gestürzt.

„Roy", brüllte ich, „los, komm!"

Er bewegte sich nicht. Ich stolperte zu ihm hinunter. Zusammengekauert lag er im Schnee, die Knie bis an die Brust gezogen und die Arme um den Körper geschlungen.

„Wenn wir uns nicht bewegen, bringt der Sturm uns um!", schrie ich.

„Ich kann nicht", jammerte er. „Ich kann keinen Schritt mehr gehen!"

„Los!", brüllte ich. „Sonst gehen wir hier vor die Hunde!"

Er blickte zu mir auf. „Nein, bitte", schluchzte er. „Ich kann nicht. Lasst mich einfach hier."

Als ich über Roy stand, pfiff der Wind mit solcher Macht, dass ich den Eindruck hatte, er werde mich gleich von den Füßen holen. Ich hatte jetzt völlig die Orientierung verloren, konnte aber nur dann hoffen, wieder zum Flugzeugrumpf zu gelangen, wenn ich Robertos und Tintins Fußspuren folgte. Doch die Abdrücke wurden rasch unter dem Schnee begraben. Ich wusste, dass die anderen nicht auf uns warten würden – auch sie mussten um ihr Leben kämpfen –, und mir war auch klar, dass jede Sekunde, die ich bei Roy blieb, uns beiden zum Verhängnis werden konnte. Ich blickte auf ihn hinunter. Er weinte, seine Schultern bebten, und der Schnee hatte ihn bereits zur Hälfte zugedeckt. Ich muss ihn allein lassen, sonst sterbe ich, dachte ich. Kann ich das machen? Bringe ich es über mich, ihn hier umkommen zu lassen? Diese Fragen beantwortete ich nicht mit Worten, sondern Taten. Ich wandte mich ab und folgte den Spuren der anderen den Berg hinauf.

Ich dachte daran, wie Roy meinen Schatten im Schnee verschwinden sah. Es wäre das Letzte, was er in seinem Leben zu Gesicht bekäme. Wie lange würde es dauern, bis er das Bewusstsein verlöre? Wie lange würde er leiden? Ich war jetzt vielleicht 15 Meter von ihm entfernt und konnte sein Bild nicht aus meinem Kopf verbannen: zusammengesunken im Schnee, so hilflos, so *besiegt*. Eine Welle der Verachtung für seine Schwäche und Mutlosigkeit stieg in mir hoch, oder zumindest fühlte es sich in diesem Augenblick so an. Im Rückblick sehe ich die Dinge ganz anders. Roy war kein Schwächling. Er hatte mehr gelitten als die meisten anderen und immer wieder die Kraft zum Durchhalten gefunden, war aber körperlich derart mitgenommen, dass seine physischen und mentalen Reserven einfach erschöpft waren. Heute habe ich ein schlechtes Gewissen, dass ich ihm in den Bergen nicht mehr Geduld entgegenbrachte, und nach jahrelangem Nachdenken ist mir klar, dass ich ihn deshalb so und nicht anders behandelte, weil ich in ihm so vieles von mir selbst wiederfand. Das nervtötende Wimmern in seiner zitternden Stimme erschien mir unerträglich, weil es ein so lebhafter Ausdruck des Entsetzens war, das ich selbst empfand. Und seine verzerrten Grimassen machten mich nur deshalb verrückt, weil sich darin meine eigene Verzweiflung widerspiegelte. Während Roy an dem Abhang lag und langsam im Schnee verschwand, musste ich mich fragen, wie nahe der Augenblick meiner eigenen Kapitulation war. Wo war die Stelle, an der meine Willenskraft versagte? Wo und wann gäbe ich den Kampf auf und legte mich, besiegt wie Roy, in den weichen, behaglichen Schnee?

Hier lag die eigentliche Ursache meiner Wut: Roy zeigte mir meine Zukunft, und in jenem Augenblick hasste ich ihn dafür.

Damals, auf dem sturmumtosten Berg, war für solche Selbsterkenntnisse natürlich keine Zeit. Ich handelte ausschließlich aus einem Instinkt heraus, und als ich mir den schluchzenden Roy im Schnee vorstellte, entlud sich die gesamte Verachtung, die ich während der letzten Wochen für ihn empfunden hatte, in einer mörderischen Wut. Wie ein Verrückter schleuderte ich meine Flüche in den tobenden Wind. Ich war außer mir, und bevor ich mich dessen versah, rutschte ich den Hang zu Roy hinab. Ich versetzte ihm einen Tritt in den Brustkorb, rammte ihm das Knie in die Seite. Er rollte durch den Schnee und schrie, doch ich setzte ihm mit meinen Fäusten heftig zu. „Du Volltrottel!", schrie ich. „Stell dich auf deine Füße! Steh auf, sonst bring ich dich um, du Idiot!"

Ich spürte, wie das ganze Gift, das sich in mir angesammelt hatte, aus meiner Seele strömte. Ich warf ihm alle Schimpfwörter an den Kopf, die mir einfielen. Roy weinte und schrie, aber am Ende erhob er sich. Ich schob ihn so heftig vorwärts, dass er fast wieder gestürzt wäre. Unsanft stieß ich ihn immer weiter und zwang ihn, Meter um Meter den Abhang hinaufzustolpern.

Wir kämpften uns durch den Schneesturm. Roy litt entsetzlich unter der Anstrengung, und auch meine eigenen Kräfte ließen rapide nach. Wenn ich in der dünnen Atmosphäre um Atem rang, raubte der Wind mir im einen Augenblick die Luft, um sie mir im nächsten gewaltsam in die Kehle zu drücken, sodass ich spuckte und keuchte wie ein Ertrinkender. Jeder Schritt erforderte eine gewaltige Willensanstrengung. Ich sorgte dafür, dass Roy vor mir blieb, sodass ich ihn schieben konnte.

Nach ein paar Hundert Metern sackte er wiederum nach vorn und ich erkannte, dass er seine letzten Kräfte verbraucht hatte. Dieses Mal versuchte ich nicht, ihn zum Aufstehen zu bewegen. Ich griff um seinen Körper und hob ihn aus dem Schnee. Sogar durch die vielen Schichten seiner Kleidung spürte ich, wie dünn und schwach er geworden war, und ich bekam Mitleid mit ihm. „Denk an deine Mutter, Roy", ächzte ich, wobei ich die Lippen auf sein Ohr presste, damit er mich in dem Sturm hören konnte. „Wenn du sie wiedersehen willst, musst du jetzt für sie leiden." Sein Unterkiefer hing schlaff nach unten und seine Augen bewegten sich unter den Lidern. Er war kurz davor, in Ohnmacht zu fallen, brachte aber noch ein schwaches Nicken zuwege: Er wollte kämpfen. Seine Tapferkeit war bewundernswert.

Er lehnte sich an mich, und gemeinsam stiegen wir weiter bergauf. Er bemühte sich mit aller Kraft, doch wenig später kamen wir an ein Teilstück, an dem es besonders steil aufwärtsging. Ruhig und voller Resignation sah Roy mich an. Er wusste, dass diese Stelle seine Kräfte überstieg. Ich blinzelte in den wirbelnden Schnee und versuchte, die Steigung abzuschätzen. Dann griff ich Roy fester um die Taille, und mit meinen geringen verbliebenen Kräften hob ich ihn hoch, sodass nun sein ganzes Gewicht auf meiner Schulter lastete. Mit einzelnen mühsamen Schritten schleppte ich ihn die Steigung hinauf.

Mittlerweile steuerte ich aufs Geratewohl auf die Absturzstelle zu, und ständig quälte mich der Gedanke, ich könne die Richtung verloren haben, aber als schließlich die Dämmerung hereinbrach, sah ich in dem dichten Schneetreiben schwach die Silhouette der Fairchild. Ich spürte einen Energieschub. Schließlich waren wir da. Die anderen nahmen mir Roy ab, als wir in den Flugzeugrumpf stolperten. Roberto und Tintin waren auf dem Boden zusammengebrochen und ich ließ mich neben sie fallen. Ich zitterte unkontrolliert. Meine Muskeln brannten in völliger Erschöpfung, wie ich es noch nie erlebt hatte. Ich vergrub mich in dem Gewirr aus Leibern, die sich um mich drängten, nahm gierig die Wärme

Dieses Foto entstand erst nach der Rettung, zeigt aber sehr anschaulich, in welchem Umfeld wir ums Überleben rangen.

der anderen auf und fiel für mehrere Stunden in einen tiefen Schlaf.

Am nächsten Vormittag ruhte ich mich aus. Nach den Tagen meiner Abwesenheit sah ich unseren Überlebenskampf mit ganz anderen Augen. Mir fiel auf, welche grausigen Dinge zum normalen Bestandteil unseres Lebens geworden waren. Um den Flugzeugrumpf herum lagen mehrere Knochenhaufen. Oben auf der Maschine waren Fettstreifen zum Trocknen in der Sonne ausgebreitet. Während wir weg gewesen waren, hatte der Hunger einige zum Verzehr von Körperteilen und Organen getrieben, die wir zuvor für ungenießbar gehalten hatten. Der Überlebenstrieb sitzt tief, und wenn der Tod so nahe ist, kann ein Mensch sich an alles gewöhnen. Aber trotz des ungeheuren Hungers und der verzweifelten Bemühungen, die Abhänge nach weiteren Toten abzusuchen, hatten sie ihr Versprechen gehalten: Die Leichen meiner Mutter, meiner Schwester und Lilianas, die alle leicht zugänglich gewesen wären, hatte niemand angerührt. Ich war tief bewegt bei dem Gedanken, dass ein solches Versprechen meinen Freunden selbst an der Schwelle zum Hungertod noch etwas bedeutete. Die Berge hatten uns so viel Schlimmes durchmachen lassen, und wir selbst hatten uns so stark verändert, dass wir das Ausmaß des Ganzen erst nach Jahren begreifen würden. Aber trotz allem hielten wir an bestimmten Prinzipien fest; Freundschaft, Loyalität und Ehre waren immer noch von Bedeutung. Die Anden hatten viel getan, um uns zugrunde zu richten, aber immer noch kämpften wir gemeinsam, als Team. Wir hatten nicht zugelassen, dass die Berge uns unsere Seele stahlen.

IN DER ersten Dezemberwoche bereiteten wir uns ernsthaft auf die Bergbesteigung im Westen vor. Während Tintin, Roberto und ich die Kleidung und Ausrüstung zusammensuchten, die wir brauchten, hing eine seltsame Stimmung in der Luft, eine Mischung aus Aufregung und Bedrücktheit. Nach den früheren Anläufen und der fehlgeschlagenen Expedition wussten wir, dass wir vor zwei großen Herausforderungen standen: Die erste war die extreme körperliche Beanspruchung durch das Klettern in großer Höhe. Die zweite bestand darin, uns insbesondere nach Sonnenuntergang vor der Kälte zu schützen. Mittlerweile konnten wir tagsüber mit Temperaturen deutlich über dem Gefrierpunkt rechnen, aber nachts war es immer noch so kalt, dass wir ums Leben kommen konnten. Wir mussten uns etwas einfallen lassen, damit wir nicht erfroren.

Die Lösung lag in dem Isoliermaterial aus dem Flugzeugschwanz. Zwischen die Schichten unserer Kleidung gestopft, schützte es uns seit unserer Rückkehr nachts gut vor der Kälte. Als wir vor dem Aufbruch unsere Ideen zusammentrugen, kam uns der Gedanke, die zeitschriftengroßen Stücke zu einer warmen Flickendecke zusammenzufügen. Und wenn wir sie dann falteten und an den Rändern zusammennähten, entstand ein warmer Schlafsack, der so groß war, dass das dreiköpfige Expeditionsteam sich darin schlafen legen konnte.

Carlitos übernahm das Nähen. Seine Mutter hatte ihm als Kind beigebracht, wie man mit Nadel und Faden umgeht, und mit dem Nähzeug, das ich in der Kosmetiktasche meiner Mutter gefunden hatte, machte er sich an die Arbeit. Es war ein mühseliges Unterfangen – schließlich mussten alle Nähte intensiver Beanspruchung standhalten.

In der Mitte der ersten Dezemberwoche war der Schlafsack fertig. Unsere Ausrüstung lag bereit, das Fleisch für unterwegs war in Socken verpackt, und alle wussten, dass der Zeitpunkt des Aufbruchs gekommen war – alle außer Roberto. Er erfand eine verrückte Ausrede nach der anderen, um das Unternehmen hinauszuzögern. Erst beklagte er sich, der Schlafsack sei nicht fest genug, und bestand darauf, ihn zu verstärken. Dann meinte er, er könne nicht aufbrechen, weil Coche, Roy und die anderen dringend seine medizinische Versorgung brauchten. Im Anschluss gab er zu bedenken, dass man ja bereits mit dem Spezialflugzeug nach uns suche. Und schließlich behauptete er, er habe sich für die Bergbesteigung noch nicht genügend ausgeruht und müsse einige weitere Tage Kräfte sammeln. Die Vettern versuchten ihn unter Druck zu setzen, aber er wies ihre Argumente streitlustig zurück und erklärte lautstark, er werde erst aufbrechen, wenn er dazu bereit sei.

„So kann das nicht weitergehen", knöpfte ich ihn mir vor. „Du weißt, dass es Zeit zum Aufbruch ist."

„Wir gehen demnächst, aber erst müssen wir warten, bis das Wetter sich bessert."

„Ich habe die Nase voll vom Warten."

„Ich hab dir doch gesagt, wir gehen, wenn das Wetter besser ist!", schnauzte er zurück.

Ich hatte mir Mühe gegeben, ruhig zu bleiben, aber sein aggressiver Ton brachte das Fass zum Überlaufen. „Schau dich doch um!", schrie ich. „Bald haben wir nichts mehr zu essen! Unsere Freunde liegen im Sterben. Coche hat nachts schon fantasiert. Roy geht es noch schlechter, der ist nur noch Haut und Knochen. Javier wird immer dünner und die Jüngeren sind alle schon sehr schwach. Und sieh *uns* doch an! Wir werden von Stunde zu Stunde dünner. Wir müssen aufbrechen, bevor wir zu schwach sind und nicht mehr stehen können."

„Jetzt hörst du mir mal zu, Nando!", schimpfte Roberto los. „Vorgestern hatten wir ein schlimmes Unwetter, kannst du dich daran noch erinnern? Hätte es uns am Berg erwischt, wären wir jetzt tot."

„Wir können auch durch eine Lawine sterben oder in eine Gletscherspalte fallen. Mit solchen Risiken müssen wir leben, und warten können wir nicht mehr." Ich erhob mich. „Ich breche am 12. auf. Mit dir oder ohne dich."

Am 10. Dezember unterhielt ich mich mit Gustavo über Numa. Wir machten uns Sorgen um ihn.

„Er hat mich gebeten, nach einem Geschwür auf seinem Rücken zu sehen, und dabei habe ich gesehen, wie dünn er ist", erzählte Gustavo. „Er hat überhaupt kein Fleisch mehr auf den Knochen. Mehr als ein paar Tage hält er nicht mehr durch."

Ich verließ Gustavo und kniete mich neben Numa. „Wie fühlst du dich?"

Er lächelte schwach. „Ich glaube, mit mir geht das nicht mehr lange."

„Versuch durchzuhalten. Wir brechen bald auf. Endlich nach Westen."

„Im Westen ist Chile", zitierte er mit müdem Lächeln. „Du schaffst das, du bist stark."

„*Du* musst stark sein, Numa. Wegen deiner Familie. Du wirst sie wiedersehen."

Wieder lächelte er. „Es ist schon lustig. Die meisten Menschen bereuen ihre Fehler, wenn sie sterben, aber ich habe nichts zu bereuen. Ich habe mich bemüht, ein gutes Leben zu führen. Ich hoffe, das wird Gott berücksichtigen."

„So darfst du nicht reden."

„Aber ich habe meinen Frieden. Ich bin zu allem bereit."

Am 11. Dezember fiel er morgens ins Koma. Am Nachmittag desselben Tages war er tot. Numa war einer der Besten gewesen, ein junger Mann, dessen Mitgefühl und Großzügigkeit grenzenlos gewesen waren, ganz gleich wie sehr er selbst gelitten hatte. Es machte mich verrückt, dass ein solcher Mensch wegen eines Blutergusses am Bein hatte sterben müssen, über den man unter normalen Umständen kaum ein Wort verloren hätte.

Ich betrachtete meine Freunde. Ihre Gesichter waren erschöpft, unter den Brauen und den eingesunkenen Wangen standen die Knochen hervor, und die meisten hatten nicht mehr genug Kraft, um ohne Torkeln zu stehen. Ihre Körper waren trockene, leere Hüllen. Das Leben wich aus ihnen wie die Farbe aus einem abgefallenen Blatt. So viel Tod, so viele abgeschnittene Lebensfäden. Ich spürte, wie ein lastendes Gefühl des Überdrusses mich überfiel.

Es war Zeit, die Geschichte zu Ende zu bringen. Draußen stieß ich auf Roberto, der an der Wand der Fairchild zusammengesunken war. „Es ist alles bereit", teilte ich ihm mit. „Tintin und ich sind fertig. Morgen früh brechen wir auf. Kommst du mit?"

Roberto starrte auf die Berge im Westen. An seinem Blick erkannte ich, dass Numas Tod ihn ebenso bewegte wie uns alle. „Ja", entgegnete er. „Ich bin bereit. Es ist Zeit zu gehen."

Am Abend des 11. Dezember – es war unsere sechzigste Nacht in den Anden – saß ich vor dem Flugzeugrumpf auf einem der Sitze, die wir nach draußen gezerrt hatten, und schaute auf die Berge, die mir den Heimweg versperrten. Während die Dunkelheit hereinbrach, wurde der größte Gipfel, der, den wir besteigen mussten, immer dunkler und abweisender. Ich mochte kaum glauben, dass endlich der Augenblick gekommen war, den ich so lange herbeigesehnt hatte. Unzählige Fragen schossen mir durch den Kopf. Wie fühlt es sich an, wenn man erfriert? Und wie ist das, wenn man an Erschöpfung stirbt? Fällt man einfach um? Verhungern wäre entsetzlich, aber ich würde lieber verhungern als abstürzen. Bitte, lieber Gott, lass mich nicht mehrere Hundert Meter einen steilen Abhang hinunterrutschen und in dem Wissen in den Schnee greifen, dass ich auf einen Felsvorsprung zugleite und gleich in die Tiefe stürzen werde! Bitte bewahre mich vor solch einem Tod!

Ich begann zu zittern – ich hatte nicht den Mut, dem Kommenden ins Auge zu sehen. *Ich kann das nicht. Ich will nicht sterben.* Ich fasste den Entschluss, den anderen zu sagen, dass ich es mir anders überlegt hatte. Vielleicht hatte Roberto Recht und die Rettungskräfte fänden uns am Ende doch noch …

Aber im Grunde war mir klar, dass es nicht stimmte. Wir hatten fast nichts mehr zu essen. Wie lange würde es noch dauern, bis gar nichts mehr da wäre und das grässliche Warten auf den nächsten Toten begänne? Und wie erginge es dem Letzten, der lebend übrig bliebe? Wieder blickte ich zu dem Berg. Was er mir auch antun würde, nichts wäre so schlimm wie die Zukunft, die hier auf mich wartete. „Verrate mir deine Geheimnisse", flüsterte ich. „Zeig mir, wie man dich besteigen kann." Ich starrte auf die hoch emporragenden Wände und versuchte mit meinem laienhaften Blick, den besten Weg zum Gipfel auszumachen. Wenig später verschwanden die Hänge in der Dunkelheit. Ich ging in die Fairchild, legte mich ein letztes Mal zu meinen Freunden und versuchte zu schlafen.

DAS GEGENTEIL DES TODES

Als in den Fenstern schwach das erste Morgenlicht glomm, lag ich bereits seit Stunden wach. Keiner sprach mich an, als ich aufstand und mich für den Aufbruch fertig machte. Ich hatte mich schon am Abend zuvor für die Bergtour angezogen. Unmittelbar auf der Haut trug ich ein Polohemd aus Baumwolle und eine Wollunterhose. Es war ein Damenschlüpfer, den ich in einem Koffer – vermutlich dem von Liliana – gefunden hatte, aber nach zwei Monaten im Gebirge konnte ich ihn ohne Schwierigkeiten über meine knochigen Hüften ziehen. Über die Unterhose hatte ich drei Paar Jeans und über das Polohemd drei Pullover gezogen. Außerdem trug ich vier Paar Socken, die ich jetzt mit Plastiktüten umwickelte, um sie im Schnee trocken zu halten. Ich zwängte die Füße in meine abgenutzten Rugbyschuhe und knotete sorgfältig die Schnürsenkel zu. Über den Kopf zog ich eine Wollmütze und darüber die weite, schulterlange Haube, die ich mir aus Susys Antilopenmantel zurechtgeschnitten hatte. Alles, was ich an diesem Morgen tat, kam einer Zeremonie gleich, einer Handlung mit weitreichenden Folgen. Mein Verstand war scharf wie ein Rasiermesser, aber ich hatte das Gefühl, als sähe ich mir selbst aus der Entfernung zu. Die anderen standen schweigend daneben – sie wussten einfach nicht, was sie sagen sollten. Nach so vielen Wochen des engen Zusammenlebens und der gemeinsamen Kämpfe lag plötzlich eine Distanz zwischen uns. Ich hatte bereits begonnen, sie zu verlassen.

Ich griff nach dem Aluminiumpfosten, der mir als Wanderstock dienen sollte, und nahm meinen Rucksack aus dem Gepäckfach über mir.

Er enthielt neben den Fleischrationen Dinge, die mir vermutlich von Nutzen waren: einige Stoffstreifen, die ich mir um die Hände wickeln konnte, um sie zu wärmen, den Lippenstift zum Schutz meiner blasigen Lippen.

Roberto war ebenfalls fertig. Wir nickten uns schweigend zu, dann schob ich mir Panchitos Armbanduhr über das Handgelenk und ging hinter Roberto nach draußen. Die Luft war schneidend kalt, aber die Temperatur lag deutlich über dem Gefrierpunkt. Es waren ideale Verhältnisse zum Bergsteigen: leichter Wind und strahlend blauer Himmel.

Die Vettern brachten uns ein wenig Fleisch zum Frühstück. Wir aßen schnell. Geredet wurde wenig. Als es Zeit zum Aufbruch war, kam Carlitos auf mich zu, und wir umarmten uns. Er lächelte glücklich, und in seinem Gesicht stand Zuversicht. „Ihr schafft das", sagte er. „Gott wird euch behüten."

Es brach mir fast das Herz, dass die hoffnungslose Tour, die heute begann, seine einzige Überlebenschance war. Ich wollte ihn anschreien: *Was zum Teufel mache ich eigentlich? Ich habe so eine Angst!* Aber wenn ich solche Gefühle in mir hochkommen ließ, würde ich den Mut verlieren. So gab ich Carlitos stattdessen einen der winzigen roten Schuhe, die meine Mutter in Mendoza für meinen Neffen gekauft hatte. „Behalte den hier, ich behalte den anderen. Wenn ich zurückkomme, haben wir wieder ein Paar."

Auch die anderen verabschiedeten sich mit Umarmungen und stillen, ermutigenden Blicken. Ich konnte ihnen kaum in die Augen sehen. Immerhin war ich derjenige gewesen, der besonders nachdrücklich darauf bestanden hatte, dass es möglich sei, zu Fuß nach Chile zu gelangen. Ich wusste, dass die anderen mein Verhalten für optimistisch hielten. Aber in Wirklichkeit hatte es nicht im Entferntesten mit Optimismus zu tun. Es war Panik. Mich trieb dasselbe Entsetzen nach Westen, das jemanden dazu bringt, vom Dach eines brennenden Gebäudes zu springen und diese Form des Todes für sinnvoller zu halten als die andere. Ich hatte mich immer gefragt, was sich in solchen Augenblicken in einem Menschen abspielt. Welche Logik sagt uns, dass es an der Zeit ist, den Schritt in die Luft zu tun? An diesem Morgen kannte ich die Antwort. Ich wandte mich von Carlitos ab, bevor er die Furcht in meinen Augen sah. Mein Blick fiel auf den weichen Schneehügel, unter dem meine Mutter und meine Schwester bestattet waren.

„Nando, bist du so weit?" Roberto und Tintin warteten. Hinter ihnen erhob sich der Berg, die weißen Hänge glitzerten in der Morgensonne.

Ich warf noch einmal einen Blick auf die Gräber, dann wandte ich mich an Carlitos. „Wenn das Essen knapp wird, möchte ich, dass ihr auch meine Mutter und Susy ausgrabt."

Einen Moment lang war er sprachlos, dann nickte er. „Nur im äußersten Notfall", entgegnete er leise.

„Nando, wir sollten jetzt aufbrechen", drängte Roberto.

„Ich bin so weit", erwiderte ich. Wir winkten ein letztes Mal, dann begannen wir mit dem Aufstieg.

WÄHREND wir dem sanft ansteigenden Gletscher in Richtung der unteren Hänge folgten, glaubten wir zu wissen, wie gefährlich der Berg sein konnte. Aber wir hatten keine Ahnung vom Bergsteigen, und diese Unkenntnis konnte uns das Leben kosten.

So wussten wir beispielsweise nicht, dass der Höhenmesser der Fairchild einen falschen Wert anzeigte: Anders als wir annahmen, befand sich die Absturzstelle nicht auf gut 2100, sondern knapp 3600 Metern. Ebenso wenig war uns klar, dass wir im Begriff waren, einen der höchsten Berge der Anden zu besteigen, der fast 5200 Meter aufragt und mit seinen schwierigen Steigungen auch für geübte Bergsteiger eine Herausforderung darstellt. Erfahrene Alpinisten hätten sich ohne ein Arsenal an Spezialausrüstung nicht einmal in seine Nähe begeben. Sie hätten Stahlkletterhaken, Eisschrauben und Seile mitgenommen. Außerdem hätten sie Eispickel, wasserdichte Zelte und warme feste Stiefel mit Steigeisen dabeigehabt. Sie wären körperlich in Topform gewesen, hätten den Aufstieg zu einem selbst gewählten Zeitpunkt in Angriff genommen und sorgfältig die sicherste Route zum Gipfel geplant. Wir drei dagegen kletterten in Straßenkleidung und mit den einfachen Hilfsmitteln, die wir aus Material aus dem Flugzeug hergestellt hatten. Körperlich waren wir durch monatelange Anstrengung, Hunger und Kälte geschwächt, und keiner von uns hatte zuvor schon einmal ein richtiges Gebirge gesehen. Roberto und Tintin hatten bis zum Absturz noch nicht mal Schnee zu Gesicht bekommen. Hätten wir eine Ahnung vom Bergsteigen gehabt, wäre uns klar gewesen, dass wir bereits zum Tode verurteilt waren. Aber glücklicherweise wussten wir von alldem nichts, und diese Ignoranz bot uns die einzige Chance.

Zunächst mussten wir einen Weg für den Anstieg auswählen. Erfahrene Kletterer hätten sehr schnell erkannt, dass sich ein Felskamm vom Gipfel herunterschlängelte und etwa eineinhalb Kilometer südlich der Absturzstelle auf den Gletscher traf. Wären wir dorthin gewandert und auf dem langen, schmalen Grat aufgestiegen, hätten wir mit den Füßen besseren Halt gefunden und einen ungefährlicheren, schnelleren Weg zum Gipfel gefunden. Aber uns fiel der Grat nicht einmal auf. Seit Tagen hatte ich meinen Blick auf die Stelle gerichtet, wo die Sonne hinter den Bergkämmen unterging, und in der Vorstellung, dass der kürzeste Weg auch der beste sei, malten wir uns von dort eine Route geradewegs nach Westen aus. Es war ein dilettantischer Fehler, der uns zwang, den Berg über die steilsten und gefährlichsten Stellen zu besteigen.

Der Anfang jedoch war vielversprechend. An den unteren Hängen war der Schnee fest und ziemlich eben und die Stollen meiner Rugbyschuhe krallten sich gut in der gefrorenen Kruste fest. Von einem heftigen Adrenalinschub vorangetrieben, wanderte ich schnell bergauf, und nach kürzester Zeit war ich den anderen um fünfzig Meter voraus. Aber schon bald musste ich mein Tempo drosseln. Mit jedem Schritt schien die Steigung zuzunehmen; ich fühlte mich wie auf einem Laufband, das immer schwerer läuft. Die Anstrengung ließ mich in der dünnen Luft keuchen, und immer wenn ich ein paar Meter vorangekommen war, musste ich mich mit auf die Knie gestützten Händen ausruhen.

Schon bald schien die Sonne so stark, dass uns beim Steigen warm wurde. Aber sie erwärmte auch den Schnee und wenig später gab die feste Oberfläche unter meinen Füßen nach. Bei jedem Schritt brach ich jetzt durch die immer dünnere Kruste, und schließlich sank ich bis zu den Knien in den weichen, tiefen Schnee. Ich musste das Knie fast bis zur Brust heben, um meinen Schuh herauszuziehen. In der dünnen Luft musste ich nun nach jedem Schritt ausruhen. Als ich mich umsah, bemerkte ich, dass die anderen genauso viel Mühe hatten. Ich blickte nach oben zur Sonne, und mir wurde klar, dass wir am Morgen zu lange mit dem Aufbruch gewartet hatten. Der gesunde Menschenverstand hatte uns gesagt, dass wir besser bei Tageslicht klettern sollten, also hatten wir gewartet, bis die Sonne aufgegangen war. Dagegen wissen erfahrene Bergsteiger, dass die Stunden vor Tagesanbruch sich am besten zum Klettern eignen, weil die Sonne später alle Abhänge in Brei verwandelt. Ich fragte mich, welche Schnitzer wir noch begehen würden und wie oft wir sie überleben konnten.

Schließlich kämpften wir uns durch Schneewehen bergauf, die mir manchmal bis zu den Hüften reichten. „Versuchen wir es mal mit den Schneeschuhen!", rief ich. Die anderen nickten. Wenig später hatten wir Fitos provisorische Schneeschuhe vom Rücken genommen und an die Füße geschnallt. Anfangs funktionierten sie gut und wir konnten weitersteigen, ohne im Schnee einzusinken. Aber mit den großen, sperrigen Sitzkissen mussten wir die Beine beim Gehen anwinkeln und die Füße in einem unnatürlichen Halbkreis bewegen, damit die dicken Polster nicht zusammenstießen. Noch schlimmer wurde das Ganze, weil sich der Stoff und die Füllung sehr schnell mit geschmolzenem Schnee vollsogen. Es kam mir vor, als wäre an jedem meiner Schuhe ein Gullydeckel befestigt. Wir waren bereits am Rande der Erschöpfung, dabei hatte die eigentliche Kletterei noch gar nicht begonnen.

Die Steigung nahm immer mehr zu, und schon bald erreichten wir derart steile und windumtoste Hänge, dass sich tiefe Schneeverwehungen dort nicht halten konnten. Erleichtert schnallten wir die Schneeschuhe ab, banden sie uns wieder auf den Rücken und stiegen weiter bergan. Am späten Vormittag waren wir bereits in eine schwindelerregende Höhe vorgedrungen. Die Welt um uns bestand mehr aus blauer Luft und Sonnenschein als aus Felsen und Schnee. Die Höhe und die offene Weite der mächtigen Bergflanken ließ mich schwindeln. Der Hang verlief so steil wie die Leiter eines Dachdeckers, und wir waren ausschließlich auf die nachlassende Kraft unserer Arme, Beine, Fingerspitzen und halb erfrorenen Zehen angewiesen – nur sie verhinderte, dass wir in die Leere hinter uns stürzten. Natürlich hatte ich entsetzliche Angst, aber ich konnte auch die wilde Schönheit um mich herum nicht übersehen – den makellos blauen Himmel, die weißen Berge, die glitzernde Landschaft mit ihrem tiefen, jungfräulichen Schnee. Alles war so gewaltig, so vollkommen, so still.

Ich blickte hinunter zur Absturzstelle. Aus dieser Höhe war sie nur ein Schmutzfleck auf dem unberührten Schnee. Ich erkannte, wie deplatziert sie wirkte. Unsere Anwesenheit verletzte jene vollkommene Erhabenheit, die hier seit Jahrmillionen herrschte. Wir hatten ein uraltes Gleichgewicht gestört und es musste wiederhergestellt werden. Irgendetwas in diesen Bergen wollte die vollkommene Stille zurück, wollte, dass wir Ruhe gaben.

Gegen Mittag hatten wir von der Absturzstelle aus bereits etwa 600 Meter an Höhe gewonnen und befanden uns vermutlich knapp 4300 Meter über dem Meeresspiegel. Ein heimtückischer Kopfschmerz legte sich um meinen Schädel wie ein eiserner Ring. Meine Finger fühlten sich dick und schwerfällig an und meine Gliedmaßen wurden schwer vor Müdigkeit. Schon bei der geringsten Anstrengung musste ich nach Luft schnappen, als wäre ich einen Kilometer gerannt; aber ganz gleich wie tief ich einatmete, ich konnte die Lunge nicht füllen. Es war ein Gefühl, als söge ich die Luft durch ein Stück Filz ein.

Was ich damals nicht wusste: Die Höhenkrankheit, die in der Regel in etwa 2500 Metern einsetzt, kann einen Menschen auf unterschiedliche Weise außer Gefecht setzen, unter anderem mit Kopfschmerzen, unüberwindlicher Müdigkeit und Schwindelgefühl. Ungefähr ab 3600 Metern können Gehirn- und Lungenödeme hinzukommen, die unter Umständen zu bleibenden Gehirnschäden und einem schnellen Tod führen. Fachleute empfehlen, dass Bergsteiger im Anstieg pro Tag nicht mehr als 300 Meter Höhenunterschied überwinden sollen, denn bei diesem Tempo hat der Organismus genügend Zeit, sich an die immer dünner werdende Luft zu gewöhnen. Wir waren an einem einzigen Vormittag doppelt so hoch gestiegen und machten alles noch schlimmer, weil wir weiterkletterten, obwohl wir dringend hätten ausruhen müssen.

Das Blut wurde immer dicker, meine Atemfrequenz grenzte ans Hyperventilieren, und da ich beim Ausatmen viel Flüssigkeit verlor, wurde der Wassermangel mit jedem Atemzug stärker. Profibergsteiger haben einen tragbaren Benzinkocher bei sich, mit dem sie Schnee in einem Topf schmelzen können, und nehmen jeden Tag viele Liter Wasser zu sich. Unsere einzige Flüssigkeitsversorgung war hier und da eine Handvoll Schnee oder Wasser aus der Glasflasche, die wir in einem der Rucksäcke dabeihatten. Durch den Flüssigkeitsmangel ließen unsere Kräfte schnell nach und wir litten ständigen, brennenden Durst.

Nach fünf oder sechs Stunden angestrengter Kletterei schien der Gipfel nicht näher gekommen zu sein. Als ich die gewaltige Entfernung zur Spitze abschätzte, erkannte ich mit brutaler Deutlichkeit, dass wir uns eine übermenschliche Aufgabe gestellt hatten. Von Angst und einem Gefühl der Nutzlosigkeit überwältigt, spürte ich den Wunsch, auf die Knie zu sinken und einfach hierzubleiben. Aber dann hörte ich wieder die ruhige Stimme in meinem Kopf, die mich schon in so vielen Augenblicken der Krise aufgerichtet hatte. *Du verzettelst dich in den Entfernungen. Stutz den Berg auf die richtige Größe zurück.* Da wusste ich, was ich zu tun hatte. Über mir ragte ein großer Felsen aus dem Abhang. Ich entschloss mich, nicht mehr an den Gipfel zu denken, sondern diesen Felsen zu meinem einzigen Ziel zu machen. Unermüdlich schleppte ich mich auf ihn zu. Als ich ihn schließlich erreicht hatte, setzte ich mir ein neues Ziel und fing wieder von vorn an.

Auf diese Weise kletterte ich stundenlang weiter. Immer konzentrierte ich mich auf einen Punkt: einen Felsen, einen Schatten, eine auffällige Welle im Schnee. Die einzigen Geräusche waren mein eigener schwerer Atem und das Knirschen des Schnees unter meinen Schuhen. Schon bald setzte ich automatisch einen Fuß vor den anderen und verfiel in eine Art Trance. Die Zeit verging, die Entfernungen schrumpften, der Schnee schien unter meinen Füßen dahinzugleiten. Dieses Tempo behielt ich bei, bis ich Roberto und Tintin weit voraus war und sie mich

72 TAGE IN DER HÖLLE

101

rufen mussten, damit ich stehen blieb. An einem Felsvorsprung, der eine ebene Fläche zum Ausruhen bot, wartete ich auf sie. Wir aßen ein wenig Fleisch und schmolzen Schnee zum Trinken. Keiner von uns hatte viel zu sagen.

„Glaubst du, wir schaffen es bis zum Einbruch der Dunkelheit bis zum Gipfel?", fragte Roberto.

Ich zuckte die Achseln. „Wir sollten uns einen Lagerplatz suchen."

Ich blickte zur Absturzstelle hinunter und fragte mich, wie das Ganze aus der Perspektive der Freunde aussehen musste. Konnten sie erkennen, wie verzweifelt wir uns anstrengten? Aber ich verweilte nicht lange bei diesem Gedanken. Ich befand mich nicht mehr in der gleichen Welt wie die da unten. Jegliches Mitleid oder Verantwortungsgefühl für sie war in meiner Angst und meinem wilden Überlebenskampf untergegangen. Ich wusste, dass es Roberto und Tintin genauso erging. Wir würden zwar so lange wie möglich Seite an Seite kämpfen, doch der Berg lehrte mich auch eine harte Lektion: Kameradschaft ist edel, aber der Tod ist ein Feind, dem jeder allein gegenübertreten muss.

JE WEITER wir uns hinaufquälten, desto schwieriger wurde das Gelände. Felsen ragten aus dem Schnee, manche davon so groß, dass man sie unmöglich besteigen konnte. Über uns versperrten gewaltige Überhänge den Blick auf den weiteren Anstieg, und ich war gezwungen, mir rein instinktiv meinen Weg zu suchen. Oftmals traf ich die falsche Wahl und saß plötzlich unter einem unpassierbaren Sims oder am Fuß einer senkrechten Felswand fest. Ich arbeitete mich dann schräg am Hang vor, um eine neue Route zu finden.

Irgendwann am frühen Nachmittag versperrte uns ein sehr steiles, schneebedecktes Hangstück den Weg. An seinem oberen Rand erkannte ich einen waagerechten Felsvorsprung. Wenn wir nicht schräg über den Hang aufsteigen und uns auf diesen schmalen Balkon ziehen konnten, müssten wir umkehren und eine neue Route suchen. Das konnte Stunden kosten, und da der Sonnenuntergang von Minute zu Minute näher rückte, kam das nicht infrage. Ich blickte zu Tintin und Roberto zurück. Sie warteten ab, was ich tun würde. Ich sah mir den Hang genauer an. Er war steil und glatt, ich konnte mich nirgendwo festhalten. Aber der Schnee wirkte stabil genug, um mich zu tragen. Ich müsste beim Klettern die Füße in den Schnee stemmen und das Gewicht weit nach vorn verlagern. Alles war eine Frage des Gleichgewichts.

Ich machte mich ans Werk. Mit den Kanten meiner Schuhe formte ich Tritte, die Brust drückte ich gegen den Berg, um nicht nach hinten zu kippen. Ganz vorsichtig schob ich mich bis zu dem Felsvorsprung und kraxelte dann auf die ebene Fläche. „Geht in meinen Spuren!", rief ich den anderen zu. „Aber seid vorsichtig, es ist sehr steil!"

Ich wandte mich um und machte mich daran, den Hang über mir zu erklimmen. Kurz darauf sah ich mich um. Roberto hatte den Anstieg geschafft. Jetzt war Tintin an der Reihe. Ich kletterte weiter und hatte vielleicht dreißig Meter hinter mich gebracht, als plötzlich ein Angstschrei am Berg widerhallte. „Ich hänge fest! Ich schaffe das nicht!"

Ich drehte mich um und sah Tintin unbeweglich in der Mitte des Abhangs stehen. „Na los!", schrie ich. „Du schaffst das!"

Er schüttelte den Kopf. „Ich komme nicht weiter!"

„Es liegt an dem Rucksack!", rief Roberto. „Der ist zu schwer!"

Er hatte Recht. Der Rucksack zog Tintin von der Steilwand weg. Er bemühte sich, sein Gewicht nach vorn zu verlagern, konnte sich allerdings nirgendwo festhalten, und sein Gesichtsausdruck machte deutlich, dass er es nicht mehr lange in dieser Position aushalten würde. Unter ihm lag ein schwindelerregender Abgrund.

„Durchhalten, Tintin!", brüllte ich.

Roberto stand an der Kante des Felsvorsprungs und streckte den Arm nach unten zu Tintin aus. Er griff um nur wenige Zentimeter zu kurz. „Nimm den Rucksack ab!", rief er. „Gib ihn mir!"

Vorsichtig entledigte sich Tintin des Ausrüstungsstücks, wobei er mühsam das Gleichgewicht hielt, während er die Gurte über die Arme streifte und den Rucksack dann an Roberto weitergab. Ohne die schwere Last konnte er die Balance halten und gefahrlos hinaufklettern. Auf dem Felsabsatz angekommen, ließ er sich in den Schnee fallen.

„Ich kann nicht mehr", klagte er stöhnend. „Ich bin einfach zu müde. Ich bekomme kein Bein mehr hoch."

Aber wir mussten weiterklettern, bis wir einen geschützten ebenen Platz für die Nacht gefunden hatten. Also stiefelte ich wieder los und ließ den beiden damit keine andere Wahl, als mir zu folgen. Mittlerweile war es später Nachmittag. Die Sonne war im Westen hinter den Bergkämmen verschwunden, und lange Schatten wanderten die Steilhänge hinunter. Es wurde kälter. Panik stieg in mir auf.

Als ich auf einen großen Felsvorsprung stieg, um mir einen besseren Überblick zu verschaffen, zwängte ich den rechten Fuß in einen kleinen Spalt und griff mit der linken Hand nach einer Felsspitze, die aus dem Schnee ragte. Sie wirkte solide, aber als ich mich gerade daran hochziehen wollte, löste sich ein Stein von der Größe einer Kanonenkugel und stürzte an mir vorbei nach unten. „Vorsicht! Vorsicht!", schrie ich.

Unter mir konnte ich Roberto erkennen. Seine Augen weiteten sich, als der Brocken wenige Zentimeter an seinem Kopf vorbeischoss. Nach kurzem, erschrockenem Schweigen starrte er zu mir hoch. „Du Penner! Willst du mich umbringen? Pass bloß auf! Was für einen Mist machst du da?" Er schwieg und beugte sich nach vorn. Seine Schultern bebten. Mir wurde klar, dass er weinte. Als ich sein Schluchzen hörte, spürte ich ein so stechendes Gefühl der Hilflosigkeit, dass ich es auf der Zunge schmecken konnte.

Urplötzlich überfiel mich eine unbestimmte Wut. „Ich habe die Schnauze voll! Ich habe die Schnauze gestrichen voll!" Ich wollte einfach nur, dass es vorüber war. Mich ausruhen. In den Schnee sinken. Still und ruhig daliegen. An andere Gedanken kann ich mich nicht erinnern, deshalb weiß ich auch nicht, was mich zum Weitermachen veranlasste. Nachdem Roberto sich gefasst hatte, stiegen wir jedenfalls im schwindenden Tageslicht wieder bergauf.

Schließlich fand ich im Schnee unter einem großen Felsen eine flache Senke. Die Sonne hatte das Gestein den ganzen Tag über aufgewärmt, und die abgestrahlte Wärme hatte den Schnee zu diesem schmalen Hohlraum abschmelzen lassen. Es war eng und der Boden neigte sich stark in Richtung Hang, aber die Stelle würde uns vor der nächtlichen Kälte und dem Wind abschirmen. Wir legten die Sitzkissen auf den Boden und breiteten darüber den Schlafsack aus, von dem unser Leben abhing. Er war ein empfindlicher, grob mit Kupferdraht zusammengenähter Gegenstand und musste sehr vorsichtig behandelt werden. Um die Nähte nicht aufzureißen, zogen wir die Schuhe aus, bevor wir hineinschlüpften.

„Hast du schon gepinkelt?", fragte Roberto, als ich mich in die Hülle zwängte. „Wir können nicht die ganze Nacht aus dem Sack raus- und wieder reinkriechen."

Er war wieder ganz der alte, mürrische Gefährte. „Ich habe gepinkelt", erwiderte ich. „Und du? Ich will nicht, dass du in den Schlafsack pinkelst."

„Wenn hier jemand reinpinkelt, dann du!", schnaubte er. „Und pass auf mit deinen großen Füßen!"

Als wir alle drei im Schlafsack lagen, versuchten wir es uns bequem zu machen, aber der Boden unter uns war sehr hart und steil. Wir standen fast, den Rücken gegen den Berg gepresst und die Füße am unteren Rand der Vertiefung abgestützt. Erschöpft schwiegen wir lange. Der Himmel war nun pechschwarz und mit Milliarden leuchtender Sterne übersät. In dieser Höhe hatte ich das Gefühl, als müsste ich nur den

104   72 TAGE IN DER HÖLLE

Arm ausstrecken, um sie zu berühren. An einem anderen Ort und zu einer anderen Zeit hätte mich angesichts dieser Schönheit Ehrfurcht ergriffen. Aber hier und jetzt schien mir die Welt zeigen zu wollen, wie schwach und unbedeutend ich war. Und wie vergänglich.

Es WURDE so kalt, dass die Glasflasche, die wir bei uns hatten, zersprang. Im Schlafsack zusammengedrängt, bewahrten wir uns gegenseitig vor dem Erfrieren, aber wir litten dennoch entsetzlich. Morgens stellten wir unsere gefrorenen Schuhe in die Sonne und blieben im Schlafsack liegen, bis sie aufgetaut waren. Nachdem wir etwas gegessen und unsere Sachen gepackt hatten, kletterten wir weiter. Es war wieder ein schöner Tag.

Wir waren jetzt in mehr als 4500 Meter Höhe, und ungefähr alle hundert Meter näherte die Steigung sich stärker der Senkrechten an. Die offenen Abhänge waren nicht mehr begehbar, also hielten wir auf die Felskanten der gewundenen Couloirs zu, jener schluchtartigen Rinnen, die in den Flanken des Berges klafften. Erfahrene Kletterer wissen, dass solche Couloirs tödlich sein können – sie werden zu Kanälen für alle den Berg hinunterstürzenden Steine –, aber der zusammengepresste Schnee in ihnen bot unseren Füßen guten Halt, und die Felswände an ihren Rändern waren etwas Festes, wonach man greifen konnte.

Vielleicht war es die schwindelerregende Höhe, vielleicht auch die Müdigkeit oder ein Streich meines sauerstoffhungrigen Gehirns. Jedenfalls schien die Leere in meinem Rücken nicht mehr nur eine passive Gefahr zu sein, sie hatte Gestalt angenommen und verfolgte mich mit bösen Absichten. Wenn ich mich ihr nicht mit aller Kraft widersetzte, würde sie mich vom Berg locken und den Steilhang hinunterstoßen, das wusste ich. Ein falscher Tritt, eine Unaufmerksamkeit, ein Fehlurteil und ich stürzte geradewegs in die Tiefe. Das Einzige, was mich davor schützen konnte, war meine eigene Leistung. Ich konnte nur noch an eins denken: dass ich den Stein, nach dem ich griff, oder die Kante, auf die ich meinen Fuß setzen wollte, sorgfältig prüfen musste.

In der Konzentration ging ich völlig auf. Furcht und Erschöpfung waren vergessen, und eine Zeit lang hatte ich das Gefühl, als sei alles verschwunden, was mich irgendwann einmal ausgemacht hatte, als sei ich nichts anderes mehr als der reine Wille weiterzuklettern. Noch nie war ich so konzentriert, auf eine so unbändige Weise lebendig gewesen.

Aber bald meldeten Angst und Erschöpfung sich wieder und das Klettern wurde abermals zur Tortur. Vor Kälte und Müdigkeit zitterte ich unkontrolliert. Mein Organismus stand kurz vor dem völligen Zusammenbruch. Da sah ich ein Stück über mir die Umrisse eines schräg abfallenden Grats vor dem Hintergrund des blauen Himmels. Darüber war kein Berg mehr.

Der Gipfel! „Wir haben's gleich geschafft!", rief ich und kletterte mit neuer Kraft auf den Grat zu. Als ich mich allerdings über die Kante zog, erblickte ich eine mehrere Meter breite, waagerechte Fläche, und darüber erhob sich wiederum der Berg. Er hatte mir einen Streich gespielt und einen falschen Gipfel vorgegaukelt.

Es sollte nicht der letzte sein. Den ganzen Nachmittag quälten wir uns von einer solchen Täuschung zur nächsten, bis wir einige Zeit vor Sonnenuntergang eine geschützte Stelle fanden und uns entschlossen, dort unser Lager aufzuschlagen.

An diesem Abend im Schlafsack war Roberto mürrisch. „Wenn wir weiterklettern, kommen wir um. Der Berg ist einfach zu hoch."

„Aber was sollen wir sonst tun?", fragte ich.

„Umkehren."

Einen Augenblick lang war ich sprachlos. „Umkehren und auf den Tod warten?"

Er schüttelte den Kopf. „Siehst du da drüben die schwarze Linie? Ich glaube, das ist eine Straße." Er zeigte quer über ein weites Tal auf einen viele Kilometer entfernten Berg. „Wir sollten umkehren und der Straße folgen. Die muss schließlich irgendwohin führen."

Das war das Letzte, was ich hören wollte. „Dieser Berg ist sicher vierzig Kilometer weit weg. Wenn wir dorthin wandern, zu der schwarzen Linie hochsteigen und dann feststellen, dass es nur eine Schieferschicht ist, schaffen wir es nicht mehr hier hoch."

„Es ist eine Straße, Nando. Ich bin ganz sicher!"

„Vielleicht ist es eine Straße, vielleicht auch nicht. Sicher wissen wir nur eines: im Westen liegt Chile."

Er machte ein finsteres Gesicht. „Das erzählst du uns schon die ganze Zeit, aber bevor wir dort sind, haben wir uns das Genick gebrochen."

Wir diskutierten stundenlang weiter, aber als wir uns schlafen legten, war das Thema nicht geklärt.

Als ich am nächsten Morgen aufwachte, leuchtete über uns wieder ein klarer Himmel.

„Mit dem Wetter haben wir Glück." Roberto lag noch im Schlafsack.

„Wie hast du dich entschieden?", fragte ich. „Willst du umkehren?"

„Ich bin mir nicht sicher. Ich muss noch darüber nachdenken."

„Ich klettere weiter. Vielleicht sind wir ja bald auf dem Gipfel."

Er nickte. „Lasst eure Rucksäcke hier. Ich warte, bis ihr zurückkommt."

Ohne ihn weiterzugehen war ein entsetzlicher Gedanke, aber ich hatte nicht die Absicht, jetzt umzukehren. Also wartete ich, bis Tintin seine Sachen gepackt hatte, dann kletterten wir los. Nachdem wir stundenlang nur langsam vorangekommen waren, saßen wir irgendwann fest. Über uns erhob sich eine über hundert Meter hohe Felswand. Sie war fast senkrecht und von hartem, kompaktem Schnee bedeckt.

„Wie sollen wir da raufkommen?", stöhnte Tintin.

Ich untersuchte die Wand. Mein Geist arbeitete schwerfällig, aber wenig später fiel mir der Aluminiumwanderstock ein, den ich mir auf den Rücken geschnallt hatte. „Wir brauchen eine Treppe." Ich nahm den Stock und fing an, mit seiner Spitze grobe Stufen in den Schnee zu hauen. Auf ihnen konnten wir wie auf einer Leiter weitersteigen. Mit dumpfer Halsstarrigkeit nahmen wir Stufe um Stufe. *Hauen, steigen, hauen, steigen.* Tintin folgte mir. Ich wusste, dass er Angst hatte, aber er beklagte sich nie.

Die Stunden verstrichen nur langsam. Irgendwann am späten Vormittag sah ich über einer Gratlinie blauen Himmel und hielt darauf zu. Nach so vielen falschen Gipfeln hatte ich gelernt, meine Hoffnungen im Zaum zu halten, aber als ich dieses Mal über die Kante stieg, fiel der Hang flach ab und ich stand auf einem kahlen Felsbrocken im winddurchwühlten Schnee. Über mir war kein Berg mehr. Ich hatte den Gipfel erreicht.

Ob ich in jenem Augenblick Freude empfand, weiß ich nicht mehr. Wenn es so war, schwand das Gefühl, als ich mich umblickte. Ich hatte ungehinderte Rundumsicht und sah, wie der Horizont die ganze Welt umspannte, dem Rand einer riesigen Schüssel gleich. Bis in die trübe blaue Ferne war diese Schüssel in allen Richtungen mit unzähligen schneebedeckten Bergen gefüllt, jeder so steil und abweisend wie der, den ich gerade bestiegen hatte. Sofort begriff ich, dass der Kopilot einem schrecklichen Irrtum erlegen war. Curicó lag nicht hinter uns. Wir befanden uns keineswegs nahe am Westrand der Anden. Unser Flugzeug war irgendwo mitten in der riesigen Gebirgskette abgestürzt.

Wie lange ich dort stand und auf das Panorama starrte, weiß ich nicht mehr. Unbeweglich verharrte ich, bis ich ein drückendes Brennen in der Brust spürte und merkte, dass ich das Atmen vergessen hatte. Ich sog die Luft ein. Meine Beine wurden weich wie Gummi, dann sackte ich zu Boden. Ich verfluchte Gott und schimpfte auf die Berge. Wir würden alle hier sterben. Unsere Angehörigen erführen nie, wie wir darum gekämpft hatten, zu ihnen zurückzukehren.

In diesem Augenblick lösten sich alle meine Erwartungen an das Leben in der dünnen Luft der Anden auf. Ich hatte immer geglaubt, Leben sei das Natürliche und der Tod nur das Ende davon. Aber hier erkannte ich mit schrecklicher Deutlichkeit, dass der *Tod* das Bleibende war und das Leben nur ein kurzer, zerbrechlicher Traum, ein Spiel, das der Tod mich spielen ließ, während er auf mich wartete.

In meiner Verzweiflung befiel mich eine plötzliche Sehnsucht nach meiner Mutter und Susy, aber auch nach der warmen, starken Umarmung meines Vaters. Die Liebe zu ihm schwoll in meinem Herzen an und die Erinnerung an ihn erfüllte mich mit Freude. Ich war verblüfft: Die Berge waren mit all ihrer Macht nicht stärker als meine Bindung an meinen Vater. Meine Fähigkeit zu lieben konnten sie nicht zerstören. Ich durchlebte einen Moment der Klarheit und entdeckte ein einfaches, erstaunliches Geheimnis: Es gibt ein Gegenteil zum Tod, aber es ist nicht einfach das Leben. Es sind auch nicht Mut oder Glaube oder Willenskraft. Das Gegenteil des Todes ist die *Liebe*. Wie hatte ich das übersehen können? Wie kann irgendein Mensch das übersehen? Liebe ist unsere einzige Waffe. Nur sie kann das reine Leben zu einem Wunder machen, aus Leiden und Angst einen kostbaren Sinn ziehen. Für einen kurzen, magischen Augenblick wichen alle Ängste von mir. Ich würde nicht zulassen, dass der Tod Macht über mich gewann. Mit Hoffnung im Herzen würde ich durch das gottverlassene Land wandern, das mich von zu Hause trennte. Ich würde wandern, bis alles Leben aus mir gewichen wäre, und wenn ich dann tot umfiele, würde ich meinem Vater viel näher sein.

Wenig später hörte ich vom Hang unter mir Tintins Stimme. „Siehst du was Grünes, Nando? Kannst du was Grünes sehen?"

„Alles wird gut!", rief ich zurück. „Sag Roberto, er soll hier raufkommen und es sich selbst ansehen."

Während ich auf ihn wartete, nahm ich eine Plastiktüte und den Lippenstift aus meinem Rucksack. Mit dem Stift schrieb ich *Mt. Seler* auf die Tüte und stopfte sie unter einen Stein. Dieser Berg war mein Feind, dachte ich, und jetzt schenke ich ihn meinem Vater. Was auch geschehen mag, zumindest habe ich mich auf diese Weise gerächt.

Es dauerte Stunden, bis Roberto heraufgestiegen war. Er sah sich kurz um, dann schüttelte er den Kopf. „Tja, nun sind wir am Ende", meinte er knapp.

„Es muss doch einen Weg durch das Gebirge geben", erwiderte ich. „Siehst du dort in der Ferne die beiden kleineren Gipfel ohne Schnee? Vielleicht sind die Berge dort zu Ende. Ich finde, wir sollten uns in diese Richtung halten."

„Das sind mindestens achtzig Kilometer. Wie sollen wir in unserem Zustand eine solche Wanderung überstehen?"

„Schau mal dort unten. Siehst du das Tal am Fuß dieses Berges?"

Roberto nickte. Es schlängelte sich kilometerweit in Richtung der beiden kleineren Gipfel durch das Gebirge, bevor es sich in ihrer Nähe gabelte. Zwar verloren wir die zwei Arme hinter größeren Bergen aus dem Blick, aber ich war zuversichtlich, dass dieses Tal uns in die richtige Richtung führen würde.

„Dort liegt Chile, es ist nur weiter, als wir gedacht haben."

Roberto runzelte die Stirn. „Es ist zu weit. Das schaffen wir nie. Wir haben nicht genug zu essen."

„Wir könnten Tintin zurückschicken. Mit seinem Proviant und dem, was von unserem noch übrig ist, halten wir ohne Weiteres zwanzig Tage durch."

Roberto wandte sich um und blickte nach Osten. Ich wusste, dass er an die Straße dachte. Bei dem Gedanken, allein durch diese Wildnis zu wandern, verließ mich der Mut.

Am Spätnachmittag waren wir wieder bei unserem Lager. Während wir aßen, sprach Roberto mit Tintin. Er hatte sich entschieden. „Morgen früh schicken wir dich zurück. Die Wanderung wird länger, als wir dachten, und dazu brauchen wir deinen Proviant. Außerdem kommen zwei sowieso schneller voran als drei." Tintin nickte zustimmend.

Am Morgen umarmten wir ihn und schickten ihn den Berg hinunter. „Denk daran, wir halten uns immer in westlicher Richtung", schärfte ich ihm ein, bevor wir uns trennten. „Wenn Rettungskräfte kommen, schick sie los, damit sie uns finden."

Den ganzen Tag ruhten wir uns für die vor uns liegende Wanderung aus. Nachmittags aßen wir ein wenig Fleisch, dann krochen wir in den Schlafsack. Als die Sonne hinter dem Bergkamm über uns verschwand, glühten die Anden im beeindruckendsten Sonnenuntergang, den ich je gesehen hatte. Die Sonne tauchte die Berge in glitzerndes Gold, und am Himmel leuchteten dunkelrote und violette Wirbel. Mir kam der Gedanke, dass Roberto und ich vermutlich die ersten Menschen waren, die das majestätische Schauspiel von diesem Punkt aus verfolgen konnten. Unwillkürlich verspürte ich das Gefühl, privilegiert zu sein.

Aber die Anden hatten das gleiche Schauspiel schon vor Jahrmillionen inszeniert, lange bevor die ersten Menschen auf der Erde lebten, und sie würden es auch weiterhin tun, wenn wir längst nicht mehr da waren. Mein Leben oder mein Tod hatte für sie nicht die geringste Bedeutung.

72 TAGE IN DER HÖLLE

„Roberto, kannst du dir vorstellen, wie schön das hier alles sein könnte, wenn wir nicht dem Tod ausgeliefert wären?"

Ich spürte, wie seine Hand sich um meine schloss. Als Einziger verstand er, welch große Leistung wir vollbracht hatten und welch großes Vorhaben noch vor uns lag. Er hatte ebenso viel Angst wie ich, aber unsere Nähe gab mir Kraft. Wir waren jetzt wie Brüder.

„ICH SEHE EINEN MANN ..."

Am nächsten Morgen stiegen wir wieder die Stufen hinauf und ließen uns über die westliche Kante des Gipfels gleiten. Sofort wurde mir klar, dass der Weg bergab noch beängstigender werden würde als der Aufstieg. Auf einen Berg zu klettern ist ein Angriff. Der Abstieg dagegen hat eher etwas von Unterwerfung. Man kämpft nicht mehr gegen die Schwerkraft, sondern bemüht sich, einen Tauschhandel mit ihr abzuschließen, und wenn man vorsichtig von einem heimtückischen Haltepunkt zum nächsten hinabsteigt, weiß man ganz genau, dass sie einen bei der kleinsten Gelegenheit hinabziehen wird.

An und unter dem Gipfel hatte der Wind den Berg bis auf das nackte Gestein abgeschliffen. Zentimeter um Zentimeter kletterten wir abwärts, wobei wir uns an den aus dem Boden ragenden Felsvorsprüngen festhielten und die Schuhe in die Lücken zwischen kleineren Felsen setzten. Manchmal krabbelten wir auf allen vieren mit dem Rücken zum Berg den Abhang hinunter, an anderen Stellen wandten wir den Rücken zum Himmel. Wir hatten keinen anderen Gedanken, als den nächsten Schritt zu überleben, und gelegentlich führte uns unser aufs Geratewohl gewählter Weg an eine unpassierbare Felswand oder an die Kante eines Vorsprunges und erlaubte uns einen schwindelerregenden Blick zum tausend Meter tiefer gelegenen Fuß des Berges. Es gelang uns, solche Hindernisse zu umgehen, oder wir kletterten durch enge Spalten zwischen ihnen hindurch. Manchmal blieb uns nichts anderes übrig, als von einem Felsen zum nächsten zu springen, wobei unter uns nichts anderes war als ein Kilometer dünne Luft.

Auf diese Weise stiegen wir über drei Stunden lang ab und legten dabei nicht mehr als fünfzig Meter zurück. Aber schließlich machten die Felsen offenen, dick verschneiten Hängen Platz. Durch den hüfttiefen Schnee zu pflügen war nicht so beängstigend, aber es strengte uns sehr an, und wir ließen uns ständig von den hügeligen, weichen Formen dieses Bergabschnitts täuschen. Immer wieder zwangen uns Sackgassen, auf der eigenen Spur zurückzugehen und nach einer anderen Route zu suchen.

Als wir einige Hundert Meter hinter uns gebracht hatten, änderte sich der Boden dramatisch. Da dieser Teil des Westhanges jeden Tag von der Nachmittagssonne beschienen wurde, war der Schnee zum größten Teil getaut und große Abschnitte der Felsoberfläche lagen frei. Hier war das Gehen einfacher. Trotzdem behinderte uns an manchen Stellen eine knöcheltiefe Schicht aus lockeren Steinen und losem Schiefer, die einen instabilen Untergrund bildete; mehr als einmal glitt ich aus und musste mich verzweifelt an Felsen festhalten, um nicht den Berg hinabzurutschen. Wo es möglich war, glitten wir auf dem Hintern nach unten, oder wir ließen uns große, mit Geröll übersäte Rinnen hinab.

Am späten Nachmittag hatten wir den Abstieg zu zwei Dritteln hinter uns gebracht. An der Absturzstelle hatten die Schatten der westlich gelegenen Berge die Tage verkürzt. Hier auf der Westseite dagegen blieb es bis in den Abend hinein hell.

„Lass uns weitergehen, bis die Sonne untergeht", schlug ich vor.

Roberto schüttelte den Kopf. „Ich muss mich ausruhen."

Mir ging es nicht anders, aber die Angst und Verzweiflung, die mich antrieben, waren stärker als die Müdigkeit. „Nur noch eine Stunde."

„Wir müssen Pause machen!", schnauzte Roberto zurück. „Wir müssen vernünftig sein, sonst sind wir irgendwann am Ende." Seine Augen waren trüb vor Erschöpfung, aber in ihnen lag auch Entschlossenheit. Diskutieren hatte keinen Zweck.

Auf einem flachen, trockenen Felsen breiteten wir den Schlafsack aus und schlüpften hinein. In der geringeren Höhe und vielleicht auch weil der Felsen den ganzen Tag über die Sonnenwärme gespeichert hatte, war diese Nacht nicht unangenehm kalt.

Am nächsten Morgen begann mit dem 15. Dezember der vierte Tag unserer Wanderung. Als die Sonne aufging, weckte ich Roberto, und wir machten uns auf den Weg. Gegen Mittag erreichten wir den Fuß des Berges und standen am Eingang zu dem Tal, das uns in die Zivilisation führen sollte. Auf dem Talboden wand sich Gletschereis wie ein Fluss zwischen den hohen Bergen hindurch, die sich zu beiden Seiten erhoben. Aus der Ferne sah der Gletscher aus wie Glas, aber von Nahem erkannten wir, dass die Oberfläche zersprungen war und aus unzähligen kleinen Eisbrocken und unregelmäßig geformten Platten bestand. Unsere Füße glitten aus oder rutschten in die engen Spalten zwischen den Brocken. Jeder einzelne Schritt musste vorsichtig gesetzt werden. Ein gebrochener Knöchel kam in dieser Wildnis einem Todesurteil gleich.

Dennoch behielt ich mein besessenes Tempo bei und gewann einen immer größeren Vorsprung vor Roberto. „Langsam, Nando!", rief er dann. „Du bringst uns noch um!" Im Gegenzug drängte ich ihn, schneller zu machen, und wenn ich warten musste, bis er aufgeholt hatte, ärgerte ich mich. Andererseits war mir klar, dass er Recht hatte. Er war mit seinen Kräften fast am Ende. Auch bei mir ließen sie nach. In den Beinen plagten mich Krämpfe; mein Atem ging zu schnell und zu flach. Ich wusste, dass wir uns zu Tode anstrengten, aber ich brachte es nicht über mich anzuhalten. Je schwächer ich wurde, desto hektischer marschierte ich weiter.

Mittlerweile herrschten so milde Temperaturen, dass wir auch nach Sonnenuntergang unterwegs sein konnten, und manchmal überredete ich Roberto, bis tief in die Nacht zu wandern. Trotz unseres Zustandes versetzte uns die wilde Schönheit der Anden nach Einbruch der Dunkelheit in Staunen. Der Himmel war von tiefem Dunkelblau und mit glitzernden Sternen übersät. Das Mondlicht ließ die zerklüfteten Gipfel um uns weicher erscheinen und verlieh den Schneefeldern ein gespenstisches Glühen. Einmal sah ich vor mir Dutzende von Schattengestalten, wie Mönche mit Kapuzen, die sich im Mondlicht zum Gebet versammelt hatten. Beim Näherkommen stellten wir fest, dass es sich um hohe Säulen aus Schnee handelte, die der wirbelnde Wind am Fuß eines schneebedeckten Hanges modelliert hatte. Wir mussten zwischen ihnen einen Weg finden wie in einem Wald aus gefrorenen Bäumen. Manchmal sah ich meinen Schatten neben mir über den Schnee gleiten und nahm es als Beweis, dass es mich wirklich gab. Denn oft fühlte ich mich wie ein zwischen den Welten der Lebenden und der Toten gefangener Geist, geleitet von nichts anderem als Willenskraft, Erinnerung und einer unstillbaren Sehnsucht nach Zuhause.

Am Morgen des 18. Dezember – dem siebten Tag unserer Wanderung – zog sich die mörderische Schneedecke ein wenig zurück und wir quälten uns durch eine Landschaft aus losem, scharfem Geröll und schmutzigen Eisflächen. Ich wurde immer schwächer. Mittlerweile erforderte jeder Schritt höchste Anstrengung und meine ganze Willenskraft. In meinem Bewusstsein war kein Platz mehr für irgendetwas anderes als das nächste vorsichtige Aufsetzen des Fußes. Sonst war nichts mehr von Bedeutung – weder die Erschöpfung noch meine Schmerzen noch die Notlage der Freunde, ja nicht einmal die Hoffnungslosigkeit unseres Unterfangens. Auch Roberto hatte ich vergessen, bis ich ihn rufen hörte, und als ich mich umwandte, sah ich, dass er wieder einmal weit zurückgeblieben war. Vermutlich war es eine Art Selbsthypnose, ausgelöst durch mein rhythmisches Atmen, eine Trance, in der die Entfernungen schwanden und die Stunden dahinflossen.

Irgendwann stellte ich fest, dass sich die Sohle meines rechten Schuhs vom Oberleder löste. Auf das Problem reagierte ich seltsam abgehoben. Im Geist malte ich mir aus, wie ich ohne Schuh über die spitzen Steine humpelte, bis der nackte Fuß so stark blutete, dass ich nicht mehr weiterkam. Dann sah ich mich auf allen vieren kriechen, bis auch meine Hände und Knie zerfetzt waren. Am Ende legte ich mich auf den Bauch und zog mich mit den Ellbogen vorwärts, bis meine Kraft zu Ende ging. In meinem veränderten Geisteszustand fand ich solche Bilder beruhigend. Für den Fall, dass der Schuh aus dem Leim ging, hatte ich einen Plan. Zwischen mir und dem Tod war noch Platz.

Manchmal rissen mich die Berge mit ihrer Schönheit aber auch aus der dumpfen Selbstvergessenheit. Es geschah ganz plötzlich: Ich verspürte Bewunderung für ihr Alter und wurde mir bewusst, dass sie hier schweigend und gleichgültig gestanden hatten, während ganze Zivilisationen aufgestiegen und untergegangen waren. Andererseits fand ich es genauso bemerkenswert, dass nicht einmal sie ewig erhalten bleiben. Wenn die Erde lange genug besteht, werden alle Berggipfel eines Tages zu Staub zerfallen. Welche Bedeutung hat da ein einzelnes Menschenleben? Warum mühen wir uns ab? Warum erdulden wir solche Leiden? Was lässt uns so verzweifelt ums Überleben kämpfen? Wir könnten doch auch einfach in den Schatten versinken und Frieden erfahren.

Auf solche Fragen hatte ich keine Antworten, aber wenn sie für mich zu quälend wurden, rief ich mir ins Gedächtnis, was ich meinem Vater versprochen hatte, und sagte mir, dass ich jeden Schritt, den ich tat, dem Tod gestohlen hatte.

IRGENDWANN an jenem Nachmittag hörte ich vor uns in der Ferne ein Geräusch – ein dumpfes Rauschen, das beim Näherkommen lauter wurde. Kurz darauf erkannte ich, dass es sich um fließendes Wasser handeln musste. Ich beschleunigte meinen Schritt. Insgeheim hatte ich entsetzliche Angst, das Geräusch könnte von einem unüberwindlichen Strom stammen, der unser Schicksal endgültig besiegelte. Ich stieg einen sanften Hang hinunter und ließ mich dann über eine kleine vereiste Felswand hinab. Vor mir erhob sich ein riesiger Berg. Das Tal, dem wir gefolgt waren, führte bis zu seinem Fuß und verzweigte sich dort in zwei kleinere Täler, die sich beiderseits des Berges entlangschlängelten.

Das ist die Gabelung, die wir vom Gipfel aus gesehen haben, dachte ich. Wir sind auf dem richtigen Weg, wir müssen nur durchhalten.

72 TAGE IN DER HÖLLE

Ich wandte mich nach links und das rätselhafte Rauschen wurde lauter. Ich gelangte an eine rund fünf Meter hohe Eiswand, aus der durch eine große Spalte ungefähr eineinhalb Meter über dem Boden ein dicker, von vielen Tonnen geschmolzenem Schnee gespeister Wasserstrahl schoss. Zu meinen Füßen traf er spritzend auf den Boden und floss dann über Eis und Geröll in das vor uns liegende Tal. In einigen Hundert Metern Entfernung bildete das hinabrauschende Schmelzwasser bereits einen breiten, kräftigen Bach.

„Hier beginnt ein Fluss", teilte ich Roberto mit, als er mich eingeholt hatte. „Er wird uns hier herausführen."

Wir marschierten an dem Bach entlang. Lose Steine, Schnee und hartnäckige graue Eisflächen wechselten sich ab. Plötzlich endete die Schneegrenze wie an einer Teppichkante und wir wanderten endlich über trockenen Boden. Aber das Gehen war hier nicht einfacher als auf den Schneefeldern: Das Schwemmland beiderseits des Baches war von riesigen Felsbrocken übersät, viele davon größer als wir selbst. Wir mussten entweder zwischen ihnen hindurch unseren Weg suchen oder sie besteigen und von einer wackligen Spitze zur nächsten springen. Wir brauchten Stunden, um die Geröllfelder hinter uns zu bringen, aber schließlich wurde das Gelände ebener, und wir wanderten über lose Steine und Kiesel. Der Fluss neben uns wurde mit jedem Kilometer breiter und kräftiger, bis sein Dröhnen alle anderen Geräusche erstickte.

An diesem Tag marschierten wir bis zum Sonnenuntergang. Als wir uns schließlich ausruhten, zeigte Roberto mir einen Stein, den er unterwegs aufgelesen hatte. „Den nehme ich als Andenken für Laura mit", verkündete er. Laura Surraco war seine Verlobte.

„Sie macht sich sicher große Sorgen um dich."

„Sie ist ein tolles Mädchen. Ich vermisse sie sehr."

„Ich beneide dich, Roberto. Ich hatte noch nie eine richtige Freundin. Ich war noch nie verliebt."

„Wirklich?" Er lachte. „Und die ganzen Mädchen, denen du mit Panchito hinterhergelaufen bist? Hat keine von denen dein Herz erobert?"

„Ich glaube, ich habe ihnen nie die Gelegenheit gegeben. Ich dachte immer, irgendwo da draußen ist das Mädchen, das ich mal heiraten werde. Sie führt ihr Leben, fragt sich vielleicht manchmal, welchen Mann sie irgendwann heiraten wird, wo er ist, was er gerade tut. Würde sie vermuten, dass er die Anden durchqueren will, um zu ihr zu kommen? Wenn wir es nicht schaffen, wird sie nie erfahren, dass es mich überhaupt gegeben hat."

„Keine Sorge. Wir schaffen es nach Hause, und dann wirst du jemanden finden. Du wirst jemanden glücklich machen."

Ich lächelte über Robertos freundliche Worte, fand darin aber keinen Trost. Ich wusste, dass die Frau, die ich geheiratet hätte, irgendwo ihr ganz normales Leben führte. Aber sie würde mich nie kennen lernen. Unsere Kinder würden nie geboren werden. Wir würden kein gemeinsames Zuhause haben und nicht zusammen alt werden. Die Berge hatten mir alle diese Dinge gestohlen, das war die Realität, und allmählich hatte ich mich damit abgefunden.

AUCH am 19. Dezember herrschte gutes Wetter. Es war der achte schöne Tag hintereinander. Wir waren vormittags mehrere Stunden gewandert. Gegen Mittag machten wir weiter unten im Tal Bäume aus, und Roberto meinte noch etwas anderes gesehen zu haben.

„Da." Er richtete die zusammengekniffenen Augen auf den Horizont. „Ich glaube, da sind Kühe."

Mit meiner Kurzsichtigkeit konnte ich in so großer Entfernung nichts erkennen, und ich fürchtete, Roberto leide an Halluzinationen. „Das können auch Hirsche sein", meinte ich. „Komm weiter."

Ein paar Stunden später bückte Roberto sich, hob etwas vom Boden auf und zeigte es mir: eine verrostete Konservendose. „Hier waren Menschen", sagte er.

Ich ließ immer noch nicht zu, dass meine Hoffnung wuchs. „Die kann schon seit Jahren hier liegen. Oder sie ist aus einem Flugzeug gefallen."

Roberto blickte finster und warf die Dose weg. „Idiot! Flugzeugfenster kann man nicht öffnen."

Später stießen wir auf ein Hufeisen und dann auf ein paar Kothaufen. Roberto war fest davon überzeugt, dass sie von einer Kuh stammten. „Möchtest du mir jetzt vielleicht erklären, wie Kuhmist aus einem Flugzeug fallen kann?"

„Gehen wir weiter", erwiderte ich. „Ich glaube es erst, wenn wir einen Bauern sehen."

Von jetzt an gab es auf unserem Weg immer neue Spuren menschlicher Besiedlung: immer wieder Kuhdung, Pferdeäpfel und drei Baumstümpfe, an denen Axtspuren zu erkennen waren. Als wir schließlich eine Biegung des Tales durchwandert hatten, sahen wir nur hundert Meter entfernt die kleine Kuhherde, die Roberto am Morgen ausgemacht hatte.

„Ich habe dir doch gesagt, dass da Kühe waren!", triumphierte er. „Hier ganz in der Nähe muss ein Bauernhof sein."

72 TAGE IN DER HÖLLE

„Kaum zu glauben, dass in einer so abgelegenen Gegend jemand wohnen soll."

„Der Beweis steht vor dir. Wir sind gerettet! Morgen werden wir den Bauern finden, dem diese Kühe gehören."

Als wir an diesem Abend unser Lager aufschlugen, war Roberto in Hochstimmung, aber ich wusste, dass er nicht mehr lange durchhalten würde.

AM NEUNTEN Tag standen wir früh auf und fanden auf einem von den Kühen ausgetretenen Pfad neben dem Fluss den ersten angenehmen Untergrund auf unserem ganzen Weg vor.

Roberto wurde schnell müde. Öfter als zuvor musste ich warten, bis er sich ausgeruht hatte. Dennoch kamen wir gut voran. Am späten Vormittag erreichten wir eine Stelle, wo ein Felsbrocken von der Größe eines zweistöckigen Hauses in den Wasserlauf gestürzt war und uns den weiteren Weg versperrte. „Da müssen wir drüberklettern", sagte ich.

Roberto untersuchte das Hindernis und entdeckte ein schmales Sims, das sich über dem reißenden Fluss rund um den Felsen zog. „Ich gehe da lang", entschied er.

„Das ist zu gefährlich. Einmal ausgerutscht und du liegst im Wasser. Wir müssen oben drüberklettern."

„Ich bin zu schwach zum Klettern. Ich versuche es unten rum."

Vorsichtig ging er auf dem schmalen Vorsprung um den Felsen herum. Ich wartete, bis ich ihn nicht mehr sehen konnte, dann fing ich an zu klettern. Als ich auf der anderen Seite des Blocks herunterkam, war von Roberto nichts zu sehen, obwohl die von ihm gewählte Route viel kürzer war als meine. Voller Sorge wartete ich. Als er schließlich taumelnd auftauchte, hielt er sich den Bauch und kniff die Augen vor Schmerzen zusammen.

„Was ist los?"

„Mein Bauch platzt fast", murmelte er. „Durchfall. Ganz schlimm. Es hat angefangen, während ich auf dem Sims war."

„Kannst du laufen? Es sieht aus, als wäre der Weg jetzt frei."

Roberto schüttelte den Kopf und sank qualvoll zu Boden. „Das geht nicht. Es tut zu sehr weh."

Ich fürchtete, die Krankheit könne ihm den letzten Rest seiner Kraft rauben, und wollte ihn hier nicht allein lassen. „Na los! Nur noch ein kleines Stück."

„Nein, bitte", gab er zurück, „lass mich ausruhen."

Ich sah zum Horizont, wo sich eine weite Hochebene erhob. Wenn wir dort hinaufsteigen konnten, hatten wir einen guten Überblick. „Ich trage dein Gepäck", bot ich an. „Wir gehen bis dort oben zu der Ebene, dann ruhen wir uns aus."

Bevor Roberto antworten konnte, hatte ich nach seinem Rucksack gegriffen und mich wieder auf den Weg begeben, sodass ihm nichts anderes übrig blieb, als mir zu folgen. Obwohl er weit zurückfiel, behielt ich ihn im Blick. Er litt bei jedem Schritt. „Durchhalten, Muskel", flüsterte ich mir selbst zu. Ich wusste, er würde nicht aufgeben.

Am Spätnachmittag erreichten wir den Fuß der Hochebene und halfen uns gegenseitig, sie über einen steilen Pfad zu erklimmen. Von oben blickten wir auf eine Wiese mit dichtem Gras hinunter. Dort standen Bäume und Wildblumen, und zu unserer Linken sahen wir die niedrigen Mauern des Viehgeheges eines Bergbauern. Wir befanden uns jetzt hoch über dem Flusstal, und das Gelände fiel steil zum Ufer des Wasserlaufes ab, der an dieser Stelle etwa 35 Meter breit war und mit reißender Kraft dahinströmte. Roberto konnte kaum noch gehen. Ich half ihm, sich zu einer kleinen Baumgruppe zu schleppen, und wir beschlossen, hier unser Lager aufzuschlagen.

„Du ruhst dich jetzt aus", sagte ich. „Derweil sehe ich mir ein wenig die Gegend an. Vielleicht ist irgendwo in der Nähe ein Bauernhaus."

Roberto nickte. Er war sehr schwach, und als er sich schwer auf das weiche Gras fallen ließ, erkannte ich, dass er keinen Schritt mehr weitergehen würde. Ich mochte nicht darüber nachdenken, was geschehen würde, wenn ich ihn zurücklassen musste.

Im schwindenden Licht des Nachmittags folgte ich dem gewundenen Flusstal. Ich erblickte weidende Kühe, was meine Hoffnung steigen ließ, aber nachdem ich rund dreihundert Meter gegangen war, sah ich genau das, was ich befürchtet hatte: Von links kam ein anderer breiter, reißender Strom und vereinigte sich mit jenem, dem wir gefolgt waren. Der Zusammenfluss versperrte uns den Weg. Dass wir einen der beiden überqueren könnten, erschien unmöglich. Wenn nicht ein Wunder geschah, waren wir am Ende des Weges angelangt.

Als ich wieder bei Roberto war, erzählte ich ihm von dem zweiten Fluss und den Tieren. Wir hatten beide großen Hunger. Das wenige Fleisch, das wir noch besaßen, war bei dem warmen Wetter schlecht geworden. Eine Zeit lang spielten wir mit dem Gedanken, eine der Kühe zu schlachten, aber Roberto bezweifelte, dass wir die Kraft aufbrächten, ein so großes Tier einzufangen und zu bändigen, und so gaben wir die Idee wieder auf. Allmählich brach die Dunkelheit herein und es wurde kälter.

„Ich gehe Brennholz suchen." Aber ich war erst ein paar Schritte über die Wiese gegangen, da hörte ich Roberto rufen.

„Nando, ich sehe einen Mann!"

„Was? Was hast du gesagt?"

„Da! Sieh doch! Ein Mann auf einem Pferd!" Roberto deutete auf die Böschung auf der anderen Seite des Flusstals.

Ich blinzelte in die Abenddämmerung. „Ich sehe nichts."

„Geh! Lauf!", schrie er. „Geh zum Fluss runter!"

Blind stolperte ich den Abhang hinunter zum Wasser, während Roberto mir die Richtung angab. „Rechts, nein, rechts habe ich gesagt! Nicht so weit! Jetzt nach links!"

Den Anweisungen folgend, lief ich im Zickzack den Hang hinunter, aber von einem Mann auf einem Pferd entdeckte ich keine Spur. Als ich mich umdrehte, sah ich Roberto hinter mir hertorkeln.

„Ich schwöre, ich habe etwas gesehen!", bekräftigte er.

„Da drüben ist es ganz schön dunkel", erwiderte ich. „Vielleicht war es der Schatten von einem Felsen."

Ich nahm Roberto am Arm, um ihm wieder hinauf zum Lager zu helfen, aber da hörten wir über das Rauschen des Flusses hinweg den unverkennbaren Klang einer menschlichen Stimme. Wir wirbelten herum und dieses Mal sah auch ich den Reiter. Er rief uns etwas zu, aber seine Worte wurden größtenteils durch den Lärm des Wassers verschluckt. Dann wendete er sein Pferd und verschwand in der Dunkelheit.

„Hast du ihn verstanden?", fragte Roberto.

„Ich habe nur ein Wort gehört. Er hat ‚morgen' gesagt."

„Wir sind gerettet!"

Ich stützte Roberto auf dem Weg zum Lager, dann machte ich ein Feuer, und wir legten uns schlafen. Zum ersten Mal seit dem Absturz keimte echte Hoffnung in mir auf. Ich würde am Leben bleiben. Ich würde meinen Vater wiedersehen, da war ich jetzt ganz sicher. Aber nun richtete sich meine Besorgnis auf die anderen, die wir zurückgelassen hatten. Besessen vom eigenen Überlebenswillen, hatte ich kaum an sie gedacht, seit wir die Absturzstelle vor neun Tagen verlassen hatten.

„Ich bin beunruhigt wegen der Jungs", meinte ich. „Roy und Coche waren so schwach. Hoffentlich bleibt ihnen noch Zeit."

„Keine Sorge", erwiderte Roberto. „Wenn der Mann morgen wiederkommt, machen wir ihm klar, dass es keine Sekunde zu verlieren gilt."

Schon vor dem Morgengrauen waren wir wach und starrten auf die andere Seite des Flusses. Dort sahen wir drei Männer im Licht eines Lagerfeuers sitzen. Ich lief zum Ufer hinunter. Einer der Männer – er trug die Arbeitskleidung eines Bergbauern – tat das Gleiche. Ich wollte ihm etwas zurufen, aber meine Worte gingen im Rauschen des Flusses unter. Ich zeigte zum Himmel und versuchte mit Handbewegungen, ein abstürzendes Flugzeug anzudeuten. Der Bauer starrte mich nur an. Die Arme wie Flügel ausgebreitet, lief ich am Ufer auf und ab. Der Mann wandte sich um und rief seinen Freunden etwas zu. Einen Augenblick lang überfiel mich die panische Angst, sie könnten mich für einen Verrückten halten und weggehen. Aber er holte ein Stück Papier aus der Tasche, kritzelte etwas darauf und band das Blatt mit einer Schnur um einen Stein. Er ließ seinen Bleistift unter die Schnur gleiten und warf mir den Stein über den Fluss hinweg zu. Als ich das Papier auseinanderfaltete, las ich die Nachricht:

> Später kommt ein Mann. Ich habe ihm gesagt, er soll losgehen. Sagen Sie mir, was Sie wollen.

Ich nahm den Bleistift und schrieb auf die Rückseite des Zettels. Mir war klar, dass ich die Worte sorgfältig wählen musste, damit er begriff, in welcher Notlage wir uns befanden. Meine Hände zitterten, als der Stift das Papier berührte.

> Ich komme von einem Flugzeug, das im Gebirge abgestürzt ist. Ich komme aus Uruguay. Wir sind seit zehn Tagen unterwegs. Ich bin mit einem Freund hier, der verletzt ist. In dem Flugzeug sind noch 14 Verletzte. Wir müssen schnell hier herauskommen und wissen nicht, wie. Wir haben nichts zu essen. Wir sind sehr schwach. *Wann* können Sie kommen und uns abholen? Bitte! Wir können nicht einmal mehr gehen. Wo sind wir?

Ich wickelte das Papier wieder um den Stein, wie der Bauer es getan hatte, holte aus und warf den Stein mit aller verbliebenen Kraft über den Fluss. Er schlug am Rand des Wassers auf und rollte Richtung Ufer. Als der Bauer die Nachricht gelesen hatte, nickte er und hob die geöffneten Hände. Die Geste war eindeutig: *Wartet dort. Ich habe verstanden.* Bevor er ging, warf er mir ein Stück Brot herüber. Ich nahm es mit zu Roberto. Wir aßen es und warteten, dass Hilfe kam.

Ungefähr um neun Uhr traf ein anderer Mann auf einem Maultier ein – auf unserer Seite des Flusses. Er stellte sich als Armando Serda vor, gab uns etwas Käse aus seiner Tasche und meinte, wir sollten warten, während er sich um seine Schafherde auf der Bergweide kümmere. Ein paar Stunden später kehrte er zurück. Als er sah, dass Roberto nicht laufen konnte, half er ihm auf das Maultier und brachte uns dann zu einem

72 TAGE IN DER HÖLLE

ruhiger dahinfließenden Abschnitt, wo man den Fluss durchqueren konnte. Nachdem wir etwa eine halbe Stunde auf einem schmalen Weg durch den Bergwald gegangen waren, kamen wir zu einer Lichtung. Dort standen zwei grob gezimmerte Holzhütten am Flussufer.

„Wo sind wir?", erkundigte ich mich.

„Los Maitenes", antwortete Armando. Das ist eine Gebirgsregion in der chilenischen Provinz Colchagua. „In diesen Hütten wohnen wir, wenn wir unsere Herden auf den Hochweiden hüten."

„Unsere Freunde sind noch oben im Gebirge. Sie liegen im Sterben. Wir müssen so schnell wie möglich Hilfe holen."

„Sergio ist schon unterwegs", erwiderte Armando. Sergio Catalán, so erklärte er, sei der Mann auf dem Pferd, der uns am Abend zuvor als Erster gesehen habe. „Der nächste Polizeiposten ist in Puente Negro. Etwa zehn Stunden mit dem Pferd."

Aus der größeren Hütte kam ein zweiter Bauer, den Armando als Enrique Gonzales vorstellte. Er führte uns zu einem Lagerfeuer und wir ließen uns auf Baumstümpfen nieder. Enrique brachte uns Käse und Milch. Armando fing an zu kochen, und kurz darauf setzte er uns Teller mit Bohnen, Makkaroni und Brot vor. Wir verschlangen alles, was er uns brachte, und er musste lachen, während er unsere Teller immer wieder nachfüllte. Als wir endlich satt waren, wurden wir zu der zweiten Hütte gebracht, wo zwei Betten warteten. Sie hatten keine Matratzen, sondern nur ein paar über die Sprungfedern gebreitete Decken, aber wir bedankten uns überschwänglich, und im nächsten Moment schliefen wir auch schon tief und fest.

Als wir aufwachten, war es fast Abend. Armando und Enrique warteten mit einer weiteren Mahlzeit auf uns – wieder Käse und Milch, einem Eintopf aus Fleisch und Bohnen, süßer Karamellcreme auf Brot und heißem Kaffee.

Anschließend saßen wir alle entspannt um das Feuer herum. Armando und Enrique hörten gebannt zu, als Roberto und ich ihnen unsere Geschichte erzählten. Aber es dauerte nicht lange, da wurden wir unterbrochen: Zwei chilenische Polizisten kamen im Laufschritt auf die Hütte zu, gefolgt von einer Patrouille von zehn weiteren berittenen Beamten. Neben den Polizisten ritt Sergio Catalán. Als er abstieg, liefen Roberto und ich zu ihm und umarmten ihn. „Ihr braucht mir nicht zu danken", sagte er leise, und als wir ihn an uns drückten, flüsterte er nur: „Dankt Gott, dankt Gott."

Als der Hauptmann der Polizisten sich vorgestellt hatte, erklärte ich ihm, dass noch 14 weitere Überlebende an der Absturzstelle warteten.

Als Roberto von Rettungskräften untersucht wurde, trug er den Gürtel unseres toten Freundes Panchito Abal.

Roberto (rechts) und ich (links) mit unserem Retter, dem Bergbauern Sergio Catalán.

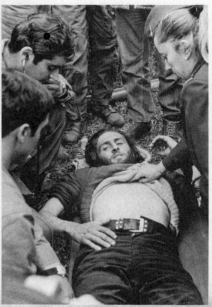

Die berittene chilenische Polizei war schon dabei, uns nach Puente Negro zu bringen, als doch noch die Hubschrauber eintrafen. Im Hintergrund ein Teil der Medienmeute, die uns aufgespürt hatte.

Er fragte nach den Namen, aber ich lehnte es ab, sie zu nennen. „Manche lagen schon im Sterben, als wir aufgebrochen sind", erklärte ich. „Ich fürchte, einige sind mittlerweile tot. Wenn Sie die Namen bekannt geben, wecken Sie bei den Eltern vielleicht falsche Hoffnungen, und dann verlieren sie ihre Söhne ein zweites Mal."

Dafür hatte er Verständnis. „Wo ist das Flugzeug?", wollte er wissen. Ich sah Roberto an. Der Hauptmann begriff ganz eindeutig nicht, dass es eine schwierige Rettungsaktion werden würde, aber als wir unsere zehntägige Odyssee und die ungefähre Lage der Absturzstelle beschrieben hatten, meinte er: „Ich schicke ein paar Leute zurück nach Puente Negro. Dort können sie über Funk Hubschrauber aus Santiago anfordern."

„Wie lange dauert das?", erkundigte ich mich.

„Sie könnten morgen hier sein. Vorausgesetzt, das Wetter ist gut."

Es blieb uns nichts anderes übrig, als zu warten. Eine Zeit lang unterhielten wir uns mit Enrique, Armando und einigen Polizisten, dann ging ich zu Bett. Ich verbrachte eine unruhige Nacht, und als ich am nächsten Morgen aus der Hütte trat, sah ich zu meiner Bestürzung, dass Nebel über Los Maitenes lag.

„Glaubst du, dass sie bei solchem Wetter landen können?", fragte ich Roberto.

„Vielleicht löst sich der Nebel bald auf", antwortete er.

Enrique und Armando erwarteten uns mit einem Frühstück am Lagerfeuer. Zu uns gesellten sich noch Sergio und ein paar Polizisten, und während wir aßen, hörten wir eine näher kommende Menschenmenge. Kurz darauf sahen wir zu unserem Entsetzen, wie eine ganze Horde von Reportern zur Hütte gelaufen kam.

„Sind das die Überlebenden?", riefen sie. „Roberto? Nando?" Kameras klickten, Mikrofone wurden uns unter die Nase gehalten, Zeitungsreporter kritzelten auf ihre Notizblöcke und riefen uns Fragen zu. „Wie lange sind Sie gewandert?" – „Wer ist sonst noch am Leben?" – „Wie haben Sie es in der Kälte ausgehalten?" – „Was haben Sie gegessen?"

Verstört blickte ich zu Roberto hinüber. „Wie haben die uns denn gefunden?", murmelte ich. „Und wie konnten sie schneller hier sein als die Hubschrauber?"

Die Ankunft der Journalisten verblüffte uns und wir waren durch ihre bohrenden Fragen ein wenig verunsichert – aber wir gaben uns alle Mühe, ihnen zu antworten; die heikleren Tatsachen behielten wir allerdings für uns. Der Polizeihauptmann ließ die Fragesteller eine Zeit lang gewähren, dann nahm er uns beiseite.

"Es herrscht immer noch dichter Nebel", meinte er. "Ich glaube nicht, dass die Hubschrauber heute noch kommen. Ich werde Sie nach Puente Negro bringen lassen, dort können Sie auf die Rettungsmannschaft warten. Es ist einfacher, dort zu landen."

Kurz darauf saßen wir auf Pferden und folgten zwei berittenen Polizisten den Pfad hinunter. Die Pressemeute war uns dicht auf den Fersen. Plötzlich blieb der ganze lärmende Zug stehen und alle starrten in den trüben Himmel. Über uns bewegte sich die Luft, und wir hörten außer dem Pfeifen des Windes auch das Knattern kraftvoller Motoren. In dem dichten Nebel konnten wir die Hubschrauber nicht landen sehen, aber auf unseren Pferden folgten wir dem Krach bis zu einer rund vierhundert Meter entfernten Stelle. Dort hatten gerade drei Helikopter der chilenischen Luftwaffe aufgesetzt.

Wir stiegen von den Pferden. Sanitäter sprangen aus den Hubschraubern und kamen auf uns zugelaufen, um uns zu untersuchen. Roberto brauchte dringend ihre Hilfe, aber ich lehnte es ab, mich untersuchen zu lassen. Stattdessen wandte ich mich an die Hubschrauberpiloten Carlos García und Jorge Massa und versuchte ihnen begreiflich zu machen, dass wir sofort losfliegen mussten.

Kapitän García schüttelte den Kopf. "In diesem Nebel können wir auf keinen Fall fliegen. Wir müssen warten, bis er sich hebt. Aber bis es so weit ist, können Sie mir schon einmal etwas über die Lage der Absturzstelle sagen."

Noch einmal beschrieb ich unsere Wanderung durch die Anden. García hörte mir mit skeptisch gerunzelter Stirn zu, dann holte er eine Flugkarte aus dem Hubschrauber und breitete sie auf der Wiese aus. "Können Sie es mir zeigen?" Dabei wies er mit dem Finger auf die Karte und erklärte: "Wir sind jetzt hier."

Einen Augenblick lang starrte ich auf die Karte, und nachdem ich mich orientiert hatte, konnte ich ohne Weiteres in umgekehrter Richtung den Weg nachzeichnen, den Roberto und ich zurückgelegt hatten. "Hier." Ich tippte auf die Stelle, wo das Tal am Fuß des Berges endete, den ich Mount Seler getauft hatte. "Sie sind auf der Rückseite dieses Berges."

Die Piloten tauschten zweifelnde Blicke aus. "Das ist Argentinien", brummte García. "Die Hochanden. Von hier sind das fast 120 Kilometer."

Massa sah seinen Kollegen stirnrunzelnd an. "Er ist durcheinander. Sie können nicht zu Fuß die Anden durchquert haben. Unmöglich!"

"Sind Sie sicher, dass Sie die Karte richtig verstehen?", wollte García von mir wissen.

„Ganz sicher", erwiderte ich. „Wir sind diesen Berg heruntergekommen und durch dieses Tal gewandert. Hier gabelt es sich, wir sind diesem Zweig gefolgt und hier angekommen. Das Flugzeug liegt genau hinter diesem Berg, auf einem Gletscher über einem breiten Tal, das sich nach Osten erstreckt."

García nickte und faltete die Karte zusammen. Ich wusste immer noch nicht genau, ob er mir glaubte. „Wann starten Sie?", fragte ich.

„Sobald der Nebel sich hebt", antwortete er und ging zusammen mit Massa weg. Die beiden steckten die Köpfe zusammen, und mir war klar, dass sie sich darüber unterhielten, wie viel Glauben sie mir schenken konnten.

Drei Stunden später hatte der Nebel sich ein wenig gelichtet, und die Piloten waren der Ansicht, man könne jetzt gefahrlos fliegen. Während die Besatzungen sich auf den Start vorbereiteten, kam García zu mir. „Wir starten jetzt", sagte er, „aber die Stelle, die Sie uns gezeigt haben, liegt in einer sehr hohen, abgelegenen Region der Anden. Das Fliegen dort ist schwierig, und ganz ohne Orientierungspunkte werden wir Ihre Freunde niemals finden. Glauben Sie, Sie könnten mitkommen und uns den Weg zu dem Flugzeugwrack zeigen?"

Ob ich ihm eine Antwort gab und wenn ja, welche, weiß ich nicht mehr. Jedenfalls spürte ich Sekunden später viele Arme, die mich in den Hubschrauber hoben und mich auf einem Notsitz im Frachtraum angurteten. Jemand setzte mir Kopfhörer auf und brachte ein kleines Mikrofon vor meinem Mund in Stellung. Neben mir kletterten drei Mitglieder der Anden-Bergrettung in die Maschine. García griff zum Steuerknüppel. Während er den Motor hochfuhr, sah ich aus dem Fenster. Draußen stand Roberto. Er konnte als Einziger verstehen, welche Angst ich hatte, wieder in die Anden zu fliegen. Er winkte nicht, wir tauschten nur Blicke aus. Dann hob sich der Hubschrauber in die Luft und flog den Bergen entgegen.

Anfangs krächzte nur technisches Kauderwelsch in meinen Kopfhörern, weil García und der Kopilot den Kurs festlegten, aber dann wandte der Kapitän sich an mich. „Nando, zeigen Sie uns den Weg."

Ich dirigierte sie in das Tal. Wir folgten ihm über die chilenische Grenze hinweg in die argentinischen Anden. Ein zweiter, von Massa gesteuerter Helikopter war uns dicht auf den Fersen. Der Flug war unruhig. Der Hubschrauber hüpfte und tanzte wie ein Schnellboot auf stürmischer See, aber nach zwanzig Minuten hatten wir das östliche Ende des Tals erreicht, und die gewaltige Masse des Mount Seler ragte über uns auf.

Garcías Blick glitt hinauf zum schneebedeckten Gipfel und dann hinunter zum über tausend Meter tiefer gelegenen Talboden. „Heilige Mutter Gottes! Sie sind doch nicht da runtergekommen?"

„Doch", antwortete ich, „das war unser Weg."

„Wirklich? Sind Sie *ganz* sicher?"

„Ganz sicher. Sie sind auf der anderen Seite."

García sah seinen Kopiloten an.

„Mit so vielen Leuten an Bord sind wir ziemlich schwer", meinte dieser. „Ich weiß nicht, ob wir genügend Kraft haben, um über den Berg zu fliegen."

„Nando, sind Sie absolut sicher, dass das der richtige Weg ist?", erkundigte sich García noch einmal.

„Ja!", schrie ich ins Mikrofon. „Ich bin sicher!"

García nickte. „Festhalten!" Ich spürte, wie der Hubschrauber vorwärtsschoss, als die Piloten Vollgas gaben. Wir rasten auf den Berg zu, während der Helikopter beschleunigte, und begannen dann langsam zu steigen. Die Maschine wurde von der turbulenten, von den Abhängen aufsteigenden Luft durchgeschüttelt. García hatte Mühe, sie unter Kontrolle zu halten. Die Motoren heulten, die Frontscheibe rüttelte in ihrem Rahmen, und mein Sitz schwankte so heftig, dass ich nicht mehr klar sehen konnte. Es schien, als würde jede Niete und Schraube bis an ihre Grenzen belastet, und ich war überzeugt, dass der Hubschrauber jeden Augenblick auseinanderbrechen musste. Das hatte ich schon einmal erlebt. Mich packte die Panik. Sie stieg wie Übelkeit in mir hoch.

García und der Kopilot bellten Kommandos in so schneller Folge in ihre Mikros, dass ich nicht unterscheiden konnte, wer gerade sprach.

„Die Luft ist zu dünn! Wir haben nicht genug Auftrieb!"

„Na los, gib Gas!"

„Hundert Prozent, hundertzehn …"

„Höhe halten! Höhe halten!"

Ich blickte zu der Rettungsmannschaft hinüber und suchte bei den Männern nach Anzeichen, dass dies alles normal war, doch ihre Gesichter waren blass und eingefallen. Schließlich schaffte García es, dass der Hubschrauber über den Gipfel stieg. Aber die starken Luftströmungen über dem Kamm warfen uns heftig zurück. García hatte keine andere Wahl, als in einer langen Kreisbahn in den Sinkflug überzugehen, sonst wäre der Helikopter gegen den Steilhang gedrückt worden. Als wir sanken, begann ich zu schreien, und ich schrie auch noch, als wir wendeten und einen neuen Angriff auf den Gipfel unternahmen. Wieder wurden wir auf die gleiche beängstigende Weise zurückgeworfen.

72 TAGE IN DER HÖLLE

„Über den Berg schaffen wir es nicht", erklärte García. „Wir müssen außen herum einen Weg finden. Das Ganze ist jetzt ein lebensgefährliches Unternehmen, und ich fliege erst weiter, wenn alle an Bord sich freiwillig gemeldet haben. Ich überlasse es euch: Sollen wir weitermachen oder umkehren?"

Ich tauschte Blicke mit den anderen in der Maschine aus, dann wandten wir uns dem Kapitän zu und nickten.

„Okay", sagte er, „dann haltet euch fest, das wird ein unruhiger Ritt."

Wieder meldete sich mein Magen, als wir eine Rechtskurve drehten und unmittelbar südlich des Mount Seler einige niedrigere Gipfel überflogen. Wir wichen jetzt von dem Weg ab, den Roberto und ich genommen hatten, sodass ich schnell die Orientierung verlor.

„Wohin?", wollte García wissen.

„Ich weiß nicht genau ... Ich bin ganz durcheinander ..."

Hektisch suchte ich nach einem Orientierungspunkt. Wohin ich auch blickte, überall sah es gleich aus, ein endloser Ozean aus weißem Schnee und schwarzen Felsen. Aber dann fiel mir im gezackten Profil eines der Grate etwas ins Auge. „Warten Sie!", rief ich. „Diesen Berg kenne ich! Ich weiß, wo wir sind! Tiefer!"

Als wir sanken, wurde mir klar, dass García einen Weg um die Berge gefunden hatte, die im Süden an die Absturzstelle grenzten. Wir waren jetzt über dem Tal, das wir bei unserem Fluchtversuch nach Osten durchwandert hatten, und näherten uns in westlicher Richtung der Ostflanke des Mount Seler.

„Da oben müssen sie sein." Ich zeigte nach Osten. „Weiter! Sie sind da auf dem Gletscher!"

„Der Wind ist schlimm", warf der Kopilot ein. „Ich weiß nicht, ob wir dort landen können."

Ich starrte auf die Abhänge und plötzlich hatte ich sie ausgemacht, einen kleinen Fleck im Schnee. „Ich sehe das Flugzeug!", schrie ich. „Da, links!"

García musterte das Gelände. „Wo ... ich kann nichts erkennen. Moment, doch, ich sehe sie. Still jetzt! Alle den Mund halten."

Im nächsten Augenblick kreisten wir über der Absturzstelle. Mein Herz schlug heftig, als García über dem Gletscher gegen starke Turbulenzen kämpfte, aber meine Ängste schwanden, als ich eine Reihe winziger Gestalten aus dem Flugzeugrumpf kommen sah. Selbst aus dieser Höhe konnte ich einige unterscheiden: Gustavo erkannte ich an seiner Pilotenmütze. Zwei der Vettern – Daniel und Fito –, Pedro, Javier ... und andere, die rannten und winkten. Ich versuchte sie zu zählen, aber die Bewegungen des Hubschraubers machten es unmöglich. Von Roy und Coche entdeckte ich keine Spur.

Im Kopfhörer hörte ich Garcías Stimme, der zu der Rettungsmannschaft sprach. „Der Abhang ist zu steil zum Landen. Ich werde so niedrig wie möglich darüber schweben. Ihr müsst abspringen." Er begab sich an die heikle Aufgabe, den Hubschrauber in dem wirbelnden Wind abzusenken. Er drehte ihn so, dass eine Längsseite zum Hang wies, dann ließ er ihn sinken, bis eine Kufe den Schnee berührte. „Los!"

Die Bergretter rissen die Schiebetür auf, warfen ihre Ausrüstung in den Schnee und sprangen unter den wirbelnden Rotorblättern hinaus. Als ich nach draußen blickte, sah ich Daniel auf uns zulaufen. Er duckte sich unter dem Rotor und wollte in die Maschine springen, aber er schätzte die Entfernung falsch ein und krachte mit der Brust gegen die Hubschrauberkufe.

„Bring dich nicht jetzt noch um!", rief ich, griff nach unten und zog ihn in die Maschine. Hinter ihm kletterte Alvaro Mangino herein.

„Mehr können wir nicht mitnehmen!", brüllte García. „Die anderen holen wir morgen. Tür zu!" Ich befolgte den Befehl, und Sekunden später schwebten wir über der Absturzstelle. Jetzt ging der zweite Hubschrauber tiefer und weitere Retter sprangen auf den Hang. Ich sah, wie Carlitos, Pedro und Eduardo in den wartenden Helikopter kletterten. Dann erkannte ich die ausgezehrte Gestalt von Coche, der auf die Maschine zutorkelte.

„Coche lebt noch!", wandte ich mich an Daniel. „Wie geht es Roy?"

„Lebt. Aber grade noch so."

Der Rückflug nach Los Maitenes war ebenso nervenaufreibend wie der Hinweg, aber nach nicht einmal zwanzig Minuten landeten wir sicher auf der Wiese. Sobald sich die Türen öffneten, wurden Daniel und Alvaro von Sanitätern weggebracht. Kurz darauf setzte etwa dreißig Meter entfernt der zweite Hubschrauber auf, und als die Türen aufglitten, stand ich daneben. Coche fiel mir überglücklich in die Arme, dann folgten Eduardo und Carlitos. Begeistert vom Anblick der Blumen und grünen Pflanzen, fielen einige im Gras auf die Knie. Andere umarmten sich und rollten sich zu zweit über den Boden.

Carlitos schlang die Arme um mich und drückte mich zu Boden. „Du Teufelskerl!", schrie er. „Du hast es geschafft!" Er griff in seine Hosentasche und zog den roten Babyschuh heraus, den ich ihm gegeben hatte, bevor ich aufgebrochen war. Carlitos strahlte mich an, seine Augen leuchteten vor Freude, und sein Gesicht war nur wenige Zentimeter von meinem entfernt.

72 TAGE IN DER HÖLLE

„Ich freue mich, dich zu sehen", ächzte ich, „aber bitte, du wirst mich doch nicht küssen wollen, oder?"

Als die erste Begeisterung vorüber war, brachte man uns heiße Suppe, Käse und Süßigkeiten. Während Sanitäter die sechs Neuankömmlinge untersuchten, erklärte García mir, es sei zu gefährlich, nachts ins Gebirge zu fliegen. Aber die abgesetzten Rettungskräfte würden die Zurückgebliebenen bis zum nächsten Tag gut versorgen.

Als wir satt waren, wurden wir in die Hubschrauber geladen und zu einem Militärstützpunkt bei der Kleinstadt San Fernando gebracht. Dort halfen uns Ärzte und Krankenschwestern, in die bereitstehenden Ambulanzwagen zu steigen. Von Polizisten auf Motorrädern eskortiert, fuhren sie im Konvoi ab, und nach etwa zehn Minuten hatten wir das Krankenhaus San Juan de Dios erreicht. Auf dem Parkplatz erwartete uns das Klinikpersonal mit Rollbahren. Manche Jungs konnten die Hilfe gut gebrauchen, aber ich erklärte den Schwestern, ich könne selbst gehen. Nachdem ich so weit durch die Anden gewandert war, wollte ich mich die letzten Meter nicht transportieren lassen.

Sie führten mich in ein kleines, sauberes Zimmer und schälten mir schichtweise die Kleidung vom Leib. Die schmutzigen Lumpen, die zu meiner zweiten Haut geworden waren, warfen sie in eine Ecke. Es fühlte sich gut an, sie abzulegen und Vergangenheit werden zu lassen.

Man brachte mich ins Bad und stellte mich unter die heiße Dusche. Ich spürte Hände, die mir die Haare wuschen, und einen Lappen, mit dem mir der Dreck von der Haut geschrubbt wurde. Als sie mich mit weichen Handtüchern abtrockneten, bemerkte ich plötzlich mein eigenes Bild in dem hohen Badspiegel. Mir fiel der Unterkiefer herunter. Vor dem Absturz war ich ein durchtrainierter Sportler gewesen, aber jetzt befand sich an meinem Knochengerüst kein einziger Muskel mehr. Arme und Beine waren so abgemagert, dass Knie und Ellbogen sich wölbten wie Knoten in einem Seil. Die Schwestern zogen mir ein frisches Krankenhausnachthemd an, führten mich zu einem schmalen Bett und wollten mich untersuchen, aber ich bat sie, mich eine Zeit lang allein zu lassen.

Als sie gegangen waren, genoss ich still den Komfort, die Sauberkeit und den Frieden des kleinen Zimmers. Ich lehnte mich auf der weichen Matratze zurück, spürte die glatten, gestärkten Betttücher. Erst langsam wurde mir bewusst, dass ich in Sicherheit war. Ich holte tief Luft, dann atmete ich langsam aus. In den 72 Tagen in den Anden hatte ich keinen einzigen Atemzug ohne Angst getan. Jetzt genoss ich den Luxus, einfach nur zu atmen. Mit jedem Luftholen flüsterte ich mir voller Verblüffung zu: Ich lebe noch.

Plötzlich hörte ich vor meinem Zimmer laute Stimmen und ein Handgemenge auf dem Flur. „Beruhigen Sie sich doch!", bellte eine energische Männerstimme. „Da darf niemand rein!"

„Mein Bruder ist da drin!", rief eine Frau. „Ich muss zu ihm! Bitte!"

Ich trat gerade noch rechtzeitig auf den Flur, um zu sehen, wie meine Schwester Graciela sich an zwei Krankenpflegern vorbeidrängte. Ich rief ihren Namen, und als sie mich sah, begann sie zu schluchzen. Sekunden später lagen wir uns in den Armen. Ihr Mann Juan war bei ihr, auch in seinen Augen standen Tränen. Für kurze Zeit umarmten wir uns alle drei, ohne ein Wort zu sagen. Dann blickte ich auf. Am Ende des Korridors stand die magere, gebeugte Gestalt meines Vaters bewegungslos im fahlen Licht der Leuchtstoffröhren. Ich ging zu ihm, umarmte ihn und zog ihn in die Höhe, bis seine Füße sich vom Boden lösten. „Siehst du, Papa, ich bin immer noch so stark, dass ich dich hochheben kann", flüsterte ich, als ich ihn wieder absetzte. Er drückte mich an sich, berührte mich, wollte sich vergewissern, dass ich wirklich da war. Ich hielt ihn lange fest und spürte ihn beben, während er weinte. Eine Zeit lang sagte keiner ein Wort. Dann flüsterte er, den Kopf immer noch gegen meine Brust gepresst: „Mami? Susy?"

Ich antwortete mit sanftem Schweigen, und als er begriff, sank er in meinen Armen ein wenig zusammen. Kurz darauf kam meine Schwester zu uns und führte mich wieder in mein Zimmer. Die drei versammelten sich um mein Bett und ich erzählte ihnen von meinem Leben in den Bergen. Ich beschrieb den Absturz, die Kälte, die Angst, meine lange Wanderung mit Roberto. Ich schilderte ihnen, wie meine Mutter gestorben war und wie ich Susy getröstet hatte. Allerdings ersparte ich meinem Vater die Einzelheiten ihres Leidens. Nach meiner Überzeugung reichte es, wenn er wusste, dass sie nie allein gewesen und in meinen Armen gestorben war. Graciela weinte leise, während ich sprach. Mein Vater saß still neben dem Bett, hörte zu, nickte mit einem herzzerreißenden Lächeln auf dem Gesicht. Als ich geendet hatte, herrschte Schweigen. Irgendwann fand mein Vater die Kraft zu sprechen.

„Wie habt ihr so viele Wochen überlebt, ohne etwas zu essen?"

„Wir haben das Fleisch derer gegessen, die nicht am Leben geblieben sind", antwortete ich.

Sein Gesichtsausdruck änderte sich nicht. „Ihr habt getan, was ihr tun musstet." Seine Stimme klang rau. „Ich bin froh, dass du wieder zu Hause bist."

Ich wollte ihm noch so vieles sagen – dass ich in jedem Augenblick an ihn gedacht hatte, dass seine Liebe das Licht gewesen war, das mir den

72 TAGE IN DER HÖLLE

Weg in die Sicherheit gewiesen hatte. Aber dafür wäre später noch Zeit. Jetzt wollte ich einfach nur unser Wiedersehen genießen, so bittersüß es auch war. Wie ich mich fühlte, war nicht mit Worten zu beschreiben, also saß ich einfach da und schwieg.

Nach einiger Zeit hörten wir auf dem Flur die fröhlichen Stimmen der anderen, die ihre Söhne wiedergefunden hatten. Meine Schwester stand auf und schloss die Tür. In der Intimität meines Zimmers teilte ich mit denen, die aus meiner Familie übrig geblieben waren, das große Wunder, wieder zusammen zu sein.

DANACH

Am nächsten Tag, dem 23. Dezember, wurden die acht auf dem Berg Verbliebenen nach Santiago geflogen und dort im Krankenhaus Posta Centrale untersucht. Die Ärzte behielten Roy und Javier zur weiteren Beobachtung in der Klinik. Alle Übrigen wurden ins „Sheraton San Cristóbal Hotel" gebracht, wo die meisten ihre Familien trafen. Am selben Nachmittag fuhren auch wir anderen acht vom Krankenhaus San Juan nach Santiago. Alvaro und Coche, die Schwächsten aus unserer Gruppe, wurden im Posta Centrale weiterbehandelt, der Rest machte sich auf ins Sheraton, wo ein großes Wiedersehen stattfand.

Zeitungen bezeichneten unsere Rückkehr als „Weihnachtswunder", und für viele Menschen wurden wir regelrecht zu mystischen Gestalten: junge Männer, die durch Gottes direktes Eingreifen gerettet worden waren. Die Nachricht von unserem Überleben machte auf der ganzen Welt Schlagzeilen und in der Öffentlichkeit herrschte gewaltiges Interesse. In der Lobby des Sheraton und den umliegenden Straßen wimmelte es rund um die Uhr von Reportern und Fernsehteams. Wir konnten in kein Café gehen, um eine Kleinigkeit zu essen, ohne dass uns Mikrofone unter die Nase gehalten und wir mit einem Blitzlichtgewitter bombardiert wurden.

Heiligabend wurde in einem Saal des Hotels zu unseren Ehren ein großes Fest veranstaltet. Es herrschte eine Atmosphäre der Freude und Dankbarkeit. Als ich die anderen mit ihren Angehörigen sah, wurde mir bewusst, dass alle Überlebenden mit Ausnahme von Javier in das gleiche Leben zurückkehren würden, das sie auch zuvor geführt hatten. Ihre Familien waren intakt. Die Feier machte mir nur allzu deutlich, wie viel ich verloren hatte. Nie mehr würde ich Weihnachten mit meiner Mutter oder mit Susy feiern. Mir war klar, dass mein Vater am Boden zerstört war, und ich fragte mich, ob er jemals wieder zu dem Menschen werden würde, der er einst gewesen war. An jenem Abend fühlte ich mich sehr allein und begriff: was für die anderen ein Triumph war, sollte für mich zum Beginn einer ungewissen Zukunft werden.

Nach drei Tagen in Santiago zog mein Vater mit uns in ein Haus im Badeort Viña del Mar. Dort verbrachten wir drei stille Tage mit Sonnenbaden. Am Strand kam ich mir wie eine Kuriosität vor. Mit dem langen Bart und den durch die Haut sichtbaren Knochen war ich ohne Weiteres als Überlebender zu erkennen. Ich konnte keinen Meter gehen, ohne dass fremde Menschen mich ansprachen, also blieb ich in der Nähe des Hauses und verbrachte viele Stunden mit meinem Vater.

Er berichtete mir, dass er am 13. Oktober um 15.30 Uhr – genau zu der Zeit, als das Flugzeug abgestürzt war – auf dem Weg zu seiner Bank gewesen sei, um eine Einzahlung vorzunehmen. Irgendetwas habe ihn jedoch plötzlich innehalten lassen. „Der Eingang zur Bank war nur ein paar Schritte entfernt, aber ich brachte es einfach nicht fertig weiterzugehen", erzählte er. „Es war merkwürdig. Ich bekam Magendrücken und wollte nur noch nach Hause."

Während seines ganzen Lebens hatte er nur wenige Male seine Arbeit liegen lassen, aber an diesem Tag war ihm das Büro gleichgültig und er fuhr zu unserem Haus in Carrasco. Dort schaltete er den Fernseher ein, wo gerade in Sondernachrichten berichtet wurde, eine uruguayische Chartermaschine werde in den Anden vermisst. Da er nichts von unserer außerplanmäßigen Übernachtung in Mendoza wusste, beruhigte er sich mit dem Gedanken, wir müssten schon am Nachmittag zuvor in Santiago eingetroffen sein. Dennoch beschlich ihn bei den Nachrichten ein Gefühl der Angst.

Ungefähr eine Stunde später klopfte es an der Tür. Es war ein Bekannter, der als Oberst bei der Luftwaffe diente. „Ich fürchte, wir haben schlechte Neuigkeiten", meinte er. Die schlimmsten Befürchtungen meines Vaters bestätigten sich – bei dem vermissten Flugzeug handelte es sich tatsächlich um unseres. Schon am nächsten Tag saß er in einer Maschine nach Santiago, wo chilenische Beamte bei einer Besprechung erläutern sollten, was sie über den Absturz wussten. Die Route führte über die Anden, und als er auf das Gebirge unter sich hinabblickte, lief es ihm bei dem Gedanken, dass seine Frau und seine Kinder in einer so erbarmungslosen Gegend abgestürzt sein könnten, eiskalt über den Rücken. „In diesem Augenblick habe ich jede Hoffnung aufgegeben", erzählte er mir. „Ich wusste, dass ich euch alle nie wiedersehen würde."

In den folgenden Wochen konnte er weder schlafen noch essen. Weder

72 TAGE IN DER HÖLLE
131

Gebete noch die Gesellschaft anderer Menschen verschafften ihm Trost. Viele Eltern gaben die Hoffnung nicht so schnell auf. Einige Mütter trafen sich regelmäßig und beteten für uns. Eine Gruppe von Vätern unter Führung von Carlitos' Vater hatte sogar Suchaktionen in die Wege geleitet und war mit angemieteten Flugzeugen und Hubschraubern über die Andenregionen geflogen, in denen die Fairchild nach Angaben der Behörden abgestürzt sein könnte. Mein Vater hatte diese Aktivitäten finanziell unterstützt, obwohl sie nach seiner Ansicht reine Zeitvergeudung waren. „Wenn ein Flugzeug in den Anden abstürzt, ist es ein für alle Mal weg", sagte er. „Ich wusste, dass wir schon großes Glück hätten, wenn das Gebirge auch nur ein kleines Wrackteil preisgeben würde."

Seine seelische Verfassung verschlechterte sich rapide. Schweigend saß er stundenlang herum oder streifte ziellos durch die Straßen. „Deine Mutter war meine Kraftquelle", bekannte er mir gegenüber. „Ohne sie war ich verloren." Eines Tages wanderte er bis in den Abend hinein umher. Schließlich fand er sich auf der Plaza Matriz wieder, dem historischen Platz im Zentrum von Montevideo. Vor ihm erhoben sich die Türme der Catedral Metropolitana. Mein Vater war nicht religiös, aber etwas zog ihn in die Kirche. Er kniete nieder und versuchte zu beten, empfand aber nichts dabei. In der Bank zusammengesunken, sah er auf die Uhr und stellte fest, dass er schon seit über zehn Stunden durch die Gegend lief. Aus Angst, er könne den Verstand verlieren, verließ er die Kirche und machte sich auf den Heimweg.

„In diesem Augenblick sagte ich mir, dass ich in meinem Leben alles ändern müsse", erzählte er. Und als könnte er die Schmerzen lindern, indem er sich von allem löste, was ihn mit der Vergangenheit verband, ging er daran, sein Leben auseinanderzunehmen. Er verkaufte seinen geliebten Mercedes, den Rover meiner Mutter und mein Motorrad. Er bot die Wohnung in Punta del Este zum Verkauf an und bereitete alles vor, um auch unser Haus in Carrasco zu veräußern. Sogar die Firma, die er während seines ganzen Lebens aufgebaut hatte, wollte er verkaufen, aber Graciela und Juan redeten ihm sein Vorhaben aus, bevor er allzu viel Schaden angerichtet hatte. „Ich wusste nicht mehr, was ich tat", berichtete er. „Manchmal war ich völlig durch den Wind. In diesen Tagen war mir nichts mehr wichtig. Nachdem das Flugzeug abgestürzt war, hatte nichts mehr einen Sinn." Als er erfuhr, dass man Roberto und mich in den Bergen gefunden hatte, mochte er es deshalb zunächst auch gar nicht glauben.

„Es tut mir leid, dass ich Mami und Susy nicht retten konnte", meinte ich in Viña del Mar einmal zu ihm.

132 72 TAGE IN DER HÖLLE

Er lächelte traurig und fasste mich am Arm. „Als ich sicher war, dass ihr alle tot seid, wusste ich, dass ich mich von dem Verlust nie mehr erholen würde. Es war, als wäre mein Haus bis auf die Grundmauern abgebrannt und als hätte ich alles, was ich besaß, für immer verloren. Und jetzt, wo ich dich wiederhabe, ist es, als hätte ich in der Asche etwas Kostbares gefunden. Ich fühle mich wie neugeboren. Von jetzt an werde ich mir Mühe geben, nicht mehr über das zu trauern, was mir genommen wurde, sondern glücklich über das zu sein, was ich zurückbekommen habe." Mir riet er, das Gleiche zu tun. „Morgen geht wieder die Sonne auf – und übermorgen und überübermorgen auch. Lass nicht zu, dass dies zum Wichtigsten wird, was dir in deinem Leben zugestoßen ist. Blick nach vorn. Du hast eine Zukunft. Du hast dein Leben vor dir."

AM 30. DEZEMBER reisten wir mit dem Flugzeug aus Viña del Mar in Richtung Montevideo ab. Der Gedanke, noch einmal über die Anden zu fliegen, machte mir entsetzliche Angst, aber mithilfe eines Beruhigungsmittels konnte ich an Bord gehen. Als wir in Carrasco ankamen, hatte sich auf der Straße vor unserem Haus eine Menschenmenge versammelt, um mich zu begrüßen. Ich schüttelte Hände und nahm Umarmungen entgegen, dann stieg ich die lange Treppe zur Haustür hinauf.

Die ersten Augenblicke hatten etwas Gespenstisches. Ich war glücklich, zugleich aber war überall zu spüren, dass meine Mutter und Susy nicht mehr da waren. Ich ging in mein Zimmer und sah, dass meine Sachen weg waren. In dem qualvollen Bemühen, sich von der Vergangenheit zu lösen, hatte mein Vater alles weggeworfen. Ich blickte aus dem Fenster. Auf der Straße fuhren Autos vorüber und in den anderen Häusern gingen die Lichter an. So sähe das Leben auch aus, wenn ich gestorben wäre, dachte ich. Eine besonders große Lücke hätte ich nicht hinterlassen. Die Welt hätte sich auch ohne mich weitergedreht.

DIE ERSTEN Wochen zu Hause waren für mich ein ziemliches Durcheinander. So vieles hatte sich verändert, und es schien, als könnte ich nie mehr den Weg zurück ins Leben finden. Ich verbrachte meine Zeit größtenteils allein und fuhr mit dem Motorrad durch die Gegend – der Bekannte, der es meinem Vater abgekauft hatte, hatte es zurückgebracht, sobald er von unserer Rettung gehört hatte. Manchmal ging ich durch die Straßen, doch überall erkannten mich die Leute, und nach einiger Zeit fiel es mir leichter, zu Hause zu bleiben. Unser Martyrium wurde gefeiert wie ein glorreiches Abenteuer. Man verglich das, was wir getan hatten, mit den heroischen Leistungen der uruguayischen Fuß-

Auf der Suche nach meinem verlorenen früheren Leben: Bereits am ersten Tag zurück in Carrasco saß ich wieder auf meinem geliebten Motorrad.

ballnationalmannschaft, die im Jahr 1950 Weltmeister geworden war. Manche gingen sogar noch weiter und erzählten mir, sie beneideten mich um meine Erlebnisse in den Anden. Ich wusste nicht, wie ich ihnen erklären sollte, dass in den Bergen nichts Glorreiches geschehen war. Es hatte dort nur Schreckliches, Angst und Verzweiflung gegeben.

Erschüttert war ich auch davon, mit welcher Sensationslust Teile der Presse über unsere Erlebnisse berichteten. Man konzentrierte sich auf rücksichtslose, sensationslüsterne Weise auf die Frage unserer Ernährung. In manchen Zeitungen erschienen grausige Schlagzeilen und darunter entsetzliche Fotos, die Angehörige der Rettungsmannschaft nach der Bergung der Überlebenden aufgenommen hatten. Darauf sah man Knochenberge und im Schnee verstreute Körperteile.

Kurz nach unserer Rettung gaben Amtsträger der katholischen Kirche jedoch bekannt, wir hätten nach der kirchlichen Lehre keine Sünde begangen, als wir das Fleisch der Toten aßen. Sie vertraten die gleiche Ansicht wie Roberto in den Bergen: Die Sünde hätte darin bestanden, unseren Tod zuzulassen. Noch befriedigender war für mich, dass viele Eltern der Toten uns öffentlich den Rücken stärkten. Sie erklärten aller Welt, sie hätten Verständnis für das, was wir getan hätten, um zu überleben, und billigten es. Ich werde ihnen dafür immer dankbar sein.

Als der Sommer kam, entschloss ich mich, Montevideo und den ganzen mit der Stadt verbundenen Erinnerungen zu entfliehen. Ich wollte einige Zeit allein in der Wohnung in Punta del Este verbringen. Seit der Zeit, als Susy und ich noch klein gewesen waren, hatte unsere Familie jedes Jahr den Sommer über dort gewohnt. Jetzt war natürlich alles anders. Ich konnte gehen, wohin ich wollte, immer war ich von Fremden umringt, die gafften, gratulierten oder Autogramme wollten. Anfangs versteckte ich mich in der Wohnung, aber ich muss zugeben, dass irgendetwas in mir nach einiger Zeit die Aufmerksamkeit auch genoss, insbesondere als ich merkte, dass viele attraktive junge Frauen offenbar entschlossen waren, meine Bekanntschaft zu machen. Ich hatte Panchito immer darum beneidet, dass er am Strand mühelos die hübschesten Mädchen hatte kriegen können, nun liefen sie mir hinterher. Lag es daran, dass ich jetzt eine Berühmtheit war? Es kümmerte mich nicht. Wochenlang traf ich mich mit einer nach der anderen – manchmal waren es zwei oder drei am Tag –, und immer hielt ich Ausschau nach etwas Neuem. Ich wurde zu einem der bekanntesten Playboys von Punta del Este, und mein Bild erschien häufig in den Klatschspalten der Zeitungen.

Meine zweifelhafte Berühmtheit blieb auch den anderen Überlebenden nicht verborgen und sie waren von meinem Verhalten nicht begeistert. Für sie war das Martyrium ein einschneidendes Erlebnis gewesen, und ihr moralischer Anspruch an das Leben war von da an dementsprechend hoch. In ihren Augen vergaß ich, was wir gelernt hatten. Aber ich war davon überzeugt, dass sie sich selbst ein wenig zu ernst nahmen. War uns die Welt nach allem, was wir durchgemacht hatten, nicht ein wenig Spaß schuldig? Ich sagte mir, dass ich die verlorene Zeit aufholte. Aber vielleicht machte ich mir damit selbst etwas vor. Heute bin ich überzeugt, dass im Mittelpunkt meiner Seele eine Leere war, die ich ausfüllen wollte, indem ich Nacht für Nacht unterwegs war. Ich leugnete den Schmerz, den ich immer noch mit mir herumtrug.

Eines Abends wurde ich in einem Nachtklub von der Realität eingeholt. Oft war ich mit Panchito hier gewesen, und jetzt ertappte ich mich dabei, wie ich aus alter Gewohnheit wartete, dass er zur Tür hereinkam. Ich hatte seit unserer Rettung oft an ihn gedacht, aber an jenem Abend vermisste ich ihn geradezu körperlich: Ich bekam Bauchweh und begriff mit brutaler Endgültigkeit, dass er nicht mehr da war. Die Erkenntnis dieses Verlustes rückte mir auch alle anderen wieder ins Bewusstsein, und zum ersten Mal, seit die Fairchild in die Berge gestürzt war, musste ich weinen. Ich senkte den Kopf und konnte mein Schluchzen nicht mehr unterdrücken. Meine Begleiterin war sehr nett und brachte mich nach Hause. Stundenlang saß ich danach auf dem Balkon und blickte, allein mit meinen Gedanken, aufs Meer hinaus.

Als ich darüber grübelte, was mir alles genommen worden war, machte die Trauer sehr schnell der Wut Platz. Warum war das alles geschehen? Warum musste ich so viel Leid erdulden, während viele andere fröhlich durchs Leben gehen durften? Stundenlang saß ich so da, verfluchte Gott und quälte mich mit sinnlosen Gedanken: Hätten die Piloten doch nur den Bergkamm früher gesehen! Hätte Panchito doch nur auf einem anderen Platz gesessen! Hätte ich doch meine Mutter und Susy nicht gefragt, ob sie mitkommen wollen!

Als ich immer tiefer in solcher Verbitterung versank, wurde meine Wut derart stark, dass ich davon überzeugt war, ich würde es dem Leben nie verzeihen, mich um eine glückliche Zukunft betrogen zu haben. Aber irgendwann vor Morgengrauen, als die Müdigkeit meinen Zorn milderte, fiel mir wieder ein, welchen Rat mein Vater mir in Viña del Mar gegeben hatte: *Du hast eine Zukunft. Du hast dein Leben vor dir.*

Als ich über diese Worte nachdachte, wurde mir klar, welchem Irrtum ich erlegen war. Ich hatte in der Katastrophe eine Unterbrechung meines eigentlichen Schicksals gesehen, eine nicht drehbuchgerechte Abweichung von der glücklichen Lebensgeschichte, die mir versprochen war. Jetzt begriff ich allmählich, dass mein Martyrium in den Anden mein Leben *war*, und die vor mir liegende Zukunft war die einzige, die ich hatte. Wenn ich vor dieser Tatsache die Augen verschloss, würde ich überhaupt nicht mehr richtig leben können.

Vor dem Absturz hatte ich vieles als selbstverständlich angesehen, aber die Berge hatten mir gezeigt, dass das Leben – jedes Leben – ein Wunder ist. Auf wundersame Weise hatte ich die Chance erhalten, ein zweites Mal zu leben, und es war meine Pflicht, dies so erfüllt und hoffnungsvoll wie nur möglich zu tun. Ich schwor mir, es zu versuchen. Ich wollte jeden Augenblick auskosten, mich jeden Tag darum bemühen, mein Dasein wertzuschätzen. Weniger zu tun wäre eine Beleidigung derer gewesen, die nicht überlebt hatten. Also öffnete ich mich und hatte das Glück, dass mein neues Leben sich zu entfalten begann.

Im Januar 1973 luden mich Bekannte ein, mit ihnen zum Großen Preis von Argentinien nach Buenos Aires zu fahren. Ich hatte zu jener Zeit keine große Lust zu reisen, aber hier bot sich die Gelegenheit, die berühmtesten Fahrer der Formel 1 zu sehen. Also willigte ich ein. Wir waren noch nicht lange an der Rennstrecke, da erfuhr die Presse, dass ich zuschaute, und wenig später war ich von Fotografen umlagert. Ich ließ sie ihre Bilder schießen, dann gingen wir weiter. Wenige Augenblicke später überraschte mich eine Durchsage des Tribünenlautsprechers: „Nando Parrado, bitte melden Sie sich im Boxenbereich von Tyrell …“

„Vermutlich will nur irgendeine Zeitung ein Interview von mir“, sagte ich zu meinen Bekannten. „Aber lasst uns hingehen. Dort haben wir die Chance, die Autos aus der Nähe zu sehen.“

An den Tyrell-Boxen herrschte hektische Betriebsamkeit. Etwa zwanzig Mechaniker kümmerten sich um zwei wunderschöne Rennautos.

Als ich meinen Namen genannt hatte, führte mich einer von ihnen zu einem Asphaltplatz am hinteren Ende der Boxen, wo ein langes Wohnmobil stand. Der Mechaniker öffnete die Tür, bedeutete mir einzutreten und ging wieder an seine Arbeit. Ich stieg in das Wohnmobil. Zu meiner Linken saß ein schlanker, dunkelhaariger Mann auf einem Sofa und zog gerade einen hellgrauen feuersicheren Rennanzug über seine Beine. Als er aufblickte, schnappte ich nach Luft und trat einen Schritt zurück.

„Sie sind Jackie Stewart!", platzte ich heraus.

„Ja, der bin ich", erwiderte er mit dem weichen schottischen Akzent, den ich im Fernsehen schon hundertmal gehört hatte. „Und Sie sind Nando Parrado?"

Wie betäubt nickte ich.

„Ich habe gehört, dass Sie hier sind, und habe darum gebeten, nach Ihnen zu suchen." Er erzählte, er habe mich kennen lernen wollen, seit ihm die Geschichte von der Katastrophe in den Anden zu Ohren gekommen sei. Er sei sehr beeindruckt von dem, was ich getan habe, und es mache mir doch hoffentlich nichts aus, mit ihm darüber zu reden.

„Nein", stammelte ich, „ich würde sehr gerne …"

Er lächelte und sah mich von oben bis unten an. „Mögen Sie Autorennen?"

Ich holte tief Luft. „Sehr. Ich habe mich schon als Kind dafür interessiert. Sie sind mein Lieblingsfahrer. Ich habe Ihre Bücher gelesen. Ich weiß über alle Ihre Rennen Bescheid …" Er sollte begreifen, dass ich kein schmeichlerischer Fan war, sondern mich mit seiner Fahrtechnik beschäftigt und großen Respekt davor hatte, wie er seinen Sport beherrschte – wie er Aggressivität und Eleganz, Risiko und Kontrolle ins Gleichgewicht brachte. Er sollte sehen, dass ich den Rennsport aus meinem Innersten heraus verstand und wusste, dass gute Fahrleistungen mehr mit Poesie als mit Männlichkeitsgebaren zu tun haben.

Als Jackie mit dem Anziehen fertig war, lächelte er freundlich. „Ich muss jetzt zur Qualifikation, aber bleiben Sie in der Nähe der Boxen. Wir unterhalten uns, wenn ich wiederkomme."

Nach einer knappen Stunde war er zurück. Er zeigte mir sein Auto – ich durfte mich sogar hinter das Lenkrad setzen – und lud mich dann ein, mit ihm zur Vorbesprechung für das Rennen zu kommen. Ehrfürchtig hörte ich zu, wie er mit seinen Ingenieuren und Mechanikern darüber diskutierte, welche Feineinstellungen sie im letzten Augenblick noch an Motor und Fahrgestell vornehmen sollten.

Nach der Besprechung unterhielt ich mich stundenlang mit Jackie. Er erkundigte sich nach den Anden. Nach einiger Zeit war das Zusammen-

72 TAGE IN DER HÖLLE

sein mit ihm nicht mehr ganz so schwindelerregend. Als wir einander kennen lernten, stellte ich zu meiner Verblüffung fest, dass ich im Begriff war, mich mit meinem Kindheitsidol anzufreunden.

Ein paar Monate später nahm ich Jackies Einladung an und besuchte ihn in seinem Haus in der Schweiz. Dort wurde unsere Freundschaft tiefer. Stundenlang unterhielt ich mich mit ihm über Autos und Autorennen. Schließlich gestand ich ihm, dass ich schon als Kind davon geträumt hatte, Rennwagen zu fahren.

Jackie nahm mein Interesse ernst. 1974 trat ich auf seine Empfehlung in eine britische Fahrerschule ein. Es war damals die weltweit führende Ausbildungsstätte für Rennfahrer. Ich trainierte in eleganten Formel-1-Wagen und bewies mir selbst, dass ich alle Voraussetzungen für einen guten Rennfahrer erfüllte.

Nachdem ich die Ausbildung abgeschlossen hatte, zog ich wieder ins heimatliche Südamerika und beteiligte mich während der beiden nächsten Jahre an Motorrad- und Stock-Car-Rennen. Ich konnte mich über eine stattliche Zahl von Siegen freuen, träumte aber stets davon, auf den großen Rennstrecken in Europa zu fahren. Es dauerte nicht lange, dann ging der Wunsch in Erfüllung. 1973 war ich beim Großen Preis von Argentinien – demselben Rennen, bei dem ich Jackie Stewart kennen gelernt hatte – auch mit dem Rennveranstalter Bernie Ecclestone bekannt gemacht geworden, der heute zu den Gründervätern der modernen Formel 1 gerechnet wird. Wie Jackie erkannte auch er meine Leidenschaft für den Rennsport, und das wurde zur Basis einer engen Freundschaft. Anfang 1977 erfuhr ich von Bernie, dass der angesehene Autodelta-Rennstall von Alfa Romeo neue Fahrer suchte. Er bot mir an, ein Vorstellungsgespräch zu arrangieren, und wenige Wochen später reiste ich mit drei weiteren südamerikanischen Fahrern nach Italien. Unsere Gespräche mit den Autodelta-Managern verliefen gut, und im Mai 1977 fuhren wir als Mannschaftskameraden bei der Europäischen Tourenwagenmeisterschaft mit. Den ersten Sieg verbuchten wir im süditalienischen Pergusa. So verwirklichte ich Stück für Stück meinen Kindheitstraum – die Poesie in der Kraft und Präzision einer schönen Maschine zu entdecken.

Es war ein unglaubliches Jahr voller Spannung, Herausforderungen, interessanter Menschen und luxuriöser Reisen. Ich lebte in einem Wirklichkeit gewordenen Traum und hatte keinen Grund zu der Annahme, er werde zu Ende gehen. Eines Tages lief mir auf der Strecke von Zolder in Belgien im VIP-Bereich eine blonde Frau über den Weg. Sie wandte mir den Rücken zu, aber irgendetwas an ihr ließ mich wie angewurzelt stehen bleiben.

Sie drehte sich um und lächelte. „Nando?"

„Veronique?", stotterte ich. „Was machst du denn hier?"

Veronique van Wassenhove war als Tochter belgischer Auswanderer in Uruguay geboren worden. Eine faszinierende junge Frau, groß und gertenschlank, mit langen Haaren und grünen Augen. Ich hatte sie drei Jahre zuvor in Montevideo kennen gelernt; damals war sie mit Rafael zusammen gewesen, dem jüngeren Bruder von Gustavo Zerbino. Sie war damals erst sechzehn, strahlte aber eine lässige Eleganz und Reife aus, und daran erkannte ich, dass sie mit beiden Beinen fest auf der Erde stand. Ich mochte sie sofort, aber sie war viel zu jung und mit einem Freund liiert, also hatte ich in ihr nur eine Zufallsbekanntschaft gesehen. In den folgenden Jahren traf ich sie immer wieder einmal am Strand oder auf Partys und jedes Mal begrüßten wir uns freundlich.

Und jetzt stand sie hier in Belgien vor mir. Sie war ein paar Jahre älter und nicht mehr mit Rafael befreundet. Außerdem sah sie noch schöner aus, als ich sie in Erinnerung hatte. Wie sie mir erzählte, wohnte sie bei ihrer Mutter in Brüssel, weil sie vorübergehend eine Stelle in der Abteilung für Öffentlichkeitsarbeit der Rennstrecke übernommen hatte. Anschließend wollte sie nach London gehen, um Englisch zu studieren. Aber ich war so durcheinander, dass ich kaum mitbekam, was sie sagte. Ich musste sie ständig ansehen. Seit meinen Kindertagen hatte ich mich immer gefragt, wie es sich anfühlen würde, wenn ich die Frau kennen lernte, die ich heiraten wollte. Woher wüsste ich es? Jetzt wusste ich es. Ich hörte, wie eine feste leise Stimme in meinem Inneren flüsterte: *Veronique. Natürlich ...*

In ihren Augen sah ich meine Zukunft. Und ich glaube, sie sah ihre Zukunft auch in meinen. Wir unterhielten uns eine Zeit lang, dann lud sie mich für Montag in die Wohnung ihrer Familie in Brüssel zum Mittagessen ein. Ihre Mutter begrüßte mich freundlich, war aber sicher misstrauisch gegenüber einem 27-jährigen Rennfahrer, der hinter ihrer 19-jährigen Tochter her war. Ich gab mir Mühe, mein bestes Benehmen an den Tag zu legen, war allerdings bereits wahnsinnig verliebt, sodass es große Anstrengung erforderte, meinen Blick von Veronique zu wenden und mich daran zu erinnern, dass noch jemand im Zimmer war.

Nach dem Mittagessen machten wir einen Ausflug in das romantische mittelalterliche Brügge mit seinen Kanälen und Kathedralen. Mit jedem Schritt spürte ich unsere Verbindung stärker werden. Als der Nachmittag zu Ende ging und ich Veronique nach Hause bringen musste, flehte ich sie an, mich in Mailand zu besuchen, wo ich damals wohnte.

„Du bist verrückt!", entgegnete sie lachend. „Meine Mutter brächte mich um, wenn ich auch nur fragen würde."

„Dann komm nach Spanien", beharrte ich. „Nächste Woche habe ich ein Rennen in Jarama."

„Nando, das geht nicht. Aber wir werden uns bald wiedersehen."

Am Dienstag fuhr ich nach Mailand. Ich vermisste sie entsetzlich. Einen Tag später überraschte sie mich mit einem Anruf und erklärte, sie komme zu mir. Ihre Entscheidung hatte nichts Impulsives. Sie hatte gründlich nachgedacht und ihre Wahl getroffen. Jetzt entschied sie über ihre Zukunft. War ich bereit, das Gleiche zu tun?

Ich holte sie in Mailand am Bahnhof ab. Nur mit einem Rucksack und einer kleinen Reisetasche stieg sie aus dem Zug. Sie sah wunderschön aus, und ich verliebte mich sofort aufs Neue in sie. Veronique kam mit nach Jarama; danach fuhren wir nach Marokko und machten dort ein paar Wochen Urlaub. Mir wurde klar, dass ich vor einer wichtigen Entscheidung stand. Ich hatte mir selbst bewiesen, dass ich das Zeug zum Rennfahrer der Spitzenklasse hatte, aber wenn dieser Traum Wirklichkeit werden sollte, musste ich mich immer stärker für den Rennsport engagieren. Er hätte zum Mittelpunkt meines Lebens werden müssen, aber eine solche Existenz hätte eine Frau wie Veronique nicht interessiert. Konnte ich meinen sehnlichsten Wunsch gerade jetzt aufgeben, da er in Erfüllung ging? Eines war mir klar: Wenn wir zusammenleben sollten, dann in Uruguay. Hatte ich die Kraft, mein glamouröses Rennfahrerleben gegen lange Tage in den Eisenwarengeschäften meines Vaters einzutauschen, Bilanzen zu erstellen, Bestellungen aufzugeben, Lieferungen zu verfolgen? Aber letztlich stellte sich die Frage gar nicht. Nach allem, was ich in den Bergen gelernt hatte, konnte ich nicht anders, als mich richtig zu entscheiden. Ich würde meine Zukunft zusammen mit der Frau gestalten, die ich liebte.

Im Frühjahr 1978 war ich zusammen mit Veronique nach Montevideo zurückgekehrt, 1979 heirateten wir. Wir zogen in ein kleines Haus in Carrasco und gingen daran, unser gemeinsames Leben aufzubauen. Veronique fand Arbeit als Model, und ich stellte fest, dass mir die Tätigkeit im Eisenwarenhandel Spaß machte. Graciela und Juan arbeiteten dort schon seit Jahren und zusammen bauten wir die Firma unter Anleitung unseres Vaters zur größten Baumarktkette des Landes aus.

Im Laufe der Jahre ergaben sich von selbst andere Gelegenheiten. So wurde ich 1984 gebeten, für das uruguayische Fernsehen eine Sendereihe über Motorsport zu produzieren und zu moderieren. Ich hatte zuvor noch nie vor einer Kamera gestanden, aber es war eine Chance, wieder in der Welt des Rennsports dabei zu sein, und ich ergriff sie. Beim Fernsehen entdeckte ich meine neue Leidenschaft, die in eine zweite

Im März 2003 besuchte ich ein weiteres Mal die Grabstätte, die in der Nähe der Absturzstelle errichtet wurde.

Mit meiner Frau Veronique und meinem Vater in der Weihnachtszeit 2003

Die Runde der Überlebenden an einem unserer „neuen" Geburtstage, dem 22. Dezember 2004. Roberto steht ganz rechts neben mir. Links außen in der oberen Reihe: Antonio Vizintín, dann Gustavo Zerbino. Carlitos Páez kniet als Dritter von links.

72 TAGE IN DER HÖLLE

Berufslaufbahn mündete. Heute produzieren und moderieren Veronique und ich Sendungen über Reisen, Natur, Mode und aktuelle Ereignisse. Wir schreiben die Drehbücher, übernehmen die Redaktion und führen Regie. Die Fernseharbeit befriedigt mein Bedürfnis nach kreativer Tätigkeit, und unsere Erfolge auf diesem Gebiet zogen andere geschäftliche Aktivitäten nach sich, darunter ein Kabelfernsehunternehmen. Aber der bei Weitem größte Segen in unserem Leben war die Geburt unserer beiden Töchter.

Veronica kam 1981 zur Welt. Bis dahin hatte ich immer geglaubt, ich könne keinen Menschen so sehr lieben wie meine Frau, aber als ich der Kleinen ins Gesicht sah, machte mich meine Liebe zu ihr völlig sprachlos. Schon wenige Augenblicke nach ihrer Geburt wusste ich, dass ich, ohne zu zögern, mein Leben für sie hingeben würde. Ich genoss die Vaterschaft in jedem Moment. Manchmal hielt ich sie auf den Armen, und mir kam der Gedanke, dass dieser kleine Mensch nicht existieren würde, wenn ich damals nicht den Weg aus den Anden gefunden hätte. Ganz plötzlich spürte ich ein verwirrendes Gefühl der Dankbarkeit für die reichen Freuden meines Lebens und mir wurde klar, dass jeder qualvolle Schritt, den ich in jener gottverlassenen Wildnis getan hatte, ein Schritt in Richtung dieses winzigen, kostbaren Wunders in meinen Armen gewesen war.

Zweieinhalb Jahre später kam Cecilia auf die Welt – zu früh. Sie wog nur etwas über tausend Gramm und verbrachte die beiden ersten Lebensmonate auf der Intensivstation. In mehr als einer Nacht erklärten uns die Ärzte, wir sollten uns auf das Schlimmste gefasst machen, nach Hause gehen und beten, und jede dieser Nächte war für mich wie ein neues Martyrium in den Anden. Veronique war viele Stunden im Krankenhaus, streichelte unser Baby, sprach leise mit ihm, holte es zurück ins Leben, und ganz allmählich wurde Cecilia kräftiger. Heute sind meine Töchter hübsche junge Frauen Anfang zwanzig, voller Leben und Energie.

Bei bester körperlicher und geistiger Gesundheit geht mein Vater in sein 88. Lebensjahr. Welche Nähe zwischen uns besteht, lässt sich unmöglich beschreiben. In den vielen Jahren seit der Katastrophe ist er mein engster und vertrautester Freund geworden. Uns verbindet die Trauer um die Toten, aber auch großer gegenseitiger Respekt und natürlich innige Liebe.

Zwei Jahre nach dem Wunder im Gebirge fuhr ich mit ihm noch einmal zur Absturzstelle. Man hatte eine nur im Sommer passierbare Route ausfindig gemacht, die aus dem argentinischen Vorgebirge zu dem Gletscher mit der Fairchild führte. Die anstrengende dreitägige Reise begann mit einer achtstündigen Fahrt im Allradfahrzeug durch zerklüftetes Gelände, danach folgten zweieinhalb Tage zu Pferd.

Gegen Mittag erreichten wir den Gletscher, dann stiegen wir zu Fuß das letzte Stück bis zur Grabstelle hinauf. Sie war unmittelbar nach unserer Rettung von Angehörigen der uruguayischen und chilenischen Luftwaffe wenige Hundert Meter von dem zerstörerischen Gletscher entfernt auf einem Felsvorsprung errichtet worden. Unter den Felsbrocken liegen Susy und meine Mutter sowie die Überreste der anderen, die hier ums Leben kamen. Über dem Grab erhebt sich nur ein Steinhaufen mit einem kleinen Kreuz aus Stahl auf der Spitze. Mein Vater hatte Blumen und eine Dose aus rostfreiem Stahl mitgebracht, in der sich Susys Teddy befand. Er legte beides auf das Grab, dann standen wir schweigend in der Stille der Berge. An dieses völlige Fehlen von Geräuschen konnte ich mich nur allzu gut erinnern. An windstillen Tagen hatte man nichts außer dem eigenen Atem, den eigenen Gedanken gehört.

Mein Vater war blass, und Tränen liefen ihm über die Wangen, als wir gemeinsam dieses traurige Wiedersehen erlebten. Ich dagegen empfand weder Schmerz noch Trauer, sondern Ruhe. Hier gab es keine Angst mehr, kein Leiden, keine Qualen. Die Toten hatten ihren Frieden.

Mit einem traurigen Lächeln wandte sich mein Vater mir zu. Er musterte den Gletscher, die schwarzen Gipfel über uns, den weiten, wilden Andenhimmel und die Überreste des Flugzeugrumpfes. Dann nahm er mich beim Arm und flüsterte: „Nando, jetzt verstehe ich ...“

Wir blieben etwa eine Stunde, bevor wir uns auf den Rückweg zu den Pferden machten. Keine Sekunde kam uns in den Sinn, unsere Toten auf einen Friedhof in der Zivilisation zu überführen. Als wir den Berg hinunterstiegen, war die Großartigkeit der schweigenden, riesigen, vollkommenen Anden derart mit Händen zu greifen, dass wir uns keinen majestätischeren Schrein vorstellen konnten.

NOCH heute sind die Menschen neugierig auf die psychologischen Folgen eines solchen Martyriums, und häufig werde ich gefragt, wie ich mit dem Trauma fertig geworden sei. Ob ich an Albträumen litte? An Erinnerungsbildern? Ob ich mit den Schuldgefühlen des Überlebenden zu kämpfen gehabt habe? Solche Menschen sind immer überrascht und manchmal wohl auch misstrauisch, wenn ich antworte, nichts davon erlebt zu haben. Seit der Katastrophe führe ich ein glückliches Leben, hege weder Schuldgefühle noch Groll. Ich blicke in die Zukunft und rechne stets damit, dass sie gut sein wird. Ich habe meinen inneren Frieden nicht *trotz* dieser Erfahrung, sondern *durch* sie gefunden. Die Anden ließen mir eine einfache Erkenntnis zuteil werden, die mich befreite und mein Leben erleuchtete: Der Tod ist real, und er ist sehr nahe.

Wenn ich ihm nicht hätte ins Gesicht sehen müssen, wüsste ich die einfachen, kostbaren Freuden des Lebens nicht so zu schätzen. Jeder Tag hat so viele vollkommene Augenblicke, von denen ich keinen einzigen entbehren möchte – das Lächeln meiner Töchter, die Umarmung meiner Frau, den sabbernden Willkommensgruß meines Hundes, die Gesellschaft eines alten Freundes, das Gefühl des Sandstrandes unter meinen Füßen, die Sonne auf meinem Gesicht. Solche Momente lassen für mich die Zeit stillstehen. Ich genieße sie, lasse jeden einzelnen zu einer kleinen Ewigkeit werden, und indem ich sie auskoste, trotze ich dem Schatten des Todes, der über uns allen schwebt.

Es ist meine Pflicht, meine Zeit auf Erden mit so viel Leben wie möglich auszufüllen und zu begreifen, dass nur die Liebe uns zu Menschen macht. Ich habe viel verloren und wiederbekommen, aber was das Leben mir auch gibt oder nimmt, mein Dasein wird immer von dieser einfachen Weisheit erleuchtet werden. Mehr brauche ich nicht.

EPILOG

Seit über dreißig Jahren treffen wir Überlebenden uns jedes Jahr am 22. Dezember und feiern diesen Tag, an dem wir gerettet und neugeboren wurden, als unseren gemeinsamen Geburtstag. Zwar führte der Lebensweg manche weit vom heimatlichen Montevideo weg, aber dass diese Bande zerbrechen, werden wir niemals zulassen.

Noch heute sehe ich in diesen Männern meine Brüder. Aber keiner von ihnen war ein besserer Bruder als Roberto Canessa, mein Partner auf der langen Wanderung durch die Anden. Mehr als dreißig Jahre später kann ich voller Stolz sagen: Roberto ist immer noch einer meiner besten Freunde. Er ist im Laufe der Zeit nachdenklicher, aber auch noch selbstbewusster und dickköpfiger geworden. Mit diesen Eigenschaften brachte er es zu einem der angesehensten Kinderkardiologen in Uruguay, und sie verschafften ihm den Ruf eines Mannes, der wild entschlossen ist, seinen kleinen Patienten zu helfen. Auch privat erfreut er sich eines erfüllten, friedlichen Lebens. Drei Jahre nach unserer Rückkehr heiratete er Laura Surraco, das Mädchen, das er in den Bergen so schmerzlich vermisst hatte. Ein Glücksfall für ihn: sie ist vermutlich die einzige Frau, die seiner Halsstarrigkeit etwas entgegenzusetzen hat und seine Energie bändigen kann. Die beiden haben zwei Söhne und eine Tochter.

Ein weiterer besonders guter Freund ist Gustavo Zerbino, ein Mann mit festen Prinzipien und unverblümter Redeweise; wenn er spricht, hat jedes Wort Gewicht. In den Anden war er tapfer, klug und gleichmütig, und wenn er sich nicht bei jenem beinahe tödlich verlaufenen Besteigungsversuch völlig verausgabt hätte, wäre auch er in dem späteren Expeditionsteam mit von der Partie gewesen. Gustavo leitet heute ein großes Chemieunternehmen und arbeitet in vielen gemeinnützigen Organisationen mit. Er wohnt nur wenige Straßen von mir entfernt, sodass ich ihn und seine Familie häufig sehe.

Carlitos Páez, ein weiterer lieber Freund, ist heute noch genauso respektlos, mitfühlend und liebenswert wie damals in den Bergen. An ihm schätze ich die Kreativität, den unverfrorenen Humor und das liebevolle Verhalten gegenüber meinen Töchtern. Sie fühlen sich von ihm wie von einem Magneten angezogen – und das schon von klein auf. Carlitos hatte in seinem Leben mit einem gerüttelt Maß an Schwierigkeiten zu kämpfen. Seine Ehe ging schon nach zwei Jahren in die Brüche, und seitdem ist er Junggeselle. Vor etwa fünfzehn Jahren verfiel er der Alkohol- und Drogensucht, und uns allen war klar, dass wir etwas unternehmen mussten. Eines Nachmittags gingen Gustavo und ich zu ihm und erklärten ihm, wir brächten ihn jetzt in eine Rehabilitationsklinik, wo er so lange bleiben müsse, bis er wieder völlig gesund sei. Er war schockiert und weigerte sich, aber wir gaben ihm zu verstehen, es sei nicht mehr seine Entscheidung. Es sei bereits alles in die Wege geleitet worden, Widerstand sei zwecklos. Glücklicherweise erholte er sich völlig. Seither wurde er nicht rückfällig und berät heute ehrenamtlich Menschen, die mit Suchtmittelmissbrauch und Abhängigkeit zu kämpfen haben.

Antonio Vizintín, der tapfer mit Roberto und mir auf den Berg stieg, musste in seinem Leben ebenfalls viele Schwierigkeiten bewältigen. Seine erste Ehe endete mit einer Scheidung, seine zweite Frau kam auf tragische Weise ums Leben. Jetzt ist er zum dritten Mal verheiratet, und wir beten alle, dass er eine glücklichere Zukunft vor sich hat. Tintin, wie wir ihn noch heute nennen, wohnt ebenfalls in Carrasco, ist aber ein Einzelgänger, sodass wir ihn in den letzten Jahren seltener gesehen haben, als wir es uns gewünscht hätten. Dennoch wird er immer einer von uns sein.

Sergio Catalán, der chilenische Bauer, der Roberto und mich im Gebirge als Erster sah, ist kein Überlebender, aber auch er gehört zu uns. Wir haben den Kontakt zu ihm über all die Jahre hinweg aufrechterhalten, ihn in seinem Dorf besucht oder ihn mit dem Flugzeug nach Montevideo kommen lassen. Er ist immer noch der bescheidene und sanftmütige Mann, der sich zehn Stunden aufs Pferd setzte, um die Retter zu uns zu bringen. Er führt ein einfaches Leben, verbringt viele Wochen auf den Hochalmen und versorgt dort seine Rinder und Schafe. Sergio und seine Frau haben neun Kinder großgezogen. Es beeindruckt mich ungeheuer, dass es ihm mit den geringen Mitteln eines Bergbauern gelang, die meisten von ihnen auf die höhere Schule zu schicken.

Im März 2005 lud uns seine Frau zur goldenen Hochzeit ein; es sollte für ihren Mann eine Überraschung sein. Wir sagten zu, und einen Tag vor der Feier fuhren Roberto, Gustavo und ich mit unseren Familien die schmale, steinige Straße zum Dorf hinauf. Nach einer Weile überholten wir einen Reiter, der die traditionelle Tracht der chilenischen Rinderhirten trug. Es war Sergio. Wir hielten an. Roberto, Gustavo und ich stiegen aus und gingen auf ihn zu. Als er uns erkannte, weiteten sich seine Augen und füllten sich mit Tränen.

„Entschuldigen Sie." Ich trat vor. „Wir haben uns verirrt. Könnten Sie uns helfen?"

ÜBER viele Jahre hinweg reichte mir die Gewissheit, dass diese Freunde und meine engsten Angehörigen wussten, was ich durchgemacht hatte. Ich verspürte keine Lust, meine persönliche Geschichte irgendjemandem außerhalb dieses Kreises zu erzählen. Zwar gab ich Interviews und wirkte auch an Dokumentarfilmen mit, war dabei aber stets darauf bedacht, nicht zu viel von mir preiszugeben. Die intimsten, schmerzvollsten Erinnerungen behielt ich für mich.

Im Laufe der Jahre traten Verleger mehr als einmal mit der Frage an mich heran, ob ich die Geschichte nicht noch einmal aus meiner ganz persönlichen Sicht erzählen wolle. Ich lehnte jedes Mal ab. Diese Menschen wollten die Katastrophe als beeindruckendes Zeugnis von Triumph und Ausdauer feiern. Aber das ging an der Sache vorbei. Ich war kein Held. Ich hatte ständig Angst gehabt, war immer schwach und verwirrt gewesen. Unsere Geschichte mag Millionen Menschen auf der ganzen Welt beeindruckt haben, aber für mich waren jene Monate in den Bergen eine Zeit des Entsetzens und der unwiederbringlichen Verluste. Die Katastrophe war nichts, was man feiern konnte. Man musste sie hinter sich lassen. Ich hatte kein Bedürfnis, in den düsteren Erinnerungen mit jener Ehrlichkeit zu wühlen, die man braucht, um ein Buch zu schreiben.

Warum fand ich mich dann nach über dreißig Jahren dennoch bereit? Die Antwort geht auf das Jahr 1991 und den Anruf eines gewissen Juan Cintrón zurück. Er organisierte in Mexiko-Stadt eine Konferenz für junge Firmeninhaber und war zu der Ansicht gelangt, meine Geschichte eigne sich hervorragend für einen Vortrag zum Thema Motivation auf seiner Veranstaltung. Also machte er mich telefonisch ausfindig und fragte mich, ob ich den Eröffnungsvortrag halten wolle. Höflich lehnte

146   72 TAGE IN DER HÖLLE

ich ab. Cintrón rief mich jedoch immer wieder an und bat mich, mir die Sache noch einmal zu überlegen. Schließlich kam er sogar nach Montevideo, um mich persönlich zu bitten. Von seiner Hartnäckigkeit beeindruckt, gab ich schließlich nach und sagte zu.

Als ich an dem Vortrag arbeitete und mich mühte, aus Elend und Trauer die motivierenden Aspekte für ambitionierte Jungunternehmer herauszuziehen, bereute ich meine Entscheidung zutiefst. Aber jetzt gab es kein Zurück mehr.

Schließlich stand ich in Mexiko-Stadt auf einem Podium und vor mir lag das Manuskript mit meinen Notizen. Der Höflichkeitsapplaus war zu Ende und ich sollte beginnen. Ich wollte sprechen, doch die Worte kamen einfach nicht. Das Herz schlug mir bis zum Hals, meine Hände zitterten. Ich starrte auf mein Manuskript. Es ergab keinen Sinn. Die Zuhörer rutschten auf ihren Stühlen hin und her. Schließlich wurde die Stille so laut, dass sie sich wie Donner anhörte. Gerade als die Panik mich zu überwältigen drohte, hörte ich mich sprechen.

„Eigentlich dürfte ich nicht hier sein. Eigentlich müsste ich tot auf einem Gletscher in den Anden liegen."

Ein Schleusentor schien sich geöffnet zu haben: Ich breitete meine Geschichte aus und hielt nichts zurück. Ich sprach einfach aus dem Herzen und ging mit dem Publikum alle wichtigen Augenblicke der Katastrophe durch, sodass die Leute sie genauso erlebten wie ich damals. Über Kreativität, Teamwork oder Problemlösungen verlor ich kein Wort. Der Begriff Erfolg kam kein einziges Mal vor. Stattdessen teilte ich ihnen die Lehre aus meinem Martyrium mit: Gerettet hatte uns weder Klugheit noch Mut noch Sachverstand, sondern ausschließlich die Liebe – die Liebe zueinander, zu unseren Familien, zum Leben, an dem wir so verzweifelt hingen. Das einzig Entscheidende im Leben ist zu lieben und geliebt zu werden. Wir sechzehn, die wir das Glück hatten zurückzukehren, werden das nie vergessen. Niemand sollte es vergessen.

Als ich geendet hatte, lag einige Sekunden tiefes Schweigen über dem Saal. Dann schwoll der Applaus an und das Publikum erhob sich von den Sitzen. Hinterher kamen Fremde mit Tränen in den Augen auf mich zu und umarmten mich. Einige nahmen mich beiseite und berichteten, welche Entbehrungen sie selbst in ihrem Leben ausgehalten hatten. Zu ihnen spürte ich eine machtvolle Verbindung. Sie hatten meine Geschichte nicht einfach nur verstanden, sondern machten sie zu ihrer eigenen. Das erfüllte mich mit einem überwältigenden Gefühl von Frieden und Aufbruch, und auch wenn ich diese Emotionen damals noch nicht völlig begriff, wusste ich, dass ich sie noch einmal erleben wollte.

Nach dem erfolgreichen Vortrag in Mexiko-Stadt kamen Anfragen für Vorträge auf der ganzen Welt, aber meine Töchter waren noch klein, und ich hatte geschäftliche Verpflichtungen, sodass ich nur wenige Einladungen annehmen konnte. Als ich nach einigen Jahren mehr Zeit hatte, sprach ich häufiger vor Publikum. Heute wende ich mich an Zuhörer überall auf der Welt. Aber immer erzähle ich wie beim ersten Mal einfach meine Geschichte und gebe die simple Weisheit weiter, die ich dabei gelernt habe.

Ich erkannte, dass meine Geschichte die Geschichte eines jeden ist, der sie hört. Ich hatte immer geglaubt, sie sei etwas Einzigartiges, etwas so Extremes und Entsetzliches, dass nur diejenigen, die dabei waren, sie wirklich verstehen könnten. Aber jeder von uns ist irgendwann einmal mit Hoffnungslosigkeit und Verzweiflung konfrontiert. Jeder erlebt Trauer, Verlassenheit und Verlust. Und jeder muss früher oder später dem unausweichlich näher kommenden Tod ins Auge sehen. Jeder von uns hat seine eigenen Anden.

Mittlerweile ist es mir zur Leidenschaft geworden, meine Geschichte möglichst vielen Menschen mitzuteilen, und daraus erwuchs auch der Wunsch, das vorliegende Buch zu schreiben. Es war eine bemerkenswerte Erfahrung – schmerzlich, erniedrigend, überraschend und äußerst lohnend –, und ich habe mich bemüht, so wahrhaftig wie möglich zu berichten.

Ich bin kein weiser Mensch. Jeder Tag zeigt mir aufs Neue, wie wenig ich vom Leben weiß und wie sehr ich mich irren kann. Aber von manchen Dingen weiß ich, dass sie wahr sind. Es ist meine Hoffnung, dass Sie, die dieses Buch lesen, erkennen, welche Schätze Sie besitzen. In den Anden lebten wir von einem Pulsschlag zum nächsten. Jede Sekunde war ein Geschenk. Seither war ich bestrebt, stets nach dieser Devise zu leben, und ich fordere Sie eindringlich auf: Machen Sie es genauso! In den Anden sagten wir immer: „Hol noch einmal Luft. Solange du atmest, lebst du noch." Das ist auch nach so vielen Jahren der beste Rat, den ich erteilen kann: Genießen Sie Ihr Dasein. Leben Sie jeden Augenblick. Vergeuden Sie keinen Atemzug.

Claudia Tabbert
Sabine Eichhorst

Aber mein Herz bleibt in Afrika

Meine Zeit bei den Kindern von Pretoria

*Er steht auf und legt mir sein Bild in den
Schoß: lauter Strichmännchen, darunter eines
mit blonden Haaren und sehr langen Armen
und eines in kurzen Hosen. Von allen Strichmännchen haben nur die blonde Frau und der
kleine Junge ein Gesicht. Beide lächeln.
„Kannst du ‚Mama‘ darunterschreiben?", fragt
Tillis und deutet mit dem Stift auf die Frau.
Es gibt mir einen Stich in den Magen.*

Claudia Tabbert

1

Werde ich es schaffen? Noch ist der Himmel blassblau und leicht, Wolkenschlieren wie hingemalt. Vor einer Stunde bin ich losgefahren, habe den Tachometer auf null gestellt wie immer in diesen Tagen, das Radio eingeschaltet und eine Kassette in den Schlitz geschoben. Mein Herz schlägt laut, wie Trommelfeuer.

Man weiß nie, was geschieht.

Die Straße führt schnurgerade auf den Horizont zu. Der Asphalt glänzt tiefdunkelgrau, und ein gelber Mittelstreifen teilt die Straße in zwei Fahrbahnen, doch an durchgezogene Linien hält sich hier niemand. Es gilt das Gesetz des Stärkeren.

Nirgendwo ein Auto, nirgendwo ein Mensch.

Die Landschaft ist braun und trist, kahle Bäume und dürre Pfeiler, zwischen denen elektrische Leitungen in der Luft baumeln. Manchmal stehen abseits der Straße Autos, selbst aus der Entfernung kann ich Einschusslöcher im Blech der Karosserien erkennen. Ich weiß nicht, wie die Autos dorthin kommen, denn der Straßenrand ist unbefestigt, und ich frage mich, wie man über scharfkantiges Gestein und Schotter fährt, ohne sich die Reifen aufzuschlitzen. Doch ich sehe diese Autowracks häufig, und meist lehnen junge Männer an den Kotflügeln, am Kofferraum, sie unterhalten sich. Ich werde das Gefühl nicht los, dass sie schauen, wer vorbeifährt.

Noch 130 Kilometer.

Links der Straße tauchen Hügel auf und über die Hügel verteilt Hütten, hingestreut wie von Riesenhand, wahllos und verwahrlost, zusammengezimmert über Nacht aus Holz, Blech, Pappe, zusammengehalten mit Plastikfolienfetzen. Manche Hütten sind von Zäunen umgeben, und vor einigen steht – es überrascht mich immer wieder – ein Auto. Dazwischen ragen Strommasten in die Höhe, hoch wie Lichtmasten auf Gefängnishöfen – es scheint, als blickten sie auf die flachen, geduckten Behausungen, blickten hinunter auf das Elend zu ihren Füßen und wollten nichts damit zu tun haben. *Squatter-Camps* nennt man diese Siedlungen, und

152 ABER MEIN HERZ BLEIBT IN AFRIKA

jeder weiße Landbesitzer fürchtet, eines Morgens aufzuwachen und auf seinem Grund, in der Nähe seines Hauses, einen solchen Slum zu entdecken. Sie sind wie Zecken, fressen sich fest und lassen nicht mehr los.

Zwischen zwei Hütten flattert Wäsche im Wind. Doch nirgendwo ist ein Mensch zu sehen. Die Tristesse dieser Slums macht mich sprachlos. Noch 125 Kilometer.

Zwei Dörfer liegen auf der Strecke zwischen Pretoria und Williamsburg, zerteilen sie in drei etwa gleich große Abschnitte. Sie sind meine einzigen Orientierungspunkte in dieser Einöde, diesem fahlbraunen, abweisenden Land, das so karg ist, dass es weder Menschen noch Tieren Nahrung gibt. Wenn alles gut geht, werde ich in zwei Stunden zu Hause sein. Die Klimaanlage surrt und ich drehe die Musik lauter.

In der Ferne weicht das helle Blau des frühen Nachmittagshimmels einem Graublau, das sich langsam über die Landschaft legt. Hinter einer Gruppe von Bäumen zeichnen sich dichte weiße Wolken ab.

Und dann versteht mein Gehirn die Botschaft – Rauch!

Automatisch gehe ich vom Gaspedal, doch im nächsten Moment beschleunige ich wieder; langsam zu fahren ist das Gefährlichste, was du tun kannst, hatte mir eine Kollegin auf der ersten Fahrt nach Williamsburg eingeschärft. Vor Buschbränden brauchte ich keine Angst zu haben, an die solle ich mich am besten gewöhnen, die Erde hier sei heiß, im Sommer entzünde sich das ausgetrocknete Land täglich. Meine Finger umklammern das Lenkrad. Feuer ist nirgendwo zu sehen, doch dichte Schwaden ziehen von beiden Seiten auf die Straße zu, hüllen sie ein. Qualm kriecht durch alle Ritzen ins Innere des Autos, er beißt in der Nase. Mit einer Hand schalte ich Klimaanlage und Musik aus.

Mein Atem geht schnell, flach. Die Knöchel meiner Finger sind so weiß, dass sie leuchten, überall dichter Rauch, meine Augen tränen. Alle Umrisse verschwimmen. Ich zwinge mich, nicht vom Gaspedal zu gehen, und bete, dass kein Auto vor mir auf der Straße ist und kein Fußgänger am Straßenrand entlangläuft, ich bete, dass es gleich zu Ende ist.

Nach ewigen Sekunden dringt milchiges Licht durch die Rauchschwaden. Die Silhouette eines Baumes schält sich aus dem Dunst, dunkle Schemen in diesigem Grau. Meine Augen frohlocken, als sie Büschel verdorrten Grases am Straßenrand ausmachen.

Eine Stunde später erreiche ich das zweite Dorf. Ein paar Häuser, ein paar Hütten. Es vibriert noch immer unter meiner Haut und es riecht nach kaltem Rauch, obwohl die Klimaanlage wieder läuft. Noch 60 Kilometer. Die Straße wird kurvig, noch immer sind kaum Autos unterwegs. Ganz langsam lockert sich mein steifer Rücken, die Muskeln entspannen sich.

Und beinahe wäre ich in das Auto gerast.

Es steht mitten auf der Fahrbahn. Eine zerbeulte, staubbraune, von Schüssen durchsiebte Karosse, daneben ein Mann, ein Schwarzer, er hält einen Revolver in der Hand. Er grinst. Er hat sehr weiße Zähne. Er trägt eine Sonnenbrille, in deren Gläsern sich das Licht spiegelt.

All diese Details nehme ich präzise wahr.

Anstatt zu bremsen, trete ich aufs Gaspedal. Ich sehe einen Lastwagen um die Kurve biegen, sich aus entgegengesetzter Richtung nähern, versuche die Entfernung zu taxieren, doch mein Gehirn ist wie Gummi, und der Schweiß meiner Hände lässt das Lenkrad feucht und rutschig werden. Der Drehzahlmesser steht im roten Bereich, doch mein Auto scheint zu kriechen – dass es nicht so ist, erkenne ich am Gesicht des Mannes: Er grinst nicht mehr. Er hebt seinen Revolver. Der Lastwagen donnert heran, hupt. Da reiße ich das Lenkrad herum.

Ich fliege über den Schotter am Straßenrand und lande im letzten Moment wieder auf der Fahrbahn. Der Fahrtwind des Lastwagens lässt mein Auto hin und her schlingern, das Dröhnen der Hupe hallt in meinen Ohren, mein Kopf droht zu platzen, ich zittere am ganzen Körper, Tränen laufen mir übers Gesicht.

Dieses Land – ich fürchte mich vor seiner hemmungslosen Brutalität, seiner unverhohlenen Gewalt.

Seit einem Monat lebe ich in Südafrika. Ich habe Job und Wohnung in Deutschland gekündigt, Karriere, Familie und Freunde zurückgelassen. Eine unbestimmte Sehnsucht zog mich, als ich im Frühjahr 1995 die Stellenanzeige eines südafrikanischen Forschungsinstituts las. Die Firma suchte Mitarbeiter für klinische Studien, in denen neu entwickelte Medikamente geprüft werden. Seit fünf Jahren arbeitete ich in genau diesem Bereich. Ich hatte Erfahrungen gesammelt, auch international. Ich bewarb mich und wurde genommen.

Viel wusste ich nicht über das Land. Ein Jahr zuvor hatte ich Urlaub am Kap gemacht. Der Afrikanische Nationalkongress hatte gerade die ersten freien Wahlen gewonnen und Nelson Mandela zum Präsidenten ernannt. Mandela und sein Amtsvorgänger Frederik Willem de Klerk waren mit dem Friedensnobelpreis ausgezeichnet worden. Nach Jahrzehnten der Apartheid begann in Südafrika die Demokratie, überall herrschte eine euphorische Stimmung. Ich war neugierig.

Als ich dann eines Abends Anfang September am Berliner Flughafen

Tegel eincheckte, wurde mir zum ersten Mal das Ausmaß meiner Entscheidung bewusst. Ich hatte mich mit John, dem Geschäftsführer des Unternehmens, auf dem Frankfurter Flughafen getroffen, anschließend hatten wir ein paarmal telefoniert, dann hatte ich unterschrieben. Ich würde ein Projekt betreuen, bei dem ein internationaler Pharmakonzern gemeinsam mit der Weltgesundheitsorganisation ein neues Medikament gegen Tuberkulose entwickelte. „Viele Kranke in Afrika können sich keine teuren Medikamente leisten. Wir nehmen sie als Patienten in unsere Studien auf. So werden sie kostenlos behandelt, und wir verfügen über ein großes Potenzial an Testpersonen", hatte John gesagt.

Doch ich hatte keine Vorstellung, wie der Alltag in diesem Land aussah. Je länger ich nachdachte, desto nervöser wurde ich. Und dann setzte der Pilot auch schon zum Landeanflug auf Johannesburg an.

Das Erste, was ich sah, als wir durch die Wolkendecke stießen, war ockerbraunes Land. Weit und flach und öde, nur selten von Grün durchbrochen. Hier und da einsame Gehöfte. Allmählich wurde die Besiedlung dichter. Wie ein düsterer drohender Moloch lag die Stadt da. Nichts erinnerte an die üppige Schönheit Kapstadts, die sanften Buchten, bizarren Felsen, die fruchtbare Natur.

Als ich die Ankunftshalle betrat, tauchte ich in ein Meer von Menschen, Farben und Mustern. Die Luft war satt von Schweiß und Parfum, von weichen Melodien und kehligen Lauten. Überwältigt blieb ich stehen. Ich sah mich um. Die meisten Gesichter waren schwarz. Viele Frauen trugen bodenlange Gewänder in leuchtenden Farben, einige hatten Tücher um den Kopf gebunden. Hier und da entdeckte ich auch Kinder mit blondem Haar und Augen wie Kornblumen, Männer, denen die Sonne Spuren ins Gesicht gegraben hatte, Frauen, elegant und grazil, das Haar ordentlich frisiert, wie britische Ladys auf dem Weg zum Fünfuhrtee. Hier und dort machten meine Ohren bekannte Wortfetzen aus, doch wenn ich ihnen folgte, merkte ich schnell, dass der, der sie in die Luft geworfen hatte, doch kein Deutsch sprach, auch kein Holländisch, eher eine Mischung aus beidem, in die auch etwas Französisch floss und eine weitere Sprache, die ich nie zuvor gehört hatte.

Da entdeckte ich in dem Durcheinander ein bekanntes Gesicht.

Ich hatte vergessen, wie groß er war, er überragte alle anderen. Er winkte. Erleichtert bahnte ich mir einen Weg durch die Menge. „Willkommen in Südafrika", sagte John.

„Herzlich willkommen!", rief die Frau, die neben ihm stand. „Ich bin Carol, die zweite Geschäftsführerin. Freut mich, Sie kennen zu lernen." Carol trug einen dunkelblauen Rock, eine weiße Bluse, ihr kurzes Haar war von blonden Strähnen durchzogen. John griff nach meinem Koffer. „Hatten Sie einen guten Flug?" Ich nickte und ließ mich Richtung Ausgang dirigieren. Einen Moment suchte ich nach Worten. Ich war es gewohnt, Englisch zu sprechen – doch plötzlich wurde mir bewusst, dass mein berufliches und privates Leben fortan auf Englisch stattfinden würde. Ich spürte, wie weit ich meine Heimat hinter mir gelassen hatte. In lupenreinem Englisch antwortete ich: „Ich freue mich, hier zu sein. Südafrika ist ein faszinierendes Land."

Vor einem Mercedes mit getönten Scheiben blieben wir stehen. John öffnete den Kofferraum und verstaute das Gepäck.

Ein bisschen ehrfürchtig ließ ich mich in die Ledersitze sinken. John startete den Motor. Der Mercedes glitt aus der Parknische, rollte den Zubringer entlang und fädelte sich in den Verkehr ein. Hinter uns erstreckte sich die Skyline von Johannesburg, Fassaden, die silbern in der Sonne glitzerten. „Der Flughafen liegt im Nordosten von Johannesburg", sagte Carol. „In spätestens einer Dreiviertelstunde sind wir in Pretoria."

Der Zubringer mündete in ein Autobahnkreuz. Der Verkehr war ruhig, und doch verwirrte er mich. Alle fuhren, wie Geisterfahrer, auf der linken Straßenseite. „Daran werden Sie sich gewöhnen", sagte Carol.

„Sie bekommen einen Firmenwagen", warf John ein. „Sie werden viel unterwegs sein."

Mir war etwas schwindlig. In meiner Handtasche suchte ich nach Kaugummis. Die Häuser entlang der Straße waren ärmlich, ganze Siedlungen, die nur aus Blechhütten zu bestehen schienen. „Townships", sagte John. Im Rückspiegel sah ich, dass er mich beobachtete.

„Da wohnen die Schwarzen", fügte Carol hinzu. „Sie wollen es so."

„Was?", fragte ich. „Meinen Sie, die Menschen wollen so leben?"

„Die wenigsten Schwarzen arbeiten. Und selbst die, die einen Job haben, schaffen es nicht, ihr Leben zu organisieren", antwortete Carol mit einer Nüchternheit, die mich erschreckte. „Sie lassen sich gehen, haben weder Ziele noch Disziplin."

Der Mercedes glitt sanft und leise an immer neuen Squatter-Camps entlang. Schmale Straßen führten in das Gewimmel, Müll türmte sich, und über allem lag eine Dunstglocke. Diese Siedlungen sahen so erbärmlich aus, dass ich ein schlechtes Gewissen bekam, als hätte ich dieses Elend mit verursacht.

In Deutschland hatte ich Bücher über Tuberkulose gelesen. Schlechte Ernährung und mangelnde Hygiene begünstigten ihren Ausbruch. Würde ich also in Townships arbeiten?

Wir erreichten die Vororte von Pretoria und folgten einer breiten, abschüssigen Allee. Die Straßen waren leer, keine Autos, keine Radfahrer, keine Fußgänger. Erst am Bahnhof sah ich Menschen, Schwarze, die in überfüllte Züge drängten; Weiße waren nirgends zu sehen.

John bog in ein Wohnviertel, und schließlich näherten wir uns einem großen, kahlen Platz.

„Die Firma", erklärte Carol und deutete auf ein rotes Klinkergebäude mit zwei Erkern, auf denen kleine weiße Spitzdächer saßen. An der Stirnseite prangte in großen Lettern der Name des Unternehmens – dieses Haus hätte auch in Holland oder England stehen können. Ein schwarzer Zaun umgab das gesamte Gelände. Mit der Fernbedienung öffnete John das Tor und fuhr, ohne das Tempo zu drosseln, die Einfahrt hinauf. „Wir werden Sie im Gästehaus der Firma unterbringen, bis Sie eine Wohnung gefunden haben", sagte er.

Das Gästehaus war ein Backsteingebäude mit Sprossenfenstern und Reetdach. Im Vorgarten blühten im Halbschatten ein paar Tulpen. Was nicht zu der Idylle passte, war die hohe Mauer, die das Grundstück umgab. Über eine Außentreppe gelangten wir in den ersten Stock, und das Geräusch unserer Schuhe hallte durch die Stille des Nachmittags. Vor einer schweren Metalltür blieb John stehen. Er suchte nach dem Schlüssel, öffnete. Hinter der Metalltür verbarg sich eine zweite Tür, die eigentliche Wohnungstür. „Halten Sie beide Türen immer geschlossen", sagte Carol. „Sicher ist sicher."

Ich ließ meine Reisetasche von der Schulter gleiten und sah mich um. Korbstühle standen um einen Tisch, vor den Fenstern hingen gelbe Gardinen. Rechts neben dem Eingang befand sich die Küche, nur durch einen Tresen vom Wohnraum getrennt. Auf dem Tresen lagen ein Handy und ein Schlüsselbund, daneben stand eine Flasche Wein. Ein Flur führte in den hinteren Teil der Wohnung, offenbar lagen dort Schlafzimmer und Bad.

John holte Gläser aus dem Schrank neben dem Herd. Ich ließ mich in einen Korbstuhl sinken. Gemeinsam stießen wir an. „Alles Gute", sagte John. „Auf Südafrika!", rief Carol. Sie wirkte, als räume sie jedes Hindernis aus dem Weg, während John eine gewisse Ruhe ausstrahlte.

Irgendwann verabschiedeten sich meine neuen Arbeitgeber, und ich war allein. Ich war müde, sehnte mich nach Schlaf und war doch viel zu aufgekratzt, um mich ins Bett zu legen. Ich ließ mich aufs Sofa fallen, sprang wieder auf. Der Boden unter meinen Füßen war leicht und federte, ich tanzte, freute mich, wurde immer euphorischer. Schließlich setzte ich mich im Schneidersitz in die Mitte des Wohnzimmers. Ich hörte das Rauschen in meinem Kopf, das Tosen meines Blutes. Ich hörte meinen Herzschlag. Ich lauschte ihm und hörte, wie er langsam, ganz langsam ruhiger wurde. Und dann kam ich an. Ich war in Südafrika.

DIE SONNE verschwand hinter den Baumwipfeln, als ich Hunger bekam.

Während der Fahrt vom Flughafen hierher hatte ich nicht auf Geschäfte oder einen Supermarkt geachtet. Kurz überlegte ich, bei Nachbarn zu klingeln, doch die Häuser mit den leeren Gärten, den Zäunen und Mauern schüchterten mich ein. Auf der Anrichte lag der Autoschlüssel. Ich würde losfahren, einen Lebensmittelladen suchen.

Das Auto, ein nicht mehr ganz neuer Honda Accord, parkte in der Einfahrt. Ich schloss die Tür auf und stieg ein – auf der Beifahrerseite, denn das Lenkrad war rechts. Links neben dem Fahrersitz lag der Schaltknüppel. Fast alles in diesem Auto war seitenverkehrt. Im Geist ging ich die einzelnen Schritte durch, versuchte mir einzuprägen, mit welcher Hand ich nach welchen Schaltern greifen musste. Dann atmete ich durch und ließ den Motor an.

Vor einem Stoppschild bremste ich, schweißgebadet.

Four-way-stops, hatte John erklärt, seien eine lokale Besonderheit; standen mehrere Autos an einer Kreuzung, hatte der Fahrer Vorfahrt, der zuerst dort war. Ich schickte ein Stoßgebet zum Himmel und dankte Gott, dass niemand außer mir an der Kreuzung stand. Als ich nach links und rechts blickte, entdeckte ich ein Schild, das den Weg zu einer Privatklinik wies. Dort könnte ich nach einem Supermarkt fragen.

Die Klinik war ein moderner mehrgeschossiger Glasbau. Eine automatische Schiebetür öffnete sich, und ich trat in ein klimatisiertes Foyer. Am Empfang erkundigte ich mich, ob es in der Nähe einen Supermarkt gebe. „Ein paar Hundert Meter die Hauptstraße rauf", antwortete die Rezeptionistin. Ich bedankte mich.

Das Einkaufszentrum war modern, großzügig und hell, aus Lautsprechern klang Musik, und wie an einem Samstagvormittag in Deutschland trugen Familien Einkaufstüten, aus denen Lauchstangen ragten, Toilettenpapier und Orangensaftflaschen. Gleich hinter dem Eingang erstreckte sich eine ausladende Obsttheke. In den Körben glänzten Äpfel, Bananen, Erdbeeren und Weintrauben. Ananas lagen neben Honigmelonen und Mangos neben Früchten, die ich noch nie zuvor gesehen hatte. Die Preise waren höher, als ich erwartet hatte; mit meinem Geld würde ich sparsam umgehen müssen.

Als ich aus den Tiefen der Regalfluchten in den Hauptgang bog, fiel mir auf, wie herausgeputzt die kleinen weißen Mädchen waren. Jungen sahen aus wie englische Internatsschüler. Die Frauen trugen lange Kleider in gedeckten Farben. Plötzlich fühlte ich mich unwohl in meinem kurzen Rock und dem schlichten T-Shirt. Ich sah zu, wie die Frauen an den Regalen entlangzogen, von ihren Einkaufslisten strichen, was sie oder ihre Männer in die Einkaufswagen gelegt hatten. Geschoben wurden die Wagen von schwarzen Hausmädchen. In weißen Schürzen, im Haar ein Häubchen, folgten sie ihren Herrschaften in gebührendem Abstand, den Blick stets zu Boden gesenkt. Ich versuchte zu begreifen. Was ich sah, erschien mir unfassbar, und je länger ich hinsah, desto deutlicher spürte ich Empörung in mir aufsteigen. Plötzlich wünschte ich mir nichts sehnlicher, als diesen armen Hausmädchen zu helfen, etwas für diese unterdrückten Wesen zu tun.

Während ich an der Kasse bezahlte, verpackte eine schwarze Frau meine Einkäufe. Ich sah zu den anderen Kassen hinüber, wo ebenfalls schwarze Frauen weißen Kunden vollgepackte Einkaufstüten überreichten, die sich ihrerseits nicht einmal dafür bedankten. Ich murmelte höflich und halblaut *„Thank you"* und lief zum Ausgang.

Abends im Bett versuchte ich, die vielen, zum Teil verwirrenden Eindrücke zu ordnen, doch in meinem Kopf herrschte ein einziges Durcheinander. Die Freude und der Stolz, die ich empfunden hatte, nachdem ich es geschafft hatte, ohne Schwierigkeiten vom Supermarkt nach Hause zu fahren, waren verschwunden. Wie ein schlafendes Tier, das erwachte, räkelte sich tief in mir eine unbestimmte Angst.

DAS HAUS war luxuriös, die Gäste gaben sich distinguiert. Nur einer fiel heraus. „Das ist Ray", stellte Carol vor, „mein Bruder."

„Freut mich." Meine Hand verschwand in seinen Pranken. „Ich bin Claudia und komme aus Deutschland."

„Welcome", antwortete Ray. Sein kurzes Haar war von der Sonne gebleicht, die Haut wie Leder. Er trug Segeltuchhosen und ein Hemd, das über dem Bauch spannte. Obwohl er gekleidet war wie alle anderen, sah er aus wie einer, der sein ganzes Leben auf einer Farm zugebracht hatte.

„Kommen Sie." Carol fasste meinen Ellbogen und führte mich in die Mitte des Raumes, wo die Gäste sich in Ledersesseln niedergelassen hatten und Wein tranken. John erhob sich. Als wäre ihm seine Größe peinlich, neigte er den Oberkörper vor und fragte: „Wie geht es Ihnen? Haben Sie gut geschlafen?"

„Hervorragend."

„Was man während der ersten Nacht in einer neuen Wohnung träumt, geht in Erfüllung", meinte eine Frau.

„Darf ich vorstellen", sagte John, „Elmarie, meine Frau."

„Sehr erfreut", antwortete ich, „ich bin Claudia."

„Herzlich willkommen, Claudia." Elmarie lächelte.

Ein Hausmädchen betrat den Raum. Sie trug ein Tablett mit Gläsern, der Wein darin hatte die Farbe von Herbstblättern, satt und goldglänzend. „*Madam?*" Das Hausmädchen hielt den Blick auf die Gläser gerichtet. Auf ihrem Haar saß ein Häubchen, es strahlte beinahe unwirklich weiß. Ich griff nach einem Glas, schweres, geschliffenes Kristall, und bedankte mich. Ohne dass seine Schritte ein Geräusch verursachten, glitt das Mädchen durch den Raum, verharrte in respektvoller Distanz, wartete wortlos, bis man sich bedient hatte. Als das Tablett leer war, verließ sie den Raum und zog lautlos die Tür hinter sich zu.

„Der Wein ist wunderbar", lobte Carol.

„Ein Chardonnay, den ich auf einem Weingut bei Stellenbosch entdeckt habe", sagte John.

Ray schwenkte sein Glas, schnupperte, prüfte die Blume, nahm einen großen Schluck und spülte ihn im Mund hin und her. „Sehr ausgewogen und geschmeidig."

In Deutschland hätte ein Mann wie er Bier getrunken.

„Wir Südafrikaner lieben unsere Weine." Zart strichen Rays Finger über den Bauch des Weinglases, eine Geste, deren Behutsamkeit mich rührte. „Wenn Sie ans Kap fahren", sagte er und sah mich an, „müssen Sie unbedingt in die Winelands, nach Stellenbosch und Paarl. Wissen Sie, dass wir in Südafrika über zweitausend Weinsorten haben?" Ich schüttelte den Kopf.

Alle debattierten mit dem Eifer von Missionaren über Jahrgänge, Lagen und Abgänge. Ich hörte zu, nippte an meinem Glas. Der Raum war dunkel und kühl, fast vergaß man, dass draußen die Sonne schien. Von dort zog der Geruch gegrillten Fleisches herein.

„Lasst uns essen", sagte Carol. Die Gäste erhoben sich. Elmarie hakte mich unter und lächelte über den Rand ihrer Brille hinweg. „Komm, Claudia." Ihre Augen waren klar und blau wie Wasser.

Wir folgten Carol hinter einen Paravent, durchquerten einen Salon und gelangten in den Wintergarten. Ein Tisch nahm fast seine gesamte Länge ein. Er war mit einem bodenlangen Tuch und weißem Porzellan gedeckt. Hinter gläsernen Seitenwänden erstreckte sich nach allen drei Seiten ein weitläufiger Garten. Carol wies mir den Platz neben Ray zu.

„Wissen Sie, dass unsere Familie aus Simbabwe kommt?", sagte er und reichte mir den Brotkorb.

Ich nahm eine Scheibe und schüttelte den Kopf.

„Wir hatten eine Farm. Über Generationen hat unsere Familie den besten Tabak im Land angebaut. Dann haben die Schwarzen alles zerstört." Ich bemerkte, wie die anderen Gespräche am Tisch verstummten.

„Anfangs wollten sie unser Land, haben uns beschuldigt, wir hätten ihnen Grund und Boden geraubt", fuhr Ray fort. „Später überfielen Guerillatruppen weiße Siedler. Sie führten Krieg, und Präsident Mugabe hat die Situation noch angeheizt und eine Bodenreform versprochen. Am Ende wurde unsere Farm unter Hunderten schwarzen Bauern aufgeteilt. Jeder bekam dreißig Quadratmeter." Ray strich mit der Hand über die Tischdecke. Im Raum war es so still, dass ich hörte, wie die raue Haut seiner Finger über den Stoff kratzte. „Heute liegt Simbabwe am Boden. Die Menschen hungern. Jetzt begreifen sie, was die weißen Siedler für Simbabwe getan haben."

In Rays Stimme mischten sich Wut und Wehmut. Carol warf ihrem Bruder einen Blick zu, den ich nicht zu deuten wusste. Dann hob sie ihr Glas. „Ich freue mich, dass ihr hier seid. Lasst es euch schmecken!" Zu mir gewandt fügte sie hinzu: *Braai* ist ein Stück südafrikanischer Lebensart."

„Ein wahrer Volkssport", lachte John. „Unsere Vorfahren haben, als sie die Drakensberge und Zululand eroberten, ihr Fleisch am offenen Feuer zubereitet. Wir Afrikaner grillen bis heute jedes Tier, das uns in die Finger kommt."

„Auf die Jagd!" Ray hob sein Glas. Er nahm einen großen Schluck und fuhr sich mit der Hand durch die rotblonden Haare. Das Hausmädchen trug Platten mit gegrillten Schweinesteaks und Hammelfleisch herein. „Wisst ihr", rief Ray und stach seine Gabel in ein Schweinesteak, „dass sie unser Haus ausgeräumt haben?"

„Nein!", erwiderte Carol.

„Ausgeräumt? Wer?", fragte ich.

„Einbrecher", antwortete Ray. „Zum dritten Mal in diesem Monat." Er sah mich an, als käme ich vom Mond. „Eine von den Schwarzenbanden. Möbel, Fernseher, Videorekorder, Kühlschrank – alles weg!"

Meine Gabel schlug gegen den Teller, ein lautes, klirrendes Geräusch. Das Hausmädchen stellte Barbecue-Soße und Chutney auf den Tisch.

„Nein!", rief Carol. Ich roch die aufsteigende Süße des Kürbis-Chutneys und versuchte mir vorzustellen, wie jemand drei Mal in einem Monat neue Möbel anschaffen konnte. Und wie es möglich war, dass diese ebenso oft gestohlen wurden.

„Wir wohnen in Sandton", sagte Ray. „Sandton ist eine gute Gegend. Dort gibt es was zu holen. Und diese verdammten schwarzen Gangster versuchen es auch immer wieder! Aber nicht mit mir!" Er leerte sein Glas in einem Zug. „Ich setze mich sofort in meinen Jeep und fahre nach Alexandra." Mit einem Seitenblick fügte er hinzu: „Alexandra ist das übelste Viertel von Johannesburg, da wohnt das schlimmste Pack. Ich fahre genau dahin, wo ich sie letztes Mal auch erwischt habe. Und was sehe ich da? Ich sehe, wie ein paar schwarze Dreckskerle meinen Kühlschrank aus ihrem Lastwagen laden! Ich bremse, springe mit gezogenem Revolver aus dem Jeep, zwei sind schlau und rennen sofort weg, den dritten schnappe ich mir und nehme ihn in den Schwitzkasten. Ich fessle diese verdammte schwarze Drecksau mit einem Seil, das im Auto liegt, und lade alles, was sonst noch auf der Ladefläche steht, in meinen Wagen. Und dann sehe ich sie auch schon die Straße herunterkommen, diese Bastarde – seine stinkenden Komplizen. Rotten sich sofort zusammen, wenn jemand in ihr Revier kommt. Wollen anständigen Leuten Angst einjagen. Aber nicht mit mir! Ich stoße den Typ, gefesselt, wie er ist, in den Jeep und fahre direkt zur nächsten Polizeistation."

Ich schluckte. Das Hausmädchen schenkte Wein nach.

„Auf dem Revier stehen sie Schlange, und als ich endlich drankomme, fragt der Polizist: ‚Können Sie beweisen, dass dieser Mann bei Ihnen eingebrochen ist?'

Ich muss mich beherrschen, bleibe aber ganz ruhig. ‚Klar, Inspector', sage ich. ‚Er trägt meine Lederjacke.'

‚Können Sie beweisen, dass es Ihre Lederjacke ist?'

‚Die habe ich aus Kanada mitgebracht, sie hat ein Vermögen gekostet. Kein Schwarzer kann sich so eine Lederjacke leisten.'

‚Tut mir leid, Sir, das ist nicht Beweis genug.'

In dem Moment grinst mich diese stinkende schwarze Drecksau an, grinst mir unverfroren ins Gesicht und sagt: ‚Lass mich los, Mann, du behandelst mich ja wie einen Kriminellen.'"

„Das ist unglaublich!" Carol umklammerte ihr Messer.

„Ich hätte ihm die Kehle durchschneiden können!"

Ich erstarrte. Die anderen schimpften, wüteten, ließen alles Distinguierte fallen.

Nach einer Weile fragte ich Ray: „Passiert so etwas öfter?" Meine Stimme klang dünn.

„So etwas passiert täglich."

Das Hausmädchen reichte frisches Fleisch, und Ray lud Hammellenden auf seinen Teller. „Man muss die Dinge selbst in die Hand nehmen", erklärte er und stach sein Messer ins Fleisch, als müsste er den

Hammel ein zweites Mal erlegen. „Die Polizei – das sind doch alles Waschlappen da!"

John legte seine Serviette zur Seite und lehnte sich zurück. „Das ist eben das neue Südafrika. Jetzt gibt es einfach keine Ordnung mehr."

Alle kauten. Ich trank einen Schluck Wasser. Unzählige Fragen gingen mir durch den Kopf, doch etwas verbot mir, auch nur eine einzige zu stellen. Auf meinem Teller bildeten Blut und Bratensaft immer neue Muster. Und das Hausmädchen schenkte Wein nach.

HITZE lag über der Straße, die entlang den Diamantminen Richtung Norden führte. In der roten Erde klafften riesige Krater, und überall ragten Gerüste, Türme und Kräne empor. Aus den Schluchten, die unter Tage führten, tauchten Loren auf, daneben schwarze Männer in Overalls, auf dem Kopf einen Helm, an dem eine Grubenlampe leuchtete. Über allem ein Himmel wie königsblaue Tinte.

Zum ersten Mal seit meiner Ankunft spürte ich Faszination und Exotik. Die Wärme der Sonne, das Licht, die Intensität der Farben und der Gedanke, dass der Boden unter uns voller Diamanten steckte, erregten mich. Gerade wollte ich meine Freude zum Ausdruck bringen, als Diana bremste und das Steuer zur Seite riss. Im Fond rutschten Medikamentenkisten durcheinander und durch die Frontscheibe sah ich einen VW-Bus, der mitten auf der Autobahn hielt. Ein Mann, der am Straßenrand gewartet hatte, ging darauf zu und stieg ein. „Sammeltaxis!", schimpfte Diana. „Damit fahren die Schwarzen. Ihre Fahrer bremsen, wo immer jemand ein- oder aussteigen will."

„Aber das ist doch lebensgefährlich!"

„Lebensgefährlich ist es, wenn die Fahrer aufeinander schießen."

„Das meinst du nicht ernst!"

„Daran wirst du dich gewöhnen müssen." Diana überholte einen weiteren mit Menschen vollgestopften VW-Bus. „Es gibt zu viele Taxis. Darum soll jeder Fahrer nur in eine Fahrtrichtung Passagiere mitnehmen und leer zurückfahren. Aber viele halten sich nicht daran und sobald andere Taxifahrer das mitkriegen, ballern sie los. Wenn du da hineingerätst, gibst du Gas und siehst zu, dass du wegkommst."

„Ganz bestimmt." Ich öffnete das Handschuhfach und suchte nach Erfrischungstüchern. Wir waren auf dem Weg zu einer Klinik in Klerksstadt, nördlich von Pretoria. Als ich Diana an meinem ersten Arbeitstag kennen gelernt hatte, hatte ich sie sofort ins Herz geschlossen. Ich war froh, als John sie bat, mich einzuarbeiten; nicht alle in der Firma begegneten mir so offen wie sie.

ABER MEIN HERZ BLEIBT IN AFRIKA   163

Diana blinkte und folgte einer unbefestigten Straße. Kurze Zeit später erreichten wir einen kleinen Ort. Es war Markttag, und überall am Straßenrand hockten Schwarze und hatten Bananen, Melonen, bunte Stoffe und Radios vor sich ausgebreitet.

„Hast du deine Tür verriegelt?"

Ich schüttelte den Kopf.

„Das solltest du in Townships immer tun. Unbedingt." Diana umfuhr Schlaglöcher und Fußgänger, die, ohne auf Autos zu achten, die Straße überquerten. Schließlich hielten wir vor einem hässlichen froschgrünen Tor. Ein Pförtner fragte nach unseren Namen. Dann öffnete sich das Tor. Diana parkte den Wagen im Schatten einer Mauer und wir luden so viele Medikamentenkartons aus, wie wir tragen konnten. Die Luft war staubig und heiß. Irgendwo hörte ich Kindergeschrei. „Heute ist Babytag", sagte Diana. „Die Kleinen werden geimpft." Wir liefen auf ein flaches Gebäude zu und stiegen ein paar Stufen hinauf. Als wir den Behandlungsraum betraten, schlug mir süß-modriger Geruch entgegen. Unzählige Augenpaare starrten mich an, kohlschwarz und brennend. Ich hielt meine Kartons, hielt mich an ihnen fest und rang nach Luft. Der Gestank drang in meine Nase, meine Lunge, er schien sie zu verkleben. „Atme durch den Mund, dann riechst du es nicht", riet Diana und steuerte auf eine ältere schwarze Frau zu, die uns zuwinkte. Wie betäubt stand ich da. Der ganze Raum war voller Patienten. Dutzende Frauen saßen in langen leuchtenden Gewändern auf dem Boden, einige hatten sich ihre kleinen Kinder mit einem Tuch auf den Rücken gebunden, eine Mutter stillte ihr Baby. Jungen und Mädchen liefen herum, brüllten, brabbelten. Babys lagen still am Boden und warteten. Ab und zu schimpfte eine der Frauen, ansonsten unterhielten sie sich und wirkten alle seltsam teilnahmslos.

„Das ist Norma, unsere Studienschwester", sagte Diana. In Normas großen Brillengläsern spiegelte sich Licht, sodass ich ihre Augen nicht sehen konnte. Ihr ganzer Körper strahlte etwas Mütterliches aus. Sie half Diana, die Medikamente in Kühlschränke zu räumen, und als sie fertig waren, verstauten sie die Kisten, die ich trug.

An der Stirnseite des Raumes stand ein Tisch, an dem sich wie eine Lichtgestalt, scheinbar unberührt von Hitze, Lärm und Gestank, ein Mann in einem weißen Kittel über ein Kind beugte und ihm Brust und Rücken abhörte. Ein Junge brüllte, und wäre seine Haut nicht schwarz gewesen, sondern weiß, hätte sein Gesicht rot geleuchtet vor Anstrengung. Die Schwester, die ihn am Arm ergriffen hatte und schüttelte, hielt in der anderen Hand eine Spritze. Als der Junge versuchte, sich aus dem Griff der Schwester zu lösen, packte sie ihn, warf ihn auf eine Pritsche und setzte sich auf den Jungen. Das Brüllen verstummte. Der Kleine drohte unter ihrem Gewicht zu ersticken.

„Aber…", entfuhr es mir.

Diana folgte meinem Blick. „Die Kinder werden gegen Polio, Diphtherie und Masern geimpft", sagte sie. „Lass uns anfangen. Wir haben viel zu tun." Norma deutete auf einen kleinen Tisch, der etwas abseits stand, und ging noch mal los, um einen zweiten Stuhl zu suchen.

Bei jeder klinischen Studie regelt ein Katalog von Einschluss- und Ausschlusskriterien, welche Patienten aufgenommen werden. So soll sichergestellt werden, dass das zu testende Medikament nur Patienten, die tatsächlich infrage kommen, verabreicht wird. Außerdem soll das Risiko potenzieller Nebenwirkungen so gering wie möglich gehalten werden. Darum werden während der Behandlung regelmäßig Untersuchungen durchgeführt, deren Ergebnisse in Patientenakten und Studienprotokollen festgehalten werden. Schweigend vertieften Diana und ich uns in die Akten.

„Das sieht nach deutscher Gründlichkeit aus", sagte eine Stimme. Eine Frau, klein, weiß, in einem schmutzigen Kittel, das graue Haar ungekämmt, stand wenige Schritte entfernt und schaute uns zu. „Ich bin Dr. Maddox. Sind Sie die Neue?" In den vergangenen Jahren hatte ich viele Ärzte kennen gelernt; diese Frau fiel durch alle Raster. Ich nickte.

„Was hat Sie hierherverschlagen?"

„Abenteuerlust", erwiderte ich, ohne nachzudenken.

„Na, Abenteuer werden Sie erleben. Wollen Sie sich ein bisschen umsehen? Ich habe Zeit, ich könnte Ihnen die Klinik zeigen."

Ich sah zu Diana, sie nickte. „Gut", sagte ich und schob Notizzettel in die Patientenakte, um später die Seiten wieder zu finden.

Dr. Maddox öffnete eine Tür, die mir bis dahin nicht aufgefallen war, und wir traten hinaus. Ich atmete tief durch, während wir einen schmalen gepflasterten Weg zwischen Pavillons entlangliefen. „Wir sind die einzige Klinik in der Gegend, und die meisten unserer Patienten kommen aus den Townships. Sie haben fast alle Tuberkulose."

Struppiges Gras quoll zwischen den Ritzen des Pflasters hervor. Ein paar Blumen mit blassblauen Blüten krallten ihre Wurzeln in den Sand.

„Es kommt immer wieder vor, dass wir Patienten abweisen müssen, weil wir nicht genügend Betten haben."

„Wohin gehen die Patienten, die Sie abweisen?"

„Nach Hause." Vor einer Tür, die irgendwann einmal grün gestrichen worden war, blieb Dr. Maddox stehen. Ein schwarzes Insekt kroch vor unseren Füßen über den Boden. Ich schwitzte. „Dies ist unsere Männerstation." Sie hielt mir die Tür auf, und wir traten in einen Saal. An allen vier Wänden entlang standen dicht an dicht Betten – noch nie hatte ich so viele Kranke in einem Raum gesehen. Die Männer trugen hellblaue Schlafanzüge. Viele lagen apathisch auf ihren Matratzen, ohne Kopfkissen, einige waren nicht einmal zugedeckt. Fliegen krabbelten über ihre knochigen Körper, ihre Gesichter. Die Luft war süß und schwer.

Zögernd folgte ich Dr. Maddox, sah, wie sie von Bett zu Bett ging. Immer wieder wechselte sie ein paar Worte mit einem der Kranken, drückte Hände, strich über Arme und eingefallene Wangen. Einige Männer scherzten, und die Ärztin erwiderte ihre Scherze. Ich spürte den Respekt, den die Männer ihr entgegenbrachten.

Dr. Maddox winkte mich an eines der Betten. „Das ist Joseph. Seine Familie lebt in Temba, einer Township nördlich von Pretoria. Josephs Frau ist vor zwei Jahren gestorben. Die beiden Jüngsten leben bei seinem Bruder in Johannesburg. Die älteren Kinder sind fort, niemand weiß, wo." Joseph lag still in seinem Bett. Sein Körper war mager wie der eines Jungen. Seine Augen lagen tief in den Höhlen seines Schädels, das Weiße der Augäpfel war seltsam trüb, der Blick leer.

Ich schwieg. Ich lächelte. Ich wusste nichts zu sagen.

Dr. Maddox sagte ein paar Worte auf Zulu, dann nahm sie meinen Arm und schob mich weiter. „Es tut mir leid. Sie sind anderes gewohnt."

Ich nickte. „Wissen Sie ... für mich war Aids immer eine abstrakte Krankheit. In Europa redet man darüber, man weiß, wie man sich schützt. Aber hier ..." Ich suchte nach Worten. „Hier bekommt die Krankheit ein Gesicht. Das Gesicht von Joseph."

„Ja. Und das muss man erst einmal verkraften." Sie sah mich über den Rand ihrer altmodischen Brille hinweg an.

„Sie haben mich gefragt, warum ich nach Südafrika gekommen bin. Ich denke, ein Grund ist, dass ich helfen möchte. Das Elend hier erschreckt mich. In Europa haben die Menschen alles, und oft wissen sie das nicht einmal zu schätzen. Das Leben erschöpft sich darin, Erfolg zu haben, Geld zu verdienen und dieses Geld wieder auszugeben. Das ist so ..." Ich suchte nach dem passenden Wort. „Das ist so sinnlos."

„Nun, das ist ein ehrenwertes Motiv, und ohne Idealismus werden Sie hier auch schnell den Mut verlieren. Sehen Sie, das Gesundheitssystem in Südafrika ist nicht schlecht; wenn Sie weiß sind und Geld haben, werden Sie gut versorgt. Aber die Menschen in den Townships

In der Klinik in Klerksstadt führte Studienschwester Norma genau Buch über die Medikamente in den Kühlschränken.

haben kein Geld. Sie können sich keine Medikamente oder Arztbesuche leisten. Außerdem haben Schwarze ein anderes Verständnis von Krankheit. Jemand ist krank, wenn er einen gebrochenen Arm oder einen zerquetschten Fuß hat. Ein Virus ist viel zu abstrakt, man kann es nicht sehen, und darum gilt eine Virusinfektion auch nicht als Krankheit.

Die meisten Patienten kommen in die Klinik, wenn es schon fast zu spät ist. Für uns ist es schwierig, ihnen klarzumachen, dass sie behandelt werden müssen. Oft gehen die Menschen auch nach Hause, sobald es ihnen wieder besser geht. Sie brechen die Behandlung ab und verschwinden. Das ist gefährlich, weil der Körper dann Resistenzen bildet und die Medikamente bei einer erneuten Behandlung nicht mehr wirken."

„Und warum arbeiten Sie hier und nicht in einer Klinik in Johannesburg oder Kapstadt?"

„Aus Gründen, die Sie eben selbst genannt haben. Wir haben zwar wenig Mittel, aber wir tun, was wir können, und für mich als Ärztin ist es sehr befriedigend zu sehen, dass ich helfen kann. Obwohl..." Sie zögerte. „Obwohl es Tage gibt, an denen es mir wie ein Fass ohne Boden vorkommt."

„Was meinen Sie damit?", fragte ich.

„Es kommen sehr viele Menschen mit Schnittwunden, Schussverletzungen und inneren Blutungen in die Klinik. Tuberkulose und HIV sind schlimm genug, aber dass Menschen so gewalttätig sind, dass sie für einen Videorekorder bereit sind zu töten, das macht es manchmal unerträglich."

Sie atmete hörbar aus und sah mich an. „Joseph wird sterben." Nach einer Weile fügte sie hinzu: „Sterben ist etwas Alltägliches in diesem

ABER MEIN HERZ BLEIBT IN AFRIKA   167

Land. Aidsaufklärung ist hierzulande eine schwierige Sache. Das hat mit mangelnder Bildung zu tun, aber auch damit, dass Sexualität ein Tabu ist, unter Schwarzen genauso wie unter Weißen. Weil über Sexualität nicht gesprochen wird, wird auch nicht über Aids gesprochen. Kondome benutzt kaum jemand. Die meisten Männer weigern sich schlichtweg. Gleichzeitig wird die Krankheit dämonisiert. Es kursieren die absurdesten Theorien. Vor ein paar Wochen habe ich im Fernsehen einen *Sagoma*, einen traditionellen Heiler, gesehen, der erklärte, Sex mit Jungfrauen kuriere Aids. Stellen Sie sich das einmal vor …"

„Das kann ich mir nicht vorstellen", antwortete ich.

„Wenn hier jemand erfährt, dass er HIV-positiv ist, hat das keinerlei Konsequenzen. Überhaupt … es ist schon schwierig, Schwarzen auch nur Blut abzunehmen."

„Aber es tut doch nicht weh."

„Darum geht es nicht. Für Schwarze ist Blut eine magische Kraft. Warum sollten sie sich die wegnehmen lassen?" Dr. Maddox strich über ihren Kittel. „Ich schätze, drei Viertel der Schwarzen in Südafrika gehen, wenn sie krank sind, zu einem Wunderheiler. Schwarze haben eine völlig andere Vorstellung von Medizin, die eng verbunden ist mit Religion, Magie, mit der Natur. Alles dreht sich um die so genannte Lebensenergie, eine heilige Kraft; nur wer von ihr durchströmt wird, lebt. Diese Kraft kommt von den Göttern und von den Ahnen, die sie weitergeben an ihre Nachkommen. Gerät der Fluss ins Stocken, entstehen Krankheiten. Auch Hexerei kann Krankheiten auslösen. Wenn ein Schwarzer krank ist, ruft ein Heiler die Ahnen an und versucht durch verschiedene Rituale deren Gunst zurückzugewinnen. Gelingt das, wird der Kranke gesund. Heilkräuter spielen auch eine Rolle – lauter Dinge, von denen wir keine Ahnung haben. Ich würde sagen, Schwarze misstrauen weißer Medizin genauso, wie Weiße Hellsehern und Zauberdoktoren misstrauen." Dr. Maddox blickte aus dem Fenster.

„Nun", sagte ich, nachdem ich eine Weile über all das nachgedacht hatte, „ich würde in der Tat nicht gern zu einer Wahrsagerin gehen, wenn ich eine ansteckende Infektionskrankheit hätte."

„Sehen Sie", entgegnete Dr. Maddox. „Das ist unser Problem."

ALS ICH am Abend nach Hause kam, fühlte ich mich, als kehrte ich von einer sehr weiten Reise zurück. Ich wollte duschen, Tee kochen und versuchen aufzuschreiben, was ich gesehen hatte. Die Bilder spukten durch meinen Kopf – die ausgemergelten Körper, blinden Blicke und immer wieder Josephs Gesicht. Der Geruch von Krankheit und drohendem

Tod klebte wie ein Film auf meinen Poren. Ich stieg die Treppe zu meinem Appartement hinauf.

Die Metalltür stand offen. Die Tür zur Wohnung ebenfalls.

Bevor ich einen klaren Gedanken fassen konnte, trat eine schwarze Frau aus der Tür. Über dem Arm hielt sie einen Teppich, in der Hand einen Klopfer. Sie sah mich und erschrak, mehr noch als ich. Ich atmete auf. John und Carol hatten nicht erwähnt, dass eine Putzfrau während meiner Abwesenheit mein Appartement sauber machte. *„I'm sorry, Madam ... "*, stammelte die Frau. *„Very sorry ...* Es tut mir leid." Offenbar war sie nicht rechtzeitig fertig geworden.

„Keine Sorge", antwortete ich und stieg die restlichen Stufen hinauf. „Machen Sie ruhig weiter." Irgendwie war ich sogar froh, nicht in ein leeres Appartement zu kommen. Ich stellte meine Tasche ab, setzte Teewasser auf und nahm zwei Becher aus dem Schrank. Es roch nach Putzmitteln wie vor einer Woche. Durch das Küchenfenster hörte ich die dumpfen Schläge des Teppichklopfers. Ich hockte mich auf den Rand des Tresens und wartete, bis das Wasser kochte.

„Es tut mir wirklich leid", sagte die Frau, als sie mit dem sauberen Teppich zurückkehrte. „Ich bin in zehn Minuten weg."

„Kein Problem", antwortete ich und rutschte vom Tresen. „Ich bin übrigens Claudia."

„Mariette, Madam."

„Kommen Sie, lassen Sie uns einen Tee trinken. Sie sind ja so gut wie fertig. Alles blitzt und blinkt."

Mariette zögerte. „Ja, Madam. Aber das Schlafzimmer ist noch nicht fertig." Sie verschwand in den hinteren Teil der Wohnung. Das Wasser kochte. Ich brühte eine Kanne Tee auf. Mit einem dampfenden Becher in der Hand setzte ich mich in einen der Korbsessel und hörte, wie Mariette im Schlafzimmer die Jalousien putzte. Irgendwann stand ich auf und folgte ihr. Sie reinigte jede einzelne Lamelle. Sie hatte ein hübsches Gesicht, kurzes krauses Haar, einen kräftigen Körper und bewegte sich mit der Geschmeidigkeit eines Tieres.

„Wie alt sind Sie, Mariette?"

„Dreißig, Madam", antwortete Mariette, ohne ihre Arbeit zu unterbrechen.

„Ich bin siebenundzwanzig. Bitte, nennen Sie mich Claudia."

Mariette sah mich an, schweigend. Nickte.

„Ich würde Sie gern zu einem Tee einladen, wenn Sie fertig sind." Mariette fuhr mit einem Lappen über die Fensterscheiben. Draußen schien, obwohl später Nachmittag war, noch immer die Sonne.

ABER MEIN HERZ BLEIBT IN AFRIKA

Ich ging zurück in die Küche, legte Kekse auf einen Teller, nahm den zweiten Becher und die Teekanne und stellte alles auf den Tisch im Wohnzimmer. Kurz darauf hörte ich Mariettes Sandalen auf den Fliesen des Flurs.

„Schauen Sie, ich habe Tee gekocht." Ich deutete auf die Korbstühle. Mariette setzte sich, widerstrebend, als würde sie einem Befehl gehorchen. Ich schenkte Tee ein und bemühte mich, besonders freundlich zu klingen, als ich sagte: „Ich bin noch nicht lange in Südafrika, erst seit ein paar Tagen."

Mariette nickte.

„Ich komme aus Deutschland. Ich arbeite hier im Krankenhaus."

Mariette schwieg. Ich schob den Teller mit den Keksen über den Tisch, nickte ihr aufmunternd zu. Mariette griff nach dem dampfenden Becher, trank einen Schluck und stellte ihn wieder zurück auf den Tisch. Dann sagte sie: „Ich arbeite auch jeden Tag. Meine Chefin fährt mich zu den Häusern, in denen ich sauber mache. Ich brauche das Geld. Ich bin krank."

„Was haben Sie?"

„Die Ärzte wissen es nicht. Sie geben mir Medizin, aber die ist teuer, und am Monatsende kann ich die Rechnungen nicht mehr bezahlen."

Auf der Straße hupte ein Auto. Erschrocken sprang Mariette auf, griff nach ihren Eimern, dem Besen. „Bitte, sagen Sie meiner Chefin nicht, dass ich mit Ihnen geredet habe."

„Wie bitte? Sie waren doch längst fertig mit der Arbeit."

„Ich darf nicht mit Ihnen sprechen, Madam."

„Sie dürfen ...?" Ich sah Mariette an.

„Ich habe noch nie mit einer weißen Frau Tee getrunken, Madam. Wenn meine Chefin das erfährt, entlässt sie mich." Ich sah die Angst in Mariettes Gesicht, griff nach ihrer Hand, hilflos, beschämt, weil ich sie in Schwierigkeiten gebracht hatte. Dann lief ich ins Bad, suchte wahllos ein paar Medikamente zusammen, fand noch zwei Tafeln Schokolade, stopfte alles in eine Tüte und gab sie Mariette. Sie schob die Tüte unter ihren Rock und stürzte zur Tür hinaus.

Vom Küchenfenster aus sah ich ihr nach. Etwas an Mariette war mir sehr vertraut. Es erinnerte mich an früher, an meine Kindheit.

ICH WURDE in Cottbus geboren, im Mai 1968, dem Jahr, in dem im Westen die Studenten auf die Straße gingen. Im Osten starb jede Hoffnung auf Veränderung, als Truppen des Warschauer Pakts den Prager Frühling niederschlugen. Die Ordnung hier war unumstößlich.

Mein Vater war Arbeiter in einer volkseigenen Textilfabrik in Peitz, einem Fischerort im Spreewald, eine halbe Stunde von Cottbus entfernt. Dort arbeitete auch meine Mutter – und so lernten sich meine Eltern kennen. Meine Mutter litt seit ihrer Jugend an einer seltenen Blut- und Lungenkrankheit. Die Ärzte rieten ihr dringend davon ab, Kinder zu bekommen. Doch meine Eltern wünschten sich ein Baby, und so wurde meine Schwester Rosi geboren. Elf Jahre später kam ich zur Welt. Dann schrieb ein Arzt meine Mutter arbeitsunfähig.

Sie klagte nicht, doch sie litt darunter, dass ihr Körper ihr Grenzen setzte. Mein Vater hielt unverbrüchlich zu ihr. Andere ließen sie ihre Schwäche jedoch spüren, warfen meiner Mutter, nicht immer offen ausgesprochen, vor, sich dem Dienst am Aufbau des Sozialismus zu entziehen, Staat, Volk und Gemeinschaft zu schaden.

An Geburtstagen oder zu Festen standen meine zahlreichen Tanten, Onkel, Cousins und Cousinen vor der Tür. Ich mochte diese Familientreffen, die gemütliche Geselligkeit um einen langen Tisch herum. Einige meiner Tanten waren lauter als andere, und einige Onkel bestimmten stets die Themen, über die geredet wurde. Wir Kinder spielten, wobei meist die Kinder meiner Tanten bestimmten, was wir spielten, und ich mich fügte. So wie meine leise Mutter im Trubel der Großfamilie unterging, stand ich abseits neben meinen Cousinen und Cousins. Ich war die Kleinste – ein zartes Kind und wenig beachtet.

An einem Punkt vergaß ich allerdings meine Zurückhaltung. Fuhr eine Tante meiner Mutter im Gespräch über den Mund, baute ich mich auf und rief: „Tu das nicht noch einmal!" Ich hatte ein starkes Empfinden für Gerechtigkeit und einen unbedingten Willen, für Menschen einzutreten, die sich selbst nicht wehrten.

Das Leben in unserer Siedlung verlief ruhig und berechenbar. Bei meinen Eltern fühlte ich mich geliebt und geborgen, und nach außen lernte ich, mich und meine Familie zu schützen. Der Staat war allgegenwärtig, seine Macht stets zu spüren; ohne es zu bemerken, wurde auch ich vorsichtig, formulierte zwischen den Zeilen und übte mich in der Kunst, Dinge zu sagen, ohne sie zu sagen. Wollten meine Eltern und ich miteinander reden, fuhren wir ins Grüne.

Mehrere Geschwister meiner Eltern waren in den Westen geflüchtet, die meisten vor dem Bau der Mauer, eines danach. Die Mutter meines Vaters lebte in der Nähe von Hamburg. Sie besuchte uns jedes Jahr für eine Woche, und die Reisen waren stets mit Schwierigkeiten verbunden. Kam meine Großmutter am Bahnhof Friedrichstraße an, schleppte sie unter den Augen der Sicherheitskräfte Taschen und Koffer durch die

Absperrungen. Meine Eltern und ich warteten dahinter und durften uns nicht rühren. Meinem Vater standen Tränen in den Augen. Auch mir tat meine Großmutter leid, ich wusste, dass sie sich vor den Grenzbeamten fürchtete. Immer wieder hörten wir Geschichten, in denen Reisende willkürlich herausgegriffen wurden und ihre Koffer auspacken mussten. Fanden die Beamten etwas, was gegen die Gesetze verstieß, konfiszierten sie das Gepäck und nahmen seinen Besitzer fest.

Dennoch freute ich mich jedes Mal, wenn meine Großmutter bei uns war. Sie war eine wunderschöne Frau, duftete nach teurem Parfum und hatte einen wunderbar weichen Bauch, an den ich mich kuschelte, wenn ich ihren Geschichten aus dem fernen Land BRD lauschte. In den Augen der „Offiziellen" machten uns unsere so genannten Westkontakte natürlich verdächtig; in mir lösten sie jedoch Sehnsucht aus. Eine Sehnsucht, die ich bei anderen Kindern nicht bemerkte. In der Schule lasen wir „Das Kapital", sangen Pionierlieder und lobten unsere klassenlose Gesellschaft. Wir lernten, dass natürliche Selektion die Grundlage aller Entwicklung war, auch der menschlichen. Was bedeutete, dass der Mensch nicht von Adam und Eva abstammte, sondern vom Affen. „Aber woher kommt der Affe?", fragte ich unseren Biologielehrer.

Doch Fragen waren tabu. Stattdessen musterte mich der Lehrer, schweigend, minutenlang. „Sag doch mal …", setzte er an, „wie die Uhr im Fernsehen aussieht, wenn deine Eltern Nachrichten sehen?"

Ich wusste längst, was ich zu antworten hatte.

Je älter ich wurde, desto deutlicher spürte ich, dass wir Außenseiter waren. Meine Eltern und ich fielen auf. Nach innen schweißte uns das umso enger zusammen.

Es ist Samstagnachmittag. Am Morgen habe ich aufgeräumt, anschließend bin ich zum Supermarkt gefahren. Ich bin durch die Regalreihen geschlendert, habe weiße Familien und schwarze Dienstmädchen beobachtet, mir ausgemalt, ich würde genauso ein Leben führen, und festgestellt, dass das das Letzte ist, was ich mir wünsche. Dann bin ich nach Hause gefahren und habe mich gefreut, dass mir nach vier Wochen in Südafrika Geisterfahrer und das Kräftemessen an Kreuzungen keine Angst mehr machen. Ich habe gebügelt, mir die Haare gewaschen und meine Fingernägel gefeilt.

Es fällt mir nichts mehr ein, um die Langeweile zu bekämpfen.

An meinem ersten Wochenende habe ich Turnschuhe angezogen und wollte mein Viertel erkunden. Doch ich scheiterte an Mauern und Zäunen. Ich lernte, dass man in Pretoria nicht spazieren ging, schon gar nicht allein, und erst recht nicht als Frau. Am zweiten Wochenende schlug ich Diana vor, einen Ausflug zu machen. Wir verabredeten uns stattdessen zum Kaffeetrinken. Als ich Kuchen bestellen wollte, sah sie auf die Uhr; ihr Verlobter wartete. John und Carol erkundigten sich, ob ich mich gut eingelebt hätte, und behandelten mich fortan wie alle anderen Angestellten, freundlich, aber distanziert.

Mach dir einen schönen Nachmittag, Mädchen, denke ich. Ich gehe ins Bad, schminke mich ein wenig, nehme den Autoschlüssel und mein Notizbuch und fahre in die Innenstadt.

Am Voortrekkers-Monument stehen Touristen mit Sonnenhüten und Fotoapparaten. Mich schreckt der mächtige Granitklotz ab, der von den Eroberungen der Siedler und den Leiden der Zulus in der Schlacht am Blood River 1838 erzählt, und auch jetzt fahre ich vorbei. Am Kruger House, einem unscheinbaren sandbraunen Flachbau, biege ich ab und fahre auf den Church Square zu. Autos hupen, und Doppeldeckerbusse drängeln vorbei, die schwarzen Wolken ihrer Abgase hüllen Fußgänger ein. Ich suche einen Parkplatz. Hier im Zentrum Pretorias entstanden die ersten Häuser einer Siedlung, aus der einmal die Hauptstadt Südafrikas werden sollte. Heute stehen historische Gebäude neben modernen Apartmentblocks. Dazwischen liegt wie eine Insel ein kleiner Park. Eine Bronzestatue erinnert an Paul Krüger, den ersten Burenpräsidenten. Ich bummle an den Geschäften der Church Street entlang. In meinem Reiseführer habe ich gelesen, dass sie 43 Kilometer lang ist, eine der längsten Straßen der Welt. Die Geschäfte sind teuer, die Menschen, die hineingehen, überwiegend weiß.

Nach einer Stunde sind meine Füße geschwollen, die Schuhe drücken, und mein Kopf schmerzt vom Lärm und Gestank des Straßenverkehrs. Ich habe Durst. Wahllos betrete ich ein Café. Es ist in dunklem Holz eingerichtet, Teppich dämpft das Geräusch meiner Schritte. Trotzdem habe ich das Gefühl, dass jeder meine Ankunft registriert. Die Blicke der Männer sind prüfend, die der Frauen alarmiert. Ich trage längst keine kurzen Röcke mehr, und die Absätze meiner Schuhe sind altjüngferlich flach. Ich sehe aus wie eine graue Maus, doch man mustert mich missbilligend. Man will sehen, wer mir folgt. Man erwartet, dass ich eine verheiratete Frau bin und Mutter, so wie sie alle es sind. Niemand außer mir ist alleinstehend. Ich gehe trotzdem an einen Tisch am Fenster und setze mich. Die Kellnerin nimmt meine Bestellung auf. Ich habe inzwischen ein paar Wörter Afrikaans gelernt und ordere Kaffee und Kuchen. Dann schlage ich mein Notizbuch auf, ziehe die Kappe von meinem Kugelschreiber und beginne zu schreiben.

Seit ich beschlossen habe, all meine Erlebnisse festzuhalten, ist mein Notizbuch zu meinem wichtigsten Gesprächspartner geworden. Auch wenn es ein Monolog ist, hilft es mir, wenigstens ein bisschen Ordnung in meine Gedanken und Gefühle zu bringen. Als ich kam, hatte ich ein klares Bild – Schwarze waren gute Menschen, die von Weißen unterdrückt wurden, und Südafrika war ein Land mit einer Zweiklassengesellschaft, die es zu überwinden galt. In der DDR galt Nelson Mandela als Volksheld – in einer Reihe mit Castro und Lenin. In den VEBs, den so genannten volkseigenen Betrieben, arbeiteten Gastarbeiter aus Mosambik und Angola. Und nun war Nelson Mandela Präsident, die Zeit der Unterdrückung zu Ende, die Schwarzen bekamen ihr Land zurück und wurden offiziell gleichberechtigte Mitglieder eines demokratischen Staates. Über Kriminalität, Schwarzengangs und weiße Lynchjustiz hatte ich dabei nie nachgedacht.

Inzwischen staune ich über meine anfängliche Naivität. Jeden Tag wird mir klarer, dass ich vieles überdenken, Meinungen und Klischees revidieren muss. Doch in meinem Kopf ist ein Vakuum, denn an die Stelle des Alten tritt nichts Neues, ich weiß nicht, was ich denken soll, nichts passt. Die Wirklichkeit in diesem Land ist verwirrend vielschichtig. Das macht mir Angst.

Ich bezahle, gebe der Kellnerin ein beschämend gutes Trinkgeld und verlasse das Café. Zu Hause koche ich Spaghetti, sehe die Abendnachrichten und später „Ein Schloss am Wörthersee" auf Afrikaans. Ich gehe früh zu Bett. Morgen werde ich nach Williamsburg fahren.

2

Ein Schatten huscht am Fenster entlang und ich sehe auf. Auf der anderen Seite des Hofes, neben der Baracke, in der die Kinder untergebracht sind, läuft ein Mädchen durchs Gras. Seine Schritte sind unsicher. Es bewegt sich wie ein Kind, das erst vor Kurzem laufen gelernt hat, doch sein Ziel hat es fest vor Augen, und diese Entschlossenheit beeindruckt mich. Als das Mädchen die Schaukel erreicht, stolpert es, seine kleinen schwarzen Hände greifen nach dem Holzbrett, suchen Halt, rutschen ab. Das Mädchen fällt auf die Knie. Es verharrt einen Augenblick im Sand. Dann greift es erneut nach dem Holzbrett, zieht sich hoch, richtet sich auf. Das Mädchen dreht sich um, und nun sehe ich sein Gesicht, sein stolzes Lachen.

Ich ertappe mich dabei, dass ich lächle.

Vor mir auf dem Tisch liegen Patientenakten. Es sind mehr, als ich an einem Tag bearbeiten kann, Akten und Studienprotokolle, die ich unerledigt von Diana übernommen habe; sie selbst betreut jetzt eine Klinik in der Nähe von Durban. Überall leuchten gelbe Aufkleber, und jeder Aufkleber markiert eine Ungereimtheit, eine offene Frage, die ich später mit Elize, der stellvertretenden Klinikleiterin hier in Williamsburg, versuchen werde zu klären. Bis dahin muss ich auch noch den Karton mit den leeren Tablettenpackungen durchsehen. Manchmal komme ich mir vor wie ein Buchhalter: Jede Tablettenpackung muss überprüft werden, und wenn ich irgendwo eine einzelne Tablette entdecke, muss ich herausfinden, welcher Patient sie wann nicht eingenommen hat. Zusätzlich hat Nita, die Leiterin der Klinik, mir am Morgen sieben Akten von neu aufgenommenen Patienten gegeben. Ich sehe auf die Uhr und beschließe, auf meine Mittagspause zu verzichten.

Da höre ich ein Kichern. Zwei Kinderaugen spähen über das Fensterbrett. Im nächsten Moment sind sie verschwunden, und Gelächter bricht los. Ich gehe zum Fenster. Im Sand liegen zwei kleine Jungen. Ein dritter, etwas älterer steht daneben, die Hände noch zu einer Räuberleiter gefaltet. Die Jungen tragen Hemden und kurze Hosen aus blau-weiß gestreiftem Stoff. Ich winke ihnen zu, der Ältere lässt seine Hände los und guckt schuldbewusst. Die beiden Kleinen grinsen frech.

Ich schenke mir ein Glas Mineralwasser ein und schlage die nächste Akte auf: ein Mann, der seinen Namen und sein Alter nicht kennt und sechs Kinder hat. Zwei seiner drei Töchter sind HIV-positiv, über die Söhne ist außer den Namen nichts vermerkt. Der Mann wurde betrunken mit Messerstichen im Bauchbereich eingeliefert, während der Untersuchungen wurde eine offene Tuberkulose diagnostiziert. Durch die Lektüre der Akten habe ich schon viel über das Leben in den Slums gelernt. Ich weiß, dass viele Kinder unterernährt sind, Familien zerbrechen, Männer trinken. Ich habe gelesen, dass farbigen Kindern alle Zähne gezogen wurden, weil Zahnlosigkeit als Zeichen von Reichtum und Schönheit verstanden wird. Ich weiß, dass sowohl Mädchen als auch Jungen beschnitten werden; erst neulich sind mehrere Jungen bei einer Beschneidungsfeier gestorben. Was mich immer wieder schockiert, sind Unwissenheit und Sorglosigkeit im Umgang mit Aids.

Ein Knarren reißt mich aus der Lektüre. Die Tür zu meinem Büro öffnet sich einen Spalt und eine schwarze Nase schiebt sich zwischen Tür und Türrahmen. Die Nase fragt auf Afrikaans: „Was machst du da?"

Ich muss lachen. Dann sage ich zu der Nase: „Ich arbeite."

Einen Moment ist es still. Dann öffnet sich der Spalt und einer der beiden kleinen Jungen, die eben im Sand lagen, steht im Türrahmen. „Komm raus", sagt er, und sein kecker Ton verblüfft mich. „Wir spielen draußen."

„Ich kann nicht spielen", antworte ich dem Jungen. „Ich muss arbeiten." Der Junge schaut mich an. Er hat sehr kurze krause Haare und mandelförmige Augen. Seine Haut ist nicht schwarz, sondern bronzefarben, und seine Augenbrauen kräuseln sich, als er dasteht und nachdenkt. Auf einmal grinst er. Es ist ein verschmitztes, ein gewinnendes Grinsen, mit dem er auf mich zukommt. Er greift nach meiner Hand und will mich von meinem Stuhl ziehen. Er sagt: „Nicht arbeiten!" Halb zögere ich, halb bin ich nur allzu bereit, ihm zu folgen. Dann fällt mir ein, dass im Auto noch eine Rolle Kekse liegt. „Magst du einen Keks?", frage ich.

„Kekse?" Jetzt lacht der Junge übers ganze Gesicht. Er hat gewonnen.

Im Männerschlafsaal, an den mein Büro grenzt, amüsieren sich die Patienten über den kleinen Jungen, der eine weiße Frau hinter sich herzieht. Draußen blendet die Sonne. Ich halte mir die Hand vor die Augen und sehe Sarah, eine der schwarzen Krankenschwestern, die mit einem Kasten voller Blutproben aus dem Schlafsaal der Frauen kommt. Von irgendwoher kommen andere Kinder angelaufen, sie folgen uns in einigem Abstand. In meiner Handtasche suche ich nach der Funk-Fernbedienung. Der Junge lässt meine Hand los und läuft zu meinem Auto, bleibt dann aber davor stehen, ohne die Tür zu öffnen. „Wie heißt du?", frage ich.

„Tillis."

„Ich heiße Claudia." Tillis nickt und grinst. Ich nehme eine Tüte vom Rücksitz und ziehe eine Packung Kekse heraus. Tillis sieht mich an. Als ich nicke, klettert er auf den Vordersitz. Im nächsten Moment öffnet jemand die Beifahrertür. Ein Junge mit dünnen Ärmchen und einem hübschen, schmalen Gesicht steht im Rahmen und schaut zu, wie Tillis mit Erobererstolz am Lenkrad dreht. Ich nicke auch ihm aufmunternd zu. Der Junge zögert, dann geht ein Lächeln über sein Gesicht, und er klettert auf den Beifahrersitz. Ein drittes Kind, ein Junge mit tiefschwarzer Haut und ernsten Augen, drängelt dazu, und plötzlich wimmelt es von Jungen und Mädchen, die sich ins Auto schieben, alle reden und rufen durcheinander, fassen an, probieren aus, kurbeln am Lenkrad, hupen, blinken. Ich verteile Kekse, und nach einer Weile sage ich: „Jetzt müsst ihr leider wieder aussteigen", und alle klettern aus dem Auto. Umgeben von einem Pulk aufgeregter kekskauender Kinder, laufe ich über den Platz. Ein Mädchen schmiegt sich an mein Bein. Es ist die Kleine, die vorhin so entschlossen auf die Schaukel zugelaufen ist. Ich hebe sie hoch. Sie ist höchstens zwei Jahre alt und federleicht. Sie lacht und ihre winzige breite Nase zuckt. Sie hat lange, sehr dichte Wimpern. Ein Junge zieht an meinem Arm. „Ich auch", sagt er. Doch ich kann nicht zwei Kinder gleichzeitig tragen. Also streiche ich über sein Haar und sage: „Du bist doch schon groß."

„Ich auch", wiederholt der Junge. Er hat sehr schiefe Zähne. Dann setze ich das Mädchen auf meine Hüfte und reiche dem Jungen meine freie Hand. Tillis schiebt seine Hand dazwischen. Der Junge schubst ihn zur Seite, schimpft. Doch die beiden einigen sich. Jetzt stecken zwei warme Kinderhände in meiner Hand.

An der Tür zum Wartezimmer setze ich das Mädchen ab. Überrascht schaut es zu mir auf, reckt seine Arme, während Tillis ungeduldig an meiner Hand zieht. Am Ende des Flures liegt die Tür zur Kinderstation – ich bin hin- und hergerissen. Um 14 Uhr will Elize kommen, um offene Fragen durchzusprechen. Und spätestens um 16 Uhr will ich aufbrechen, um vor Einbruch der Dunkelheit wieder in Pretoria zu sein. Ich denke an Carol, ihren ungeduldigen Blick, mit dem sie mich mustern wird, wenn ich morgen früh nicht sämtliche Akten bearbeitet vorlege. Wie ich diese Blicke hasse!

„Komm, Keks-Frau!" Tillis schaut mich an und wieder kräuseln sich seine Augenbrauen. Er versteht mein Zögern nicht.

„Okay", sage ich, hebe das Mädchen hoch und folge den Kindern zu ihrer Station; dann werde ich doch eine Mittagspause machen und die Zeit später aufholen.

Im Kinderschlafsaal hocken drei Mädchen auf dem Fußboden und spielen mit einem Kieselstein. In einem Bett neben dem Fenster hustet ein Kind, es ringt hörbar nach Luft. Auf seinem Hemd sehe ich Spuren blutigen Auswurfs. Im Nachbarbett liegt ein Junge, dessen Augen so trüb sind wie die von Joseph im Krankenhaus in Klerksstadt. Ich denke an Dr. Maddox – im Vergleich zu ihrer Klinik wirkt die hier in Williamsburg wie ein Sanatorium. Doch nirgendwo hängt ein Bild, eine Kinderzeichnung, nirgendwo sehe ich einen Teddy oder Spielzeug. Wir schlängeln uns an Gitterbettchen vorbei und gehen hinaus in den Garten.

Ein hoher Stacheldrahtzaun umgibt den Garten. Der Rasen ist stoppelig kurz, und vertrocknete Stellen ziehen sich durch das Grün. Eine Wippe steht verlassen in der Sonne, und auf einem in den Boden eingelassenen Gummireifen hüpft ein Junge. In der Mitte des Gartens steht ein Baum. In seinem Schatten hat jemand eine Decke ausgebreitet, auf der jetzt zwei schwarze Schwestern sitzen, eine füttert ein Baby. Die andere Schwester ist Sarah, sie hält ein Kind in den Armen, ich kann nicht erkennen, ob es ein Mädchen oder ein Junge ist. Die Kleine auf meinem Arm strampelt und ich lasse sie hinunter. Auf ihren Babyspeckbeinen läuft sie zu Sarah. Die anderen Kinder rennen zu den Schaukeln und Tillis zieht mich mit. Etwas an ihm ist so unbedingt; er will, dass ich mit ihm spiele, und obwohl ich weiß, wie viel Arbeit auf mich wartet, kommt es mir zutiefst richtig vor, das auch zu tun.

Tillis klettert auf die Schaukel und ich stoße ihn an. Der Junge mit dem schmalen, hübschen Gesicht hält sich an den Ketten der anderen Schaukel fest. Er bewegt sich vorsichtig. Seine Beine sind so dünn wie seine Arme und zittern, als er sich setzt. Still und kerzengerade sitzt er auf der Schaukel. Doch ihm fehlt die Kraft, sich abzustoßen und Schwung zu holen. Ich gehe zu ihm, fasse das Brett an beiden Seiten und stoße es sanft an. Die knochigen Hände des Jungen krallen sich in die Kette. Ich spüre, wie sich sein Körper verkrampft. „Hab keine Angst, ich passe auf", sage ich. Ich weiß allerdings nicht, ob der Junge Englisch versteht. Die meisten Kinder in den Kliniken der Townships sprechen Zulu, manche Afrikaans. Dass Tillis Englisch versteht, ist erstaunlich.

„Mehr, Claudia!", ruft Tillis und lehnt sich im Flug zurück. Seine Füße ragen in die Luft, sein Kopf hängt hintenüber. „Mehr! Höher!" Ich gebe ihm Schwung, und ab und zu stoße ich sanft den anderen Jungen an. Ein paar Kinder stehen um ihn herum, und mir fällt auf, dass keines versucht, ihn von der Schaukel zu drängen. Langsam entspannen sich die Züge des Jungen und ein stilles Lachen geht über sein Gesicht. „Höher!", ruft Tillis und schwingt sich jauchzend durch die Luft. Er fliegt, wie ein Vogeljunges.

Als ich den anderen Jungen wieder anstoßen will, schüttelt er den Kopf. Ich lasse seine Schaukel ausschwingen. Als sie stillsteht, steht er auf. Ich reiche ihm meine Hand, er macht ein paar Schritte, bleibt stehen. „Komm mit mir", sage ich und deute auf die Decke im Schatten des Baumes. Jeder Schritt kostet ihn jetzt Anstrengung. Gemeinsam gehen wir über den Rasen. Der Junge zittert. „Frierst du?", frage ich. Er nickt.

Die Schwestern rücken zur Seite. Das Kleinkind in Sarahs Arm strampelt sich frei und Sarah legt es bäuchlings auf die Decke. Sarah sagt etwas auf Zulu zu dem Jungen, sie nennt ihn Joseph, und wieder denke ich an Dr. Maddox und die Patienten in Klerksstadt. Die andere Schwester, ich kenne ihren Namen nicht, reicht mir den roten Pullover, der neben ihr liegt. Ich helfe Joseph, ihn anzuziehen. Ich schwitze und wische mir mit der Hand über die Stirn. Sarah deutet neben sich und ich setze mich mit auf die Decke. Im nächsten Augenblick springt mir jemand in den Rücken, zwei schmale Arme schlingen sich um meinen Hals. Tillis lacht und lässt sich in meinen Schoß kugeln, wie ein Hundejunges liegt er vor mir, Arme und Beine von sich gestreckt, seine braunen Augen betteln, als wollte er, dass ich ihm den Bauch kraule. Ich fahre mit der Hand über sein blau-weiß gestreiftes Hemd. Tillis kichert. Ich kitzle ihn und er windet sich, bis er vor lauter Lachen nach Luft schnappt. Er springt auf seine Füße und wirft sich erneut in meine Arme. Ich streichle sein dunkles Haar, es ist so kurz, dass ich seine Kopfhaut unter meinen Fingern spüre. Seine Stirn ist warm, er scheint etwas Temperatur zu haben. Ich frage Sarah, doch sie schüttelt den Kopf. „Hat Tillis Tuberkulose?", will ich wissen.

„Ja, aber es geht ihm schon wieder gut."

In meiner Handtasche suche ich nach einem Gummiband, um meine Haare zusammenzubinden. „Wie heißt ihr?", frage ich die Kinder.

Sie sehen mich an. Keines antwortet.

„Wie heißen deine Freunde?", frage ich Tillis auf Englisch. Er übersetzt meine Frage.

„Simon", sagt ein Junge, über dessen Stirn sich eine schmale Narbe zieht. Der Junge mit der tiefschwarzen Haut und den ernsten Augen stellt sich als Moses vor, und der Älteste der drei heißt Earl. Immer wenn er hustet, blitzen seine schiefen Zähne hervor. Tillis deutet auf die Kleine in dem weißen Kleid. „Und das ist Gloria." Sie reckt ihren Kopf, als sie ihren Namen hört. Ich streiche über ihr kurz geschorenes Haar und richte den Kragen ihres Kleides. Die Schwester, die das Baby füttert, steht auf und das Baby heult los wie eine Sirene.

„Warum weint es? Was fehlt ihm?"

„Es ist sehr krank. Seine Mutter ist auch sehr krank." Sarah wirkt verlegen. Dann verstehe ich.

„So ein kleines Baby!?"

Sarah nickt. „Es ist Glorias Bruder. Als Gloria geboren wurde, war die Mutter noch gesund." Sarah deutet auf den Maschendrahtzaun, der den Garten von den Gebäuden der Frauenstation trennt. Natürlich weiß ich, dass sich Kinder mit dem HI-Virus infizieren können, doch der Anblick des aidskranken Babys schockiert mich.

„Das Baby hat einen Pilz in der Speiseröhre", sagt Sarah. „Darum schreit es, wenn wir es füttern."

„Sind andere Kinder auch mit dem Virus infiziert?", frage ich vorsichtig. Sarah zuckt die Schultern, und ich weiß nicht, ob das Ja oder Nein bedeutet. Das Baby, das bäuchlings zwischen unseren Beinen liegt,

Mit Earl (stehend) und Moses (vorn Mitte), Gloria (im weißen Kleid) und Tillis (rechts hinten) vor der Klinik

Die Kinder spielten gern mit meiner Sonnenbrille. Hier trägt Gloria sie. Rechts neben ihr steht Tillis. Auf der Bank hinter dem Zaun, der den Garten von den Gebäuden der Frauenstation trennt, liegt Tillis' Mutter.

Am Eingang der Klinik in Williamsburg stehen die Klinikleiterin Nita (links) und ihre Stellvertreterin Elize (rechts).

Tillis präsentiert stolz seine neue Baseballkappe. Die Kappen wurden von einer Pharmafirma gespendet mit der Absicht, Patienten, die aus der Klinik verschwanden, in den Squatter-Camps besser wiederfinden zu können.

gibt einen lauten Rülps von sich und Simon, der Junge mit der Narbe, lacht. Sarah bemerkt meinen Blick. Sie nickt.

Ich habe tausend Fragen, doch ich spüre deutlich, dass Sarah nicht über das Thema sprechen will. Tillis zieht ein Brillenetui aus meiner Handtasche. Er betrachtet es von allen Seiten, bis er den Mechanismus entdeckt, um es zu öffnen, und meine Sonnenbrille herausfällt. Tillis nimmt die Brille und setzt sie auf. Ich fange Sarahs Blick auf. Diese eine Frage soll sie mir noch beantworten: „Tillis auch?"

Sarah schüttelt den Kopf.

Ich atme auf. „Und Moses? Earl?"

„No." Sarah wendet sich ab und hebt ein krabbelndes Kleinkind hoch. Gloria hält etwas Gelbes in ihren Händen, und als ich genauer hinschaue, sehe ich, dass es eine Plastiktüte ist. Sie wirft die Tüte in die Luft und sieht verzückt zu, wie sie zu Boden fällt. Simon und Moses versetzen der Tüte Schläge, sodass sie weiter durch die Luft trudelt. Wie Kinder, die mit einem Luftballon spielen, denke ich, und jetzt fällt mir auf, dass auch hier draußen nirgendwo Spielzeug liegt. Tillis greift nach meiner Handtasche, hängt sie sich über die Schulter. Dann stolziert er hüftwackelnd durchs Gras. Die anderen Kinder lachen. Angestachelt von so viel Aufmerksamkeit wirft Tillis sich in Pose, baut sich breitbeinig auf, eine Hand in die Hüfte gestützt, eine um den Träger der Tasche geschlungen. Nur seine Nasenspitze guckt unter der riesigen Sonnenbrille hervor. Er grinst breit und frech.

„Wie alt ist Tillis?", frage ich.

„Vier", antwortet Sarah.

„Der Junge hat einen entwaffnenden Charme." Die anderen Kinder greifen nach der Handtasche, und Tillis presst sie an sich, als müsste er kostbares Gut schützen. Er befreit sich aus dem Pulk, kommt zurück und übergibt mir die Tasche. Die Brille behält er auf. Earl will sie auch einmal aufsetzen. Sarah schubst den Jungen zur Seite. Ich kann zusehen, wie Earls Lachen stirbt, sein Gesicht sich verschließt. Mit angezogenen Schultern steht er am Rand der Decke, seine dünnen Arme hängen zu beiden Seiten herab, als gehörten sie nicht zu ihm. Sarah schaukelt das Kleinkind auf ihrem Schoß, als wäre nichts geschehen. „Komm", sage ich zu Earl. Ich weiß nicht, was „kommen" auf Zulu heißt, darum winke ich Earl zu, doch er rührt sich nicht. Ich probiere es auf Afrikaans. Earl rührt sich nicht. In meiner Tasche suche ich nach Süßigkeiten. Earl schaut mich nicht einmal an.

Als ich wieder aufblicke, sehe ich eine junge Frau in der Tür zur Kinderstation stehen. Sie trägt einen hellblauen, gerade geschnittenen

Krankenhauskittel. Obwohl sie dort drüben stehen bleibt, kann ich den Ausschlag in ihrem Gesicht erkennen, dicke Beulen, die sich unter ihrer Haut wölben, auf einigen sitzt Schorf. Wie Pocken, denke ich.

„Die Mutter", sagt Sarah.

„Was?" Ich starre die Frau an. Sie sieht so unwahrscheinlich jung aus. „Wie alt ist sie?", frage ich Sarah.

„Zweiundzwanzig."

Was für ein kurzes Leben, denke ich. Warum hat sie bloß kein Kondom benutzt? Ich muss unbedingt mit Elize darüber sprechen, Elize ist nicht so verschlossen wie Sarah. Als ich auf die Uhr sehe, erschrecke ich – schon so spät! Ich habe gar nicht bemerkt, wie die Zeit vergangen ist. Schnell springe ich auf und will Tillis die Sonnenbrille von der Nase nehmen, doch er protestiert. Er winkt ein paar Frauen zu, die auf der anderen Seite des Maschendrahtzauns auf einer Bank sitzen, ruft etwas auf Zulu. Die Frauen beachten ihn nicht. „Was rufst du?", frage ich.

„Die Frau ganz rechts ist seine Mutter", sagt Sarah.

Einen Moment lang bin ich nicht sicher, ob ich richtig verstanden habe. „Du meinst, dort drüben sitzt Tillis' Mutter und guckt nicht einmal herüber, wenn ihr Sohn ruft?"

„Sie interessiert sich nicht für ihn."

Die Frauen unterhalten sich, eine lacht, eine andere bohrt ihre Zehen in den Sand. Tillis legt beide Hände um den Mund, ruft noch einmal und winkt; es ist unmöglich, dass die Frauen ihn nicht hören. Irgendwo in meiner Brust wird es sehr kalt. Ich drücke Tillis an mich. Mir ist, als öffne sich ein Abgrund, als ich zusehe, wie der Junge um die Aufmerksamkeit seiner Mutter kämpft. Doch er bekommt nicht einmal ein Nicken als Antwort.

Tillis greift nach meiner Hand. Er sieht mich an. Sein kecker Blick ist verschwunden, in seinen Augen liegt ein Ernst, der mir wehtut. „Willst du meine Mama sein?"

DIE LUFT ist mild, und Wind spielt mit den Blättern der Eukalyptusbäume. Insekten sirren und zirpen – eine Musik, die mich an Sommerabende mit meinen Eltern erinnert. Ich schiebe einen Stuhl ans offene Fenster. Draußen im Garten schillert der Swimmingpool im Mondlicht. Seit ich aus dem Gästehaus der Firma in meine eigene Wohnung gezogen bin, habe ich noch nie Nachbarn schwimmen oder sonnenbaden sehen. Die Stille in diesem Haus ist beinahe unwirklich. Ich beiße in einen Apfel und schaue dem Spiel des Lichts zu.

Noch immer klingen Tillis' Worte in meinen Ohren.

Ich hatte nicht einmal die Hälfte der Akten bearbeitet, als Elize an meine Bürotür klopfte. Nachdem sie gegangen war, kontrollierte ich den Karton mit den leeren Tablettenpackungen; für anspruchsvollere Arbeiten fehlte mir die Konzentration. Während der gesamten Fahrt zurück nach Pretoria sah ich die Gesichter der Kinder vor mir. Tillis' Umarmung konnte ich immer noch wie einen Abdruck auf meiner Haut spüren. Die Kinder hatten mich so vorbehaltlos und innig aufgenommen, wie ich lange nirgends mehr aufgenommen worden war. Mit ein paar Keksen und einer Sonnenbrille hatte ich ihre Herzen erobert – es berührte mich, wie wenig es brauchte, sie glücklich zu machen. Doch unter dieser Freude schwelte Wut.

Warum war die Welt so ungerecht?

Warum starben Babys an Aids? Warum entschied die Tatsache, wo ein Mensch geboren wurde, über sein gesamtes Leben? Warum hatte ich liebevolle Eltern und Tillis eine Mutter, die nicht einmal winkte, wenn er nach ihr rief? Warum hatte ich zu essen, Spielzeug, Kleidung gehabt, warum hatte ich zur Schule gehen, eine Ausbildung machen dürfen, während Kindern wie Tillis, Simon, Earl, Moses und Gloria solche Selbstverständlichkeiten verwehrt blieben?

Wie ein Tier im Käfig laufe ich in der Wohnung umher, sehne mich danach, mit jemandem zu reden. Irgendwann gehe ich zu Bett.

AM NÄCHSTEN Morgen sitze ich schon früh am Schreibtisch. Carol ist die Erste, die an meine Tür klopft. „Wann bekomme ich die Akten?", fragt sie, und ich bilde mir ein, Ungeduld in ihrer Stimme zu hören.

„In einer halben Stunde. Ich bringe sie."

Carol zögert. Ich weiß, dass sie unzufrieden ist. Sie geht, und durch die offene Tür höre ich, wie sie Ndosi, dem Fahrer, Befehle erteilt. Carol spricht immer im Befehlston mit den schwarzen Angestellten, doch wenn sie schlecht gelaunt ist, wird ihr Ton besonders scharf.

Kurze Zeit später erscheint Relia, meine unmittelbare Vorgesetzte. „Wie war es in Williamsburg? Wann bekomme ich die Akten?"

Relia ist ein General im Gefecht. An meinem ersten Arbeitstag streckte sie die Hand aus und schleuderte mir ihren Namen entgegen. „Wir haben hier viel zu tun. Ich hoffe, Sie fügen sich schnell und problemlos in mein Team ein. Ich beurteile meine Mitarbeiter danach, was sie leisten. Es liegt an Ihnen, ob wir gut miteinander auskommen oder nicht." Dann drehte sie sich um und verschwand.

Jetzt übergebe ich Relia die fertigen Akten.

„Und die anderen?"

„An denen arbeite ich noch."

„Was haben Sie den ganzen Tag getan, wenn das alles ist, was Sie als Ergebnis vorzuweisen haben?"

„Es gab Unklarheiten, bei denen die Klinikleiterin noch Rücksprache mit dem behandelnden Arzt halten muss. Der war aber gestern nicht zu erreichen."

„Bei der WHO wartet man auf Ergebnisse." Relias Stimme wird leise, als sie mir scharf in die Augen sieht. „Ich hatte mehr von Ihnen erwartet."

Mir wird heiß und ich spüre, wie meine Wangen zu glühen beginnen. „Ich werde Ihnen die Akten schnellstmöglich bringen." Relia sagt etwas auf Afrikaans, und Sandra, mit der ich ein Büro teile, lacht.

Schnell beuge ich mich über meine Unterlagen. Konzentriert vergleiche ich in den nächsten Stunden Blutwerte und Pulsfrequenzen, Studienmedikationsnummern und Einnahmedaten. Ich prüfe Protokolle, sachlich und professionell, wie ich es seit Jahren tue; ich tue es gut, sonst hätte man mir nicht laufend größere Projekte anvertraut. Doch irgendwann tanzen die Wörter und Zahlen vor meinen Augen, und eine Stimme ruft: Die wirklich wichtigen Dinge tauchen in diesen Berichten gar nicht auf! Es gelingt mir nicht, die Stimme zum Schweigen zu bringen. Noch nie habe ich die Diskrepanz zwischen nüchternen medizinischen Fakten und den Gefühlen der Patienten, dem, was die Krankheit für ihr Leben bedeutet, so deutlich gespürt.

Mittags bringe ich Relia die restlichen Akten. Auf dem Rückweg treffe ich Diana, sie sitzt im Innenhof und raucht eine Zigarette. „Wie war es in Williamsburg?", fragt sie. „Gab es Schwierigkeiten beim Abgleich der Patientenbücher und Studienprotokolle?"

„Ein paar. Die meisten Fragen konnte ich mit Elize klären."

„Sie ist wirklich hilfsbereit. Und eine, auf die du dich verlassen kannst. Die schwarzen Studienschwestern sind längst nicht so akkurat, das wirst du noch merken." Am Nebentisch diskutieren zwei Kollegen, ob es günstiger sei, im örtlichen Rugby- oder doch lieber im Kricketverein Mitglied zu sein.

„Weißt du, was passiert ist, Diana?" Ich hole Luft. Ich muss es einfach loswerden. Ausführlich erzähle ich Diana von Tillis, von dem aidskranken Baby, von Joseph und Tillis' Mutter. Diana hört zu. Schließlich drückt sie ihre Zigarette aus. „So ist das", sagt sie. „Weißt du, ich mache den Job seit Jahren. Und ich kenne dieses Land. Ich gebe dir einen Rat: Versuch, ein bisschen nüchterner mit den Dingen umzugehen. So ist die Realität nun mal, und du kannst daran nichts ändern."

Vor allem der letzte Satz geht mir nicht mehr aus dem Kopf.

Am späten Nachmittag rufe ich Johns Sekretärin an und bitte um einen Termin. Mein Plan ist gut durchdacht, als ich das Büro betrete. Ich schildere, wie viele Neuaufnahmen mit Tuberkulosediagnose es in der Klinik in Williamsburg gibt. „Alles potenzielle Studienpatienten. Das sollten wir uns nicht entgehen lassen. Allerdings müsste ich noch einmal hinfahren, um Erstgespräche zu führen und auch die Schwestern entsprechend einzuweisen."

„Eine gute Idee", sagt John. „Je mehr Patienten wir kriegen, desto eher können wir die Studie abschließen. Wann fahren Sie?"

„So bald wie möglich."

GERADE als ich das Gemüse putze, klingelt es. Ich wische mir die Hände ab und öffne.

„Hallo." Die Frau ist älter, mindestens fünfzig, und trägt eine rosafarbene Strickjacke. Sie wohnt unter mir.

Ich bin etwas überrascht. „Ist alles in Ordnung?"

„Bitte, tun Sie mir einen Gefallen. Fahren Sie mit mir ins Krankenhaus. Ich schaffe es nicht allein."

Ich schaue sie verblüfft an.

„Es ist nur … weil … Es ist so schrecklich. Wir kommen aus Thohoyandou, oben im Norden. Mein Mann ist krank. Er musste ins Krankenhaus, hier in Pretoria. Er hat Lungenkrebs. Die Ärzte sagen … es kann sein …" Sie schluchzt auf. „Es kann sein, dass ich ohne ihn zurückkehren muss."

„Gut", antworte ich. „Ich komme mit."

Die Klinik, in der ihr Mann liegt, erweist sich als jene Privatklinik, in der ich am Tag meiner Ankunft nach einem Lebensmittelgeschäft gesucht habe. Wir laufen Flure entlang, die so blank geputzt sind, dass wir auf dem Fußboden Schatten werfen, sobald wir an einer Lampe vorbeigehen. Ich sehe gläserne Türen, die zu Wartezimmern führen, in denen mächtige Ledersessel stehen. Auf den Tischen liegen Hochglanzzeitschriften, und neben der Garderobe entdecke ich einen silbernen Kaffeeautomaten. Überall stehen Blumensträuße. Eine Schwester in gestärkter Tracht kommt uns entgegen und grüßt freundlich. Mir ist, als sei ich in einem Luxushotel. Ist es das, was Dr. Maddox meinte, als sie sagte, das südafrikanische Gesundheitssystem sei gut – vorausgesetzt, man ist weiß und hat Geld?

Vor einer Eichenholztür am Ende des Flures bleibt meine Nachbarin stehen. Es ist ein Einzelzimmer mit Blick auf den Highway. Ihr Mann sitzt aufrecht in seinem Bett. Seine Haut ist fahl, seine Wangen sind eingefallen. Er sieht ausgezehrt und erbarmungswürdig aus. Doch seine Augen blitzen, als er mich mustert. Und seine Stimme knarrt, als er ruft: „Blond und blauäugig! Das ist wahre arische Kultur!"

ICH WAR acht Jahre alt, als meine Eltern mit Rosi und mir nach Berlin fuhren. Wir liefen einen Boulevard entlang, von dem mein Vater sagte, er heiße „Unter den Linden". Mir gefielen die großen Häuser, der beinahe glamouröse Palast der Republik, das Sowjetische Ehrenmal.

Am Ende der Straße endete unsere Welt. Hohe Zäune und Gitter versperrten den Weg. Volkspolizisten mit Maschinengewehren und strengen Gesichtern standen in Abständen von wenigen Metern, sie machten mir Angst. Stacheldraht umgab alle Zäune. Ich entdeckte gläserne Häuschen, aus denen uns Wachposten mit Ferngläsern beobachteten. Zu beiden Seiten des Boulevards standen Panzer, die Mündungen ihrer Kanonen auf die Menschen vor den Sperrgittern gerichtet.

Dahinter lag kalt und grau eine Mauer.

Meine Mutter nahm Rosi und mich an die Hand, und mein Vater schob sich beschützend zwischen uns und andere Besucher. Zügig liefen wir an den Wachposten entlang. Wir fanden einen Platz an den Absperrungen, drängten uns dicht an die Gitterstäbe. Trotz der vielen Menschen war es still. Kaum jemand sprach. Ab und zu hörte ich ein Lachen, kurz und nervös.

Wir blickten auf menschenleeres Niemandsland.

In der Mitte stand, wie die Kulisse eines Films, das Brandenburger Tor. Die Fahne der Deutschen Demokratischen Republik wehte über der Quadriga. Ein Stück dahinter schwebte ein goldener Engel. Gemeinsam sahen wir auf das leere Land und das Brandenburger Tor. Dann entdeckte ich Menschen auf der anderen Seite des Tores. „Können wir hinüberlaufen?", fragte ich meinen Vater.

„Wenn du Rentnerin bist, dann kannst du hinüberlaufen."

„Aber warum? Es ist nicht weit …"

„Es ist sehr weit", antwortete mein Vater.

Ich verstand nicht, warum ich alt werden musste wie meine Großmutter, um ein paar Schritte weiter gehen zu dürfen. Das Gefühl, eingesperrt zu sein, erfasste mich an diesem Nachmittag, und es ließ mich nie mehr los. Ein paar Wochen später sagte ich zu Rosi: „Wenn ich groß bin, werde ich flüchten."

Ungefähr zu dieser Zeit schrieb meine Großmutter einen Satz in mein Poesiealbum: *Lasse Dir niemals Dein Ziel verrücken – Zur Erinnerung an Deine Oma.* Die Worte berührten mich, obwohl ich sie damals nicht verstand. Ich bewunderte meine Großmutter, denn ich wusste, dass sie ein Leben, mit dem sie nicht glücklich war, aufgegeben und ihr Glück gesucht hatte. Wenn sie uns besuchte, brachte sie Geschenke mit, doch es war nicht dieser Luxus, sondern ein Gefühl von Freiheit, das ich in ihren Erzählungen spürte, das mich, je älter ich wurde, umso deutlicher spüren ließ, wie begrenzt mein Leben war.

Mein Fernweh wuchs. In der Oberschule lieh ich Bücher über ferne Länder aus der Bibliothek aus. Wir lernten Russisch, und Schüler mit guten Zensuren erhielten eine Stunde Englischunterricht in der Woche; das reichte mir nicht, und ich lernte auf eigene Faust Englisch, hörte heimlich BBC London und verrauschte Westsender, brachte mir Französisch und Italienisch bei. Meine Freunde verspotteten mich; das sei Zeitverschwendung, ich würde meine Sprachkenntnisse nie anwenden können.

Zum Ende der Schulzeit wurden die Restriktionen immer stärker. Meine Zensuren waren gut, ich bekam Auszeichnungen und schloss die Polytechnische Oberschule mit dem Prädikat „Ausgezeichnet" ab. Ich war bei den Pionieren, trug meine FDJ-Bluse, trat bei Fahnenappellen an. Ich marschierte bei Kundgebungen mit, wie es erwartet wurde, ging zur Jugendweihe und legte meinen Eid ab, auch wenn ich nur stumm die Lippen bewegte. Wie alle anderen erledigte ich gemeinnützige Arbeiten, schippte Sand auf Sportplätzen, hob im Morgengrauen Gräber auf dem örtlichen Friedhof aus und half in den Ferien, Tote für die Trauerfeier vorzubereiten. Als wir gefragt wurden, was wir werden wollten, sagte ich: Empfangssekretärin in einem Hotel. Fremdsprachenkorrespondentin. Journalistin.

Man fragte, ob ich in der Partei sei.

Man fragte, ob ich Verwandtschaft im Westen hätte.

Die erste Frage beantwortete ich mit Nein, die zweite mit Ja. Meine Wünsche wurden abgelehnt. Die Einsicht, dass meine Neigungen und Interessen nichts galten, alle Anstrengungen und Leistungen bedeutungslos waren, war bitter. Schließlich machte man mir ein Angebot: Wenn ich den Kontakt zu meiner Großmutter abbräche, könnte ich möglicherweise doch eine Ausbildung zur Empfangssekretärin machen. Ich lehnte ab; es wäre mir wie ein Verrat vorgekommen.

So begann ich eine Ausbildung zum Wirtschaftskaufmann im Braunkohlekraftwerk Jänschwalde. Wegen guter Leistungen empfahl mich die Betriebsleitung anschließend zum Studium, sodass ich in Senftenberg Ingenieurökonomie des Bergbaus studierte. In Hamburg erkrankte unterdessen meine Großmutter an Krebs. Tagelang saßen meine Eltern vorm Telefon. Gespräche in den Westen mussten angemeldet werden, und man wusste nie, ob und wann eine Verbindung zustande kam. Mein Vater ging zur Polizei, erklärte, seine Mutter liege im Sterben, und legte eine ärztliche Bescheinigung vor. Man ließ ihn nicht fahren. Kurze Zeit später starb meine Großmutter. Am Morgen ihrer Beerdigung wusste mein Vater noch nicht, ob er eine Reisegenehmigung bekäme. Schließlich kam ein Anruf; er solle sich in einer halben Stunde am Bahnhof einfinden. Er musste allein fahren. Wir durften ihn nicht begleiten.

Nach Abschluss des Studiums wurde ich in den Nachwuchs-Führungskader der Firma aufgenommen, in der ich meine Ausbildung gemacht hatte. Zu meinem Erstaunen bot man mir im Sommer 1989 ein zweites Studium an. Angesichts meiner guten Leistungen sei Filmwirtschaft in Babelsberg nicht ausgeschlossen. Natürlich müsse ich dazu in die Partei eintreten. Ich lehnte ab.

Kontakte zum Fernsehen hatte ich bereits. Durch einen Zufall waren eine Freundin und ich im Produktionsstab der DDR-Unterhaltungssendung „Ein Kessel Buntes" gelandet. Der Produktionsleiter war ein Schulfreund unseres Rektors, und als eines Tages während der Proben Personalnot herrschte, wurden wir kurzerhand abkommandiert. Anfangs trug ich Kabel, doch dann fand jemand heraus, dass ich Englisch sprach, und man bat mich, die ausländischen Künstler zu betreuen. Über fünf Jahre fuhr ich regelmäßig nach Cottbus in die Stadthalle. Die Spannung und die kreative Atmosphäre im Studio faszinierten mich, ich hätte sogar umsonst gearbeitet, so gierte ich danach, Teil des Geschehens zu sein. Ich durfte nicht in die Welt hinausreisen – doch nun kam die Welt zu mir. Ich traf Revuestars, Tänzer, Musiker und Popsänger, die mir vom Leben im Westen erzählten.

Die letzte Sendung, bei der ich mitwirkte, fand im September 1989 statt. Ein paar Wochen später kletterten die ersten DDR-Bürger über den Zaun der Bundesdeutschen Botschaft in Budapest.

Die Strasse, die in den Ort hineinführt, ist ordentlich gepflastert. Links und rechts stehen gepflegte Häuser, aus Stein gebaut, solide, von Gärten umgeben, durch Sicherheitszäune geschützt. Am Straßenrand laufen Mädchen in weißen Blusen und Jungen in blauen Hosen zur Schule. Etwas entfernt sieht man eine Fabrik mit einem hohen Schornstein. Die Sonne scheint, als ich zwei Wochen nach meiner Begegnung mit Tillis wieder nach Williamsburg fahre.

Nach ein paar Hundert Metern endet die Idylle unvermittelt. Dann ist die Straße nur noch ein Schotterweg. Die Häuser gleichen Gartenlauben, oft sind sie grau gestrichen, eine Farbe, die mich an die DDR erinnert. Hier und da ein kleiner Laden, ein Coffeeshop. Ich blinke und verlasse die Hauptstraße. Das Auto quält sich durch Schlaglöcher, ich bete, dass Reifen und Achsen standhalten. Schließlich taucht der Hügel auf, auf dem die Klinik liegt. Schon von Weitem sieht man die flachen Baracken und den Zaun, der zusätzlich mit Stacheldraht gesichert ist. Inzwischen weiß ich, warum die Anlage einem Gefängnis gleicht. Elize hat mir von Überfällen erzählt, angetrunkenen Angehörigen und Familienstreitigkeiten, die in der Klinik ausgetragen werden. Auch will man verhindern, dass Studienpatienten aus der Klinik verschwinden, weil sie sich gesund fühlen. Das neue Medikament muss über ein halbes Jahr regelmäßig eingenommen werden; bricht ein Studienpatient die Behandlung vorzeitig ab, sind alle Erhebungen wertlos.

Auf einer Wäscheleine flattern blau-weiß gestreifte Kinderhosen und -hemden. Ich beschließe, zuerst Nita zu begrüßen. Sie telefoniert, winkt mich aber in ihr Büro. Elize ist auch dort. Elize und Nita stammen aus Burenfamilien, doch abgesehen davon, dass sie weiß sind, sind sie so unterschiedlich, wie es nur geht. Elize steckt voller Energie, ist immer gut gelaunt und redet viel. Nita ist still, eine kleine, zierliche Frau, sehr gebildet. Sie strahlt eine natürliche Autorität aus. Als Nita den Telefonhörer auflegt, sagt sie erstaunt: „Wir haben erst in zwei Wochen mit Ihnen gerechnet. Was treibt Sie so schnell wieder zu uns?"

Ich beiße mir auf die Zunge. „Mein Chef meint, ich sollte mich um die vielen Neuaufnahmen kümmern."

„Gute Idee!", ruft Elize. „Ich kann etwas Unterstützung gebrauchen."

Elize und ich gehen und laden die neuen Medikamente aus. Das Wartezimmer ist wieder voller Patienten. Es stinkt so sehr, dass mir übel wird. An der Wand hängt ein Plakat, es zeigt eine Frau in Minirock und schulterfreier Bluse, darunter steht RAPE! Ich frage mich, ob die Botschaft lauten soll, dass Frauen, die kurze Röcke tragen, selbst schuld sind, wenn sie vergewaltigt werden. Als wir in mein Büro kommen, reiße ich als Erstes die Fenster auf.

Draußen im Garten spielen Kinder. Ich erkenne Earl und Gloria, die wieder ihr weißes Kleid trägt. Tillis sehe ich nicht. Ein paar Frauen frühstücken unter dem Baum. „Lass uns anfangen", drängt Elize.

Ich nehme vorgedruckte Bogen aus einem der Ordner, suche nach einem Stift. „Also: Name, Geschlecht, Geburtsdatum, Rassenzugehörigkeit des ersten Patienten bitte, dann sämtliche Vorerkrankungen, das Ergebnis des HIV-Tests..." Zwei Stunden arbeiten wir intensiv. Morgen früh werde ich John einen Stapel Unterlagen möglicher Studienpatienten vorlegen.

Es liegen noch zwei Patientenakten auf dem Tisch, als eine der Frauen im Garten zu singen beginnt. Sie stimmt eine langsame Melodie an, in die nacheinander die anderen einfallen. Der Gesang schwillt zu einem Kanon, wie von allein finden die Stimmen zueinander, sie umschlingen einander, verschmelzen, wachsen, werden größer und mächtiger. Irgendwo in meiner Brust beginnt etwas zu schwingen. Ich stehe auf und gehe zum Fenster. Die Frauen sitzen im Gras, Körper wiegen im Takt. Es ist ein Gospel, und der Gesang dringt in mich, füllt mich aus. Die Musik trägt mich buchstäblich davon.

Reglos stehe ich am Fenster, während mich tiefe Freude durchströmt. Ich beobachte die Frauen in ihren Krankenhauskitteln, denke an ihre Diagnosen. Woher nehmen sie die Hoffnung, diese Lust, diese Seligkeit? Viele haben den Tod vor Augen, doch ihr Gesang ist von wilder Lebendigkeit. Was heißt Tod, wenn sie in seiner Nähe noch immer so singen?

„HALLO Claudia!" Eine Nase und zwei schwarze Augen ragen übers Fensterbrett. Dann Gekicher, ein dumpfes Geräusch, lautes Gelächter.

„Hallo Tillis!", rufe ich und lächle, denn ich sehe sie wieder im Sand liegen. Ich gehe zum Fenster. „Mögt ihr ein paar Kekse?"

Sekunden später stehen sie in meinem Büro. Tillis klettert auf meinen Stuhl, greift nach meinem Kugelschreiber, zieht ein Blatt Papier heran. Er lacht sein verschmitztes Lachen, seine kleinen Zähne blitzen, und er schaut mich an, als warte er, dass ich zum Diktat ansetze. Die anderen stehen ein bisschen schüchterner um den Tisch herum. Schließlich greift auch Earl nach einem Stift, ungelenk hält er ihn zwischen seinen dünnen Fingern. Ich schiebe einen Reagenzglasständer beiseite, damit auch Simon und Moses Platz finden. Moses hustet. Gloria reckt ihre Arme in die Höhe, und ich hebe sie hoch und setze sie auf meine Hüfte. Mit einer Hand angle ich in meiner Tasche nach den Keksen. Die Kinder sehen erwartungsvoll zu, freudig. Doch niemand drängelt.

Eine Weile essen wir Kekse und malen Bilder. Ein leiser Wind bewegt die Gardinen. Irgendwo höre ich immer noch eine Frau singen. Ich stelle mir vor, John, Carol oder Relia würden mich sehen.

Dann legt Tillis den Stift weg und sagt: „Komm!" Earl greift nach meiner anderen Hand. „Ja", sage ich. „Lasst uns in den Garten gehen."

Noch ist Mittagsruhe, und die meisten Kinder schlafen. Im Garten schaukeln drei Mädchen. Sie sind schon älter und ziehen sich zurück, als sie uns sehen. Tillis rennt zu den Schaukeln, und Earl stolpert auf

Diese drei zwölfjährigen Mädchen wurden vergewaltigt und brachten in der Klinik ihre Kinder zur Welt. Sie schämten sich und verließen selten das Gebäude.

seinen langen, dünnen Beinen hinterher. Ich setze Gloria ab. Auch sie wackelt, gefolgt von Simon und Moses, über den Rasen. Tillis und Earl streiten um die Schaukeln, Tillis winkt und ruft: „Stößt du mich an?"

„Natürlich", sage ich. Abwechselnd stoße ich Tillis und Earl an.

„Mehr!", ruft Tillis.

„Höher!", ruft Earl.

Die Jungen haben mehr Ausdauer als ich, und irgendwann bitte ich erschöpft und verschwitzt um Gnade. „Lasst uns in den Schatten gehen." Auf der Decke im Schatten des Baumes sitzen Moses und Elize.

Tillis kuschelt sich an mich, schlingt seine Arme um meinen Hals. Auch Earl setzt sich neben mich.

Ein Baby weint, so kläglich, dass ich sofort weiß, dass es Glorias Bruder sein muss. In der Tür zur Kinderstation steht Sarah, in einem Arm hält sie ein Bündel, in der anderen Hand eine Schale mit Brei. Ich löse Tillis' Arme von meinem Hals und stehe auf. „Lass mich das Baby füttern", sage ich. Sarah schaut mich an, als habe sie nicht verstanden. „Aber es ist sehr krank."

„Ich weiß. Aber das macht nichts."

Sarah zögert, dann reicht sie mir das weinende Baby. Durch das Tuch hindurch fühle ich, wie mager sein Körper ist. Sein Kopf wirkt unnatürlich groß, die Augen sind tränenverschmiert, die Iris ganz rosa. Ich halte das Baby, wiege es. Es weint so heftig, so unerbittlich, dass auch mir die Tränen kommen, es ist, als würde ich die Schmerzen spüren, die dieser winzige Körper aushalten muss. Ich drücke das Baby sanft an mich und nehme Sarah die Schale mit dem Brei ab.

Tillis und Earl rücken zur Seite. Ich setze mich auf die Decke, schlage die Beine unter und bette das Baby in meinen Schoß. „Hast du keine Angst, dich anzustecken?", fragt Elize.

Ich schüttle den Kopf. „Mit HIV stecke ich mich so nicht an. Und vor einer Tuberkuloseinfektion habe ich keine Angst, denn ich ernähre mich gut, ich lebe nicht im Dreck, das Risiko ist minimal." Ich gebe Tillis die Schale mit dem Brei. Er schaut zu, wie ich den Kopf des Kindes hebe, ihn stütze und behutsam den Löffel an seine Lippen führe. Mit einem Zipfel des Tuchs tupfe ich die Tränen aus seinen Augenwinkeln. Es sieht mich mit einem Blick an, der so alt ist wie die Welt.

Gott, was ist das für ein Leben?

Sarah wendet sich ab, geht zurück zur Kinderstation. Am Ende der Baracke entdecke ich die drei Mädchen, die vorhin an den Schaukeln standen. Sie hocken im Sand. „Warum sitzen sie so abseits?", frage ich Elize.

Sie sieht sich um. „Sie schämen sich", erklärt sie und verscheucht eine Fliege. „Weil sie Kinder haben, aber keinen Mann."

„Sie *haben* Kinder …? Wie alt sind die Mädchen?"

„Zwölf. Eine ist schon dreizehn. Sie sind vergewaltigt worden." Irgendwo fliegt eine Tür zu. Eine Frau schreit. Das Baby in meinem Schoß erschrickt. Sanft streichle ich seinen Bauch.

„Und warum schämen sie sich? Immerhin hat man ihnen Gewalt angetan."

„Vielleicht haben sie es provoziert."

„Zwölfjährige Mädchen? Eine Vergewaltigung?" Ich denke an das Plakat im Wartezimmer.

„Der Großteil der Bevölkerung hält Vergewaltigungen für Kavaliersdelikte, für etwas, was Frauen im Grunde wollen."

„Das verstehe ich nicht."

„Ich auch nicht. Aber es ist eine Tatsache, dass viele Frauen und Mädchen vergewaltigt werden. Die südafrikanische Gesellschaft ist prüde. Aber schwarze Männer schlafen mit so vielen Frauen, wie sie wollen." Elize sieht hinüber zur Frauenstation. „Und manchmal habe ich den Eindruck, dass den Frauen das auch gefällt. Ich sehe sie hier im Hof flirten… na ja, den Rest kannst du dir ausmalen."

Die drei Mädchen bemerken meine Blicke und ziehen sich zurück, verschwinden hinter der Baracke. Ich frage Elize: „Liegen sie auf der Kinder- oder auf der Frauenstation?"

„Auf der Frauenstation. Und sie haben es nicht leicht."

VOR EINER Stunde bin ich losgefahren, habe den Tachometer auf null gestellt, die Klimaanlage und das Radio eingeschaltet.

Werde ich es schaffen?

Schnurgerade führt die Straße auf den Horizont zu. Das Licht ist grau und die Wolke am Himmel wächst. Ich gebe Gas, die Tachonadel zittert, doch das Auto scheint über die Straße zu kriechen. Ich höre Tillis' Stimme, die sagt, ich soll nicht gehen. Ich höre Earl, der fragt, wann ich wiederkomme. Ich höre das Baby weinen, sehe Moses' ernstes Gesicht. Ich spüre Tillis' Hand in meiner, seine Arme an meinem Hals, sein krauses Haar, das kitzelt. Ich sehe die Mädchen abseits im Staub hocken.

Noch 170 Kilometer.

Das Licht ist schwefelgelb, die Wolke über mir wächst weiter und der Asphalt glänzt. Ich öffne das Fenster. Die Luft riecht feucht. Ich weiß, dass es ganz plötzlich beginnt, meist am späten Nachmittag, vor allem im Sommer. Südafrika ist das Land mit den heftigsten Gewittern der Welt.

Und dann grollt der Himmel.

Donner rollt über die Ebene, dass der Boden des Autos unter meinen Füßen vibriert. Regen kracht herunter, Fluten entladen sich mit unvergleichlicher Wucht. Der erste Blitz ist so hell, dass meine Netzhaut schmerzt. Ein zweiter folgt, ein dritter, Dutzende Blitze gleichzeitig, Lichtfinger, die vom Himmel stürzen, als wollten sie die Erde in Brand setzen. Und nirgendwo Schutz. Ich kralle meine Hände ins Lenkrad, klammere mich fest. Die nasse Straße lässt das Auto schlingern. Übermächtiges Donnergrollen und das Trommeln des Regens dröhnen in meinen Ohren. Mein Kopf droht zu platzen, ich zittere am ganzen Körper. Ich bete. Ich bete um Schutz, um ein bisschen Sicherheit inmitten dieses kosmischen Zorns. Dieser Apokalypse.

Irgendwann lässt der Regen nach, so plötzlich, wie er begonnen hat. Die Wolkendecke reißt auf.

Noch 120 Kilometer.

Kurz vor Pretoria endet das Gewitter, rosafarbenes Licht legt sich über die Landschaft, die Sonne geht unter, und ein prächtiger Regenbogen spannt sich über den gesamten Himmel. Ich streiche mir die Haare aus dem Gesicht. Meine Bluse ist nass, ich rieche nach Schweiß. Im Spiegel sehe ich mein Gesicht, es ist grau. Ich fahre durch die Vororte Pretorias, vorbei an Villen, Reihenhäusern, Gärten, einem Sportplatz.

Am Tor grüße ich den Pförtner. Er fragt, ob ich einen schönen Tag hatte. Ich nicke und fahre auf den Parkplatz. Mit einer Tasse Tee in der Hand schaue ich später auf den Pool, in dem wieder niemand schwimmt. Wie würde es wohl Tillis hier gefallen?

DIE BLUSE ist frisch gebügelt, der Rock reicht weit übers Knie, und die Strickjacke würde jeder Großmutter gefallen. Ich stehe vor dem Spiegel und erkenne mich selbst nicht. Vor allem wenn ich früh aufstehe und müde ins Badezimmer tappe, denke ich, ich ziehe Kleider einer fremden Person an – ich habe mich noch immer nicht an den biederen Stil der weißen Südafrikanerinnen gewöhnt.

Jetzt trete ich näher an den Spiegel, kämme die Haare straff nach hinten, binde sie mit einem Gummi zusammen und betrachte mein Gesicht. Es ist ungeschminkt, nackt. Die Haut leicht gebräunt, ein paar Sommersprossen, um die Augen feine Linien; bald werden es erste Falten sein. Es ist mir so vertraut, dieses Gesicht, und doch irritiert es mich, denn etwas in ihm ist fremd. Ich habe mich verändert. Ich spüre es, auch wenn ich keine sichtbaren Zeichen dafür entdecke. Eine Leichtigkeit, die mich immer begleitet hat, ist fort.

WEIHNACHTEN fliege ich nach Hause. Ich erzähle meiner Familie vom Leben in Südafrika, zeige Fotos. Sie staunen, sind erschrocken, manche bewundern meinen Mut. Manchmal, wenn ich mich von Schießereien, Gewalt, Elend und Armut reden höre, kann ich selbst nicht glauben, dass das seit Monaten mein Alltag ist.

Ich zeige ihnen auch Fotos von den Kindern, von Tillis, Earl, Simon, Moses und Gloria.

Als ich zwei Wochen später nach Pretoria zurückkehre, freue ich mich vor allem auf Tillis. Ich weiß nicht warum, aber ich fühle mich dem Jungen sehr nahe.

3

Glorias Bruder ist tot. Er starb am Tag vor Neujahr, verhungerte, weil ein Pilz in seiner Speiseröhre so schmerzte, dass der Junge keine Nahrung mehr zu sich nahm. Er ist nicht einmal ein Jahr alt geworden.

Den ganzen Vormittag lang sitze ich in meinem Büro. Zahlen verschwimmen vor meinen Augen. Draußen spielen die Kinder, doch ich fühle mich außerstande, zu ihnen zu gehen. Eine bizarre Angst hat mich gepackt und lässt mich nicht los, die Angst, es könnte eines Tages eines der Kinder, vielleicht Tillis selbst, nicht mehr da sein, wenn ich komme.

Als ich mittags mit Elize offene Fragen durchspreche, erkundige ich mich nach der Mutter des toten Kindes. „Und was geschieht mit Gloria, wenn sie stirbt?"

Elize zuckt die Schultern.

„Warum ist Gloria eigentlich hier? Sie ist nicht tuberkulosekrank."

„Nein. Wir haben sie ausnahmsweise aufgenommen, weil es niemanden gab, der sich um das Mädchen kümmern wollte."

„Und wenn die Mutter stirbt?", frage ich noch einmal.

Wieder hebt Elize die Schultern, schaut nach draußen.

Als wir fertig sind, nehme ich Kekse und ein paar Geschenke aus Deutschland, die ich mitgebracht habe, und gehe in den Garten. „Claudia!" Tillis entdeckt mich als Erster. Ich fange ihn auf und wirble ihn durch die Luft. Sein fröhliches Lachen nimmt im Nu alle Schwere von mir. Earl greift nach meinem Arm, lacht übermütig, ich stolpere. Tillis schimpft. Earl ruft etwas auf Zulu, was ich nicht verstehe. Tillis schlägt nach Earl.

„Pst ..." Ich halte seine Hand fest. Tillis schaut böse, seine Augenbrauen kräuseln sich. „Ich bin da und ich bleibe. Wir haben Zeit füreinander." Ich gebe ihm noch einen Kuss. „Kommt", sage ich. Mit Tillis auf dem Arm und Earl an meiner Hand gehe ich in den Schatten unter dem Baum. Die Kinder schmiegen sich an mich, wir kuscheln und kitzeln uns. Ich packe die Kekse aus und die Luftballons und Murmeln, die ich mitgebracht habe, und wir spielen Murmeln und blasen Luftballons auf. Wir reden Englisch und Afrikaans und Zulu durcheinander, und es ist, als brauchten wir gar keine Sprache, als würden wir uns allein durch unser Lachen, unsere Gesten, unsere Zuneigung verstehen.

Wir holen Stifte und Papier. Tillis umklammert einen Stift. Ich zeige ihm, wie man ein Haus mit einem Schornstein malt. Er malt einen Baum neben das Haus und ein Gesicht. Immer wieder sieht er mich an. „Malst du mich?", frage ich. Er nickt. Er wirkt konzentriert, ernst. Manchmal vergesse ich, dass er erst vier Jahre alt ist.

„Wer ist das?", fragt Elize, als sie in den Garten kommt.

„Meine Mama", sagt Tillis, ohne aufzusehen.

Ich spüre Elize' Blick und traue mich nicht aufzuschauen. In meiner Tasche finde ich eine Packung Bonbons. Ich schiebe Tillis eins in den Mund und gebe ihm die Rolle. „Biete den anderen Kindern auch welche an", fordere ich ihn auf, um von meiner Situation abzulenken.

Tillis nimmt die Bonbons und gibt mir sein Bild. „Für dich!"

„Ngiyabonga", bedanke ich mich auf Zulu. Als er außer Hörweite ist, frage ich Elize nach Tillis' Mutter.

„Sie ist verschwunden", antwortet Elize. „Seit zwei Wochen."

„Was weißt du über sie?"

„Nicht viel. Sie treibt sich herum. Aber das machen da drüben ja alle." Sie deutet mit dem Kopf in Richtung der Frauenstation. „Die Mutter hat die Familie verlassen. Der Vater kümmert sich um die Kinder, so gut er kann. Er arbeitet, aber er trinkt leider auch und nimmt Drogen. Einer von Tillis' Brüdern lebt im Heim. Ein anderer hat, nachdem die Mutter fort war, aufgehört zu essen. Irgendwann ist er gestorben. Dann gibt es noch eine Schwester, sie ist zwölf und schon genauso wie ihre Mutter."

„Was wird aus Tillis, wenn man ihn aus dem Krankenhaus entlässt?"

„Sein Vater wird ihn holen. Und dann geht das Leben weiter."

„Wie weiter?"

Elize streicht über Tillis' Bild, das zwischen uns liegt. „Ich weiß es auch nicht. So, wie es eben geht."

„Wird er zur Schule gehen?"

„Wenn er alt genug ist, bestimmt."

„Meinst du, sein Vater wird ihn schlagen?"

„Nun, wenn die Erwachsenen betrunken sind, gibt es oft Streit und Schlägereien in den Familien."

„Da frage ich mich, was das für eine Zukunft sein soll, die dieser Junge hat!"

Elize' Finger knibbeln an den Rändern des Blattes. „Wenn du mich fragst …" Sie sieht mich an. Ihre Augen sind ruhig und klar, ihre Stimme ist fest und sachlich. „Keines der Kinder hier hat Aussichten auf eine wirklich gute Zukunft."

Als ich später mein Büro aufräume und die Kisten zum Auto trage, dringen aus dem Innern der Frauenstation Stimmen. Jemand stimmt ein Lied an, andere fallen ein – und wieder spüre ich diese Stelle in meiner Brust. Ich kenne das Lied. Es heißt „Nkosi Sikelel'i Afrika" – Gott segne Afrika – und ist seit dem Ende der Apartheid eine der beiden Nationalhymnen Südafrikas. Es ist ein altes Kirchenlied, auch die Kinder singen es. Ich stelle die Kisten in den Kofferraum und setze mich daneben. Meine Beine baumeln in der Luft, ich vergesse die Zeit, vergesse Firma, Rückfahrt, Dunkelheit, Gewitter, fürchte mich nicht vor Pannen, nicht vor Überfällen.

Ich höre einfach nur zu.

In den kommenden Wochen erfinde ich Gründe für zusätzliche Dienstreisen nach Williamsburg. Ich bereite jeden Besuch sorgfältig vor, schreibe vorab Listen, bitte Elize, ihrerseits alle Patientenbücher vorzubereiten. Ich fahre immer sehr früh los. Wenn ich ankomme, arbeite ich zügig meine Akten durch. Alles, was ich auch zu Hause erledigen kann, nehme ich mit. Später bitte ich Ndosi, unseren Fahrer, Durchschläge mitzunehmen, wenn er Blutproben aus Williamsburg holt; er übergibt sie Elize, die Bescheid weiß. Niemand merkt etwas.

Spätestens mittags gehe ich hinaus in den Garten. Tillis und die anderen Kinder erwarten mich. Wir spielen, lachen, toben, kuscheln auf der Decke, malen und essen Kekse. Wenn ich die Klinik verlasse, fahre ich aufgewühlt und ausgefüllt nach Hause. Für ein paar Stunden haben wir die Tristesse des Alltags vergessen.

Natürlich betreue ich auch weiterhin andere Kliniken, doch nirgendwo bin ich so gern wie in Williamsburg. Vor allem Tillis rückt ins Zentrum meines Denkens und Fühlens. Ich kann es nicht erklären, aber ich empfinde ihm gegenüber eine tiefe Verbundenheit. Manchmal ist mir, als wäre ich in ihm einem Seelenverwandten begegnet.

Eine Löwin leckt sich die Lefzen. Ihre dunkle Schwanzquaste wedelt nervös, die Ohren sind nach hinten gestellt, zwei bernsteinbraune Augen beobachten mich. Sie steht nur wenige Meter entfernt im Gehölz, halb hinter einem am Boden liegenden Baumstamm verborgen. Ihr Fell glänzt in der Sonne. Obwohl sie reglos dasteht, strotzt jeder Zoll ihres Körpers vor Kraft. Ein Sprung, ein Biss, und ihr Opfer ist tot.

Dann entdecke ich eine zweite Löwin. Sie liegt ganz entspannt auf dem Ast eines Baumes, doch ihr Blick ist wach. Ich folge ihm – und entdecke drei Geparden. Fasziniert schaue ich zu, wie sie nebeneinander an einem Bach hocken, die Muskeln unter ihrem gefleckten Fell zittern. Ihre Köpfe sind klein und breit, von ihren Augen laufen schwarze Fellspuren hinab zu ihrem Maul. Tränenspuren, denke ich. Blanche legt den Gang ein und fährt weiter. Seit wir am Morgen aufgebrochen sind, hat sie kaum ein Wort gesprochen.

Wir folgen dem Bach und fahren durch die Savanne. Der Krüger-Nationalpark ist eines der bedeutendsten Wildreservate. Fast 20 000 Quadratkilometer groß, erstreckt er sich im Osten des Landes bis zu den Grenzen nach Mosambik und Simbabwe. Inmitten der atemberaubenden Landschaft besitzen Blanche' Eltern eine Farm, und Blanche hat mich übers Wochenende eingeladen.

Als wir gestern, am Freitag, nach der Arbeit losgefahren sind, habe ich mir über ihre Schweigsamkeit keine Gedanken gemacht. Blanche ist ein introvertierter Mensch, still, ernst und gewissenhaft, Eigenschaften, die ich schätze. Auf der Farm angekommen, zeigte sie mir mein Zimmer. Staunend stand ich am Fenster, betrachtete die unendliche Weite, den schwarzblauen Himmel über leuchtendem Grün, bizarre Bäume und zarte Gräser, durch die der Wind strich. Darüber ein runder, aprikosenfarbener Vollmond. 2000 Hektar, hatte Blanche gesagt, 1500 Schafe, 200 Rinder, 800 Pferde.

Als ich zum Abendessen erschien, saß Blanche' Vater am Kopfende des Tisches. Seine Frau und seine Tochter nahmen gerade Platz.

Ein schwarzes Dienstmädchen wartete, dass ich mich setzte. Der Vater gab ein Zeichen und das Essen wurde aufgetragen.

Die Familie begann zu essen. Ab und zu wandte sich die Mutter an den Vater, sie sprachen Afrikaans miteinander. Richteten sie eine Frage an mich, sprachen sie Englisch. Doch die meiste Zeit sahen alle stumm auf ihre Teller und aßen.

Kurz bevor der Nachtisch serviert wurde, erschien Blanche' Bruder. Er war älter als sie, hatte schwarze Haare, die er länger trug, als ich es von südafrikanischen Männern gewohnt war. Er grüßte und setzte sich. Sehr freundlich bat er das Hausmädchen, ihm noch etwas Fleisch und Gemüse zu bringen.

Nach dem Essen entschuldigte sich Blanche, und auch die Eltern zogen sich zurück.

„Wollen wir draußen etwas trinken? Von der Veranda aus sieht man den Mond."

„Gern." Ich war beinahe erleichtert, dass jemand mit mir sprach.

„Ich heiße übrigens Kevin."

„Claudia."

„Blanche hat mir von dir erzählt. Du kommst aus Deutschland?"

„Ja."

„Wir haben im vergangenen Jahr einen Film mit einem deutschen Team gedreht. Die Leute waren sehr nett."

Wir traten auf die Veranda. Die Luft war mild. Der Mond war inzwischen gelb und strahlte von einem violetten Firmament, Sterne blinkten. „Du arbeitest in der Filmbranche?", fragte ich.

„Ich bin Kameraassistent."

„Wohnst du in Kapstadt?"

„In Johannesburg, in Melville. Schon mal da gewesen?"

Ich schüttelte den Kopf.

„Ein buntes Viertel. Viele Kreative wohnen dort, Filmleute, Leute vom

198 ABER MEIN HERZ BLEIBT IN AFRIKA

Theater, Künstler. Es gibt jede Menge Bars, Theater, Buchläden, Straßencafés. Sehr entspannt, obwohl immer was los ist. Warst du schon mal in Kapstadt?"

„Ja, letztes Jahr. Ich habe dort Urlaub gemacht. Es war ganz anders als das Leben in Pretoria."

„Oh, ja ..." Kevin lachte. „In Pretoria wohnen Politiker, Diplomaten und Beamte. Außerdem wird dort das Erbe der Buren hochgehalten, der Nachfahren der holländischen Farmer, die nach Südafrika eingewandert sind. Man weiß, woher man kommt, und pflegt Traditionen. Die Leute weigern sich zu akzeptieren, dass die Apartheid vorbei ist. Sie glauben immer noch, besser zu sein als Schwarze, die überlegene Rasse. Sie weigern sich, ihre Privilegien aufzugeben – die sie überhaupt nur besitzen, weil sie den Großteil der Bevölkerung über Jahrzehnte brutal unterdrückt haben. Wenn du mich fragst: Pretoria ist ein reaktionäres Dorf."

Später lag ich lange wach und dachte über Kevins Worte nach.

Seit Blanche und ich heute, am Samstagmorgen, mit dem Auto aufgebrochen sind, haben wir stundenlang keine anderen Touristen gesehen, nur Elefanten, Büffel, Zebras, Antilopen. Und Blanche schweigt. Sie wirkt ungeduldig. Vor einer Stunde hat eine Elefantenkuh mit ihren Jungen die Asphaltpiste überquert. Aus nächster Nähe habe ich die Tiere betrachtet, ihre riesigen Ohren, ihre rissige Haut, ihre aufmerksamen Augen, während Blanche' Fuß auf dem Gaspedal gezuckt hat.

„Lass uns dort langfahren", schlage ich vor, als wir einen kleinen Wasserfall erreichen. „Vielleicht kommen wir näher an den Fluss und sehen noch ein paar Nilpferde."

Blanche bremst. Fast wäre ich gegen die Scheibe geknallt. „Ich fahre seit Stunden durch diesen verdammten Park, und ständig nörgelst du rum. Dabei habe ich wirklich Besseres zu tun."

„Nörgeln?" Ich bin perplex. „Ich habe nur einen Vorschlag gemacht. Tut mir leid, wenn ich dir deine Zeit stehle, das hättest du mir sagen sollen, bevor du mich eingeladen hast." Wenn wir nicht mitten in der Wildnis wären, würde ich ausgesteigen.

Blanche knallt den Gang rein und rast los. Nach ein paar Kilometern bremst sie. „Entschuldige. Es tut mir leid. Es ist nur ..." Sie streicht sich eine Haarsträhne aus dem Gesicht und starrt auf den Weg. „Es ist wegen Kevin. Ich muss dringend mit ihm reden."

„Ihr habt Schwierigkeiten?"

„*Er* hat Schwierigkeiten. Mein Bruder jobbt vor sich hin, läuft rum wie ein Hippie, wohnt in einem heruntergekommenen Viertel und feiert ständig Partys. Er denkt nicht im Traum daran zu heiraten."

ABER MEIN HERZ BLEIBT IN AFRIKA

„Vielleicht fühlt er sich noch zu jung."

„Kevin ist vierundzwanzig. Alle in seinem Alter sind verheiratet. Und haben Kinder. Er weigert sich, Verantwortung zu übernehmen. Er hat überhaupt kein ..." Blanche ist rot vor Wut. „Kevin hat kein Standesbewusstsein. Er verleugnet seine Herkunft. Er geht auch mit den Schwarzen um, als gäbe es keine Unterschiede zwischen den Rassen."

Der Himmel färbt sich gelb, die Abendsonne taucht die Savanne in warmes Licht. Ich weiß nicht, was ich sagen soll.

„Vergiss es. Ihr Ausländer versteht das sowieso nicht. Ihr kennt Südafrika nur aus dem Fernsehen. Ihr versteht unsere Kultur nicht und habt keine Ahnung, was es bedeutet, hier zu leben." Blanche startet den Motor und fährt zurück zur Farm. Am Horizont geht die Sonne unter und lässt die Bäume zu schwarzen Silhouetten werden.

AN EINEM Nachmittag kurz vor Ostern sitzen wir wieder im Garten der Klinik. Tillis zählt meine Finger und sagt, ich hätte bloß neun. Earl zählt nach und sagt, es seien elf. Gloria wurde vor ein paar Tagen entlassen, nachdem ihre Mutter gestorben war; sie lebt jetzt bei ihrer Großmutter. Moses hockt mit ernstem Gesicht vor einer Blechdose und spielt Autorennen. Joseph ist zu schwach, um aufzustehen, und Simon musste wegen Schmerzen in der Brust und plötzlicher Atemnot zum Arzt. Auf der Bank jenseits des Zauns sitzt Tillis' Mutter mit einigen anderen Frauen. Wie immer beachtet sie ihren Sohn nicht.

Tillis ruft „Neun!", Earl ruft „Elf!". Ein Mann schreit: „Du Hure!"

Die Frauen springen auf, kreischen, laufen durcheinander. Tillis ruft „Papa!" und schlingt im nächsten Augenblick seine Arme um meinen Hals, versteckt sein Gesicht an meiner Schulter. Groß und drohend steht ein Mann vor Tillis' Mutter, die faucht und schreit; ich hoffe, dass die Kinder nicht verstehen, was sie sagt. Tillis löst seinen Kopf, schaut zu seinen Eltern. Sein Vater brüllt, dass seine Frau nach Hause kommen, sich um die Kinder kümmern soll, was sie bloß für eine Mutter sei, dass ihr ihre Kinder so egal seien. Ich halte Tillis die Ohren zu. Die anderen Kinder drängen sich an uns, verschreckt und ängstlich, und dann sehe ich Nita, die kleine, zierliche Nita, und hinter ihr Elize. Sie versuchen, Tillis' Vater zu beruhigen, doch er ist völlig außer sich, wahrscheinlich ist er betrunken. Der Mann droht ihnen mit der Faust. Die beiden bleiben stehen. Tillis' Mutter wendet sich ab, geht. Tillis' Vater läuft hinter seiner Frau her. Sie dreht sich um, baut sich vor ihm auf, lässt sich nicht einschüchtern, erwidert sein Gebrüll, und dann holt Tillis' Vater aus, schlägt die Mutter, sie stürzt, die anderen Frauen laufen dazwischen, einige helfen ihr aufzustehen, andere reden auf ihn ein. Der Vater reißt sich los. Und zieht ein Messer, mit dem er sich auf Tillis' Mutter stürzt.

Wie gelähmt starre ich auf die Szenerie. Ich presse Tillis an mich, drücke seinen Kopf an meine Brust, die anderen Kinder fangen an zu weinen. Ich springe auf, nehme Tillis auf den Arm und rufe den Kindern zu: „Kommt! Kommt mit!", und wir laufen nach drinnen. In meinem Büro suche ich nach Keksen und Stiften. Nachdem ich an alle Kinder Papier verteilt habe, ermuntere ich sie zu malen. Ich singe und rede, als könnte ich mit diesen vielen neuen Eindrücken die von eben eliminieren.

Nach endlosen Minuten lösen sich die Kinder aus ihrer Starre.

„Warum war der Mann so wütend?", fragt Moses.

„Weil Tillis' Mutter eine Nutte ist", sagt Earl.

Tillis wirft mit einem Stift nach Earl.

„Das ist nicht fair, Earl", sage ich. In Tillis' Augen stehen Tränen. Er greift nach den anderen Stiften und wirft sie durchs Zimmer. Dann rutscht er von seinem Stuhl, rennt wütend durch den Raum, stürzt sich in meine Arme, weint. Meine Nerven liegen blank. Draußen höre ich immer noch Geschrei, und ich streiche über Tillis' Haare, seinen Rücken, versuche ihn zu trösten.

Als Sarah die Kinder später zum Essen ruft, gehe ich zu Nita ins Büro.

„Kommen Sie herein", sagt sie und deutet auf einen Stuhl.

„Wie geht es Tillis' Mutter? Ist sie verletzt?"

„Sie hat eine Schnittwunde und ist beim Arzt."

„Und der Vater?"

„Der Pförtner hat ihn rausgeschafft."

„Tillis ist ganz verstört."

„Er hängt an seinem Vater. Das Verhältnis ist nicht so, wie man es sich wünschen würde, aber immerhin ist der Vater eine Bezugsperson, was man von der Mutter nicht sagen kann."

„Er tut mir so leid. Ich würde gern etwas für Tillis tun."

Nita lehnt sich zurück. Sie mustert mich mit ruhigem Blick, und wie immer in solchen Momenten fühle ich Respekt und auch ein bisschen Ehrfurcht. „Sie können etwas für Tillis tun."

„Was?" Das Wort schießt nur so heraus.

„Nehmen Sie Tillis für ein Wochenende mit nach Pretoria. Er ist das einzige Kind, das seit Monaten nicht zu Hause war. Andere Kinder werden zumindest ab und zu übers Wochenende von ihren Eltern geholt, aber Tillis hat die Klinik nicht verlassen, seit er eingeliefert wurde."

„Nita … ich habe selbst schon darüber nachgedacht." Ich fühle mich, als wäre ich aus Glas, kurz davor, in tausend Stücke zu zerspringen. „Genau genommen denke ich seit Wochen darüber nach. Aber jedes Mal wenn ich mir vorstelle, ich nehme Tillis mit und zeige ihm, wie das Leben auch sein kann, frage ich mich, wie er es finden wird, wenn er nach ein paar Tagen in sein altes Leben zurückkehren muss."

„Ich verstehe Ihre Bedenken. Aber Tillis hängt sehr an Ihnen, und der Kontakt zwischen Tillis und Ihnen reißt ja nach so einem Wochenende nicht ab. Und es geht mir auch nicht darum, dem Jungen Tage in überquellendem Luxus zu bescheren, sondern ihn einfach einmal herauszuholen, in eine andere Umgebung zu bringen. Gehen Sie mit ihm in den Park. Kaufen Sie ihm ein Eis. Verbringen Sie Zeit miteinander."

„Das würde ich sehr gern tun. Sprechen Sie mit Tillis' Vater? Ich möchte, dass er Bescheid weiß und einverstanden ist."

„Ich denke, er wird nichts dagegen haben."

Im Sommer 1989 flohen DDR-Bürger in die bundesdeutschen Botschaften in Budapest, Prag und Warschau. Beinahe täglich erschienen Kollegen nicht zur Arbeit. Alle Offiziellen waren nervös; wurde jemand um 7 Uhr am Arbeitsplatz erwartet und war um 7.15 Uhr noch nicht dort, stand um 7.30 Uhr die Stasi vor seiner Tür. Wohnungen wurden aufgebrochen, und oft fanden die Staatsschützer leer geräumte Zimmer vor, besenrein hinterlassen von denen, die ihre historische Chance gekommen sahen. Sie machten rüber. Wir anderen versuchten eine Normalität aufrechtzuerhalten, die längst keine mehr war. Auch ich sehnte mich nach Freiheit und fürchtete jeden Tag mehr, ich könnte die Letzte sein, die in dem maroden System zurückblieb. Mit meinen Eltern hatte ich über die Möglichkeit einer Flucht gesprochen. Sie hielten mich nicht ab. „Du würdest dich im Westen wohlfühlen", sagte mein Vater. „Wenn du die Gelegenheit hast, Kind, nutze sie." Doch ich machte mir Sorgen, denn für meine Eltern hätte meine Flucht unabsehbare Konsequenzen.

In den Wirren der folgenden Wochen beschloss ich, Urlaub zu nehmen. Im Reisebüro der FDJ erkundigte ich mich nach Reisen in die Sowjetunion. „Hier habe ich ein wunderbares Angebot", sagte die Frau. „Sieben Tage Odessa."

„Klingt interessant. Haben Sie noch andere Angebote?" Sie blätterte in ihren Unterlagen. „Bulgarische Schwarzmeerküste, Albena, eine Städtereise nach Budapest." Sie biss sich auf die Lippe.

„Budapest soll eine wunderschöne Stadt sein." Ich bemühte mich, gelassen zu klingen. Zögerlich schob sie ein Blatt über den Tisch. Ihre

Miene war undurchdringlich, und ich fragte mich, wie viele Anfragen zu Städtereisen nach Budapest, Prag oder Warschau sie derzeit bekam.

Ich füllte die Unterlagen für eine organisierte Reise in die Hauptstadt der Volksrepublik Ungarn aus. Es kam mir vor, als würde ich in Großbuchstaben aufs Papier schreiben: ICH WILL FLÜCHTEN!

Eine Weile hörte ich nichts. Dann kam eine Einladung zum Vorbereitungstreffen. Die Stimmung an diesem 21. Oktober 1989 war unheimlich. Alle, die sich im Jugendklub in Cottbus einfanden, musterten einander. Jeder schien jedem zu misstrauen, und alle wussten, dass sie von der Staatssicherheit beobachtet wurden. Auch vor unserem Haus stand ein grauer Lada.

Zwischen dem Vorbereitungstreffen und dem geplanten Abflug lagen fünf Tage; Zeit, zu packen, Abschied zu nehmen und Spuren zu beseitigen. Ich brauchte Geld; doch wenn ich größere Beträge von meinem Konto abhob, würde man mich umgehend von der Liste der Reisenden streichen. Also schrieb ich meinen Eltern Vollmachten. Am vorletzten Abend kam eine Freundin, um sich zu verabschieden. Weder sie noch ich sagten ein Wort; doch wir wussten, dass wir uns nicht wiedersehen würden.

Es war diese Endgültigkeit, die mich tief verunsicherte. Ich verließ den Ort meiner Kindheit, ich verließ meine Familie. Niemals würde man mir eine Einreiseerlaubnis erteilen oder meinen Eltern erlauben, mich im Westen zu besuchen. Es war ein Abschied für immer, und je näher der Termin rückte, desto klarer wurde mir, was das bedeutete. Am Vorabend der Abreise erlitt ich einen Nervenzusammenbruch. Weinend stand ich in meinem Zimmer. Mein Vater strich mir über den Rücken. Er sagte: „Fahr nach Budapest und mach dir ein paar schöne Tage. Lass die Dinge auf dich zukommen. Solltest du zurückkehren, wird sich eine andere Möglichkeit ergeben, da bin ich ganz sicher."

Als meine Eltern mich am 26. Oktober 1989 zum Flughafen brachten und wir durch Straßen fuhren, die ich kannte, seit ich lebte, glaubte ich selbst, dass ich lediglich für eine Woche verreiste. Am Terminal herrschte großes Durcheinander, Großfamilien waren angereist, um junge Männer zu einer einwöchigen Städtereise zu verabschieden, Angehörige umarmten sich innig, weinten. Meine Eltern und ich hielten uns abseits; beinahe flüchtig verabschiedeten wir uns voneinander.

Unser Flug war der letzte, der die DDR nach Budapest verließ.

Kaum angekommen, bemühte sich jeder, wie ein Tourist zu erscheinen, doch unsere Reiseleiterin wirkte nervös. Ein kleiner gelbhaariger Mann schleppte Koffer, er sah ungesund aus, wie jemand, der zu selten an die frische Luft kam. Ganz anders seine Frau – ihre Wangen leuchteten rosig, und ihr mächtiger Leib wogte, als sie sich nach ihrer Reisetasche bückte. Ich beobachtete all das aus großer Distanz, als hätte ich nichts damit zu tun.

Draußen vor dem Flughafengebäude holte uns die Realität ein. Taxifahrer boten an, uns zur ungarisch-österreichischen Grenze zu fahren. Ich erschrak. Unsere Reiseleiterin lief hinter uns. Entrüstet wiesen wir alle Angebote zurück und fuhren mit einem Bus in unser Hotel.

Bereits am nächsten Tag bildeten sich Grüppchen. Die Ersten brachen ihr Schweigen. Am dritten Tag, als einige nach der offiziellen Stadtführung noch durch die Innenstadt bummelten, sprach mich ein junger Mann an. Wir hatten im Flugzeug nebeneinandergesessen und uns lange unterhalten. Er wusste, dass ich Englisch sprach. „Ich suche eine Telefonnummer. Könntest du einen Ungarn fragen, ob er sie für mich aus dem Telefonbuch heraussuchen kann?"

Es schien mir eine harmlose Bitte. Als wir an einer Telefonzelle vorbeikamen, sprach ich einen Passanten an. „Welche Telefonnummer suchst du?", fragte ich Thomas.

„Die der Bundesdeutschen Botschaft."

Bevor ich übersetzen konnte, blätterte der Ungar im Telefonbuch, riss einen Streifen aus seinem Notizbuch, schrieb eine Reihe Ziffern darauf, reichte Thomas den Zettel und klopfte ihm auf die Schulter. *„Good luck!"* Viel Glück. Dann ging er fort.

Ich wusste, dass ich den Vorfall melden musste.

Ich wusste, dass ich von der Stasi verhört werden würde.

Wie hypnotisiert starrte ich auf Thomas' Finger, die die fremde Nummer wählten. Ich war unfähig, mich zu rühren oder etwas zu sagen.

„Die Botschaft ist überfüllt", erklärte Thomas, nachdem er aufgelegt hatte. „Aber sie haben mir Nummern von anderen Stellen gegeben."

Wieder glitten seine Finger über die Wählscheibe. Ich ließ meinen Blick über die Häuser wandern, deren Wände immer noch Einschusslöcher vom Volksaufstand 1956 zeigten. Ich spürte, wie das Blut in meinem Kopf pochte.

Im nächsten Moment brach eine Flut von Fragen hervor, die Worte schossen, ohne dass ich etwas tun konnte, aus meinem Mund: „Wie willst du das anstellen? Was wird geschehen? Wie wird es im Westen, wovon wirst du leben? Hast du gar keine Angst? Wirst du es schaffen, den Rest deines Lebens ohne deine Familie zu leben – denn du wirst sie nie, nie, niemals wiedersehen!"

Thomas schwieg, sah mich nur an.

„Und … eigentlich möchte ich es auch." Ich erschrak. Etwas geriet ins Rutschen. Ich fühlte mich nackt und schutzlos.

Thomas nahm meinen Arm, hakte sich unter. Wir liefen durch die fremden Straßen und er erzählte, wie viele Fragen er sich gestellt hatte, Fragen, die ganz ähnlich waren wie meine.

Wir liefen auf einen Boulevard zu. Ich wusste nicht, was ich sagen sollte. „Ich glaube …", meinte ich. „Ich bin noch nicht so weit."

Am Telefon hatte man Thomas gesagt, dass Ausreisewillige sich in Wartelisten eintragen müssten. „Komm mit!", forderte Thomas mich auf. „Du kannst Englisch, du kannst helfen."

Ich spürte, dass ich immer tiefer in einen Sog geriet.

Am nächsten Morgen gingen wir zum Frühstück. Der Speisesaal lag im Keller eines Gebäudes ein paar Hundert Meter die Straße hinunter. Die Reiseleiterin saß am Fenster und kaute auf einer Scheibe Brot. Sie wirkte fahrig. Der kleine gelbhaarige Mann und seine große, dicke Frau frühstückten am Nebentisch. Viel zu ungleich, um ein Paar zu sein. Wir mutmaßten, sie seien von der Stasi. Thomas und ich setzten uns an einen freien Tisch. Nach dem Frühstück verließen wir unabhängig voneinander das Hotel. Wenig später trafen wir uns an einer Bushaltestelle.

Noch immer redete ich mir ein, Thomas nur zu begleiten, weil er kein Englisch sprach, sich mit den Ungarn nicht verständigen konnte.

Ich schob mich in den Bus. Immer wieder schauten Fahrgäste zu uns herüber. Die Menschen lächelten, wohlwollende Blicke streiften uns. Die Ungarn erkannten uns als DDR-Bürger, an unseren Einheitsjeans, an unseren unmodernen Frisuren, und sie wussten, wohin der Bus fuhr. Ganz offen zeigten sie uns ihre Sympathie, ihre Solidarität.

Der Bus hielt vor einem hohen Zaun. Wir stiegen aus. Das Tor stand weit offen, und wir traten in einen Park, in dessen Mitte sich eine weiße Villa befand. Überall standen Zelte, Menschen saßen im Gras, Kinder liefen umher. Es ähnelte einem gewaltigen Picknick im Grünen. Doch spürte ich eine Euphorie, die viel größer war als die Freude einiger Hundert Ausflügler. Ich sah zu Thomas, der sich staunend und verwirrt umblickte. Kies knirschte unter unseren Schuhen, als wir die Auffahrt hinaufliefen. Eine Frau band ihrem kleinen Sohn die Schnürsenkel, und ein Mann sprach mit einem Fernsehreporter. Wir stiegen Stufen hinauf und gingen auf eine schwere Tür zu, die ebenfalls offen stand. Eine Frau – sie trug ein dunkelblaues Kostüm und ihre Eleganz beschämte mich – deutete auf die Tür: „Drinnen an der Rezeption liegen für die Busse Wartelisten aus, in die Sie sich eintragen können."

Wir hatten noch gar nichts gesagt.

Drinnen drängten sich Menschen, alle lachten, Stimmen füllten die Luft. Mir war, als beträte ich die Wohnung guter Freunde, die mich schon erwartet hatten. Eine unwirkliche Leichtigkeit erfasste mich, zog mich mit, und im nächsten Augenblick fand ich mich am Empfangstresen wieder, wo zwei Frauen und ein Mann uns Stifte reichten. „Bitte tragen Sie hier Ihre Namen ein", sagte die jüngere der beiden Frauen. Sie strahlte etwas Warmes aus. Ich lächelte sie an. Dann sah ich zu, wie Thomas seinen Namen in die Liste schrieb. Die Botschaftsmitarbeiterin schob mir das Blatt herüber. Ich schüttelte den Kopf.

„Nicht?", fragte die Frau erstaunt.

„Nein, ich begleite nur meinen Bekannten."

Sie schien einen Moment nicht zu wissen, was sie tun sollte. Dann sagte sie: „Sie wissen, dass dieses Gelände von der Staatssicherheit beobachtet wird?" Nun war ihr Gesichtsausdruck besorgt.

Plötzlich verstand ich, dass ich nicht mehr zurückkonnte, dass ich eine Entscheidung getroffen hatte, ohne sie zu treffen. Ich schrieb meinen Namen in die Liste.

„Bitte kommen Sie morgen so früh wie möglich wieder. Ihr Bus wird gegen zehn Uhr losfahren." Der Mann schüttelte uns die Hand und sagte: „Ich wünsche Ihnen alles Gute!"

In dieser Nacht schlief ich kaum.

Am nächsten Morgen waren wir die Ersten, die zum Frühstück gingen. Wir setzten uns an einen Tisch nahe der Tür, schenkten Kaffee ein, schmierten Brote. Vor lauter Aufregung bekam ich keinen Bissen herunter. Unser Plan war, wenn alle anderen aßen, zum Hotel zurückzukehren und unser Gepäck aus den Zimmern zu holen. „Iss zumindest ein Butterbrot", sagte Thomas, als das Stasipaar hereinkam und sich am Nachbartisch niederließ. Mechanisch biss ich von meinem Butterbrot ab und sah zu, wie der gelbhaarige Mann sich über seinen Teller beugte. Ich starrte ihn an. Kauend erwiderte er meinen Blick. Und plötzlich war mir, als blicke dieser Mann ins Innerste meiner Seele.

Thomas stand auf. Ich stellte meine Tasse ab, kleckerte, wischte mir den Mund ab. Mein Blick streifte den Mann, der immer noch kaute und mich immer noch musterte. Ich versuchte ein Lächeln. Wir wünschten den anderen einen schönen Tag.

Die Tür war kaum hinter uns ins Schloss gefallen, als wir schon losrannten, die Straße entlang zum Hotel, die Treppen hinauf in unsere Zimmer. Wir zogen unsere Taschen hervor, stürzten die Treppen hinunter, hinaus auf die Straße.

Da sah ich den Mann.

Wie im Reflex und als wären wir ein Körper, liefen wir in die entgegengesetzte Richtung. Panisch rannte ich weiter, alles verschwamm vor meinen Augen, und hinter meinen Schläfen hämmerte es. Ich sah Volkspolizisten meine Hände fesseln, sah, wie man mich ins Stasi-Gefängnis nach Bautzen brachte. Eine Hand griff nach meiner, ich hörte Thomas' Stimme, er rief: „Komm!", und ich rannte noch schneller. Meine Füße schienen den Boden nicht mehr zu berühren, als wir eine Kreuzung erreichten. Überall fuhren Autos, und plötzlich hielt eines dieser Autos, der Fahrer stieß die Türen auf, rief „Schnell!", und bevor ich mich noch über dieses kleine deutsche Wort wundern konnte, hatte Thomas mich bereits auf den Rücksitz geschoben; eine Tasche schlug gegen meinen Kopf, ein Sitz traf meine Knie, Türen schlugen zu, und im nächsten Moment gab der Fahrer Gas, Reifen quietschten, und wir fuhren los, fuhren die breite Straße entlang, und ich traute mich nicht, den Kopf zu wenden und zurückzusehen.

„Wir haben es geschafft!", schrie Thomas. Der Fahrer schlug ihm auf die Schulter und formte mit den Fingern das Victory-Zeichen. Beide lachten, und Thomas wandte sich um, sah mich jubelnd an, während ich wie erfroren auf der Rückbank saß. „Claudia, wir haben es geschafft! Wir sind frei!"

„Ja."

„Alles in Ordnung?", fragte der Fahrer. Er trug einen stahlblauen Pullover, und sein graues Haar war sehr kurz geschnitten.

„Ist das ein Taxi?", fragte ich.

Der Mann schüttelte den Kopf. „Privat", sagte er mit ruhiger, klarer Stimme. Offenbar hatte er uns und unsere Verfolger im Vorbeifahren gesehen, hatte instinktiv begriffen, was geschah, und angehalten. Wieder staunte ich über diese ungeheure Solidarität.

Ich dachte an meine Eltern, an Rosi. Ich wischte die Tränen fort. Bäume säumten den Straßenrand, ihre Äste und Zweige waren fast kahl und dunkel. Ab und zu löste der Wind ein letztes Blatt; in sanften Kreisen fiel es herab, bis es auf den kalten, feuchten Herbstboden traf und dort liegen blieb.

NITA ruft an. „Ich habe mit Tillis' Vater gesprochen. Er ist einverstanden." Mir entfährt ein Freudenschrei. Wir verabreden, dass ich in zwei Wochen nach Williamsburg komme und Tillis anschließend nach Pretoria mitnehme.

Ich lege den Hörer auf und drehe den Ton des Fernsehers lauter. Ein schwarzer Nachrichtensprecher verliest Meldungen. Er macht falsche

Betonungen und Pausen an Stellen, wo keine hingehören. Seit Ende der Apartheid haben Schwarze Zugang zu Medien und dürfen zum Beispiel Fernseh- oder Radiosendungen moderieren; doch oft fehlt es an der richtigen Ausbildung. Ich schalte zu CNN um, als es klingelt.

Ich erwarte niemanden. Meine Nachbarin habe ich seit Wochen nicht gesehen, und insgeheim hoffe ich, dass sie mit oder ohne ihren arischen Mann nach Thohoyandou zurückgekehrt ist. Mein Nachbar Andrew, der mich anlässlich seines Einzugs, ganz unkonventionell, zum Kaffeetrinken eingeladen hat, kommt meist spätabends nach Hause. Und Miriam, unsere Rezeptionistin, die nur zwei Straßen weiter wohnt und mich vor zwei Wochen, als ihr Mann, ein Polizist, Schicht hatte, zu einem Spaziergang im Park an den Union Buildings abgeholt hat, bringt um diese Zeit ihre Kinder Nickel und Leonie ins Bett. Leise tappe ich in den Flur und horche. Ich öffne die Wohnungstür einen Spalt und frage: „Wer ist da?"

„Neels." Neels ist Miriams Mann. Ich öffne.

Vor mir steht ein Polizist in Uniform. „Du wolltest wissen, wie mein Job aussieht?" Etwas überrumpelt nicke ich. Nach dem Spaziergang hatte Miriam mich neulich noch zum Essen eingeladen. Wir hatten uns gerade hingesetzt, als Neels von der Arbeit kam, die Kinder anherrschte, Miriam anbrüllte und schimpfte, er würde am liebsten alle Schwarzen abknallen. Mir blieb das Essen im Hals stecken. Ich fragte, was passiert sei. Neels antwortete: „Nichts. Ich habe einfach nur einen ganz normalen Arbeitstag in meinem gottverdammten Job hinter mir." Ich konnte mir nicht vorstellen, warum sein Beruf ihn so aggressiv machte, und er bot mir an, ihn einmal zu begleiten.

„Jetzt ist es so weit", sagt Neels und wirft mir eine kugelsichere Weste zu. „Dich hat doch nicht der Mut verlassen? Mein Kollege wartet unten. Beeil dich!" Neels dreht sich um und läuft die Treppe hinunter. Ich fühle mich überfahren, will mir aber keine Blöße geben, also hole ich einen Pullover, stecke Handy, Geld und Schlüssel ein. Die kugelsichere Weste ziehe ich an und, weil ich mich in dem martialischen Ding nicht bewegen kann, gleich wieder aus.

Auf dem Parkplatz steht ein Polizeiwagen, ein Jeep. Neels hält mir die Tür auf, ich steige ein. Zu meiner Überraschung ist sein Kollege schwarz. „Hi", sagt er. „Ich bin Cidwill."

„Hi, ich bin Claudia."

Neels steigt ein, schlägt die Tür zu. Eingequetscht sitze ich zwischen den beiden Polizisten. Cidwill sagt, ich solle die Weste anziehen. „Man weiß nie, was in so einer Nacht geschieht." Ein uraltes Funkgerät krächzt, ich verstehe *Schießerei ... Mamelodi ... Taxi ... einer der Verdächtigen flüchtig ...* Cidwill wendet scharf, Neels schaltet das Blaulicht ein, ein hohes, schrilles Geräusch. Wir rasen Richtung Mamelodi.

Die ersten Hütten der Township sind nicht beleuchtet, dunkle Schatten überall. Cidwill kennt sich aus, fährt durch schmale Gassen, bis wir auf einen runden Platz kommen. Ich sehe drei VW-Busse. Sammeltaxis. Taxikrieg, schießt es mir durch den Kopf. Doch die Busse sind leer, nirgendwo sehe ich einen Menschen. Cidwill stoppt, Neels schaltet die Deckenbeleuchtung an. „Damit wir das Auto sofort finden, wenn wir fliehen müssen."

Beide stürzen los, und ich sitze allein in einem hell erleuchteten Fahrzeug zwischen sich bekriegenden Taxibanden und sterbe fast vor Angst. Ich zerre an der kugelsicheren Weste, die meinen Oberkörper fast abschnürt. Automatisch ziehe ich den Kopf ein und rutsche im Sitz herunter. Ich sehe gerade noch, wie Cidwill auf den einen und Neels auf einen anderen VW-Bus zuläuft. In der Ferne höre ich Schüsse.

Dann sehe ich nichts mehr.

Eine Ewigkeit später kehren Neels und Cidwill zurück. „Sie sind weg." Cidwill wischt sich mit der Hand über sein Gesicht. „Wir sind zu spät gekommen."

Wir fahren zurück nach Pretoria. Eine Weile sagt niemand etwas, dann frage ich: „Sind alle eure Einsätze so gefährlich?"

Neels sieht mich an. „Wir haben nur solche Einsätze. In den Townships ist die Hölle los."

„Aber es ist doch auch schwierig, wenn man keine Arbeit hat, in solchen Blechhütten lebt und sieht, wie ringsherum alle Weißen in schicken Häusern wohnen, Autos haben, Geld ..."

Neels sieht mich an. Sein Blick lässt mich verstummen.

Es dauert nicht lange und das Funkgerät krächzt wieder. *Einbruch ... Supermarkt ... Täter noch im Gebäude ...* Cidwill gibt Gas. Der Supermarkt liegt außerhalb, in einem Industriegebiet. Als wir uns nähern, schaltet Cidwill die Scheinwerfer aus. Es ist stockdunkel, doch Cidwill fährt zügig weiter.

Er stellt den Motor aus. In geduckter Haltung, die Waffe im Anschlag, laufen beide auf den Supermarkt zu.

Es ist totenstill. Meine Nerven sind zum Zerreißen gespannt.

Plötzlich entdecke ich in der Dunkelheit zwei Gestalten und rutsche von meinem Sitz, verstecke mich im Fußraum. Bis ich Neels' Stimme höre, seine schweren Schritte.

„Wieder zu spät", sagt er, als sie einsteigen. „Und so ist das ständig.

Wir rennen rein, riskieren unser Leben, wir kommen zu zweit und haben es mit Gangs zu tun, wir halten den Kopf hin, wenn sich Banden bekriegen – und alles, was wir haben, sind eine kugelsichere Weste, ein altes Auto und ein Funkgerät aus dem letzten Jahrhundert." Er schmeißt seinen Revolver auf die Ablage.

„Wir haben den Kampf schon verloren. Es sagt bloß keiner laut", sagt Cidwill. „Dabei geht's uns noch gut, drüben in Johannesburg ist es schlimmer. Johannesburg ist die gefährlichste Stadt in Südafrika. Da gibt's Gegenden, in denen brauchte man Blauhelmsoldaten. Polizisten trauen sich schon gar nicht mehr dorthin."

„Es ist ein Scheißjob, das muss man mal klar sagen. Wenn ich zum Dienst fahre, weiß ich nie, ob ich meine Familie wiedersehe. Wir werden schlecht bezahlt, und wir richten nichts aus." Neels' Ohnmacht, Angst und Hilflosigkeit überfluten mich. Doch jetzt kann ich nachvollziehen, warum es Tage gibt, an denen er nach Hause kommt und seine Familie anbrüllt. „Manchmal könnte ich sie alle abknallen..."

Ich verstehe, dass Schwarze nicht nur gut und Weiße nicht nur Rassisten sind und dass die Welt brutal ist. Ich verstehe, dass die Sprache der Townships Gewalt ist. Mir ist übel. Ein Menschenleben, ich habe es begriffen, ist in diesem Land nichts wert.

IN DER Nacht schlafe ich schlecht, wie oft vor Überlandfahrten. Am Vortag hatte John mir angeboten, Kondome zu kaufen; dann könnte ich mich, wenn ich tatsächlich überfallen und vergewaltigt würde, zumindest vor Aids schützen.

Ich breche früh auf. Nach drei Stunden erreiche ich Williamsburg. Ich fahre in den Ort hinein, an der Fabrik vorbei, den Schotterweg entlang,

Schnurgerade Straßen durch karge Landschaft führen nach Williamsburg. Buschbrände, wie hier im Hintergrund, sind keine Seltenheit.

an den grauen Gartenlauben vorbei, durch die Schlaglöcher, den Hügel hinauf zur Klinik.

Beladen mit Medikamentenkartons schaue ich in Nitas Büro, es ist leer. Sie winkt mir aus dem Wartezimmer zu, das wie immer voller Patienten ist. Ich trage die Kartons in mein Büro. Im Garten ist es still, Tillis und die anderen Kinder sind nirgendwo zu sehen. Ich nehme ein paar Unterlagen und gehe zurück ins Wartezimmer. Einige der Patienten heute Morgen sind potenzielle Studienpatienten, weswegen wir HIV-Tests machen werden.

Sarah ruft die erste Patientin auf, eine hochgewachsene Frau mit stark geschwollenen Lymphknoten. Sie setzt sich auf einen Stuhl; über ihrem Kopf schwebt das Plakat, das vor Vergewaltigung warnt. Langsam, aber mit geübten Bewegungen misst Sarah Puls und Blutdruck der Patientin. Dann desinfiziert sie die Armbeuge mit einem Tupfer. Ich reiche ihr Einmalhandschuhe; schon oft habe ich beobachtet, dass Schwestern Blut abnehmen, ohne sich zu schützen. Sarah füllt Blut in ein Glasröhrchen und gibt Serum dazu. In ein paar Minuten wird ein Teststäbchen ein Plus oder ein Minus anzeigen. Die Patientin wirkt gelassen. Die Einzige, die nervös auf das Stäbchen starrt, bin ich.

Auf dem Stäbchen zeichnet sich ein Minus ab. Ich atme auf, schreibe den Namen der Frau in eine Liste, und Elize legt ein Patientenbuch an.

Der nächste Patient ist ein Mann, jung, attraktiv, muskulös, kräftig. Er sieht kerngesund aus. Sarah bereitet Spritze und Teströhrchen vor. Der Mann sagt etwas auf Zulu und sie lacht. Es ist heiß, ich schwitze.

Auf dem Teststäbchen erscheint ein Plus. Ich starre auf das Stäbchen. Der Mann lacht. Versteht er, dass er sterben wird? Sarah erklärt dem Mann auf Zulu, dass er nicht in die Studie aufgenommen wird, sich aber mit einem anderen Medikament in der Klinik behandeln lassen kann. Der Mann nickt, setzt statt einer Unterschrift seinen Fingerabdruck unter das Testergebnis sowie auf ein Formblatt und verlässt schlurfend den Raum. Auf dem Fußboden zeichnen Sonnenstrahlen ein Muster.

DIE SCHLAFSÄLE auf der Kinderstation sind leer, darum gehe ich zum Aufenthaltsraum, öffne einen Spaltbreit die Tür. An einer Wand ist ein Waschbecken befestigt, breit und tief, beinahe ein Bottich. Drum herum stehen Kinder und ein paar Männer.

Als die Männer zur Seite treten, sehe ich Tillis. Splitternackt steht er in dem metallenen Bottich, die Augen zugekniffen, seine Haut glänzt von Wasser und Seife, sein schwarzes Haar ist shampooweiß. Er ist aufgeregt, zittert und quiekt, während Elize ihn mit Waschlappen und Bürste schrubbt. Die Männer rufen etwas auf Zulu, einer lacht. Ein Mädchen, das ich noch nie gesehen habe, hält ein Handtuch. Auf einem Stuhl liegt ordentlich gefaltet frische Kleidung. Die Szene hat etwas Komisches und auch einen heiligen Ernst, als stünde hoher Besuch bevor.

Elize hebt Tillis aus dem Zuber. Da entdeckt er mich, ruft *„Sawubona!"*, reißt sich los, läuft auf mich zu und springt in meine Arme.

„Yebo!" Ich hebe ihn hoch und drücke ihn an mich. Sein Körper ist warm und duftet. Nach unserer Begrüßung rubbelt Elize ihn vollständig trocken. Dann zieht sie ihm Unterwäsche an.

„Sie nehmen ihn mit?", fragt einer der Männer.

„Ja."

„Wirklich?", fragt ein anderer.

„Ja", antworte ich und lache. Elize hilft Tillis in die langen Hosen und knöpft sein Hemd zu. Unter dem Stuhl steht ein Paar blaue Turnschuhe, und sie bückt sich und fordert Tillis auf hineinzuschlüpfen. Tillis geht ein paar Schritte durch den Raum. Der Junge, der barfuß durch den Garten läuft wie ein junges Tier, bewegt sich plötzlich ungelenk, hölzern, eckig. In Tillis' Gesicht spiegeln sich Verwirrung und Stolz, er schaut mich an, und auf seine stumme Frage, ob das alles seine Richtigkeit hat, nicke ich. Elize gibt mir einen Pullover. „Ich habe die Sachen von zu Hause mitgebracht. Mein Sohn ist so alt wie Tillis."

Ich hocke mich hin und ziehe Tillis den Pullover an, lege den Hemdkragen ordentlich um den Ausschnitt. „Ich muss noch arbeiten", sage ich. „In einer Stunde fahren wir los, einverstanden?" Tillis schaut mich an, seine Augenbrauen skeptisch gekräuselt. „Großes Ehrenwort", füge ich hinzu und hebe die Hand zum Schwur. Er lächelt.

In meinem Büro arbeite ich verschiedene Akten durch, doch ich kann mich kaum konzentrieren. Immer wieder sehe ich Tillis im Waschzuber, seine unbeholfenen Schritte in den neuen Schuhen. Ich hole mir ein Glas Wasser. Im Garten sitzt Tillis auf der Schaukel, still und kerzengerade, als könnte jede Bewegung seine schönen Kleider schmutzig machen. Ich packe zusammen und verlasse das Büro.

Umringt von einem Pulk von Kindern und neugierigen Erwachsenen gehen wir zum Parkplatz. Der Wachmann kommt aus seinem Häuschen und Elize und Nita verabschieden sich von Tillis, als würde er für immer und nicht für ein Wochenende fortfahren. Nita hilft ihm, seinen Kinderrucksack aufzusetzen. Stolz wie ein Königskind steigt Tillis ins Auto. Er legt den Rucksack neben sich auf die Rückbank. Der Wachmann öffnet das Tor, und wir rollen langsam die Ausfahrt hinab.

Tillis winkt – die Queen könnte es nicht huldvoller tun.

4

Das Auto rollt den Hügel hinunter. Links und rechts der Straße suchen dürre Kühe nach Grashalmen, und Tillis presst sein Gesicht, seine Hände gegen die Scheibe. Er hat die Tiere oft durch die Gitterstäbe des Klinikzauns beobachtet; so nahe wie jetzt ist er ihnen noch nie gekommen.

Am Ortsausgang halte ich an einer Tankstelle. Kaum dass ich vorfahre, beginnt ein Schwarzer die Scheiben zu wischen, ein anderer greift nach dem Tankstutzen. Das erinnert mich an den Morgen meines ersten Arbeitstages, als mich ein Kollege abgeholt hatte und wir auf dem Weg in die Firma an einer Tankstelle hielten. Als ich wie selbstverständlich zum Tanken aussteigen wollte, merkte ich erst am verwirrten Gesicht meines Kollegen, dass etwas nicht stimmte. Neben mir hatte ein Mann gestanden, ein Schwarzer in roter Hose und gelber Weste, der darauf gewartet hatte, dass ich ihm den Autoschlüssel gab. Während er tankte, kontrollierten zwei andere Männer Ölstand und Reifendruck, ein vierter wischte die Scheiben. Ich hatte meine Sonnenbrille aufgesetzt und war im Sitz versunken, so unendlich peinlich war es mir gewesen, mich bedienen zu lassen.

Nun frage ich mich, welchen Eindruck es auf Tillis macht zu sehen, dass Schwarze Weiße bedienen. Ich drehe mich um – und sehe gerade noch einen Schatten aus dem Wagen rutschen. Tillis läuft um das Auto herum, auf den Mann zu, der gerade den Tankstutzen wieder einhängen will, und tritt ihm gegen das Schienbein. Ich rufe: „Tillis! Was machst du?", und höre ihn schreien: „Fass das Auto nicht an! Das Auto gehört Claudia!"

Der Tankwart ist irritiert. In einer Hand hält er den Tankstutzen, mit der anderen versucht er, den aufgebrachten Jungen festzuhalten.

Ich umarme Tillis und sage: „Der Mann tankt, damit wir weiterfahren können. Er macht nur seine Arbeit." Tillis hält inne. Nun ist er irritiert. Ich entschuldige mich bei dem Tankwart und erkläre, dass Tillis zum ersten Mal Auto fährt. Sein Blick wandert von Tillis zu mir und wieder zu dem Jungen. Ich bezahle, wir steigen ein und fahren weiter. Später merke ich, dass ich lächle; Tillis' Fürsorge, sein Versuch, mich und das Auto vor einem Fremden zu schützen, rührt mich.

Ich drehe mich um, sehe nach hinten. Tillis sitzt auf der Rückbank, aufrecht, beinahe steif, und schaut aus dem Fenster.

„Geht es dir gut?"

Er nickt, und plötzlich wird mir bewusst, dass ich nun die Verantwortung für ihn trage.

Als wir die Vororte erreichen, schläft Tillis. Behutsam wecke ich ihn, doch er erschrickt, als er die Augen öffnet und die Lichter und die vielen Häuser sieht. „Ich will ins Krankenhaus", weint er, als ich versuche ihm zu erklären, dass wir in Pretoria sind. Einen Moment überlege ich, was ich tun soll. Dann sage ich: „Hab keine Angst, Tillis. Ich bin bei dir. Wir werden jetzt in den Supermarkt fahren, und dann fahren wir nach Hause und kochen Nudeln. Na, ist das eine gute Idee?"

Tillis nickt. Geräuschvoll zieht er die Nase hoch. Ich gebe ihm ein Taschentuch. Er nimmt es und fährt sich mit dem Ärmel über die Nase.

Im Supermarkt ist Tillis geblendet vom Neonlicht, dem Angebot an Waren, den hohen Regalen, langen Korridoren, vielen Menschen. Ich hole einen Einkaufswagen. „Tillis?" Der Junge ist verschwunden. Ohne zu überlegen, laufe ich los, die Regale entlang, schaue in alle Seitengänge – und da entdecke ich ihn. Tillis steht vor dem Wurstregal, ein winziger Junge vor einer Wand voller Salami-, Mortadella-, Leberwurst- und Mettwurstpackungen, eingeschweißt in Plastik stapeln sie sich vom Boden bis zur Decke. Als er mich sieht, lacht er und greift nach einer Packung Wurst, hält sie mir stolz entgegen.

„Guck…", sagt Tillis. Ich weiß nicht, ob ich schimpfen oder lachen soll. Einmal im Monat bekommen die Kinder in der Klinik statt Maisbrei Spaghetti mit Tomatensoße. In die Soße schneidet die Köchin kleine Schnipsel Wurst. Mit verblüffender Zielsicherheit hat Tillis genau diese Sorte Wurst aus dem Kühlregal gefischt.

„Sollen wir die mitnehmen?", frage ich.

„Ach … nein." Tillis legt die Packung zurück ins Regal.

„Komm, wir nehmen sie mit und kochen zu Hause Nudeln mit Tomatensoße." Ich nehme noch eine Packung und lege beide in den Einkaufswagen.

„Guck mal da …!", ruft Tillis. „Und hier …" Konserven, Bananen, Tortenböden und die Gitter vor der Spirituosenabteilung fesseln seine Aufmerksamkeit. Ich lotse ihn durch die Gänge. Wir kaufen Spaghetti, Mangos und Süßigkeiten und biegen schließlich in die Spielzeugabteilung ein. Auf einem großen gelben Podest sitzen lauter kleine Bären. Sie haben Knopfaugen und weiches braunes Fell. Ich nehme einen Bären und lasse ihn mit seiner Pfote über Tillis' Wange streichen. Tillis kichert und greift nach dem Bären und lässt ihn mit der Pfote über mein Gesicht streichen, bis ich ebenfalls kichere. „Den schenke ich dir", sage ich und drücke ihm den Teddy in den Arm. Ich möchte, dass Tillis etwas zum Kuscheln hat, etwas Tröstliches, Versöhnliches.

Wir gehen weiter. Tillis' Hand steckt warm in meiner, im Arm hält er seinen Teddy, das Gesicht halb ins Fell vergraben. Immer wieder mustern uns Frauen, Männer, sogar Kinder. In ihren Gesichtern erkenne ich, wie ungewöhnlich sie es finden, in ihrem Supermarkt einer weißen Frau mit einem schwarzen Kind zu begegnen.

Auf einem Tisch neben dem Schreibwarenregal entdecke ich einen leuchtend roten Ferrari. „Schau mal, Tillis! Gefällt dir das Auto?"

Tillis nickt.

„Möchtest du es haben?"

„Weiß nicht ..."

Seine Bescheidenheit rührt mich. Kurz überlege ich, ob ich gönnerhaft wirke, dann sage ich: „Das Auto schenke ich dir auch. Weißt du, was es für eine Marke ist?"

„Ein BMW."

„Nein, das ist ein Ferrari."

„Neiiin, ein BMW!" BMWs gelten in Südafrika als Luxus schlechthin. Ein so schönes Spielzeugauto kann in Tillis' Logik also nur ein BMW sein.

Zu Hause schließe ich die Türen auf und wir betreten das Appartement. Tillis schaut sich um. Ich stelle die Tüten ab, nehme ihn auf den Arm und sage: „Komm, ich zeige dir mein Zuhause."

Tillis staunt über die vielen Zimmer, fragt: „Wer wohnt noch hier? Und wann kommen die anderen?" Er staunt über die großen Fenster, den Garten, die Bäume, die Badewanne. Er entdeckt, dass es im Innern eines Kühlschranks kalt ist, und sieht verblüfft zu, wie Wasserstrahlen aus der Dusche schießen, als ich den Hahn aufdrehe. Dann lässt er sich im Wohnzimmer aufs Sofa plumpsen und hüpft auf der Matratze meines Bettes im Schlafzimmer. Sein Gesicht strahlt vor Freude.

Später sitzt Tillis auf dem Küchenschrank, während ich koche. Wir denken uns Namen für den Teddy aus, und am Ende bestimmt Tillis, dass er Bobby heißen soll. Tillis steckt seine Nase in jede Tüte, Packung, Dose, er schaut genau zu, wie ich Tomaten, Zwiebeln und Wurst in Stücke schneide. Ab und zu stecke ich ihm ein Wurststück in den Mund. Im Topf brodelt das Wasser, und immer wieder fragt Tillis, ob er helfen kann. Um ihn zu beschäftigen, gebe ich ihm schließlich einen Kochlöffel, und er rührt eifrig die Soße um, während ich würze.

Nach dem Essen lasse ich Badewasser ein und gebe ein paar Tropfen Badezusatz hinein. Wir schauen zu, wie Schaumberge wachsen, und Tillis zappelt vor Aufregung, als ich ihn ausziehe. Er greift in den Schaum, wirft kleine Flöckchen in die Luft, pustet sie von seinen Fingern und jauchzt, wenn ein Flöckchen wieder auf seiner Haut landet. Er taucht ins Wasser, sieht zu, wie das Wasser wogt und Wellen bildet. Dann hält er sich mit den Fingern die Nase zu, taucht unter und kommt über und über schaumbedeckt wieder an die Oberfläche, weiß wie ein Schnee-könig. Sein dunkles Gesicht, seine schwarzen Augen stechen aus dem Schaum, der weißen Badewanne hervor. Er strahlt vor Freude.

In Tillis' Rucksack finde ich eine Trainingshose und ein Sweatshirt. Seine Haut duftet, als ich ihn ins Wohnzimmer trage. Ich gebe ihm seine Medikamente und hülle ihn in eine Decke. Er sitzt warm, satt, sauber und sicher auf meinem Sofa, in einem Arm seinen Teddy, im anderen den BMW-der-ein-Ferrari-ist. Ein warmes Gefühl überkommt mich.

Ich nehme mir ein Kissen und strecke mich auf dem zweiten Sofa aus. Im Fernsehen sagt der Nachrichtensprecher, dass das Parlament über eine neue Verfassung berät, und auf dem Bildschirm erscheint ein Bild von Nelson Mandela. *Madiba!*", ruft Tillis. In der Klinik habe ich ein-mal gesehen, wie Kinder mit leuchtenden Gesichtern vor dem Fern-seher klebten, als ein Film über Nelson Mandela lief. Selbst die Kleins-ten verehren ihn wie einen Gott, und fast alle Schwarzen nennen ihn *Madiba* oder *Mkhulu* – Großvater –, als Ausdruck ihrer Liebe und ih-res Respekts. Wir schauen zu, wie Madiba vor dem Parlamentsgebäude einem Fernsehreporter ein Interview gibt.

Irgendwann spüre ich, wie Müdigkeit durch meinen Körper kriecht, meine Augen werden schwer. Tillis rutscht von seinem Sofa; ohne ein Wort zu sagen, kriecht er unter meine Decke. Er schmiegt sich an mich. Minuten später schläft er. Ich lege meinen Arm um ihn, schaue, dass er überall gut zugedeckt ist, und stelle mit der Fernbedienung den Fernse-her aus. Im Halbschlaf höre ich noch Andrew, meinen Nachbarn, nach Hause kommen. Ein Schlüssel klimpert, das Schloss der Sicherheitstür klappert. Tillis schreckt aus dem Schlaf. „Nicht schießen!", ruft er, und ich zucke zusammen. „Bitte, die sollen nicht schießen!"

Tillis klammert sich an mich, und es dauert einen Moment, bis ich be-greife. „Pst ... Niemand schießt. Das ist bloß ein Nachbar, der nach Hause kommt." Tillis weint und zittert, und ich drücke ihn an mich. „Du brauchst dich nicht zu fürchten. Hier bist du sicher, hier passiert dir nichts." Ich stehe auf und nehme Tillis auf den Arm. Ich beschließe, ihn bei mir schlafen zu lassen. Er greift nach meiner Hand, als wollte er sich versichern, dass ich nicht fortgehe. Ich lese aus einem Märchen-buch vor, bis ich seinen ruhigen, regelmäßigen Atem höre.

Anschließend liege ich lange Zeit wach, lausche Geräuschen im Haus und denke über mein Doppelleben nach. Tagsüber in den Kliniken der schwarzen Townships bin ich von Armut und Elend umgeben. Abends kehre ich zurück in eine geordnete weiße Welt mit Swimmingpool und 120-Quadratmeter-Wohnung, die ich nicht einmal selbst sauber machen muss. Anders als Tillis kann ich die Welt des Elends jederzeit verlassen, während ihn die Erlebnisse seines Alltags nie loslassen.

Ich denke an unseren Pfarrer in Peitz, der sagte, Gott sorge dafür, dass es denen, denen es auf Erden schlecht geht, im Jenseits besser ergehe. Ich will gern daran glauben; doch meine Zweifel wachsen.

MEIN Leben im Westen begann in einer Kaserne in Weiden in der Oberpfalz. Es war bereits Nacht, als unser Bus am 30. Oktober 1989 auf dem Kasernenhof eintraf. Alle waren erschöpft, weinten und lachten gleichzeitig. Ich rief meine Eltern an. Meine Mutter brach in Tränen aus. Erst jetzt fing ich an zu begreifen, was ich getan hatte.

Wir wurden registriert und in provisorisch hergerichtete Stuben geführt. Noch in der Nacht bekamen wir Begrüßungsgeld und einen Laufzettel, auf dem die Behördengänge aufgelistet waren, die wir in den nächsten Tagen zu absolvieren hatten. Ein Beamter fragte mich, in welches Bundesland ich wolle. Da einer von Mutters Brüdern in der Nähe von Aachen lebte, sagte ich Nordrhein-Westfalen. Zwei Tage später saßen Thomas und ich in einem ICE und fuhren nach Köln.

Von nun an lebte ich in verstörender Unsicherheit. Wochenlang zog ich von einem Aufnahmelager ins nächste, meldete mich bei Sozial- und Arbeitsämtern, sprach bei Beratungsstellen vor. Ich verbrachte Nächte in riesigen Schlafsälen, stand Schlange vor Essensausgaben und bekam in einer Kleiderkammer eine zottelige Felljacke und Winterstiefel zugeteilt. Ich schlug die Zeit tot und wartete, dass die Zukunft begann. Ich war ein Flüchtling und spürte jeden Tag, was das bedeutete. Mein Schicksal lag in den Händen anderer, ich war Teil eines bürokratischen Verwaltungsprozesses, jemand, über den entschieden wurde.

Gleichzeitig fürchtete ich mich, das Lager zu verlassen. Selbstständigkeit waren wir nicht gewohnt und im Lager gab es immerhin Menschen, die mir bei den ersten Schritten in der neuen Welt halfen. Auch schämte ich mich, meinen Onkel anzurufen, um ihn um Hilfe zu bitten; außer meinem Begrüßungsgeld besaß ich keinen Pfennig und ich wollte ihm nicht auf der Tasche liegen. Ich wollte es allein schaffen.

Wenn ich sehr verzweifelt war, dachte ich an Großmutter und den Satz, den sie mir ins Poesiealbum geschrieben hatte: *Lasse Dir niemals*

Dein Ziel verrücken. Dennoch fühlte ich mich all dessen beraubt, was einmal mein Leben ausgemacht hatte. Mit dem Grenzübertritt hatte ich meine Identität verloren; eine neue war nirgendwo in Sicht.

Im fünften Lager wurden Thomas und ich mit sechzig anderen Flüchtlingen in einer Turnhalle einquartiert. Es gab einen winzigen Waschraum und einen Aufenthaltsraum, in dem ein Fernsehapparat stand. Eines Abends kam jemand und sagte: Die Mauer ist gefallen.

Meine Gefühle in dieser Nacht des 9. November schwankten zwischen Ernüchterung und Erleichterung. Ich hatte viel auf mich genommen – nun sah ich im Fernsehen Menschen, die auf der Mauer tanzten, fröhlich und ausgelassen an Grenzern vorbeispazierten und ohne jede Angst in den Westen marschierten. Ich freute mich, weil ich meine Familie wiedersehen würde, und war gleichzeitig unendlich müde.

Bereits am nächsten Tag kamen Scharen neuer Flüchtlinge, drängten in die überfüllte Turnhalle. Männer, zwielichtige Gestalten darunter – ich fürchtete mich, ihnen auf dem Gang zu begegnen. Es gab Schlägereien. Schränke wurden aufgebrochen, Sachen gestohlen.

Das Martyrium endete durch einen Zufall. Ein Ehepaar war auf der Suche nach Verwandten, fand diese jedoch in keinem Lager. Kurzerhand luden sie Thomas und mich zum Essen ein und erzählten dabei von einer befreundeten Fleischerfamilie, die eine Wohnung zu vermieten hatte. Der Fleischer wiederum kannte einen Restaurantbesitzer, der einen Koch suchte, und Thomas war gelernter Koch. Ich jobbte in der Küche eines Burgerrestaurants. Später vermittelte mir der Sohn des Fleischers ein Vorstellungsgespräch in einem Pharmaunternehmen, wo man mir eine auf sechs Monate begrenzte Halbtagsstelle in der klinischen Forschung anbot. Ich wusste nicht, was klinische Forschung genau bedeutete. Ich kam aus dem Bergbau. Den ganzen Tag tippte ich Berichte, gespickt mit lateinischem und englischem Fachvokabular, arbeitete unter Zeitdruck – etwas, was wir, obwohl im Druck von oben erfahren, in der DDR nicht kannten. Doch ich lernte schnell.

Was ich nicht so schnell erlernte, waren die Spielregeln der westdeutschen Gesellschaft. Es gab in der Firma einen Klub der Ärzte. Und es gab den Klub der Sekretärinnen, in dem ich unfreiwillig Mitglied wurde und dessen Hackordnung ungleich schärfer war. Ich war die Kleine aus dem Osten. Man führte mich gelegentlich vor, ließ mich die Geschichte meiner Flucht zum Besten geben, doch wenn meine Kolleginnen mittags essen gingen, sagte mir niemand Bescheid.

Ich fühlte mich den anderen nicht ebenbürtig. Zum Ausgleich arbeitete ich umso härter und versuchte aufzusteigen, was mir auch gelang.

Nach nur einem Jahr betraute man mich mit der Durchführung klinischer Studien; ich wechselte vom Klub der Sekretärinnen in den Klub der Ärzte. Auch hier fühlte ich mich minderwertig. Ich besorgte mir Fachbücher und medizinische Wörterbücher, lernte. Den Selbstverständlichkeiten und Gepflogenheiten im Umgang mit westdeutschen Akademikern war ich trotzdem nicht gewachsen. So kannte ich weder die einschlägigen Golfklubs, noch wusste ich, mit welchen Poloshirts man sich am besten nirgendwo sehen ließ.

Doch ich reiste viel. Fand ein Kongress in Nizza statt, ließen meine Kollegen alles stehen und liegen. Galt es, einen Kardiologen in einer Klinik in Londonderry in Nordirland zu besuchen, hatten alle wichtige Termine. Also flog ich nach Nordirland. Ich reiste nach Israel, Moskau, Estland und Georgien. In Moskau entging ich nur knapp einer Entführung durch die Mafia, in Israel einem Raketenangriff der Hisbollah. Ich übernahm alle Arbeiten, die niemand erledigen wollte, schaffte drei Termine, während andere einen absolvierten. Irgendwie wollte ich allen, einschließlich meiner selbst, beweisen, dass die Kleine aus dem Osten es wert war, dass man ihr diesen Job angeboten hatte.

Die Anstrengungen dieses Lebens nahm ich kaum wahr. Im Gegenteil, auch privat war ich ständig unterwegs. Ich flog übers Wochenende zum Einkaufen nach Hongkong, buchte eine Fünftagesreise durch Italien und brach, kaum dass ich nach Hause kam, zu einer Expedition nach Skandinavien auf. Ich wollte nachholen, was mir so viele Jahre verwehrt worden war. Ich sog Länder, Menschen, Wissen, Reize auf und weigerte mich anzuhalten, denn ich fürchtete zu verhungern.

Bis ich zusammenbrach.

Während ich mich erholte, hatte ich genügend Zeit, um über meine Zukunft nachzudenken. Ich hatte zwar Karriere gemacht, hatte mehr von der Welt gesehen, als ich je für möglich gehalten hatte. Doch etwas fehlte. Was ich tat, sicherte mein Überleben; doch sah ich keinen tieferen Sinn darin. Plötzlich sehnte ich mich nach Ruhe, nach Beständigkeit. Dennoch zog es mich in die Ferne. Dann las ich in einem Fachblatt die Stellenanzeige eines südafrikanischen Forschungsinstituts, das Mitarbeiter für klinische Studien suchte. Ich bewarb mich und wurde genommen.

AM NÄCHSTEN Morgen spielt Tillis mit seinem roten BMW-der-ein-Ferrari-ist, während ich das Frühstücksgeschirr abwasche. Ich schlage Tillis vor, später in den Zoo zu fahren. Tillis lässt seinen BMW-der-ein-Ferrari-ist über die Küchentheke rasen. „Wie schnell fährt ein Elefant?", fragt er. „So schnell wie ein BMW?"

ABER MEIN HERZ BLEIBT IN AFRIKA

Ich erkläre, was ein Zoo ist und welche Tiere dort leben, dann trockne ich meine Hände ab, hole Stifte und Papier und male einen Elefanten, eine Giraffe und einen Affen. Tillis nimmt einen Stift und malt einen Fisch. Ich frage ihn, ob er schon einmal einen Fisch gesehen hat. Er sagt Ja, im Fernsehen. „Und ein Zebra habe ich auch gesehen." Er malt meinem Elefanten schwarze und weiße Streifen auf den Rücken.

„Dann lass uns nach dem Mittagessen in den Zoo fahren." Ich fange an, die Teller abzutrocknen. Tillis nimmt ein Geschirrtuch, das über der Herdstange hängt. „Ich erledige das schon", sage ich. „Spiel ruhig weiter." Tillis macht ein Gesicht, als habe er ein schlechtes Gewissen.

Im Zoo sind nicht viele Menschen, und wir haben den riesigen Park und die vielen Tiere fast für uns allein. Wir wandern von Elefanten zu Zebras, gucken Seehunden bei der Fütterung und Nilpferden beim Baden zu. Wir besuchen das Aquarium, gehen ins Reptilienhaus, bestaunen exotische Vögel. Am besten gefallen Tillis die Affen, die kreischenden Schimpansen und die Gibbons, die sich mit ihren langen Armen mühelos von Baum zu Baum schwingen.

Draußen kaufe ich Eis, und während wir in der Sonne sitzen, denke ich darüber nach, wie absurd es ist, dass ein afrikanisches Kind in den Zoo geht, um Affen und Elefanten zu sehen.

Zu Hause lasse ich wieder Badewasser ein und sehe zu, wie Tillis durch Schaumberge taucht. In der Klinik hat Elize einmal gesagt, dass sie sich Sorgen um Tillis mache, weil er so still sei und wenig spreche. Wenn ich ihn besucht habe, war er immer sehr ausgelassen; nur wenn seine Mutter auftauchte, habe ich Tillis' Traurigkeit und Enttäuschung gespürt. Die Unbekümmertheit, mit der er an diesem Wochenende die Badewanne durchpflügt, auf meinem Bett tanzt oder mit seinem Spielzeugauto in der Wohnung herumdüst, die Neugier, mit der er Schokoladenpudding verspeist, und die Anhänglichkeit, mit der er sich im Schlaf an mich kuschelt, machen mich froh und auch ein wenig traurig. Eigentlich sollte Tillis all das mit seinen Eltern erleben.

Sonntagmorgen weckt uns das Telefon. Während ich mich aus dem Bett schäle, rennt Tillis schon ins Wohnzimmer. Er nimmt den Telefonhörer, hält ihn ans Ohr, wie er es schon oft bei mir oder Nita gesehen hat, und singt aus vollem Hals „Nkosi Sikelel'i Afrika". Ich bin perplex und muss lachen. Als es mir gelingt, Tillis den Hörer zu entwinden, hat der Anrufer aufgelegt. Später, als wir unsere Cornflakes löffeln, klingelt das Telefon wieder. Wieder rennt Tillis los. „Warte …!" Aber schon singt er. Mein Vater kann sich vor Lachen kaum halten.

„Ist das dein Besuch?", fragt er.

In dieser Siedlung befand sich meine Wohnung in einem Vorort von Pretoria.

Tillis bei unserem gemeinsamen Ausflug nach Pretoria

ABER MEIN HERZ BLEIBT IN AFRIKA

„Ja, das ist Tillis. Und er telefoniert gern … Wie geht es Mama und
dir?" Ich setze mich aufs Sofa, höre zu, wie mein Vater vom Geburtstag
meiner Tante berichtet, erkundige mich nach Rosi, ihrer Familie, nach
Neuigkeiten aus Deutschland und erzähle von unserem Wochenende in
Pretoria und dass wir am Nachmittag zu den Union Buildings fahren
wollen.

Die Union Buildings sind eine mächtige neoklassizistische Anlage auf
einem Hügel im Nordosten Pretorias. Terrassenförmig angelegte Gärten
führen hinunter ins Tal, und man hat einen wunderbaren Blick über die
Stadt. Im Frühjahr blühen Tausende Jakarandabäume und der Park verwandelt sich in ein blauviolettes Blütenmeer. Ich bin schon oft, wenn mir
am Wochenende die Decke auf den Kopf fiel, hierhergefahren und habe
mich auf die Stufen gesetzt. Ein wenig erinnert mich das Gebäude mit
seinen Kuppeltürmen, dem Säulengang, dem hellen Sandstein und den
roten Ziegeldächern an italienische Castelli in der Toskana. Auch jetzt
leuchten die Dächer in der Sonne. Zypressen werfen lange Schatten, als
ich mit Tillis an der Hand die Treppen hinaufsteige.

„Hier wohnt *Madiba*", sage ich und deute auf den Säulengang. Seit
Nelson Mandela als erster schwarzer Präsident von Südafrika vereidigt
wurde, führt er hier die Amtsgeschäfte. Viele weiße Südafrikaner sehen
in ihm immer noch den ANC-Terroristen, doch für die Schwarzen ist
Mandela ein Held, sie verehren ihn für seinen Kampf um Freiheit und Demokratie. Tillis schaut sich um, während er die letzten Stufen erklimmt;
unter uns liegt die Stadt, vor uns das Regierungsgebäude.

Dann schlendern wir weiter und kommen zu einem Spielplatz. Ich
setze Tillis auf die Rutsche. Erst hält er sich fest, zögert, doch als er unten ankommt, klettert er sofort wieder die Sprossen hinauf. Wir fahren
Kettenkarussell und essen Eis, ich fotografiere Tillis, und Tillis fotografiert mich. Ich bemerke die Blicke, die uns folgen; hätten Tillis und ich
dieselbe Hautfarbe, würde uns niemand mustern, alle hielten uns für
Mutter und Kind.

Zu Hause frage ich Tillis: „Malst du ein Bild für die anderen Kinder
im Krankenhaus? Das schönste Tier, das du im Zoo gesehen hast?" Unterdessen bereite ich Akten und Unterlagen für den nächsten Tag vor.
Bei dem Gedanken, Tillis morgen in die Klinik zu bringen, wird mir
kalt. Ich zwinge mich, nicht daran zu denken.

Auf dem Parkplatz vor dem Haus spielen Kinder, ihre Stimmen dringen durchs offene Fenster. Als ich ins Wohnzimmer zurückkomme, ist
Tillis auf einen Hocker geklettert und schaut hinaus. Drei Jungen fahren mit ihren Fahrrädern Kreise und Schlangenlinien. Tillis sieht ihnen

zu, und in seinem Gesicht liegt das Staunen, mit dem DDR-Bürger nach der Wende durch westdeutsche Supermärkte streiften. „Kann ich runtergehen und auch Fahrrad fahren?"

Einen Moment zögere ich; die Jungen sind älter, und sie sind weiß, in der gesamten Anlage wohnt kein einziger Schwarzer. Doch ich sehe, wie sehnsüchtig Tillis schaut, und bin auch ein bisschen stolz auf ihn, weil er mutig ist und keine Angst vor fremden Kindern hat. „In Ordnung", sage ich.

Vom Küchenfenster sehe ich zu, wie Tillis Stufe für Stufe die Treppe hinabsteigt. Unten angekommen, dreht er sich um, sucht meinen Blick. Ich nicke ihm zu. Eine Weile bleibt er abseits stehen und schaut zu, wie die Jungen mit ihren Fahrrädern Slalom fahren. Einer der Jungen, ein dicker Blonder, ruft etwas auf Afrikaans. Jetzt geht Tillis auf ihn zu, und ich höre ihn fragen, ob er auch mal Fahrrad fahren darf. Ein zweiter Junge mit einer roten Baseballkappe bremst scharf vor Tillis' Füßen. Er ist fast doppelt so groß und schaut auf ihn hinunter. Alle drei lachen. Und der dicke Blonde sagt: „Du bist schwarz, und ich gebe mein Fahrrad keinem Schwarzen."

Der Junge tritt in die Pedale seines Rades, beugt sich über die Lenkstange, klingelt. Die anderen folgen ihm, rasen über den Parkplatz und biegen um die Ecke. Noch aus der Ferne höre ich sie lachen.

Tillis steht auf dem Parkplatz und sieht ihnen hinterher.

Einen Moment lang stehe ich bewegungsunfähig am Fenster, dann packt mich kalte Wut. Obwohl die Jungen ebenfalls noch Kinder sind, möchte ich sie rütteln, anschreien und fragen, ob sie noch bei Trost sind. Die Unverfrorenheit, mit der sie einem Vierjährigen ins Gesicht sagen, er sei es nicht wert, auch einmal Fahrrad zu fahren, ist mehr, als ich ertragen kann. Ich renne zur Tür und die Treppe hinunter, wo Tillis mir entgegenkommt. Ich schließe ihn in die Arme. Er lehnt seinen Kopf an meinen Hals. „Ich verspreche dir, mein Schatz", flüstere ich, „dass du auch bald Fahrrad fahren wirst."

Es IST früh, und auf dem Autobahnring herrscht kaum Verkehr. Ich fahre ab auf die Straße, die nach Williamsburg führt. Nach ein paar Kilometern endet abrupt die Bebauung; wo sich eben noch Vorstadtvillen entlangzogen, ist nun Brachland. Der plötzliche Wechsel von der Stadt ins Niemandsland verblüfft mich immer wieder.

Noch 180 Kilometer.

Tillis schläft, ich habe ihm ein Bett auf der Rückbank hergerichtet. Sein Gesicht sieht friedlich aus, im Arm hält er seinen Teddy und den

ABER MEIN HERZ BLEIBT IN AFRIKA

BMW-der-ein-Ferrari-ist. Auch ich bin müde, ich friere, obwohl die Heizung auf höchster Stufe läuft. Gestern Abend, als ich Tillis ins Bett bringen wollte, bestand er darauf, dass ich mich wieder zu ihm legte. Als ich gerade wegdämmerte, hörte ich ihn sagen: „Meine Mama mag mich nicht, weil ich nicht lieb war. Aber jetzt bin ich lieb. Willst du meine Mama sein?"

Danach konnte ich nicht mehr schlafen.

Ich habe darüber nachgedacht, wie verlassen sich ein Kind fühlen muss, wenn es so etwas sagt. Ich habe mich gefragt, wie einer Mutter ihr Kind so gleichgültig sein kann. Ich habe versucht, mir vorzustellen, wie Tillis' Leben weitergehen würde – wahrscheinlich würde er ein paar Jahre zur Schule gehen; wahrscheinlich würde er im selben Elend aufwachsen wie andere schwarze Kinder; wahrscheinlich würde er seine Township nie verlassen. An alldem konnte ich nichts ändern, und diese Einsicht schmerzte. Doch auch wenn Tillis mir vertraute, mich bat, seine Mutter zu sein – so war ich es doch nicht. Er hatte eine Mutter, er hatte Eltern. Ich würde eines Tages wieder aus Südafrika fortgehen. Vielleicht würde Tillis sich dann auch von mir verlassen fühlen. Hatte ich überhaupt ein Recht, mich in sein Leben hineinzudrängen?

Auch jetzt denke ich wieder darüber nach, und je länger ich nachdenke, desto deutlicher spüre ich, wie viel Tillis mir bedeutet. Tillis und ich haben ein wunderbares Wochenende verbracht – ich musste nicht mehr nur funktionieren, effizient sein, Leistung erbringen. Endlich ist in meinem Leben wieder Platz für etwas, was lange viel zu kurz kam: Liebe, Leichtigkeit, Lebensfreude.

Doch heute Abend werde ich in eine leere Wohnung zurückkehren.

Noch 105 Kilometer.

Wieder tönen Tillis' Worte durch meinen Kopf: Willst du meine Mama sein?

Ich weine.

Es ist schon hell, als Tillis aufwacht. Einen Moment weiß er nicht, wo er ist, erschrickt. Ich strecke meine Hand aus, streichle seinen Bauch. Unauffällig wische ich meine Tränen ab. Tillis klettert zwischen den Rückenlehnen der Sitze hindurch und schaut mich an. Dann legt er seine Hand auf meinen Arm und schneidet eine Grimasse. Er entdeckt die Sonnenbrille auf der Ablage, greift danach, setzt sie auf und zieht noch mehr Grimassen. Ich lache und er wirkt erleichtert.

Noch 45 Kilometer.

„Was wirst du den Kindern im Krankenhaus erzählen?", frage ich. „Wirst du ihnen von den Tieren im Zoo erzählen?"

Tillis schweigt. Als am Horizont die Silhouette der Fabrik auftaucht, fragt er: „Kann ich wieder mit zu dir kommen?"

„Bestimmt. Du wirst mich bestimmt wieder besuchen."

„Versprochen?"

„Versprochen."

Dann schweigt er wieder, während ich Schlaglöcher umkurve und den Hügel zur Klinik hinauffahre.

Als der Wachmann das Tor öffnet, kommen Earl und Moses angelaufen. „Wie war es?", fragen sie, und dann entdecken sie Bobby und den roten BMW-der-ein-Ferrari-ist. Andere Kinder kommen angerannt. Sie umringen Tillis, bestaunen seine Geschenke, wollen hören, wie es in der fernen Stadt war. Tillis fängt an zu erzählen, und je mehr die anderen staunen, desto mehr schmückt er seinen Bericht aus. Stolz erzählt Tillis von Supermärkten, den Tieren im Zoo, Parks und Spielplätzen.

Es ist Earl, der fragt: „Ist Claudia jetzt deine neue Mama? Nimmt sie dich wieder mit?"

Tillis sieht mich an. Ich sage: „Tillis wird mich bald wieder besuchen."

In meinem Büro muss ich mich anstrengen, um mich auf Blutwerte, Pulsfrequenzen und HIV-Tests zu konzentrieren. Als ich die letzte Akte zuklappe, stehe ich auf und gehe in den Garten.

Tillis und die anderen Kinder sitzen im Schatten unter dem Baum. Ich höre, wie Tillis zu Elize sagt: „Ich war in Pretoria."

„Und, wie hat es dir gefallen?", fragt Elize.

„Toll", sagt Tillis. „Ich war im Zoo und habe in Claudias Badewanne gebadet. Jeden Tag!"

„Dann bist du ja blitzsauber, wenn dein Vater dich morgen abholt."

5

Die Achsen quietschen und das Auto knallt durch ein Schlagloch, ich habe es zu spät gesehen. Ich gebe Gas, der Reifen dreht durch, dann greift er, der Wagen zieht wieder an.

Aus einer Hütte kommt ein Mann, groß, hager, finster, er rückt seine Sonnenbrille zurecht und spuckt in den Staub. Im Rückspiegel sehe ich, wie er sich entfernt, in diesem schlurfenden, langsam schwingenden Gang, den ich oft bei schwarzen Männern aus den Townships beobachte.

Jede Township ist ein Gewirr von Häusern, Hütten, Gassen. Siedlungen, die einmal über Nacht entstanden sind, sie wachsen und wuchern,

ABER MEIN HERZ BLEIBT IN AFRIKA

manche wie bösartige Geschwüre. Sie sind Städte in der Stadt, Tausende Menschen leben hier, die Kriminalität blüht, Menschen werden überfallen, gekidnappt, vergewaltigt, Messer und Schnellfeuergewehre sind selbstverständlicher als fließendes Wasser und elektrisches Licht. Ich weiß, dass ich keine Chance habe, mich hier zurechtzufinden, kein Weißer schafft das. Die Hütten sehen alle gleich aus, gesichtslose Baracken, zusammengeflickt aus rostigem Blech und Sperrholz, manchmal sogar Pappe. Menschen, denen ich begegne, sehen mich überrascht an, manche bleiben stehen, rufen etwas. Ich habe Angst. Eine Gruppe Jugendlicher brüllt etwas, was ich nicht verstehe. Ich versuche, sie nicht anzusehen, doch ihre Blicke fesseln mich, ihre Blicke brennen. Ihre Stimmen überschlagen sich, einer schlägt auf das Dach meines Autos, ich zucke zusammen, umklammere das Lenkrad.

Ich umfahre eine Mülltonne, aus der Abfall quillt, der Müll stinkt in der Mittagshitze, und Hunde wühlen im Dreck. Ich blinke, biege ab, fahre einen ausgetretenen Sandweg entlang, der aussieht wie alle anderen Wege. So wie eine Hütte der anderen ähnelt, ein Elendsquartier sich ans nächste reiht. Ab und zu sehe ich Menschen, selten Kinder.

Und nirgendwo Tillis.

Kümmert sich jemand um ihn? Bekommt er etwas zu essen? Hat er ein Bett, eine Decke, oder schläft er auf der Straße?

Lebt er noch?

Seit ein paar Wochen durchsuche ich jedes Mal, wenn ich in die Klinik nach Williamsburg fahre, anschließend die Township. Ich habe Nita nach einer Adresse gefragt, doch sie hat die Schultern gezuckt; viele Patienten verschwinden, wenn sie entlassen werden, spurlos in den Slums. Ich weiß, dass es sinnlos ist und gefährlich, was ich tue. Ich weiß, dass ich als weiße Frau eine Provokation bin und ein leichtes Opfer. Ich weiß, dass ich ihn nicht finden werde in diesem Labyrinth, in dem es keine Straßennamen gibt, keine Hausnummern, in dem niemand, der nicht hier aufgewachsen ist, jemanden findet. Die Bewohner ziehen umher, sie verschwinden und tauchen Monate später genauso plötzlich wieder auf, sie leben, als fürchteten sie die Sesshaftigkeit, als wären sie noch immer Nomaden wie einst ihre Ahnen. Doch bei jeder Hütte, die ich sehe, denke ich: Dort könnte Tillis leben.

Ich will ihn finden. Ich möchte wissen, wie es ihm geht.

An jenem Nachmittag, als Elize wie beiläufig sagte, dass Tillis am nächsten Morgen entlassen würde, war mir, als habe mir jemand eine Faust in die Brust gerammt. Gerade hatte ich geweint, weil ich Tillis zurücklassen musste, ihn erst in ein paar Wochen wiedersehen würde.

Nun würde ich ihn ganz verlieren. Auch Tillis überwältigte die Nachricht, er weinte und fragte: „Warum?"

„Warum?", fragte ich Elize.

Sie zuckte die Schultern. „Der Speicheltest war negativ. Der Junge ist gesund. Wir können ihn nicht hierbehalten."

„Aber der Junge hat doch kein Zuhause!"

„Er hat einen Vater, der Vater hat einen Wohnsitz. Das ist mehr, als andere Kinder haben."

„Aber ..." Einen vierjährigen Jungen zu einem drogenabhängigen Vater zu schicken, zu einer Mutter, die sich herumtreibt – in meinen Augen kam das einem Todesurteil gleich.

Wie betäubt ging ich in mein Büro. Ich verließ die Welt, die mich umgab, zog mich zurück an einen einsamen, sehr kalten Ort, an dem ich ganz allein war.

Ich schrak auf, als es klopfte. Elize fragte: „Kommst du mal? Tillis ist so außer sich, ich kann ihn nicht beruhigen."

Er saß auf dem Rand seines Bettes, Bobby den Bären im Arm, ein tränennasses Gesicht. Ich biss mir auf die Lippen, um nicht auch zu weinen. Ich hockte mich vor ihn, streichelte seine Füße und versuchte, munter zu wirken. „Du bist gesund, Tillis. Das ist doch eine gute Nachricht! Darüber freue ich mich, du nicht?"

Tillis schüttelte den Kopf und weinte.

„Aber wir sehen uns wieder, mein Schatz. Wenn ich in die Klinik komme, werde ich dich besuchen. Oder du besuchst mich, einverstanden?"

Tillis sah mich an; er wusste nicht, ob er mir glauben konnte. Es hatten ihn schon andere enttäuscht, und ich wirkte wohl auch nicht sehr glaubwürdig.

„Warum?", schluchzte er, rutschte von seinem Bett, ließ sich in meine Arme fallen und weinte so heftig, dass ich meinen Kopf in seinen Pullover grub, damit niemand sah, dass ich auch weinte. Schließlich zog Elize Tillis energisch fort, hielt ihn fest, obwohl er versuchte, sich loszureißen, umklammerte seine Hände, seine Arme und rief: „Geh!"

Ich stand auf, strich über Tillis' Rücken, murmelte „Bis bald" und lief aus dem Schlafsaal. Blind vor Tränen fuhr ich zurück nach Pretoria.

Ich schämte mich. Mir war, als hätte ich Tillis im Stich gelassen. Vielleicht hatte ich mich sogar noch niederträchtiger verhalten als seine Mutter, denn ich hatte Tillis erst Sicherheit und Geborgenheit gegeben, ihn dann aber seinem Schicksal überlassen. Ich wollte nicht, dass Tillis dachte, auch ich fände, er sei kein liebenswertes Kind. Ich beschloss, ihn gleich am nächsten Morgen in der Township zu suchen.

SCHLAFWANDLERISCH bewege ich mich durch die Tage. Jeden Morgen stehe ich auf, fahre ins Büro oder in eine der Kliniken, die ich betreue. Ich begreife nicht immer, was ich tue, aber ich erledige meine Arbeit akribisch. Relia beobachtet mich; doch sie sagt nichts. Sie weiß, dass auch ich weiß, dass die TB-Studie das finanzkräftigste und prestigeträchtigste Projekt ist, das die Firma im Moment betreut, und dass ich noch immer erfahrener bin als meine Kollegen.

Im Büro streitet Blanche am Telefon mit ihrem Bruder, der einen Film über die Menschenrechtsverletzungen während der Apartheid drehen will. Ich höre, wie Carol tobt, weil Ndosi, der schwarze Fahrer, ihr Auto nicht sauber genug gewaschen hat.

Die Einzigen, denen ich mich nahe fühle, sind William, der schwarze Gärtner, Ndosi sowie die beiden Köchinnen Frances und Priscilla. Priscilla ist schwanger, das Baby soll bald kommen, und ich erkundige mich immer, wie es ihr und dem Baby geht. Ich weiß, dass mich all das in den Augen meiner weißen Kollegen zur Außenseiterin macht. Anfangs war ich noch die ahnungslose Ausländerin, die nicht wusste, wie man mit Schwarzen umging. Seit ich Ndosi, Frances, Priscilla und William zu meinem Geburtstagsumtrunk eingeladen habe, distanzieren sich meine weißen Kollegen. Es ist mir egal. Ich werde mich nicht wie ein Schwein benehmen, nur weil ein Mensch eine andere Hautfarbe hat.

Die Einzigen, die wissen, dass ich Tillis suche, sind Ndosi, Frances, Priscilla und William. Als Relia für ein paar Tage nach Kapstadt fliegt, nutze ich die Gelegenheit und suche in den Telefonbüchern nach Adressen von Hilfsorganisationen. Ich notiere die Nummern des örtlichen Sozialamtes in Williamsburg sowie des Ministeriums für Wohlfahrt und Bevölkerungsentwicklung in Pretoria, das von allen Einrichtungen einem Sozialministerium noch am nächsten kommt. Auf dem Rückweg in mein Büro gehe ich in die Küche, um mir einen Tee zu kochen. Priscilla lehnt an der Spüle, sie atmet schwer. Ihr Bauch sieht aus wie ein riesiger Ballon. Kleine glänzende Schweißperlen stehen auf ihrer Stirn, sie presst die Lippen aufeinander.

Mir wird ganz heiß. „Hast du Wehen? Ist es so weit?"

Priscilla nickt.

„Warte. Ich bin sofort wieder bei dir!" Ich drehe mich auf dem Absatz um, renne hinaus, stoße die Tür zu Carols Büro auf und rufe: „Priscilla bekommt ihr Baby! Jemand muss sie in die Klinik fahren!"

„Sicher. Aber erst wenn die Treppe gewischt und im Foyer alles sauber ist. Heute Nachmittag kommen die Manager einer französischen Pharmafirma. Bei der Studie geht es um eine Menge Geld."

Ungläubig starre ich Carol, die in ihren Unterlagen blättert, an und einen Moment verschlägt es mir die Sprache.

„Wenn Priscilla fertig ist, kann sie den Zug nehmen." Carol zerknüllt ein Blatt Papier, wirft es beiseite. Es landet neben dem Papierkorb.

„Carol, Priscilla ist schwanger! Die Wehen haben eingesetzt. Sie bekommt ein Kind!" Ich weiß nicht, warum ich in diesem Moment an Carols Bruder Ray denken muss.

„Andere Frauen haben auch schon Kinder bekommen. Kein Grund, solchen Wirbel zu veranstalten."

Ich hole Luft. Ich weiß, dass Priscilla jeden Morgen zwei Stunden mit dem Zug fährt, um zur Arbeit zu kommen. Entschlossen streiche ich mir das Haar aus dem Gesicht und höre mich mit klarer, kühler Stimme sagen: „Okay, ich werde jetzt Priscilla ins Krankenhaus fahren." Bevor Carol etwas erwidern kann, füge ich hinzu: „Du kannst den Arbeitsausfall von meinem Gehalt abziehen."

Ich werfe die Tür ins Schloss und renne die Treppe hinunter, heulend vor Wut. Wie kann ein Mensch so grausam sein? Warum hört die Ungerechtigkeit in diesem Land nie auf?

Südafrika hat einen schwarzen Präsidenten, doch solange sich Priscilla nicht traut, gegen Carol aufzubegehren, wird sie weiterhin wie Dreck von ihr behandelt werden. Man muss für seine Würde eintreten; das hatten wir in der DDR nur zu gut gelernt. Jedes Regime scheitert, sobald die Bürger keine Angst mehr haben, sich gegen ihre Unterdrücker zu wehren. Allerdings: in Südafrika wird es noch lange dauern, bis eine Priscilla sich ihrer Würde und ihrer Rechte bewusst wird und beides einfordert. Die Gesellschaft in diesem Land ist zerrissen und weit entfernt davon, eine neue, gemeinsame Identität zu entwickeln. Vielleicht würde erst die nächste Generation – Tillis und Priscillas Baby – in einem Südafrika leben, in dem alle Kulturen und Ethnien nicht nur auf dem Papier, sondern auch im täglichen Leben gleiche Rechte und Chancen hatten.

Die Frage ist auch, ob ich noch so lange hier leben will.

Doch darüber kann ich jetzt nicht nachdenken. Ich stürze in die Küche, wo Priscilla sich heftig atmend über den Tisch beugt. „Komm", sage ich und stütze Priscilla, als wir zu meinem Auto gehen.

RELIA trommelt mit den Fingern auf der Lehne, während der Pilot zum Landeanflug ansetzt. Unter uns liegt wie ein großer flacher Tisch der Tafelberg. Weiße Wolkenfetzen hängen über dem Massiv. „Auf der Tafel liegt ein Tischtuch", sagt der weiße Geschäftsmann, der mir seinen

Fensterplatz angeboten hatte und nun zwischen Relia und mir sitzt. Er lächelt. „Ist eine Redewendung unter Kapstädtern."

„Das Tischtuch sieht wunderschön aus."

„Die ganze Stadt ist wunderschön!"

„Ich weiß …", sage ich, und in diesem Augenblick überkommt mich wilde Sehnsucht nach einem freien Leben.

In der Firma gilt meine Reise nach Kapstadt als Auszeichnung. Ein Pharmakonzern hat eine neue Studie in Auftrag gegeben, und zu meiner Überraschung haben John und Carol mich ausgewählt, Relia zu begleiten. Zwei Tage lang werden wir verschiedene Kliniken besuchen, die als Partner für die Untersuchung infrage kommen. Anschließend wird Relia nach Pretoria zurückfliegen, während ich zwei Wochen lang mit einer jungen Frau namens Chrissie, die ebenfalls für unsere Firma arbeitet, aber in Wilderness, in der Nähe von Kapstadt, lebt, Studienpatienten einer Herzmittelstudie besuchen werde. Ich bin froh, meinem Alltag für eine Weile entfliehen zu können, doch wie soll ich von Kapstadt aus nach einer Spur von Tillis suchen?

Am Flughafen holen wir unseren Mietwagen und machen uns sofort auf den Weg in die erste Klinik. Relia fährt und ich sehe aus dem Fenster, betrachte die bizarren Felsformationen, den weißen Strand, das blaue Meer. Überall wachsen Palmen, Sträucher, exotische Bäume. Wieder packt mich Sehnsucht. Mir ist, als kehrte ich aus einem kargen Land zurück in eine Welt voller Farben und üppiger Vegetation.

Relia verlässt die Hauptstraße, fährt über unbefestigte Wege, die schließlich in eine Township führen. Als ich einen Jungen sehe, der im Staub hockt, verkrampft sich mein Körper; der Kleine hat die gleiche schmale Statur, die gleiche bronzefarbene Haut wie Tillis.

Ich möchte weinen.

Es ist Chrissie, die mich aus meiner Erstarrung reißt.

Chrissie ist jung, aufgeschlossen und fröhlich. Sie trägt taillierte Kleider und bunte Röcke, die deutlich über den Fußgelenken enden. Sie interessiert sich für Musik und Politik, spricht vier Sprachen und behandelt Schwarze wie Menschen. Als sie mich zum ersten Mal in ihr luxuriöses Wochenendhaus am Meer einlädt, erscheint mir das Wort „Wochenendhaus" viel zu winzig für diese Villa. „Es gehört einer Familie aus Pretoria. Sie verbringen ihren Sommerurlaub hier, den Rest des Jahres steht das Haus leer. Damit nicht laufend eingebrochen wird, vermieten sie es für wenig Geld an Studenten – und im Moment an mich."

Chrissie und ich verstehen uns gut. Oft übernachte ich bei ihr. Sobald es dämmert, sitzen wir auf der Veranda, sehen zu, wie der Mond aufgeht.

Wir machen Ausflüge in die Kougaberge, in die Winelands. Ein paarmal lassen wir uns mit der Drahtseilbahn auf den Tafelberg bringen, und ich staune, weil man fast die gesamte Kapregion überblickt und sieht, wie die scheinbar endlos langen weißen Strände sich am Horizont verlieren. Ich genieße die Leichtigkeit; und doch liegt darunter etwas Bleiernes, eine haltlose Verzweiflung. Wir spazieren durch den historischen Hafen und ich denke an Tillis. Wir setzen uns in eine Bar an der Waterfront, schauen dem Treiben zu und ich höre von fern sein Lachen. Wir schlendern durch die Innenstadt, laufen über holpriges Kopfsteinpflaster durch das bunte Viertel der Kapmalayen, der Nachkommen der Sklaven, die im 17. Jahrhundert aus Asien kamen. Mit ihrer bronzefarbenen Haut und den mandelförmigen Augen erinnern sie mich an Tillis. Sofort bekomme ich wieder ein schlechtes Gewissen – hungert er, während ich Fingerfood esse und Cocktails trinke? Schläft er auf der Straße, während ich durch die Nacht tanze?

Kapstadt wirkt kosmopolitisch, fröhlich und entspannt. Chrissie hat Freunde unter den Surfern, die sich in der Camps Bay und am Strand von Wilderness in die Wellen stürzen. Wenn ich ihnen zuschaue, wirkt alles leicht, hell und schwerelos. Manchmal kommt es mir vor, als schirme eine gläserne Wand auch mich ab von der Einsamkeit und der Kargheit, den strengen Konventionen und steifen Traditionen Pretorias.

„Was hältst du davon, wenn wir Freitagabend mit dem Boot rausfahren und bei einem Glas Champagner die Sonne überm Meer untergehen sehen?", fragt Chrissie ein paar Tage bevor ich nach Pretoria zurückkehre. Ich bin einverstanden; zumal wir tagsüber in einer der gefährlichsten Townships Kapstadts sein würden.

Bester Laune wirft Chrissie mir Freitagnachmittag den Autoschlüssel zu. Ich starte den Motor, drehe das Fenster ein Stück herunter, und wir brausen Richtung Autobahn. „Ich bin immer wieder froh, dass ich nicht bei euch in Pretoria arbeite", sagt Chrissie.

„Das kannst du auch sein. Hast du jemals dort gelebt?"

„Ein paar Monate. Aber weil ich in Kapstadt Pharmazie studiert habe, hat John mich beauftragt, mich um die Kliniken im Süden zu kümmern. Ich hatte einfach schon Kontakte."

„Dann bist du ja eine der wenigen, die sich in der Branche auskennen."

„Ja. Weißt du", sagt sie, „ich bin in Kapstadt groß geworden. Dort, wo du wohnst, ist das Zentrum der Nationalisten und Befürworter der Apartheid. Alle sprechen Afrikaans, nur wenn sie müssen oder wenn sie mit Ausländern zu tun haben, sprechen sie Englisch. In Kapstadt spricht jeder Englisch, die Stadt ist weltoffen. Dort, wo du wohnst, bilden die Weißen eine geschlossene Gesellschaft, für Andersartigkeit ist kein Platz. Südafrika verändert sich, doch das Denken der Leute dort verändert sich kein bisschen. Die Gesetze zur Rassentrennung wurden zwar aufgehoben, aber die Tradition, Schwarze zu diskriminieren, sie von Bildung, guten Jobs und Wohlstand auszuschließen – die lebt weiter. Verstehst du, dass ich dort nicht leben kann?"

„Wenn ich ehrlich bin, kann ich es auch nicht."

Ich denke an Kevin, Blanche' Bruder, der ganz ähnliche Dinge gesagt hat. Als wir uns Khayelitsha nähern, kurble ich das Fenster hoch und schalte die Klimaanlage ein. Chrissie holt eine Tüte Bonbons aus ihrer Handtasche und einen Lippenstift. „Willst du auch?"

„Bonbons ja, Lippenstift nicht", antworte ich und lache, als Chrissie sich im Spiegel einen roten Kussmund malt.

Vor uns fährt ein Lastwagen, aus dessen Auspuff schwarzer Rauch qualmt. Ich schalte einen Gang herunter, fahre an die Mittellinie, schaue, ob ich überholen kann. Als ich zum Überholmanöver ansetze, beginnt der Fahrer zu hupen. Ich halte das Lenkrad mit beiden Händen, gebe Gas. Im Rückspiegel sehe ich, wie der Fahrer aufblendet. Schnell trete ich die Kupplung und schalte in den fünften Gang.

Ich trete ins Leere.

Schreckenstarr umklammere ich das Lenkrad und trete erneut die Kupplung, doch das Pedal rutscht unter meinem Fuß weg. Der Lastwagen nähert sich, der Fahrer blendet auf, hupt, ich gebe Gas, der Motor heult; also bremse ich und versuche das Auto an den Rand der Fahrbahn zu lenken. „Was ist los?", ruft Chrissie, und ihre Stimme klingt plötzlich schrill.

„Der Kupplungszug ist gerissen!" Der Lastwagen nähert sich wie eine Wand. Wie ferngesteuert drücken meine Finger auf den Knopf und schalten das Warnblinklicht an.

„Nicht hier!" Chrissie schaltet das Warnblinklicht wieder aus. Wir rasen auf eine Straße zu, die unsere schneidet. Rechts steht ein Schild: KAPSTADT 16 KILOMETER. Unmittelbar vor der Einmündung bringe ich das Auto zum Stehen.

Chrissie und ich sehen uns an. „Was machen wir jetzt?", fragt Chrissie – ihre Augen sind noch vor Schreck geweitet.

„Ich rufe den ADAC an." Der südafrikanische Automobilklub hat natürlich einen anderen Namen, aber daran denke ich in diesem Moment nicht. Mit zitternden Fingern suche ich die Nummer im Adressbuch meines Handys. Als ich dem Mann, der sich am anderen Ende der

Leitung meldet, erkläre, dass wir in der Nähe von Khayelitsha liegen geblieben sind und dringend Hilfe benötigen, antwortet er: „Ziemlich gefährliche Gegend, Madam. Tut mir leid, aber da kann ich meine Leute nicht hinschicken." Ich höre ein Knacken in der Leitung.

Einen Moment bin ich sprachlos, dann drücke ich auf die Wahlwiederholungstaste. Ich rede ohne Punkt und Komma auf den Mann ein und flehe ihn an, uns zu helfen. Schließlich sagt er: „Okay, aber bei dem Verkehr wird es zwei, drei Stunden dauern, bis wir da sind."

Draußen donnert ein Lastwagen an uns vorbei. Chrissies Oberlippe glänzt rot, die Unterlippe ist blass und ungeschminkt. Mit dem herausgeschraubten Lippenstift in der Hand sieht Chrissie so ängstlich aus wie ein Kind, das sich vorm Dunkeln fürchtet. Ein dunkelgrünes zerbeultes und von Schüssen durchsiebtes Auto fährt vorüber, vier schwarze Männer grinsen uns an. Mir gefriert das Blut in den Adern. Ich sehe mich um. Die nächsten Häuser sind mehrere Kilometer entfernt, ferne Schatten in der aufziehenden Dämmerung.

„Wir müssen die Polizei anrufen", sagen Chrissies halb geschminkte Lippen. Mechanisch tippe ich die Notrufnummer in mein Handy.

Es knackt in der Leitung. *„Police station…"*

Ich stammle: „Wir sind liegen geblieben. In der Nähe von Khayelitsha. Wir haben eine Autopanne."

Stille in der Leitung.

„Hallo?"

„Sie sollten zusehen, dass Sie dort verschwinden, Madam." Im Rückspiegel beobachte ich, wie das dunkelgrüne zerbeulte und von Schüssen durchsiebte Auto wendet. „Madam?"

Ich schlucke. Mir ist eiskalt. Ich denke daran, dass vor Kurzem ganz in der Nähe eine Frau überfallen und von mehreren schwarzen Männern vergewaltigt wurde, die ihr anschließend Kehle und Bauch aufschlitzten und sie in den Straßengraben warfen. Die Frau überlebte, weil es ihr gelang, sich zur Straße zu schleppen, wo Autofahrer sie fanden.

„Madam, hören Sie. Ich schicke einen Wagen los. Aber es wird eine halbe Stunde dauern, bis wir bei Ihnen sind. Bleiben Sie, wo Sie sind, und verlassen Sie auf keinen Fall Ihr Auto. Haben Sie verstanden?"

„Ja."

Das grüne Auto hält neben uns. Ich sehe die Männer, einer hält einen Revolver, legt ihn zärtlich an seine Wange, lächelt, wirft mir einen Kuss zu. Ich spüre Chrissies Hand, die sich in meinen Arm krallt. Von links nähert sich ein Lastwagen. Der Fahrer des grünen Autos gibt Gas.

Ich atme auf.

Das grüne Auto wendet.

Chrissie betet.

Ich schließe die Augen, denke an meine Eltern, an Rosie, an meine Großmutter. Ich denke an Tillis, was wird aus ihm werden, er ist doch noch so klein, wer wird sich um ihn kümmern?

Ein Hupen zerreißt die Luft, und zwei Sammeltaxis jagen an uns vorbei. „Bitte! …" Ich bete, dass die Fahrer langsamer fahren, denn solange sie in der Nähe sind, wird man uns nichts antun. In dem Moment sehe ich das grüne Auto ein weiteres Mal vorbeifahren. Diesmal zielt der Mann mit dem Revolver auf Chrissie und mich. Er grinst. Ich sehe seine weißen Zähne. Er hat sehr viele, sehr weiße Zähne.

„O mein Gott …" Chrissies Stimme ist dumpf.

Mein Herz hämmert. Ich denke an Diana, die mir auf unserer ersten gemeinsamen Fahrt nach Klerksstadt erklärt hat, ich solle niemals in der Nähe einer Township anhalten, nicht einmal wenn sich mir jemand in den Weg stelle, lieber solle ich ihn überfahren – sonst bezahlte ich womöglich mit meinem eigenen Leben.

Das grüne Auto nähert sich wieder.

Ich rutsche tiefer in meinen Sitz.

Das grüne Auto ist nur noch ein paar Hundert Meter entfernt.

Ich höre Chrissies Zähne klappern. Oder sind es meine?

Das grüne Auto hält. Die Männer steigen aus.

Ich höre auf zu atmen.

Sie stehen im Staub am Straßenrand, nur ein paar Schritte entfernt. Sie grinsen. Alle. Ich schwitze. Mein Körper ist leer und kalt. Hier wird es also geschehen, denke ich. Hier, am anderen Ende der Welt. Ich staune über die kühle Klarheit meiner Gedanken. Es ist, als würde ich von außen, von oben, von irgendeinem fernen Ort aus zusehen. Hier werde ich also sterben, denkt die Frau, die da im Auto am Straßenrand sitzt, so fern von dort, wo ich geboren wurde. Sie betet.

Und plötzlich taucht ein Auto am Horizont auf.

Ich sehe Blaulicht, greife nach dem Türgriff und will hinausstürzen, doch Chrissie hält mich zurück, schreit: „Nein!" Ich reiße am Hebel der Lichthupe, winke, rufe, brülle, Chrissie fällt ein, wir schreien uns die Seele aus dem Leib, weinen. Wir haben es geschafft, wir haben überlebt, wir werden gerettet.

Der Einsatzwagen kommt näher.

Das grüne Auto verschwindet in der Nacht.

Als der Polizist meine Autotür öffnet, breche ich zusammen.

234 ABER MEIN HERZ BLEIBT IN AFRIKA

TAGSÜBER scheint noch immer die Sonne und das Thermometer steigt auf 16 Grad, doch nachts sinken die Temperaturen in die Nähe des Gefrierpunkts. Im Juli, wenn in Europa der Sommer beginnt, herrscht in Südafrika tiefster Winter. In den meisten Wohnungen gibt es keine Heizungen – ich habe nicht geahnt, dass man in Afrika so frieren kann.

Ich trage zwei Hosen, zwei Pullover und drei Paar Socken übereinander und habe mich in eine Bettdecke gewickelt. Es ist still im Haus, früher Abend. Ich will nicht ins Bett gehen, obwohl es das Einzige ist, was man bei dieser Kälte wirklich tun kann. Ich versuche, einen Brief an meine Eltern zu schreiben. Der Stift kratzt übers Papier. Immer wieder schreibe ich *Liebe Mutti, lieber Vati…* Für alles danach habe ich keine Worte. Wie beschreibt man die Gewissheit zu sterben?

Wieder fange ich an zu weinen und die Buchstaben verschwimmen. Etwas ist anders seit jenem Abend. Ich habe etwas verloren, etwas, was mich immer zusammengehalten hat. Ich fühle mich wie ein Gummiband, das jemand zu lange zu straff gespannt hat, das nun überdehnt ist. Ich weine, schiebe beide Hände in die Ärmel meiner Pullover, krieche tiefer unter die Decke. Immer wieder sehe ich das grüne Auto. Und Männer, die grinsen, und weiße Zähne, die in der Dunkelheit leuchten wie Messer.

Irgendwann gehe ich ins Bett.

Ich erwache von einem Geräusch. Ein lautes Krachen, als wäre etwas zu Boden gefallen. Ich schrecke hoch, mein Puls rast. Ohne zu überlegen, laufe ich ins Wohnzimmer, in die Küche. Es ist totenstill. Dann höre ich Schritte. Im Schutz der Dunkelheit schleiche ich zum Fenster und sehe einen Mann, geduckt, im Schatten der Wand des gegenüberliegenden Hauses. Ich entdecke den Umriss eines weiteren Mannes, er hockt neben einem parkenden Auto. Eine Stimme schreit: „Auf den Boden!", und im nächsten Moment schießt einer der Männer. Von irgendwoher wird das Feuer erwidert. Instinktiv werfe ich mich auf den Fußboden. Ich höre weitere Schüsse, höre Schritte, die auf unser Haus zulaufen, dann die Treppe hinaufstürmen, höre Schreie, ein Rumpeln, eine Stimme, die brüllt: „Ich knall euch alle ab, ihr Bastarde!" Ich denke an die Situation mit Andrew, als Tillis bei mir übernachtet hat. Wie oft mag der Junge genau dies schon erlebt haben?

Irgendwo geht Licht an, die Stimmen klingen jetzt sehr nahe, ich höre Schritte, Schritte auf dem Flur vor meinem Appartement. Ich spüre einen abgrundtiefen Schrei, er sitzt fest in meiner Brust, und ich beiße in die Ärmel meiner Pullover, höre auf zu atmen, damit niemand mich bemerkt, niemand mich findet, niemand mich erschießt auf dem kalten

Küchenfußboden, ich will nicht sterben, bitte, Gott, rette mich, hol mich hier raus, ich will leben, ich will leben, leben, leben, bitte!

Dann höre ich ein Martinshorn. Blaues Licht zerreißt die Nacht, Schritte hallen über den Parkplatz, jemand ruft: „Polizei!" Ich presse mich auf den Boden, spüre eisige Kälte durch meine Kleider dringen. Ich erstarre.

Irgendwann klingelt es an der Tür. „Machen Sie bitte auf, hier ist die Polizei." Es war ein Nachbar, der betrunken randaliert hat.

Am nächsten Morgen bekomme ich im Büro einen Anruf. Der Personalchef einer amerikanischen Forschungsfirma mit Niederlassungen in Europa bietet mir einen Job in München an.

Nach kurzer Bedenkzeit sage ich zu.

ALS ICH wenig später nach Williamsburg fahre, habe ich eine Liste der Schulen in der Township dabei. Nacheinander fahre ich sie ab, suche zwischen fremden Kindergesichtern nach einem, das mir vertraut ist. Ich bin außerstande, die Suche nach Tillis aufzugeben. In zwei Monaten werde ich nach Deutschland zurückkehren; wenn ich ihn bis dahin nicht gefunden habe, werde ich Tillis nie wiedersehen.

Doch wieder habe ich kein Glück.

Es ist Mittag, als ich den Hügel zur Klinik hinauffahre. Im Kofferraum stapeln sich Kartons – eine meiner Tanten hat Geld geschickt. Nachdem ich gesehen habe, dass die Patienten trotz Wintereinbruch in kurzen Hosen herumlaufen und nachts, selbst wenn sie Fieber haben oder Schüttelfrost, unter Decken schlafen, die dünn sind wie die Vorhänge vor den Fenstern, habe ich warmen roten Fleecestoff gekauft. Gemeinsam mit Miriam habe ich Hosen und Kapuzenpullis genäht. Während wir nähten, habe ich mich auf die Überraschung gefreut. Als ich jetzt vor den Kisten stehe, möchte ich weinen, so vermisse ich Tillis.

Es ist Earl, der mich zuerst entdeckt. „*Sawubona Claudia!*", ruft er. Simon und ein paar andere Kinder, die ich nicht kenne, kommen ebenfalls angelaufen. Ich reiße mich zusammen, lächle.

Alle helfen, Kartons und Kisten hineinzutragen. Ein paar Erwachsene folgen uns, und als wir auf der Kinderstation ankommen, sind wir umgeben von einem großen Pulk Neugieriger. Ich öffne den Karton, in dem die Kindergrößen verstaut sind, nehme eine Hose und einen Kapuzenpulli heraus und reiche beides Earl. Ich verteile Pullis an alle Kinder, verschenke Hosen an Frauen und Männer, sortiere Größen, helfe den Kleinsten und den bettlägerigen Patienten beim Anziehen. Moses versinkt beinahe in einer Männerhose, und Earl reibt seine Wange an

Diese roten Fleecejacken und -hosen nähte ich kurz vor Wintereinbruch für die Patienten der Klinik. Endlich musste niemand mehr frieren.

Hier verbrachte Tillis einen Tag bei mir im Büro. Er hatte keinerlei Mühe, sich zu beschäftigen.

Auf dem Zaun rund um das Klinikgelände wurde die Wäsche der rund 500 Patienten getrocknet.

In einer winzigen und dunklen Abstellkammer stand Tillis' „Bett": ein Brett, quer über zwei Tonnen gelegt. Niemanden störte, dass Tillis direkt an einer verschimmelten Wand schlief.

In der Plastiktüte auf dem Schrank befanden sich die neuen Kleider, die ich Tillis gekauft hatte. Niemand hatte sich darum gekümmert, dass er sie auch trug.

Simons weichem Ärmel. Die Luft sirrt von Stimmen, Gelächter und Gequietsche, der sonst triste Raum wirkt wie ein Festsaal. Inmitten der lachenden Gesichter entdecke ich Nita, unsere Blicke begegnen sich, ich erkenne Rührung und Ergriffenheit in ihren Augen. Ihr Mund formt ein stilles „Danke". Ich mache Fotos für Miriam und meine Tante.

Earl stupst mich an, sagt, ich soll mitkommen in den Männerschlafsaal. Vor einem der Betten bleibt er stehen. „Madam …", flüstert der Patient, und sogar durch den Fleecestoff hindurch zeichnen sich die Knochen seines ausgezehrten Körpers ab, doch seine Augen leuchten. „Madam, ich friere nicht mehr." Sein kahler Schädel verschwindet fast in der Kapuze. Ich nehme seine Hand und streichle sie. (Zwei Tage später wird Nita anrufen und berichten, dass der Patient gestorben ist; sie wird erzählen, dass er sich bedankt hat, die letzten Stunden seines Lebens nicht mehr frieren zu müssen.)

Als ich am Nachmittag aufbreche, fühle ich mich wie aufgeputscht. Gleichzeitig bin ich müde und nervös; unter meiner Freude schwelen Traurigkeit und Sorge um Tillis. Seit Wochen suche ich die Township nun nach dem Kleinen ab – erfolglos. Als ich den Hügel hinunterrolle, hängt der Himmel voll zarter weißer Wolken, und ich denke an den Flug nach Kapstadt, die Wolkenfetzen überm Tafelberg. Unten biege ich auf die unbefestigte Straße, die nach Williamsburg hineinführt. In einem der Häuser am Ortseingang brennt Licht; es wirkt wie ein Leuchtfeuer in der Ödnis. Am Straßenrand zeichnet sich ein Schatten ab, etwas, was ich auf die Distanz nicht erkenne. In meiner Handtasche suche ich nach meinem Handy, lege es griffbereit auf die Ablage. Die Notrufnummer ist eingespeichert.

Als ich den Ort erreiche, sehe ich ein Kind am Straßenrand stehen, dicht neben der Fahrbahn. Wie jedes Mal, wenn ich ein Kind entdecke, das mich an Tillis erinnert, zucke ich zusammen. Und wie all die Hundert Male zuvor sage ich mir: Reiß dich zusammen! Ich fahre weiter. Meine Finger zittern, umklammern das Lenkrad. Mein Herz hämmert, mein dummes Herz, das immer wieder hofft. Mein Verstand ruft ihm zu: Gib Ruhe, er ist es nicht, auch wenn du es dir noch so sehr wünschst, solch einen Zufall gibt es gar nicht, es wäre, als würdest du die berühmte Nadel im Heuhaufen finden, das ist unmöglich.

Und dann erkenne ich ihn …

MEIN HERZ klopft. Vorsichtig steure ich an den Straßenrand, bremse. Da steht er. Wie dünn er ist. Richtig mager. Und seine Haare so kurz geschoren, der Kopf beinahe kahl. Er sieht elend aus.

Und dann erkennt auch er mich. Sein Gesicht wirkt ernst. Ich sehe weder Freude noch Überraschung darin. Ein wenig müde geht er die paar Schritte auf das Auto zu und öffnet die Beifahrertür, als hätte er auf mich gewartet, als hätten wir eine Verabredung. Er sagt *„Sawubona"* und rutscht auf den Beifahrersitz. *„Sawubona Claudia."* Er sieht mich an, als wollte er nie wieder aussteigen.

„Yebo, sawubona Tillis", antworte ich, bemüht, meine Freude zurückzuhalten, um ihn nicht spüren zu lassen, welch maßlose Sorgen ich mir um ihn gemacht habe. „Wie geht es dir?"

„Gut." Sein Gesichtsausdruck ist ernst, die Fröhlichkeit, die er noch vor ein paar Wochen ausstrahlte, völlig verschwunden. Er fragt: „Und wie geht es dir?" Seine Finger sind schmutzig, sein T-Shirt ist zerrissen.

„Gut", antworte ich. „Wollen wir eine Limonade trinken?" Tillis nickt. Ich streiche über sein Haar; mehr Zärtlichkeit erlaube ich mir nicht. Etwas an dieser Situation ist extrem verwirrend. Der Junge wirkt so ruhig, so ernsthaft, so ungeheuer erwachsen. Mit immer noch klopfendem Herzen fahre ich in den Ort und halte vor dem Coffeeshop. Zwei Hunde wälzen sich im Staub.

Als wir den dunklen Raum betreten, schiebt Tillis seine Hand in meine. Als ich das erste Mal hier war, bin ich erschrocken, weil ich dachte, ich stünde in einem Privathaus, einem Wohnzimmer. Ich sah nur zwei Hocker, einen Schrank, einen schiefen Tisch. Eine alte Frau winkte mich herein, bot mir Kaffee und Schokolade an. Sie erklärte, dies sei ihr Haus, aber auch ein Café. Jetzt hebe ich Tillis auf einen der Hocker und setze mich ihm gegenüber. Ich nehme seine Hände und sage: „Wie lange hast du schon am Straßenrand gestanden?" Tillis lächelt nur und schmiegt sein Gesicht an meine Hand. Ein Junge, nur wenig älter als Tillis, fragt, was wir trinken wollen. Eine Frau mischt sich ein: „Sie können Kaffee bekommen. Und ich habe noch Schokolade."

Ich bestelle Kaffee, eine Limonade für Tillis und zwei Stück Schokolade. Tillis rutscht von seinem Hocker, drückt seine Nase an mein Bein, legt seinen Kopf auf meine Knie. Ich streiche über sein borstiges Haar. Er greift nach meiner Hand, zählt meine Finger. „Neun", sagt er und grinst. Ich zähle seine Finger und sage: „Elf ... komisch!" Tillis kichert. Als der Junge unsere Getränke bringt, setze ich Tillis auf meinen Schoß. Er nuckelt an seiner Limonade, fast wie ein Baby liegt er in meinem Arm. Wir essen Schokolade, und ich frage: „Wo schläfst du, Tillis?"

„Bei Papa."

„Und wo schläft Papa?" Tillis überlegt. Ich weiß, dass diese Frage einen Vierjährigen überfordert, aber wie bekomme ich sonst heraus, wo er wohnt? Ich frage die Frau: „Entschuldigung, aber kennen Sie vielleicht Tillis' Vater? Wissen Sie, wo ich ihn finde?"

Sie schüttelt den Kopf, schiebt ihren Strohhut ein Stück aus der Stirn, sodass ich über ihrem rechten Auge eine breite Narbe sehe. „Ich kann jemanden fragen", sagt sie.

Obwohl ich bezweifle, dass es weiterhelfen wird, bitte ich sie, das zu tun. Ich überlege, wie es weitergehen soll. Nach einer Weile beschließe ich, in die Klinik zu fahren und mit Nita zu sprechen. Tillis ist begeistert, als ich ihm sage, dass wir ins Krankenhaus fahren werden. Ich bezahle und wir gehen zum Auto.

Ich parke vor Nitas Büro, und als wir aussteigen, kommt Elize zur Tür heraus. Sie bleibt stehen, ich sehe das Staunen in ihrem Gesicht.

Sie sieht mich an. Ich zucke die Schultern.

Im Türrahmen erscheint Nita. „Kommt herein."

Ich frage Tillis, ob er den anderen Kindern Guten Tag sagen will. Er schüttelt den Kopf, klammert sich an meine Hand.

„Sie waren gerade losgefahren", sagt Nita, deutet auf einen Stuhl und setzt sich an ihren Schreibtisch, „als eine Frau aus dem Ort kam. Sie hilft uns beim Wäschewaschen und erzählte, sie habe Tillis am Ortsausgang stehen sehen. Nachbarn sagten, der Junge tauche seit Wochen dort auf, stehe stundenlang am Straßenrand und warte."

Ich schlucke und spüre, wie mir Tränen in die Augen steigen.

Er hat auf mich gewartet.

Aber warum habe ich ihn nicht schon vorher entdeckt?

Elize bringt Kaffee. Ich nippe daran. Tillis gräbt sein Gesicht an meine Brust. „Können Sie ihn nicht wieder aufnehmen?", frage ich Nita. „Er sieht nicht sehr gesund aus."

„Wir können den Jungen nur in der Klinik behalten, wenn er Tuberkulose hat", sagt Nita und lässt Süßstoff in ihren Kaffee fallen.

„Tillis muss erst wieder krank werden, damit man sich um ihn kümmert?"

„Es ist eine schwierige Situation." Nita rührt ihren Kaffee um. Tillis hockt sich auf den Boden und malt mit dem Finger Muster auf die Fliesen neben meinen Füßen. Nita gibt ihm ein Blatt Papier und einen Stift.

Einen Moment lang habe ich das Gefühl, als wäre ich ganz allein auf der Welt. Dann sage ich: „Ich möchte mit Tillis' Vater sprechen."

„Ich denke, das sollte kein Problem sein."

Ich frage Tillis: „Wollen wir zu deinem Papa fahren?"

Tillis schaut mich an, und in seinem Gesicht sehe ich eine Spur Misstrauen. Er steht auf und legt mir sein Bild in den Schoß: lauter Strichmännchen, darunter eines mit blonden Haaren und sehr langen Armen und eines in kurzen Hosen. Von allen Strichmännchen haben nur die blonde Frau und der kleine Junge ein Gesicht. Beide lächeln. „Kannst du ‚Mama' darunterschreiben?", fragt Tillis und deutet mit dem Stift auf die Frau. Es gibt mir einen Stich in den Magen.

„Ich werde sehen", sagt Nita und schlüpft in ihre Sandalen, „ob die Frau aus dem Ort noch in der Wäscherei ist."

Als sie zurückkommt, folgt ihr eine beleibte schwarze Frau. Ihr Gesicht ist runzlig, und als sie spricht, sehe ich, dass sie kaum Zähne hat. Die Frau spricht mit Tillis, auf Afrikaans und Zulu, und alles, was ich mitbekomme, ist, dass sie ihn fragt, ob er den Weg nach Hause kennt. Tillis nickt. Nita wendet sich an mich. „Tillis wird Sie zum Haus seines Vaters führen. Wahrscheinlich ist der Vater um diese Zeit von der Arbeit zurück. Reden Sie mit ihm. Und rufen Sie mich später an…"

Ich verspreche, mich noch am selben Abend bei ihr zu melden. Plötzlich bin ich voller Energie. „Komm, Tillis", sage ich.

TILLIS lotst mich durch die Township wie ein geübter Fremdenführer. Ich biege links ab und rechts, folge einem schmalen Weg zwischen Hütten hindurch, bis wir auf einen breiteren Sandweg stoßen. Ich sehe, wie Leute uns mustern, höre förmlich ihre Fragen, was eine weiße Frau hier will, eine weiße Frau mit einem schwarzen Kind. Tillis sitzt stolz auf dem Beifahrersitz und genießt die Aufmerksamkeit.

Wir halten vor einem graubraunen Steinhaus. Im Nu ist das Auto von Kindern umringt, sie pressen ihre Nasen an die Scheiben. „Komm, Claudia", sagt Tillis und steigt aus. Ich betrachte das Haus, und einen Moment bin ich erleichtert, dass die Familie nicht in einer Blechhütte lebt. Dann sehe ich die Fenster, die vernagelt sind.

Tillis nimmt den Autoschlüssel und schließt den Wagen ab. Er bahnt uns einen Weg durch die Menge. Er benimmt sich so, als wäre er der Erwachsene. Die Kinder folgen uns, sehen neugierig zu, wie wir den schmalen betonierten Weg entlang zur Haustür gehen. Ein paar Jungen rufen etwas auf Zulu, und Tillis ruft zurück. Ich sehe das ungläubige Staunen in ihren Gesichtern. Sie haben es nie geglaubt, schießt es mir durch den Kopf, sie haben nie geglaubt, dass es eine weiße Frau gibt, die Tillis nach Pretoria eingeladen hat. Sie haben geglaubt, er lügt.

Die Tür zum Haus steht offen. Ich zögere einzutreten, doch Tillis zieht mich mit. Drinnen ist es düster. Ein Geruch von Fäulnis krempelt mir beinahe den Magen um. Neben der Tür steht ein Tisch, daneben ein Sessel. Ein Schrank, dessen Türen ein Strick zusammenhält. Vor den

Fenstern schmutzige Gardinen. Auf dem Herd in der Küche steht ein Topf, auf dem Tisch ein alter Radiorekorder, ein Aschenbecher, eine Zange, ein dreckiges Messer. Im Bad ragen Leitungen aus der Wand, Armaturen fehlen, Badewanne und Waschbecken sind schmutzig. Als ich die Toilette hinter der Tür sehe, wende ich mich ab.

Tillis sagt: „Komm, Claudia", und ich folge ihm in einen Raum, dessen Fenster mit Latten vernagelt ist. Im Halbdunkel erkenne ich einen Schrank, auch seine Türen hält ein Strick zusammen. Auf dem Schrank liegt eine Plastiktüte, darin sehe ich den Pullover, die Hosen, die blauen Turnschuhe, die Tillis an dem Wochenende in Pretoria trug. Unter dem Fenster stehen zwei Tonnen, über die jemand ein Brett gelegt hat. Ein schmutziges Laken hängt herunter. „Mein Bett", erklärt Tillis. Er grinst, doch es ist nicht das charmante Lächeln, das ich von ihm kenne. Er ist verlegen. Die Wand neben dem Bett ist von Schimmel überzogen, bis zur Decke wuchern dunkelgrüne, braune, graue Flecken. Kein Wunder, dass jemand in so einer Umgebung an Tuberkulose erkrankt!

Im Flur höre ich Stimmen. „Meine Schwester!", ruft Tillis, und im nächsten Moment betritt ein Mädchen das Zimmer, das Tillis sehr ähnlich sieht. Sie betrachtet mich neugierig. Sie trägt einen Skipullover, ihr Haar ist kurz geschnitten, ihre Zähne strahlen weiß, sie ist hübsch. Ich schätze sie auf zwölf, höchstens dreizehn Jahre. Hinter ihr taucht ein Junge auf. Er ist etwas älter, trägt eine Baseballkappe, einen blauen Blouson mit weißem Kragen und eine Sonnenbrille. Er wirkt cool, reicht mir aber die Hand und sagt: „Freut mich, Sie kennen zu lernen." Er deutet auf Tillis' Schwester. „Ich bin ihr Zuhälter."

Mein Mund klappt auf. Und wieder zu.

Dann nehme ich Tillis' Hand und sage: „Komm!" Ich will raus aus dem Gestank, dem Dreck, will an die frische Luft. Doch Tillis reißt sich los, rennt in die Küche, schaltet den Radiorekorder ein, singt „Nkosi Sikelel'i Afrika". In dem Moment betritt ein Mann das Haus. Er ist groß, schlank, aber kräftig. Er trägt Jeans und ein blaues Hemd, ein dürrer Bart bedeckt Kinn und Teile seiner Wangen. Sein Gesicht wirkt hager im Vergleich zu seiner Statur, verwüstet; es ist das Gesicht eines Trinkers. Der Mann sagt „Hallo", und es scheint ihn nicht zu wundern, eine Fremde in seiner Küche anzutreffen. Tillis flüstert: „Das ist Claudia." Ich reiche Tillis' Vater die Hand: „Nett, Sie kennen zu lernen."

Er bittet mich, Platz zu nehmen, und fragt, ob ich etwas trinken möchte. Ich setze mich an den schmutzigen Tisch, schüttle den Kopf. Als er sich ein Glas Wasser einschenkt, rieche ich den Alkohol. „War ein Scheißtag", sagt er und prostet mir zu.

„Warum?"

Er beginnt zu erzählen. Erzählt von dem Termin bei der Sozialarbeiterin, die sich um die Familie kümmert; dass er nur ein paar Minuten zu spät gekommen sei, die Frau aber sofort die Betreuung abgebrochen habe. Als ob er nicht genug Probleme hätte. Er leert sein Glas in einem Zug, reibt sich die roten Augen. Er sieht müde aus. „Wissen Sie, ich arbeite den ganzen Tag, trotzdem fehlt es ständig an allem, manchmal reicht das Geld nicht einmal fürs Essen. Ich versuche, mich um die Kinder zu kümmern, vor allem um Tillis, der so krank war, aber Arbeit und Kinder und Geldsorgen – das ist einfach zu viel."

Ich höre zu, schwanke zwischen Mitleid und dem Wunsch, auf den Tisch zu hauen und zu rufen: „Jetzt reißen Sie sich mal zusammen!"

Am Ende verspreche ich, mit der Sozialarbeiterin zu reden. Ich stehe auf und verabschiede mich. Es ist dunkel, ich muss zurück nach Pretoria, doch Tillis klammert sich an mich, bettet, dass ich bleibe. „Ich kann nicht bleiben", sage ich.

„Bitte…" Er schlingt die Arme um meine Beine, will mich am Gehen hindern.

„Es geht nicht…" Ich habe den ganzen Tag kaum gearbeitet. Für einen Moment überkommt mich eine irreale Angst, meinen Job zu verlieren. Gleichzeitig wird mir schwindlig bei dem Gedanken, dass Tillis eine weitere Nacht mit einem betrunkenen Vater in einem Bett aus Ölkanistern zwischen verschimmelten Wänden zubringen wird. Ich weiß nicht, was ich tun soll. Ich knie mich neben Tillis, umarme ihn. „Ich verspreche dir, dass ich bald wiederkomme." Ich spüre, dass Tillis vor seinem Vater nicht weinen will, doch seine Verzweiflung ist uferlos. „Glaub mir, Tillis", flüstere ich in sein Ohr. „Ich komme wieder. Du kannst dich auf mich verlassen."

AM NÄCHSTEN Morgen telefoniere ich mit Ämtern und Behörden. Eine der Ersten, mit der ich spreche, ist die Sozialarbeiterin in Williamsburg, die Tillis' Familie betreut. Sie klingt freundlich, lädt mich ein vorbeizukommen. Drei Tage später sitze ich ihr gegenüber. Sie ist weiß, jung und vermutlich noch nicht lange im Job. Es sei deprimierend, klagt sie: Der Vater trinke, die Mutter sei verschwunden, ein Kind lebe im Heim, eines sei tot. Sie fährt sich durch ihr weiches blondes Haar und sieht mich an, als wäre ich schuld, dass ihr Job ihr so wenig Erfolgserlebnisse beschert.

Ich verabschiede mich, fahre in die Township, hole Tillis ab und nehme ihn mit in die Klinik. Wir gehen in mein Büro, und während ich Patientenbücher durcharbeite, malt er oder schaut Bilderbücher an, die ich mitgebracht habe. Er weicht nicht von meiner Seite. Es ist, als würde er mich bewachen, um mich nicht wieder zu verlieren.

Viele Telefonnummern und Adressen auf meiner Liste erweisen sich als nutzlos; am Ende werde ich immer wieder an die junge Sozialarbeiterin in Williamsburg verwiesen. Unterdessen läuft die Uhr. In sechs Wochen werde ich nach Deutschland zurückkehren. Ich arbeite nachts, um tagsüber telefonieren und nach Williamsburg fahren zu können.

Ich beschließe, mich an die höchsten Stellen der Hierarchie zu wenden. Am Telefon gebe ich mich als Verwandte der Ministerin für Wohlfahrt und Bevölkerungsentwicklung aus, bekomme ihre private Handynummer. Sie ist im Krüger-Nationalpark unterwegs, als ich ihr den Fall schildere, und sagt, ich solle mich an ihr Büro wenden. Von dort kommt nie ein Rückruf. Ganz unten auf meiner Liste steht die Anschrift des Präsidenten, die ich ebenfalls im Telefonbuch entdeckt habe. Ich schreibe einen Brief an Nelson Mandela. Auch sein Büro antwortet nicht.

Schließlich rufe ich wieder die Sozialarbeiterin in Williamsburg an. Ich bitte sie inständig, eine Betreuung für Tillis zu organisieren, jemanden, der das Haus aufräumt, sauber macht, kocht. Die Sozialarbeiterin antwortet, sie werde sehen, was sie tun könne, doch es klingt wie: Lass mich in Ruhe, was geht dich das alles eigentlich an?

Zwei Tage später rufe ich erneut an und bekomme wieder eine Ich-werde-sehen-was-ich-tun-kann-Antwort. Diesmal drohe ich. Ich erkläre, ich stünde in Verbindung mit dem Büro des Präsidenten und hätte Kontakte zu den Medien. Einen Moment ist es still in der Leitung. Dann sagt die Sozialarbeiterin: „Ich werde sehen, was ich tun kann." Diesmal klingt es … irgendwie erfolgversprechender als sonst.

Ich lege auf, bevor sie Fragen stellen kann. Bevor sie merkt, dass ich nichts in der Hand habe, zwar wütend, aber im Grunde hilflos bin. Ein fremdes Land, eine fremde Sprache, eine Bürokratie, die ich nicht kenne – all das macht mich ratlos. Aber die stinkende schimmlige Baracke, in der Tillis haust, die Empörung darüber, dass ein Kind unter solchen Umständen aufwachsen muss, die Wut, dass niemand sich verantwortlich fühlt, niemand etwas tut – all das setzt Kräfte in mir frei, von denen ich bislang nichts wusste. Ich werde, solange ich in Pretoria bin, versuchen, Tillis' Lage zumindest ein bisschen zu verbessern.

DIE SONNE scheint und Kinder laufen über die Wiese. Ihre Eltern haben Decken ausgebreitet und picknicken im Schatten alter Bäume. Ich schaue mich um, entdecke aber weder Miriam noch Nickel oder Leonie. „Was hältst du von diesem Platz?", frage ich und deute auf einen Flecken unter einer Trauerweide. Tillis lässt sich ins Gras fallen. Ich stelle den Korb ab.

„Darf ich rutschen?", fragt Tillis und wirft sich in meine Arme, sodass ich das Gleichgewicht verliere und hintenüberkippe. Ich nicke, und Tillis rennt zu der Rutsche neben den Sandkästen. Er klettert die Sprossen hinauf, winkt, und ich winke zurück. Oben sitzen zwei Mädchen. Sie tragen Kleider mit großen Kragen und Schleifen, ihre blonden Haare sind zu Zöpfen geflochten. Die Mädchen machen keinerlei Anstalten hinunterzurutschen. Ich sehe, dass Tillis mit ihnen spricht. Ich sehe, dass sie ihn nicht vorbeilassen, unbeweglich dasitzen, den Blick auf den fremden Jungen geheftet. Ich sehe, wie Tillis die Sprossen wieder hinunterklettert. Sein eben noch vor Energie berstender Körper wirkt kraftlos. Ich stehe auf und rufe laut über die Wiese: „Soll Mama dir helfen?"

Zwei Frauen sehen auf. Ein Mann sagt etwas. Die Mädchen rutschen hinunter. Tillis steht abseits, zögerlich und unentschlossen. Ich winke und laufe über die Wiese. „Lass dich nicht einschüchtern", sage ich und schiebe ihn sanft zurück zur Rutsche. Widerstrebend klettert Tillis die Sprossen hinauf. Er rutscht und trottet mit hängendem Kopf an mir vorbei über die Wiese zu unserer Decke. Ich folge ihm, schlucke meine Wut herunter, tue, als würde ich die Blicke nicht bemerken, und fange an, unseren Picknickkorb auszupacken. Im Supermarkt haben wir Kuchen, Obst, Limonade, Würstchen und ein Glas eingelegte Gurken gekauft, denen ich nicht widerstehen konnte, weil mich ihr Geschmack an zu Hause erinnert. Ich packe Teller aus und gebe Tillis die Limonadenflasche, weil er es liebt, den Deckel aufzuschrauben und die Kohlensäure herauszischen zu lassen. Ich versuche ihn auf andere Gedanken zu bringen. Ich möchte seine – und meine eigene – Erinnerung an das, was gerade geschehen ist, auslöschen. Ich weiß, dass alle ringsherum Tillis mustern, seine bronzefarbene Haut sehen, folgern, dass ich mich mit einem Schwarzen eingelassen habe. Ich weiß, dass sie empört sind, dass ich mit einem Bastard, wie sie es nennen würden, hier aufkreuze.

Es ist immer so. Und es macht mich immer wütender.

Ein Ball fliegt in die Gurken. Jemand schreit: „Nickel!" Tillis springt auf und rennt auf Nickel und Leonie zu, während ich den Ball aus der Schüssel fische. Miriam läuft hinter ihren Kindern her, in der einen Hand eine Kühltasche, in der anderen eine Decke, mit der sie nach Nickel schlägt, doch der Junge duckt sich und lacht. Er hat die gleiche kräftige Statur wie sein Vater Neels. „Hallo", sagt Miriam und lässt sich neben mir ins Gras sinken. Sie sieht erschöpft aus. „Tut mir leid, dass wir so spät kommen."

„Wie geht es Neels?", frage ich.

„Wie immer", antwortet Miriam. „Hatte die ganze Woche Nachtschicht und schläft sich jetzt aus." Seit der Nacht im Streifenwagen habe ich Neels nur einmal gesehen, an einem der Abende, an denen ich mit Miriam die roten Fleeceanzüge genäht habe. Neels fragte, ob wir den Weihnachtsmann ausrüsten wollten. Als ich sagte, die Sachen seien für Patienten einer Klinik in einer Township, sah er mich an, als wäre auch ich nicht ganz gesund.

Miriam packt ihre Kühltasche aus, ich rufe die Kinder und wir essen und trinken wie all die anderen Familien. Anschließend schläft Miriam ein wenig. Ich gehe zu den Kindern. Wir streifen durch den Park und treffen ein kleines schwarzes Mädchen, dessen Eltern abseits an einem Baum stehen. Tillis nimmt das Mädchen an die Hand, und wir hocken uns in einen Sandkasten und bauen eine Burg. Später gehe ich und kaufe uns Eis. Friedlich sitzen wir auf einer niedrigen Mauer – zwei weiße Kinder, ein farbiges, ein schwarzes – und lecken Eis. Ich denke: Es geht doch!

„Was wird aus Tillis, wenn du nach Deutschland zurückkehrst?", fragt Miriam später, als wir auf der Decke sitzen, während Tillis, Leonie und Nickel Verstecken spielen. Wie alle meine weißen Kollegen ist Miriam irritiert, weil ich mich für ein schwarzes Kind einsetze. Doch seit ich eines Abends, als wir nähten, in Tränen ausbrach und in einem Wortschwall von Tillis' Verschwinden und meiner Sorge um ihn erzählte, versucht sie – so scheint es mir – mich zu verstehen.

„Ich weiß es nicht", antworte ich.

„Willst du ihn mitnehmen?"

„Ehrlich gesagt, ich habe schon manchmal daran gedacht. Aber ich weiß, dass es nicht geht. Schließlich hat Tillis eine Familie. Er ist hier zu Hause, hier sind seine Wurzeln. In Deutschland wäre er immer ein Fremder."

„Ja, das denke ich auch. Man kann den Jungen nicht aus seiner Kultur, seiner Sprache, aus seinem gewohnten Umfeld herausreißen."

„Aber was für eine Zukunft hat Tillis hier?", frage ich. „Ich meine, der Junge ist die meiste Zeit des Tages sich selbst überlassen. Ob und wann er etwas zu essen bekommt – reine Glückssache. Er ist schmutzig, niemand wäscht ihn, und wenn du gesehen hättest, wie es in dem Haus aussieht …" Ich schüttle mich, und Miriam sieht aus, als könne sie sich die hygienischen Umstände ganz gut vorstellen.

„Aber …", sagt sie und kaut auf einem Grashalm. „Viele Schwarze leben so. Sie wollen es so, sie sind so."

„Sie sind so? Wie würden denn Weiße leben, wenn man sie in Ghettos zusammenpferchen, ihnen keine oder nur schlecht bezahlte Jobs geben würde? Ich kann nachvollziehen, dass jemand trinkt, wenn das Leben elend ist. Obwohl …" Ich denke daran, wie ich Tillis' Vater am liebsten angeherrscht hätte, er solle sich um seine Kinder kümmern, statt sich gehen zu lassen und zu betrinken.

„Obwohl?", fragt Miriam.

„Ach, ich weiß nicht. Ich drehe mich im Kreis. Egal mit wem ich spreche – nichts geschieht. Allmählich rennt mir die Zeit davon. Tillis genießt es, bei mir zu sein. Aber auch wenn er mich immer wieder Mama nennt – ich bin nicht seine Mutter." Ich schlucke. Ich will nicht, dass Miriam sieht, dass mir Tränen in die Augen steigen.

„Ich glaube, niemand kann leibliche Eltern ersetzen."

„Das denke ich auch." Ich suche ein Taschentuch. „Auch deswegen wäre eine Adoption keine gute Lösung. Tillis hat leibliche Eltern. Wenn ich ihn nach Deutschland mitnähme, würde er seine Eltern ganz verlieren. Das will ich nicht."

MÄNNER in kurzen Hosen tragen Kameras vor ihren Bäuchen, während ihre Frauen in bunten Kleidern und Sandalen über den viktorianischen Rummelplatz laufen. Kinder lecken Eis zwischen Felsen, Palmen und Blockhütten, während über ihren Köpfen eine Bimmelbahn auf Stelzen entlangrattert. Gold Reef City ist ein Freizeitpark, errichtet auf einer stillgelegten Mine, mit Häusern und Lokalen aus der Zeit des Goldrausches, mit Museen und einem Schacht, in den man hineingehen kann, um sich zweihundert Meter unter der Erde anzusehen, wie Minenarbeiter im vergangenen Jahrhundert beim Goldabbau geschuftet haben. Ich will, vier Wochen bevor ich Südafrika verlasse, mit Tillis in die nachgebaute Goldgräberstadt fahren. Andrew, mein Nachbar, begleitet uns. Ich habe Andrew erzählt, dass ich Tillis mitbringen würde, und obwohl Andrew ein weißer Südafrikaner ist, reagierte er nicht ablehnend.

In einem Museum sehen wir zu, wie Goldbarren gegossen werden. Gleißend hell und leuchtend, wie ein Lavastrahl, schießt flüssiges Gold aus einem Ofen, ergießt sich in die darunterstehenden Barren.

Später kaufen wir Eis, Coca-Cola und einen Luftballon für Tillis und setzen uns auf eine Bank. Ein Planwagen rollt vorbei, gezogen von einem zotteligen alten Pferd. Das Pferd lässt einen Pferdeapfel fallen, und Tillis kriegt sich kaum ein vor Lachen.

In einem Gartenrestaurant bestellen wir Hotdogs. Als wir aufgegessen haben, steht Andrew auf und sagt: „Ich komme gleich wieder."

Tillis fragt: „Wohin gehst du?"

Doch Andrew schüttelt den Kopf, legt verschwörerisch den Zeigefinger auf die Lippen. „Pst … geheim!"

Tillis sieht mich an. Ich zucke die Schultern, spiele die Ahnungslose. Tillis durchschaut mich, zupft an meinem Ärmel, drängelt und quengelt. Doch ich verrate nichts.

Kurz darauf kehrt Andrew zurück. Er schiebt ein orangefarbenes Kinderfahrrad, es ist so winzig, dass er sich bücken muss.

Tillis braucht einen Moment, um zu begreifen, dann geht ein seliges Lachen über sein Gesicht. Er rutscht von seinem Stuhl, hüpft vor Freude, stolpert beinahe. Andrew hält das Fahrrad, während Tillis aufsteigt. Er erklärt ihm, wie er treten und lenken muss, und stützt ihn, als Tillis langsam und kippelig losfährt. Sein Gesicht ist konzentriert, manchmal schwankt er, doch Andrew fängt ihn auf. Nach einer Weile wird Tillis sicherer, er tritt in die Pedale, klingelt, jauchzt und strahlt. Den Rest des Tages verbringt er auf seinem Fahrrad. Zu jeder Bude, zu der wir gehen, fährt er mit dem Fahrrad.

Es dämmert, als wir nach Williamsburg zurückfahren. Ich bin froh, dass Andrew mitkommt und ich die Strecke nicht allein fahren muss. Als wir den Autobahnring verlassen, schläft Tillis ein. In den vergangenen Nächten hat er unruhig geschlafen. Einmal habe ich ihn geweckt, weil ich dachte, er habe Albträume. Tillis schreckte hoch, schrie „Nein, nein, nein!" und hielt sich schützend beide Hände vors Gesicht. Es dauerte, bis er wieder einschlief. Kurz darauf begann er erneut, sich im Bett herumzuwälzen. Am Morgen hat er beim Frühstück ein Glas fallen lassen. Es zersplitterte, und als ich in die Küche kam, hielt Tillis sich die Hände vors Gesicht, so als fürchtete er, ich könnte ihn schlagen. Ich beobachtete, wie er mit Bobby dem Teddy schimpfte und ihm auf den Kopf schlug.

Als wir die Township erreichen, sind alle Straßen leer. Nirgendwo läuft ein Mensch herum. Nirgendwo spielen Kinder. Es ist so still wie vor einem Gewitter. Die einzigen Menschen, die ich sehe, sind Männer, die allein vor den Türen ihrer Hütten hocken. Manche halten Flaschen in den Händen. Mich schaudert.

Auf dem schmalen Betonweg vor seinem Haus sitzt Tillis' Vater. Tillis rennt auf ihn zu und ich sehe ihm nach. Ein kleiner Junge, voller Freude, der erzählen möchte, was er erlebt hat, und ein fast bis zur Besinnungslosigkeit betrunkener Mann in schmutzigen Hosen – so fern von dieser Welt, dass die Worte seines Sohnes ihn nicht erreichen.

Ich greife nach Andrews Arm. Warum muss ich Tillis das antun?

WIEDER stehe ich im Büro der Sozialarbeiterin. Sie schiebt ihr weiches blondes Haar aus dem Gesicht und bittet mich, Platz zu nehmen. Dann blättert sie in ihren Unterlagen. Minuten vergehen, Minuten, die mir wie eine Ewigkeit vorkommen, bis sie aufsieht, Luft holt und sagt: „Wir haben Hinweise darauf, dass der Vater seine Kinder schlägt."

Ich springe auf. Dann setze ich mich wieder und sage: „Und was werden Sie tun?"

„Nun, das ist alles nicht so einfach …"

„Was soll das heißen?" Meine Stimme klingt scharf. Meine Geduld und meine Nerven sind am Ende. Ich habe das unbestimmte Gefühl, dass sie mir etwas verheimlicht. „Was genau ist bei Ihrem Gespräch mit Tillis herausgekommen?"

Sie druckst herum. Dann sagt sie, dass Tillis erzählt habe, sein Vater schlage ihn und er wisse oft nicht warum. Und dass der Vater Frauenkleider trage, zu Hause in hochhackigen Schuhen herumlaufe. Mir bleibt fast der Atem stehen. Ich denke an die Kinder, die auf dem Schulweg vergewaltigt wurden. „Könnte es sein, dass der Vater den Jungen …" Ich bekomme das Wort kaum über die Lippen. „Denken Sie, dass er ihn missbraucht?"

„Das habe ich nicht gesagt!" Die Sozialarbeiterin fällt mir fast ins Wort.

Einen Moment sagt keine von uns beiden etwas.

Dann frage ich noch einmal nach. Die Sozialarbeiterin antwortet ausweichend. Sie verhält sich wie jemand, der Angst hat, auf etwas festgelegt zu werden, was er nicht beweisen kann. Wie jemand, der Angst hat, Partei zu ergreifen und Konsequenzen zu ziehen.

„Wir könnten versuchen, Tillis in einem Kinderheim unterzubringen", schlägt sie schließlich vor. „Oder in einer Pflegefamilie."

IN DER kommenden Woche fahre ich nach Harristown in ein Kinderheim, dessen Adresse mir die Sozialarbeiterin genannt hat. In winzigen dunklen Zimmern hocken Kinder apathisch auf dem Boden, manche liegen in Betten, die so schmutzig sind, dass man die Jungen und Mädchen erst gar nicht sieht. Weder im Erdgeschoss noch im ersten Stock treffe ich eine Krankenschwester oder eine Erzieherin. Als ich wahllos eine Tür öffne, schlägt mir ein beißender Gestank entgegen. Ich stehe vor Toiletten, die schmutziger sind als alles, was ich bislang gesehen habe. Da laufe ich die Treppe hinunter, steige in mein Auto und fahre zurück nach Pretoria. Niemals werde ich zulassen, dass Tillis in ein Heim kommt.

Am nächsten Tag rufe ich die Sozialarbeiterin an. „Ich möchte, dass Sie eine Pflegefamilie für Tillis suchen." Ich lasse keinen Zweifel, dass es mir sehr ernst ist, obwohl ich nach wie vor nichts in der Hand habe.

„Ich werde sehen, was ich tun kann", sagt die Sozialarbeiterin.

Die Antwort kenne ich schon. Ich lege auf.

Am Ende der Woche bin ich erschöpft. Als würde alle Energie aus meinem Körper strömen, als wäre irgendwo ein Leck, so groß, dass ich nicht mehr in der Lage bin, es zu stopfen.

Am nächsten Morgen beginne ich, meinen Umzug vorzubereiten. Ich packe, was ich in den verbleibenden zwei Wochen nicht mehr brauchen werde, in Koffer. Im Flur sammle ich Kleidung und Hausrat, die ich Nita, Norma, Naomi und Dr. Maddox bringen will. Als ich fertig bin, nehme ich meinen Mantel und meine Handtasche und fahre zu den Union Buildings. Ziellos streife ich durch den Park und versuche, mich zu sortieren. Je mehr ich es versuche, desto weniger gelingt es.

Eine Weile sitze ich auf den Stufen und schaue über die Gärten, zu deren Füßen sich die Stadt erstreckt. Als ich vor einem Jahr ankam, wusste ich wenig über das Land und nichts über seinen Alltag. Ich habe viel gelernt. Die herzlichsten Begegnungen hatte ich mit Schwarzen; nur wenige Weiße haben mir erlaubt, ihnen näherzukommen – Nita, Elize, Dr. Maddox, Andrew, Miriam, Chrissie. Die kostbarste Erinnerung, die ich mitnehmen werde, ist die an Tillis. Ich kann es immer noch nicht erklären, doch ich weiß, dass uns etwas verbindet. Und dieses Band wird nicht reißen, da bin ich sicher. Auch wenn wir uns vielleicht nie wiedersehen werden.

Die Sonne versinkt hinter einer Zypresse. Ich fröstle, stehe auf, ziehe meinen Mantel fester, laufe die Treppen hinauf und über den großen Platz vor dem Regierungsgebäude. Drei Männer stehen vor einer Tür, die rechts ins Innere des Gebäudes führt. Ich höre sie reden, höre ihre weichen Stimmen, die klingen, wie nur schwarze Stimmen klingen. Eine Stimme schält sich aus dem Gemurmel, eine Stimme, die mir vertraut ist. Und dann sehe ich ihn.

Ich bleibe wie vom Donner gerührt stehen. Nur wenige Schritte entfernt steht Nelson Mandela.

Er trägt ein Batikhemd. Sein Haar leuchtet grau. Er sieht aus, wie ich ihn aus dem Fernsehen kenne, von Fotos und Plakaten. Gleichzeitig wirkt er fast erschreckend normal. Keine Leibwächter umgeben ihn, nirgendwo eine Limousine, kein Panzerglas, das ihn abschirmt. Ich bemerke, dass ich ihn anstarre. Einer seiner Begleiter sieht mich. Er grinst.

Und dann dreht auch er sich um. Schaut mich an. Lacht. Winkt.

„*Sanibonani*", grüße ich, schließe den Mund und strecke den Hals. Er antwortet: „*Yebo, sawubona.*"

„*Unjani?*", frage ich.

Er stutzt. „Danke, es geht mir gut. Aber wie kommt es, dass eine weiße Frau Zulu spricht?"

„Ich habe ein paar Wörter gelernt. Ich bin Deutsche und arbeite an einer Studie der WHO. Wir untersuchen ein Medikament gegen Tuberkulose. Darum bin ich viel in Townships, und ein paar Patienten in den Kliniken dort haben mir etwas Zulu beigebracht."

Er löst sich von den Männern, kommt auf mich zu.

„Es kann ganz praktisch sein – wenn ich kurz vor Feierabend zur Post komme und auf Zulu Guten Abend sage, macht der Postmann seinen Schalter noch mal auf."

Er lacht.

Und dann beschließe ich: Jetzt oder nie. „Darf ich Sie etwas fragen?"

„Ja, gerne." Er steht nicht einmal mehr einen Meter entfernt. Seine Augen blicken freundlich, er strahlt Ruhe und Wärme aus. *Mkhulu* – Großvater, denke ich. Und erzähle ihm von Tillis. Er hört zu, ohne ein Wort zu sagen, ohne Fragen zu stellen, geduldig, aufmerksam. Als ich fertig bin, schweigt er. Als ich gerade denke, dass er mir erklären wird, dass er da auch nichts tun kann, ergreift er meine Hand. „Danke, dass Sie das tun. Und keine Sorge, ich werde Ihnen helfen."

Tränen schießen mir in die Augen. Ich bin überwältigt. Nicht weil ein berühmter Mann meine Hand schüttelt, sondern weil dieser Mann, der sein Leben seinem Volk und seinen Idealen geopfert hat, sich nie sein Ziel verrücken ließ, wie meine Großmutter es einmal gesagt hat, weil dieser Mann, dessen Name in einer Reihe steht mit denen von Malcolm X und Martin Luther King, sich bei mir bedankt.

Ich bin gerade noch geistesgegenwärtig genug, ihm meine Visitenkarte zu geben. Dann sehe ich, wie Nelson Mandela und seine Begleiter im Innern des Regierungsgebäudes verschwinden. Ein Gefühl wie warmer Honig durchströmt mich. Es ist die Gewissheit, endlich an der richtigen Stelle angekommen zu sein.

WENIGE Tage später liegt ein Brief auf meinem Schreibtisch. Der Umschlag ist weiß, auf seiner Rückseite prangt ein Siegel, darunter steht in goldenen Lettern OFFICE OF THE PRESIDENT.

Nelson Mandelas Sekretär teilt mir Namen und Adresse einer Hilfsorganisation mit, die Kinder in Pflegefamilien vermittelt. Er bittet mich, Kontakt mit der Leiterin aufzunehmen. Ich rufe die Frau umgehend an.

Sie hat bereits Tillis' Akte vorliegen, und wir verabreden uns für den nächsten Tag in einem Café in Pretoria. Als wir uns verabschieden, weiß ich, dass Tillis in guten Händen ist.

Noch ist der Himmel blassblau und leicht, Wolkenschlieren wie hingemalt. Vor einer Stunde bin ich losgefahren, habe den Tachometer auf null gestellt und das Radio eingeschaltet.

Mein Herz klopft.

Zum letzten Mal fahre ich nach Williamsburg.

Die Straße führt schnurgerade auf den Horizont zu, der Asphalt glänzt tiefdunkelgrau, und auf den dornigen Büschen am Straßenrand liegt Tau. Ich denke an Tillis. Es wird ein trauriger Tag werden, wir werden weinen. Doch ich weiß, dass es ihm gut gehen wird in seiner neuen Familie. Er wird ein Zuhause haben und sicher und geborgen aufwachsen. Er wird zur Schule gehen. Vielleicht wird er einmal studieren. Vielleicht wird er sich irgendwann mit seiner leiblichen Mutter, seinem Vater aussöhnen; ich würde es ihm wünschen.

Ich hoffe, dass Südafrika eines Tages ein Land sein wird, in dem Schwarze und Weiße nicht nur auf dem Papier gleiche Rechte haben. In dem die Vision einer Regenbogennation Wirklichkeit wird, die Menschen friedlich miteinander leben und kein Kind mehr in Armut und Gewalt aufwachsen muss.

In der Ferne weicht das zarte Rosa des Morgenhimmels hellem Blau. Hinter einer Gruppe von Bäumen zeichnen sich feine weiße Wolken ab. Ihre sanft ausgefransten Ränder erinnern mich daran, wie ich als Kind im Garten meiner Eltern lag, in den Himmel schaute und mich fragte, wie es wohl wäre, eine Wolke zu berühren.

Noch 130 Kilometer.

Willst du meine Mama sein? Tillis' Worte begleiten mich immer noch. In ein paar Tagen werde ich nach Deutschland zurückkehren. Aber mein Herz bleibt in Afrika.

Epilog

Der Raum war hell gestrichen und nüchtern eingerichtet. Ein Tisch, ein Sofa, ein paar Stühle. Eine Neonlampe, die leise sirrte, und in der Ecke ein Waschbecken, darüber ein Spiegel. Ich sah auf die Uhr. Eine Viertelstunde war vergangen, seit die ältere Dame geholt worden war. Ich trat vor den Spiegel. Das Gesicht, das ich sah, wirkte fremd.

Das Make-up sei nicht zu dick aufgetragen, hatte die Maskenbildnerin gesagt. Vor der Kamera würde ich ganz natürlich aussehen.

Vorsichtig tupfte ich die Schweißperlen von meiner Nase.

Man hatte gesagt, man würde mich holen.

„Kommen Sie?" Die junge Aufnahmeleiterin trug ein bauchfreies T-Shirt und ein Band um den Hals, an dem ein Ausweis baumelte. Ich nahm meine Tasche und folgte ihr. Sie plauderte gut gelaunt, vielleicht um meine Nervosität zu mildern. Vor der Studiotür deutete sie auf eine rote Lampe und legte den Finger auf ihre geschürzten Lippen. Leise liefen wir durch die Kulissen. Ich hörte eine Frauenstimme, sie sprach mit weichem Münchner Akzent. Dann Applaus. Ich erschrak – das Studio musste rappelvoll sein. „Warten Sie hier", sagte die Aufnahmeleiterin. „Wenn die Musik einsetzt, gehen Sie hinaus, und Marianne wird Ihnen entgegenkommen." Ich nickte. Einen Moment bereute ich, überhaupt auf die Kleinanzeige in der *Abendzeitung* reagiert zu haben. Dann setzte die Musik ein, und ich trat wie ferngesteuert aus der Kulisse.

Gleißendes Licht blendete mich. Eine blonde Frau in einem langen rosafarbenen Rock und einem bestickten Seidenjäckchen streckte mir die Hand entgegen: „Herzlich willkommen!" Das Publikum klatschte. Marianne führte mich zu einer Sitzgruppe, dort reichte Michael mir die Hand, sagte: „Schön, dass Sie bei uns sind!", und ehe ich mich's versah, saß ich zwischen den beiden Moderatoren. „Sie haben eine ganz anrührende Geschichte erlebt", begann Marianne. „Wollen Sie sie unserem Publikum hier im Saal und den Zuschauern zu Hause erzählen?"

Ich zupfte an meinem Kostüm. „Es begann in einem Krankenhaus in Afrika …" Meine Stimme klang dünn und fremd, ich räusperte mich. „Es war vor genau zehn Jahren. Ich arbeitete für eine Firma in Pretoria." Ich schwitzte. Alle Scheinwerfer schienen auf mich gerichtet, das Licht machte mich fast blind, das Publikum verschwamm. Marianne saß in einem roten Sessel rechts von mir, in der Hand hielt sie Karteikarten. Michael saß links in einem gelben Sessel, auch er hielt Karteikarten in der Hand. Beide sahen mich aufmerksam an.

Ich erzählte, wie ich Tillis kennen gelernt hatte.

„Rührend", sagte Marianne, als ich geendet hatte, und das Publikum klatschte.

„Und wie geht es Tillis heute?", fragte Michael.

„Soweit ich weiß, ganz gut. Er schreibt mir ab und zu. Manchmal telefonieren wir auch. Vor ein paar Wochen hat Tillis ‚Nkosi Sikelel'i Afrika' auf meinen Anrufbeantworter gesungen, die südafrikanische Nationalhymne." Das Publikum im Saal lachte. „Tillis lebt in der Nähe von Pretoria in einer Familie, die sechs Pflegekinder hat. Er versteht sich gut mit seinen Pflegeeltern und seinen Geschwistern. Er geht zur Schule, treibt Sport. Er spielt Rugby – das ist eine Sportart, die damals Weißen vorbehalten war."

„Haben Sie Tillis jemals wiedergesehen?"

„1998 habe ich Urlaub in Südafrika gemacht und Tillis besucht. Er war groß geworden, fast hätte ich ihn nicht erkannt. Gegenüber seinen Geschwistern gab er sich cool, doch irgendwann winkte er mich beiseite, fiel mir um den Hals und sagte: ‚Mami, ich habe sogar ein eigenes Fahrrad!'" Das Publikum lachte. „Im selben Jahr wurde Tillis zu den Feierlichkeiten zu Nelson Mandelas achtzigstem Geburtstag eingeladen. Er hat ihm ein Geschenk überreicht." Das Publikum applaudierte.

„Sie haben das Leben dieses Jungen verändert, vielleicht sogar gerettet", sagte Michael.

„Nun, ich würde es anders formulieren. Ich habe versucht, Tillis eine bessere Startposition zu verschaffen. Ich finde es ungerecht, dass ein Kind, nur weil es schwarz oder farbig ist und in einer Township zur Welt gekommen ist, keine Chance bekommt. Tillis ist ein intelligenter Bursche – wer weiß, was einmal aus ihm wird. Aber er muss doch zumindest eine Chance bekommen!" Das Publikum klatschte so, dass mir fast die Tränen kamen. Ich riss mich zusammen.

„Sie wissen", sagte Michael, „dass wir in unsere Show Menschen einladen, die andere mit Liebesgrüßen überraschen wollen." Er beugte sich vor, schaute in die Kamera. „Natürlich, meine Damen und Herren, haben wir versucht, Tillis in die Sendung einzuladen. Leider ist uns das aufgrund komplizierter Reisebestimmungen nicht gelungen."

Ich spürte, wie ich zusammensank. Ich hatte nicht ernsthaft damit gerechnet, doch der Wunsch nach einem Wiedersehen, meine Sehnsucht, Tillis einmal nach Deutschland zu holen, hatten mich überhaupt auf die Kleinanzeige reagieren lassen. HABEN SIE EINEN HERZENSWUNSCH?, hatte dort gestanden, dazu die E-Mail-Adresse einer Redaktion.

„Aber wir haben eine andere Überraschung!", rief Marianne. Verwundert sah ich auf. Eine Blaskapelle spielte einen Tusch.

Und dann trat Hilda aus der Kulisse. Das graue Haar kurz geschnitten, schwarze Bluse, schwarze Hose, eine schmale Brille – sie sah aus wie an jenem Nachmittag, als wir uns in einem Café in Pretoria getroffen hatten, sie mit Tillis' Akte unterm Arm, ich mit dem Brief aus Nelson Mandelas Büro. Der Nachmittag, an dem ich vertrauensvoll Tillis' Schicksal in ihre Hände gelegt hatte. Ab und zu schickte Hilda eine E-Mail, teilte mir mit, dass Tillis in die nächsthöhere Klasse versetzt

Die ZDF-Sendung mit Marianne und Michael ermöglichte Tillis und mir ein bewegendes Wiedersehen.

Zwischen Marianne und Michael steht Hilda. Sie hatte sich darum gekümmert, dass Tillis eine Pflegefamilie bekam. Vorn der mittlerweile 14-jährige Tillis und ich.

oder ins Rugbyteam aufgenommen worden war. Neulich hatte sie geschrieben, sie würde verreisen und sei einige Zeit nicht erreichbar. Nun setzte sie sich unter wogendem Applaus neben mich und drückte meine Hand. Ich war überwältigt.

„Hilda, erzählen Sie uns, wie es Tillis geht", sagte Marianne und lächelte.

„Sehr gut! Ich soll diese CD übergeben", sagte Hilda und schmunzelte. „Das Lied darauf heißt ‚Nkosi Sikelel'i Afrika‘."

„Nein!", entfuhr es mir.

„Mit dem Lied hat es eine besondere Bewandtnis", erklärte Marianne.

„Ja", sagte ich. Und wusste, dass ich nun die Fassung verlieren würde.

„Dieses Lied ist Tillis' Lieblingslied", sagte Marianne ans Publikum gewandt, und Michael rief: „Können wir das Lied einspielen, bitte!"

„Nkosi Sikelel'i Afrika" ertönte.

In meiner Brust vibrierte es. Von einer Sekunde auf die andere war ich wieder in Afrika, stand in meinem Büro in Williamsburg am Fenster, sah hinaus in den Garten, hörte die Gesänge der Frauen, hörte Tillis' Jungenstimme, sein fröhliches Lachen. Tränen liefen mir übers Gesicht. Ich nahm meine Brille ab, wischte mir über die Wangen. Ich sah einen Jungen, er lief auf mich zu, auf langen Beinen, ganz lässig, er lachte und rief meinen Namen, und ich dachte, das muss eine Verwechslung sein. Das ist nicht möglich. Mein Gott, ist er groß geworden…

Und dann sprang ich aus meinem Sessel.

Tillis sang „Nkosi Sikelel'i Afrika", und fast hätte ich ihn umgerannt, so stürmisch lief ich ihm entgegen. Wir fielen uns in die Arme, ich weinte, das Publikum klatschte, brausender Applaus. Hilda umarmte uns, eine Frauenstimme begrüßte Tillis mit „Herzlich willkommen, Tillis!", und die Gäste im Saal klatschten, der Applaus nahm kein Ende.

In diesen Tagen in München lernten Tillis und meine Tochter Sydney einander kennen.

Wir spazierten durch den Park von Schloss Nymphenburg, fuhren U-Bahn und Rolltreppe, aßen in einem chinesischen Restaurant. Ich schenkte Tillis eine Kamera, und er fotografierte alles, was ihm vor die Linse kam. Wir sahen uns alte Fotos an, die einen kleinen Jungen und eine blonde Frau im Garten eines Krankenhauses zeigten. Tillis setzte sich auf meinen Schoß, legte den Arm um mich und fragte, ob ich mich erinnerte, wie wir Nudeln mit Wurstsoße gekocht hätten. Ich fragte, ob er noch wisse, wann er zum ersten Mal Fahrrad gefahren sei.

Das Band zwischen uns war nicht gerissen.

Tillis erzählte, dass er sich bei seinen Pflegeeltern und Geschwistern wohlfühle, gute Noten habe, vielleicht Abitur machen werde und Schulsprecher sei. Ich fragte nicht nach seinem Vater, seiner Mutter; ich merkte, dass er darüber nicht sprechen wollte.

„Weißt du noch", sagte Tillis an unserem letzten Abend, „dass ich an dem Tag, als du fortgingst, gefragt habe, ob ich dich einmal in Deutschland besuchen könnte?"

„Und ich habe gesagt, dass Deutschland sehr weit weg wäre."

„Aber dann hast du gesagt, dass du dich freuen würdest."

„Du wolltest mit dem Boot kommen. Oft wenn du mir einen Brief geschickt hast, lag ein Bild dabei von einem Schiff und einem kleinen Jungen."

„Ich habe einfach daran geglaubt."

„,Lasse dir niemals dein Ziel verrücken.' Das hat meine Großmutter einmal zu mir gesagt. Es ist gut, wenn man Träume hat und an ihnen festhält."

„Jetzt habe ich dich besucht."

„Ja, und ich habe das Gefühl, es war nicht das letzte Mal."

Joachim Fuchsberger

DENN ERSTENS KOMMT ES ANDERS ...

Geschichten aus meinem Leben

„Schelmisch, ungeniert und uneitel erzählt der 80-Jährige aus seinem Leben in Funk, Film und Fernsehen. Die Geschichten vergnügen, berühren und stimmen nachdenklich."

Ostthüringer Zeitung

Vorwort

Was soll das werden?" Diese Frage höre ich, seit ich mich dazu überreden ließ, nun endlich auch meine Erinnerungen zu schreiben, mich einzureihen in die Riege derer, die ihren Mitmenschen erzählen wollen, wie interessant ihr Leben war, ob die Mitmenschen das lesen wollen oder nicht.

Memoiren? Sind gern geschwätzig und oft nur für den interessant, der seine Erinnerungen für erzählenswert hält.

Sir Peter Ustinov sagte kurz vor seinem großen Abschied: „Wir alten Männer sind gefährlich, wir haben keine Angst mehr vor der Zukunft. Wir können sagen, was wir wollen, wer will uns dafür bestrafen?"

Alt genug bin ich ja wohl. Also sage ich, was ich will, und erzähle Geschichten aus meinem Leben, so wie sie in meiner Erinnerung geblieben sind.

ICH WIDME dieses Buch meiner geliebten Frau Gundel, die nicht wollte, dass ich es schreibe, und noch weniger, dass es zu ihren Lebzeiten erscheint. Denn was ich für dichterische Freiheit halte, hält sie für Schwindelei. „Meine Geschichten sind wahr …", sagt sie. Ich setzte dagegen: „Aber meine sind besser!"

Das Buch ist da – und meine Frau lebt noch, wofür ich unendlich dankbar bin. Das Ergebnis haben Sie vor, das Vorwort hinter sich. Vielleicht lesen Sie weiter …?

Was lange währt

Es war im Juni 1926, im Schwarzwald, irgendwo in der Nähe von Freudenstadt. Zwei Paare, Feriengäste in einer kleinen Pension, taten nach dem Mittagessen die berühmten tausend Schritte. Das eine Paar waren Bruder und Schwester, Clement mit Familiennamen, aus Düsseldorf. Bruder Clement war die typische rheinische Frohnatur, immer einen Scherz auf den Lippen. Das andere Paar waren Wilhelm Fuchsberger aus Ulm und seine Frau Emma Friederike, geborene Stengel, aus Hofen bei Stuttgart. Meine Eltern in spe.

Wilhelm Fuchsberger zog beim Gehen ein Bein nach, die Folge eines Sturmangriffs auf die russischen Linien am Dnjepr. Eine Maschinengewehrsalve hatte ihm das Bein zerfetzt. Aber so schlimm die Verwundung auch war, es war ein „Heimatschuss". Nach zwei Jahren und vielen Operationen war Wilhelm Fuchsberger so weit wiederhergestellt, dass er das Lazarett in Nagold verlassen konnte.

Zur gleichen Zeit lag auf derselben Station ein schwer verwundeter Kamerad namens Karl Stengel. Er hatte eine Schwester, Emma Friederike, die ihn regelmäßig besuchte. Vermutlich galten diese Besuche ab einer gewissen Zeit nicht mehr nur dem Bruder, sondern auch dessen Kumpel Wilhelm Fuchsberger. So muss es wohl gewesen sein, denn Wilhelm Fuchsberger und Emma Friederike Stengel gaben sich im Sommer 1918 das Jawort.

Acht Jahre später also zockelten sie auf einem romantischen Wanderweg im Schwarzwald dahin. Am Rande einer Blumenwiese bückte sich der gewisse Herr Clement, pflückte ein Gewächs vom Wegesrand und überreichte es galant seiner Ferienbekanntschaft Emma Friederike. Es war ein vierblättriges Kleeblatt. „Es soll ein Junge werden", sagte er aufgeräumt. Aus Gesprächen an trüben Regentagen wusste er wohl um die vergeblichen Versuche der Fuchsbergers, Nachwuchs in die vorübergehend wieder friedliche Welt zu setzen.

Das vierblättrige Kleeblatt hat seine Schuldigkeit getan. Am 11. März 1927, korrekte neun Monate später, erblickte ich das Licht der Welt. Nach Berichten der unmittelbar Beteiligten war dieses Licht ungewöhnlich grell, mit Blitz und Donner, denn es ging gerade ein heftiges Gewitter nieder. Schon mein erster Auftritt im Krankenhaus Charlottenhaus in Stuttgart war also ein ziemlich starker. Hätte ich schon denken können, hätte ich vermutlich gedacht: Das hätte ich mir denken können ...

MEINE Erinnerung setzt natürlich erst einige Jahre später ein. Zuvor sei gesagt, dass mein Vater seinen erlernten Beruf als Schriftsetzer nicht mehr ausüben konnte. Das zerschossene Bein hinderte ihn daran, den ganzen Tag beim *Stuttgarter Tagblatt* vor dem Setzkasten zu stehen. Er schulte um und wurde Maschinensetzer. Im selben Unternehmen saß er nun vor einer der großen Linotype-Setzmaschinen und hackte nach redaktioneller Vorlage den Text in die Tasten. Zeile um Zeile fielen die

DENN ERSTENS KOMMT ES ANDERS ... 263

Matrizen aus den Magazinen, wurden abgeholt zum Umbruch, der Zusammenstellung der Spalten in der Zeitung.

Bei kleineren Störungen ließ mein Vater erkennen, dass er technisch einiges draufhatte, und behob die Pannen selbst, statt auf den Spezialmonteur der Mergenthaler Setzmaschinen-Fabrik zu warten. Das sparte der Zeitung Zeit und Geld. Im Jahr 1929 wurde er vom *Stuttgarter Tagblatt* abgeworben und verdiente künftig seine Brötchen als Untervertreter der Mergenthaler Setzmaschinen-Fabrik, dem deutschen Lizenzunternehmen von Linotype mit Sitz in Berlin. Damit begann seine Karriere. Er wurde nach Heidelberg versetzt, und hier beginnt auch meine Erinnerung, ziemlich klar und deutlich.

Die Mönchhofsiedlung im Heidelberger Vorort Handschuhsheim wurde unsere neue Heimat. Dort hatten wir eine bescheidene 3½-Zimmer-Wohnung im dritten Stock eines langgestreckten, kasernenartigen Gebäudes in der Rottmannstraße 32. Die Mönchhofsiedlung war ein Wohngebiet für die leicht gehobene Arbeiterklasse, solche mit festem Lohn und dem Wunsch, auf der sozialen Leiter aufzusteigen. Soweit ich mich erinnere, war es in der Mönchhofsiedlung an bestimmten Tagen bunt und schön. An solchen Tagen flatterten aus vielen Fenstern rote Fahnen mit einem weißen Kreis in der Mitte. In diesem weißen Kreis war ein schwarzes Kreuz mit Haken an den vier Enden. Und an solchen Tagen sah man auch Menschen in Reih und Glied, alle gleich angezogen, mit Liedern auf den Lippen durch die Straßen marschieren. Diese Lieder fragten die Menschen, die am Straßenrand solche Aufmärsche mehr oder weniger begeistert verfolgten, zum Beispiel: „Siehst du im Osten das Morgenrot, das Zeichen für Freiheit und Sonne?" Oder es wurde gesungen, was man ohnehin sah: „Wir marschieren Seit an Seit" und ähnlich Poetisches. Aber auch Bedrohliches war dabei:

> Es zittern die morschen Knooochen
> der Welt vor dem großen Krieg.
> Wir haben die Knechtschaft gebrooochen,
> für uns war's ein großer Sieg!
> Wir werden weiter marschieren,
> bis alles in Scherben fällt;
> denn heute gehört uns Deutschland –
> und morgen die ganze Welt!

Die Uniformen waren nicht sonderlich attraktiv: braunes Hemd, schwarzer Schlips, ein Lederriemen quer über die Brust, seitlich ausgestellte Kniehosen, dazu Schnürstiefel mit Gamaschen. Einige hatten richtige Lederstiefel. Dazu kamen eine kreisrunde, ziemlich hohe Uniformmütze und über dem linken Ellenbogen eine rote Armbinde mit weißem Kreis und Hakenkreuz.

Auch aus unserem Fenster hing eine solche Fahne. Eines Tages war ihretwegen die Aufregung bei meinen Eltern groß: Die Fahne hatte einen beachtlichen schwarzen Fleck von Tinte oder Farbe, der das neue Symbol deutschen Stolzes besudelte. Die gedämpft geführte Unterhaltung von Vater und Mutter ergab, dass zwei Fragen einer dringenden Klärung bedurften: Wie ist der Fleck auf unsere Hakenkreuzfahne im dritten Stock gekommen, und wer war das? Beide Fragen blieben ungelöst, waren aber irgendwie von ausschlaggebender Bedeutung für mein Leben. Es schienen also nicht alle der gleichen Meinung zu sein in der Mönchhofsiedlung, nicht alle marschierten Seit an Seit.

Vater, Mutter und erstgeborener Fuchsberger-Sprössling im Schlosspark von Schwetzingen, 1932

An der Straßenecke gab es eine Drogerie mit einem großen Schaufenster. Sie gehörte einem netten Herrn Heilmann, der mir ab und an eine Stange Lakritz zusteckte, wenn der mütterliche Einkauf entsprechenden Gewinn einbrachte. Vor Herrn Heilmanns Schaufenster stand ich eines Tages, zitternd vor Aufregung, einen schweren Backstein in der Hand, bereit, ihn ins Fenster der Drogerie zu werfen, mitten in die Auslage, in der auch ein gerahmtes Bild eines Mannes namens Adolf Hitler zu sehen war. Der war aber nicht der Grund für meinen abenteuerlichen Vorsatz, ich hatte ja gar keine Ahnung, wer er war. Nein, mein Grund war viel profaner: Es war die verlockende Aussicht auf zehn Stangen Lakritz. Aber der Reihe nach.

Zwischen unserem Haus und Herrn Heilmanns Drogerie, im Haus Rottmannstraße 34, wohnte eine Familie Sydow mit vier Jungen. Sie waren der Schrecken der ganzen Siedlung. Der Jüngste war mein bester Freund. Eigentlich hieß er Eckehart, doch alle nannten ihn „Brüder-

DENN ERSTENS KOMMT ES ANDERS ...

lein", weil er halt der Jüngste der „Bande des Schreckens" war. Wie siamesische Zwillinge schlichen Brüderlein und ich durch die Gegend und überlegten, wie wir sie unsicher machen konnten. Wenn ein Kind im Siedlungssandkasten in einem künstlich angelegten Schlammloch versank oder die im Gemeinschaftswaschhaus zum Trocknen aufgehängte Wäsche mit schwarzen Teufelsfratzen beschmiert war, dann begann die Suche nach den Übeltätern meist bei den Familien Sydow und Fuchsberger in der Rottmannstraße – und endete nicht selten auch dort.

Wer in der Volksschule auf die grandiose Idee eines täglichen „Klassen-Wettpinkelns" kam, lässt sich nicht mehr so genau sagen. Das Wettpinkeln fand in der Pause statt, an der Schulhofmauer. In ungefähr drei Meter Entfernung wurde ein Strich in den Sandboden gezogen, hinter dem sich die Teilnehmer am Wettbewerb aufzustellen hatten. Zur Vorbereitung gehörte, dass keiner in den beiden letzten Unterrichtsstunden vor der großen Pause darum bat, austreten zu dürfen. Die „Munition" wurde auf diese Weise für das Wettpinkeln zurückgehalten. Wer den Druck und die Richtung des Strahls im Griff hatte, hatte die Chance, die Mauer zu erreichen, und war gefeierter Tagessieger.

Brüderlein hatte sich an diesem Tag besonders gut vorbereitet. „Heute gewinne ich!", sagte er hoffnungsfroh auf dem Weg zur Schule. „Isch hab drei Gläser Wasser gsoffe!"

Aus welchem Grund auch immer kam jedoch Frau Sydow gänzlich außer der Reihe vor der Pause, um ihren jüngsten Sprössling zum Einkaufen mitzunehmen. Vor lauter Glück, dass er der Schulbank früher entkam, vergaß Brüderlein, sich seiner bis zum Hals aufgesparten Munition zu entledigen. Das Unheil nahm seinen Lauf.

Herr Heilmann begrüßte Frau Sydow, die mit Brüderlein an der Hand seinen Laden betrat, in der Hoffnung auf ein gutes Geschäft. Dabei übersahen beide, dass Brüderlein immer unruhiger von einem Bein aufs andere trat. Herrn Heilmanns Geschäft war nicht nur eine Drogerie, sondern ein richtiger Tante-Emma-Laden, in dem sich die Damen der Siedlung gern zur Auffrischung der häuslichen Vorräte ebenso wie zum Austausch aktuellen Siedlungstratsches trafen. Und um die Kinder im Auge zu behalten, nahmen die Mütter sie eben mit zum Einkaufen.

Brüderlein muss gemerkt haben, dass die Mutter am Ratsch mit den anderen Kundinnen mehr interessiert war als an seinem guten Benehmen. So machte er sich los und suchte verzweifelt nach einer Gelegenheit, sich zu erleichtern. Die Schaufensterauslage war fast wie eine kleine Bühne. Der Raum unter dieser Bühne war angefüllt mit Kartons, Kisten und Obststeigen, Säcken und anderen Behältnissen. Und dort, in der Ecke, das war's: eine offene Kiste mit Blumenkohl. Entschlossen griff Brüderlein in seinen Hosenschlitz und pinkelte mit größter Erleichterung in die Blumenkohlkiste.

„Ha, Frau Sydow, was macht denn Ihr Bub da grad?"

Den Rummel, der seiner Aktion folgte, verstand Brüderlein nicht ganz. Mutter Sydow riss Brüderlein von der Blumenkohlkiste weg und schmierte ihm eine. Nur Herr Heilmann reagierte positiv, nach Brüderleins Ansicht wenigstens. Ganz königlicher Kaufmann, in der Erwartung eines dem Ereignis angemessenen, ausgedehnten Einkaufs, spielte er das Ganze herunter. Aus einem hohen Glas auf der Theke, Blickfang für alle Kinder, die ihre Mütter begleiteten, nahm er zwei von den beliebten gedrechselten Lakritzstangen und reichte sie Brüderlein, wobei er ihm das Versprechen abnahm, so etwas nie wieder zu tun. Das war sehr nett von Herrn Heilmann, psychologisch aber grundfalsch. Als wir uns nach dem Ereignis trafen, rechnete mir Brüderlein messerscharf vor: einmal in den Blumenkohl pinkeln brachte zwei Stangen Lakritz, wenn man versprach, es nicht mehr zu tun. Wie viele Stangen würde dann wohl eine größere Untat unter gleichen Bedingungen einbringen?

So stand ich jetzt vor Herrn Heilmanns Schaufenster, mit einem schweren Backstein in der Hand, und kalkulierte, was wohl geschehen würde, wenn ich den Stein warf. Neben mir stand Brüderlein, gewissermaßen als Berater. „Bringt er die Lakritze gleich mit?", fragte ich Brüderlein. Der zuckte nur die Schultern.

Dann klirrte es furchtbar. Wir standen reglos da, wie erstarrt. Zunächst geschah gar nichts. Lähmende Stille. Dann schoss Herr Heilmann aus seinem Laden, ohne Lakritze, aber mit wirrem Blick, der über Brüderlein und mich hinwegging. Er schien uns überhaupt nicht wahrzunehmen. Rannte die paar Meter bis zur Ecke, um den Steinewerfer zu finden. Brüderlein ergriff die Gelegenheit zur Flucht. „Mann, wirst du den Arsch vollkriegen!", sagte er noch anerkennend, dann war er weg. Eine innere Stimme sagte mir, dass ich stehen bleiben müsse. Herr Heilmann kam mit verzweifeltem Gesicht, aber ohne Argwohn auf mich zu: „Hast du gesehen, wer das war?"

Zu einer präzisen Antwort konnte ich mich in Kenntnis der Tatsachen so schnell nicht durchringen. Also schüttelte ich nur den Kopf. Hätte Brüderlein nicht die Flucht ergriffen, Herrn Heilmanns Verdacht wäre zweifellos auf uns gefallen. „Ich kann mir schon denken, wer das war", schnaubte er. „Immer diese verfluchten Kommunisten!"

Der Zusammenhang zwischen meiner Tat und den Kommunisten war mir nicht klar. Erleichtert stellte ich jedoch fest, dass es jemanden gab, dem man die Schuld in die Schuhe schieben konnte. Man schrieb das Jahr 1932, und die Bevölkerung in der Siedlung war in verschiedene Lager geteilt. Die Menschen schrien ihre Meinung auf der Straße gelegentlich laut heraus. Es gab welche, die meinten, „Rot-Front!" sei das Richtige, andere schrien „Sieg Heil!". Und immer hoben sie dazu die Arme, die einen mit geballter Faust, die anderen mit ausgestreckten Fingern. Mein Vater gehörte zu denen mit den ausgestreckten Fingern. In Zivil trug er ein rundes Abzeichen mit einem Hakenkreuz am Revers. Neuerdings erschien er auch in einer Uniform, die ihm nicht besonders gut stand: braunes Hemd, Reiterhosen und schwarze Schaftstiefel.

Ich glaube, Brüderlein hat nicht ganz dichtgehalten. Vielleicht war auch mein schlechter Ruf derart gefestigt, dass es nicht allzu lange dauerte, bis Herr Heilmann vor meinem Vater stand, um ihm überschlägig die Kosten meines Frevels mitzuteilen. Mein Versuch, die Kommunisten ins Spiel zu bringen, scheiterte. Was mein Vater mir nach Herrn Heilmanns Besuch mitzuteilen hatte, war schmerzlich. Mütterlicher Nachhilfeunterricht machte Brüderlein und mir klar, dass wir für den Schaden so um die zehntausend Lakritzstangen hätten kaufen können.

Zwei Eigenschaften sind mir bis heute von dieser Episode geblieben: die Liebe zu Lakritz und eine tiefe Abneigung gegen Blumenkohl.

Die Liebe zu Lakritz hat noch einen anderen Grund. Unser Hausarzt hieß Dr. Hirsch. Er hatte für alles einen guten Rat und immer die richtige Medizin. Wenn er mich behandelte, schob er mir meistens ein Lakritzbonbon in den Mund.

Eines Tages hatte ich Fieber, und Vater entschied, den Arzt zu rufen. Es war nicht Dr. Hirsch. Vater setzte sich zu mir an den Bettrand, stotterte ziemlich lang herum und begann dann: „Der Doktor Hirsch darf nicht mehr kommen."

„Warum nicht?"

„Weil – weil er, na ja, er ist halt ein Jude!"

„Was ist das?"

Vater schien verunsichert. „Das ist so: Der Doktor hat eine andere Religion. Er passt nicht zu uns!"

„Wieso passt Doktor Hirsch nicht zu uns? Der ist immer so nett und bringt mir Lakritz mit."

Vater war vermutlich nicht nur in Erklärungsnot, sondern auch in einem Gewissenskonflikt. Auch er fand Dr. Hirsch nicht nur sehr nett, sondern hielt ihn, was viel wichtiger war, für einen guten Arzt. Doch die Mergenthaler Setzmaschinenfabrik empfahl ihrem Angestellten dringend, der neuen Partei beizutreten, um gute Geschäfte zu machen. Die

Nationalsozialistische Deutsche Arbeiterpartei wusste um die Macht der Medien und baute die NS-Presse mit sehr viel Geld auf. Und Vater lieferte die Setzmaschinen für die großen Druckereien und Zeitungsverlage. Er machte Karriere.

DIE WELT hatte sich verändert. Nicht nur meine kleine, Heidelberg-Handschuhsheimer Welt, nein, der ganze Globus. Die Menschen auf ihm wussten nur noch nicht, was ihnen bevorstand. Deutschland blühte auf. Im Januar 1933 hatte dieser Herr Hitler die Macht ergriffen und sollte sie nicht mehr loslassen, bis unser wundervolles Deutschland in Schutt und Asche versank.

Auch meine kleine Welt hatte sich dramatisch verändert. Vater war befördert worden. Im Beruf wie in der Partei übersprang er mehrere Karrierestufen und verdiente viel Geld. Wir zogen um in die vornehme Bergstraße, in eine Zehnzimmervilla mit Terrasse, weitläufigem Garten und Garage. Ich verlor meine engsten Kumpels aus der Schule, auf die ich einen beträchtlichen, wenn auch nicht besonders guten Einfluss hatte, wurde herausgerissen aus meiner gewohnten Umgebung.

Braune Kolonnen zogen durch die friedliche Stadt Heidelberg, und Vater marschierte jetzt immer öfter in Uniform mit. Er hatte sich zum Staffelführer der Motorsport-Organisation NSKK hochmarschiert. Seit einiger Zeit war er begeistertes Mitglied im ADAC. Verfolgungsfahrten oder so genannte Schnitzeljagden hatten es ihm angetan. Sein erstes Auto war ein amerikanisches Ungetüm der Marke Chevrolet. Vaters „Outfit" zu diesen gesellschaftlichen Veranstaltungen war weiße Hose, dunkelblauer Blazer mit goldenen Knöpfen, weißes Hemd mit dunkler Fliege, eine Art Kapitänsmütze und weiche Lederhandschuhe. Ich fand, dass er darin eine weit bessere Figur abgab als in seiner Uniform.

Die Zeitungen und die Wochenschau im Kino stellten den neuen Reichskanzler Adolf Hitler in allen nur denkbaren positiven Situationen dar. Mit und ohne Uniform, mit und ohne Kinder, mit und ohne Auto. Dieses Auto war ein Mercedes 7,5-Liter Kompressor, ein Cabriolet, schwarz, mit silbernen Rohren, die seitlich aus der gewaltigen Motorhaube kamen. Da wurde es Vater schmerzlich bewusst, dass er als Parteimitglied und Führer einer NSKK-Einheit ein amerikanisches Automobil fuhr. Zwar war er indirekt Angestellter des amerikanischen Unternehmens Linotype, aber er hielt es seiner Karriere für dienlicher, ein deutsches Produkt durch die Landschaft zu steuern. Und wenn schon, dann das richtige. Und was wäre richtiger gewesen als der Wagen, den der Führer fuhr?

Eines Tages stand dieses Traumauto vor unserem Haus in der Berg-

DENN ERSTENS KOMMT ES ANDERS ...

straße, in Beige mit schwarzen Kotflügeln. Die Nachbarschaft tuschelte über den offenkundigen Reichtum dieses technischen Bezirksvertreters Fuchsberger. Und ich machte mir Gedanken über diesen Herrn Hitler, der wohl sehr erfolgreich sein musste. Mindestens so erfolgreich wie mein Vater, wenn er sich das gleiche Auto leisten konnte.

Bei jeder Gelegenheit streifte ich um das beige-schwarze Ungetüm herum und setzte mich hinein, vornehmlich wenn das Verdeck offen war. Die Nachbarn sollten sehen, dass ich dazugehörte, das war auch mein Auto. Die Gelegenheit, dies besonders deutlich zu demonstrieren, kam an einem Vormittag, als Vater sich zur Ruhe gelegt hatte nach einer „Tag-und-Nacht-Orientierungsfahrt" – ein sehr beliebter automobiler Wettbewerb, der bei Sonnenuntergang begann und beim ersten Morgenrot endete. Ich hörte ihn schnarchen. Mutter, im fünften Monat schwanger, hatte sich ebenfalls zurückgezogen mit der dringenden Bitte an mich: „Lass mich mal eine Stunde in Ruhe!"

Vor dem Haus, genauer gesagt auf der ziemlich steilen Abfahrt in die Garage, stand Vaters Wagen. Offen, prachtvoll anzusehen, verlockend. Dann durchzuckte mich ein freudiger Schreck: Der Zündschlüssel steckte! Der Gedanke war ebenso abenteuerlich wie unwiderstehlich. Zunächst der Aufstieg über das gewaltige Trittbrett, hinters Steuer rutschen, Motor anlassen und dann mal sehen, wie viel von Vaters Fahrkünsten schon auf mich übergegangen war. Ich brauchte ja nur die Bremse zu lösen und in die offene Garage zu rollen. Einen guten Grund für das Vorhaben schickte im wahrsten Sinne des Wortes der Himmel: Regenwolken zogen auf, dunkel und schwer. Bald würde ein gewaltiges Unwetter losbrechen, und mein Vater lag ahnungslos im Bett. Sein beige-schwarzer Stolz mit den wundervollen Ledersitzen lief Gefahr, in Kürze überschwemmt zu werden, wenn sein Sohn nicht rettend eingriff und den 7,5-Liter Mercedes Kompressor in die Garage fuhr. Er würde stolz auf mich sein!

Schräg gegenüber wohnte der Polizeipräsident, der wohl vom Fenster aus beobachtet hatte, wie ich hinter dem gewaltigen Steuerrad verschwand. Als er die zwölf Zylinder aufheulen hörte, ahnte er wahrscheinlich, was der Knirps von gegenüber vorhatte. Doch bevor er einschreiten konnte, war es schon passiert. Die Kupplung war für meine kurzen Beine kaum erreichbar, also machte der Riesenkarren einen gewaltigen Satz. Vor Schreck brachte ich alles durcheinander. Wie ein wild gewordener Mustang ruckte der Wagen unaufhaltsam Stück für Stück nach vorn. Als der Polizeipräsident endlich etwas atemlos am Tatort eintraf, konnte er nur noch zusehen, wie Kind und Auto in der Garageneinfahrt verschwanden. Es war ein Wunder, dass ich an die Bremse kam und den schweren Wagen ohne Schaden zum Stehen brachte. Die Größe der Garage war den Dimensionen der neuen Automobile nicht angemessen. Wollte man auf der Fahrerseite aussteigen, musste man mit der rechten Garagenwand fast auf Tuchfühlung gehen. Und so stand ich da, als sich die allseits sehr aufgeregten Beteiligten am Ort des Geschehens trafen. Der Polizeipräsident, in hastig über die Schultern geworfener Uniformjacke, mein blasser Vater im gestreiften Pyjama und der zitternde Delinquent, über den das zu erwartende Unwetter unverzüglich hereinbrach. Das vom Himmel folgte später.

Der erhoffte Dank für meine Rettungsaktion blieb aus. Das fand ich ausgesprochen ungerecht. Vielleicht wollte mein Vater, ein ausgeprägter Choleriker, dem Polizeipräsidenten von Heidelberg lediglich demonstrieren, wie man ein erzieherisches Exempel statuierte. Zwischen Vater und Sohn herrschte jedenfalls lange Zeit Funkstille.

Im Dezember 1933 veränderte ein schwerwiegendes Ereignis den Tagesablauf meiner Familie. Der dreieinhalb Kilo wiegende Neuzugang war mein lang erwarteter „Bruder" und sollte Wilfried heißen. Alle Aufmerksamkeit richtete sich von Stund an auf ihn, ich fühlte mich vernachlässigt. Und nach Erkenntnissen bedeutender Psychologen hat Vernachlässigung zur Folge, dass den Betroffenen nahezu jedes Mittel recht ist, um Aufmerksamkeit zu erregen.

Tante Paula, die Schwester meines Vaters, und ihr Mann, Onkel Paul Haaga, ein Finanzbeamter, wohnten in Heilbronn am Neckar. Tante Paula und Onkel Paul hatte ich von Herzen gern, aber meine Cousinen Anni und Maria liebte ich ganz besonders. Sie waren wesentlich älter und daher reifer als ich. Besonders für Anni hegte ich angenehme Gefühle. Sie war blond, blauäugig und ausgesprochen mollig. Ein Besuch in Heilbronn war für mich immer ein besonderes Ereignis.

Eines Tages hatte ich wieder einmal die Geduld meiner leidgeprüften Eltern über das erträgliche Maß hinaus strapaziert. Deren ganze Liebe gehörte ohnehin Baby Wilfried. Mutter hatte viel mit Windeln zu tun, Vater war als Vertreter unter der Woche fast immer unterwegs.

„Mir gefällt es zu Hause nicht mehr", antwortete ich meiner traurigen Mutter nach irgendeiner Ungezogenheit. Sie muss wohl sehr erschrocken sein, denn sie ließ nur einen Augenblick meinen kleinen Bruder aus den Augen, der fröhlich strampelnd auf dem Wickeltisch lag. Er strampelte etwas zu stark, machte einen Satz und flog in hohem Bogen von der Kommode auf den Fußboden. Das war Mutter zu viel. Ungerechterweise gab sie mir die Schuld an diesem Fall und meinte, ich solle

DENN ERSTENS KOMMT ES ANDERS ...

mich fortscheren, am besten dorthin, wo der Pfeffer wächst. Nun hatte ich zwar keine Ahnung, wo der Pfeffer wuchs, vielleicht ja in Heilbronn, und dorthin wollte ich.

Finster entschlossen klaute ich aus der Handtasche meiner Mutter die vorhandene Barschaft, holte meinen Tretroller aus der Garage und rollerte schnurstracks zum Bahnhof. Eine Fahrkarte zu bekommen war nicht schwierig, ich wusste präzise anzugeben, wohin ich wollte. Kompliziert wurde der abenteuerliche Ausbruch durch den Roller. Mithilfe eines mürrischen Beamten, der sich über Eltern ausließ, die ihre Kinder ohne Aufsicht verreisen ließen, wurde er mit Adressanhänger im Gepäckwagen verstaut. In einem Abteil dritter Klasse fuhr ich mit äußerst gemischten Gefühlen in Richtung Heilbronn. Im Tunnel unter dem Schlossberg wurde mir langsam mulmig bei dem Gedanken, wie die Reise wohl enden würde, aber jetzt war ich erst mal unterwegs.

Tante Paula war sprachlos, als ihr Neffe vor der Tür im zweiten Stock stand. Als ich auch noch behauptete, mit dem Roller gekommen zu sein, brach sie in lautes Wehklagen aus: „O du lieber Gott", rief sie, „ja was isch denn dem Helme eigfalle, des Kind mit em Rolle daher fahre zu lasse?!" Mit „Helme" war mein Vater gemeint. Mit weiteren Äußerungen hielt sie sich zurück, die wollte sie wohl Onkel Paul überlassen, wenn er vom Dienst im Finanzamt zurückkam. Bis dahin beruhigte sie ihre aufgewühlte Seele, indem sie den armen Buben aus Heidelberg mit einem Stück Streuselkuchen und einer Tasse Kaba verwöhnte. Zum Glück gab es im Hause Haaga kein Telefon, sonst wäre meine Flucht schnell zu Ende gewesen.

In Heidelberg lief inzwischen eine umfangreiche Suchaktion. Der Polizeipräsident von gegenüber wurde gebeten, seine Leute nach dem vermissten Früchtchen suchen zu lassen. Außerdem rief Vater seine Motorsportfreunde zusammen. So waren um die zwanzig Fahrzeuge unterwegs, um die bevorzugten Spielplätze abzusuchen. Als die Suchaktion auch nach Einbruch der Nacht erfolglos blieb, war man einigermaßen ratlos. Da erreichte den Polizeipräsidenten die Nachricht, der Schalterbeamte am Bahnhof erinnere sich an einen Jungen mit einem Roller, der eine Fahrkarte nach Heilbronn gelöst hatte. Durch Amtshilfe stand am späten Abend ein Heilbronner Gendarm vor der Wohnungstür. Onkel Paul und Tante Paula sahen sehr unglücklich aus. Besonders meine Tante hatte Angst um mich, sie kannte ihres Bruders Jähzorn. Nach Auskunft des Gendarmen war mein Vater bereits unterwegs, um mich heimzuholen. Diese Heimholung wurde für mich eher zu einer Heimsuchung. Schließlich musste an mir wieder mal ein länger anhaltendes Exempel statuiert werden.

DIE SCHULE in Heidelberg war mir von Anfang an verhasst, denn ich hatte keine Sonderstellung bei den Kumpels, nachdem ich bisher weder schulisch noch in Bezug auf irgendwelche Streiche Nennenswertes geleistet hatte. Kaum diesem vormittäglichen Zwang entronnen, beschäftigte ich mich daher mit meinen Idolen: Es waren die Autorennfahrer Rudolf Caracciola, Hans Stuck und Bernd Rosemeyer sowie die berühmten Flieger Ernst Udet und Elly Beinhorn. Ihre Fotos schmückten die Wände meines Mansardenzimmers, gierig verschlang ich die Berichte über ihre Siege, Rekorde und Heldentaten. So etwas wollte ich auch werden. Was brauchte ich da die dämliche Schule?

Vaters gute Beziehungen verschafften uns eine Einladung zu einem Großflugtag auf dem Mannheimer Flugplatz. Angekündigt waren auch die Fliegerin Elly Beinhorn und Ernst Udet, Träger des Ordens Pour le Mérite und Jagdflieger aus dem Ersten Weltkrieg. Er zeigte mit einem Doppeldecker halsbrecherische Kunstflugfiguren. Tausenden von Zuschauern stockte der Atem, wenn er die Maschine auf den Rücken legte und dicht über die Köpfe des Publikums auf der Tribüne hinwegraste.

Als er in seiner Lederkluft, mit Lederhaube und dicker Fliegerbrille aus dem Doppeldecker kletterte, kannte der Jubel keine Grenzen. Nie werde ich diesen Tag vergessen. Mein Vater machte mir damit eines der schönsten Geschenke meines Lebens. Wohl weil er sich über meine grenzenlose Begeisterung freute, kaufte er für uns drei Tickets für einen Rundflug. Das war damals noch eine tolle Sache. Es gab nicht viele Menschen, die bis dato geflogen waren. Und nun saß ich als kleiner Junge in einer Klemm 34, einem kleinen, einmotorigen, nur mit Stoff bespannten Flugzeug, und bestaunte die Welt von oben. Es war der gleiche Typ, mit dem Elly Beinhorn als erste Frau 1932 einen Flug um die Welt geschafft hatte.

Zu diesem Flugtag landete auch das größte Flugboot der Welt, die Dornier Do X, auf dem Rhein bei Mannheim. Da lag sie nun vor Anker, davor eine lange Menschenschlange. Auch Vater, Mutter und ich reihten uns ein und warteten geduldig, bis wir endlich durch die schmale Luke ins Innere des Giganten kriechen durften. Ein langer Gang teilte den Rumpf. Links und rechts gab es Luxusabteile mit Tischen und Klubsesseln. An den Wänden hingen Bilder des spektakulären Trans-Ozean-Fluges von 1931 nach Rio de Janeiro und in die Karibik, bis Flugkapitän Horst Merz das Flugboot am 27. August 1931 vor der Skyline von New York landete. Und nun stand ich voll sprachloser Bewunderung vor diesem berühmten Mann, starrte fasziniert auf seine vier goldenen Ärmelstreifen und wusste, was ich werden wollte: Flugkapitän, und sonst nichts! Oder vielleicht doch?

Rennfahrer wäre noch eine zweite Möglichkeit gewesen. Vater nahm mich mit auf den Nürburgring und zum Hockenheimring. Mit roten Ohren saß ich auf der Tribüne, durfte an die Boxen, sah meine Idole zu Lande aus nächster Nähe: Rudolf Caracciola in seinem Silberpfeil, Bernd Rosemeyer im heckgetriebenen Auto-Union-Rennwagen, Manfred von Brauchitsch im Mercedes Benz und viele andere. Es bleibt mir unvergesslich, wie ich mir vor Aufregung buchstäblich in die Hose machte, als der Silberpfeil von Manfred von Brauchitsch direkt vor unserer Tribüne beim Tanken Feuer fing. Der dicke, legendäre Rennleiter Alfred Neubauer riss den eingeklemmten von Brauchitsch hinter dem Steuer hervor und warf ihn zu Boden, um den brennenden Overall zu löschen. Kaum hatten sich die Schwaden der Feuerlöscher verzogen, setzte sich von Brauchitsch wieder in den Wagen und brauste unter ohrenbetäubendem Zuschauerjubel dem Feld hinterher. Alles, was mit Autos zu tun hat, begeistert mich noch heute.

Inzwischen, genau gesagt im November 1935, hatte ich noch einen zweiten Bruder bekommen, der auf den Namen Otmar getauft wurde. Neuerdings hatten wir zu Hause auch ein Dienstmädchen. Sie hieß Else und war sehr deutsch: blonder Haarknoten, groß, mit sonnengebräunter Haut und einem beachtlichen Busen, ähnlich dem von Cousine Anni. Kochen konnte sie weniger gut, was meiner Zuneigung keinen Abbruch tat. Die Ankunft von Brüderchen Otmar und der damit verbundene Krankenhausaufenthalt meiner Mutter sowie die bescheidenen Kochkünste von Else führten dazu, dass ich mich um die ersten Rezepte von Mutter bemühte, um sie selbst nachzukochen. Nach

Erster Passagierflug auf dem Flugplatz Mannheim, 1933, mit Vater Wilhelm (weißes Hemd) und Mutter Emma (oben Mitte)

anfänglich haarsträubenden Ergebnissen brachte ich es dann doch langsam zu genießbaren Bratkartoffeln mit Spiegelei, ja sogar Spätzle gingen mir recht gut vom Brett, die mit einer Zwiebelsoße zu meinen Leibspeisen zählten. Meinem Bruder Otmar also verdanke ich, dass im Laufe der Jahre letztlich ein passabler Hobbykoch aus mir wurde.

UNSER Wohnzimmer war recht groß, mit einer imitierten Balkendecke und bleiverglasten Fenstern. An exponierter Stelle stand eine Chippendale-Vitrine, in deren oberstem Fach eine stählerne Sparbüchse von der Städtischen Sparkasse Heidelberg ihren Platz hatte. Der Schlüssel zur Vitrine befand sich in Vaters rechter Schreibtischschublade. Die Sparbüchse sollte mich frühzeitig den richtigen Umgang mit Kapital lehren. War Besuch angekündigt, wurde sie aus der Vitrine geholt und so aufgestellt, dass der Besuch kaum umhinkonnte zu fragen, wem sie gehörte. Nachdem die Besitzfrage geklärt war, wurde meist eine genau in den Schlitz passende Fünfmarkmünze sichtbar eingeworfen und mit großer Freude und höflichen Dankesworten entgegengenommen. Ein Teufel muss es gewesen sein, der mir den Plan ins Hirn tröpfelte, mich des Kapitals zu bemächtigen, das ich in der Kassette vermutete.

Die Erzählungen in der Klasse über den Rundflug hatten eine gewisse Wirkung bei meinen Kumpels nicht verfehlt, aber so richtig hatte es nicht eingeschlagen. Enttäuscht stocherte ich nach der Schule lustlos in einer meiner Lieblingsspeisen herum, da fiel mein Blick auf die Stahlkassette in der Vitrine, und ich wusste, was ich zu tun hatte, um die Bewunderung meiner Klassenkameraden nachhaltig zu erringen. Als ich die Kassette das letzte Mal einem großzügigen Besucher dankbar entgegengestreckt hatte, war sie schon ziemlich schwer gewesen. Der Plan nahm Formen an. Die Durchführung musste nur so koordiniert werden, dass das Fehlen der Kassette möglichst lange nicht auffiel.

Am nächsten Tag vertraute ich meinen engsten Kumpels in der Klasse an, was ich vorhatte. Alle wollte ich auf den Rummelplatz einladen, der zu der Zeit am Neckarufer aufgebaut war. Achterbahn, Hau den Lukas, Würstchen- und Eisbuden, Süßigkeitenstände, Geisterbahn und Kettenkarussell. Großmäulig versprach ich jedem so viel Geld, dass er nach Herzenslust kaufen oder fahren konnte, was immer er wollte. Die Nachricht sprach sich wie ein Lauffeuer herum, das Interesse an mir nahm schlagartig zu, schon bevor ich die Tat begangen hatte. Immer drängender wurden die Forderungen meiner Klassenkameraden nach Einlösung meines Versprechens. Also ergriff ich die Gelegenheit und die Kassette. Eigentlich gehörte sie ja mir, zumindest der Inhalt.

Neben unserem Haus lag ein kleiner, zur Philosophenhöhe ansteigender Park, für die Kumpels und mich ein wundervoller Tummelplatz. Eine ungefähr zwei Meter hohe Mauer aus Sandsteinquadern begrenzte den Park nach oben. Vor dieser Mauer stand ich jetzt mit einigen wenigen Auserwählten aus der Klasse. Mit vereinten Kräften oder, besser gesagt, einer nach dem anderen schmetterten wir die Kassette dagegen. Endlich gab sie ihren Geist auf und das Kapital frei. Trotz unserer Erschöpfung kam ein gewisser Jubel auf, zumindest bei den Kumpels. Der Inhalt wurde gezählt: Da lagen an die 380 Reichsmark vor sechs Jungkriminellen, deren Boss ich war. Um sie in Abhängigkeit von mir zu halten, stopfte ich mir so viel Geld in die Hosentaschen, wie hineinging.

Noch am selben Nachmittag sollte die Aktion starten. „Um vier Uhr treffen wir uns alle auf der Neckarbrücke!"

Die gesprengte Kassette flog von dort aus in hohem Bogen in den Fluss, und ich gab mich der trügerischen Hoffnung hin, die Tat bleibe dadurch für eine längere Zeit unentdeckt. Woran jeder der damals Beteiligten ein Leben lang denken wird, war der Rausch, der nun folgte. Mit für unsere Verhältnisse schier unbegrenzten Mitteln konnten wir auf dem Rummelplatz auf die Pauke hauen. Man bedenke, dass im Jahre 1935 kaum irgendetwas mehr als zehn Pfennige kostete!

Nach einem unbeschreiblichen Siegeszug über alle vorhandenen Karussells, nach gewaltig großen Portionen Eis, nach stummem Staunen im Zauberzelt und ängstlich-fröhlichem Gekreische auf der Geisterbahn kam schneller als erwartet die Stunde der Wahrheit. Langsam wurde es dunkel. Die Lichter waren alles andere als romantisch, sie machten uns darauf aufmerksam, dass wir schon längst hätten zu Hause sein sollen. Einer nach dem anderen verduftete, bis ich allein dastand, mit einem kläglichen Rest von ein paar Reichsmark in der Hosentasche und der Erkenntnis, dass nun wohl der Fluch der bösen Tat über mich hereinbrechen würde. Auf dem Heimweg rief ich mir alle bisher erfahrenen Strafen ins Gedächtnis und stellte mir vor, was passieren würde, wenn man meinen Frevel entdeckte. Klar war, dass es wohl schlimmer werden würde als alles, was ich bis dato zu erleiden gehabt hatte. Und so kam es dann auch.

Der Diebstahl der Kassette war bald entdeckt worden. Meine Eltern hatten sich zunächst zu eisigem Schweigen entschlossen. Vaters Augen ruhten stechend und unausweichlich auf mir. Die Zigarre lag qualmend im Aschenbecher. Mir schien es eine Ewigkeit, bis er leise, mit einem leichten Beben in der Stimme fragte: „Hast du mir was zu sagen?"

Ich schüttelte den Kopf.

Und dann legte er los: „Was hast du Saukerl dir dabei gedacht?!"

Er tobte. Selbst den leisesten Versuch einer Entschuldigung ließ mein cholerischer Vater nicht zu. Er, der nie in seinem Leben ein Pferd bestiegen hatte, hielt plötzlich eine Reitpeitsche in der Hand, bog sie zwei-, dreimal prüfend durch, kam drohend auf mich zu und schlug zu. Es hagelte Hiebe. Irgendwann, mir schien es wie eine Ewigkeit, machte meine Mutter dem grausamen Spiel ein Ende. Weinend schaffte sie mich aus dem Raum.

Die nächsten Tage verbrachte ich in meinem Mansardenzimmer. Nur ganz verstohlen zeigte ich mich von Zeit zu Zeit am Fenster, um zu sehen, ob wenigstens mal einer meiner Kumpels das Bedürfnis hatte, den Märtyrer zu sehen. Sie konnten sich doch denken, was los war, als ich mehrere Tage nicht in der Schule erschien, denn Vater hatte seinen missratenen Sohn auf unbestimmte Zeit krankgeschrieben. Doch langsam dämmerte es mir, dass Rädelsführer nur so lange Anerkennung finden, wie sie eine Gaunerei mit Erfolg abschließen. Geht sie schief, will keiner dabei gewesen sein. Allen übrigen Hausbewohnern war es strengstens verboten, Kontakt mit mir aufzunehmen. Einzelhaft! Mutter und Else wechselten sich beim Überbringen der von Vater kontrollierten spärlichen Nahrung ab. Und natürlich gelang es beiden dann und wann, ein nicht genehmigtes Stück Schokolade, einen Apfel oder ein paar Kekse einzuschmuggeln.

Zur Schule wurde ich erst „freigelassen", als ich wieder einigermaßen vorzeigbar war. Ohne die geringste Verzögerung hatte ich mich auf dem kürzesten Weg nach Hause zu begeben, in meine Mansardenbude. Else brachte mir das Essen, da ich vom Familientisch verbannt war. Ihr sonst verständiges Lächeln war einem vorwurfsvollen Blick gewichen.

Nach einer Woche entschloss meine arme Mutter sich dazu, ihre Sprachlosigkeit mir gegenüber aufzugeben, wenn auch unter vielen Seufzern sowie anhaltendem Kopfschütteln. Vater strafte mich dagegen mit konsequenter Verachtung. Für ihn existierte ich einfach nicht mehr. Acht Monate hielt er das durch. Das war das Schlimmste von allem.

Eines Tages erwartete er Besuch und stellte fest, dass sein Vorrat an Zigarren zu Ende gegangen war. Da ließ er mich endlich aus der Mansarde holen. Bewegungslos stand er hinter seinem Schreibtisch, hatte die Arme in die Hüften gestemmt und fixierte mich. Nach einer sehr wirkungsvollen Pause richtete er zum ersten Mal nach fast einem Dreivierteljahr das Wort an mich: „Ich hoffe, du hast aus dieser Sache gelernt und gibst dir Mühe, ein anständiger Mensch zu werden und kein Krimineller." Dann holte er aus seiner Hosentasche einen blinkenden

DENN ERSTENS KOMMT ES ANDERS ...

Gegenstand hervor, den ich in einer Welle von Glücksgefühl als Schlüssel zu meinem Fahrrad erkannte, das im Keller angekettet vor sich hin rostete. „Fahr zum Tabakgeschäft in der Hauptstraße und hol mir eine Kiste Zigarren. Die wissen Bescheid!"

Als ich ihm nach einer halben Stunde mit hochrotem Kopf die Zigarrenkiste und das Wechselgeld brachte, gab er mir einen Klaps, vom Wechselgeld fünfzig Pfennig und sagte: „Ist gut." Er ließ es zu, dass ich ihm um den Hals fiel und einen Kuss gab. Er hielt mich fest, und ich heulte wie ein Schlosshund.

DEN GESPRÄCHEN zu Hause konnte ich entnehmen, dass mein Vater immer wichtiger für seine Firma wurde, dass er immer mehr Linotype-Setzmaschinen verkaufte. Es ging uns sehr gut. Eines Tages kam er aus Berlin zurück und erzählte ziemlich aufgeregt, dass er von der Firma in die „Reichskanzlei" geschickt worden sei. Dort habe er einiges erfahren, was unsere Zukunft beträfe, und wir würden uns noch wundern. Mutter versuchte uns zu erklären, dass unsere Else uns verlassen müsse, weil wir bald in eine andere Stadt umziehen würden.

Eine letzte Heidelberger Erinnerung betrifft meinen Vater. Es war morgens, wir standen alle um ihn herum. Else hatte seine Stiefel auf Hochglanz poliert, sein Braunhemd war akkurat gebügelt. Vater war ausersehen, seine Heidelberger NSKK-Einheit zum Reichsparteitag nach Nürnberg zu führen. Wir begleiteten ihn zum Bahnhof, wo sich die Auserlesenen auf den Bahnsteigen aufstellten. Kommandos erschallten. „Zur Meldung an den Gruppenführer – die Augen links!"

Stramme Kehrtwendung, Anmarsch zur Meldung, zusammengeknallte Hacken: „Melde die NSKK-Staffel Heidelberg zur Abfahrt zum Reichsparteitag angetreten!" Stramme Kehrtwendung, Abmarsch zur Einheit. Der ganze Vorgang wurde durch Vaters Kriegsverletzung irgendwie beeinträchtigt. Es sah nicht so vollendet aus, wie es sein sollte. Der vorgesetzte Gruppenführer sprach mit Vater. Aufregung entstand. Plötzlich verließ Vater seine Einheit und gleich darauf den Bahnsteig. Der Gruppenführer hatte ihm klargemacht, dass er seine Einheit beim Vorbeimarsch vor dem Führer und Reichskanzler nicht hinkend anführen könne. Alle Einheiten mussten im Stechschritt am Führer vorbeiparadieren. Er wurde ausgesondert, weil man ihm als Soldat in Russland, bei der Verteidigung seiner Heimat, das Bein zerschossen hatte.

Tagelang sprach er kaum ein Wort. Seine Uniform verschwand in einer Ecke des Kellers, er zog sie nie wieder an.

Zum Verheizen geboren

Die Uniform stehe mir gut, sagten die Leute und fanden, ich sei mit meinen zehn Jahren ein richtiger deutscher Junge. Die Organisation, der ich jetzt angehörte, besser gesagt anzugehören hatte, hieß „Jungvolk" und war als erste militärische Ausbildung für Zehn- bis Vierzehnjährige gedacht. Mittwochs und samstags war Dienst, was mir überhaupt nicht behagte. Etwas erträglicher wurde er durch die Tatsache, dass das Dienstgelände auf dem Schulhof der höheren Augusta-Viktoria-Mädchenschule lag. Die auf dem Schulhof errichteten Baracken dienten gleichzeitig den Mädchen im „Bund deutscher Jungmädel". Die Mädels sangen, tanzten nach den Richtlinien der Bewegung „Glaube und Schönheit", oder aber sie beschäftigten sich mit anderen weiblichen Dingen.

Wir Jungen marschierten in Dreier-, Sechser- und manchmal in Zwölferreihen in Paradeformation, was besonders gut klappte, wenn die Mädels verstohlen zusahen. Wir sangen auch besonders gern und laut, wenn die „Jungmädels" in der Nähe waren und mit Medizinbällen in engen Trikots tänzerische Übungen vollführten. Dabei kamen wir uns ungeheuer stark vor. Und auf Stärke wurden wir ja gedrillt. Flink wie die Windhunde sollten wir sein, zäh wie Leder und hart wie Kruppstahl. So wollte es der Führer – und er gab uns jede Gelegenheit dazu. Geländespiele im Wald und auf den Straßen in der Stadt, Zeltlager in den Schulferien, Reichsjugend-Sportwettkämpfe.

Wir waren wieder umgezogen, diesmal nach Düsseldorf, in eine Riesenwohnung in der Lindemannstraße 27. Das herrschaftliche Haus gehörte dem Generalvertreter der Mergenthaler Setzmaschinenfabrik für das Gebiet Rheinland-Westfalen. Er war Jude, hieß Georg Schein und war bis dato eigentlich der Vorgesetzte meines Vaters gewesen. Georg Scheins Geschäfte waren aufgrund seines jüdischen Glaubens auf null zurückgegangen. Erkennend, was kommen würde, schlug er dem Unternehmen vor, sein Haus zu kaufen und seinen Untervertreter Wilhelm Fuchsberger, mit dem er bisher geschäftlich wie menschlich gut zurechtgekommen war, als seinen Nachfolger einzusetzen. Georg Schein konnte mit dem angemessenen Erlös für sein Haus in die USA auswandern. Wir zogen als Mieter in die „Belle Etage" in der Mitte, die obere Etage wurde an eine Familie Kemmner vermietet, im Hochparterre wohnte bereits eine Familie Pieper.

Inzwischen hatte ich wegen unbefriedigender Ergebnisse zweimal die Schule wechseln müssen. Beim letzten Mal, in der Fürstenwallschule, erlebte mein Vater eine herbe Enttäuschung. Er hatte eine Zeit lang keine schlechten Nachrichten über mich erhalten und musste keine Sechsen im Heft für die Klassenarbeiten unterschreiben. Umso argwöhnischer machte er sich auf den Weg zu meinem Direktor. Einer der berüchtigten „blauen Briefe" hatte ihn um diesen Besuch gebeten.

Als man ihm eröffnete, dass ich zum zweiten Mal unmöglich versetzt werden könnte, fragte er erstaunt, warum ihm das nicht früher zur Kenntnis gebracht worden sei. Der Direktor legte ihm stumm meine Klassenhefte vor. Unter der besten Arbeit prangte eine große rote Fünf, unter allen anderen nur Sechser. Unter den Benotungen war vermerkt, dass das Heft mit der Unterschrift eines der Erziehungsberechtigten vorzulegen sei. Vater sah mit einem Blick, dass alle Unterschriften von mir gefälscht waren.

Eine schulische Zwischenstation war für mich das so genannte „Café Crull", ein Privatgymnasium. Café Crull war die letzte Station für hoffnungslose Fälle, deren Eltern einfach nicht einsehen wollten, dass ihr Sprössling zu faul oder zu dumm war, irgendetwas zu lernen. Das Beste an Café Crull war die Tochter des Besitzers, eine blond bezopfte Schönheit, in die die gesamte Schülerschaft verknallt war. Bevor meine Bemühungen um Irmchen Crull Ergebnisse zeitigen konnten, wurde die Schule jedoch geschlossen. Sie entsprach nicht mehr den akademisch-pädagogischen Vorstellungen des „Dritten Reiches".

Die nächste Station meiner schulischen Laufbahn war die Lessing-Oberrealschule in der Ellerstraße hinter dem Düsseldorfer Hauptbahnhof, und es sollte auch meine letzte sein. Sie hatte die weitaus originellsten Lehrer, denen ich bis dato ausgeliefert war. Studienrat Schmitz unterrichtete uns in Deutsch. Er war eher klein, dick und mundfaul und kommunizierte mit uns fast ausschließlich durch Handzeichen. Grundsätzlich betrat er die Klasse mit dem Zeigefinger auf den Lippen. Er wartete geduldig, bis es still geworden war, und kramte dann aus einer zerknautschten Mappe den für diesen Tag vorgesehenen Stoff. „Wir lesen heut ‚Die heilige Johanna'. Fuchsberger, du bist die Johanna!" Dann verteilte er die anderen Rollen, schloss für den Rest der Stunde die Augen und ließ unsere Darbietungen wortlos über sich ergehen.

Dr. Nebel war das krasse Gegenteil. Er war lange in Ostafrika gewesen und hatte sich dort wohl die Malaria eingehandelt. Voller Spannung warteten wir immer darauf, dass er einen seiner Anfälle in der Lateinstunde bekam. Wenn er den Hemdkragen öffnete, wussten wir: Jetzt kam der

Moment, wo er die Kontrolle über sich verlor. Dann konnte es schon mal passieren, dass sich dieser bärenstarke Mann einen von uns griff, ihn hochhob und mit dem Kopf auf den Boden stieß. „Das bringt die grauen Zellen durcheinander, ihr Troglodyten*!", schrie er dann und verließ das Klassenzimmer.

Oberstudienrat Dr. Wasserzieher unterrichtete Mathematik, hatte eine hohe, durchdringende Stimme, graue Haare und Magengeschwüre. Er versuchte verzweifelt und vergeblich, uns Gleichungen mit einer oder mehreren Unbekannten einzutrichtern. Stand ich an der Tafel wie der Ochs vor dem Berg, wandte er sich angewidert ab und zischte leise: „Ich schlage gleich fürchterlich zu." Jeder wusste, dass er noch niemals die Hand gegen einen Schüler erhoben hatte.

Familie Fuchsberger 1938 in der Düsseldorfer Lindemannstraße (v. r. n. l.): Vater Wilhelm Fuchsberger, Joachim, Wilfried, Otmar, Mutter Emma

WESENTLICH beeindruckender als der normale Unterricht waren für uns die politischen Schulungsabende, bei denen man uns erklärte, wir seien Zeugen der Geburt des Tausendjährigen Reiches und dessen Garanten. „Auf diese Jugend kann ich mich verlassen!", rief Adolf Hitler beim Reichsjugendtag angesichts der unübersehbaren Menge von Elite.

Ein bis dahin völlig unbekannter Mensch namens Herschel Grynszpan war der vorgeschobene Grund für eine der scheußlichsten Untaten der Nazis, die so genannte Reichskristallnacht. Im November 1938 brannten in Deutschland die Synagogen. Braune Horden von Unmenschen drangen in jüdische Wohnungen ein und zerstörten, was sie fanden. Stumm sahen die Menschen zu, wie Einrichtungsgegenstände aus den

---

* Höhlenbewohner (Anm. d. Red.)

DENN ERSTENS KOMMT ES ANDERS ... 281

Fenstern der jüdischen Wohnungen flogen. Weinend vor Zorn sah ich, wie aus dem dritten Stock eines Hauses ein Konzertflügel gestoßen wurde. Nie werde ich das Geräusch vergessen, mit dem das Instrument auf dem Pflaster aufschlug und zerschellte. Ab da hasste ich Männer in braunen Uniformen mit schwarzen Stiefeln und war dankbar, dass Vater sie schon lange nicht mehr getragen hatte. Auch bei ihm, einem überzeugten Nationalsozialisten, hat die Reichskristallnacht etwas ausgelöst, worüber er nie mit mir sprach, aber ich konnte es spüren. Er ging allem aus dem Weg, was ihn mit der „Bewegung" hätte identifizieren können. Aus beruflichen Gründen war das oft nicht leicht. Als er zu irgendeinem Anlass ohne Parteiabzeichen erschien, wurde er darauf angesprochen und gerügt. Von da an trug er es wieder. Ich hätte später so gerne mit ihm über Zivilcourage gesprochen, aber wir fanden irgendwie nie Gelegenheit dazu.

Zu Hause war kaum etwas davon zu spüren, dass die Welt langsam, aber sicher einer Krise entgegensteuerte. Vielleicht freuten sich meine Eltern in diesem Jahr besonders auf die Ferien, in einer Art Verdrängungsmechanismus.

Der bayerische Kurort Schliersee am gleichnamigen See war unser Ferienparadies. Jedes Jahr verbrachten wir dort die Sommerferien. Die geräumige obere Etage des typisch bayerischen Landhauses der Familie Gagg war unser Reich für ganze sechs Wochen. Eine besondere Attraktion des Hauses, speziell für mich, war der Blumen-, Kräuter- und Gemüsegarten. Hier gab es Sträucher mit Himbeeren, Stachelbeeren, Johannisbeeren, Erdbeerbeete und Tomatensträucher mit köstlichen grünen und roten Tomaten, die schon von Weitem ihren würzigen Duft verströmten.

Es war im August 1939. Auf dem reich gedeckten Frühstückstisch schmolz die Butter in der warmen Vormittagssonne. Das Frühstück auf der offenen Veranda war der schönste Teil des Tages. Familie Gagg tischte auf, was dieses herrliche Stück Erde zu bieten hatte, und es war immer eine fröhliche Runde, die die Pläne für den beginnenden Tag schmiedete. An diesem Morgen aber hatte es Vater offenbar die Petersilie verhagelt. Er hatte ein Einschreiben erhalten, das er eben gelesen und wortlos auf den Frühstückstisch gelegt hatte. Eine bedrückende Stille trat ein. Mein schlechtes Gewissen regte sich: Hatte ich schon wieder etwas angestellt? Plötzlich atmete Vater tief durch, sah uns der Reihe nach an und sagte leise: „Packt eure Sachen, wir müssen nach Hause. Unser Auto ist beschlagnahmt. In drei Tagen muss ich den Wagen in Düsseldorf abliefern."

Wir Kinder begriffen gar nichts. Was sollte das heißen: beschlagnahmt?

„Das heißt, dass unser BMW zum Militär eingezogen wird, als Dienstfahrzeug!"

Ich bekam eine Stinkwut. Dieses Auto hatte eine Geschichte, für die ich Vater bewunderte, der Kauf war die erste Lehrstunde gewesen, die ich in Sachen Geschäftstüchtigkeit von ihm erhalten hatte.

Er hatte mich mit in die Stadt genommen und im Schaufenster der BMW-Vertretung ein wunderschönes viersitziges 1,4-Liter-Cabriolet entdeckt. Wir betraten den Verkaufsraum, doch der Verkäufer erklärte uns, der Wagen sei ein Sondermodell und unverkäuflich. Vater überlegte einen Augenblick und meinte dann: „Dann gehe ich über die Straße und kaufe den Horch da drüben!" Im Laden der Horch-Vertretung gegenüber stand ein ausgesprochener Luxusschlitten. Der Verkäufer wurde unsicher und versprach, seinen Vorgesetzten anzurufen.

„Bitte tun Sie das!", sagte Vater ungerührt. „Ich sehe mir in der Zwischenzeit den Horch an." Er zog mich auf die andere Straßenseite, betrat den Horch-Laden und ließ sich über die Einzelheiten informieren. Dann marschierten wir zurück zu BMW.

„Mein Vorgesetzter sagt, Sie können den Wagen haben!", erklärte der Verkäufer erleichtert. Zwei Tage später stand das Prachtstück vor dem Haus Lindemannstraße 27.

Jetzt also saßen wir um den reich gedeckten Frühstückstisch wie die begossenen Pudel. Mutter fing an zu weinen. Die ganze Familie Gagg war entsetzt, dass wir Hals über Kopf aufbrechen wollten. Aber es war nichts zu machen. Ich war zu jung, um zu begreifen, was der Brief mit dem Reichsadler wirklich zu bedeuten hatte. Er bedeutete das Ende eines schönen Tages, das Ende unserer Ferien, das Ende des Friedens und den Anfang vom Ende des „Tausendjährigen Reiches".

„SONDERMELDUNG des Deutschlandsenders! In wenigen Minuten spricht der Führer über alle Reichssender!"

Marschmusik stimmte das deutsche Volk seit einer halben Stunde auf das kommende Ereignis ein. Alle wussten, was das zu bedeuten hatte. Seit Tagen brachten die Nachrichten Meldungen über Zwischenfälle an der polnischen Grenze. Dann ertönte der „Badenweiler Marsch", der Lieblingsmarsch des Führers. Schließlich die Ansage: „Hier ist der Deutsche Reichssender mit allen angeschlossenen Sendern. Es spricht der Führer und Reichskanzler Adolf Hitler!"

„Deutsche Volksgenossen und Volksgenossinnen …!" So begannen alle seine Reden. Was dann kam, war eine Vorbereitung auf die beiden

Sätze, die mir ungefähr so in Erinnerung geblieben sind: „Seit fünf Uhr fünfundvierzig wird zurückgeschossen! Unsere Wehrmacht wird den unerträglichen Provokationen ein Ende machen …!"

„Es ist Krieg", sagten die Erwachsenen, und viele von ihnen wussten, wovon sie sprachen und wovor sie Angst hatten. Ansonsten war die Begeisterung groß. Man demonstrierte Haltung. Das war Ehrensache, nachdem die deutschen Truppen unaufhaltsam nach Osten vordrangen.

Beim Jungvolk exerzierten wir nicht mehr in Paradeformation, sondern hatten größten Spaß beim Erlernen des Gebrauchs von „Feuerpatschen". Das waren Besenstiele mit nassen Lappen am Ende. Damit löschten wir in Kisten mit Stroh und Benzin angefachte Feuer. Warum wir das taten, war uns zunächst egal.

Doch bald sollten wir erfahren, wozu das gut sein sollte. Ein Trupp Männer in grauen Overalls untersuchte unser Haus vom Dach bis zum Keller auf Tauglichkeit gegen Bombenangriffe. Die einzelnen Etagen wurden mit Sandsäcken versehen, gefüllte Wassereimer verteilt, Kisten mit Feuerpatschen aufgestellt. Jetzt verstanden wir, wozu die Dinger dienen sollten. Das Souterrain sollte ein Luftschutzkeller werden, wenigstens dem Namen nach, denn Souterrain und Keller befanden sich auf einer Ebene. Nur der Heizungskeller mit dem riesigen Heizkessel und dem fast ebenso großen Boiler für die Heißwasserversorgung sowie einem beachtlichen Berg an Anthrazit-Koks lag ein paar Stufen tiefer.

„Als Luftschutzkeller völlig ungeeignet!", stellte der oberste Overall fest. „Die Decken müssen mit Balken verstärkt und nach unten abgestützt werden!" Dann mauerten sie den Schacht zur Straße hin zu, durch den die Kohlen in den Keller geschaufelt wurden.

„Und wie sollen wir den Koks für die Heizung in den Keller bringen?"

„In Säcken durchs Treppenhaus runtertragen." Der oberste Overall kannte kein Mitleid.

Vater war jetzt viel weniger zu Hause. Er war stocksauer, dass man ihm seinen geliebten BMW „gestohlen" hatte. Oft blieb er länger als eine Woche weg, weil der Fahrplan der Deutschen Reichsbahn mit seinen Reiseplänen einfach nicht zusammenpasste. Wenn er dann heimkam, beklagte er sich über den „Fraß", den man in den Hotels auf Lebensmittelmarken bekam.

Auch meine Aufenthalte zu Hause wurden immer kürzer. Morgens Schule, nachmittags Sonderdienste und so genannte Brandwachen in öffentlichen Gebäuden. Die Schule wurde immer mehr zur Farce. Gelernt wurde kaum noch. Äußerst beliebt bei uns Schülern waren die ständigen Unterbrechungen des Unterrichts durch Luftschutzübungen.

Schrilles Läuten der Schulglocke signalisierte den fiktiven Anflug feindlicher Bomber. Schnell und in mustergültiger Ordnung hatten wir die Klasse zu verlassen, ohne Panik die Treppen hinunterzulaufen und die als Luftschutzkeller ausgewiesenen Räume aufzusuchen. Das sah dann in der Praxis so aus, dass eine Horde von Schülern unter ohrenbetäubendem Getöse die Treppen hinunterstürzte. Dazwischen die Lehrer, vergeblich um Ruhe bemüht. Bis diese Übungen beendet und an die tausend Schüler wieder in den Klassen zur Ruhe gekommen waren, war meistens auch der Schultag beendet.

Das deutsche Volk wurde also auf Verteidigung eingestellt, obwohl wir bis dahin eigentlich nur selber angriffen. Die Eltern meines Freundes Karl-Heinz Delil gehörten zu denen, die trotz ihres Wissens, dass ich Sohn eines Parteigenossen und einflussreichen Pressemenschen war, ihre Meinung zu unserem Führer und dessen „Drittem Reich" äußerten. Karl-Heinz war vierzehn und damit ein Jahr älter als ich. Er war rothaarig, hatte ungeheuer viele Sommersprossen, war klein und enorm schnell auf den Beinen. Und er war unglaublich zäh.

Den Zeichen der Zeit folgend, füllten Karl-Heinz und ich die Aufnahmeanträge für einen Judoklub aus, damit wir auch privat gegen jeden Feind gewappnet sein würden. Von nun an waren wir unzertrennlich: Bankgenossen in der Schule, Kampfpartner auf der Matte und in unserer großen Wohnung in der Lindemannstraße. Ich bin sicher, dass bei den Piepers unter uns die Deckenlampen wackelten, wenn wir in der geräumigen Diele unserer Wohnung Fallübungen absolvierten, doch sie haben sich nie beschwert.

FÜR UNS war es nichts Besonderes, als die Vereinigten Staaten von Amerika Deutschland den Krieg erklärten. Ich erinnere mich nur, dass Vater seine gern zur Schau getragene Zuversicht abhanden zu kommen schien. „Das bedeutet, dass wir diesen Krieg verlieren werden!", sagte er. Noch nie hatte ich ihn so deprimiert gesehen. Uns Junge kümmerte das wenig.

Karl-Heinz und ich machten Fortschritte im Judoverein. Hugo Roschanz, unser bewunderter Trainer, Träger des Sechsten Dan, der zweithöchsten Stufe des Meistergürtels, traktierte uns bis zum Umfallen. Eines Tages nahm er uns mit in ein kleines Kino in der Nähe, auf dessen Bühne er schon einige Schaukämpfe gezeigt hatte. Er platzierte seine Schüler links und rechts vom Mittelgang, unterhalb des vielleicht vier Meter hohen Ranges, dann verschwand er. Plötzlich erschien er oben auf dem Balkon, stand eine Sekunde unbeweglich auf der Brüstung und stürzte sich dann zu unserem Schrecken mit einem gellenden

Schrei in die Tiefe. Wie eine Katze landete er mit einer Art Kopfsprung im Mittelgang, genau zwischen uns: die Arme ausgestreckt, die Hände nach innen, den Kopf zwischen den Schultern, kugelte sich zusammen, machte eine Rolle vorwärts und stand schließlich kerzengerade auf den Beinen und verneigte sich.

Unsere Bewunderung und der Jubel kannten keine Grenzen. Wir wurden seine begeisterten Anhänger und übten, wo immer wir Gelegenheit dazu fanden. Ich fand eine recht ausgefallene, als ich mich so weit fühlte, dass mir nichts passieren konnte.

Auf dem Heimweg von der Schule stiegen wir immer an der Haltestelle Matthäuskirche aus, genau in der Mitte zwischen unseren Wohnungen. „Lass uns heute eine Haltestelle weiterfahren, bis zum Zoo“, sagte ich eines Tages zu Karl-Heinz. Wir standen auf der Plattform des hinteren Wagens.

Direkt hinter unserer gewohnten Haltestelle wurde die Lindemannstraße zu einer wunderschönen Allee mit alten, hohen Lindenbäumen. Sie standen in Abständen von zehn Metern links und rechts der Straßenbahntrasse, die in der Mitte der Straße verlief.

Karl-Heinz schien zu ahnen, was ich vorhatte. „Du spinnst wohl“, sagte er, als die Bahn losfuhr und Geschwindigkeit aufnahm. Nach dem dritten Baum sprang ich, Hände voraus, Kopf zwischen den Schultern, zwischen zwei Bäumen durch, auf den Seitenstreifen, rollte nach vorn ab, wie gelernt, und stand. Ich sah noch den grinsenden Karl-Heinz in Richtung Zoo verschwinden und rannte so schnell wie möglich in unser Haus direkt gegenüber, auf der anderen Straßenseite. Von ein paar Schrammen abgesehen war ich unversehrt und idiotisch stolz.

Nach einiger Zeit kam Karl-Heinz und meinte: „Bist du denn völlig verrückt geworden?! Der Schaffner wollte wissen, wie du heißt und wo du wohnst!“

„Was hast du gesagt?“

„Ich hab gesagt, dass ich dich nicht kenn, wat denn sonst? Und dann bin ich auch en bissken früher abgesprungen! Der konnt ja nich hinter mir her!“

Unsere Bemühungen auf der Judomatte trugen Früchte. Bei einem Jugendwettbewerb 1942 belegte ich den dritten Platz im Halbschwergewicht und erhielt den Ersten Dan, die unterste Stufe der sieben Meistergürtel.

Die erste „Krise“ zwischen Karl-Heinz und mir kam im Sommer 1942. Er war sechzehn, ich fünfzehn. In der Klasse wurden Freiwillige geworben für die nächtliche Brandwache auf dem aus Holzstämmen errichteten

Beobachtungsturm über dem Dach des Düsseldorfer Rathauses. Die Sache war ganz nach meinem Geschmack. Für eine Sonderration Kommissbrot, vierzig Gramm Margarine und eine dicke Scheibe westfälischer Schinkenwurst hatten wir unter dem Kommando eines Offiziers des Sicherheits- und Hilfsdienstes (SHD) die Nacht auf dem Turm zu verbringen. Ich meldete mich, Karl-Heinz nicht. „Ich brauch die Wurst nicht, wir ham genug davon, und dat Kommissbrot mag ich sowieso nicht!" Kunststück, sein viel älterer Bruder besaß in Köln eine Lebensmittelfabrik, in der er Brühwürfel herstellte, und seine ebenfalls wesentlich ältere Schwester „Lis" war in Flensburg mit dem Besitzer einer Spirituosenfabrik verheiratet.

Die Nächte auf dem Turm waren lang und oft kalt. Vier Stunden dauerte eine Wache, dann kam Ablösung. Das Einsatzkommando bestand aus ungefähr zwanzig Freiwilligen beiderlei Geschlechts. Die Mädels sollten im Ernstfall helfen, Verwundete zu pflegen, die Jungs hatten die Aufgabe, vom Turm aus den Luftraum über Düsseldorf zu überwachen und über Funk die Einsatzzentrale im Keller auf dem Laufenden zu halten. Im Falle von Luftangriffen sollten wir als Kuriere und Melder eingesetzt werden oder den Löschmannschaften helfen.

Alle zusammen waren wir in einem Kellergewölbe untergebracht. Die Mädchen hausten im hinteren Teil des Gewölbes, die Jungs im vorderen. In einem kleinen, mit Funk ausgerüsteten Raum, der so genannten Einsatzleitung, wachte ein bedauernswerter Mann namens Dabberich. Er sprach unverfälschten rheinischen Dialekt und war kaum höher als einsfünfundsechzig, mit einem sehenswerten Spitzbauch. Seine unglaublichen O-Beine steckten in genagelten Schaftstiefeln, so genannten Knobelbechern. Die waren oft unsere Rettung, wenn er sich in unregelmäßigen Abständen während der Nacht um unsere Moral sorgte. Das Geräusch seiner Stiefel meldete uns früh genug sein Auftauchen, sodass wir rechtzeitig verschwinden konnten, nicht selten unter der Decke in einem der Mädchenbetten. Da befehlsgemäß ab Zapfenstreich nur noch die blaue Notbeleuchtung an der Decke des Gewölbes brennen durfte, war es angenehm schummerig, und Herrn Dabberichs Taschenlampe war kaum dazu geeignet, ans Licht zu bringen, was sich da so tat. Damit war er bei seinen Kontrollgängen zufrieden, machte kehrt und ließ uns in Ruhe. In unserer „Blauen Grotte", wie das Gewölbe bei uns bald hieß, ertönte dann aus verschiedenen Richtungen zunächst leises Gemurmel und Gekicher. Als nächste Stufe konnte man ein „Lass das!" oder „Nein, nicht doch!" hören. Das Gemurmel ging schließlich in leises Stöhnen und wohlige Seufzer über.

DENN ERSTENS KOMMT ES ANDERS ...

In so einer Nacht geschah es. Meine Vaterlandsverteidigerin hatte aufgegeben, sich angemessen zu wehren. Sie entfernte unter allen möglichen Verrenkungen ihren ganzteiligen Luftschutzanzug, dann kam ich damit an die Reihe. Unsere Bekleidung landete auf dem Boden.

Auf jeden Fall hatte sie Erfahrung. Ich nicht. Nach einer kurzen, verwirrenden Einführung half sie mir gekonnt, das Paradies zu finden.

„Schön", sagte sie, und ich wusste nicht genau, ob das eine Frage oder eine Feststellung war. Der Höhepunkt fiel allerdings brutal zusammen mit dem festen Schritt der genagelten Knobelbecher des Herrn Dabberich. Wir lagen unter der Decke und rührten uns nicht, abgesehen vom heftigen Atmen.

Vermutlich hatte der Lichtstrahl seiner Taschenlampe unsere Kleider am Boden erfasst. „Wat is dat denn?!", bellte er ins Gewölbe. „Dat hab ich mich doch beinah jedacht, dat ihr so wat macht! Hinter mein Rücken! Dat find ich en ausjesprochene Sauerei! Ich will jar nit wissen, wer et is, aber ich komm drauf, da könnt er euch drauf verlassen!"

Die Knobelbecher marschierten Richtung Tür. Dann kam noch mal seine empörte Stimme: „Dä junge Mann unter der Decke, wo de Klamotten am Boden liegen, mach dat de de Hosen anjezogen kriss, dat de einsatzbereit bis, wenn de Bomber kommen!" Und mit der bekannten und üblichen Drohung: „Mer spreche uns noch, darauf kannste Jift nehmen!", verließ er den Ort des Geschehens.

Wir haben uns nie gesprochen. Langsam und entspannt lösten wir uns voneinander. Unter dem Gekicher und Gelächter der erwachten Mitbewohner zogen wir uns an und trennten uns für diese Nacht.

Meine Mannwerdung verschwieg ich allenthalben. Nur Karl-Heinz weihte ich in das süße Geheimnis ein. Nun bedauerte er es doch sehr, dass er sich nicht auch freiwillig gemeldet hatte.

Ein Schulkamerad, dem unser besonderes Interesse galt, weil er Belgier war, wurde mein Beobachtungspartner auf dem Rathausturm. Mit Harry Back stand ich so manche Nacht auf dem Turm und beobachtete mit dem Nachtfernglas den Himmel. Außer den Sternen in klarer Nacht war nichts zu sehen. Es war stinklangweilig. Wegen der Anwesenheit des SHD-Offiziers konnten wir uns nicht einmal richtig unterhalten. Der Mann war streng und sehr alt, mindestens sechzig, schätzten wir.

„Drahtfunk" hieß der Nachrichtendienst im Radio, der die Feindbewegungen in der Luft meldete. Das Erkennungszeichen war ein scharfes Ticken vor der Meldung. An diesem Abend schien es so weit zu sein.

Es knackte im Drahtfunk. „Starke Feindverbände aus Planquadrat sieben – Flugrichtung Raum Essen, Duisburg und Düsseldorf – weitere

Bomberverbände über der Zuidersee – mit Angriffen muss gerechnet werden!"

Unter uns lag die Altstadt. Kaum ein Laut. Kein Licht in den dunklen Fensternischen, leere Straßen. Ein Luftschutzwart drehte seine Kontrollrunde. Hinter uns der nächtlich glitzernde Rhein. Über ihm spannten sich die stählernen dunklen Bogen der Brücke vom Rathausufer hinüber nach Oberkassel. Ein herrlicher Blick, ein friedliches Bild.

„Die kommen ja doch wieder nicht!", meinte Harry.

„Ich hoffe, Sie haben Recht!", antwortete der SHD-Offizier. Täuschten wir uns, oder zitterte seine Stimme wirklich?

„Weitere Verbände von schweren Bombern, Typ Bristol-Blenheim, Halifax und B-29, im Anflug auf den Großraum Düsseldorf ...", kam die nüchterne Stimme aus dem Drahtfunk.

Dann in der Ferne ein leises Grollen. Es schwoll mit der Geschwindigkeit der anfliegenden Bomber an. Am Himmel, noch weit weg, explodierten die ersten schweren Flakgranaten wie Blitzlichter.

„Sie kommen, diesmal wird's ernst!"

In breiter Front kam die erste Welle hinter dem Rhein aus dem Raum Venlo–Roermond–Sittard direkt auf uns zu. Das erst leise, dann immer drohender schwingende Dröhnen der Motoren in großer Höhe steigerte sich, gemischt mit dem Bellen der Flakgeschütze. Schnellfeuerkanonen schossen ganze Bahnen von Leuchtspurgranaten in den Himmel. Plötzlich, von einer Sekunde auf die andere, war es taghell. Die „Pfadfinder", kleine, leichte Bomber, setzten ihre „Christbäume". Das waren gebündelte Leuchtkugeln, die langsam zur Erde sanken und die Altstadt in gespenstisches Licht tauchten. Dann das anschwellende Pfeifen und Jaulen der herabregnenden Bomben. Es krachte, Feuersäulen schossen in den Himmel, dazwischen sahen wir ganze Hausdächer durch die Luft segeln. Der erste Bombenteppich ging auf Düsseldorf nieder. Die Nacht wurde zu einem infernalischen Gekreische. Minuten später gab es einen Teil der Altstadt nicht mehr. Überall brannte es.

Der Lautsprecher aus der Einsatzzentrale riss uns aus unserer Erstarrung. „Wat is los da oben?!", brüllte Herr Dabberich.

„Alles brennt!", schrie ich zurück.

„Wat heißt alles? Ich will präzise Angaben!"

„Alles, die ganze Altstadt ist weg!" Mehr konnte ich vor Schreck nicht sagen.

„Verdammt, wo ist der Oberst vom SHD? Ich will ihn sprechen!" Der saß am Boden, Harry kümmerte sich um ihn.

„Ich glaub, dem ist nicht gut!"

"Dann mach endlich Meldung, wat los is, Jung!" Dabberichs Stimme klang drohend.

Ich versuchte zu schildern, was wir sahen. "Einschläge in Zwozehn, in Drei, in Sechs und in Neun!" Die Zahlen waren Flakdeutsch und bedeuteten die Himmelsrichtung nach der Uhr. "Das Mannesmannufer brennt direkt hinter uns, die Bolkerstraße auch. Auf der Brücke brennt es, und drüben in Oberkassel. Am Hindenburgwall und direkt unter uns, in der Flingerstraße, ist ein Riesenloch …!"

Harry half dem Oberst auf die Beine. Der war nicht mehr zu gebrauchen. "Meine Frau, meine Kinder, mein Haus …!", stammelte er und zeigte auf den Krater unter uns in der Flingerstraße. Er hatte gesehen, wie sein eigenes Haus in die Luft flog.

"Schwerer Angriff auf das Stadtgebiet von Düsseldorf … Neue Einflüge über der Zuidersee …!"

Während einer Pause zwischen der ersten und der zweiten Angriffswelle, die der Drahtfunk ankündigte, rannten schreiende Menschen durch die brennenden Trümmer, suchten nach Angehörigen. Die Männer vom SHD legten Schlauchleitungen in den Rhein, Hydranten in der Altstadt waren verschüttet oder sie hatten kein Wasser. Dann brach der Feuersturm los, zog den Sauerstoff weg. Geborstene Decken, bröckelnde Mauerreste und einstürzende Wände trieben die Menschen in Todesangst aus den Luftschutzkellern ins Freie, wo ihnen der Feuersturm die Luft zum Atmen nahm. Mitten in diese Hölle hagelten die Phosphor- und Stabbrandbomben der zweiten Welle.

Viele haben verbrannte, ausgeglühte Städte gesehen, aber es gibt sicher nur wenige, die von oben zusehen mussten, wie ein jahrhundertealtes Stadtviertel von einer Minute zur anderen in die Luft flog.

"Kommt runter von da oben, der Turm brennt!" Aufgeregte Stimmen kamen vom Fuß der Hühnerleiter, die vom Rathausdach auf unsere Plattform führte. Stabbrandbomben waren auf dem Rathausdach gelandet. Harry und ich versuchten, den völlig apathischen Oberst über die Leiter nach unten zu bugsieren, wo ihn zwei Sanitäter in Empfang nahmen. Ich habe von dem armen Mann nie wieder etwas gehört.

Unser Weg in die Einsatzzentrale im Keller, zu Herrn Dabberich, war ein Hindernislauf über Berge von Glassplittern, aus den Angeln gerissene Türen, vom Luftdruck umgerissene Aktenschränke. Dabberich war sichtlich erleichtert, dass wir heil heruntergekommen waren. In der Hand hielt er eine Flasche Schnaps. "Isch glaub, ihr könnt jetz einen vertrajen …!" Er selbst nahm sich zwei. "Isch brauch euch jetz als Melder, is dat klar?"

„Jawoll, Herr Dabberich!"

Er drückte Harry und mir je eine Meldung in die Hand. „Die bringt ihr jetzt zur Einsatzzentrale in eurem Viertel und jebt se dort ab. Danach habt ihr Urlaub, zwei Tage! Wenn et länger sein soll, will isch aber irjendwann wissen, wat los is – klar? Haut ab!"

Der Weg aus der Altstadt war entsetzlich. Bombenkrater, zerrissene Straßenbahn-Oberleitungen, halb eingestürzte Häuser, Fensterhöhlen, aus denen Flammen schlugen. Erst jenseits der Königsallee, in der Schadowstraße, wurde es etwas leichter. Die Bomben waren offenbar gezielt auf die Altstadt abgeworfen worden.

Das Haus in der Lindemannstraße war relativ gut weggekommen. Fenster waren zersplittert, ein Teil der Verdunkelungsrollos war zerfetzt. Sonst war alles heil geblieben.

„Noch mal davongekommen!", sagte Herr Pieper vom Hochparterre. „Aber wie lang noch?"

HARRY BACK und ich waren überrascht, als wir einige Zeit später von Dabberich in sein abgetrenntes Verlies gerufen wurden. Er baute sich vor uns auf, in voller Uniform, und war fast ein bisschen feierlich.

„Jungens", sagte er, „nach 'em ersten Bombenangriff hab isch euch für 'nen Orden einjereicht. De Gauleitung hat mich mitjeteilt, dat ihr vielleicht et Kriegsverdienstkreuz bekommt!" Seine Stimme bebte leicht, er war ergriffen und stolz, dass sein Einfluss so groß war, dass zwei Schüler seiner Dienststelle im Namen des Führers und Obersten Befehlshabers einen relativ hohen Orden verliehen bekamen.

Ein paar Wochen später standen fünfzig frisch einberufene Luftwaffenhelfer stramm, Hände an der Hosennaht. „Zur Meldung an Herrn Hauptmann – die Augen links!" Der Unteroffizier vom Dienst marschierte auf Hauptmann Hippler, den Chef der 7,5-cm leichten Flakbatterie, zu und salutierte. „Melde Herrn Hauptmann – Luftwaffenhelfer der Batterie zur Ordensverleihung angetreten!"

Hauptmann Hippler grüßte wortlos zurück. Der UvD machte eine vollendete Kehrtwendung und entfernte sich drei Meter vom Batteriechef in unsere Richtung.

„Luftwaffenhelfer Fuchsberger – vortreten!"

Ich trat vor, knallte die vorgeschriebenen zwei Meter vor dem Hauptwachtmeister die Hacken zusammen und baute mein Männchen – so hieß die Ehrenbezeigung durch Erheben des rechten Armes mit ausgestreckter Hand im Winkel von circa sechzig Grad zum Körper.

Hauptmann Hippler trat auf mich zu. „Im Namen des Führers und

Obersten Befehlshabers überreiche ich Ihnen das Kriegsverdienstkreuz Zweiter Klasse mit Schwertern!" Tiefste Missbilligung über das, was er da gerade tun musste, schwang mit. Dass man ihm, einem Offizier der deutschen Luftwaffe, im vierten Kriegsjahr immer noch gänzlich undekoriert, zumutete, einem minderjährigen Luftwaffenhelfer einen Orden an die Brust zu heften, erfüllte ihn mit Empörung. Er blies mir seinen unangenehmen Atem ins Gesicht, während er mir den Orden ansteckte. „Sie haben die Auszeichnung 24 Stunden am Band zu tragen. Melden Sie sich in der Schreibstube. Gratuliere! Wegtreten!"

In der Schreibstube händigte man mir einen Sonderurlaubsschein über 24 Stunden aus. Heute geniere ich mich für das, was dann kam. Flankiert von meinen stolzen Eltern, nahm ich auf der Königsallee die Ehrenbezeigungen hochdekorierter Fronturlauber entgegen. Die Vorschrift bestimmte, dass der Orden am Band zuerst zu grüßen war. Auch von Offizieren. An diesem Nachmittag schaffte ich Angeber es, die „Kö" dreimal rauf- und runterzugehen.

MEHR und mehr erkämpften sich die britischen und amerikanischen Bomber und Jagdflugzeuge die Luftherrschaft. Angriffe bei Tag und Nacht hielten die Menschen auf Trab. Wir Luftwaffenhelfer marschierten vormittags nach an den Geschützen durchwachten Nächten in unseren graublauen Uniformen zum Schulunterricht. Dort schliefen wir geschlossen in den Bänken, bis wir nach ein paar Stunden wieder an die Kanonen zurückkehrten.

Nach der Trennung in der Brandwachenzeit hatten Karl-Heinz und ich uns mit Erfolg bemüht, als Luftwaffenhelfer zusammenzubleiben. Es war uns sogar gelungen, bei derselben Einheit zu landen und in derselben Baracke zu hausen. Die Besatzung einer Baracke war gleichzeitig die Mannschaft für zwei ungefähr zwanzig Meter voneinander getrennt liegende Geschützstellungen. Eine Geschützmannschaft bestand aus jeweils acht Kanonieren, die die fortlaufenden Bezeichnungen K1 bis K8 trugen. K1 war der Richtkanonier, der auf dem hinter der Zieleinrichtung angebrachten Sitz saß und feuerte. Karl-Heinz und ich waren abwechselnd K2 und K3. Ein gewisser Wolfgang Gardeweg, ein großer, starker Kumpel aus unserer Schulklasse, war der K1. Als Box-Jugendmeister im Halbschwergewicht genoss er besonderen Respekt. Zwischen uns herrschte eine ständige Rivalität wegen unserer verschiedenen Sportarten. Jeder behauptete, mit seiner Kunst der Selbstverteidigung dem anderen überlegen zu sein. „Wenn ich euch eine gerade Rechte in die Visage haue, habt ihr mit eurem Judo keine Chance, ihr

292   DENN ERSTENS KOMMT ES ANDERS ...

kippt um wie leere Säcke!", prahlte Wolfgang. Es war abzusehen, dass irgendwann die Stunde der Wahrheit kommen würde.

Seit Langem planten Karl-Heinz und ich einen gemeinsamen Urlaub. Seine ältere Schwester Lis hatte uns nach Glücksburg eingeladen, in die Villa neben der Spirituosenfabrik. Für Karl-Heinz und mich war das die Aussicht auf vierzehn Tage im Schlaraffenland. Die Schwierigkeit war, dass wir auf verschiedenen Urlaubslisten standen. Und es gab nur eine Lösungsmöglichkeit: mit einem Kumpel zu tauschen. Der Einzige, der hierfür in Betracht kam, war der K1, Wolfgang Gardeweg.

„Ihr spinnt wohl? Da könnt ihr lange warten. Dat kommt überhaupt nich in de Tüte!"

„Wat willste dafür haben?"

„Nix, lasst mich in Ruh, verpisst euch!"

Da hatte Karl-Heinz eine perverse Idee: „Wenn de mit mir tauschst, darfste mir eine grade Rechte verpassen!"

Wolfgang grinste. Das war eine wirkliche Verlockung, unseren Streit mit einem „schlagenden Beweis" aus der Welt zu schaffen. Er überlegte. „Also jut. Dat mache mer so! Du stellst dich hin, ich scheuer dir eine vors Kinn. Wenn de stehen bleibst, tausch ich mit dir!"

„Einverstanden!", sagte Karl-Heinz.

Ich war entsetzt. „Das kannst du nicht machen, der haut dich glatt um!"

„Dat wollen wir erst mal sehen, oder?"

Die Barackenbesatzung sah dem Ereignis mit Begeisterung entgegen. Die einen wetteten auf den Boxer, die anderen hofften auf Judo und die Zähigkeit von Karl-Heinz. Der ungleiche Kampf sollte nach dem Zapfenstreich stattfinden, bei Kerzenschein. Wir warteten sicherheitshalber zehn Minuten, dann setzte hektische Aktivität ein. Hindenburglichter* wurden angezündet, Tische beiseitegeschoben.

„Also los!", sagte der Boxer grinsend. Er wollte seinen Ruf als K.-o.-Schläger festigen. Karl-Heinz stand im dreiviertellangen Nachthemd in der Mitte der Baracke. „Stell dich lieber an die Wand, dann fällste nich so hart auf die Fresse!", meinte der Boxer voller Mitgefühl. Die Kontrahenten einigten sich auf die Ecke, in der die dreistöckigen Betten aneinanderstießen.

„Lass deine Wichsgriffel unten, festhalten gilt nicht!"

„Arschloch!", sagte Karl-Heinz laut und deutlich. „Mach schon, du kriegst mich doch nit klein!"

---

* Kerzen, ähnlich den heutigen „Teelichtern", allerdings von etwa doppelt so großem Durchmesser (Anm. d. Red.)

Er streckte provozierend sein Kinn vor, atmete tief durch und wartete mit geschlossenen Augen auf den Schlag. Der Boxer nahm Maß, boxte ein paarmal zischend durch die Luft, dann ging er in Stellung. Atemlose Stille. Schließlich kam ein kurzer, trockener Schlag aus der Schulter heraus, präzise auf das Kinn von Karl-Heinz. Es klang ein bisschen, wie wenn man eine leere Streichholzschachtel zerdrückt. Karl-Heinz' Augen starrten glasig ins Leere, sein Kopf war beim Volltreffer nach hinten an die Bettkante gekracht, die Arme hatte er in einer Reflexbewegung angewinkelt. Er wackelte, aber er stand. Hielt sich nicht fest, schüttelte sich in den Schultern und schnaufte wie ein Walross.

„Bleib stehen! Mensch, bleib stehen!", brüllte die ganze Baracke.

Logisch gehörten dem Geschlagenen alle Sympathien. Der Boxer starrte ungläubig auf sein Opfer, immer noch hoffend, dass es umkippen würde. Dann kam seine moralische Vernichtung.

„War das alles?", fragte Karl-Heinz und setzte noch eins drauf: „Ziemlich schwach!"

Da gab's kein Halten mehr. Alle sprangen aus den Betten, umringten den neuen Helden, gratulierten ihm. Der entthronte Boxer kletterte still auf seinen Strohsack und drehte sich zur Wand.

DER ZUG für Fronturlauber zockelte nach Norden, Richtung dänische Grenze. Die Abteile waren zum Bersten voll mit Soldaten, die vier Jahre Krieg hinter sich hatten. Ein Unteroffizier betrachtete mein Ordensband. „Was ist das? Und was ist das für 'ne Uniform?"

„Wir sind Luftwaffenhelfer, und das ist das Kriegsverdienstkreuz Zweiter Klasse, mit Schwertern."

„Wofür?"

Ich erklärte es und fühlte mich unbehaglich.

„Jetzt brauchen sie schon Kinder, um die Heimat zu verteidigen! Und wir liegen da draußen in der Scheiße. Wozu verrecken wir eigentlich beim Iwan, wenn wir das zu Hause genauso können?" Er war höchstens vier Jahre älter als wir.

In Glücksburg bei Karl-Heinz' Schwester Lis fühlten wir uns wie im siebten Himmel, sie verwöhnte uns nach Strich und Faden. Ein paar glückliche Tage lang waren wir weit weg von nächtlichen Alarmen, weit weg vom Geschützgebell, weit weg vom sinnlosen Schulunterricht. Es gab Köstlichkeiten zu essen, die wir lange vermisst oder noch nie gesehen hatten. Wir genossen die Tage, doch der Traum war irgendwann zu Ende. Lis winkte zum Abschied und wurde auf dem Bahnsteig immer kleiner, bis sie schließlich unserem Blick entschwand.

Der Urlauberzug war voll mit verwilderten Soldaten von verschiedenen Frontabschnitten, aus Norwegen, aus Polen, aus Russland. Viele waren voll wie die Strandhaubitzen. Diese Züge waren berüchtigt, weil es unter den betrunkenen Soldaten ständig zu Prügeleien und Messerstechereien kam. Karl-Heinz und ich hockten irgendwo im Gang auf unseren Rucksäcken mit aufgeschnalltem Stahlhelm, Gasmaske und Brotbeutel und hörten zu, was die Frontschweine erzählten.

Plötzlich machte der Zug eine Vollbremsung, alles wirbelte durcheinander, Gewehre, Tornister, Gasmasken, Stahlhelme. Draußen krachte und blitzte es. Tieffliegerangriff! Durch den gewaltigen Ruck flog ich durch den Gang in ein schmales Fenster neben der Ziehharmonika zum nächsten Waggon. Ich spürte einen stechenden Schmerz im Rücken.

„Mann, bleib stehen, du hast 'nen Dolch im Kreuz!", sagte einer neben mir. „Aus Glas!" Ich spürte, wie etwas Warmes mir den Rücken runterlief.

„Zieh das Ding raus", bat ich.

„Halt still!" In der Hand hielt er einen zwanzig Zentimeter langen, dreckigen Glassplitter, scharf wie ein Rasiermesser.

Karl-Heinz musste es woandershin katapultiert haben. Von draußen bellten Befehle. Endlich kam er. „Was ist los?"

„Ich hab 'nen Dolch im Kreuz."

„Du spinnst!" Langsam setzte sich der Zug wieder in Bewegung. Karl-Heinz entdeckte eine ziemlich tiefe Schnittwunde neben der Wirbelsäule. „Scheiße, wir müssen in Hamburg raus, du musst zum Arzt, du blutest wie ein Schwein!" Er gab mir die Flasche Rum, die ihm Lis eingepackt hatte. „Nimm 'nen Schluck, dat tut jut. Noch einen!"

Der Feldwebel in der Bahnhofswache musterte erst mich von oben bis unten, dann Karl-Heinz. „Aha", grinste er hinterhältig, „Messerstecherei im Dänemarkurlaub, kennen wir!"

„Nein, Herr Feldwebel, Glassplitter vom Tieffliegerangriff!"

„Hauchen Sie mich mal an, Mann!" Er roch den Rum. „Na, sag ich doch! Gesoffen habt ihr Säcke. Das gibt Knast, Mann! Ihr Soldbuch!"

Karl-Heinz schaltete sich ein. „Bitte Herrn Feldwebel melden zu dürfen, wir sind Luftwaffenhelfer. Mein Kumpel braucht einen Arzt, er hat einen Glassplitter im Rücken!"

Der Blick des Feldwebels streifte das Ordensband an meiner Uniformbluse. Er schien verunsichert. „Ausweise? Urlaubsschein?" Wir gaben sie ihm. „Die behalte ich hier! Meldet euch unten in der Sanistation. Wenn Sie verarztet sind, melden Sie sich wieder bei mir in der Bahnhofswache, verstanden?"

Der diensthabende Sanitätsoffizier sah sich die Wunde an. „Messerstich?"

„Glassplitter, Herr Stabsarzt!"

Er sah mich durchdringend an, dann griff er nach einem Instrument in einer Schale. „Na, dann wollen wir mal sehen!"

Mit einer langen Sonde fuhr er in die Wunde. Er spürte einen Widerstand, ich einen stechenden Schmerz.

„Da ist ja doch was drin!"

„Ein Stück abgebrochenes Glas vom Zug, Herr Stabsarzt!"

„Langsam glaube ich Ihnen die Geschichte. Sie müssen ins Lazarett, der Splitter muss operativ entfernt werden. Schaffen Sie's bis Düsseldorf?"

„Jawohl, Herr Stabsarzt!"

„Ich versorge die Wunde und tamponiere sie. In Düsseldorf melden Sie sich sofort im Lazarett, Einweisungsschein gebe ich Ihnen mit!"

Der Feldwebel auf der Bahnhofswache gab uns die Papiere zurück. Er war fast freundlich. „Hab mich erkundigt. Das mit dem Angriff stimmt. Schwein gehabt!"

Wie ich mit einem Splitter im Kreuz und einer Operation vor mir „Schwein" gehabt haben sollte, war mir allerdings nicht klar. Nach zwei Wochen zusätzlichem Krankenurlaub meldete ich mich ohne Glassplitter zum Dienst in der Stellung zurück.

DIE SILBERNE Hochzeit meiner Eltern stand an. Vater hatte die Idee, meine beiden Brüder in ein vor Luftangriffen sicheres Landschulheim und den Rest der bombengestressten Familie nach Heilbronn am Neckar zu verfrachten. Als Zwischenstation auf dem mühsamen Weg dorthin in überfüllten Zügen war ein Besuch in Heidelberg geplant. Ich hatte zwei Wochen Urlaub mit Zivilerlaubnis, ein besonderes Privileg.

Die erste Nacht im Hotel „Roter Hahn" bescherte uns einen seit langer Zeit nicht mehr erlebten, durch keinen Fliegeralarm gestörten Schlaf. Der Morgenspaziergang durch unzerstörte Straßen, am Ufer des Neckars entlang zur alten Karl-Theodor-Brücke und an der Stadthalle vorbei zurück ins Hotel, war angefüllt mit Erinnerungen an unsere Heidelberger Zeit.

Ein paar Tage später fand in Heilbronn mit Onkel Paul, Tante Paula und den Cousinen Anni und Maria die silberne Hochzeit mit Sonderzuteilungen von Lebensmittelmarken und Wein aus den umliegenden Weinbergen statt. Ein Jahr danach wurde Heilbronn zerstört. Das Haus in der Wollhausstraße wurde von einem Volltreffer pulverisiert. Onkel

Paul machte Überstunden im Finanzamt und überlebte. Von Tante Paula, Anni und Maria fand man bei den Aufräumungsarbeiten ein paar Kleiderreste, sonst nichts.

DER DRUCK nahm zu. „Deutschland braucht jeden Mann!", erklärten NS-Führungsoffiziere bei Schulungsabenden. Meldeformulare für den freiwilligen Eintritt in Hitlers Elitetruppe „Waffen-SS" wurden verteilt. Man ließ den Umworbenen eigentlich nur zwei Möglichkeiten: nachgeben und unterschreiben oder die Flucht nach vorn antreten. Ich entschied mich für Letzteres als kleineres Übel.

„Ich melde mich freiwillig als Reserve-Offiziersbewerber bei den Fallschirmjägern!", erklärte ich Karl-Heinz. Der zweifelte an meinem Verstand. „Da hängste in der Luft, und se schießen dich ab wie 'ne lahme Ente! Nee, da geh ich lieber zu de Panzer, da haste wat um dich rum!"

„Da kriegste 'nen Volltreffer und wirst gegrillt wie 'ne Ölsardine!"

Erst ein Jahr nach Kriegsende sahen wir uns endlich wieder. Er war schwer verwundet, ich war fast ungeschoren davongekommen.

Die Folge der freiwilligen Verpflichtung bei den Fallschirmjägern war die Einberufung zu drei Monaten Reichsarbeitsdienst. Idiotisches Exerzieren mit dem Spaten, danach Schaufeln gewaltiger Mengen von schleswig-holsteinischem Sand für den Bau eines Feldflughafens in der Nähe von Jagel. Das Positive am Reichsarbeitsdienst war für mich die Begegnung mit Manfred Droste, dem Sohn einer Düsseldorfer Verlegerfamilie. Jede der wenigen freien Minuten, die wir hatten, saß ich mit ihm zusammen und bewunderte seine Fähigkeit, einer Ziehharmonika wohlklingende Töne zu entlocken. Mit ungewöhnlich schrägen Akkorden machte er mich mit der Welt des im Nationalsozialismus verpönten, teilweise verbotenen Jazz bekannt. Diese Liebe hält bis heute an.

MIT MEINER Meldung als freiwilliger Reserve-Offiziersbewerber landete ich im Fallschirmjäger-Ausbildungsregiment in Wittstock an der Dosse, rund sechzig Kilometer nördlich von Berlin. Der Ausbilder stand breitbeinig vor der Ausbildungskompanie. Als er mein Ordensband entdeckte, verengten sich seine Augen zu Schlitzen. „Aha, schon einen Orden? Mal sehen, ob wir einen wirklichen Helden aus dir machen können! Oder muss ich Sie zu dir sagen?"

„Nein, Herr Unteroffizier!", brüllte ich zurück und versuchte unbefangen zu lächeln. Er grinste mich an und nickte. Irgendwie schienen wir uns zu verstehen. Die Ausbildung war hart, aber die Fallübungen am Boden waren die gleichen wie beim Judo.

Endlich war es so weit, wir fieberten unserem ersten Sprung entgegen. Unsere Enttäuschung war unbeschreiblich, als wir erfuhren, dass wir nicht aus der berühmten Ju 52, sondern aus einer dafür umgebauten alten italienischen Caproni, einem ehemaligen Bomber, abspringen würden, und auch nicht aus einer offenen Luke an der Seite wie bei der Ju 52, sondern aus dem Bombenschacht. Wie Fallobst purzelten wir über dem Absprunggebiet aus dem Flugzeug, bis uns der heftige Ruck des sich öffnenden Schirmes aus der angstvollen Starre des freien Falles erlöste. Der Rest war Schweben. Die Landung war hart, Rolle vorwärts, wie gelernt, Lösen vom Schirm, Deckung suchen. Es gab ein paar verstauchte Füße, aber keine ernsthaften Verletzungen. Wir waren Helden, befreit von der Angst vor dem ersten Sprung. Und keiner kann mir erzählen, er habe keine gehabt.

Der krönende Abschluss unserer Ausbildung war der Einsatzsprung aus der Ju 52. Dann ging es zum Fallschirmjäger-Regiment in der Garnison Halberstadt. Wir lernten Nahkampf Mann gegen Mann. Der erste, sicherlich grausamste Einsatz für uns alle kam in Halberstadt selbst. Von der Anhöhe des Kasernengeländes aus sahen wir sie kommen: an die hundert oder mehr viermotorige Bomber. Es gab kaum Flugabwehr, nur ein paar vereinzelte Wölkchen von explodierenden Flakgranaten. Wir sahen die Bomben aus den Bäuchen der Maschinen herausquellen. Zum zweiten Mal erlebte ich, wie eine Stadt explodierte, diesmal am helllichten Tag.

Wenig später standen wir vor rauchenden Trümmerhaufen. Alle verfügbaren Einheiten der Garnison waren im Einsatz, um zu helfen. Der provisorische Schutzbunker war unter einem Volltreffer zerborsten. Mit leichtem und schwerem Gerät wurde versucht, Teile der eingestürzten eisenarmierten Betondecke zur Seite zu räumen. Wir gruben uns mit Hacken und Schaufeln durch den Schuttberg. Was wir fanden, waren grotesk verrenkte Leichen von Frauen und Kindern. Vielen von uns wurde schlecht. Es gab Schnaps, damit wir ertrugen, was wir sahen.

EIN LANGER Güterzug, Fahrtziel unbekannt. Wir hockten in offenen Viehwaggons, damit wir schneller rauskonnten bei Tieffliegerangriffen. Wir fuhren eine Nacht, einen ganzen Tag und wieder eine Nacht. Lazarettzüge kamen uns entgegen. Am Nachmittag hielt der Zug. „Alles aussteigen, in Marschkolonne antreten!"

Es sprach sich langsam herum, wo wir waren: östlich der Oder, in der Gegend von Greifenhagen. Wir hörten das Grummeln der Geschütze von der nahen Front. Die Stimmung in der Truppe entsprach der aktuellen Situation. Der 20. Juli war vorbei, die Attentäter gerichtet. Unser Oberster

Fallschirmjäger an der Springerschule Wittstock an der Dosse, 1944

Befehlshaber lebte. Rückzug an allen Fronten. Kaum eine Stadt in der Heimat war mehr unversehrt. Gerüchte machten die Runde: Rommel tot, von Kluge tot, die Amerikaner bei Arnheim gelandet. Aachen sei bereits besetzt. Was sollte das alles noch?

Wir bezogen Stellung, ein frisch gebildetes Fallschirmjägerregiment aus Jugendlichen neben einer schlecht ausgerüsteten Einheit von Volkssturmsenioren. Und damit sollte der erwartete Großangriff auf die Reichshauptstadt abgewehrt werden?

Mit drei Armeekorps brachen die Russen durch. Wir verteidigten nicht mehr, sondern rannten wie die Hasen. Mit einem russischen Splitter in der Schulter landete ich im Lazarett Stralsund. Kein Heimatschuss, dafür war die Verwundung zu gering.

Ein neuer Einsatz, der schwachsinnige Versuch, eine Sabotageeinheit auf die Beine zu stellen, die hinter den feindlichen Linien im Westen abspringen sollte, um Brücken und andere wichtige Ziele in die Luft zu sprengen. In der Nähe von Stettin hatte sich ein wild zusammengewürfelter Haufen von Fallschirmjägern zusammengefunden. Die Bedingungen für einen Sondereinsatz unbekannter Art waren eine Sprungausbildung und halbwegs vorhandene Kenntnisse der englischen Sprache. Wir wurden eingekleidet mit amerikanischen Uniformen und Stahlhelmen. Keine Ahnung, woher die kamen. Es folgte eine Ausbildung an amerikanischen Sturmgewehren und Handfeuerwaffen. Wir erhielten amerikanische Erkennungsmarken und Decknamen. Ich hieß Jack Connolly. Wir fühlten uns großartig, hatten genug zu essen, Beute aus den Beständen der amerikanischen Armee: Corned Beef, Kekse, Teebeutel aus kleinen Paketen. *24 Hour Rations* hießen diese Wundertüten.

Es dauerte nicht lange, bis der Haufen unfreiwilliger Abenteurer aufgelöst wurde. Ungeordneter Rückzug aus Schwerin. Gerüchte gingen um: Hitler tot, Berlin gefallen, Admiral Dönitz Nachfolger und neuer

Oberbefehlshaber. Stumpfsinnig, kaputt, torkelten wir durch die Gegend. Vor uns Geschrei, ein paar Schüsse, Rasseln von Panzerketten. Landser schmissen die Waffen weg, hoben die Arme, wir auch. In der offenen Luke eines T-34 mit rotem Stern am Turm erschien ein Mann mit Lederhaube, die Maschinenpistole im Anschlag. Es war der 2. Mai 1945. Ich war 18 Jahre alt. Der Zweite Weltkrieg war zu Ende.

Was mir blieb, war der Vorname Jacky. Daraus wurde später an einem feuchtfröhlichen Abend durch einen Versprecher einer Freundin der Name „Blacky". Sie wollte eigentlich sagen: „Jacky, bleib doch noch!" Ihre schwere Zunge machte daraus aber „Blacky, jeib doch noch!". Die Düsseldorfer Freunde übernahmen den neuen Namen mit Vergnügen.

Zwischen gestern und morgen

Was nach dem Ende des Krieges geschah, vollzog sich wie hinter einem Schleier. Vollkommene Leere. Das „Tausendjährige Reich" hatte nach zwölf Jahren den Geist aufgegeben. Das war das Einzige, was wir begriffen. Jetzt war alles aus, die Russen hatten uns doch noch erwischt. Sie gaben uns etwas zu essen, ein halbes Brot für jeden und ein bisschen Butter. Damit sperrten sie uns im Keller unter einem kleinen Siedlungshäuschen ein, fast eine Woche lang.

Irgendwann hörten wir von draußen Musik und Geschrei. Dann wurde die Kellertür geöffnet. *„Dawai, dawai!"* Mit Kalaschnikows trieben sie uns nach oben. Die Helligkeit brannte in den Augen. Zunächst sahen wir nichts, dann erkannten wir zwei Reihen Panzer, die sich gegenüberstanden. Die einen hatten einen roten Stern am Turm, die anderen einen weißen. Offiziere redeten miteinander. Kommandos wurden gebrüllt. Wir verstanden nichts. Erst später wurde klar, dass das vielleicht der glücklichste Augenblick in unserem Leben war. Wir wurden ausgetauscht. Als Luftwaffenangehörige waren wir unbrauchbar für Pionierarbeiten, also tauschten sie uns aus gegen Pioniereinheiten. Wir wurden Richtung Westen in Marsch gesetzt, uns entgegen kamen zerlumpte Kolonnen, die nach Osten stolperten.

Gerüchte machten die Runde. Es hieß, wir kämen nach Amerika, als billige Arbeitskräfte. Zunächst landeten wir in einem amerikanischen Kriegsgefangenenlager auf einem Kartoffelacker in der Nähe von Gadebusch. Zu essen gab es nichts. Wir kratzten die letzten verschrumpelten Kartoffeln aus der Erde und vertilgten sie roh. Nach und nach organisierten die Amerikaner Nahrungsmittel. Wenige teilten, was sie ergattert hatten, mit hungernden Kameraden. Wer noch etwas von Wert bei sich hatte, einen Ring, ein Zigarettenetui, ein Taschenmesser, tauschte es gegen ein Stück trockenes Brot, ein paar Zwiebeln.

Nach ein paar Wochen wurden wir auf Lastwagen verfrachtet und landeten bei den Briten im größten Gefangenenlager, das es je gab. Hunderttausende deutsche Kriegsgefangene wurden nach Schleswig-Holstein gekarrt. Irgendwo bei Malente ging unsere Reise zu Ende. Ordnung wurde befohlen, meist von ehemaligen deutschen Offizieren, die von den Amerikanern mit beschränkter Befehlsgewalt ausgestattet worden waren. Langsam regten sich die Lebensgeister, langsam wurden wir wieder, was wir einmal gewesen waren: Bauern, Arbeiter, Buchhalter, Bäcker, Schüler.

Rund um die Uhr fanden Verhöre statt. Schwarze Schafe wurden gesucht und gefunden. Wie ein Lauffeuer verbreitete sich die Nachricht, dass die Engländer mit den ersten Entlassungen begonnen hatten, nach Besatzungszonen geordnet. Bauern würden zuerst entlassen, hieß es, dann Bergleute aus dem Kohlenpott. Und Kinder.

Mit achtzehn war ich kein Kind mehr, also musste ich mir etwas ausdenken. Mein Soldbuch als Fallschirmjäger war vergraben, ich war beim Verhör einfacher Infanterist, Wohnort Düsseldorf. Beruf konnte ich keinen angeben, meldete mich aber als Bergarbeiter. Es klappte. Ich kam in ein Zwischenlager an der holländischen Grenze.

Oktober 1945. Aus Rees an der holländischen Grenze kommend, bahnte sich die Lastwagenkolonne den Weg durch zerstörte Straßen in Düsseldorf. Menschen winkten uns zu. Die von Bomben unversehrt gebliebene Lessing-Oberrealschule, von wo ich als Fünfzehnjähriger als Brandwache auf den Rathausturm der Stadt ausgezogen war, diente nun als Entlassungsstelle der englischen Besatzungsmacht. An langen Tischen saßen Männer und Frauen in englischen Uniformen, füllten Formulare aus, stempelten sie und händigten sie uns wortlos aus.

„Hiermit wird Joachim Fuchsberger, geb. am 11.3.1927, aus der Luftwaffe und aus Kriegsgefangenschaft entlassen!"

Mein erster Weg führte mich vom Schulhof nach Hause. Die kleine Biegung der Lindemannstraße an der Matthäuskirche verdeckte den Blick auf das Haus meiner Eltern. Ich begann zu rennen. Das Haus stand noch! Das Treppenhaus musste gebrannt haben, das Geländer war weg, die Wohnungstür verschlossen. Ich hämmerte dagegen. Schritte. Ein Schlüssel wurde gedreht, die Tür öffnete sich. Otmar, mein jüngster Bruder, erkannte mich nicht. Fast zwei Jahre waren vergangen, seit ich das letzte Mal auf Urlaub gewesen war. Damals war er acht gewesen.

Jetzt stand er wortlos vor mir und staunte mich an. Ich hatte mich seit sechs Monaten nicht rasiert und wog nur noch knapp über fünfzig Kilo.

„Ich bin's, Kleiner, ich bin wieder da!"

Er flog mir an den Hals.

„Wo sind die anderen?"

„Mutti schläft!"

„Und Vater?" Er fing an zu heulen. „Wo ist Vater?"

„Im Gefängnis, er muss Trümmer schaufeln!"

Er zog mich in die Wohnung. „Wilfried ist noch in Schleiz in Thüringen, beinah wäre er tot, weil das Schwimmbad in den Keller gelaufen ist!" Ich wusste nicht, wovon er sprach, hatte ja keine Ahnung, dass Wilfried seit einem halben Jahr in einem Landverschickungsheim war. Bei einem Angriff britischer Bomber war das Schwimmbad getroffen worden. Das Wasser hatte den Luftschutzkeller überschwemmt, viele Kinder waren ertrunken. Wilfried war zufällig an dem Tag mit ein paar anderen Dreizehnjährigen heimlich abgehauen, um in Schleiz dem ewigen Einerlei wenigstens einen Nachmittag lang zu entfliehen, und so dem sicheren Tod entronnen.

Mutter lag im Wohnzimmer auf der Couch. Schneeweißes Haar umrahmte ihr Gesicht. „Mutti, der Achim ist wieder da!" Otmar rüttelte sie wach. Sie kam nur langsam zu sich, sah mich lange, fast ungläubig an. „Endlich bist du wieder daheim, dem Herrgott im Himmel sei Dank!", sagte sie und fing leise an zu weinen.

DAS LEBEN fing für die meisten bei null an. Meine Verpflichtung auf Zeche Ludwig II in Recklinghausen war das Ende des Hungers und der Anfang meiner Schwarzmarktkarriere. Für eine Doppelschicht erhielten wir eine *24 Hour Ration* von der Militärregierung. Das war ein kleines Paket mit Keksen, Tee, Zucker, Zigaretten, Klopapier, Kondomen und Kaugummi. Ich schob Doppelschichten und zog mit den Paketen auf den Schwarzmarkt. Einen Tag für die Selbstversorgung, einen Tag für Kompensationsgeschäfte, einen Tag für die Familie, die damit gut über die Runden kam.

Die Arbeit als Hilfshauer im Streb war schlimmer als alles, was ich an der Front erlebt hatte. Auf dem Rücken liegend, mussten wir mit einer kurzen Hacke die Kohle aus der Erde fördern. Nie im ganzen Krieg hatte ich so eine Scheißangst wie da unten in mehreren Hundert Metern Tiefe, lebendig begraben unter unvorstellbaren Mengen von Erde und Gestein. Bis heute bekomme ich in engen Aufzügen Platzangst und Atemnot.

Die Befreiung aus der Tiefe des Bergwerks verdanke ich meinen unzulänglichen technischen Kenntnissen von Setzmaschinen und einem jungen englischen Captain namens Kish, ein Neffe des berühmten „rasenden Reporters" Egon Erwin Kisch. Der junge Mann saß als Presseoffizier in Schloss Benrath bei Düsseldorf, das von der Zerstörung verschont geblieben war und der britischen Besatzungsmacht als Headquarter diente. Seine Aufgabe war der Aufbau eines neuen, demokratischen Zeitungswesens. Auf einer der täglichen Besprechungen fragte Captain Kish nach Wilhelm Fuchsberger, dem Vertreter von Linotype, und erhielt die Auskunft, dass der auf der Ulmer Höhe sitze, wegen seiner Nazivergangenheit.

„Ich will den Mann sprechen!", sagte Captain Kish.

Seiner Meinung nach hatte er genug Schutt geschaufelt, Captain Kish hatte eine bessere Verwendung für ihn. Vater wurde zum Beauftragten der Militärregierung für den Wiederaufbau des Zeitungswesens in Rheinland-Westfalen berufen. Ein alter Opel P4 wurde ihm als Dienstfahrzeug zugewiesen, mit Gutscheinen für Sprit an Militärtankstellen.

Vater hatte die Idee, eine kleine Firma zu gründen, die sich mit dem Ankauf und der Reparatur beschädigter oder total unbrauchbarer Setzmaschinen aus bombengeschädigten Druckereien beschäftigte. Dazu brauchte er einen Mitarbeiter, der sich mit der Materie ein bisschen auskannte – mich. Also veranlasste Captain Kish meine vorzeitige Entlassung aus der Bergwerksverpflichtung.

Auch Bruder Wilfried war inzwischen heimgekehrt. Unsere Familie war wieder vollzählig zusammen, es war fast ein Wunder. Aber wie sollte es weitergehen? Vater war durch seine Inhaftierung ängstlich geworden, die Möglichkeiten, den Lebensstandard der Familie durch Schwarzmarktgeschäfte aufzubessern, waren ihm zu gefährlich. Ich war da bedenkenloser. Eines Tages lud ich eine reparierte Setzmaschine auf einen Lastwagen. Ich wusste, dass eine Druckerei im Raum Dortmund dringend eine Simplexmaschine suchte. Aber statt sie, wie Vater, für wertlose Reichsmark zu verkaufen, verschacherte ich sie für ein paar Zentner Koks, eine halbe Sau, einige Kilo Kaffee und zehn Stangen Zigaretten.

Eine andere Möglichkeit, illegal an Lebensmittel zu kommen, hatte sich für mich durch den Erwerb des zivilen Führerscheins ergeben. Vater drückte oft ein Auge zu, wenn ich seinen Opel P4 durch eine Spritztour „zweckentfremdete". Dabei entdeckte ich, dass vor einer Kaserne in Hubbelrath oft englische Soldaten am Straßenrand warteten, um eine Fahrgelegenheit nach Düsseldorf zu ergattern, zum Fahrpreis von fünf bis zehn Zigaretten pro Nase. Drei Fahrten an einem Nachmittag brach-

DENN ERSTENS KOMMT ES ANDERS ...

ten ein Vermögen. Aber jede barg auch das Risiko, durch eine Militärstreife kontrolliert zu werden. „Fraternisation" war streng verboten.

Auf dem Schwarzmarkt waren die Glimmstängel höchst begehrt. Sieben Reichsmark bekam ich pro Stück, oder ich tauschte sie gegen Butter, Mehl, Salz oder was Mutter sonst so brauchte, um fünf hungrige Mäuler zu stopfen. Doch Vater erklärte eines Tages, er habe die ständige Angst satt, dass ich geschnappt und eingesperrt würde. Er beschloss, dass sein ältester Sohn doch noch eine akademische Laufbahn beginnen solle. Gemessen an meinen bisherigen schulischen Leistungen erschien mir das allerdings ein höchst fragwürdiges Unterfangen.

Professor Falck, ein reaktivierter und politisch unbelasteter Oberstudiendirektor, stand Achtung heischend vor der Sonderklasse für Kriegsteilnehmer. Diese Klassen sollten uns junge „Frontschweine" auf ein so genanntes Notabitur vorbereiten. Der strenge Oberstudiendirektor alter Schule bestand in erster Linie auf Zucht und Ordnung. Die Katastrophe war vorprogrammiert.

„Warum stehen Sie nicht auf, wenn ich mit Ihnen spreche?" Professor Falck stand vor meiner Bank und starrte mich von oben herab an.

„Weil das meiner Meinung nach zur militärischen Ausbildung gehört, nicht aber zur akademischen, Herr Professor! Erstere haben wir hinter uns!"

„Sie wollen mich provozieren?!", bellte der Professor.

„Nein, Herr Professor, lediglich Manieren beibringen." Ich stand auf, betont langsam, und schaute den Professor herausfordernd an.

„Ich verbitte mir Ihren Verbrecherblick!", schrie er.

„Herr Professor, wir sind im dritten Stock. Wenn Sie glauben, Sie kennen den kürzesten Weg auf den Schulhof, täuschen Sie sich. Der geht durchs Fenster!" Während dieser Worte drängte ich den Professor, ohne ihn anzufassen, in Richtung Fenster.

Die Klasse verfolgte grinsend den Vorfall. Das war das Ende der Autorität des Oberstudiendirektors a. D. und das Ende meiner Schulzeit. Im Abgangszeugnis stand: *Der Schüler verlässt die Schule auf eigenen Wunsch, um in die Firma seines Vaters zurückzukehren.* So war's mit dem Direktorat vereinbart, auch wenn es nicht ganz den Tatsachen entsprach.

IN ANGEMESSENER Haltung stand ich vor dem Zeitungsverleger Heinrich Droste, der seit 1946 die angesehene *Rheinische Post* herausgab.

„Sie waren mit meinem Sohn im Arbeitsdienst. Ihr Vater hat mich gebeten, Ihnen in unserem Verlag eine Volontärstelle zu geben, damit Sie lernen, wie eine Zeitung gemacht wird. Wollen Sie das auch?"

„Jawohl, Herr Droste!"

„Also wird mein Betriebsleiter, Herr Sommer, Sie unter seine Fittiche nehmen. Er soll Sie zunächst mal in die Chemigrafie stecken." Dann fügte er noch etwas hinzu, das mich ungeheuer freute: „Werden Sie ein so guter Mann wie Ihr Herr Vater!"

Die Techniker und Arbeiter in der Chemigrafie zeigten und erklärten mir geduldig den Unterschied zwischen Autotypie und Strichätzung, zwischen Offset und Lithografie, und machten mich mit Pottasche und Blutlaugensalz bekannt. Faszinierend war das. Weniger gerne saß ich am Schreibtisch, um auszurechnen, was ein Bild oder eine Anzeige in der Zeitung kostete. Im Übrigen befand sich die Chemigrafie der *Rheinischen Post* in einem desolaten Zustand. Eigentlich fehlte es an allem. An Glühbirnen, Fensterscheiben, Papier, Chemikalien, Kameras und Ersatzteilen.

Auf meinem Schreibtisch klingelte das Telefon. „Kommen Sie in mein Büro", sagte Herr Sommer, der Betriebsleiter.

Dort saßen zwei Herren, denen er mich vorstellte. „Führen Sie die Herren mal durch die Chemigrafie!"

Die Herren waren Vertreter der Firma Henkel & Cie., die unter anderem Persil herstellte. Ihr Problem war schnell erklärt: Das weltbekannte Waschmittelunternehmen war in Gefahr, teilweise oder ganz demontiert zu werden. Deshalb wollten sie eine Dokumentation drucken lassen, vierfarbig, auf hochsatiniertem Kunstdruckpapier, die den Militärregierungen der vier Besatzungsmächte und dem Vatikan deutlich machen sollte, wie wichtig das Unternehmen für die Hygiene im zerstörten Deutschland war. „Henkel könnte Ihnen bei der Beschaffung von Chemikalien behilflich sein!", erklärten sie.

Jetzt kam mir meine Schwarzmarkterfahrung zugute. „Mit Chemikalien allein schaffen wir das nicht. Es fehlt an Papier und technischen Einrichtungen!"

„Stellen Sie uns eine Liste zusammen, wir werden sehen, was wir tun können!" Damit verabschiedeten sich die Herren.

Betriebsleiter Sommer war ziemlich erregt. „Sind Sie übergeschnappt? Ich sollte Sie fristlos rauswerfen!"

Kaum war ich zurück in meinem Verschlag in der Chemigrafie, erreichte mich die Nachricht, ich solle sofort zum Verleger kommen.

„Was haben Sie sich eigentlich dabei gedacht?" Des Verlegers Stimme war sanft.

„Wobei, Herr Droste?"

„Dass Sie den Verlag in eine Verpflichtung gebracht haben, die wir nicht erfüllen können!" Er sah mich lange an, seine Stimme war immer noch sanft.

Das machte mir Mut. „Ich dachte, dass die Leute von Henkel vielleicht eher an die Sachen kommen, die wir in der Chemigrafie brauchen. Die waren damit einverstanden."

Der Verleger strich sich die Haare zurück und räusperte sich. „Da haben Sie sich ja was vorgenommen! Na gut, damit Sie beim Auslöffeln der Suppe, die Sie sich eingebrockt haben, nicht dauernd Ihre Kompetenzen überschreiten, mache ich Sie zum kommissarischen kaufmännischen Leiter der Chemigrafie. Viel Glück, junger Mann!" Bevor ich die Tür erreichte, sagte er fast väterlich: „Ich glaube, Sie haben wirklich was von Ihrem Vater!"

Die Dokumentation wurde fertig, die altehrwürdige Firma Henkel & Cie. nicht demontiert, ich wurde vom Verleger mit einem Buch samt Widmung belohnt. Nur das Verhältnis zwischen Volontär Fuchsberger und Betriebsleiter Sommer sank unter den Gefrierpunkt.

TROTZ aller Beschränkungen durch die Besatzungsmächte ging es im Westen spürbar aufwärts. Allmählich verschwanden die Trümmer, der Verkehr kam wieder in Gang, Straßenbahnen und Züge fuhren, wenn auch unregelmäßig. Verlage wurden aufgebaut, Zeitungslizenzen vergeben. Auch der Droste Verlag erweiterte seine Aktivitäten, und ich hätte mit meiner Arbeit zufrieden sein können. Aber wieder kam es anders.

Am Rheinufer hinter dem Planetarium lagen die langgestreckten Hallen der ehemaligen Ausstellung Gesolei. Hier sollte die Deutsche Presseausstellung 1947 stattfinden.

„Kannst du ein paar Tage Urlaub nehmen und mir helfen, eine Maschine auf unserem Ausstellungsstand zu montieren?", fragte mich mein Vater. Er sagte auf „unserem" Stand, die Firma hieß immer noch „Wilhelm Fuchsberger & Sohn, Aufbereitung und Modernisierung von Setzmaschinen".

Der Urlaub wurde bewilligt, und Vater und Sohn montierten eine wie neu aussehende „Doppeldecker Linotype". Es war eine Riesenfreude für mich, meinem Vater helfen zu dürfen. Außerdem faszinierte mich der Ausstellungsbetrieb. Während der Arbeitspausen ging ich durch die Hallen und redete mit den Leuten, die ihre Stände dekorierten: Verlagsleute, Farbenvertreter, Papiermühlen, Buchhandel, Druckereibedarf. Meine Begeisterung fiel auf.

„Wollen Sie bei uns anfangen?" Der Mann vor mir war Generaldirektor Helmuth Könnecke, Chef der Arbeitsgemeinschaft für Ausstellungen

GmbH (AFAG). „Der Trubel bei uns scheint Ihnen Spaß zu machen. Überlegen Sie sich das und sagen Sie mir Bescheid."

Vater sah mich lange an und zuckte die Achseln. „Das ist ein bisschen wie Zirkus hier. Beim Verlag hast du Zukunft. Überleg dir das gut!"

Das tat ich, aber nicht allzu lange. Es war allemal besser, als tägliche Mühen darauf zu verwenden, dem griesgrämigen Betriebsleiter aus dem Weg zu gehen. Und es gab keine langweilige Schreibtischarbeit. Vater und der alte Droste hatten Verständnis für meinen Entschluss zu kündigen. Ich war jetzt im „Showbusiness"!

„Ich will, dass Sie den Laden von der Pike auf kennen lernen", sagte Helmuth Könnecke. „Und wenn Sie was taugen, können Sie später mal mein Assistent werden!"

Der Weg zum Assistenten begann mit Aufbauarbeiten. Ich musste Pappwände für die Ausstellungsstände mit Packpapier kaschieren, anstreichen, durch die Hallen schleppen, aneinanderreihen, fixieren, nageln. Das alles unterstand Victor Bogo-Jawlensky, dem Leiter der grafischen Abteilung, einer besonders faszinierenden Persönlichkeit. Schon die üblichen Arbeitsbesprechungen am Morgen waren ein Erlebnis. Bogo-Jawlensky schwang sich auf die Kante der Stuhllehne und verbrachte in dieser Stellung die gesamte Zeit der Besprechung, ohne umzukippen. Dabei betrachtete er uns von oben herab durch die randlosen Gläser seiner Nickelbrille und hörte zu, was wir zu berichten hatten.

Was mich jedoch am meisten an ihm interessierte, war seine Assistentin, Antje Carstens, ein wahrhaft liebenswertes Geschöpf. Sie war eine hochbegabte Grafikerin. Bei jeder sich bietenden Gelegenheit zeigte ich ihr meine Bewunderung und konnte nicht genug betonen, dass ich im Zeichnen höchst unbegabt war. In anderer Beziehung muss ich wohl begabter gewesen sein, denn einige Zeit später erlaubte sie mir, bei ihren Eltern offiziell um ihre Hand anzuhalten. Als Verlobte sahen wir einer gemeinsamen Zukunft im Unternehmen entgegen.

DAS JAHR 1948 war das Jahr, das mein noch relativ junges Leben vollständig umkrempeln sollte. Die Deutsche Presseausstellung zog nach München um, in die ziemlich heruntergekommenen Ausstellungshallen der Landeshauptstadt auf der Theresienhöhe, oberhalb der Oktoberfest-Wiese. Mit der Renovierung und der Organisation der Deutschen Presseausstellung war wiederum die AFAG betraut. Mit Unterstützung der Amerikaner wurde das gewaltige Projekt durchgezogen.

Mitten in den Bauarbeiten überraschte uns die Währungsreform. Am 19. Juni 1948 kam die D-Mark. Gespannt warteten wir auf die erste

DENN ERSTENS KOMMT ES ANDERS ...

Gehaltszahlung der Firma. Zu unser aller Überraschung bekamen wir Löhne und Gehälter in gleicher Höhe. Bei mir waren das knappe tausend D-Mark. Über Nacht war ich wohlhabend, und Generaldirektor Könnecke war der Meinung, ich hätte genug gesehen und gelernt, um die Aufgaben eines Assistenten zu bewältigen. Einer Karriere stand offenbar nichts mehr im Wege.

In München kam mir während der Vorbereitung für die Ausstellung die Idee, dass einer Presseausstellung, bei der die Besucher nicht hautnah miterleben konnten, wie eine Zeitung entstand, etwas fehlte. „Wir müssen eine Zeitung drucken", schlug ich Helmuth Könnecke vor.

„Und wie wollen Sie das hinkriegen?"

„Mein Vater hat eine gebrauchte Rotationsmaschine ausfindig gemacht, die in einer Druckerei bei Augsburg steht. Er wäre bereit, sie dort ab- und in der Halle auf der Theresienhöhe in München wieder aufzubauen, wenn wir ihm bei der Montage helfen."

„Was kostet das?"

„Keine Ahnung."

„Finden Sie's raus! Wenn Sie das schaffen, steigen Sie bei mir eine Stufe rauf, mit Mappe!"

Bogos Grafiker entwickelten einen genialen Entwurf für den geplanten Titel: *Die Ausstellungszeitung*. Aus einer Bodenvertiefung der riesigen Halle auf der Theresienhöhe wuchs die Rotationsmaschine. Sie war gute sechs Meter hoch, gute vier Meter breit und an die zwanzig Meter lang. Allein dieses Monstrum sollte eine der Attraktionen der Deutschen Presseausstellung 1948 in München werden. In Trauben standen die Besucher um das ratternde Ungetüm herum und beobachteten fasziniert, wie die Bleimatern mit dem gegossenen Zeitungstext auf die Rollen montiert wurden, das Papier von Hand in die Halteklammern eingefädelt und die Maschine in Gang gesetzt wurde. Schneller und schneller drehten sich die Zylinder, die Papierbahnen rasten über die mit Druckerschwärze überzogenen Walzenbahnen. Ein voller Erfolg!

Das musste auch der große Werner Friedmann so gesehen haben. Während der Ausstellung in München fragte er Helmuth Könnecke, ob er anschließend unsere Zeitung übernehmen könnte. So wurde aus unserer *Ausstellungszeitung* die berühmte Münchner *Abendzeitung*.

Nürnberg, 1949: Die AFAG blühte und gedieh mit dem bis dahin größten Auftrag ihrer Firmengeschichte, auf dem Gelände des ehemaligen Reichsparteitags in Nürnberg die Deutsche Bauausstellung 1949 aus dem Boden zu stampfen. Teil der Ausstellung war der Ausbau der unvollendeten, gewaltigen Kongresshalle.

In der Sprecherkabine der Bauausstellung 1949 in Nürnberg

Nun hatten unsere leitenden Herren den Einfall, einen Ausstellungsfunk zu unterhalten, der Informationen für die Hunderttausenden von Besuchern ausstrahlen, verloren gegangene Kinder zu den Eltern zurückbringen und fröhlich stimmende Musik dudeln sollte.

„Das wäre doch was für Sie!", meinte der Boss.

Von Stund an saß ich von 9 Uhr bis 17.30 Uhr am Mikrofon und teilte den Besuchern mit, wohin sie gehen, wo sie was sehen, essen und trinken, sich ausruhen oder einen Film sehen konnten. Weinende Kinder saßen bei mir in der Kabine, und ich suchte die Eltern, nachdem ich aus den verschreckten Zwergen mühsam Namen und Adressen herausgefragt hatte. Am besten löste Schokolade oder ein Zitronenbonbon die Zungen.

Die Ausstellung war ein riesiger Erfolg. Sie bot den Menschen im zerbombten Deutschland zum ersten Mal nach dem Krieg einen umfassenden Überblick über Möglichkeiten, Finanzierungen und Materialien für den Wiederaufbau ihrer zerstörten Städte, Häuser und Wohnungen.

Eines Tages klopfte das Schicksal an meine Kabinentür, in Person meines Bosses. Er war sehr in Eile. „Da kommt jemand vom Radio in München", rief er mir nur zu, „führen Sie ihn durch die Ausstellung und beantworten Sie seine Fragen!"

Das tat ich, mit dem Ergebnis, dass ich einige Wochen später einen Brief in Händen hielt mit dem Angebot, Probeaufnahmen als Rundfunksprecher beim Sender in München zu machen.

Gut bei Stimme

Ein kalter Tag im Dezember 1949. Seit geschlagenen zwei Stunden saß ich in einer Art Foyer im alten Funkhaus in der Marsstraße in München und wartete auf den Chefsprecher des Bayerischen Rundfunks,

Hannes Stein. Das Foyer war spärlich eingerichtet, aber es war warm, in diesen Tagen keine Selbstverständlichkeit.

Plötzlich stand ein Mann vor mir. Viel Papier unter dem Arm. Massig, fast kahlköpfig. Spitze, sehr spitze Nase, eine randlose Nickelbrille in einer Position, die befürchten ließ, dass sie jeden Moment herunterfallen würde. Ohne sich vorzustellen, musterte er mich unangenehm lange. „Also Sie sind das Arschloch, das bei uns Sprecher werden will?"

Es war, als habe mir jemand einen Kübel eiskaltes Wasser über den Kopf gegossen. Ich starrte den Mann nur an und rührte mich nicht.

„Ich bin der Chefsprecher. Haben Sie eine Sprachausbildung?"

„Nein –"

„Sind Sie Schauspieler?"

„Nein –"

„Irgendeine Ausbildung, die Sie Ihrer Meinung nach qualifiziert, bei uns Sprecher zu werden?" Dabei musterte er mich die ganze Zeit mit unverhohlenem Missbehagen. „Was haben Sie bis jetzt gemacht? Waren Sie überhaupt schon mal vor einem Mikrofon?"

Jetzt erst fiel mir ein, dass es wohl angebracht war aufzustehen. „Ich war Werbeleiter bei einer Ausstellungsgesellschaft in Nürnberg und Sprecher des Ausstellungsrundfunks!"

Sein Gesicht verzog sich wie in großem Schmerz. „Wie alt sind Sie?"

„Zweiundzwanzig."

Wieder dieser verächtliche Blick. „Nachdem wohl kaum was dagegen zu machen sein wird, melden Sie sich morgen früh, Punkt 5.30 Uhr, im Sprecherzimmer. Ich werde jemanden einteilen, der sich mit Ihnen abplagen wird!" Mit diesen Worten drehte er sich um und verschwand hinter einer Tür am Ende eines schmalen Ganges, an der stand: REGIERAUM C – STUDIO 3.

Nach diesem Schock hinreichend motiviert, erschien ich am nächsten Morgen pünktlich vor dem Sprecherzimmer. Um vier Uhr war für mich die Nacht zu Ende gewesen. Ich wohnte möbliert im Vorort Gräfelfing, Akilindastraße 7. Von dort waren es zehn Minuten zum Bahnhof und zwanzig Minuten mit dem Zug bis zum Münchner Hauptbahnhof.

Ich klopfte an. Nichts rührte sich. Glücklicherweise befand sich das Sprecherzimmer auf derselben Etage wie das Foyer, in dem ich meinen verunglückten Antrittsbesuch erlebt hatte. Was lag also näher, als mich auf demselben Stuhl niederzulassen und der Dinge zu harren, die da kommen sollten?

Es sah so aus, als ob es keine ganz leichte Probezeit werden sollte. Was hatte ich nur getan? Einen wirklich interessanten, mit tausend

D-Mark gut bezahlten Job aufgegeben, eingetauscht gegen eine unsichere, dazu noch schlecht bezahlte Zukunft auf Probe für knapp vierhundert D-Mark, unter einem Chef, der von meiner Überflüssigkeit absolut überzeugt war. Schöne Aussichten.

„Sie warten wohl auf mich?" Vor mir stand ein gepflegter Herr mittleren Alters, leicht angegraute Schläfen, dunkler Anzug, weißes Hemd, sorgfältig gebundene Krawatte. Ich stellte mich vor.

„Ich weiß, Sie sind der Neue auf Probe. Ich heiße Richard Storck. Herr Stein bat mich, mich um Sie zu kümmern."

Zunächst führte er mich ins Sprecherzimmer, zu dem er einen Schlüssel besaß. „Den werden Sie auch bekommen, damit Sie ungehindert ein- und ausgehen können." Das Zimmer war bemerkenswert groß, mit drei Fenstern zur Marsstraße. Eine Couch, ein langer Tisch, mehrere mit rötlichem Leinen bezogene Sessel.

„Tut mir leid, dass Sie warten mussten", sagte Richard Storck, „der Fahrer hatte etwas Verspätung. Aber keine Aufregung, die erste Stationsansage ist um 5.58 Uhr, dann kommt der Nachrichtensprecher um 6 Uhr. Am besten, Sie kommen gleich mit ins Studio, damit Sie lernen, wie das abläuft. Übrigens, auf gute Zusammenarbeit!" Richard Storck reichte mir die Hand.

Wir gingen durch die Tür, durch die am Vortag Hannes Stein verschwunden war. *Studio 3*. Ich war im Allerheiligsten.

Der Regieraum war vollgepackt mit Bandabspielmaschinen, Bandschneidemaschinen, Plattentellern zum Abspielen der Schellackplatten und einem riesigen Mischpult. Über dem Mischpult gab eine schalldichte Glasscheibe, die über die ganze Breite der Wand ging, den Blick ins Studio frei. Hier saßen der Sendeleiter, eine recht hübsche Tontechnikerin und der Toningenieur Gerhard Lehner, Herrscher über die gesamte Technik im Raum. Richard Storck betrat das Studio durch eine schalldichte Stahltür. Ich beobachtete ihn durch die Glasscheibe. Lautlos setzte er sich an den runden Tisch, in der Mitte ein nach allen Seiten bieg- und drehbares Schwanenhals-Mikrofon. Hinter dem Mikro gab es ein längliches Metallgestell mit drei farbigen Lampen. Grün bedeutete: Mikro zu, Gelb: Achtung!, Rot: Mikro offen, Sendung läuft.

Er drückte einen Knopf, und seine gepflegte Stimme erfüllte den Regieraum. „Ist der Nachrichtensprecher schon da?"

„Auf dem Weg", sagte der Toningenieur.

Im selben Augenblick öffnete sich die Studiotür und ein molliger Mann trat ein, in der Hand ein Manuskript, in dem er angestrengt las. Er setzte sich neben Richard Storck, zog ein kleines, mit grünem Samt

DENN ERSTENS KOMMT ES ANDERS ...

bezogenes Tischpult zu sich heran und legte sein Manuskript zurecht. „Wieder unleserlich zusammengeschmiert", hörten wir ihn durch das Mikrofon. „Wie soll unsereins das anständig lesen?"

Die gelbe Lampe leuchtete auf, Richard Storck hob warnend die Hand. Rot! „Guten Morgen, verehrte Hörerinnen und Hörer, hier ist der Bayerische Rundfunk mit seinen Sendern. Heute ist Freitag, der 21. Januar." Der Nachrichtensprecher drückte einen Knopf, auf der großen Studiouhr sprang der Zeiger auf 6 Uhr. „Beim Gongschlag war es sechs Uhr, Sie hören Nachrichten."

Richard Storck kam zurück in den Regieraum. „Das ist unser Frühnachrichtensprecher Beppo Riehl. Er liest meistens von 6 bis 13 Uhr. Der Erste Nachrichtensprecher liest von 17 bis 1 Uhr. Mit dem müssen Sie sich gut stellen."

Auch mit einigen anderen Kollegen stellte man sich tunlichst gut. Manche waren in ihren Funktionen vielleicht nicht die Idealbesetzung. Dafür prädestinierte sie ihre Freude am Intrigieren für eine erfolgreiche Mitarbeit in einer großen Sendeanstalt.

Schon bald war ich als jüngster Kollege in den Kreis der erlauchten Sprecher aufgenommen und durfte zur Freude aller anderen für eine unbestimmt lange Zeit den Frühdienst als Stationsansager übernehmen. Nach einiger Zeit wurde ich für würdig befunden, auch kleinere Meldungen zu lesen, zum Beispiel an Sonntagen den Börsenbericht der Landwirtschaft, in dem den staunenden Zuhörern mitgeteilt wurde, dass derzeit Schweine und Hühner lustlos verkehrten. Es dauerte eine Zeit, bis ich in der Lage war, solche Meldungen ohne erkennbare Anteilnahme durch das Mikrofon zu geben.

Nachdem ich die Probezeit erfolgreich absolviert hatte, wurde mein Vertrag in eine Festanstellung umgewandelt. Das hieß zwar weiterhin Frühdienst, aber mit dem entscheidenden Vorteil, dass ab sofort ein Wagen der Fahrbereitschaft jeden Morgen um 4.30 Uhr vor der Tür stand. Damit war ein spürbarer sozialer Aufstieg verbunden. Meine Vermieter fragten mich, ob sie mir einen Tee in einer Thermosflasche und ein paar Kekse bereitstellen dürften. Ein junger Mann wie ich könne doch nicht mit leerem Magen zur künstlerischen Arbeit in den Rundfunk fahren. Natürlich nahm ich das Angebot dankend an.

Dass ein junger Mann wie ich noch andere Bedürfnisse hatte, schien ihnen weniger einleuchtend. Nach der Aufwertung im BR, mit der auch eine finanzielle Verbesserung verbunden war, lud ich meine Braut Antje an einem dienstfreien Wochenende nach Gräfelfing ein. Und selbstverständlich bot ich ihr Obdach in meiner möblierten Bude – zum Entsetzen meiner Vermieter. Damenbesuch war nicht erwünscht. Die Konsequenz war ein Umzug in ein hübsches kleines Mansardenzimmer in einem Haus mit Garten in Lochham, eine Bahnstation vor Gräfelfing. Die Wirtin hatte Verständnis für ein junges Brautpaar.

DAS SPRECHERZIMMER war so etwas wie das Nervenzentrum des BR. Hier war versammelt, was in der Lage war, vor dem Mikrofon zu lesen, zu sprechen und zu kommentieren. Ob Sport, Wirtschaft, Politik, Religion, Literatur, Unterhaltung – im Studio 3 wurde direkt gesendet. Es war faszinierend, die Großen ihrer Zeit bei der Arbeit zu beobachten. Josef Kirmaier, der Sportchef, und Rudolf Mühlfenzl, der als „Rufus Mücke" seine oft bissigen Wirtschaftskommentare abgab, Abt Hugo Lang, der Prior des Klosters Andechs, Walter von Cube, hoch geschätzter politischer Kommentator, und viele andere. Mit den meisten durfte ich im engen Studio am runden Tisch zusammensitzen und sie bei der Arbeit beobachten. Josef Kirmaier, prinzipiell mit Zigarre und Atemnot, legte besonderen Wert darauf, dass ich neben ihm sitzen blieb, während er die Sportnachrichten verlas. „Gell, bleiben's da, falls was passiert", sagte er in seinem markanten Bayerisch.

Was passieren konnte, sollte ich eines Tages zu meinem Schrecken erfahren. Plötzlich, mittendrin, schob er sein Manuskript zu mir herüber und machte mir in Zeichensprache klar, dass ich weiterlesen sollte. Etwas verständnislos starrte ich ihn an und sah, dass er aus der Nase blutete. Ganz langsam legte er den Kopf an meine Schulter, schnaufte heftig und hörte zu, wie ich seine Meldungen verlas. Dabei hielt er sich ein Taschentuch unter die blutende Nase und nickte ab und zu beifällig. Das schien den Kollegen im Regieraum nicht neu zu sein, denn nach einiger Zeit öffnete sich die schalldichte Stahltür und ein Mitarbeiter kam mit einem nassen Handtuch, das er dem Kirmaier Josef in den Nacken praktizierte. Der lag weiterhin an meiner Schulter und war ganz zufrieden. Die Sendung ging ohne Unterbrechung weiter.

Besonders bewunderte ich den Ersten Nachrichtensprecher. Er hatte eine ruhige, absolut sichere Art, die Nachrichten zu lesen. Selbst bei schwierigsten Wortkonstruktionen aus Politik und Wirtschaft, bei oft unaussprechlichen Namen aus fernen Ländern behielt er die Ruhe und verhaspelte sich fast nie. Zu Hause übte ich, versuchte ihn zu kopieren. Seine Atemtechnik, die perfekt gesetzten Pausen zwischen den Sätzen, seine Art, selbst die schlimmsten Nachrichten so zu lesen, dass keine emotionale Beteiligung, aber doch anteilnehmendes Interesse hörbar wurde. Der Mann war der perfekte Nachrichtensprecher, unsere unan-

DENN ERSTENS KOMMT ES ANDERS ... 313

gefochtene Nummer eins. Bis zu jenem Tag, an dem die Stellung des Ersten Nachrichtensprechers in ihren Grundfesten erschüttert wurde.

Es war die Nachkriegszeit. Nichts war mehr so, wie es war. Wir lernten Demokratie, wir lernten eine neue Sprache, wir hielten alles für möglich, auch das Unmögliche.

Ein findiger Mensch aus Österreich hatte sich den Umstand zunutze gemacht, dass Menschen nur allzu gerne glauben, was man ihnen vorgaukelt, wenn man es geschickt anstellt. Und Fritz Strobl aus Österreich machte es wohl besonders geschickt. Als Magier reiste er durch die Lande und veranstaltete so genannte Séancen, bei denen er seine erstaunlichen Fähigkeiten auf dem Gebiet der Hypnose demonstrierte. Für München hatte er sich etwas ganz Besonderes ausgedacht.

Am Maximiliansplatz gab es damals noch das renommierte „Regina Palast Hotel". Dessen im Krieg unversehrt gebliebener Ballsaal wurde Schauplatz einer Demonstration des Magiers und Hypnotiseurs Strobl vor einer sprach- und atemlosen Menge von Besuchern seiner Séance. Er bat einen mutigen Zuschauer auf die Bühne, auf der nur ein Tisch mit einem Radiogerät stand, und hielt ihm ein Kartenspiel wie einen ausgebreiteten Fächer unter die Nase.

„Würden Sie bitte eine Karte ziehen?"

Der Mann zog die Karo-Dame. Strobl hielt sie in die Höhe, damit jeder der mehr als vierhundert Zuschauer sie sehen konnte.

„Es ist jetzt 19.55 Uhr", sagte Magier Strobl mit bedeutungsvollem Tremolo in der Stimme. „In fünf Minuten bringt der Bayerische Rundfunk die Abendnachrichten. Ich werde mich jetzt konzentrieren und bitte um absolute Ruhe! Per Fernhypnose werde ich den Sprecher dazu bringen, während der Nachrichten die Spielkarte zu nennen, die Sie eben gesehen haben!" Das Publikum verstummte gespannt.

Ich hatte Stationsdienst an diesem Abend, was schon eine Art von Beförderung war. Der Erste Nachrichtensprecher hatte gerade das Sprecherzimmer verlassen, in Richtung Nachrichtenredaktion im dritten Stock. Weisungsgemäß konzentrierte ich mich am Sprecherpult auf die laufende Sendung und wartete auf die Absage, um danach den Platz am Mikrofon für die Nachrichten frei zu machen. Die Tür zum Studio öffnete sich. Der Sprecher kam wieder herein, wie gewohnt das Nachrichtenmanuskript vor der Nase, ich ging ins Sprecherzimmer, um die Nachrichten zu verfolgen. Alles war wie immer.

Im Saal des Regina Palast Hotels vergrub währenddessen der Magier Strobl den Kopf in den Händen und ließ von Zeit zu Zeit ein leises Stöhnen hören. Aus dem Radio kam, worauf alle mit äußerster Spannung warteten: der Gong! Dann die Stimme des Sprechers: „Beim Gongschlag war es 20 Uhr. Guten Abend, verehrte Hörerinnen und Hörer. Hier ist der Bayerische Rundfunk – Sie hören Nachrichten." Es ging um den Koreakrieg. „Der Sprecher des Weißen Hauses in Washington hat am Morgen bekannt gegeben ..." Plötzlich stockte die Stimme und erzeugte eine Art Vakuum im Sender, im Regieraum, im Sprecherzimmer und im Regina Palast Hotel.

Ich rannte rüber in den Regieraum. Der Nachrichtensprecher saß hinter dem Mikrofon, schnaufte wie ein Walross, wurde immer blasser, von seiner Stirn rannen Schweißtropfen. „Der kippt gleich vom Stuhl!", sagte der Sendeleiter und befahl mir: „Gehen Sie rein und übernehmen Sie die Nachrichten!" In diesem Augenblick streckte sich der Sprecher und sagte mit glasigen Augen ins Mikrofon: „Regina! Karo Dame!", dann sackte er halb in sich zusammen. So schnell wie möglich setzte ich mich neben meinen desolaten Kollegen und gab ihm durch Zeichen zu verstehen, dass er gehen solle, bevor er umkippte.

Im Saal des Regina Palast Hotels brach Jubel los. So was hatte man noch nicht erlebt. Eine Sensation! Magier Strobl sonnte sich im Glanze seiner Tat und ließ sich feiern.

Nach Beendigung der Nachrichten eilte ich ins Sprecherzimmer, um nach meinem Kollegen zu sehen. Der lag auf der Couch, atmete schwer und schien sich an nichts zu erinnern. „Auf einmal wurde mir schwindlig", flüsterte er angestrengt, „ab da weiß ich nicht, was passiert ist."

Inzwischen war auch Hannes Stein, der Chefsprecher, eingelaufen. „Sie bleiben jetzt erst mal hier liegen, bis ein Arzt kommt. Sie sehen zum Kotzen aus!" Da war sie wieder, diese überwältigend liebenswerte Art unseres Chefs. „Auf jeden Fall sind Sie für heute vom Dienst suspendiert. Die 22-Uhr- und die 24-Uhr-Nachrichten liest ..." Er stockte, sah sich um und stellte nicht gerade erfreut fest, dass es ein Damenabend war. Lieselotte Klingler war da, seine Frau und Stellvertreterin, Maria Poll war für eine Dichterlesung eingeteilt, Maria Sigg für eine klassische Musiksendung. Sein Blick fiel auf mich. „Also gut, Sie lesen heute die Nachrichten bis Dienstschluss!" Dann gab er sich einen Ruck: „Bis auf Weiteres! Für Ihren Stationsdienst teile ich jemand anders ein. Sie übernehmen ab morgen Mittag, 13 Uhr!"

Von einer Minute zur anderen war ich Nachrichtensprecher. Mein Traumziel! Dafür brauchte man normalerweise Jahre an Geduld, Arschkriecherei, unzählige Kantinenabende und Glück. Mein Glück lag jetzt wie ein Häufchen Elend auf der Couch und erinnerte sich an nichts.

Die Untersuchung des Vorfalles war intensiv und ging recht schnell.

DENN ERSTENS KOMMT ES ANDERS ... 315

Den Verhören durch Polizei und Sicherheitsdienst hielt der Gedächtnisverlust des Kollegen nicht lange stand. Es stellte sich heraus, dass der Magier Strobl sich an unseren Kollegen mit dem Vorschlag herangemacht hatte, für eine Summe X während der Nachrichtensendung die manipulierte Karte aus dem Kartenspiel zu nennen, die er seinen Zuschauern auf der Bühne zeigte. Später erfuhren wir, dass Strobl unserem Kollegen außerdem eine Hauptrolle in einem geplanten Film angeboten hatte, in dem es um Magie und Hypnose gehen sollte. Und er war von Haus aus Schauspieler. Er wurde vom BR entlassen und erhielt drei Wochen Gefängnis wegen „groben Unfugs".

Hannes Steins „Bis auf Weiteres!" war zur Regel geworden. Vielleicht war es ihm auch nur zu mühsam, einen neuen Dienstplan aufzustellen. Ich las die Nachrichten und war im siebten Himmel. Im Sprecherzimmer war mir der Status des Ersten Nachrichtensprechers zuerkannt worden, selbst Hannes Stein konnte nicht umhin zu zeigen, dass er mit mir keine größeren Probleme hatte. „Sie machen das eigentlich ganz gut", sagte er eines Tages, was einem Ritterschlag gleichkam.

Seine Frau, Lieselotte Klingler, lud mich sogar wiederholt ein, am Wochenende während der Nachrichtenpausen als Zuhörer beim *Kabarett am Wochenend*, das sie ansagte, in der ersten Reihe zu sitzen. Das war eine ausgesprochene Ehre, die noch keinem meiner Kollegen zuteil geworden war. „Soll ich dir heute Abend einen Platz reservieren?", fragte sie eines Tages. „Vielleicht an der Seite, falls du später kommst? Wir fangen um 20 Uhr an zu senden."

„Wer ist denn im Programm?"

„Fritz Benscher moderiert, eine Sängerin aus Hamburg, Gitta Lind, die Isarspatzen, die Josinders, Max Greger und Hugo Strasser mit dem Enzian Sextett."

Die Josinders gaben den Ausschlag. Ein Damen-Quartett von besonderer Güte und bemerkenswerter Schönheit. Gründerin war Josi Wendland, die Frau des später so populären Schmusesängers. Die anderen Damen waren Marie Adelheid von Aretin, die nachmalige berühmte Annette aus Lembkes *Was bin ich?*, Ajo Fitz aus der bekannten bayerischen Künstlerfamilie und eine gewisse Gundula, mit der mich seit einiger Zeit eine platonische, auf Musik beruhende Freundschaft verband, denn wir waren beide Mitglieder im „Club der Brüder und Schwestern".

Der Club ging zurück auf Gerhard Lehner, einen hochbegabten Toningenieur des BR, der als Nebenjob ein Tonstudio für die amerikanischen Soldaten in der McGraw-Kaserne im Münchner Stadtteil Giesing eingerichtet hatte. An Technik stand ihm alles zur Verfügung, was er für Programmproduktionen brauchte. Seine „Schatztruhe" aber war sein wohl einzigartiges Archiv amerikanischer U-Musik. Alles, was Ohren und Herz begehrten, stand in den Regalen und war dazu angetan, nicht nur den GIs, sondern allen Jazzliebhabern die grauen Tage zu erhellen.

Er versammelte einen Kreis Musikbegeisterter beiderlei Geschlechts um sich, den „Club der Brüder und Schwestern". Seine Satzung war kurz und unmissverständlich: Die Zusammenkünfte sollten dem ungestörten Genuss amerikanischer Musik dienen. „Intime Beziehungen unter den Clubmitgliedern verstoßen gegen die Satzung, da sie den Frieden in der Gemeinschaft beeinträchtigen können." Und wir hielten uns daran. Zugegeben, manchmal fiel es mir sehr schwer, dem Charme dieser Gundula zu widerstehen. Sie machte es mir leichter, nachdem sie erfahren hatte, dass ich offiziell verlobt war. Von diesem Moment an war ich für „Gundel" als Mann tabu.

Als ich an dem Abend den Sendesaal betrat und zu meinem reservierten Stuhl schleichen wollte, waren die Proben für die Livesendung von *Kabarett am Wochenend* noch in vollem Gang. Der Star des Abends, die Schlagersängerin Gitta Lind, stand am Mikrofon in der Mitte der Bühne, das Josinders-Quartett im Halbkreis um sie herum. Gundel, die zweite Stimme, stand in der Mitte, genau hinter der Lind. Sie war vom Saal aus nicht zu sehen.

Für den Abend nach der Sendung war ein Treffen des „Clubs der Brüder und Schwestern" angesetzt. Dies wollte ich Gundel zur Sicherheit signalisieren, aber sie sah mich nicht. So war es auch bei unserer allerersten Begegnung auf dem Münchner Bahnhof gewesen. Sie war dem Vorortzug aus Gräfelfing entstiegen, direkt vor meiner Nase. Ich stand auf dem Bahnsteig, regungslos, wie vom Blitz – genauer gesagt von Amors Pfeil getroffen, doch sie nahm mich überhaupt nicht zur Kenntnis, sondern verschwand hoch erhobenen Hauptes, mit dazugehöriger kleiner Nase, in Richtung Ausgang Arnulfstraße. Ihr Gesicht hatte sich meinem Gedächtnis regelrecht eingebrannt. Sie ging mir nicht mehr aus dem Kopf, trotz meiner mir anverlobten teuren Antje in Nürnberg.

Meine Signale auf die Bühne blieben also weiter unentdeckt. Aber Gitta Lind fielen meine Hampeleien auf und sie machte eine fragende Geste. Ich gab ihr zu verstehen, dass die Adressatin meiner Bemühungen direkt hinter ihr stand. Sie drehte sich um, zwinkerte mir anerkennend zu, und damit war der Fall zunächst erledigt.

„Du hast eine Eroberung gemacht", sagte Gundel später. „Die Lind hat gefragt, ob wir Geschwister sind!"

Am nächsten Tag im Sprecherzimmer. Ich hatte gerade die Frühnachrichten am Sonntag gelesen und überlegte jetzt, was ich bis zu den nächsten Nachrichten um 12 Uhr machen sollte. Da klopfte es an der Tür. Ich öffnete. Vor mir stand ein fast bodenlanger Waschbärmantel.

„Guten Morgen! Entschuldigen Sie die Störung, aber ich glaube, wir kennen uns!" Die Stimme aus dem Waschbärmantel gehörte Gitta Lind, dem Star vom Vorabend. „Kann es sein, dass wir uns im Krieg getroffen haben, in einem Lager in Norwegen?"

Ich war im Krieg nicht in Norwegen gewesen. Überhaupt hatte ich das Gefühl, dass sie nur einen Vorwand suchte. Was sonst hatte ein Schlagerstar im Sprecherzimmer des Bayerischen Rundfunks zu suchen?

Ein Schlüssel drehte sich im Türschloss, der Stationssprecher Richard Storck kam herein und grinste verwundert. „Oh, wir haben hohen Besuch am Sonntagmorgen!" Er erkannte die Lind sofort und zeigte nicht den leisesten Zweifel, dass ihm klar war, dass der Besuch der Dame mir galt.

„Ich glaube, die Kantine hat schon geöffnet, darf ich Sie zu irgendetwas einladen?" Ich durfte. Etwa sechs Monate später, um präzise zu sein, am 17. April des Jahres 1950, heirateten der Star Gitta Lind und der kleine Nachrichtensprecher Joachim Fuchsberger auf dem Standesamt in der Au, am Mariahilfplatz in München. Als wir das Standesamt verließen, überraschte uns der gewaltige Tusch einer Bigband, die auf einem Lastwagen stand und dort oben laut amerikanisch jazzte. Es war Max Greger mit seiner neuen Formation, die später in der ganzen Welt bekannt und bejubelt wurde.

DIE HOCHZEIT mit Gitta Lind hatte mein junges Leben total verändert. Wie hätte es anders sein können? Schmerzlich war die Trennung von Antje, peinlich mein Abschiedsbesuch bei ihren Eltern in Düsseldorf und fast traurig mein Abschied aus dem „Club der Brüder und Schwestern" gewesen. Dort hatte man mir die Heirat übel genommen, vor allem Gundel entzog mir ihre Sympathie und kündigte mir die Freundschaft. Meine Wahl fand bei niemandem Verständnis. Jeder schien etwas Nachteiliges über meine Frau zu wissen, aber es kamen nur Andeutungen. Doch ich konnte auch verstehen, dass man meine Hochzeit mit sehr gemischten Gefühlen betrachtete.

Andererseits war ich als Erster Nachrichtensprecher offiziell anerkannt und hatte inzwischen sehr interessante und gut bezahlte Nebenjobs. Der später so berühmte Robert Lembke engagierte mich für seine neue, sehr amüsante Show *Unsere kleine Spätlese – aus dem Papierkorb der Weltpresse.* Ingrid Howe, eine äußerst attraktive junge Dame, Klaus Havenstein, einer der späteren Stars der Münchner Lach- und Schießgesellschaft, Kollege Horst Fischer und ich lasen abwechselnd lustige Meldungen oder Stilblüten aus Zeitungen aus aller Welt und unterlegten sie mit dazu ausgesuchter passender Musik. Die Sendung war sehr beliebt und kam einmal wöchentlich im Abendprogramm.

Der Filmbeauftragte der amerikanischen Militärregierung, George Salmoni, entdeckte dann meine Stimme für die Wochenschau *Welt im Bild* in den Kinos. Jeden Freitag fuhr ich mit dem Statussymbol des Paares Lind-Fuchsberger, einem nagelneuen grasgrünen Porsche, hinaus nach Geiselgasteig, wo in den riesigen Hallen der Bavaria-Filmstudios die Wochenschau produziert wurde.

Zu meinen Privilegien als Nachrichtensprecher gehörte damals, dass ich einmal im Monat in den Englischen Garten zum Chinesischen Turm fuhr. Dort gab es einen PX-Store, eine Verkaufsstelle der Amerikaner. Der für den BR zuständige amerikanische Kontrolloffizier hatte uns Gutscheine ausgegeben, mit denen wir im PX alles erstehen konnten, was es auf dem zivilen Markt immer noch nicht gab. Intern war es Bedingung, dass der jeweilige Einkäufer für alle Kollegen eine Party schmiss. Nach den letzten Nachrichten um ein Uhr morgens wurde dann aus dem Sprecherzimmer eine Art Privatbar, in der gefeiert wurde, dass die Wände wackelten. So auch in jener denkwürdigen Nacht, in der ich wieder an der Reihe war. Am nächsten Tag hatte ich frei, also tat ich mir keinen Zwang an.

Während im Sprecherzimmer gefeiert wurde, fand im Zuchthaus Straubing in Niederbayern eine Revolte statt. Die Gefangenen hatten zwei Wärter als Geiseln genommen, um gegen die damals unerträglichen hygienischen Missstände zu protestieren.

Als diese Meldung in den frühen Morgenstunden in der Nachrichtenredaktion eintraf, war die Stimmung im Sprecherzimmer gerade auf dem Höhepunkt angelangt. Die Flaschen waren leer.

Gegen 5.30 Uhr erschien der Chauffeur aufgeregt im Sprecherzimmer. „Der Herr Riehl ist krank!", meldete er. „Der krächzt nur noch! Unten in der Fahrbereitschaft haben sie mir gesagt, dass Herr Fuchsberger noch im Haus ist. Kann der die Nachrichten lesen?"

Nein, der konnte nicht, denn er war voll bis oben hin, und es war nur noch eine knappe halbe Stunde bis zu den Nachrichten um 6 Uhr. Die Kollegen versuchten angestrengt, durch Einflößen von Kaffee den Ersten Nachrichtensprecher halbwegs nüchtern zu kriegen. Wie ich in die Redaktion kam, das Manuskript abholte, die Treppen hinunterwankte

DENN ERSTENS KOMMT ES ANDERS ...

und im Studio vor das Mikrofon sackte, ist mir nicht mehr in Erinnerung. Das rote Licht leuchtete, der Gong ertönte, ich war dran.

„Guten Morgen, verehrte Hörer! Es ist", kleine Pause, „sechs Uhr", kleine Pause, „Sie hören Nachrichten!" Die Köpfe im Regieraum hoben sich, sahen etwas irritiert zu mir herein. „Wie unsere Nachrichtenredaktion soeben erfahren hat, hat in der Justizvollzugsanstalt" – Mann, war das ein schwieriges Wort – „vor wenigen Stunden die erste Geiselnahme in Bayern stattgefunden!" Kleine Pause. Weiter. „Der bayerische Minister Prof. Dr. Dr. Alois Hundhammer erklärte den Gefangenen vor Ort ... er werde für die Beseitigung der hygienischen Missstände sorgen!"

Die Meldung hätte weiter lauten sollen, die Gefangenen hätten sich bewusst zu machen, dass sie in einer Strafvollzugsanstalt saßen und nicht in einem Erholungsheim. Aus meinem Suffkopf kam aber das Gegenteil: „Der Minister erklärte den Gefangenen, sie hätten kein Recht, Geiseln zu nehmen. Sie müssten sich immer bewusst bleiben, dass sie hier nicht ... in einer Vollzugsanstalt ... sitzen, sondern ... in einem Erholungsheim ...!"

Hinter der Glasscheibe gingen alle auf Tauchstation, mit Ausnahme des Sendeleiters. Der starrte zunächst entsetzt zu mir herein, dann fing er an zu lachen. Aber nur kurz. Ich sah, wie er den Hörer ans Ohr hob und sehr ernst wurde, und las weiter. Zunächst hatte ich nicht die geringste Ahnung, was ich da angerichtet hatte. Der Versprecher war noch nicht bis in mein benebeltes Hirn vorgedrungen, aber mir dämmerte, dass wohl etwas danebengegangen war. Erheblich verunsichert, verhaspelte ich mich immer öfter.

„Na servus", sagte Gerhard Lehner anschließend am Mischpult im Regieraum, „da hast dir aber was eingebrockt!" Dabei konnte er sich das Lachen nicht verkneifen.

„Programmdirektor Schneider-Schelde hat angerufen", meldete der Sendeleiter, „Sie sollen in einer Stunde beim Intendanten sein!"

Im Sprecherzimmer wartete Richard Storck mit einem Becher Kaffee. „Extra stark, aus deinem PX-Paket", grinste er, „den kannst du jetzt brauchen! Zum Verhör musst du nüchtern sein!"

Es war mein erster Besuch im Allerheiligsten, in der Chefetage, beim Intendanten. Rudolf von Scholz, ein gütiger, alter Gentleman, hatte einige der leitenden Herren des Senders zum Gericht geladen. Ich hatte beachtliches Fracksausen. Alle waren reserviert freundlich, kein gutes Zeichen. Am nettesten begrüßte mich der Intendant. „Jetzt nehmen Sie mal Platz, und dann erzählen Sie uns, was Sie sich dabei gedacht haben ..." Er wies auf einen Stuhl rechts von seinem Schreibtisch. Ihm gegenüber, um einen Couchtisch herum, saßen Sendeleiter Otto Freundorfer, Chefsprecher Hannes Stein und Programmdirektor Rudolf Schneider-Schelde. Aller Blicke waren bohrend auf mich gerichtet. Mit trockenem Hals saß ich auf dem Anklagestuhl. Auch dem Intendanten schien nicht ganz wohl in der Haut zu sein. Er versuchte zu helfen. „Wie kam es denn überhaupt zu Ihrem unglücklichen Auftritt? Sie haben ja wohl nicht ganz nüchtern die Nachrichten gelesen, richtig?"

„Ja, das ist richtig, aber es war außerhalb der Dienstzeit. Ich wollte eigentlich nur helfen!" Dann nahm der Intendant, offensichtlich hatte er noch nie etwas vom Privileg des Einkaufs von PX-Köstlichkeiten gehört, staunend meinen detaillierten Bericht über den Hergang des Falles zur Kenntnis. „Es war eine Party, Herr Intendant, einmal im Monat!"

„Erinnern Sie sich, was Sie da getrunken haben?"

„Whisky!"

„Aha, dieses Black-and-White-Zeugs!" Dann kam ihm eine Idee, und er lächelte. „Wissen Sie denn nicht, dass Whisky impotent macht? Wenn Sie weiterhin dieses Black-and-White-Zeugs trinken und mit Ihrer Frau im Suff Kinder zeugen, dann kommen die mit einem Kainsmal auf der Stirn zur Welt. Sie bekommen lauter kleine ‚Blackys‘!"

Ich war sprachlos. Nicht nur wegen des originellen Gedankengangs meines obersten Chefs, sondern fast noch mehr deshalb, weil in diesem Moment zum zweiten Mal in meinem Leben, völlig unabhängig voneinander, der Name Blacky auftauchte – inzwischen hörte ich längst wieder auf meinen schönen alttestamentarischen Namen Joachim.

Rudolf von Scholz machte der Sitzung ein versöhnliches Ende. „Ich war entschlossen, Sie fristlos zu entlassen. Nach dem, was Sie berichtet haben, ist das ja wohl kaum möglich. Dank werden Sie hoffentlich nicht erwarten, also lassen wir alles beim Alten. Sind die Herren damit einverstanden?"

Sie waren es, und ich durfte gehen. Im Foyer wartete ein Journalist. Am nächsten Tag berichtete die *Abendzeitung*: „Gnade vor Recht für den betrunkenen Nachrichtensprecher Joachim ‚Blacky‘ Fuchsberger." Der Spitzname sollte mir bleiben.

BEI MEINER Frau allerdings hieß ich aus nicht nachvollziehbarem Grund „Dicker", obwohl ich damals dünn wie ein Strich war. Wir führten eine Ehe auf räumliche Trennung. Gitta war ein erfolgreicher Star, mit Engagements auf allen Bühnen des Landes, bei allen Rundfunkstationen. Sie tourte mit den großen Orchestern durch die Städte, mit Max Greger,

DENN ERSTENS KOMMT ES ANDERS ...

Erwin Lehn, Willy Berking, Kurt Edelhagen, mit Stars wie Helmut Zacharias, Bully Buhlan, Gerhard Wendland, dem Quartett Friedel Hensch und die Cyprys, Peter Frankenfeld, Lys Assia und wie sie alle hießen. Ein Leben im Hotel, auf der Straße und auf den Bühnen. Ein Leben mit viel Erfolg, aber ohne mich. Ich saß im Funkhaus in München und sehnte mich nach dem freien Tag im Dienstplan, an dem ich nach der letzten Sendung in „ihren" Porsche stieg und ein paar Hundert Kilometer in irgendeine Tournee-Stadt raste. Konnte man so eine Ehe führen? Es musste zu einer Lösung des Problems kommen. Aber wie?

Gitta war der Hauptverdiener, der Star. Keiner von uns hätte auch nur einen Augenblick daran gedacht, dass sie ihre Karriere aufgeben sollte, um bei mir in München zu bleiben, in unserer entzückenden gemieteten Dachwohnung in Putzbrunn. Also war es an mir, den entscheidenden Schritt zu tun.

„Du kannst mich auf Tournee begleiten", meinte Gitta nach einem ernsten Gespräch und einem guten Essen. „Du könntest meine Verträge machen, wenn du dir das zutraust, und wenn du willst, kannst du mich fahren, ich hab die Busfahrerei ohnehin satt."

Wollte ich das wirklich? Und wenn ja, wie würde es enden? Würde ich zum Kofferträger und Chauffeur? Zum Watschenmann oder Blitzableiter für einen ehrgeizigen Star, launisch gelegentlich und nicht selten aufbrausend? Andererseits, eine Ehe ist doch so was wie das Zusammenführen zweier Kräfte, die Bündelung unterschiedlicher Talente zu gemeinsamem Erfolg. So dachte ich und handelte danach.

„Sind Sie sich darüber im Klaren, was Sie da tun?", fragte Programmdirektor Rudolf Schneider-Schelde, als er meine Kündigung las. „Sie sind dreiundzwanzig und können bei uns aufsteigen bis wer weiß wohin! Was haben Sie denn vor?"

„Ich weiß es noch nicht. Ich glaube, ich gehöre an die Seite meiner Frau. Sie arbeitet hart und ist ständig auf Achse. Vielleicht kann ich ihr helfen."

„Sie müssen wissen, was Sie tun, aber überlegen Sie sich das gut!"

Es störte mich nicht, wenn man mir unterwegs manchmal meinen Namen verweigerte und mich freundlich mit „Guten Tag, Herr Lind" begrüßte. Es störte mich aber gewaltig, wenn meine Frau, nach einer rasanten Fahrt über ein paar Hundert Kilometer zu einem kurzfristig anberaumten Termin, monierte, dass ich neue Reifen für den Porsche wollte. Ich fühlte mich beschissen und benahm mich so. Langsam, aber sicher manövrierte ich mich selber ins Abseits, wurde zum gemiedenen Meckerer in einem betont lebenslustigen Kreis.

Peter Frankenfeld, der große Entertainer, moderierte die gerade laufende Tournee. Er war, oft zum Ärger der Interpreten, der Star des Abends. Auf Ansagen beschränkte er sich nicht, er baute sich ein eigenes Programm aus Sketchen und genialen Gags, mit denen er das Publikum regelrecht von den Stühlen riss.

Ich stand in der Bühnengasse und bewunderte ihn. Fand es aufregend, wenn er seine festgelegte Zeit unbekümmert überzog, einen Gag nach dem anderen abspulte und die Leute im Saal zum Jubeln brachte, während die Kollegen auf ihren Auftritt warten mussten. Er sah mich oft dastehen, grinste zu mir herüber und zwinkerte mir zu. Vermutlich spürte er meine Bewunderung und behandelte mich deshalb auffallend nett. Außerdem liebte er es, seine Kollegen zu verkohlen, und dafür kam ich gerade recht.

Eines Abends, kurz vor Beginn der Vorstellung, nahm er mich in der Ecke der Künstlergarderobe, in der die Stars in ihren durch Vorhänge abgeteilten Kabinen saßen und alles mithören konnten, zur Seite.

„Stell dir vor", verkündete er mir laut und deutlich, „stell dir vor, der geizige Hoffmeister hat mir heute freiwillig die Gage erhöht!"

Natürlich kannte ich Heinz Hoffmeister, den damaligen Tourneegiganten aus Mannheim, bekannt knauserig. Dass der freiwillig die Gage eines Künstlers erhöhte, war höchst unwahrscheinlich.

„Das glaube ich nicht", sagte ich und sah Peter in sein grinsendes Gesicht.

„Aber wenn ich dir's doch sage. Er meinte, ich arbeite länger als auf dem Plan, habe mehr Beifall als die anderen, deswegen zahlt er mehr!" Er zwinkerte mit einem Auge und grinste in Richtung der Vorhänge.

„Gratuliere." Jetzt grinste ich zurück.

„Aber behalt's für dich", sagte Peter, „sonst gibt's hier Stunk!"

Noch vor Beginn der Vorstellung kam der Stunk. Der Tourneeleiter wunderte sich, wieso plötzlich alle wissen wollten, wann Heinz Hoffmeister komme, sie müssten ihn so schnell wie möglich sprechen.

Peter liebte solche Geschichten, aber irgendwann fiel niemand mehr darauf herein. Deshalb reagierten wir auch alle recht gelassen, als er eines Nachmittags erschien, sehr aufgeregt, und mich zur Seite nahm. „Du musst heute für mich ansagen!"

„Wie bitte?"

„Ich hab völlig vergessen, dass ich heut Abend eine Sendung beim Hessischen Rundfunk hab, live! Wenn ich da nicht antrete, bin ich geliefert! Machst du's?"

„Das kann ich nicht. Ich bin kein Conférencier!"

„Aber du kennst mein Programm auswendig. Du kannst alle meine Gags verwenden!"

„Verscheißern kann ich mich selber!"

Der große Peter Frankenfeld sah aus wie ein Bernhardiner, mit hängenden Lefzen und traurigen Augen. „Dann bin ich beim HR ab heute Abend in Verschiss! Die nehmen mich nie wieder!"

Am Abend sahen die Zuschauer einen jungen Mann auf die Bühne kommen, den keiner kannte. Er stellte sich in die Mitte der Bühne und verbeugte sich etwas linkisch. „Guten Abend, meine Damen und Herren! Ich heiße Joachim Fuchsberger und wurde von Peter Frankenfeld gebeten, für ihn einzuspringen!"

Totenstille im Saal.

„Ich weiß, dass Sie Peter Frankenfeld sehen und hören wollen, aber er hat gesagt, er hätte heut Abend was Besseres vor!"

Unruhe im Saal. He, Leute, das sollte ein Witz sein!

„Er hat mir erlaubt, sein Programm zu benutzen, Ihnen mit einem schönen Gruß seine Witze zu erzählen!"

Keine Reaktion. Am liebsten wäre ich in der Bühnenversenkung verschwunden. Ich versuchte es trotzdem: „In Berlin sieht eine Frau auf dem Ku'damm einen grade mal vielleicht sieben Jahre alten Jungen rauchend an einer Laterne stehen. Sie geht zu ihm und fragt: ‚Weiß deine Mutter eigentlich, dass du auf der Straße rauchst?' Sagt der Junge zu der Dame: ‚Und weeß Ihr Oller, det Se junge Männer uff de Straße ansprechen?'"

Kaum Reaktion. Die wollten mich nicht!

„Also gut! Ich hab dem Peter versprochen, ihn heute Abend zu vertreten, weil er vergessen hat, dass er eine Sendung in Frankfurt beim Hessischen Rundfunk hat. Er hat Angst, dass sie ihn rausschmeißen!"

Erster Lacher.

„Ich weiß, dass man ihn nicht ersetzen kann, aber ich kann Ihnen vielleicht ein paar Sachen erzählen, die sich hier bei uns so während der Tournee abspielen." Ein Blick in die Bühnengasse. Da standen bereits die Cyprys und starrten mich an. Gitta in ihrem weißen Tüllkleid, neben ihr Bully Buhlan, hinter ihm Helmut Zacharias, den Kopf an den Hals seiner Geige gestützt.

„Helmut Zacharias zum Beispiel – Sie kennen alle sein Lied ‚Wie ein Roman fängt oft die Liebe an ...', das er nachher auch für Sie spielen wird – konnte vor ein paar Tagen die Nummer vor Lachen nicht zu Ende geigen, weil Bully Buhlan und Gerhard Wendland an der romantischsten Stelle des Liedes ein paar alte, vergammelte Chaplin-Stiefel an Klavierdrähten vor seiner Nase vorbeizogen."

Gelächter. Blick in die Bühnengasse. Zacharias drohte mit dem Geigenbogen, Bully grinste. Gitta hielt den Daumen hoch. Ich erschrak, neben ihr stand plötzlich Heinz Hoffmeister, der kleine, dicke Superboss mit der Fistelstimme. Der war nicht angesagt. Und jetzt war Peter nicht da – an seiner Stelle stand ich Greenhorn vor dem Mikro.

„Der Wendland singt nachher für Sie ‚Das machen nur die Beine von Dolores‘." Zwischenapplaus. „Er hat die Angewohnheit, seine rote Smokingjacke erst im allerletzten Moment anzuziehen, weil sie sehr warm ist. Sie muss direkt in der Bühnengasse an einem Garderobenständer hängen, gerade so, dass Sie sie von da unten nicht sehen können. Bei seinem Auftritt kommt er gerne mit einem Satz auf die Bühne, tänzelt wie vor einem Boxkampf – und im Sprung zieht er die Jacke über. Nur neulich klappte das nicht! Da hat ihm der Bully einen der Jackenärmel zugenäht. Aber das merkte er erst, als er wie der Glöckner von Notre-Dame auf der Bühne stand und das Orchester bereits seinen Einsatz spielte!"

Lachen, Applaus. Und so machte ich weiter und merkte, dass es ungeheuren Spaß macht, Menschen zum Lachen zu bringen. Am Ende der Vorstellung nahm mich Heinz Hoffmeister auf der Hinterbühne in Empfang. „Sie kriegen bei mir einen eigenen Abend als Moderator!", flötete er mit seiner Fistelstimme. „Ich zahle Ihnen fünfzig Mark pro Vorstellung."

Es WAR der erste Schritt aus der selbst gewählten Abhängigkeit von meiner berühmten Frau. Der zweite kam ganz überraschend, an einem gemütlichen Abend zu Hause in Putzbrunn, nach einem köstlichen Candle-Light-Dinner. Ottilie, unsere Hilfe, eine waschechte Schlesierin, flink und fleißig und lustig, hatte wieder einmal wunderbar gekocht.

Meine Frau nahm danach ein Vollbad. Gern nutzte sie die Akustik im Bad für Stimmübungen, so auch an diesem Abend. Plötzlich machte sie eine Pause. Dann stieg ihre Stimme in die Höhen des dreigestrichenen F – der höchste Ton der Arie der „Königin der Nacht" – und verharrte dort. Ottilie und ich bekamen Angst, dass Gläser zerspringen würden.

Ich rannte ins Badezimmer. Da saß Gitta mit hochrotem Kopf und grinste mich an. „Na, was sagst du?"

„Gar nichts! Aber ich frage mich – warum singst du mit dieser wunderbaren Stimme immer nur solche läppischen Schlager?"

„Weil ich keine guten Texte kriege! Denk an Heinz Gietz und ‚Veilchen zu verkaufen‘. Eine super Melodie, aber den Text kann man nicht singen."

Heinz Gietz war einer der Toparrangeure und -komponisten der Fünfzigerjahre. Für meine Frau hatte er „Veilchen zu verkaufen" komponiert. Das Lied erzählt die Geschichte eines Blumenmädchens, das nachts durch die Restaurants zieht und Blumen anbietet.

„Veilchen zu verkaufen!", schmetterte Gitta jetzt zum Beweis in der Badewanne. Es klang tatsächlich irgendwie gepresst.

„Dann sing doch ‚Blumen für die Dame' – so kenn ich den Spruch, wenn die Blumenfrauen an den Tisch kommen."

„Schreib mir den Text!", sagte Gitta und stieg aus der Wanne. „Schreib mir offene Vokale, so viele wie möglich! Ich brauche As und Os und Aus – so was wie ‚Roter Mohn' von Rosita Serrano!"

Aus „Veilchen zu verkaufen" wurde nach einigen schlaflosen Nächten:

Blumen für die Dame

Wenn nachts schon viele schlafen
und tausend Lichter glühn,
dann muss ich durch die Straßen
und viele Häuser ziehn –

Blumen für die Dame
Blumen für die Dame

Wenn dunkelrote Rosen
auf weißen Tischen stehn
und Hände sich liebkosen,
dann muss ich weitergehn –

Blumen für die Dame
Blumen für die Dame

Allein in einer großen Stadt,
und niemand, der mir auch nur einmal Blumen schenkt.
Das Glück mich wohl vergessen hat,
kein Mensch, der in Liebe an mich denkt.
Ich bin allein …

So zieh ich durch die Straßen,
wie lang – ich weiß es kaum.
Und darf ich endlich schlafen,
dann ruf ich noch im Traum:

Blumen für die Dame
Blumen für die Dame.

Im instrumentalen Mittelteil baute Heinz Gietz die Möglichkeit für Gittas hohes F ein. Das Blumenmädchen wurde ein Welterfolg, aus mir ein fest verpflichteter Textdichter beim Verlag August Seith in München, und ich startete eine Karriere als Übersetzer vieler amerikanischer Erfolge.

Drum prüfe, wer sich ewig bindet

Azurblau mit kleinen weißen Kumuli, der viel besungene bayerische Himmel. Die Luft war wie Seide, manche klagten über Föhn. Auf jeden Fall war es ein Tag, an dem man Menschen grüßt, ohne sie zu kennen, ein Tag, an dem man sich auf einen Abend mit Freunden unter Kastanien im Biergarten freut. Ein „Münchner Tag".

Ich schlenderte durch die Stadt, in der ich inzwischen seit vier Jahren lebte und der meine ganze Liebe gehörte, die Briennerstraße, die Feldherrnhalle, die Theatinerstraße, die Residenz. Und natürlich das Herz: der Marienplatz und das neugotische Rathaus mit dem Glockenspiel der tanzenden Schäffler.

Am Himmel kreiste ein Segelflugzeug und versuchte, in der Thermik der Stadt an Höhe zu gewinnen. Plötzlich wusste ich, was ich mit dem angebrochenen Tag anfangen würde. Eine halbe Stunde später saß ich in der Zirbelstube des Flughafengebäudes in Riem und fragte den Kellner nach dem Segelflugzeug.

„Fragen Sie doch in der Flugleitung, die wissen sicher was."

In der Flugleitung erfuhr ich, was ich wissen wollte. Der Pilot des Segelflugzeugs hieß Ernst Jachtmann und flog eine Kranich II mit dem Namen *Scandinavia*. Er war Weltrekordler mit 54 Stunden Dauerflug im Krieg, irgendwo an der Ostseeküste. Hier in München-Riem flog er die Kapitäne der Pan American Airways und der Scandinavian Airways zum Spaß in der Gegend herum. Er startete mit der Seilwinde und landete immer an der gleichen Stelle. Nach den Flügen kam er regelmäßig in die Zirbelstube. Dort wartete ich auf ihn. Er hatte kurz geschnittene blonde Haare, wasserhelle blaue Augen, Adlernase, Lippen wie ein Strich und war erkennbar mundfaul.

„Kann ich bei Ihnen fliegen lernen?"

Er kaute bedächtig an seinen Nürnberger Bratwürsten, acht auf Kraut. „Leider nein! Das geht nicht, solange Deutschland keine Lufthoheit hat. Gehen Sie in die Schweiz, dort können Sie fliegen lernen, oder nach Österreich! Bei mir können Sie als Gast mitfliegen."

„Geht das gleich?"

„Ja, warum nicht?" Er trank seinen Kaffee aus. Auf dem Weg zur Anmeldung in der Flugleitung erzählte ich dem Weltrekordmann aufgeregt meine fliegerische Vergangenheit, vom Flugtag in Mannheim, von Ernst Udet und Elly Beinhorn, von meiner Kriegszeit bei den Fallschirmjägern und von meinem unerfüllten Traum, fliegen zu lernen. In der Flugleitung wurde ich als Gast eingetragen, zahlte 7 DM gegen Quittung und folgte Jachtmann über das Vorfeld auf die Grasstartbahn zur *Scandinavia*, die weiß und elegant auf die linke Fläche geneigt im Gras lag. „Sie sitzen vorn, eine Runde dauert ungefähr fünf Minuten, wenn wir Aufwind kriegen, vielleicht etwas länger!"

Es hieß einsteigen und den Fallschirm anschnallen. Ein Mann mit einer Signalflagge klinkte das Seil am Bug des Segelflugzeugs ein. Das Glasdach über dem Cockpit wurde geschlossen, der Mann mit der Flagge gab Signal Richtung Motorwinde am anderen Ende des Platzes. Ein leichter Ruck, noch einer. Das Bugrad rumpelte auf dem Gras, dann ein leises, schnell anschwellendes Rauschen. Plötzlich schwebten wir, dann wurde das leichte Flugzeug fast senkrecht nach oben gerissen, direkt in den weiß-blauen Himmel, in den ich erst vor wenigen Stunden vom Marienplatz aus geschaut hatte.

Nach dem Ausklinken eine leichte Rechtskurve auf die Alpenkette zu. Nur der Wind rauschte durch das kreisrunde Loch neben mir in der Plexiglashaube. Ein unbeschreibliches Gefühl überkam mich. Doch die *Scandinavia* stieg nicht.

„Nichts los!", rief Jachtmann von hinten. „Wir müssen landen, in zwei Minuten sind wir unten!"

Der Boden raste uns entgegen, obwohl wir noch weit außerhalb des Platzes flogen. Links lagen die Flughafengebäude, der Turm und die Hangars. Fast laut- und schwerelos schwebten wir ganz dicht über den Rasen. Ein leichtes Scharren unter dem Rumpf, stärker werdendes Gerumpel und Gehopse, ich wurde nach vorn in die Gurte gedrückt, wir wurden langsamer, die linke Fläche neigte sich dem Boden zu, berührte ihn, zog die Maschine leicht nach links, dann standen wir. Stille. Die Erde hatte uns wieder.

„Na, hat's Spaß gemacht?"

Erst mal tief durchatmen, nichts sagen, was denn auch? Dann hatte ich eine Idee. „Kann ich Ihnen eine Anzahlung von siebzig Mark geben, für weitere zehn Flüge?"

Jachtmann lachte nur. „Aussteigen, zurückschieben in Position. Gehen Sie an die rechte Fläche!"

Inzwischen war der Windenhelfer mit der Flagge da und sah seinen Herrn und Meister an.

„Das Ganze noch mal!", sagte der, und: „Einsteigen, Gurte an. Wenn Sie wollen, nehme ich Sie als Dauerpassagier mit und bringe Ihnen das Fliegen bei. Was wir da oben machen, geht ja keinen was an!"

Am Abend saß ich mit Ernst Jachtmann in einem Biergarten, hatte sieben Starts hinter mir und war inoffizieller Segelflugschüler.

Jachtmann war es auch, der mich zur Alpinen Segelfliegerschule nach Zell am See in Österreich brachte, wo mich Otto Lienherr bis zum „L1", dem Luftfahrtschein für Segelflieger, schulte. Hier lernte ich, unter alpinen Wetterbedingungen im Hochgebirge zu fliegen. Die Prüfung flog ich an einem besonders schönen Tag am Großglockner.

MEHR und mehr führte ich ein „Strohwitwerdasein", kam mir in meiner Ehe immer öfter vor wie ein fünftes Rad am Wagen. Als Kofferträger und Chauffeur fühlte ich mich häufig wie bestellt und nicht abgeholt, ein Grund für zunehmend längere Perioden schlechter Laune.

In diesem Zustand machte ich die Bekanntschaft eines Tontechnikers. Wir kamen ins Gespräch über neue Aufnahmetechniken. „Das würde sicher auch Ihre Frau interessieren. Warum besuchen Sie mich nicht mal zu einem Gedankenaustausch?"

„Gern, wann?"

„Wann Sie wollen. Hier ist meine Adresse. Ich wohne bei einer Dame mit einer Tochter, die übrigens auch beim Rundfunk arbeitet, als Tontechnikerin." Auf dem Zettel stand eine Adresse, die ich bestens kannte: Gräfelfing, Akilindastraße. Das Haus von Gundula Korte.

„Wie wär's gleich mit heute Abend?" Er war verblüfft ob meiner schnellen Entscheidung, war aber einverstanden. „Na gut, gegen zwanzig Uhr, wenn es Ihnen passt?"

Und ob es passte! Was für ein Zufall! Seit über drei Jahren hatte ich Gundel nicht mehr gesehen, nur gehört, dass sie im Rundfunktechnischen Institut in Nürnberg das schwierige Handwerk einer Tontechnikerin erlernt hatte und beim BR arbeitete. War das wirklich „meine" Gundel? Meine kleine Schwester aus dem Club?

In der Akilindastraße wurde ich freundlich empfangen. Ohne Dame des Hauses und ohne deren Tochter. „Sie hat heute Dienst im Funk", sagte mein Gastgeber etwas erstaunt, als ich ihn fragte, ob die Tochter des Hauses vielleicht anwesend sei.

„Wissen Sie zufällig, wann sie vom Dienst nach Hause kommt?"

„Wohl erst nach Mitternacht!"

Vor dem ersten Alleinflug, Segelfliegerschule Zell am See, 1952

Also musste ich unsere Fachsimpelei in die Länge ziehen. Gegen ein Uhr morgens ging endlich die Haustür. „Würden Sie Gundel fragen, ob ich sie noch kurz begrüßen darf?"

Er ging hinaus, kam wieder. „Sie kommt gleich noch auf einen Sprung herein, aber sie ist sehr müde, sagt sie!"

Dann stand sie da, sah unglaublich frisch und bildschön aus. Aber sie blieb reserviert. Oberflächliche Konversation, dann veränderte sich mit einem Schlag mein Leben. „Übrigens", sagte mein Gastgeber plötzlich, „neulich habe ich Ihre Frau getroffen, am Bahnhof in München."

„Das kann nicht sein", sagte ich. „Sie ist seit vier Wochen in Hamburg und macht Aufnahmen mit dem Orchester Harry Hermann Spitz!"

„Nein", erwiderte er, „das war letzte Woche, ich kam gerade an, und Ihre Frau war in Begleitung von Herrn …!" Ein bekannter Schauspieler … Es war wohl besser, das Thema zu wechseln.

Mit dem Gefühl, dass etwas Entscheidendes geschehen war, verbrachte ich den Rest dieser Nacht schlaflos im leeren ehelichen Bett.

Die Tage danach waren die Hölle. Anreise und Geständnis einer durcheinandergeratenen Frau, Scherben einer kaputten Ehe, Verletzung von Eitelkeiten und Stolz, ziemlich viel sinnloses Gerede, aber mit einem Ergebnis: Wir würden uns scheiden lassen.

Seltsamerweise tat nach dem Entschluss nichts mehr weh, beinahe im Gegenteil. Ich empfand Erleichterung, blickte zurück ohne Zorn. Die räumliche Trennung von Tisch und Bett, wie es so schön heißt, wurde sofort vollzogen. Praktischerweise gingen einige Freunde in Urlaub und überließen mir ihre Häuser zur Bewachung.

Gitta tauchte total in ihre Welt ein und arbeitete mehr denn je. Und mir wurde plötzlich klar, was ich wollte, so klar, dass es fast wehtat: Ich wollte Gundula, und das gleich, total.

Der Mann, von dem ich glaubte, er könne mir den Weg zu Gundel ebnen, war Kurt Wilhelm, Erfinder der später berühmt gewordenen „Synchron-Oper" und Bruder meines Intimfreunds Rolf Wilhelm. In der Synchron-Oper spielten exzellente Schauspieler die Rollen, die Sänger blieben im Hintergrund. Dass zum Beispiel Radames eine dicke und feiste Aida auf der Bühne nicht sieht, weil sie sich hinter einem dünnen Baum versteckt, oder ein fetter Tenor die Schönheit seiner magersüchtigen Sopranistin in den höchsten Tönen bejubelt – solche Diskrepanzen wurden durch Kurts Erfindung vermieden.

Kurt Wilhelm hatte größtes Verständnis, als ich ihn bat, Gundula zu einem Kantinenessen einzuladen, zu dem ich dann, ganz zufällig, dazukäme. Eines Tages war es so weit. Kurt saß am reservierten Tisch im Kantinengarten und harrte der Dinge, die da kommen würden. Zuerst kam ich, weil ich es nicht erwarten konnte. Das war ein taktischer Fehler. Als Gundel erschien, war ihr anzumerken, dass ihr die Zusammensetzung zutiefst missfiel. Es war fast peinlich still am Tisch. Die Bestellungen kamen, doch Gundel fiel sehr bald ein, dass sie einen Schnitttermin hatte, und sie verabschiedete sich kurz angebunden.

Kurt und ich schauten ihr hinterher. „Das war's wohl nicht ganz", meinte Kurt kauend. „Was willst du eigentlich von ihr?"

„Ich will sie heiraten", entfuhr es mir.

„Sollte dir entgangen sein, dass du noch verheiratet bist?" Er schüttelte ungläubig den Kopf. „Mann, du bist noch nicht mal mit dem Hals aus der einen Schlinge, da lässt man sich doch nicht schon die nächste umlegen!"

Aber ich wünschte mir nichts sehnlicher und benahm mich entsprechend. Das alte Funkhaus war für den Fall, dass man jemanden abholen, jemandem auflauern, jemanden überraschen wollte, wie geschaffen. Das große Haus hatte nur einen einzigen kleinen Eingang mit einer Drehtür, durch die jeder musste, ob raus oder rein. Vor dieser Drehtür stand ich ein paar Tage später und wartete. Es wird schon einige Stunden gedauert haben, bis die schmale Tür jene junge Dame herausdrehte, die ich nun auf irgendeine möglichst originelle Weise dazu bringen musste, mir eine gewisse Aufmerksamkeit zu schenken.

„Darf ich dich nach Hause bringen?" Etwas Besseres fiel mir in dem Moment nicht ein.

„Wozu?", war die Antwort. „Ich komm schon allein nach Hause!"

„Dann wenigstens bis zum Bahnhof?"

„Der ist gleich um die Ecke!"

„Es muss doch möglich sein, bei unserer alten Freundschaft, ein paar Worte mit dir zu reden!"

„Worüber?"

„Das sag ich dir im Auto!"

„Sag's jetzt! Ich hab keine Zeit, mein Zug geht, und ich hab eine Verabredung!"

„Also, dann steig ein, ich fahr dich vor zum Bahnhof!"

Sie gab nach. Am Bahnhof angelangt, fand ich die Bremse meines Porsches nicht, fuhr einfach weiter in Richtung Stachus, ohne Ziel, immer weiter, unter ihrem immer heftiger werdenden Protest. Irgendwann auf der linken Seite der Maximilianstraße entdeckte ich ein Café und davor genügend freie Parkplätze. Ich trat auf die Bremse. „Bitte komm auf einen Kaffee oder eine Tasse Tee mit herein. Danach fahre ich dich zu deiner Verabredung, wohin du willst!"

Was sollte sie machen? Das war ja fast eine Entführung. Wir rührten in den dampfenden Tassen, die Löffel klimperten leise. Endlich brach Gundel das Schweigen. „Also?", fragte sie und sah mich mit ihren blaugrauen Riesenaugen an. „Was willst du mich fragen?"

„Ob du mich heiratest."

Sie sah mich unverwandt an, blieb ganz still sitzen, zeigte kaum eine Regung, sah nur einmal auf ihre Tasse hinunter.

„Ja!", sagte sie. „Und jetzt bring mich bitte zum Bahnhof!"

Bis zum Zug sprachen wir kein Wort. Da war etwas geschehen, das uns beide sprachlos machte, außerdem bedurfte es keiner Worte mehr. Was hätten wir einander im Porsche, zwischen Café und Bahnhof, nach Gundels „Ja" denn auch sagen sollen?

Der letzte Wagen des Vorortzugs nach Gräfelfing, in dem sie saß, wurde immer kleiner und verschwand schließlich hinter einer leichten Kurve. Ich stand da und wusste, dass ich die Frau gefunden hatte, mit der ich den Rest meines Lebens zu verbringen entschlossen war. Und es kam nicht anders, als ich dachte …

ZWEI Menschen mussten nun ihre Welt neu ordnen, mit sich und den anderen ins Reine kommen. Es war nicht leicht, besonders für Gundel nicht. Sie stand mit ihrem Entschluss plötzlich allein da, musste einem Menschen wehtun, der sie ebenso liebte wie ich.

Bei mir war das etwas anderes. Ich war im Hochgefühl meiner Eroberung. Jeden Tag klopfte ich mir selber auf die Schulter und konnte es nicht fassen, dass ich vorher so blind gewesen war, nicht zu erkennen, was für ein Menschenkind mir da vom Schicksal zugedacht war.

Mit einem großen Besen den Scherbenhaufen einer kaputten Ehe zusammenkehren und auf den Müll damit – das wäre gut, geht aber nicht.

Zu Ende ist noch nicht vorbei, aus den Augen ist noch nicht aus dem Sinn. Unsere Besitzverhältnisse waren ziemlich einfach. Meiner Frau gehörte alles, außer den Anzügen, die sie mir geschenkt hatte, und dem Porsche, für den sie keine Verwendung hatte. Die Bestandsaufnahme des Innenlebens fiel dagegen ziemlich beschissen aus. Es gab viele Gründe für mich, darüber nachzudenken, was war, was gewesen war und was kommen würde. Vielleicht war bis jetzt alles etwas zu glattgegangen. Die Dinge schienen mir in den Schoß zu fallen, und ich nahm sie, wie sie kamen, ohne lange darüber nachzudenken. Dass ich Erfolg hatte, war für mich selbstverständlich.

Auf einmal war alles anders. Gescheitert, belächelt oder mit einem „Wir haben das kommen sehen ..." bedacht, von guten Freunden, die alles wussten, aber nichts sagten.

Das Wichtigste aber war die Erkenntnis, dass ich plötzlich wieder mir gehörte. Nicht in den Tag hineinzuleben, sondern nach vorn zu denken, zu planen. Und den Blick nicht nur auf mich selbst zu richten, sondern zu sehen, was um mich herum geschah. Es gab Menschen, denen das Glück nicht so hold war wie mir.

Wilfried, mein mittlerer Bruder – gerade zwanzig, groß, schlank, blond, ein ausgesprochener Sportstyp, Einserschüler, ohne ein Streber zu sein – war schwer erkrankt, vor einiger Zeit schon. Die Diagnose lautete: Schrumpfniere. Anfang der Fünfzigerjahre war das wie ein Todesurteil. Nierentransplantationen gab es noch nicht. Wilfrieds Ärzte gaben ihm noch ein halbes Jahr, höchstens ein ganzes.

In unserer Not kamen wir auf einen Wunderheiler namens Georg Cornielje, der nahe der holländischen Grenze in einem Siedlungshäuschen durch Handauflegen angeblich Menschen half. Das Häuschen sah aus wie der Mittelpunkt eines gewaltigen Heerlagers. Ein paar aufsehenerregende Artikel hatten eine Flut von Kranken zu Bauer Cornielje gebracht. Zelte waren auf den umliegenden Wiesen und Äckern aufgestellt, oft waren es nur zwei in den Boden gerammte Stangen mit einer gespannten Schnur, darüber eine Decke oder Zeltplane. Die Belagerung des Häuschens dauerte nun schon einige Wochen. Wir sahen unzählige Autos mit Nummernschildern aus allen Teilen der Niederlande, aus Skandinavien, aus Deutschland und Österreich. In einer endlos langen Schlange standen die Menschen, die in den Händen dieses Bauern ihre letzte Rettung sahen, vor dem kleinen Haus und warteten geduldig, bis ein Ordner die Tür für den Nächsten freigab.

Nach wochenlangem Krankenhausaufenthalt hatte Wilfried kein großes Stehvermögen mehr. Ich stützte ihn, so gut ich konnte. „Gehen Sie vor!", sagte ein Mann am Ende der Schlange nach einem Blick in das gezeichnete Gesicht meines Bruders.

Endlich standen wir vor dem „Wunderdoktor". Ein kleiner, gedrungener Mann, schütteres Haar, um die vierzig. Ich hielt meinen Bruder im Arm, er wankte. Cornielje blickte ihn fest an. „Was fehlt Ihnen?"

„Mein Bruder ist nierenkrank!", sagte ich.

„Lassen Sie ihn reden", schnitt er mir das Wort ab und ließ Wilfried nicht aus den Augen. „Ziehen Sie die Hemd runter!", befahl er mit stark holländischem Akzent. „Kannst du stehen bleiben?"

Wilfried nickte. Cornielje schob mich sanft zur Seite und legte seine Hände flach auf Wilfrieds Bauch und Rücken.

„Keiner soll was sagen für die nächste zwanzig oder dreißig Sekunde!" Er atmete tief und ruhig mit geschlossenen Augen. „Wenn Sie schlecht werde oder swindelig, sagen Sie das!"

Cornielje gab mir mit dem Kopf ein Zeichen, dass ich auf meinen Bruder achten solle. Ich erschrak. Plötzlich hatte Wilfried tiefe schwarze Schatten unter den geschlossenen Augen, er atmete schwer, stoßweise. Cornielje löste seine Hände und rieb sie aneinander, als schmerzten sie. „Das ist genug, mehr ist nicht gut!" Er hielt Wilfried an den Schultern, sah ihm ins Gesicht und ließ ihn los.

„Sollen wir wiederkommen?"

„Später vielleicht, in paar Wochen."

„Was bin ich schuldig?"

„Nichts. Auf Wiedersehen."

Im Vorraum stand ein Tisch mit einem Teller, daneben ein handgeschriebenes Schild: *Die Behandlung ist kostenlos!* Der Teller war voll mit Münzen und ein paar Scheinen, ich legte einen dazu. Wenn es half, wollte ich geben, was ich besaß.

Auf der Fahrt zurück nach Düsseldorf schlief Wilfried die ganze Strecke in tiefer Erschöpfung. Sein Gesicht war eingefallen, er atmete flach. Die Untersuchung am nächsten Tag ergab eine Besserung seines Zustands, den die Ärzte sich nicht erklären konnten. Sie sprachen sogar von einem Wunder. Eine Niere war total geschrumpft und ausgeblutet, die andere hatte sich regeneriert und arbeitete fast normal.

Aber die Krankheit war stärker. Wilfried wusste, dass ihm nicht mehr viel Zeit blieb. „Was glaubst du, was mir alles erspart bleibt!", sagte er mit einem Lächeln auf den Lippen.

In den letzten Wochen im Krankenhaus bat er um seine Verlegung in die Abteilung, in der alte Menschen ihrer Erlösung entgegendämmerten. Seine Krankenschwester erzählte mir später, wie er den alten Menschen die Angst vor dem Tod zu nehmen versuchte, indem er ihnen erklärte: „Was wollt ihr denn? Ihr habt ein erfülltes Leben hinter euch. Meins hat noch gar nicht richtig angefangen, und ich muss mit zweiundzwanzig schon gehen. Ich habe keine Angst vor dem Tod!"

Die letzten Wochen seines kurzen Lebens verbrachte er zu Hause bei unseren Eltern in der Düsseldorfer Lindemannstraße. Ohne zu klagen, als die Krankheit seinen Körper und seinen Geist zu zerstören begann. Wilfried Fuchsberger starb am Nachmittag des 16. März 1955.

EIGENTLICH gibt es nur vier Tage in meinem Leben, an die ich mich immer und verlässlich erinnere: der Todestag meines Bruders Wilfried; der 2. Dezember 1954, der Tag, an dem Gundel versprach, mich zu lieben, bis dass der Tod uns scheidet; der 5. August 1957, der Geburtstag unseres Sohnes Thomas Michael; und der 22. Dezember 1953.

Es war ein kalter, regnerischer Tag. Der riesige Bau des Münchner Justizpalastes am Münchner Stachus war so kurz vor Weihnachten fast menschenleer. Nur ein Fall musste wegen seiner wirtschaftlichen Bedeutung noch vor den Feiertagen vom Gericht entschieden werden. Es fügte sich trefflich, dass mein Anwalt den Vorsitzenden Richter kannte, der diesen Prozess leitete.

„Wenn es eine rein konventionelle Scheidung wird, ohne gegenseitige Ansprüche, vor allem aber ohne Überraschungen, könnte ich sie in einer der Verhandlungspausen durchführen. Das ist eine Sache von maximal zehn Minuten", hatte der Richter meinem Anwalt versprochen.

Endlich erschien der Gerichtsdiener und verkündete: „Die Parteien Fuchsberger gegen Fuchsberger werden im Sitzungssaal erwartet!" Wir beeilten uns, ihm zu folgen. Gitta und ihr Rechtsanwalt blieben jedoch noch auf dem Gang stehen und redeten aufeinander ein. Was das wohl werden sollte? Sie kamen langsam auf uns zu. Mir schwante Übles. Dann sagte Gittas Anwalt in die erwartungsvolle Stille hinein: „Meine Mandantin hat soeben vorgeschlagen, auf eine Scheidung zu verzichten. Sie möchte die Versöhnung mit Ihnen!"

„Zu spät", sagte ich. Ich drückte die Türklinke zum Sitzungssaal hinunter und marschierte hinein, gefolgt vom Gerichtsdiener, den Anwälten und meiner etwas verstörten Frau. Heute denke ich, mein Benehmen war so rüde, dass sie während der wenige Minuten dauernden Verhandlung keinen Versuch mehr unternahm zu verhindern, weswegen wir vor dem hohen Gericht erschienen waren.

„Im Namen des Volkes und in Übereinstimmung mit den vor diesem Gericht erschienenen Personen erkläre ich die Ehe zwischen Joachim

Karl Fuchsberger und Rita Maria Fuchsberger, geborene Gracher, Künstlername Gitta Lind, für geschieden." Damit war die Verhandlung beendet, der Vorsitzende wünschte den Beteiligten alles Gute und ein frohes Fest.

Ebendieses bevorstehende „frohe Fest" bewog mich, am 23. Dezember noch einmal im Justizpalast zu erscheinen, um auf der Treppe in der Halle einen Briefumschlag in Empfang zu nehmen. Darin steckte eine Kopie des Scheidungsurteils in Sachen Fuchsberger gegen Fuchsberger. Diese Kopie war das Hauptgeschenk für meine zukünftige Frau. Bis ans Ende meiner Tage werde ich ihren Blick nicht vergessen, der sich mir unter dem Weihnachtsbaum am Heiligen Abend des Jahres 1953 in die Seele brannte.

Einer, den keiner kennt

Wie die Jungfrau zum Kind!", antworte ich immer auf die Frage, wie ich zum Film gekommen bin oder überhaupt zur Schauspielerei.

Paul May, einer der besten und wichtigsten Regisseure der Nachkriegszeit, suchte für seinen neuen Film *Menschen hinter Masken* die passende Besetzung. Eine junge, erfolgversprechende Schauspielerin, Lore Frisch, war schon engagiert und hatte die ersten Gespräche mit Paul May, vor allem aber mit dessen Frau Ille geführt. Denn ohne Ille ging im Hause May gar nichts.

Lore Frisch war der Meinung, dass für mich vielleicht ebenfalls eine Rolle in *Menschen hinter Masken* dabei wäre, und erklärte mir ziemlich genau, wie ich mich bei den Mays dafür zu bewerben hätte. „Und eigentlich geht alles über die Hunde!", sagte sie.

„Was für Hunde?"

„Zwei kleine Scotchterrier, Mick und Muck, und ein Schäferhund. Wenn du mit denen klarkommst, hast du bei beiden gewonnen. Sie werden dich testen."

„Was heißt das?"

„Die haben bestimmte Zeichen oder ein Stichwort. Auf jeden Fall werden sie dich nach einiger Zeit unter einem Vorwand allein lassen. Und dann werden sie die Hunde aus der Bibliothek hineinlassen und beobachten, wie ihr aufeinander reagiert."

Nun wäre es unehrlich, wenn ich behauptete, ein Hundeliebhaber zu sein. Aber ich hatte schon einige Male feststellen können, dass Hunde sich zu mir hingezogen fühlen. Heute könnte ich fast Wetten abschließen, dass ein irgendwo vorhandener Hund nach kurzer Zeit vor mir liegt und mich anhechelt oder es sich gleich auf meinen Füßen bequem macht. Von daher hatte ich also wenig zu befürchten.

Solchermaßen vorbereitet erschien ich vor der Villa May in Grünwald und stellte mich auf Zehenspitzen, um über den hohen Holzzaun zu schauen, der das Anwesen umgab. Das Haus lag in einem parkähnlichen Grundstück, in der Mitte befand sich ein Brunnenbecken mit einer Skulptur. Eine breite, geschwungene Freitreppe führte auf eine Terrasse mit tief gezogenen Fenstern. Irgendwie fühlte ich mich angesichts dieser Pracht nicht ganz wohl in meiner Haut. Schließlich fasste ich mir ein Herz und läutete.

„Wer ist da?", tönte eine Männerstimme aus dem Lautsprecher am großen Tor. Ich nannte meinen Namen und den Zweck meines Besuchs. Mit einem elektrischen Brummton öffneten sich beide Flügel des hochherrschaftlichen Tores und gaben den Blick auf einen geschwungenen Kiesweg frei, auf dem mir ein Mann schnellen Schrittes entgegeneilte.

„Ich heiße Zott", sagte der Mann, „Herr May erwartet Sie in seinem Arbeitszimmer!"

Das Arbeitszimmer von Paul May hatte etwas vom Oval Office im Weißen Haus in Washington. Schallschluckende Teppiche, schwere, geraffte Vorhänge vor den Fenstern, die den Blick in den Park freigaben. In einem erkerartigen Vorbau ein gewaltiger Schreibtisch, auf dem sich Bücher, Akten und auffallend viele Aschenbecher stapelten, an den Wänden Bücherregale bis zur Decke.

In der Mitte des Raumes gab es eine Sitzgruppe mit vier Chippendale-Sesseln und einer Couch, auf der sehr elegant die Dame des Hauses saß. Paul May erhob sich hinter dem mächtigen Schreibtisch, und ich erschrak, wie klein er war. Fast kahl, eisgrauer Spitzbart, eine große Nase, sehr flinke blaue Augen. An der Hand hatte er unübersehbar gelbe Nikotinspuren, er war außer Pfeifen- also auch Zigarettenraucher. Jetzt steckte er sich eine an. „Also, Fräulein Frisch meinte, Sie würden zu einer Rolle in meinem nächsten Film passen", begann er das Gespräch.

Ab da verlief es fast genau so, wie Lore Frisch es vorausgesagt hatte. Als das Zeichen oder Stichwort gefallen war, verließen Paul und Ille May kurz nacheinander den Raum, und ich saß allein in einem Sessel. Was hatte Paul May aus mir herausgeholt? Viele Auftritte als Conférencier, Nachrichtensprecher im Rundfunk, aber keine Schauspielausbildung, keine Erfahrung vor der Kamera oder auf einer Bühne. Ob das seinen Ansprüchen wohl genügte?

DENN ERSTENS KOMMT ES ANDERS ...

Jetzt mussten die Hunde kommen – und tatsächlich: Eine Tür öffnete sich, nur einen Spaltbreit, und herein drängten „Mick", „Muck" und der Schäferhund, dessen Name mir entfallen ist. Alle drei blieben an der Tür stehen und beäugten mich.

Leise ansprechen, damit sie nicht erschrecken, dachte ich. Die Hundesprache schien zu wirken. Die Stummelschwänzchen bewegten sich freundlich. Jetzt bist du dran, dachte ich, stand auf und ging der Menagerie leise redend entgegen. Während sich die Kleinen schnuppernderweise mit meinen Füßen beschäftigten, begutachtete mich die Nase des Größeren etwas höher, und alle schienen sich dafür zu entscheiden, mich riechen zu können.

So fanden mich die Mays bei ihrer Rückkehr. Wenn Lore Frisch Recht behielt, musste Paul May jetzt seine Frau fragen, ob noch ein Exemplar des Drehbuchs für den neuen Film im Haus sei.

„Sag mal, haben wir noch ein Buch hier?"

„Es liegt vor dir, auf deinem Tisch", sagte Frau Ille und lächelte.

Er gab es mir. „Lesen Sie das, und rufen Sie mich in zwei Tagen an."

Die Freude über den gelungenen Auftritt dauerte nicht lange. Der Film wurde wegen Finanzierungsschwierigkeiten nie gedreht. Aber aus der ersten Begegnung mit Paul und Ille May sollte eine tiefe Freundschaft werden.

DAS RIESIGE Hotel „Edelweiß" in Obergurgl in den Ötztaler Alpen war Schauplatz für den Spielfilm *Der Haflinger Sepp*, ein Kunstwerk aus der Blütezeit der Heimatfilme. Hauptdarsteller waren Bernhard Wicki, Armin Dahlen und Lore Frisch. Die Mays hatten mir angeboten, bei den Dreharbeiten zuzusehen. Paul May hatte die Idee, mich in seiner Orbis-Filmproduktion zum Produktionsleiter ausbilden zu lassen.

Eigentlich wollte ich ja als Schauspieler Karriere machen, nicht als Bürohengst. Andererseits war der Umgang mit organisatorischen Fragen nicht abhängig von der unberechenbaren Publikumsgunst. Je länger ich die Dreharbeiten verfolgte, desto klarer wurde es mir: Einen Spielfilm zu planen, zu organisieren und trotz zahlloser Schwierigkeiten mit Menschen und Material über die Runden zu bringen war doch sinnvoller, als vor der Kamera zu lieben und zu leiden, zu kämpfen und über reißende Gebirgsbäche zu springen, um ein geliebtes Weib zu retten.

Unzählige Gespräche mit Paul und Ille May, mit Wicki, Dahlen und Lore Frisch verstärkten meinen Gewissenskonflikt. „Du musst wissen, was du willst", sagte Lore, „da kann dir keiner helfen."

Eines herrlichen Morgens saß ich allein mit meinen Gedanken auf einem Felsbrocken und schaute in die Ferne. „Manchmal ist die Scheiße ziemlich dick", sagte eine Stimme hinter mir. Armin Dahlen war mir unbemerkt gefolgt. Wahrscheinlich hatte er bemerkt, dass mich Entscheidungsqualen plagten, und wollte helfen. Er begann, wie in seiner Rolle als Pfarrer mit mir zu reden.

Die Feuerglocke aus dem Ort unter uns riss uns aus unseren Überlegungen. Wir konnten erkennen, wie aus einem der Fenster des Hotels Edelweiß helle Flammen schlugen und dichte Rauchwolken aufstiegen. Über Stock und Stein und über schmale Felswege rasten wir abwärts. Im Dorf wimmelte alles durcheinander. Dorfbewohner, Hotelgäste, Leute vom Film, Schauspieler, alle schleppten Wasser in Eimern und Kannen, um es im zweiten Stock des Hotels in die Glut zu schütten. Hier oben lag Paul Mays Schneideraum, in dem einige Tausend Meter Nitrofilm explodiert waren. Der beißende Rauch ließ die Augen tränen, bei vielen war es wohl auch die bittere Erkenntnis, dass die Arbeit von Wochen umsonst war.

Trotz der Katastrophe saßen wir am Abend, nachdem das Feuer gelöscht war, alle zusammen und beratschlagten, wie wer wem und mit was helfen konnte. Und alle waren bereit, den Verlust durch gesteigerte Arbeit wettzumachen, ohne an ihren Vorteil zu denken. Vielleicht entstand in dieser Nacht bei mir der Wunsch, selbst irgendwann so einem Team anzugehören – als Schauspieler, nicht als Zahlenstratege am Schreibtisch.

PAUL MAY musste bemerkt haben, dass mein Wunsch, vor die Kamera zu gehen, größer war, als anonym die Fäden im Hintergrund zu ziehen. „Du musst irgendwo eine kleine Rolle in einem Film übernehmen, ganz egal wo und bei wem. Hauptsache, ich kann sagen, dass du schon mal vor einer Kamera gestanden hast! Ich bring dich sonst bei keinem Verleih durch."

Also legte er bei der Süddeutschen Bergland Filmproduktion ein gutes Wort für mich ein. Die beiden Produzenten Adam Schneider und Dr. Kurt Hammer wollten dem berühmten Paul May den Gefallen tun. Sie hatten gerade einen Film begonnen, der den überzeugenden Titel haben sollte: *Wenn ich einmal der Herrgott wär*. Gedreht wurde auf einem wunderschönen Bauernhof in Bad Aussee, im Steirischen Salzkammergut.

Im Hotel „Wasnerin" fand ich eine verbitterte Truppe vor, die seit einer Woche durch Dauerregen zum Nichtstun verurteilt war. Nichts ist

DENN ERSTENS KOMMT ES ANDERS ...

gefährlicher und geeigneter für alle nur denkbaren Verwicklungen und Intrigen in einem bunt zusammengewürfelten Team von Schauspielern und Schauspielerinnen als eine Mischung aus Langeweile, trauten Gesprächen am Kamin in einer Zirbelstube, Alkohol und Zimmer auf einem Stockwerk. Der „Zündstoff", der Zungen wie Sitten gleichermaßen lockerte, hieß „Lubitscher" – heißer Rum in Tee mit viel Zucker.

Ich war erstaunt, wie willkommen ich war, denn eine der beiden Szenen, für die ich unter Vertrag war, konnte auch bei Regen gedreht werden, weil die Aufnahmen in einer benachbarten Scheune gemacht werden sollten. Im Buch stand: „Der Student Sebastian sitzt rittlings auf einem Fass, erkennbar angetrunken, und singt: ‚Im tiefen Keller sitz ich hier – bei einem Fass voll Reben ...'"

Schon während der ersten Lektüre des Drehbuchs waren mir Bedenken gekommen. Es gibt eine Menge Dinge, die ich nicht kann, aber was ich am besten nicht kann, ist singen! Außerdem weiß ich heute, dass es kaum etwas Schwierigeres gibt, als einen Betrunkenen zu mimen. Um eine solche Szene zu spielen, muss man stocknüchtern sein.

Jetzt also saß ich kleines Würstchen in einer Scheune, auf deren Dach der Regen trommelte, auf einem Weinfass und sollte singen, beobachtet von mindestens dreißig gespannten Technikern, Beleuchtern, Maskenbildnern, Kameramännern und einem kritischen Regisseur. Mir war fast schlecht vor Aufregung. Was lag näher, als die Regel zu durchbrechen, dass man besoffen spielen muss, aber es nicht sein darf. Der Lubitscher sollte helfen. Nach dem dritten hielt man mein Gelalle für Talent, ebenso wie meine Bemühungen, auf dem Fass die Balance zu halten. Nach der Szene galt ich als relativ begabter Nachwuchsschauspieler.

An einem dieser langen Regentage geschah für mich das „Wunder von Bad Aussee". Im Hotel überreichte mir der Portier ein Telegramm: ERWARTE SIE ZU PROBEAUFNAHMEN BEI ARNOLD & RICHTER SPÄTESTENS ÜBERMORGEN IN MÜNCHEN – PAUL MAY!

Was für Probeaufnahmen? Er wusste doch, dass ich in Bad Aussee saß. Und wieso siezte er mich in dem Telegramm? Gründe genug, mich ans Telefon zu hängen. Was er mir mitteilte, haute mich aus den Schuhen.

„Hast du den Roman ‚Die abenteuerliche Revolte des Gefreiten Asch' gelesen?" Natürlich hatte ich. Dieses Buch von Hans-Hellmut Kirst über den passiven Widerstand eines Soldaten gegen die Willkür beim Barras war eine Sensation und ein Bestseller. Deutschland lachte über die Figuren Asch, Kowalski und Vierbein, die die komischsten Abenteuer auf dem Kasernenhof und in den Stuben zu überleben versuchten, indem sie die oft absurden Dienstvorschriften gegen diejenigen ausspielten, die sie damit bis zur Verzweiflung malträtierten. Und Paul May bot mir jetzt Probeaufnahmen für die Besetzung der Hauptrolle an: den Gefreiten Asch! Zudem hörte ich von Gundel, dass auch sie zu Probeaufnahmen eingeladen war. Mir wurde ganz schwindlig.

„Was ist, wenn ich hier nicht wegkomme?"

„Dann verpasst du eine Chance, wie man sie nur einmal im Leben bekommt! Und noch was – wenn wir uns im Atelier sehen, geht keinen was an, dass wir befreundet sind! Kapiert? Also bis übermorgen bei Arri in der Türkenstraße!"

Produzent Adam Schneider las das Telegramm. Was ich ihm erzählt hatte, ließ ihn bedenklich den Kopf schütteln. „Wenn es weiter so schüttet, können Sie von mir aus fahren, wohin Sie wollen. Wenn es aufhört, fahren Sie nirgendwohin, wir hängen mit unseren Aufnahmen mehr als eine Woche hinterher – haben Sie eine Ahnung, was das kostet?"

Am nächsten Tag stürmte es derart, dass keiner mehr vor die Tür gehen konnte. Als dann gemeldet wurde, dass der Pötschenpass, die Hauptverkehrsstraße zwischen Bad Aussee und Bad Ischl, durch Murenabgänge blockiert sei, meinte Schneider, ich könne fahren, wenn ich glaubte, mit meinem Porsche über den Pass zu kommen. Das waren keine Steine mehr, sondern ganze Felsbrocken, die meiner Karriere in den Weg gelegt wurden. Aber Schneider war ein Mensch mit Herz. Er fragte sogar den Kollegen Charly König, ob er bereit sei, mich aus Sicherheitsgründen zu begleiten. Und Charly war von der Idee begeistert. „Dann komm ich aus dem Regenloch, den Betten und den Lubitscher-Gelagen wenigstens mal einen Tag raus!"

Die Fahrt wurde zum Abenteuer. Mein geliebter Porsche tat auf glatter Bahn sein Bestes, aber er war nun mal kein Geländewagen. An einer verschütteten Stelle war scheinbar endgültig Schluss. Links Felsen, rechts ein steiler Abhang, in der Mitte eine Mure. Aus!

„Probieren geht über Studieren", sagte Charly. „Setz dich rein und versuch die Spur zu halten. Kleiner Gang, Kupplung schleifen lassen, ich drück auf der Talseite gegen die Wagentür!"

Langsam rutschte der Porsche durch den Schlamm vorwärts. Wenn es gelang, den Wagen in der Spur zu halten, hatten wir die Chance, hundert Meter weiter unten wieder auf die geschotterte Straße zu kommen. Als es schließlich geschafft war, hatte Charly zerschundene Hände, einen hochroten Kopf und keinen als solchen mehr erkennbaren Anzug und ich keinen trockenen Faden mehr am Leib.

Gegen Mittag, wir hätten bereits in München sein sollen, sahen wir

DENN ERSTENS KOMMT ES ANDERS ...

uns in Lauffen vor einem neuen, scheinbar unüberwindlichen Hindernis. Die enge Ortsdurchfahrt war von der Traun überflutet. Eine Umgehungsstraße gab es nicht.

„Ich rufe in München an, vielleicht können die Probeaufnahmen für mich verschoben werden?" Meine letzte Hoffnung.

„Die Gloria-Film hat das Studio bei Arri nur für einen Tag", erklärte Paul May. „Außerdem hat Frau Kubaschewski einen Favoriten für die Rolle. Mit dem mache ich in zwei Stunden Probeaufnahmen."

„Wer ist es?"

„Adrian Hoven", brummte May, „und wenn du bis fünf nicht hier bist, kannst du bleiben, wo du bist!"

„Ich komme – bestimmt!", schrie ich und hatte nicht die geringste Ahnung, wie das gehen sollte.

Wieder ergriff Charly die Initiative. „Wenn wir die Karre dicht kriegen", sagte er nachdenklich, „könnten wir sie wie einen Kahn da rüberziehen!" Schaulustige beobachteten, wie zwei Verrückte ihren Porsche zu einem Amphibienfahrzeug umrüsteten, indem sie mit Plastiktüten Türen, den Motorraum und den Auspuff abdeckten. Einige hatten Mitleid und boten ihre Hilfe beim Schieben an. Dann ging alles schneller als erhofft. Die Plastiktüten hielten dicht, wenigstens im Motor und am Auspuff. Der Wagen sprang beim ersten Versuch an, die Zuschauer klatschten Beifall. Wie zur Entschädigung für unsere bisherigen Anstrengungen verlief der Rest der Reise ohne Hindernisse. Gegen 16.30 Uhr rief ich Paul May bei Arri an.

„Wo steckst du?" Er klang ungehalten.

„An der Raststätte Holzkirchen, ich kann in einer halben Stunde im Atelier sein!"

„So lang kann ich ziehen!"

Ab da hielt Charly sich am Armaturenbrett fest. Um 17.10 Uhr fuhren wir in den Hof bei Arnold & Richter in der Türkenstraße ein. Charly war etwas blass um die Nase.

DER DRITTE Stock des Ateliergebäudes war voller Leute. Neben einer Stahltür brannte ein rotes Licht: RUHE – AUFNAHME! Wir wagten kaum zu atmen. Das Licht erlosch, die Stahltür öffnete sich, heraus kamen Paul und Ille May, in freundlichem Gespräch mit Adrian Hoven. Gott sei Dank fiel mir ein, was Paul May gesagt hatte: „Es geht keinen was an, dass wir befreundet sind!" Also förmliche Begrüßung. „Wie sehen Sie denn aus?", fragte May nach einem abschätzigen Blick auf unsere Klamotten. „Lassen Sie sich für die Probeaufnahmen einkleiden!"

Man verpasste mir eine alte Wehrmachtsjacke und ein Blatt Papier mit Dialogen, die ich schnell lernen sollte. Ein Kanapee stand in der Gegend herum, auf das man mich setzte. Neben mir zwei weitere Anwärter auf Weltruhm. Wie sich schnell herausstellte, waren es zwei erfahrene Theaterschauspieler, textsicher, ausdrucksstark. Der eine hieß Hans Clarin und war von den Münchner Kammerspielen, der andere kam aus der Schweiz, vom Baseler Stadttheater: Paul Bösiger. Beide waren für die Rolle „Vierbein" vorgesehen.

May saß neben der Kamera, klein, sehr leise, spitzbartkraulend, hoch konzentriert. „Den Kopf nach links bitte – nach rechts – schauen Sie direkt in die Kamera – wie heißen Sie?"

Fast war es mir peinlich, meinen Namen zu nennen. Während der Scheidungszeit hatte sich zwischen uns eine Art Wahlverwandtschaft entwickelt, ein Eltern-Sohn-Verhältnis. Irgendwann hatte ich den beiden Gundel vorgestellt. „Das ist die Richtige für dich", sagten beide.

Die Scheinwerfer taten jetzt in den Augen weh.

„Ich heiße Joachim Fuchsberger, bin 25 Jahre alt", beantwortete ich Mays Frage.

„Was machen Sie im Augenblick?"

„Ich sitze in Bad Aussee, bei der Bergland-Film, besoffen auf einem Weinfass und singe."

May grinste und kraulte. „Waren Sie Soldat?"

„Ja. Fallschirmjäger."

„In Gefangenschaft?"

„Auch. Bei den Russen, den Amerikanern und den Engländern."

Ich begriff. Das Interview vor laufender Kamera sollte mein auf die Rolle zugeschnittener Lebenslauf werden, für die entscheidenden Leute bei der Gloria-Film. Es folgten einige Dialogszenen mit Hans Clarin und Paul Bösiger.

„Danke – aus. Das war's!" May verließ das Atelier.

Was folgte, waren schlaflose Nächte im Hotel Wasnerin. Ein paarmal rief ich an. Paul May war entweder nicht zu erreichen, oder er hatte noch keine Entscheidung.

Ich hatte nur eines im Kopf: die Chance, die Hauptrolle in einer Trilogie über die Vorkriegs- und Kriegszeit in Deutschland zu spielen, als Zeitzeuge glaubhaft darzustellen, was den „Führer" und seine Generäle dazu bewogen hatte, Deutschland gegen den Rest der Welt und uns alle in den Untergang zu hetzen. Eine Rolle, für die es Millionen von Zeitzeugen gab. Alle, die während der fünfeinhalb Jahre des Zweiten Weltkriegs an den Fronten gutgläubig mit ihrem Leben das schuldig gewor-

DENN ERSTENS KOMMT ES ANDERS ...

dene Vaterland verteidigten, in blindem Gehorsam oder aus Todesangst taten, was man ihnen befahl.

Und was tat ich? Ich saß im verregneten Bad Aussee und sollte irgendwann auf der Alm mit schmachtendem Blick meiner Angebeteten Blumen in den verlockenden Ausschnitt ihres kleidsamen Dirndls stecken. Die Zeit des Wartens machte mich langsam verrückt.

„Ich muss die Kubaschewski davon überzeugen, dass ich für die Rolle keinen gut aussehenden, bekannten Star brauche, sondern einen völlig unbekannten Zeitzeugen, der selbst erlebt hat, was er spielen muss. Nur so werden sich Millionen anderer mit dieser Figur identifizieren", sagte Paul May, als ich ihn endlich erreichte. „Bis jetzt hat sie sich immer noch nicht entschieden. Du musst Geduld haben!"

EIN STRAHLENDER Tag, wie es ihn nur nach einem langen Regen gibt, der die Luft gereinigt hat, lag über dem Ausseer Land. Der Dachsteingletscher leuchtete in der Sonne, die gegenüberliegenden Gipfel des Toten Gebirges ragten wie ein Scherenschnitt in den Himmel.

Das Team fuhr in bester Laune zum Motiv am nahe gelegenen Grundlsee. Ein Schloss, direkt am Ufer des Sees, sollte der attraktive Hintergrund für meine erste Liebesszene mit Elisabeth Stemberger werden. Es war ziemlich heruntergekommen, aber die Lage war atemberaubend schön. Architekt und Bühnenarbeiter hatten eine Ecke für unsere Aufnahmen hergerichtet, Hauptmotiv war ohnehin die herrliche Landschaft. Viele geheimnisvolle Geschichten erzählte man sich vom Schloss am Grundlsee und vom Ort Gössl, durch den man zum dahinter liegenden Toplitzsee kommt. Die ganze Gegend spielte eine bis heute nicht ganz klare Rolle in den letzten Tagen des Zweiten Weltkriegs. Propagandaminister Joseph Goebbels quartierte zeitweise seine Frau und seine sechs Kinder hier ein, um sie vor den immer stärker werdenden Bombenangriffen auf die Reichshauptstadt zu schützen, und während der letzten Wochen des „Dritten Reiches" war Schloss Grundlsee das Hauptquartier des SS-Führers Kaltenbrunner. Man erzählt sich, dass in den Kellerräumen und in unterirdisch angelegten Bunkern Schätze ungeahnten Ausmaßes versteckt seien oder dass dort die Druckmaschinen für die gefälschten Pfundnoten ihre Arbeit getan hatten, mit denen die Währung Englands ruiniert werden sollte. Noch viel dramatischer war das Geschehen am Toplitzsee. Gesäumt von hohen Felswänden, nahezu unzugänglich von allen Seiten, wurde die ganze Gegend um den See herum zu einer Art Alpenfestung. In der fast unermesslichen Tiefe des Sees fanden all die Dinge, von denen sich die Nazis nicht trennen wollten, ihr letztes Versteck.

Natürlich interessierte mich das alles viel mehr als die kleine, unwichtige Filmrolle. Umso intensiver dachte ich an Kirsts Roman-Trilogie, die sich genau mit dieser bitteren Realität des „Tausendjährigen Reiches" auseinandersetzte.

DIE LIEBESSZENE und der Rest meiner Rolle in *Wenn ich einmal der Herrgott wär* waren abgedreht und Paul May meldete der Gloria-Film, dass ich einigen Erfolg bei der Arbeit gehabt hätte. Ilse Kubaschewski gab schließlich nach, ich bekam die Rolle des Gefreiten Asch und geriet in eine Art Taumel. Dazu kam, dass Gundel einen derart guten Eindruck bei den Mays hinterlassen hatte, dass die Gloria-Film sie für mehrere Jahre unter Vertrag nahm. Für *08/15* wurde sie für die Rolle der Ingrid Asch verpflichtet – meine Schwester. Inzwischen stand fest, dass aus der Trilogie auch drei Filme werden sollten*: 08/15, 08/15 im Krieg* und *08/15 bis zum bitteren Ende*. Der erste Teil war der Zeit bis zum Kriegsbeginn im September 1939 gewidmet, der zweite Teil dem erbarmungslosen Kampf an der Ostfront, Stalingrad, dem Beginn des Rückzugs an allen Fronten, den ersten Widerstandsversuchen deutscher Offiziere, und der dritte Teil dem Ende Deutschlands und den Erlebnissen der überlebenden Hauptfiguren in Gefangenschaft.

May war der Meinung, eine junge Truppe von ungedienten Studenten samt einer beachtlichen Riege junger, unverheirateter Schauspieler sei schwieriger zu hüten als ein Sack Flöhe. Um uns zu bändigen, hatte er der Produktion aufgetragen, dieses Problem wie beim Militär zu lösen – indem sie den ganzen Haufen kasernierte. Das war leichter gesagt als getan. Bald schon stand fest, dass der Film so gut wie keine Unterstützung bekommen würde, weder vom Staat noch vom Bundesgrenzschutz. Das bedeutete, dass wir keine Kaserne zur Verfügung gestellt bekamen. Es musste also eine ganze Anlage gebaut werden. Was sich anbot, waren die überdimensional großen Ateliers

In der Filmtrilogie *08/15* mit Karl Bösiger, 1954

DENN ERSTENS KOMMT ES ANDERS ...

des Bildhauers und Architekten Josef Thorak in Baldham im Osten Münchens, in denen Hitlers Bildhauergigant seine überdimensionalen Helden- und Götterfiguren geschaffen hatte, die das Nürnberger Reichsparteitagsgelände zieren und auf den Autobahnen die Herrlichkeit des „Dritten Reiches" demonstrieren sollten. Drum herum wurden Gerüste aufgebaut, mit Sackleinen bespannt und als Kasernenbau täuschend echt bemalt. Die Soldaten für diese Kaserne wurden nach einer größeren Werbekampagne in Privathäusern in der Wohnsiedlung Baldham untergebracht.

Auf dem „Dienstplan", so nannten wir die tägliche Disposition, stand vornehmlich „Exerzieren", das heißt, 120 ungediente Komparsen mussten lernen, wie sich ein Soldat zu benehmen hat: gehen und stehen, mit dem Karabiner hantieren, Grüßen eines Vorgesetzten. Dabei ging etwas für mich Erschreckendes vor sich: Kaum dass die Uniformen mit unterschiedlichen Rangabzeichen verteilt waren, änderte sich der Umgang der Komparsen untereinander schlagartig. Die Gefreiten sonderten sich von den gemeinen Soldaten ab, die Unteroffiziere von den Gefreiten, die Wachtmeister von den anderen Unteroffizieren und die Offiziere von allen anderen. Plötzlich herrschte die Hierarchie wie zu Barraszeiten. Einer, der den „Spieß" spielen sollte, nahm seine Rolle derart ernst, dass schon bald keiner mehr mit ihm sprach, und er stolzierte selbst in der Freizeit in der Gegend herum, als gehörte ihm der ganze Laden.

Die Publicity-Maschine für den Film war angelaufen. Kirsts Buch erschien in einer westdeutschen Illustrierten als Fortsetzungsroman, das Interesse der Medien an unserem Film wurde täglich größer.

Die Münchner *Abendzeitung* beschäftigte damals den ersten Kolumnisten, Hannes Obermaier alias „Hunter", für mich bis heute der Beste seiner Zunft. Obermaier hatte eine geniale, aber nicht ganz ungefährliche Idee: Er wollte mit der Hauptfigur des Films, dem Gefreiten Asch, also mir, und ihm als Obergefreitem in voller Uniform in der Münchner Innenstadt auftauchen. „Mal sehen, was passiert", sagte er.

Bevor wir loszogen, wurden wir darauf hingewiesen, dass auf das Tragen der alten Wehrmachtsuniform mit Hoheitsadler und Rangabzeichen, gar noch mit Seitengewehr und Karabiner, nach dem alliierten Militärgesetz die Todesstrafe stand.

Den Karabiner ließen wir weg, aber das Bajonett baumelte am Koppelschloss, der Reichsadler mit Hakenkreuz prangte auf der Brust und am Käppi, die Rangabzeichen am Ärmel. So erschienen wir eines Tages am Stachus und stellten uns genau in die Mitte des großen Platzes, nicht zuletzt weil dort ein Polizist den damals noch recht spärlichen Verkehr regelte.

„Pass auf", sagte Obermaier, „den fragen wir, wo die Meldestelle für Fronturlauber ist."

Im Gleichschritt marschierten wir auf den verdatterten Polizisten zu, knallten die Hacken zusammen, salutierten vorschriftsmäßig und stellten unsere Frage. Der Mann hatte offensichtlich gedient, fühlte sich schlagartig in die Zeit zurückversetzt, erwiderte unseren Gruß, ließ Verkehr Verkehr sein und schnarrte zurück: „Meldestelle für Fronturlauber? Tut mir leid, Kameraden, ich bin hier selber ortsfremd!"

Wir hatten alles andere als das erwartet, hielten uns aber eisern unter Kontrolle. Von überall waren versteckte Kameras auf uns gerichtet. Also: Hand an den Rand der Kopfbedeckung, Kehrtwendung, im Gleichschritt zurück über den Platz auf den Gehsteig.

Nächste Station war die Schillerstraße am Hauptbahnhof. Hier befanden sich beliebte Verstecke für die verbotene *fraternisation*, die im Jahr 1954 aber nicht mehr ganz so streng überwacht und verfolgt wurde. In den einschlägigen Bars staunten die Kunden nicht schlecht, als wir auftauchten. Die Amerikaner hatten meist schon einen im Tee und reagierten auf derartige Provokationen recht aggressiv. Einige machten sich kampffertig, kamen immer näher. Hannes Obermaier hielt es für angebracht, die Lage zu entschärfen, und zückte seinen Presseausweis. „Wir machen einen Film über die deutschen Soldaten. Er heißt *08/15*, das bedeutet auf Englisch *SNAFU*!" Die kampfbereiten GIs fingen an zu lachen. *SNAFU* bedeutet: *Situation normal – all is fucked up*. Also sinngemäß das Gleiche wie 08/15. Der Begriff kam aus der Waffenkunde. Zwischen 1908 und 1915 wurde das Maschinengewehr entwickelt, das im Ersten Weltkrieg als Standardwaffe eingeführt wurde. Mit „08/15" bezeichnete man alles, was genormt war, von der Heeresdienstvorschrift bis zum Kantinenfraß. Das verstanden die GIs und wurden spendabel. Sie luden uns zu Drinks ein.

„Jetzt gehen wir ins Hofbräuhaus!", meinte Obermaier.

Wir hätten es nicht tun sollen. Beim Eintritt in die fast volle Bierhalle entstand eine bedrückende Stille. Dann kam vereinzelt Beifall auf, der immer stärker wurde und die Blaskapelle auf dem Podium schließlich dazu verführte, den „Badenweiler Marsch" zu intonieren – Hitlers Lieblingsmarsch. Das rief nun doch einige auf den Plan, die unseren Auftritt alles andere als komisch fanden. Mit Maßkrügen, die in Bayern nicht selten auch als Schlagwaffe dienen, kamen sie bedrohlich auf uns zu.

„Ihre Ausweise bitte!", sagte eine strenge Stimme hinter uns. „Kriminalpolizei! Kommen Sie mit, und machen Sie keine Schwierigkeiten!"

Der Zivilist musterte uns streng. Neben ihm stand der Verkehrspolizist, den wir nach dem Weg gefragt hatten. Obermaiers Presseausweis half diesmal nichts, auch keinerlei Versuch unsererseits, das Geschehen zu erklären. „Jetzt kommen Sie erst mal mit zum Stachus, wo Sie mit Ihrem Unsinn den Polizisten belästigt haben!"

Wir marschierten zwischen Kriminal- und Verkehrspolizist zurück zum Stachus, über die Kreuzung auf die Verkehrsinsel, hinein in das Häuschen, das als Dienstraum für Straßenbahnpersonal diente. Verhör, Erklärungen, Presseausweis, Zweifel, Anruf im Polizeipräsidium. „Ihre Angaben zu Ihren Personalien scheinen ja zu stimmen. Hannes Obermaier, Journalist, Joachim Fuchsberger, Rundfunksprecher, Schauspieler." Nach einigen weiteren Fragen ein erneuter Anruf. „Jawohl", sagte der Kriminalbeamte und nickte dienstbeflissen, dann noch mal: „Jawohl, ich weiß Bescheid!" Er legte auf und betrachtete uns nachdenklich. „Meine Herren, ich habe Anweisung, Sie zu belehren und danach auf freien Fuß zu setzen. Allerdings haben Sie sich unverzüglich, ohne weiter öffentliches Ärgernis zu erregen, auf das Gelände Ihrer Filmproduktion zu begeben. Sie müssen mit einer Anzeige rechnen."

Natürlich berichtete die Presse ausführlich über unsere Komödie, die belacht wurde. Das Verfahren gegen uns wurde dem wirklichen Sachverhalt entsprechend „entpolitisiert": Der mit Todesstrafe belegte Vorwurf, vorsätzlich gegen das alliierte Militärgesetz gegen Waffenbesitz und Verherrlichung nazistischer Embleme verstoßen zu haben, wurde stufenweise abgemildert, das Verfahren schließlich ganz eingestellt.

BEIM Film stellt man sich hin, verzieht das Gesicht, küsst die schönsten Frauen und bekommt dafür noch einen Haufen Geld. Diese weitverbreitete Meinung war gründlich korrigiert, nachdem wir ein paar Drehtage hinter uns hatten.

Was in Kirsts Roman der Fantasie des Lesers überlassen bleibt, musste in die Sprache der Bilder übersetzt werden. Paul Mays Aufgabe war es, die Stimmung vor Ausbruch des Zweiten Weltkriegs, im Sommer des Jahres 1939, wiedererstehen zu lassen, die Euphorie des Schlachtrufs „Führer befiehl, wir folgen dir!" umzusetzen in unsere kleine Welt. Kasernenhof und Drill, Kantine und Besäufnis, Unterkunft und Drangsal der Soldaten, Latrine und ihre Parolen, Schießplatz und Verlockung mit scharfer Munition. Wir machten alles mit, ohne zu murren. Wir ließen uns einsperren, robbten durch Staub und Schlammlöcher, rannten bis zur Erschöpfung. Im Außenbereich des Thorak-Geländes wurde eine Lichtung in den Wald geschlagen, der das Gelände umgab. Diese Lichtung war unser Exerzierplatz – der „Schleifstein" für die Figur „Schleifer Platzek", gespielt von Hans Christian Blech.

Die Komparsen revidierten sehr bald ihre Meinung über das Lotterleben beim Film. Für wenig Geld mussten sie sich Dinge gefallen lassen, die ihnen die reine Freude an der Filmerei gründlich verdarben.

Die Öffentlichkeit und die Medien diskutierten währenddessen heftig die Frage, ob dieser Film denn nötig, ja ob er überhaupt zu verantworten sei. Die einen meinten, er verherrliche den schlimmsten Teil deutscher Geschichte, die anderen vertraten die Ansicht, es sei Zeit für eine schonungslose Abrechnung mit unserer jüngsten Vergangenheit. Viele der Verantwortlichen hatten Angst, es könnte ähnliche Reaktionen geben wie bei der Premiere des weltberühmten Filmes *Im Westen nichts Neues* nach dem Antikriegsroman von Erich Maria Remarque. Damals wurden die Vorführungen in den Kinos durch Stinkbomben und laute Proteste gestört.

Statt Protest erlebten wir einen Sturm der Begeisterung. Die Kinos wurden regelrecht gestürmt. Der Film *08/15* hatte das Herz von Millionen deutschen Zuschauern erreicht. Er wurde quasi zur Bestätigung der Wunschvorstellung von so vielen geschundenen und gedemütigten Soldaten, die sich angeblich gegen Kadavergehorsam und Willkür von Vorgesetzten gewehrt hatten. Mit dem unbekannten Gefreiten Asch hatten sie plötzlich eine Symbolfigur.

Die Premiere fand im Stachus Filmtheater in München statt. Alles, was mitgewirkt hatte, war anwesend. Paul May und Ilse Kubaschewski hatten mich gebeten, die Premierenrede zu halten und die Kollegen auf der Bühne vorzustellen. Eine große Ehre, doch bei diesem Anlass zitterten mir die Knie.

Der Abspann lief. Während die Namen noch über die Leinwand flimmerten, gab es schon Bravo-Rufe und Applaus. Als die letzte Fanfare von Rolf Wilhelms Musik verklungen war und der Vorhang sich schloss, brach ein Jubelsturm los. Es dauerte eine Weile, bis mich die begeisterten Zuschauer zu Wort kommen ließen. Einzeln stellte ich die Mitwirkenden vor, jeder bekam Bravo-Rufe. Da sah ich plötzlich Mario Adorf in der zweiten Reihe sitzen. Wieso war er nicht bei uns oben auf der Bühne? Gerade noch hatten die Zuschauer schallend gelacht über seine großartige Szene mit dem ungeliebten „Spieß".

„Mario, was machst du da unten?", rief ich ihm zu. „Komm rauf und nimm deinen verdienten Applaus entgegen. Meine Damen und Herren – Mario Adorf!" Das war der Beginn einer Freundschaft, die über ein halbes Jahrhundert gehalten hat. Jetzt stand er auf der Bühne des Stachus-

Hochzeit mit Gundula, 1954

Kinos in München, in einer Reihe mit Paul Bösiger, Peter Carsten, Reinhard Glemnitz, Gundula Korte, Eva-Ingeborg Scholz, Helen Vita, Rainer Penkert, Hans Elwenspoek, Emmerich Schrenk und vielen anderen.

Über Nacht wurden wir jungen Schauspieler zu „Stars". In allen Blättern war irgendein Bericht oder eine Geschichte aus oder über *08/15*, die Hauptdarsteller waren populäre Figuren, und man interessierte sich in zunehmendem Maße für deren Privatleben. Besonders das Geschwisterpaar Ingrid und Herbert Asch wurde zum Freiwild für die Fotografen, nachdem die herausgefunden hatten, dass wir im Leben ein Liebespaar waren. Natürlich hatten sie keine Ahnung, dass Gundel und ich uns schon lange vor dem Film kannten, also erfanden sie die romantische Geschichte, dass uns der Film zusammengebracht habe.

Einer mit dem Spitznamen „Major Pit", der eigentlich Pit Seeger hieß, war besonders beharrlich. Eines Tages teilte er uns mit, dass er einen Artikel mit Titelbild über uns an eine Illustrierte verkaufen könnte. Er machte die Fotos in unserer Wohnung. Kurze Zeit später rief er an und verkündete stolz: „Ich habe den Titel verkauft. Allerdings hat die Sache einen Haken. Ich habe der Redaktion gesagt, dass ihr heiratet!"

Also versprachen wir uns am Donnerstag, dem 2. Dezember 1954 um drei Uhr vor dem Standesbeamten im Gräfelfinger Rathaus, dass wir uns lieben und achten würden, bis dass der Tod uns scheidet. Pit Seeger war so aufgeregt, dass er vergaß, einen neuen, leeren Film einzulegen. Mitten in der Zeremonie ging ihm der Film aus, und unter allgemeiner Heiterkeit tauschten wir die Ringe ein zweites Mal. Wir nahmen es als gutes Omen. Wir geben beide gerne zu, dass wir im hohen Alter erstaunt, dankbar und glücklich sind, den Ehrentitel „viertlängst verheiratetes Paar im Showbusiness" zu tragen, und zwar weltweit.

Mit Romy Schneider in *Der letzte Mann*, 1955

Als Chefinspektor Long in der Edgar-Wallace-Verfilmung *Die Bande des Schreckens*, mit Eddi Arent (rechts), 1960

Kampfszene aus dem Fernsehfilm *Hotel Royal*, 1969

DIE ZEIT des jungen Ruhmes war aufregend schön. Gundel, die eine fast unglaubliche Ähnlichkeit mit der großen Kristina Söderbaum hatte, bekam als Erste einen langjährigen Starvertrag von der Gloria-Film.

Dann sollte der alte Emil-Jannings-Film *Der letzte Mann* neu verfilmt werden, unter der Regie von Dr. Harald Braun. Er bot mir die Rolle eines jungen, forschen, skrupellosen Rechtsanwalts an, der eine junge Hotelerbin beflirtet, um an ihr Erbe zu kommen. Diese junge Erbin war Romy Schneider mit ihren hinreißenden sechzehn Jahren. Ihren Beschützer, den Chefportier des Hotels und Freund ihrer verstorbenen Eltern, spielte der große Hans Albers. Der nahm seine Rolle derart ernst, dass er mich persönlich für das gleiche Schwein hielt wie den erbschleichenden Rechtsanwalt.

Albers hatte seinen Schützling Romy und mich in einem Zimmer zu überraschen, wo wir in trauter Zweisamkeit Champagner tranken. „Geh sofort auf dein Zimmer!", herrschte er sie an, was mich, den Vermögensverwalter und Erbschleicher, in Rage versetzte. Ein Wort gab das andere, am Schluss der Szene sollte Albers die Beherrschung verlieren und mir ins Gesicht schlagen. Geplant und geprobt war eine saftige Ohrfeige. Albers hatte sich jedoch eine eigene Version zurechtgelegt. Er schlug vorwärts und rückwärts zu. Dabei trug er an der Schlaghand einen breiten, flachen Ring. Das tat weh. Um das Ganze noch unangenehmer zu machen, hatte er beschlossen, nach den beiden Schlägen seinen Text zu vergessen, sodass die Szene wiederholt werden musste.

„Tut's weh?", fragte er.

Natürlich wollte ich mir vor meiner jungen Partnerin Romy keine Blöße geben. „Nein, Herr Albers, hauen Sie ruhig zu!"

Und er schlug zu, alles in allem an die zehn Mal. Also hatte ich zwanzig saftige Ohrfeigen hinter mir, als der Kameramann die Szene abbrach und mich aus nächster Nähe betrachtete. „Wir müssen aufhören", sagte er. „Herr Fuchsberger ist plötzlich doppelt so dick!" Dabei warf er einen vorwurfsvollen Blick in Richtung Superstar Hans Albers. Die Dreharbeiten wurden unterbrochen, in der Garderobe versuchte man es mit kühlenden Tüchern und Echt Kölnisch Wasser. Das verbrauchte auch Albers literweise. Da er sehr leicht schwitzte, gab ihm sein Garderobier vor jeder Aufnahme ein mit Kölnisch Wasser getränktes Fensterleder, das Albers sich aufs Gesicht legte. Die Kühle des verdunstenden Alkohols hielt ihn für die Minuten der Aufnahme trocken. Vielleicht half dieses Verfahren auch gegen Schwellungen?

Es klopfte an der Tür. Draußen stand Albers' Garderobier Otto. „Herr Albers bittet Sie, in seine Garderobe zu kommen!" Wenn der große Albers bitten ließ, war es für einen kleinen Nachwuchsschauspieler ratsam, der Einladung zu folgen.

Die große Stargarderobe war mit Blumen geschmückt. Albers hatte sich in einen kleidsamen Morgenmantel geworfen. Er stand an einem kleinen Tisch, auf dem ein Sektkühler mit einer Champagnerflasche stand. Daneben zwei Gläser. Albers sah mich und mein verquollenes Gesicht lange an, dabei schnaufte er wie ein Walross, was er immer tat, wenn er sich konzentrieren musste. „Wollen wir uns wieder vertragen?"

Kein „Es tut mir leid, das wollte ich nicht" oder etwas Ähnliches, was man als Entschuldigung hätte werten können. Er nahm die Flasche aus dem Kühler, füllte ein Glas und kam damit auf mich zu. In seinen riesigen wasserblauen Augen lag etwas, das wenigstens so aussah, als täte ihm leid, was er sah. Ich nahm das Glas. Er schenkte sich selbst ein und hob mir sein Glas entgegen. „Prost – und gute Besserung!"

Und er nahm es mir nicht mehr persönlich übel, dass ich ihn laut Drehbuch zum Toilettenmann im Hotel degradieren musste.

Vielleicht war er auch nur eifersüchtig gewesen, weil die entzückende Romy Schneider deutlich erkennen ließ, dass ihr Partner ihr nicht ganz unsympathisch war. So war es ganz normal, dass man mich zu ihrem „Aufpasser" beförderte, was hieß, dass ich auch in der Freizeit dafür sorgen sollte, dass der kleine Star auf keine dummen Gedanken kam. Es gab schon einige im Team, die hinter vorgehaltener Hand meinten, da hätte man den Bock zum Gärtner gemacht. Doch dass ich dagegen immun war, lag auf der Hand – gerade mal ein paar Monate verheiratet mit einer der reizvollsten und schönsten jungen Schauspielerinnen im Land.

Eines schönen Sonntagmorgens hatte ich Romy versprochen, mit ihr zusammen zum Baden nach Rottach-Egern an den Tegernsee zu fahren. Sollte Romy tatsächlich für mich geschwärmt haben – an diesem Tag ging jegliche Achtung für mich flöten, und das kam so:

Aus dem etwas tieferen Teil des Brasserbads am See ragte ein fünf Meter hoher hölzerner Sprungturm. Romy sagte nichts, aber es war irgendwie spürbar, dass sie erwartete, dass ich da hinaufkletterte und den Sprung in die Tiefe wagte. Das mit dem Wasser wäre ja gegangen, aber ich hatte ein anderes Problem. Seit meiner Kindheit habe ich eine unüberwindliche Abneigung gegen Fische, nein, eigentlich gegen alles, was aus dem Wasser kommt. Bekomme ich auch nur eine winzige Menge von Fischeiweiß in den Körper, schwellen meine Atemwege innerhalb kürzester Zeit derart an, dass ich Gefahr laufe zu ersticken.

Jetzt stand ich auf dem Sprungturm, fünf Meter über dem Tegernsee, bereit, mich in die Tiefe zu stürzen, um einem Teenager zu imponieren.

DENN ERSTENS KOMMT ES ANDERS ...

Es kam nicht dazu. Ein Sonnenstrahl fiel in das klare Wasser unter mir, und in diesem Sonnenstrahl tummelte sich ein Schwarm winzig kleiner Fische. Keiner war größer als ein paar Zentimeter, aber groß genug, um mich mit Panik zu erfüllen. Mir blieb nichts anderes übrig, als den Rückzug anzutreten, die Leiter am Sprungturm hinunter. Dort stand mit großen Augen Romy. „Warum bist du nicht gesprungen?"

„Weil ich vor den Fischen da drinnen Angst habe!"

Zuerst dachte sie wohl, ich machte einen Witz. Dann schien sie zu begreifen, dass es mir ernst war, und fing an zu lachen. Offensichtlich hielt sie mich für ein Weichei, und in so was verknallt man sich nicht.

Der Film wurde für mich alles andere als ein Erfolg. Schmerzhaft wurde mir klar, dass man eben nicht ungestraft alles spielen kann, wenn es nur gut gespielt ist. Im Gegenteil, je glaubwürdiger eine böse Rolle gespielt wird, umso mehr identifiziert das Publikum den Schauspieler mit dieser Rolle. Das haben Gerd Fröbe und Mario Adorf nach ihren meisterhaft gespielten Rollen in *Es geschah am helllichten Tag* oder *Nachts, wenn der Teufel kam* erfahren müssen. Man ging ihnen aus dem Weg, zog Kinder auf die andere Straßenseite, und Kollegen wurden gefragt, ob die beiden in Wirklichkeit auch solche Ungeheuer seien wie im Film. Dabei hätte keiner von beiden auch nur einer Fliege etwas zuleide tun können. Mir hat man nach dem Film vorgeworfen, ich sei falsch, berechnend und ein „typischer Erbschleicher" und hätte dem Liebling der Nation sicher viel Böses angetan. Erfreulicherweise war das Gegenteil der Fall. Nicht nur Romy und ich, sondern die Familien freundeten sich miteinander an. Romy wurde dann als „Kaiserin Sissi" zum absoluten Superstar.

Romy war umwerfend natürlich und den Ränken und Intrigen der Filmbranche, die manchmal einem Haifischbecken gleicht, kaum gewachsen. Dafür war Hans Herbert Blatzheim als ihr Manager umso gewiefter. Romy war nach ihrer Mutter Magda Schneider, ihrem Vater Wolf Albach-Retty und ihrer Großmutter Rosemarie Albach die dritte Schauspielergeneration in der Familie und hatte alles, was an Begabung in dieser Dynastie vorhanden war, in sich vereint. Ein Talent, wie man es nur ganz selten trifft. Trotz alldem blieb sie in ihrem Wesen so unkompliziert, dass jeder sie liebte und verehrte. Ihre Art zu spielen und ihre Rollen mit Leben zu erfüllen wurde bewundert, von Kollegen ebenso wie von Regisseuren und Produzenten. Auch später, als Weltstar, war sie immer noch so, wie ich sie kennen gelernt hatte.

Im Jahr 1965 drehten Romy und ich unabhängig voneinander jeder einen Film in Rom. Die Produktionen brachten uns zufällig im selben Haus unter. Wir staunten nicht schlecht, als wir uns im prächtigen

„Palazzo al Velabro", einer alten römischen Villa mit riesigen Räumen am Forum Romanum, über den Weg liefen. Ich denke heute noch mit Gänsehaut daran zurück, als ich bei meiner Ankunft entdeckte, wer außer mir noch in diesem Luxusschuppen wohnte. Ganz oben mit Dachterrasse hauste Vittorio De Sica, unter ihm Rod Steiger aus den USA, im Stockwerk darunter residierte Romy, und im Erdgeschoss hatte man Gundel und mich einquartiert. Nur einmal traf ich vor dem Haus Rod Steiger, der in seine Limousine einstieg und mich keines Blickes würdigte, obwohl ich ihm ein freundliches *Good morning* bot. Vermutlich wollte er einer erwarteten Autogrammbitte entkommen. Die anderen Weltstars bekam ich nie zu Gesicht. Aber Romy.

Wenn sie am Abend müde von den Dreharbeiten nach Hause gebracht wurde, klingelte sie manchmal bei uns und fragte, ob wir nicht in der Osteria um die Ecke einen Teller Spaghetti essen wollten. Oft war ich schockiert über das, was sie mir an solchen Abenden erzählte: wie man sie ausnützte, sich an ihr bereichern wollte, ihre Gutmütigkeit missbrauchte und sie verletzte. Die Aktivitäten ihres Stiefvaters veranlassten sie gar dazu, jeden Kontakt zu ihm unversöhnlich abzubrechen, noch über seinen Tod hinaus. Zu seiner Beerdigung in Köln erschien sie nicht, und das war wahrscheinlich auch besser so.

Auf Wolke sieben

Seit meiner Kindheit war Fliegen mein Traum. Seit ich als Junge an Bord der gewaltigen Do X gewesen war, seit ich Ernst Udet mit seinen atemberaubenden Kunststücken im offenen Doppeldecker gesehen hatte – seit diesen Tagen wollte ich fliegen lernen. Nach den Segelflugstunden in München und in der alpinen Segelfliegerschule in Zell am See in Österreich war es am 5. Mai 1955 endlich so weit: Ich bekam meine Privatpilotenlizenz am alten Münchner Flugplatz Riem.

Nach einer Reihe von vorgeschriebenen Flugfiguren landete ich vorschriftsmäßig in einem angegebenen Feld auf dem Graslandeplatz. Mein Fluglehrer Dr. Hajo Pirner, ein ausgezeichneter Privatpilot, aber auch zu allen Streichen bereit, kam mir entgegen und reichte mir etwas ins Cockpit. „Das ist deine Lizenz, du hast, ohne es zu wissen, eben die Prüfung geflogen und bestanden. Gratuliere!"

Erst jetzt bemerkte ich einige andere Herren, die sich im Hintergrund hielten. Einer löste sich nun aus der Gruppe und kam auf die Maschine zu. Der Propeller lief noch. „Bevor Sie aussteigen, würde ich gerne noch

DENN ERSTENS KOMMT ES ANDERS ... 355

ein paar Minuten mit Ihnen fliegen und die Gefahreneinweisungen durchgehen, dann haben Sie das auch schon hinter sich!"

Wir flogen los, gewannen die für Gefahrensimulationen vorgeschriebene Höhe, und los ging's.

„Überlassen Sie mir den Steuerknüppel", sagte der Prüfer von hinten, „ich werde ein paar Fehler einbauen, die Sie korrigieren müssen!"

Er riss den Steuerknüppel mit einem Ruck nach hinten. Die zweisitzige Piper gebärdete sich wie ein wild gewordener Mustang und stieg fast senkrecht nach oben, wobei sie rapide an Geschwindigkeit verlor, einen Moment still in der Luft stand, um sich dann rückwärts zu überschlagen. Dann fing sie an zu „trudeln", und da wird einem doch verdammt mulmig. In dem Moment weiß man einfach nicht mehr, wo oben und unten ist. Diesen nicht ungefährlichen Zustand beendet man so schnell wie möglich, indem man sich mit dem ganzen Körper nach vorn wirft, den Knüppel bis zum Anschlag nach vorn drückt und das Flugzeug in den Sturzflug zwingt, um durch die steigende Geschwindigkeit wieder Druck auf die Ruder zu bekommen.

„Nicht schlecht", sagte der Prüfer hinter mir. „Gehen Sie in den Sinkflug über und bereiten Sie eine Notlandung vor!"

Das hatte ich mit Hajo Pirner geübt. Doch plötzlich, ohne Vorwarnung, drückte der Prüfer den Knüppel bis zum Anschlag nach vorn. Sturzflug. „Stellen Sie den Motor ab, und simulieren Sie eine Notlandung. Landen Sie in der Mitte des ersten Sektors auf der Graspiste!"

Der war mit Fähnchen abgesteckt. Das Problem war, dass wir schon über diese Fläche hinaus und noch viel zu hoch waren. Also mit abgestelltem Motor im steilen Sinkflug zurück. Auf kurze Distanz mit niedriger Geschwindigkeit auf einer kleinen Fläche zu landen geht nur, wenn man das Seitenruder ganz in eine Richtung tritt und das Querruder in die entgegengesetzte Richtung drückt. Wenn das richtig gemacht wird, geht ein Flächenflugzeug im Seitenflug wie ein Fahrstuhl nach unten. In sehr geringer Höhe richtet man die Ruder wieder gerade und landet mit niedriger Geschwindigkeit auf engstem Raum.

Als meine Piper endlich stand, hatte ich Schweiß auf der Stirn.

„Im Ernstfall hätten Sie überlebt, wenn das Gelände für eine Notlandung so flach gewesen wäre wie der Flugplatz. Das wär's. Merken Sie sich genau, was Sie gemacht haben. Damit könnten Sie auch auf einem Fußballplatz runter!" Diesen Satz habe ich mir für den Rest meiner Fliegerei gemerkt. Bei jedem Flug war die ständige Beobachtung der Landschaft unter mir nach einer Möglichkeit für eine eventuelle Notlandung für mich oberstes Gebot.

Am Ende dieses Tages schmiedeten Hajo Pirner und ich einen Plan, mit dem wir meine arme Gundel schockieren wollten. „Sag ihr, du fliegst morgen deine Prüfung, und sie soll als Maskottchen dabei sein. Und dann baust du richtige Scheiße."

Blöderweise fand ich das lustig. Am nächsten Tag kam Gundel mit mir nach Riem, fuhr mit Hajo Pirner zum Startplatz und beobachtete das Ritual der Pilotenprüfung. Das Flugplatzpersonal war eingeweiht und spielte mit.

„Du gehst auf sechshundert Meter, drehst nach links, fliegst hinter dem Tower vorbei bis Platzende, drehst nach links und beginnst den Landeanflug. Ich will, dass du genau auf den Punkt im ersten Quadrat kommst und nur einmal aufsetzt. Dann muss die Mühle stehen. Klar?"

Gesagt, getan. Ich flog nach rechts statt nach links, korrigierte und drehte eine vorschriftswidrige Steilkurve in Richtung Tower, wurde zu schnell, überflog das vorgeschriebene Quadrat und landete „am Donnerstag". So nennt man eine Landung, bei der das Flugzeug nach dreimaliger Bodenberührung mit Hüpfern in die Luft – Montag, Dienstag, Mittwoch – am Donnerstag endlich unten bleibt.

Gundel stand währenddessen neben Hajo Pirner, der sich unflätig über meine Dusseligkeit äußerte. „Was treibt dieser Idiot eigentlich? Wir haben das alles bis zum Erbrechen geübt."

„Vielleicht ist er nervös?", versuchte die entsetzte Gundel mich zu verteidigen.

„Ach was, nervös", brüllte Pirner, „der Kerl ist meine größte Enttäuschung! Bisher dachte ich immer, er sei einer meiner besten Schüler. Der blamiert mich bis auf die Knochen."

Gundel litt. Auch ich hatte ihr immer erzählt, dass Pirner mit mir zufrieden war.

Nach der Landung kam Pirner wutentbrannt auf mich zu, neben ihm die aufgeregte Gundel. „Stellen Sie den Motor ab und steigen Sie aus!" Er brüllte wie am Spieß. „Sie haben mich blamiert! Alle werden sie über uns lachen, vom Tower bis zur Bodenkontrolle. Sie haben sich da oben wie ein Vollidiot aufgeführt! Die Prüfung haben Sie versaut!"

Jetzt übertreibt er aber, dachte ich. Gundel war den Tränen nahe. Das war allerdings nicht vorgesehen.

„Dann scheren Sie sich zum Teufel. Für mich sind Sie ein ebenso miserabler Lehrer, wie ich ein Idiot für Sie bin. Das war's dann wohl!"

Gundel stand neben mir und fasste meine Hand. „Bitte benimm dich jetzt", sagte sie leise, „das ist eine Charakterfrage. Versuch's halt später noch mal!"

Jetzt tat sie mir unendlich leid. „Hajo, lass es gut sein", bat ich meinen Freund und Fluglehrer. Der griff grinsend in die Tasche. „Na, dann will ich mal nicht so sein", sagte er und warf mir die am Vortag erworbene Lizenz zu.

Jetzt war Gundel empört. „Herr Doktor Pirner, das dürfen Sie nicht. Mein Mann hat die Prüfung nicht bestanden, also dürfen Sie ihm die Lizenz heute noch nicht geben!"

Pirner und ich waren sprachlos. Mit dieser Wendung hatten wir nicht gerechnet. Es bedurfte einiger Gläser in der Zirbelstube des Flughafens, um Gundels Zorn über die Verlade zu besänftigen.

DAMALS wurde mir klar: mit Gundel musste man vorsichtig umgehen. Bei allem Sinn für Humor, den „Dammerl", wie man in Bayern sagt, ließ sie nicht mit sich machen. Ich glaube, das spürten auch ihre Partner. Und trotzdem war uns beiden nie ganz wohl, wenn wir uns aus beruflichen Gründen trennen mussten. Das kannte ich aus meiner ersten Ehe, darauf konnte ich gut verzichten.

So setzten wir uns eines Tages zusammen und überlegten, wie wir unsere gemeinsame Zukunft gestalten wollten. „Wenn wir eine Familie gründen, gebe ich meine Karriere sofort auf!", erklärte Gundel. „Das ist der einzig mögliche Weg für ein harmonisches Familienleben in einer ziemlich verrückten Welt. Und wenn wir ein Kind wollen, erst recht!"

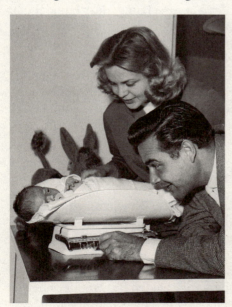

Gewogen und für gut befunden:
Sohn Thommy, 1957

Gundel stammt aus einer berühmten Künstlerfamilie und wusste, wovon sie sprach. So war die Entscheidung längst gefallen, als sich unser Sohn ankündigte. Thomas Michael kam am 5. August 1957 in unsere Welt und veränderte sie. Gundel verwaltete und vermehrte fortan unser Vermögen. Sie hatte immer ein besseres Gespür für Geld als ich und hat sich von Anfang an als hervorragende Organisatorin erwiesen. Sie konnte geschickter mit Handwerkern und deren Rechnungen umgehen, verstand die vertrackte Steuererklärung leichter als ich und ging geübter mit Hammer und Schraubenzieher um. Bei mir endete das Auswechseln einer Glühbirne unter Umständen in einem Blutbad. Dafür konnte ich recht gut kochen. Es scherte uns einen Dreck, ob jemand sagte, Gundel hätte die Hosen an und ich die Schürze. Das stimmte, und wir fühlten uns wohl. Bis heute übrigens.

Immer wieder werden wir nach dem Rezept für unsere glückliche Ehe gefragt. Wenn ich es mir leicht mache, antworte ich, es seien die vier großen Vs: Verstehen – Vertrauen – Verzeihen – Verzichten. Für uns gab es ein Mittel, das uns davor bewahrte, unsere Liebe aufs Spiel zu setzen. Da Gelegenheit bekanntlich nicht nur Diebe, sondern auch Liebe macht, haben wir beschlossen, uns nicht räumlich zu trennen. Wo immer ich zum Filmen in der Welt unterwegs war, die Familie war dabei. Wo es nicht ging, habe ich abgesagt.

Wenn wir später Thommy, der nach Besuch der Grünwalder Volksschule erst das Harlachinger Albert-Einstein-Gymnasium besucht hatte und dann auf die Munich International School gewechselt war, auf ausgedehnte Reisen zu Filmarbeiten mitnehmen wollten, gab der Headmaster sein Einverständnis, unter der Voraussetzung, dass Gundel den Lehrstoff mitnahm und Thommy unterrichtete. Die Schulleitung vertrat die Ansicht, dass er auf diesen Reisen mehr lernen könne als im Klassenzimmer.

Und so war es. Schon bald wurde er unterwegs für uns zu einer Art „Road Manager" und organisierte unseren Tagesablauf. Kein Wunder, dass er seine Schule und ihre Lehrer liebte und bis heute Kontakte zu Menschen in der ganzen Welt hat.

Das gefährliche „zweite Bein"

Im Gegensatz zu vielen meiner Kollegen hatte ich eigentlich nicht den Drang nach einem „zweiten Bein", nach einem anderen Broterwerb neben der Schauspielerei, falls das launische Publikum mir seine Gunst entziehen sollte. Bei mir lief es so gut, dass ich mir diesbezüglich keine Gedanken machte. Und doch ging der Kelch nicht an mir vorüber.

Es geschah etwas Entsetzliches: Einer der beiden Besitzer der Fliegerschule Oberwiesenfeld bei München, die mir gut bekannt waren, war mit seiner Frau und einem befreundeten Ehepaar bei einem Urlaubsflug nach Spanien abgestürzt. Alle vier waren auf der Stelle tot. Sein Partner sah sich nicht imstande, die Fliegerschule allein weiterzuführen, suchte nach einem anderen Betätigungsfeld und verfiel auf die Idee, in Immobilien zu machen – zusammen mit mir.

Der Immobilienmarkt boomte in den Sechzigerjahren, also gründeten wir gemeinsam eine Maklerfirma. In der vornehmen Münchner Prannerstraße, gleich hinter dem Hotel Bayerischer Hof, fanden wir geeignete Büroräume und richteten sie aufs Feinste her. Am Hauseingang prangte ein wundervoll poliertes Messingschild mit unseren Namen, der Aufgang zur ersten Etage war mit feinem Teppich ausgelegt. Das Einzige, was noch fehlte, waren Kunden.

Eines Tages kam tatsächlich einer, ein gestandener Mann, Produzent von Fertighäusern. Die Bayerische Staatsregierung habe ihn an uns verwiesen, er suche ein großes Grundstück für ein neues Zweigwerk. Der zuständige Beamte bestätigte die Empfehlung, wir bedankten uns und wurden aktiv. Als wir glaubten gefunden zu haben, was wir suchten, präsentierten wir ihm bereits sieben Tage später eine beeindruckende Strecke von Luftaufnahmen.

Äußerlich ließ er sich kaum anmerken, was er von unserem Material hielt. Dann drehte er sich plötzlich um. „Meine Herren, was ich da sehe, entspricht genau unseren Vorstellungen. Wollen Sie den Auftrag übernehmen?" Und dann überraschte er uns mit einem Vorschlag, der uns fast die Luft nahm. „Ich möchte Ihnen die Generalvertretung für meine Fertighäuser anbieten. Sie vermitteln die Grundstücke und Bauplätze für alle Häuser, die wir nach Bayern liefern. Sind Sie interessiert?"

Natürlich waren wir das! Wir wurden uns handelseinig und glaubten, einer verheißungsvollen Zukunft entgegenzublicken.

Aus meiner Düsseldorfer Zeit hatte die Freundschaft zu einem Mann überdauert, der inzwischen ein sehr erfolgreicher Architekt war und im Westen Münchens ein beachtlich großes Areal gekauft hatte mit der Absicht, dort eine Trabantenstadt mit Hochhäusern hochzuziehen. Doch inzwischen waren die Baubestimmungen geändert worden, das Gelände durfte nur noch mit kleinen Einfamilienhäusern bebaut werden. Als wir davon erfuhren, war uns klar, dass dieses Grundstück ideal wäre für unsere Fertighäuser. Wir nahmen Kredite bei mehreren Münchner Banken auf und kauften das Gelände. Damit begann das Verhängnis.

Schlechte Wetterbedingungen ließen das Grundwasser in diesem Jahr ansteigen, und alles, was bis dahin an Fundamenten begonnen oder halb fertig war, stand mittendrin. Eine Katastrophe! Mein Partner begann, den Überblick über die Finanzen der Firma zu verlieren. Gundel, mit ihrem sicheren Gespür für Gefahren und ihrer Menschenkenntnis, traute der ganzen Sache irgendwann nicht mehr und hatte das Gefühl, dass Gelder ausgegeben wurden, die die Firma gar nicht hatte. Eines Tages erschien sie mitsamt Anwalt im Büro und verlangte von meinem verschreckten Partner Auskunft über die Lage der Firma.

Zu der Zeit drehte ich in Almería den Film *Der letzte Mohikaner*. Gundel hatte ihren Besuch angekündigt und ich holte sie am Flugplatz in Málaga ab. „Was ist los?", fragte ich beunruhigt.

„Wir sind pleite!"

„Wie – pleite?"

„Total!" Und sie erzählte auf dem Weg zurück nach Almería, was sie in München inzwischen veranlasst und mithilfe des Anwalts durchgesetzt hatte. „Ich hab den Laden gestoppt."

Am Abend saßen wir auf dem Balkon meines Hotelzimmers in Almería und sahen über den Hafen hinaus aufs Meer.

„Was machen wir jetzt?", fragte ich.

„Du machst weiter deine Filme und bringst möglichst viel Geld nach Hause, ich halte dir den Rücken frei und kümmere mich um die Abwicklung der Firma."

Aber so einfach war das nicht. Vor allem mussten wir darauf achten, dass das Debakel nicht an die Öffentlichkeit kam. Sonst wäre es mit meiner Karriere wohl vorbei gewesen.

Auch ein anderes Kapitel in meinem Leben nahm ein Ende. Ein Flug mit meinem Sohn Thomas nach Reichenhall wäre beinahe böse ausgegangen. Ein herrlicher Föhntag mit einer Sicht bis in die Ewigkeit. Wie ein Scherenschnitt lag die Alpenkette da. Die Seen unter uns glitzerten wie flüssiges Silber. Wer denkt am Steuer eines kleinen Privatflugzeugs, an einem Tag wie diesem schon an NATO-Tiefflugzonen? Niemand. Aber wir waren gerade in einer, kurz vor der Landung in Reichenhall.

Die Klappen waren schon draußen, die Geschwindigkeit entsprechend gering, als ein Starfighter im Tiefflug direkt auf uns zuraste und in vielleicht zwanzig Meter Entfernung an uns vorbeidonnerte. Wir kamen in seinen Sog und fingen bedenklich an zu wackeln. Nur mit Mühe ließ sich die Cessna im Anflug halten, und ich war kreidebleich, als die Maschine endlich heil am Boden war. In Reichenhall verschlechterte sich das Wetter dramatisch. Ein Gewittersturm ging über dem Platz runter, in dem sich einige Maschinen auf den Rücken legten. Thomas und ich hängten uns an die Flächen unserer Cessna und versuchten erfolgreich, das gleiche Schicksal zu verhindern.

Vater und Sohn, um 1975

Nach dem Gewitter hingen die Wolken sehr tief, und ich hielt es für geboten, in Sichthöhe der Autobahn zu folgen, um heil nach München zurückzukommen.

An diesem späten Nachmittag rollten wir vor den Hangar, stiegen aus, gingen direkt zur Flugleitung, und dort legte ich meine Lizenz auf den Tisch. „Das war mein letzter Flug", sagte ich, und keiner wollte es glauben. Es blieb dabei.

IN ALL diesen Wochen und Monaten ging das Drama um die Firma weiter. Eines Tages kam unser Anwalt mit der Idee, dass ich für eine Firma Werbung machen sollte, um damit Geld zu verdienen. Der Gedanke gefiel mir ganz und gar nicht. Werbung war bis dato unter meiner Würde gewesen. „Es wird Ihnen nichts anderes übrig bleiben, wenn Sie nicht alles verlieren wollen. Wenn ich bei Ihren Gläubigern mit dem Angebot für einen guten Werbevertrag auftauche, drücken sie uns vielleicht nicht gleich die Kehle zu!"

Eine Woche später kam er mit der Nachricht, dass sich die Firma in der Glockengasse in Köln für mich interessierte. Zwei Wochen später saßen mein Anwalt und ich in der Vorstandsetage in Köln. „Am besten, Sie überlassen das Reden mir, wenn es um Konditionen geht", sagte der Anwalt.

„Sie sind also bereit, im Fernsehen für unser Produkt zu werben", eröffnete der Generaldirektor das Gespräch. „Warum?"

Hat der große Boss schon von meiner Pleite gehört?

„Da muss ich weit zurückgehen", erwiderte ich, „bis zur Geburt meiner Brüder. Wenn meiner Mutter während der Schwangerschaft übel wurde, gab sie Echt Kölnisch Wasser auf ein Tuch und hielt sich das vor die Nase. Dieser Geruch begleitet mich bis heute."

Der Generaldirektor lächelte zufrieden.

„Bei meinem zweiten Film, *Der letzte Mann*, mit Hans Albers und Romy Schneider, kam ich wieder mit dem Duftwasser in Berührung.

Hans Albers schwitzte sehr im Studio und musste zwischen den Aufnahmen mit Tüchern, die mit Echt Kölnisch Wasser getränkt waren, regelrecht trockengelegt werden."

Der Generaldirektor lachte. „Haben Sie noch mehr solcher Geschichten auf Lager?"

„Ich kann welche erfinden!"

Er sah nachdenklich auf einen Notizblock, der vor ihm lag. Dann schien er einen Entschluss zu fassen. „Wir geben im Jahr viele Millionen für Werbung aus, aber wir wünschen uns neue Ideen. Könnten Sie sich vorstellen, eine Konzeption zu entwickeln, die Geschichten zeigt, wie Sie sie erzählt haben? Spots von einer Minute oder auch länger, mit einem Anfang und einem Ende, nicht nur über das Produkt, sondern Geschichten, die man mit Echt Kölnisch Wasser erleben kann?"

„Aber sicher!", antwortete ich spontan. „Wie wäre es mit einer Prügelszene im Atelier, bei der so richtig die Fetzen fliegen? Die Kamera fährt auf den Darsteller zu, dabei wird ihm mächtig heiß, der Schweiß fließt in Strömen. Der Garderobier kommt mit einer Flasche Duftwasser, schüttet den Inhalt auf ein Tuch, wirbelt es ein paarmal durch die Luft und legt es dem Schauspieler aufs Gesicht. Der holt tief Luft und sagt sinngemäß: ‚Das macht frisch für die nächste Szene!'"

Der Generaldirektor sah mich nur an. „Wie stellen Sie sich Ihre Honorierung vor?"

Da war sie, die alles entscheidende Frage. Ich sah, wie verabredet, zu meinem Anwalt hinüber. Der zuckte die Schultern und grinste.

„Ich mache Ihnen einen Vorschlag", sagte der Generaldirektor und nannte eine durchaus interessante Summe. Eingedenk der Vorstellung meines Anwalts, was wir als absolutes Maximum herausholen könnten, muss ich wohl etwas nachdenklich ausgesehen haben. Es war vielleicht das einträglichste Gesicht, das ich je gemacht habe. „Ich meine pro Spot und denke an eine erste Staffel von zwölfen!"

Was hatte mein Anwalt gesagt? Keine Reaktion zeigen! Pokerface!

„Das ist eine gute Basis", erwiderte ich. „Aber lassen Sie mich bitte erst eine Konzeption entwickeln. Sie bekommen von mir ein paar Vorschläge, und dann sagen Sie, ob Ihnen die Ideen gefallen."

Die Verabschiedung war fast herzlich. Der Herr Generaldirektor begleitete uns bis zum Aufzug. Mein Anwalt kannte wohl solche Situationen aus seiner Tätigkeit als Justiziar einer großen Bauunternehmung. Daher schüttelte er nur den Kopf und legte den Zeigefinger an die Lippen, als ich im Aufzug etwas sagen wollte. Auch im Foyer blieb er stumm und ging zügig aus dem Haus. Erst als wir auf dem Firmenparkplatz in den Wagen stiegen, sagte er: „Ich gratuliere. Sie kommen mit einem kleinen Vermögen nach Hause. Ihre Frau wird sich freuen."

Beim Gedanken an Gundel fingen meine Knie an zu zittern. An der nächsten Telefonzelle musste ich anhalten und ihr sagen, was geschehen war. Meine Nerven waren zum Zerreißen gespannt gewesen, und diese Anspannung löste sich jetzt in Tränen der Erleichterung auf.

Die Reaktionen in München waren erfreulich. Die größte Bank, die uns bereits alle Kredite gnadenlos gekündigt hatte, wollte wieder mit uns ins Geschäft kommen. Wir lehnten dankend ab. Die Haupthilfe kam von einem Direktor und Vorstandsmitglied einer anderen bayerischen Bank, der in unserer Nachbarschaft wohnte. Er fand glücklicherweise einen Weg, wie wir schließlich aus unserer finanziellen Misere herauskamen und unser Haus retten konnten.

Der Werbevertrag kam zustande, die erste Serie wurde gedreht, und anschließend noch zwei weitere Serien von je zwölf Spots, eine europäische und eine weltweite. Beruflich war das eine außerordentlich interessante Erfahrung, wieder einmal etwas Neues, von dem ich eigentlich keine Ahnung hatte. Der Erfolg der Spots war die eine Seite, die andere war die Tatsache, dass wir wieder frei atmen konnten und dass unser guter Name erhalten blieb.

Wir rufen die Jugend der Welt

Rom, Via Veneto, später Nachmittag, „Café de Paris", Espresso, dösiges Wohlbehagen.

Wie eine Büffelherde stampfte eine Gruppe erregt diskutierender Männer, ein paar Damen waren auch dabei, an mir vorüber. Vorneweg ging der Münchner Oberbürgermeister Hans-Jochen Vogel, die Nachhut bildete Rolf Gonther, der Sportkolumnist der Münchner *Abendzeitung*. Rolf Gonther blieb einen Augenblick überrascht an meinem Tisch stehen. „Was machst du denn hier?"

„Ich hab gerade drehfrei und trinke einen Kaffee. Und ihr?"

„Wir haben gerade eine sehr erfolgreiche Präsentation der Münchner Olympiabewerbung hinter uns. Jetzt gehen wir alle ins „Piccolo Mondo". Komm doch mit!"

„Was soll ich da?"

„Mit uns feiern! Der OB würde sich bestimmt freuen!"

Der freute sich wirklich, als ich ihn begrüßte. „Darf ich gratulieren, Herr Oberbürgermeister?"

„Ja und nein. Die Präsentation hätte nicht besser ankommen können, und trotzdem werden wir die Spiele nicht bekommen!"

„Warum denn nicht?"

„Weil der gesamte Ostblock auf die Sowjetunion hört, und die wollen was anderes."

Ich weiß nicht, welcher Teufel mich ritt, als ich mich sagen hörte: „Herr Oberbürgermeister, ich wette, dass München die Spiele bekommt!"

Noch immer sehe ich uns alle mindestens zwanzig Zentimeter über dem Boden schweben, als wenig später Avery Brundage im „Hotel Excelsior" an der Via Veneto in Rom verkündete: „Das IOC hat nach langen Überlegungen die Spiele der XX. Olympiade 1972 vergeben an ... die Stadt München."

Am Abend, im römischen Hotel „Steigenberger", war die Stimmung entsprechend. „Sie werden mein Maskottchen!", erklärte mir Hans-Jochen Vogel. Vielleicht hat er mich deshalb dem NOK-Präsidenten Willi Daume als Chefsprecher für die Spiele 1972 vorgeschlagen? Wer weiß. Jedenfalls wurde ich, was man später mal „Die Stimme der Spiele in München" nennen sollte.

DEN AUFGABEN, die langsam Kontur annahmen, sah ich mit großer Spannung entgegen. Bei den Sitzungen wurde immer deutlicher, dass der Stadionsprecher eine Schlüsselfigur war. Er war der Einzige, der über Mikrofon Zugang zu den siebzigtausend Zuschauern hatte. Und dieser Mensch war ich.

Bei den Sicherheitsberatungen im Komitee wurde so ziemlich alles durchgedacht, was Menschen aushecken können: Von Demonstrationen über Sitzstreiks, von Protestkundgebungen bis zur Störung des Ablaufs der Sportwettbewerbe, nichts blieb unbeachtet, und für jede nur denkbare Möglichkeit wurde ein Gegenkonzept ausgearbeitet.

„Und was machen wir, wenn das olympische Dorf überfallen wird?"

Das Undenkbare, ja das Unvorstellbare, was der Polizeipsychologe Dr. Georg Siebert, vermutlich in einer schlaflosen Nacht oder während eines Albtraums, befürchtet und jetzt in der Sitzung ausgesprochen hatte, sollte am 5. September 1972 grausame Wirklichkeit werden.

MIT DEN Bauarbeiten am Olympiapark verschwand der Flugplatz Oberwiesenfeld, keineswegs aber die Erinnerung an die Zeit, als ich angefangen hatte zu fliegen. Es tat weh zu sehen, wie die alten Gebäude am Rande des Flugfelds und die Baracken der Fliegerschule mit Bulldozern dem Erdboden gleichgemacht wurden. Andererseits war es faszinierend

DENN ERSTENS KOMMT ES ANDERS ...

zuzuschauen, wie das olympische Dorf langsam Gestalt annahm und das Stadion mit dem gewaltigen Zeltdach aus dem Boden wuchs.

Bis zur Eröffnungsfeier am 26. August 1972 vergingen die Monate wie im Zeitraffer. Rund um die Uhr wurde gebohrt, gebaggert, gemauert, gemalt, gesät und gedacht. Zum Beispiel daran, wie viele Athleten wie lange brauchen, um beim Einmarsch der Nationen, nach einer genau dafür arrangierten Musik, ihren Platz auf dem beheizten Rasen des Olympiastadions zu finden. Kurt Edelhagen, der Chef der damals bekanntesten Jazz-Bigband, wurde mit der Lösung dieses Problems beauftragt. Er fand heraus, dass die Taktzahl 130 für Menschen die lockerste Art der Fortbewegung bringt. Also beauftragte er drei seiner Musiker, Peter Herbolzheimer, Dieter Reith und Arc van Royen, mit dem Arrangement eines Medleys für den Einzug der über zwölftausend Athleten.

Tagelang marschierte ich mit der Stoppuhr in der Hand an der Spitze einer Bundeswehrkompanie nach diesem Rhythmus rund um die Bahn, um nach der Marschgeschwindigkeit die Zeit für meine Ansagen herauszufinden.

„Sie sind verantwortlich für das gesprochene Wort im Stadion", erklärte mir Willi Daume, der allmächtige Präsident des Nationalen Olympischen Komitees. Mir war sehr schnell klar, wie das gemeint war: Ich war verantwortlich dafür, *wie* das gesprochene Wort über die Lautsprecher kam, aber *was* gesprochen wurde, bestimmte einzig und allein er. Bis auf den olympischen Eid, der stand fest. Wer den Eid für die Athleten sprechen sollte, stand irgendwann ebenfalls fest: Es war die Leichtathletin Heidi Schüller.

Bei den ersten Sprechproben im fertigen Stadion stellte sich heraus, dass bei normalem Sprechtempo ein vielfacher Echoeffekt entstand. Was auf den Betonrängen aus den Lautsprechern ankam, war unverständlicher Wortsalat. Es war schwierig, das richtige Tempo zu finden. Die gesprochenen Sätze, manchmal nur Wörter, musste ich klar voneinander trennen. Diese Sprechweise erzeugte eine ungewöhnliche, theatralische Wirkung, gegen die ich mich zunächst wehrte, aber es gab keine andere Möglichkeit. Letztendlich meinte Willi Daume: „Das passt sehr gut zur Feierlichkeit des Augenblicks!"

Natürlich war ein Jahr vor den Spielen der genaue Ablauf der Eröffnungsfeier noch nicht bekannt. Aber wie auch immer dieses Fest ablaufen würde, ich hatte die Idee, meine Aufgabe in drei Sprachen zu erfüllen: auf Deutsch, Englisch und Französisch. Englisch ging sehr gut, aber Französisch hatte ich nie gelernt. Also belegte ich kurzentschlossen einen Crashkurs an einer berühmten Sprachschule im schönen Nizza. Es war wie chinesische Folter. Vierzehn Stunden am Tag waren sieben junge Damen im zweistündigen Wechsel bemüht, mir die Geheimnisse der französischen Sprache beizubringen. Es war mir verboten, auch nur ein einziges deutsches Wort zu Hilfe zu nehmen, es war verboten, auch wenn es gar nicht mehr weiterging, ein Wörterbuch zu Hilfe zu nehmen.

Zurück in München, erstattete ich Willi Daume Bericht. „Ich glaube, ich kann meinen Job in drei Sprachen machen!", verkündete ich nicht ohne Stolz.

Der Präsident sah mich an, atmete tief durch und sagte dann: „Haben Sie schon mal die Satzung des IOC gelesen?" Ich hatte nicht. „Da steht klar und deutlich, dass der offizielle Sprecher ausschließlich in der Sprache der gastgebenden Stadt sprechen darf!"

Wie ein geprügelter Hund schlich ich von dannen. Die ganze Schinderei war umsonst gewesen. Daume muss Mitleid mit mir gehabt haben. Bevor ich das Zimmer verließ, sagte er: „Vielleicht könnten Sie vor Beginn des offiziellen Teils den Leuten was erzählen. Ein paar interessante Einzelheiten über die Organisation, ein bisschen was Menschliches. Dabei können Sie ja zeigen, was Sie in Nizza gelernt haben."

ENDLICH war es so weit. Der 26. August des Jahres 1972 war ein strahlender Tag. Seit zwei Stunden saß ich in der gläsernen Sprecherkabine unter dem gewaltigen Zeltdach. Jetzt hatte ich siebzigtausend Zuschauer vor mir und erzählte ihnen in drei Sprachen, wie viele Brötchen jeden Tag für das olympische Dorf gebacken wurden und wie viele Eier die Hühner zu legen hatten, bevor sie ihr Leben für Suppe oder als Brathuhn auf dem Teller lassen mussten. Das kam an.

Dann wurde es ernst. Über die Kopfhörer kamen die Anweisungen aus allen Richtungen. Die Musik im Stadion wurde langsam ausgeblendet.

Als Stadionsprecher bei den Olympischen Spielen in München, 1972

DENN ERSTENS KOMMT ES ANDERS ...

Die vielen Menschen im ausverkauften Stadion und über eine Milliarde an Rundfunkgeräten und Fernsehschirmen weltweit warteten auf den Beginn der Spiele der XX. Olympiade 1972 in München.

Leise, unhörbar fast, begann eine Stimme einen Ton zu singen. Dieser Ton, der wie ein Gebet klang, wurde von einem mehrstimmigen Chor aufgenommen. Nach einem Crescendo brach er plötzlich ab. In die bewegte Stille hinein sprach ich die antike griechische Formel für „Ekecheiria", den Gottesfrieden:

> Haltet fest an dem alten Brauch –
> bewahrt Euer Land –
> vom Kriege haltet Euch fern
> und gebt ein Zeichen der Welt
> für brüderliche Freundschaft,
> wenn die Zeit der vierjährigen Spiele
> herannaht.

Die Stimme wackelte nicht. Das Sprechtempo war genau richtig. Nach wenigen Minuten wusste ich, dass ich da oben in meiner Glaskanzel gerade den Höhepunkt meines fünfundvierzigjährigen Lebens feiern durfte. Ein unbeschreibliches Glücksgefühl überkam mich.

Das Konzept der „heiteren Spiele" funktionierte. Eine Woge von Farben leuchtete von den Rängen im Stadion, und die Musik des Orchesters Kurt Edelhagen versetzte die Zuschauer vom ersten Augenblick an in eine Art Euphorie. Erkannten sie eine Melodie, sangen sie mit. Eine Nation nach der anderen wurde begeistert begrüßt. Vergessen waren alle Ängste und Bedenken, vergessen waren die Sicherheitsmaßnahmen, alle waren in einem Glückstaumel. Ein Orkan der Begeisterung brach los, als der letzte Fackelträger, der neunzehnjährige Günther Zahn, unter Sphärenklängen und anschwellendem Wirbel der dicht aneinandergereihten Pauken auf der Tartanbahn zu der steilen Treppe in der Mitte der Gegengeraden lief, das olympische Feuer hinauftrug und die Flammenschale entzündete.

Feierlich trugen die acht Goldruderer von Mexiko die weiße olympische Fahne durch das weite Rund – und irgendwann sprach Bundespräsident Gustav Heinemann die kurze, vom IOC vorgeschriebene Formel: „Ich erkläre die Olympischen Spiele München 1972 zur Feier der XX. Olympiade der Neuzeit für eröffnet!"

Wir lagen uns in den Armen, besoffen vor Glück. Es war geschafft. Es war nichts passiert! Die Spiele von München standen unter einem guten Stern.

5. SEPTEMBER 1972, morgens gegen 4 Uhr. Unbemerkt kletterten acht Terroristen über den unbewachten Zaun des olympischen Dorfes. Was danach geschah, ist so oft und so unterschiedlich geschildert worden, dass es viele Versionen über die Katastrophe gibt, die an diesem Tag über die „heiteren Spiele" von München hereinbrach. Ich will keine neue hinzufügen, sondern über diesen schwarzen Tag nur so berichten, wie ich ihn erlebt habe.

Am Vormittag des 5. September fuhr ich am Kontrolleingang des Stadions vor. Für zehn Uhr war die Probe für die Abschlussfeier angesetzt.

Bisher war ich es gewohnt, mit einem fröhlichen Winken am Wachmann vorbeizufahren und mir irgendwo auf dem Gelände einen Parkplatz zu suchen. Nicht an diesem Tag. Plötzlich war da bewaffneter Bundesgrenzschutz und kontrollierte jeden, der rein- oder rauswollte. Was ich hörte, wollte ich nicht glauben: Mitglieder der palästinensischen Terrororganisation „Schwarzer September" hätten das Quartier der israelischen Athleten im Dorf überfallen und Geiseln genommen. Zwei der Geiseln seien erschossen worden.

An die dreitausend Tänzer warteten pünktlich um zehn Uhr auf der Tartanbahn darauf, dass ihnen der Regisseur, Professor August Everding, damals Generalintendant der Münchner Staatstheater, über Funk mitteilte, wie sie sich im Tanz drehen sollten. Für Mitteilungen über Mikrofon an alle im Stadion war ich zuständig. Beide wurden wir angewiesen, ständig in der Leitung des Krisenstabs auf Empfang zu bleiben.

Nur sehr wenig drang aus dem olympischen Dorf bis zu uns ins Stadion. Wir bekamen lediglich mit, dass sich sehr viele wichtige Leute darum bemühten, das Geschehen in den Griff zu bekommen: Polizeipräsident Dr. Manfred Schreiber, Bundesinnenminister Hans-Dietrich Genscher, der bayerische Innenminister Bruno Merk, Ministerpräsident Franz Josef Strauß. Den ganzen Tag über versuchten alle, mit den mit Kapuzen verhüllten Terroristen zu verhandeln und die Geiseln freizubekommen. Vergeblich.

Da drüben im Dorf ging es offenbar um Leben und Tod, im Stadion wurde zu fröhlicher Musik und Peitschengeknall getanzt, bis in den Abend hinein. Als es zu dämmern begann, erhielten wir die Anweisung, auf Kommando die Lichter aller vier Flutlichtmasten zu löschen. Die Geiselnehmer hätten verlangt, dass man sie mitsamt den Geiseln in Hubschraubern ausfliege, zu einer Lufthansa-Maschine, die auf einem der Militärflugplätze im Raum München, entweder Fürstenfeldbruck oder Neubiberg, bereitgestellt werden sollte. Von dort wollten sie die Bundesrepublik Deutschland mit unbekanntem Ziel verlassen.

Als der Befehl zum Löschen der Flutlichter schließlich kam, war es stockdunkle Nacht. Die Schutzschalter der Scheinwerferkombinationen an der Spitze der Masten erzeugten beim schnellen Löschen ein infernalisches Geräusch. Es klang wie Maschinengewehrfeuer. Danach war es still im Stadion. Natürlich wussten inzwischen alle, die da unten auf Fröhlichkeit machten, was geschehen war.

Everding und ich saßen am höchsten Punkt im Stadion und sahen als Erste die Lichter der Helikopter hinter der Häusersilhouette auftauchen. Langsam flogen sie an uns vorbei, verschwanden in der Dunkelheit.

Das NOK, die Stadt, das Land Bayern, die Bundesrepublik Deutschland und die Menschen in aller Welt diskutierten seit den frühen Morgenstunden, ob die Spiele nach dem ungeheuerlichen Geschehen weitergehen sollten. Die einen vertraten die Ansicht, dass die Spiele aus Gründen der Pietät abgebrochen werden müssten. Die Gegenmeinung war, dass man sich den Terroristen nicht beugen dürfe. Auch wir, der enge Kreis der Organisatoren für die Eröffnungs- und Schlussfeier, diskutierten diese Frage und kamen zur einhelligen Meinung, dass die Spiele nicht abgebrochen werden sollten.

Um 15.38 Uhr wurden die Spiele der XX. Olympiade 1972 in München offiziell unterbrochen. Wann sie weitergehen würden, wusste zur Stunde niemand. Es stand lediglich fest, dass am folgenden Mittwoch, dem 6. September, um 10 Uhr mit einer Trauerfeier im Olympiastadion der Opfer gedacht werden sollte.

Nachdem die Hubschrauber mit den Terroristen und ihren Geiseln ausgeflogen waren, sagte Everding auch den restlichen Probengang im Stadion für diesen Abend ab. Ich ging ins Büro des NOK in der Saarstraße. Dort herrschte vollständige Ungewissheit über das, was sich als Nächstes abspielen würde. Es gab eine Funkverbindung nach Fürstenfeldbruck, wo die Hubschrauber inzwischen gelandet waren. Die widersprüchlichsten Meldungen jagten einander und verunsicherten alle noch mehr.

In diesem Chaos kam es dann, spät am Abend, zu einer der schlimmsten Falschmeldungen in diesem Drama. Olympia-Pressesprecher Hans (Johnny) Klein verkündete, alle Geiseln seien unverletzt befreit worden und in Sicherheit. Der Jubel war unbeschreiblich. Für einen Augenblick atmete die Welt auf.

In diesem Moment kam über Funk die Nachricht, dass auf zwei Terroristen, die die Lufthansa-Maschine kontrollierten, das Feuer eröffnet worden sei. Die Scharfschützen waren jedoch ungünstig postiert, abgesehen davon, dass sie im gezielten Feuer auf Menschen völlig ungeübt waren. Die Folgen dieser Panikentscheidung waren entsetzlich. Die überlebenden Terroristen zündeten Handgranaten und warfen sie in die Helikopter, in denen die immer noch gefesselten Geiseln auf ihren Sitzen kauerten. Am Ende des lang anhaltenden Feuergefechts lagen sechzehn Menschen tot in ihrem Blut. Fünf Terroristen, zehn Geiseln und ein Münchner Polizist.

Schuldzuweisungen hat es viele gegeben, doch eines war auch für Außenstehende erkennbar: Was da über die Spiele in München hereingebrochen war, war so ungeheuerlich, dass niemand, wirklich niemand diesem Verbrechen bisher unbekannter Dimension gewachsen war.

Nach einer durchwachten Nacht war ich gegen 8.30 Uhr des 6. September im Stadion, um mich auf die für zehn Uhr angesetzte Trauerfeier vorzubereiten, ohne jede Ahnung, was ich zu sagen oder zu tun hatte. Im VIP-Bereich lief ich hin und her, um jemanden zu treffen, der mir sagen konnte, was geschehen sollte. Endlich kam Willi Daume. Er schüttelte den Kopf, nahm mich väterlich an den Schultern. „Blacky, heute Nacht hat man uns die Seele aus dem Leib geschossen."

„Was soll ich sagen, wenn die Feier beginnt?"

„Ich weiß es nicht. Der IOC-Präsident hat sich jede Entscheidung vorbehalten."

„Sind Sie einverstanden, dass ich kommentiere, was ich sehe?"

„Ja."

Nie zuvor habe ich einen so mächtigen Mann so traurig gesehen. Sein Lebenswerk lag in Trümmern.

Inzwischen war es 9.40 Uhr. Auf dem Rasen waren alle versammelt, die den Opfern die letzte Ehre erweisen wollten. In der Nacht hatte man eine Bühne für zwei große Orchester errichtet, die den musikalischen Rahmen der Trauerfeier gestalteten.

Von oben aus der Glaskanzel konnte ich nur schwer erkennen, wer unter den Trauergästen auf dem Rasen und auf der Ehrentribüne war. Begab sich jemand ans Mikrofon, versuchte ich denjenigen zu identifizieren, und sagte ihn an. Der letzte Redner war IOC-Präsident Avery Brundage. Es dauerte lange, bis er den entscheidenden Satz sagte: *„The games must go on!"* – Die Spiele müssen weitergehen.

Die Spiele gingen weiter, aber es waren nicht mehr die heiteren Spiele. Die Jubelstürme für die Goldmedaillen unserer Heide Rosendahl, des Speerwerfers Klaus Wolfermann und der erst sechzehnjährigen Ulrike Meyfarth waren noch in aller Ohren, nun lag über allem ein Schleier der Trauer und der Angst vor weiteren Attentaten.

Das ging so bis zum Tag der Schlussfeier, von der keiner so recht wusste, ob sie tragisch-traurig, halb traurig, halb heiter-traurig oder wie werden sollte. Es gab auch Stimmen, die forderten, dass die Schlussfeier ganz ausfallen solle. Das ging schon deshalb nicht, weil die Insignien für die nächsten Spiele an Montreal übergeben werden mussten.

Endlich hatten alle Beteiligten einen Kompromiss ausgehandelt, und die Schlussfeier begann, wie die Eröffnungsfeier, mit meiner Stimme: „Die Spiele der XX. Olympiade 1972 in München haben heiter begonnen – sie enden ernst!"

Wir alle hatten ein ungutes Gefühl bei dieser Veranstaltung. Würden noch einmal irgendwelche Wahnsinnigen versuchen, ihre Botschaft auf ähnlich grausame Weise in die Welt zu schießen? Doch ein Programmpunkt nach dem anderen lief ohne Zwischenfall ab.

Einer der Höhepunkte sollte das Einholen der olympischen Fahne werden. Die acht Goldmedaillenruderer vom Mexiko-Achter, die die Fahne gebracht hatten, sollten sie nun wieder aus dem Stadion tragen. Ein einziger Spot sollte die Fahne am Mast auf ihrem Weg nach unten begleiten. Dazu mussten alle Flutlichter gelöscht werden. Wie wir bereits von den Proben wussten, war das Löschen der Flutlichtmasten mit einem Geräusch verbunden, das wie Feuerstöße aus einem Maschinengewehr klang. Es war also unerlässlich, dass ich die über siebzigtausend Zuschauer im Stadion darauf vorbereitete. „Meine Damen und Herren! Die olympische Fahne wird nun eingeholt und von unseren acht Goldmedaillengewinnern aus dem Stadion getragen. Dazu werden wir alle Flutlichter löschen und nur die Fahne mit einem Scheinwerfer begleiten. Die Schutzschalter der Flutlichtmasten erzeugen beim Abschalten ein Geräusch wie von Maschinengewehren. Bitte erschrecken Sie nicht!"

Es war ein bewegender Augenblick, als die Fahne von den acht Ruderern durch das Marathontor getragen wurde, wo sie den Blicken der Zuschauer im Stadion und der Millionen an den Bildschirmen entschwand.

Das Ende der Spiele der XX. Olympiade war da, die Fahne war an den Bürgermeister von Montreal übergeben. Avery Brundage, dessen letzte Amtshandlung bei seinen letzten Spielen als IOC-Präsident – der Ruf an die Jugend der Welt, sich in vier Jahren in Montreal zur Feier der XXI. Olympiade wieder zu treffen – sehr emotional geriet, beschloss die Spiele in München.

In diesem traurigen Augenblick, da sich die Tore des Olympiastadions schlossen, konnte ich nicht ahnen, dass ich 28 Jahre später in einem neuen Olympiastadion, auf der anderen Seite der Erde, meinen Landsleuten als Kokommentator über eine Eröffnungsfeier berichten würde.

Seid umschlungen, Millionen

Was machen Sie eigentlich am liebsten? Fernsehen, Film oder Theater?" Diese Frage kommt immer wieder, und ich gebe immer die gleiche Antwort: „Fragen Sie einen Vater von drei Kindern, welches er am liebsten hat?"

Natürlich sind es drei verschiedene Dinge, obwohl man immer das Gleiche tut, nämlich „schauspielern". Aber die unterschiedlichen Formate verlangen unterschiedliche Darstellungen, zum Beispiel auf der Bühne: Damit auch der Zuschauer in der letzten Reihe so viel wie möglich von dem mitbekommt, womit sich die Mimen da oben abquälen, bedarf es großer Gesten, lauter Sprache und eines gewissen Sprechrhythmus. Trotzdem kommt es immer wieder vor, dass bei leiseren Szenen Unruhe im Parkett entsteht, und manchmal fordert ein Zuschauer auch ungeniert, dass wir lauter sprechen sollen. Auch Husten oder Niesen sind unwillkommene Störungen. Trotzdem, nichts in unserem Beruf ist so stimulierend wie der direkte Kontakt mit den Zuschauern.

In einem Filmatelier herrschen völlig andere Gesetze. Die Abfolge der Szenen richtet sich nach den Dekorationen, die in riesigen Hallen aufgebaut sind. Je mehr Platz diese Dekos einnehmen, desto schneller versucht der Regisseur, alle Szenen dort abzudrehen, um Platz für neue Dekorationen zu schaffen. Das bedeutet für die Schauspieler, dass sie oft mit dem Ende der zu spielenden Geschichte beginnen und mit dem Anfang aufhören müssen. Kinofilm ist ein Mosaik, zusammengesetzt aus vielen einzelnen Teilchen, die später im Schneideraum zu einer fortlaufenden Handlung montiert werden.

In einer Fernsehshow weiß man gleich, woran man ist, vorausgesetzt, es ist eine Liveshow. Aber das bedeutet höchsten Stress. Ich hatte das große Glück, bei meinen *Auf los geht's los*-Sendungen beim Südwestfunk ein Team und einen Regisseur zu haben, wie man sie sich besser nicht wünschen kann. Dr. Dieter Pröttel, von der ersten Sendung an mein Wunschregisseur, hat mir in den vielen Jahren der Samstagabend-Livesendungen ein Gefühl der absoluten Sicherheit gegeben. Was immer auch passierte, bis zum totalen Stromausfall wenige Minuten vor einer Eurovisionssendung, er verlor nie die Fassung, hatte immer einen lockeren Spruch auf der Zunge. Als wirklicher Profi nahm er das Ganze nie ernster, als es wirklich war. Andererseits war er unbeugsam in puncto Qualität. Jeder Einzelne, der an der Millionenshow beteiligt war, gab sein Bestes, jeder war gleich wichtig, egal an welcher Position. In mehr als hundert Shows gingen wir füreinander durchs Feuer.

Die Redaktion, Dieter Pröttel, mein Berater Eckhart Schmidt und ich waren ständig auf der Suche nach neuen Elementen für die Show, um sie interessant und lebendig zu halten und nicht in Routine zu erstarren. Weltstars zu bekommen war anfangs sehr schwer, weil sie unbezahlbar waren. Ihnen die Gelegenheit zu geben, für sich und ihr neues Produkt – ein Buch, eine Schallplatte, einen Film – zu werben, war verpönt. Wir waren so ziemlich die Ersten, die sich darüber hinwegsetzten.

Man staunte, als ich nach und nach Berühmtheiten wie Sean Connery, Barbra Streisand, Alain Delon, Robert De Niro, Peter Fonda und viele andere präsentierte. Sie kamen nicht für unerschwingliche Gagen, sondern dafür, dass sie zeigen konnten, was sie der Welt zu bieten hatten. Die Streisand hatte gerade ihren Film *Yentl* produziert, für den sie auf einen Golden Globe oder die Nominierung für einen Oscar hoffte. Beide Auszeichnungen für den Film blieben ihr versagt. Für mich war es schon lange ein Wunschtraum gewesen, die Streisand mit ihrer Musik und ihrer Stimme in meiner Show zu haben.

Irgendwann in einer Mittagspause klopfte es an der Tür meiner Hotelsuite. Vielleicht der Page mit Autogrammwünschen? Ich öffnete und erstarrte. Vor mir stand Barbra Streisand, hinter ihr zwei Türme von Bodyguards. *„I'm Barbra Streisand"*, sagte sie und lächelte mich an. Sie hätte sich nun wirklich nicht vorzustellen brauchen. Ich bat sie herein.

Sie wollte jetzt gleich in der Halle einen Licht- und Soundcheck machen. „Ich möchte nur sehen, wo die Scheinwerfer für mich hängen", erklärte sie. Als ich mit „der Streisand" die Halle betrat, wurde es einen Moment lang ganz still, dann fing irgendeiner von meinen 120 Leuten an zu klatschen, ein paar anerkennende Pfiffe kamen auch. Die Streisand lachte. „Sie wissen, dass ich in Ihrer Show nicht singen werde?"

„Ja, leider. Aber wir wollen Ihr Lied ‚Pappa' aus dem Film zuspielen und Sie dabei mit mehreren Kameras in verschiedenen Einstellungen beobachten." – *„That is wonderful!"*, sagte die Streisand nur. Den Stein, der mir vom Herzen fiel, hörte sie nicht.

Wieder einmal machte ich die Erfahrung: je größer der Star, desto professioneller war dessen Bereitschaft, auf unsere Vorschläge einzugehen. Problematisch war immer nur das Management. Die kamen oft mit grotesken Wünschen für ihre Schützlinge. Das ging von besonderen Einrichtungen der Garderoben über die Anzahl eisgekühlter Champagnerflaschen bis hin zu Plakaten an allen Bäumen auf dem Weg des Stars vom Flughafen bis zur Halle und ähnliche Verrücktheiten. Nicht selten kam es dabei zu einer Art Machtprobe mit den Agenten. Wenn es mir zu bunt wurde, stellte ich die Manager in der Dekoration für alle gut hörbar vor die Wahl: Entweder sie kooperierten oder wir würden den Auftritt aus dem Programm nehmen. Meist herrschte dann blankes Entsetzen, denn natürlich wussten die, wie wertvoll ein Auftritt vor zwanzig Millionen Zuschauern war. Zum Äußersten kam es daher nie.

Die Show entwickelte sich geradezu zu einer Kultsendung und hatte die höchsten Einschaltquoten. Aber immer schielten wir natürlich auf die anderen großen Samstagabend-Sendungen, wie zum Beispiel Hans-Joachim Kulenkampffs großartige Show *Einer wird gewinnen*. Worum ich ihn beneidete, war Butler Martin am Schluss jeder Sendung. Kulenkampff wollte damit den Unfehlbarkeitsstatus des Showmasters abschaffen. Die Idee einfach klauen ging nicht. Wir mussten uns also etwas Eigenes einfallen lassen, etwas Spektakuläres.

Die Idee dazu kam meiner Redakteurin Helga Thiedemann und mir bei einem Besuch in Hollywood. Die vier siegreichen Kandidaten aus *Auf los geht's los* hatten eine Reise nach Amerika gewonnen, genauer gesagt eine Einladung von Universal City, verbunden mit einem Besuch im Büro des großen Alfred Hitchcock. Das war wirklich etwas ganz Außergewöhnliches.

Der Besuch bei Universal City war schon aufregend genug. Wir sahen uns dem schrecklichen *Weißen Hai* von Zahn zu Zahn gegenüber, wir überschlugen uns im Bus in einer zu Tal rasenden Lawine, wir sanken mit einer zusammenbrechenden Brücke in die Tiefe, wir sahen, wie sich das Rote Meer teilte. Trotz dieser gewaltigen und perfekten Hollywood-Technik – der Clou war die Begegnung mit Alfred Hitchcock.

Der Meister residierte in einem eigenen Bungalow auf dem Gelände der Universal Studios. In seinem Vorzimmer harrten wir gespannt der Dinge, die da kommen würden. Zunächst kam seine Sekretärin, die auch schon aussah wie ein Filmstar. „Mr Hitchcock freut sich auf Ihren Besuch, er bereitet sich noch etwas vor!"

Als wir ungefähr eine Stunde später in sein Arbeitszimmer geführt wurden, wurde mir schlagartig klar, was damit gemeint war. Scheinwerfer strahlten aus allen Ecken, Mikrofone waren an Galgen im riesigen Raum verteilt, die Fenster waren abgedunkelt. Hinter einem Schreibtisch saß die lebende Legende Hitchcock in perfektem Make-up und begrüßte uns in perfektem Deutsch. „Willkommen in Hollywood und in Universal City. Ich hoffe, Sie hatten eine gute Reise!"

Dieser Mann überließ nichts, aber auch gar nichts dem Zufall. Er hatte seine eigene Kamera-Crew und seinen Oberbeleuchter an den Set gerufen, damit er im Deutschen Fernsehen optimal erscheinen würde. Er interessierte sich für jeden Kandidaten, wollte wissen, mit welcher Leistung sie die Reise über den Atlantik zu ihm gewonnen hatten, und von mir wollte er wissen, wie viele Filme ich gedreht hatte. Zu meiner größten Überraschung und Freude kannte er *08/15*, den er großartig fand.

Er schenkte uns eine ganze Stunde. Schließlich holte er aus einer Schublade seines Schreibtischs festes Papier, zeichnete sein berühmtes Konterfei mit einem Tuschestift und setzte seinen Namen darunter. Jeder von uns bekam solch ein wertvolles und persönliches Geschenk.

Am nächsten Tag hatte er für Helga Thiedemann und mich etwas ganz Besonderes arrangiert. Wir besuchten eine Insel, auf der berühmte „Tierpensionäre" ihr Gnadenbrot bekamen. Die Insel war eine Luxusherberge für „tierische Stars", mit denen die Filmgesellschaften Millionen verdient hatten, für die „Lassies", die „Furys", die „Flippers".

Genau da kam uns die Idee, die bei *Auf los geht's los* wie eine Bombe einschlug. Bei mir sollte es ein Affe sein, ein lustiger Schimpanse, der mir künftig am Ende jeder Sendung einen Brief brachte. In dem Brief sollten all meine Fehler und Unzulänglichkeiten während der Sendung aufgelistet und mit frechen Kommentaren versehen sein. Schon auf dem Rückflug kugelten wir uns hoch über dem Atlantik vor Lachen, was wir mit dem Schimpansen alles anstellen würden.

Über eine Tieragentur erfuhren wir, dass ein bekannter Dompteur und Angehöriger der berühmten Zirkusdynastie Althoff einen Tierpark unterhielt, in dem er Tiere für besondere Aufgaben trainierte. Wir trafen einen Mann, der genau wusste, was wir wollten. „Ich glaube, ich hab da was für Sie. Charly, einen noch jungen, sehr umgänglichen Schimpansen. Ich habe schon eine Menge Arbeit und Geld in ihn investiert. Er hat seine Eigenheiten, ist sehr intelligent und sucht sich genau aus, zu wem er freundlich ist und wen er nicht mag."

„Und wie finden Sie heraus, ob er mich mag?"

„Indem ich Sie zu ihm bringe und euch miteinander bekanntmache!"

Bei unserer Ankunft saß Charly in einer Ecke seines Käfigs und war mit einer Banane beschäftigt. Ob seine Grunzlaute Zustimmung oder Ablehnung bedeuteten, konnte auch Althoff nicht mit Sicherheit sagen. „Um das festzustellen, müssen Sie rein zu ihm!"

„In den Käfig? Allein?"

Althoff lachte. „Natürlich allein! Wenn ich mitgehe, konzentriert er sich auf mich. Er soll Sie beschnuppern. Ich bleibe in der Nähe, falls ihm etwas missfallen sollte. Dann kann er unangenehm werden."

„Was heißt das?"

Im Einsatz für die beliebte Samstagabendshow: am Telefon bei *Auf los geht's los*

Affe Charly wurde zum Maskottchen und Publikumsliebling der Show.

Arnold Schwarzenegger stellte seine Muskeln zur Schau.

Bei *Auf los geht's los* waren so viele internationale Stars zu Gast wie in keiner deutschen Fernsehshow zuvor: Klaus Maria Brandauer und Sean Connery plauderten entspannt mit dem Showmaster.

Sir Peter Ustinov unterhielt das Publikum mit charmanten Anekdoten, und Nena und ihr Gastgeber schwangen das Tanzbein.

Aufgrund einer verlorenen Wette bei *Wetten, dass ..?* moderierte Joachim Fuchsberger, hier mit Mireille Mathieu und Patrick Duffy, im Oktober 1983 eine komplette Ausgabe von *Auf los geht's los* im Nachthemd.

Mit dem jüngsten Clown in der letzten Sendung von *Auf los geht's los*, die im März 1986 zugunsten von UNICEF stattfand

„Dann beißt er!" Angesichts der Hauer, mit denen Charly gerade seine Banane zerlegte, beschlich mich ein höchst ungutes Gefühl.

Also versuchte ich erst einmal von außen mit ihm zu „kommunizieren". Wiederholt rief ich leise seinen Namen und tat so, als ob wir uns schon lange kannten. Charly blieb in seiner Ecke, drehte sich aber mit dem ganzen Körper in meine Richtung.

„Jetzt will er imponieren", sagte Althoff. „Drehen Sie sich auch voll zu ihm, und sprechen Sie etwas lauter. Er muss Sie als ‚Alpha-Affe' anerkennen! Er muss das Gefühl bekommen, dass Sie stärker sind als er!"

Als ich nun Charlys Namen lauter sprach und ihn dabei ständig fixierte, gab der Schimpanse ein paar Töne von sich, von denen Althoff behauptete, es seien erste Zeichen von Anerkennung und Zustimmung. Was aber würde geschehen, wenn jetzt die Käfigtür für mich einen Spalt geöffnet wurde und ich Charly gegenüberstehen würde – ohne Gitter zwischen uns? „Probieren geht über Studieren", war Althoffs lakonische Bemerkung. Das Herz schlug mir bis zum Hals. Dann geschah etwas Unglaubliches: Charly hielt mir mit ausgestrecktem Arm seine halb angefressene Banane entgegen.

„Nehmen Sie sie", sagte Althoff eindringlich von draußen, „er scheint Sie zu mögen. Er will seine Banane mit Ihnen teilen!"

Langsam bewegte ich mich auf Charly zu und streckte meine Hand nach der Banane aus. Dabei sprach ich ganz normal mit ihm. „Hallo Charly! Ich bin Blacky! Wir sollen zusammenarbeiten, im Fernsehen, und jetzt wollen sie wissen, ob wir zueinanderpassen. Was meinst du?"

Je näher ich Charly kam, desto lebendiger wurde er, gab Laute von sich, fletschte das gewaltige Gebiss, schien aber nicht unfreundlich. Und dann stand er auf. Er war nicht besonders groß. Vielleicht war das in diesem Augenblick gut für mich. Ich stellte mich vor ihm in Positur, sah von oben auf ihn hinab und legte mit leichtem Druck meine Hand auf seinen Kopf. Er ließ es geschehen.

„Was soll ich jetzt machen?", wollte ich von Althoff wissen.

„Nichts! Setzen Sie sich hin und reden Sie weiter auf ihn ein. Zucken Sie nicht zurück, wenn er Sie berührt, egal wo. Er will Sie erkunden."

Charly erkundete mich recht intensiv, mit der Nase, mit Händen und Füßen, er testete meinen Anzug, griff in die Taschen und stellte enttäuscht fest, dass auf meinem Kopf keine knackigen Läuse zu finden waren. Bei dieser Prozedur versuchte ich so oft wie möglich, ihn zu berühren, seine Hand zu nehmen, ihn zu streicheln, ihm den Arm um die Schultern zu legen. Er ließ es sich gefallen. Nach ungefähr einer Stunde schienen wir Freunde geworden zu sein.

"Gehen wir in meinen Wohnwagen, dort können wir in Ruhe über alles reden", sagte Althoff, "und Charly nehmen wir mit!"

Nach kurzer Zeit war klar, dass wir gefunden hatten, was uns in Hollywood in den Sinn gekommen war. Jetzt war der SWF an der Reihe, das Finanzielle zu regeln. Wie selbstverständlich setzte sich der Affe während der Verhandlungen neben mich auf Althoffs Couch, nahm Kekse aus meiner Hand und wollte aus meiner Tasse Tee trinken. Natürlich ließ ich ihn gewähren, Althoff sah es mit Vergnügen. "Er hat Vertrauen zu Ihnen, er erkennt Sie an."

Danach war es Sache der Kreativabteilung im Team, den Schimpansen so wirkungsvoll wie möglich einzusetzen. Die Ideen sprudelten nur so. Charly sollte so etwas werden wie mein Alter Ego. Das hieß auch, dass er das gleiche Outfit bekam wie ich: die gleichen Anzüge, die gleichen Hemden, die gleichen Krawatten, die gleiche Brille.

Die ersten Ergebnisse waren atemberaubend. Charly sah umwerfend aus und benahm sich saukomisch. Er fing an mir die Show zu stehlen und bestätigte die alte Schauspielerangst: Tritt niemals mit Tieren oder Kindern auf, sie spielen dich an die Wand!

Natürlich musste ich mich ständig mit Charly beschäftigen, mit ihm zusammen sein, wo immer es ging. Das führte zu teilweise grotesken Situationen. In den Hotels, in denen das Team untergebracht war, saß er immer neben mir, angezogen wie ich. Beim Essen, an der Bar, in der Lobby. Inzwischen hatte er mich so gut "studiert", dass er alles nachmachte, was ich tat. Las ich Zeitung, griff er sich auch eine und blätterte um, wenn ich es tat. Er nahm mit spitzen Fingern seine Teetasse und trank, wenn ich es tat. Setzte ich meine Brille auf, verlangte er nach seiner, für ihn originalgetreu nachgebaut, nur ohne Glas.

Besonders amüsant waren unsere gemeinsamen Autofahrten. Charly hatte jedes Mal eine Riesenfreude, wenn er angezogen und angeschnallt auf dem Beifahrersitz saß. Standen wir an einer Ampel dicht neben einem anderen Auto, nahm Charly sofort Kontakt auf. Nachdem er die Scheibe auf seiner Seite jedes Mal vollsabberte, ließ ich das Fenster offen. Er lehnte sich dann weit hinaus und streckte seinen langen Arm nach dem Gefährt neben uns aus, was nicht wenige Fahrer so erschreckte, dass sie losfuhren, obwohl die Ampel Rot zeigte.

CHARLY und ich waren ein Herz und eine Seele, wenn man das in dem Fall so sagen darf. Bis er mir eines Tages, während einer Probe zu *Auf los geht's los*, total verändert vorkam. Das sonst so aufmerksame Tier war auf einmal völlig unkonzentriert und wollte partout nicht tun, was ich von ihm verlangte. Es zog ihn unwiderstehlich zum Pianisten des Orchesters. Tiertrainer Althoff beobachtete seinen Zögling sehr aufmerksam. „Charly ist bockig und will nicht gehorchen", erklärte ich.

Da drückte mir Althoff einen Knüppel in die Hand und sagte: „Er probiert gerade aus, wer der Stärkere von euch beiden ist. Wenn er das nächste Mal nicht gehorcht, hau ihm damit eine über den Kopf!"

Ich war sprachlos. Das konnte doch wohl nicht ernst gemeint sein!

„Doch", sagte Althoff, „wenn er merkt, dass er der Stärkere ist, kriegst du ihn nie wieder dazu zu gehorchen!"

Ich sah mich um. In der Halle waren an die zweitausend Menschen, die den Proben aufmerksam folgten. „Wenn ich Charly vor den vielen Zuschauern mit dem Knüppel auf den Kopf haue, muss ich noch vor der Sendung auswandern. Die zeigen mich sofort beim Tierschutz an!"

„Wenn du's nicht machst, und zwar sofort, an Ort und Stelle, da, wo er den Gehorsam verweigert, ist er für den Rest seiner Tage für die Arbeit verdorben. Ich krieg ihn nie wieder hin."

„Mach du das doch, nach der Probe!"

„Das geht nicht! Nach der Probe weiß er nicht mehr, wofür er bestraft wird. Bei mir hat er den Gehorsam ja nicht verweigert!"

Das sah ich zwar ein, aber es änderte nichts an meiner Einstellung. Zum nächsten Auftritt hatte Charly sich etwas beruhigt, und ich dachte, die Gefahr sei vorüber. Althoff aber blieb skeptisch. „Lass ihm ja nichts mehr durchgehen", mahnte er eindringlich.

Nächste Probe. Unser Auftritt. Charly an meiner Hand. Musik brauste auf. Charly blieb stehen, ließ sich von mir nicht weiter in Richtung Bühnenmitte ziehen, sondern zerrte mich in Richtung Orchester und Pianist. Ich gab nach, Charly setzte sich vor dem Pianisten auf den Hintern und himmelte ihn an. Das Orchester fing an zu lachen, Dieter Pröttel unterbrach die Probe. Ohne Musik ließ Charly sich in die Mitte führen. Ab und zu drehte er sich jedoch nach dem Pianisten um. Wie sollte das am Abend in der Liveshow gehen?

Einige Tausend in der Halle, die Eurovisionsfanfare als Erkennungsmelodie, die Show begann. Auftritt Blacky und Charly, das Orchester Erwin Lehn swingte in den schönsten Tönen, dann kam der Klavierpart. Charly blieb stehen, drehte den Kopf in Richtung Orchester und begann zu grunzen. Die Zuschauer begannen zu lachen, weil sie dachten, das gehöre zur Show. Dann passierte es. Ich hatte nichts in der Hand, um mich als Alpha-Affe durchzusetzen. Charly biss zu, meine Hand blutete, aber irgendwie gelang es mir, ihn für den Rest der Show einigermaßen im Zaum zu halten. Es war sein letzter Auftritt.

Althoff hätte mich am liebsten erwürgt. Er war stocksauer und behauptete, dass er mit diesem Tier nie wieder arbeiten könne. Charly, schmerzlich vermisst, wurde durch ein kleines Affenmädchen ersetzt. „Bärbel" war jedoch nicht in der Lage, die Gunst der Zuschauer zu erringen, und so dauerte das Intermezzo nur kurze Zeit. Und ehrlich gesagt hatte ich auch genug von diesem „Affentheater".

AUF LOS GEHT'S LOS stieg unaufhaltsam in der Zuschauergunst. Plötzlich waren wir mit unserem „A-bis-Z-Spiel" die Nummer eins der Samstagabend-Unterhaltung im Deutschen Fernsehen. Das brachte Vor- und Nachteile. Nachdem der Erfolg bekanntlich viele Väter hat, fingen plötzlich Leute an, sich um die Show zu kümmern, die wenig vom schwierigen Fach der Unterhaltung verstanden.

„Das ist doch völliger Unsinn, was ihr da macht", meinte beispielsweise eines Tages nach einer sehr erfolgreichen Folge von *Auf los geht's los* der neue Programmdirektor des Südwestfunks. Ihm gefiel die Steigerung mit viel Prominenz und Top Acts aus der Welt des großen Showbusiness am Schluss der Sendung nicht, obwohl Tausende von Zuschauern klatschten und trampelten vor Begeisterung. Er war zudem nicht sehr entzückt, als ich ihm, auch im Namen meiner Mitstreiter, klar und deutlich zu verstehen gab, dass er von dem, was wir taten, unserer Meinung nach keine Ahnung hatte. Ab da war eine ersprießliche Zusammenarbeit kaum noch möglich. Er fand eine andere, vielleicht angenehmere Beschäftigung im Medienbereich, und sein Nachfolger Dr. Dieter Stolte war nun wieder das genaue Gegenteil. Programmerfahren und mit allen Tücken des schwierigen Berufes aus seiner Zeit beim ZDF vertraut, war er unser Rückhalt, wenn wir von den Kritikern Dampf bekamen.

Als es mal wieder ziemlich dicke kam, ließ er mich zu sich bitten. „Machen Sie sich keine Sorgen, und lassen Sie sich nicht unterkriegen. Ich stärke Ihnen den Rücken." Na, das war ein Programmdirektor, wie man ihn sich nur wünschen konnte! „Wer hat denn am härtesten zugeschlagen?", fragte er weiter.

„Ein Münchner Kritiker von der *Süddeutschen*, Eckhart Schmidt."

„Dann werden wir den Herrn zu einer Pressekonferenz bitten und ihm nahelegen, dass er uns seine Meinung persönlich kundtut."

Während der Pressekonferenz lächelte Dieter Stolte den Kritiker an und meinte: „Warum kommen Sie nicht mal zu einer Sendung vor Ort? Wir laden Sie ein, bei der redaktionellen Gestaltung und bei den Proben in der Halle mitzumachen. Wäre das nicht interessant für Sie zu sehen, wie so eine Riesensendung zustande kommt?"

Eckhart Schmidt fand das interessant und kam. Er war begeistert, hatte eine Reihe guter Ideen und war von Stund an für lange sechzehn Jahre, neben meiner Frau, mein engster Berater. Nicht nur bei *Auf los geht's los*, auch bei *Heut' abend* und bei *Ja oder Nein*.

„WAS MÖCHTEN Sie denn gerne machen?", fragte mich eines Tages Dr. Christof Schmid, der Fernsehunterhaltungsboss des Bayerischen Rundfunks. In diesem Moment wusste ich, dass sich in der nächsten Minute eine Schicksalsfrage für mich entscheiden würde.

Wir – Hans Hirschmann, Unterhaltungschef beim Südwestfunk, Christof Schmid und ich – saßen an diesem Nachmittag zusammen, um eine mögliche Koproduktion von Südwestfunk und Bayerischem Rundfunk bei *Auf los geht's los* zu besprechen. Der BR hatte an der Show, so wie sie war, nichts auszusetzen, eigentlich ungewöhnlich für solche Art von Verhandlungen, und wollte gerne einsteigen. „Wir freuen uns, dass wir da mitmachen können", sagte Christof Schmid, „und dass Sie damit teilweise zu Ihrem Heimatsender zurückkommen!"

„Darüber freue ich mich auch", erwiderte ich, „wenn es auch immer noch nicht genau das ist, was ich eigentlich machen möchte!"

Seit Jahren hatte ich mit Neid die amerikanische Talkszene im Fernsehen beobachtet. Da waren ein paar Superstars am Werk, die ich bewunderte. Genau so etwas wollte ich machen, hatte aber bisher bei jedem neuen Vorstoß in den Programmdirektionen nur ein mitleidiges Lächeln und den Hinweis geerntet, dass das in Deutschland nicht gehe, weil die Zuschauer das nicht wollten.

„Ich würde gern eine Talkshow machen!", antwortete ich jetzt.

„Na, dann machen Sie die doch bei mir!" Sollte das ein Witz sein? „Ganz im Ernst! Wie viele Sendungen wollen Sie denn machen?"

„Na, so an die dreißig im Jahr!"

„Einverstanden, bei uns im dritten Programm. Wann wollen Sie anfangen?"

Jetzt schaltete sich Hans Hirschmann in unser Gespräch ein: „Wenn Sie das ernst meinen, Herr Kollege, dann macht der Südwestfunk mit!"

Es war fast zu schön, um wahr zu sein. Sollte ich wirklich die Chance bekommen, zumindest zu versuchen, meinen großen Vorbildern David Frost in England, Johnny Carson in Amerika und vor allem Dick Cavett nachzueifern? David Frost, später von Queen Elizabeth II. geadelt, war sicherlich unerreichbar. Er trat an drei Abenden hintereinander mit drei verschiedenen Sendungen vor sein Publikum: *Frost on Friday*, *Frost on Saturday* und *Frost on Sunday*. Die Sendungen waren thematisch sehr unterschiedlich, von hochgestochen bis volkstümlich, aber alle brillant vom Meister geleitet. So weit waren wir in Deutschland noch nicht. Aber mit einer Sendung, wie Dick Cavett sie machte, weniger journalistisch, eher unterhaltend, konnte ich mir einen Erfolg vorstellen.

Wir fieberten alle der ersten Show entgegen. Live, mit vielen Gästen und unterschiedlichen Themen. Das Studio in München-Unterföhring war ausgesprochen gemütlich hergerichtet, mit Stühlen und kleinen Tischen, und bis auf den letzten Platz ausverkauft. *Heut' abend* war uns als Titel für die Sendung eingefallen und sollte, nach Übernahme ins erste Programm, für zehn lange Jahre „Die Talkshow der ARD" werden. Die Übernahme ins erste Programm war auch die Geburtsstunde von „Greenwood productions + publications GmbH", zur Geschäftsführerin wurde Gundula Fuchsberger bestellt.

Natürlich wünscht man sich für die ersten Sendungen besonders attraktive Gäste – Aufreger, solche, die noch nicht auf allen Kanälen abgenudelt worden sind. Zu der Zeit waren die Zeitungen gerade voll mit Berichten über ein Konzert, das Superstar Harry Belafonte im Circus Krone in München geben sollte. Ob es uns wohl gelingen würde, ihn in die neue Talkshow zu bekommen?

Was uns sein Management zunächst erlaubte, war mein Besuch bei einer Probe im Circus Krone. Die Security geleitete mich in die oberste Reihe des leeren Krone-Baus, weit genug weg vom Star unten auf der Bühne, den ich möglicherweise hätte stören können. Harry Belafonte probte intensiv mit nur wenigen Musikern. Was er gerade sang, kannte die ganze Welt: „Matilda". Plötzlich hob er die Hand vor die Augen, als blende ihn ein Scheinwerfer. Er hatte mich entdeckt. *„Excuse me – the gentleman up there – may I ask what you are doing here?"*

Ich stand auf und wollte mich vorstellen. Er rief jedoch mit seiner heiseren Stimme auf Englisch: „Bitte kommen Sie runter, ich kann Sie von da oben nicht hören!" Geduldig wartete er, bis ich schließlich vor ihm stand. Ich war ja nun schon einigen Stars dieses Kalibers begegnet, aber der war etwas Besonderes. Der Mann war groß, athletisch, eine Persönlichkeit, die Respekt einflößte. „Also, was machen Sie hier?"

Ich stellte mich auf Englisch vor und erklärte ihm, dass ich ihn zu unserer neuen Show einladen wollte.

„Wie heißen Sie gleich?"

„Blacky Fuchsberger, Sir."

„Vergessen Sie das Sir – ich heiße Harry! Und Ihr Vorname ist wirklich Blacky?"

„Ja, Sir – Harry", erwiderte ich.

… der Sänger Roberto Blanco …

In 300 Sendungen der Talkshow *Heut' abend* waren zahlreiche Prominente zu Gast, darunter – als erster Weltstar – Harry Belafonte …

… der Fernsehmoderator Hans Rosenthal …

… die *tagesschau*-Sprecherin Dagmar Berghoff …

... die Sängerin Caterina Valente ...

... der Fußballspieler Franz Beckenbauer ...

... und die Schauspielerin, Sängerin und Buchautorin Hildegard Knef.

„*Well*", sagte Harry Belafonte und grinste breit, „*I think we 'blacks' must stick together!* " – Wir Schwarzen müssen zusammenhalten.

Damit war das Eis gebrochen. Nach der Probe wollten wir die Einzelheiten besprechen.

Jetzt saß ich in der ersten Reihe und sah zu, wie der Weltstar arbeitete. Leise, mit einem Lächeln, ständig in Bewegung, im Rhythmus der Musik, die er mit seinen Musikern und dem Chor probte. Nur selten unterbrach er, gab Anweisungen mit seiner heiseren Stimme, machte Scherze, es wurde gelacht. Nach einer Stunde entließ er seine Musiker.

„Erklär mir deine Show!", forderte er mich auf, als wir in seiner Garderobe saßen. Nach einer halben Stunde kam der erlösende Augenblick. „*I think I'm doing the show*", sagte er, und ich musste mich zurückhalten, um nicht gleich an Ort und Stelle einen Luftsprung zu machen.

Es stellte sich heraus, dass er genau zehn Tage älter war als ich. Mit seiner Frau Julie war er fast so lange verheiratet wie Gundel und ich. Unsere Söhne waren gleich alt. Wir hatten also eine Menge Gemeinsamkeiten, was uns einander schon bei diesem ersten Gespräch sehr nahebrachte.

Am Tag der Sendung war der Andrang im Studio in München-Unterföhring gewaltig. Weltstars in einer deutschen Talkshow waren damals etwas Außergewöhnliches, und ich gebe zu, dass ich einigermaßen nervös war. Vor allem beschäftigte mich die Frage, ob das mit dem zweisprachigen Interview klappen würde. Ich würde die Fragen zuerst auf Deutsch stellen für die Zuschauer, dann auf Englisch wiederholen für den Gast. Seine Antwort würde ich wiederum für die Zuschauer ins Deutsche übersetzen. Eine langwierige Angelegenheit, aber es klappte, weil die Zuschauer begierig waren zu hören, was Harry Belafonte zu sagen hatte.

Harry und ich freundeten uns an. Während eines seiner späteren Besuche in München bat er mich, ihm die Stadt zu zeigen, und wir bemühten uns, ihn an die Stellen zu bringen, die Touristen normalerweise nicht zu sehen bekommen. Dazu gehört die Auer Dult, ein wundervoller Markt rings um die Mariahilf-Kirche in der Au.

Als wir Harry von seinem Hotel abholten, mussten wir lachen. Er hatte sich mit Schiebermütze, Schal und dunkler Sonnenbrille regelrecht vermummt, um nicht auf Schritt und Tritt erkannt zu werden.

„Wir zeigen dir einen Platz, an dem viele Menschen viele Dinge kaufen und verkaufen. Vielleicht findest du etwas Nettes für deine Frau!"

„Okay, da kann ich ja gleich mal sehen, wie populär du bist", grinste er. „Geh du einfach zehn Meter vor Gundel und mir her, ich will sehen, ob dich die Leute überhaupt erkennen!"

Gesagt, getan. Harry sah und hörte allerdings nicht, dass ich den

DENN ERSTENS KOMMT ES ANDERS ... 387

Leuten, wenn sie mich erkannten, sagte: „Zehn Meter hinter mir kommt Harry Belafonte, mit Schiebermütze, Brille und Schal, der gibt gern Autogramme!" Im Nu waren Harry und Gundel von begeisterten Fans umringt, und Harry machte gute Miene zum bösen Spiel.

„*You bastard*", sagte er, als ich neben ihm erschien und meinte: „Jetzt weißt du, wie populär ich bin!"

BEI *HEUT' ABEND* lernte ich Menschen kennen, die beeindruckende Geschichten aus ihrem Leben erzählten, aber auch einige, bei denen offensichtlich war, dass sie es mit der Wahrheit nicht so genau nahmen. In dreihundert Folgen in zehn Jahren hatte sich *Heut' abend* zur Talkshow der ARD gemausert.

In *Heut' abend* griff Harald Juhnke André Heller an, der sich seinerseits kritisch über Franz Josef Strauß geäußert hatte. In *Heut' abend* erlebten die Zuschauer Gäste, die vorher geschworen hatten, niemals in einer Talkshow aufzutreten. Max Grundig zum Beispiel, der mir in einem Vorgespräch deutlich zu verstehen gab, dass wir uns vor der Kamera duzen sollten, wie eben im Privaten auch. Vor der Kamera hatte er das wohl vergessen. Auf meine erste Frage: „Warum hast du deine Meinung über Talkshows geändert?", antwortete er: „Weil Sie mich dazu überredet haben, Herr Fuchsberger." Ich dachte, wenn ich ihn bei der nächsten Frage wieder duzte, würde ihm unsere Vereinbarung schon wieder einfallen. Aber nein, er blieb beim „Sie", und ich blieb beim „Du", was mir den Ruf grober Unhöflichkeit einbrachte.

Die großartige Aenne Burda hatte sich nach langem Drängen und Überzeugungsarbeit endlich bereiterklärt, zu *Heut' abend* zu kommen. Ihre Söhne, Hubert, Franz und Frieder, waren nicht gerade begeistert und sagten es auch. „Ihr wisst doch, dass ich eure Mutter verehre, ich werde ihr bestimmt nichts Böses tun oder sie kompromittieren", versuchte ich zu überzeugen. „Das wissen wir", sagten die Burda-Söhne. „Wir haben auch keine Angst vor dem, was du sagst, nur vor dem, was unsere Mutter sagt!"

Aenne Burda bestand darauf, dass ich sie nach ihrem Alter fragte. „Du weißt doch, wie ungezogen das wäre", sagte ich, „man fragt eine Dame nicht nach ihrem Alter!"

„Aber ich will das! Die Leute wollen das und sollen es wissen." Was blieb mir übrig? An einer passenden Stelle fragte ich also nach ihrem Alter. Ein Raunen ging durchs Publikum. „Ich weiß, dass man das nicht tut", sagte ich, „aber Frau Burda besteht darauf."

„Ja, des stimmt", sagte sie mit ihrem leicht badischen Akzent, „ich will, dass Sie wissen, dass ich fünfundsiebzig bin, und sehen, dass man auch im Alter noch viel arbeiten kann. Natürlich weiß ich auch, dass ab jetzt jeder Tag ein Geschenk vom lieben Gott ist." Aenne Burda erntete stürmischen Beifall.

Andere Highlights bei *Heut' abend* waren die Fliegerin Elly Beinhorn und der Schwergewichts-Boxweltmeister Max Schmeling. Eine der ergreifendsten Sendungen war sicher die mit der großen Schauspielerin Liv Ullmann. Sie war damals schon als internationale Botschafterin für UNICEF weltweit im Einsatz gegen die Not der Kinder. Liv Ullmann hat eine besondere Ausstrahlung von Mütterlichkeit und Fraulichkeit, die sie in ihren Rollen so überzeugend einzusetzen wusste. Von der ersten Sekunde ihres Auftritts an hatte sie die Herzen der Zuschauer gewonnen. Sie erzählte wenig über ihre Arbeit, kam lieber ziemlich schnell auf ihr Engagement für UNICEF zu sprechen. Sie sprach immer langsamer und immer leiser, als sie erzählte, wie bei ihrem Besuch im Sudan ein Kind in ihren Armen gestorben war. Es war totenstill im Studio, die Zuschauer vergaßen fast das Atmen. Liv Ullmann saß vor mir mit geschlossenen Augen, als hielte sie noch immer das tote Kind in ihren Armen.

Dann sah sie mich an und fragte: „Möchtest du nicht auch für uns, für UNICEF, für die Kinder in der Welt arbeiten?"

Ich nickte nur, und Liv Ullmann gab mir die Hand. Es war wie ein Ritterschlag. Im Frühjahr 1984 wurde ich vom Deutschen Komitee für UNICEF zum ersten Botschafter der Bundesrepublik Deutschland ernannt. Ich bin es noch heute und werde es bleiben, solange meine Kräfte reichen.

Für die Erlaubnis, nach neun Jahren die letzte Sendung von *Auf los geht's los* ganz in den Dienst von UNICEF stellen zu dürfen, bin ich dem Südwestfunk und der ARD überaus dankbar. Mit der Hilfe von UNICEF kam eine ganz außergewöhnliche Besetzung für die Sendung zusammen. Weltstars wie Danny Kaye, Peter Ustinov, Giulietta Masina, die Kessler-Zwillinge und viele andere traten in den Dienst der Sache. Am Ende der zweieinhalbstündigen Sendung waren etwas über fünf Millionen D-Mark auf das Konto von UNICEF eingegangen!

WAS SOLLTE nach *Auf los geht's los* kommen? Eine der erfolgreichsten Fernsehsendungen war Robert Lembkes *Was bin ich?*. Über dreißig Jahre lang war sie ein Quotenhit gewesen. „Welches Schweinderl hätten S' denn gern ...?" und „Machen Sie eine typische Handbewegung ...!" – diese beiden Sätze kannte die ganze Nation.

Robert Lembke, mein Chef über viele Jahre, nicht nur beim Bayerischen

Als Moderator der Ratesendung *Ja oder Nein*, die mit dem Rateteam (v.l.n.r.) Sepp Maier, Vera Russwurm, Thomas Hegemann und Alice Schwarzer die Nachfolge von Robert Lembkes *Was bin ich?* antrat

Rundfunk, sondern indirekt auch bei den Olympischen Spielen 1972, war im Januar 1989 gestorben. Ein Allroundgenie hatte die Medienszene verlassen und eine schmerzliche Lücke hinterlassen.

Eines Tages rief mich Wolf Feller, der Fernsehdirektor des Bayerischen Rundfunks, an und überraschte mich mit einer Idee, die mich fast umwarf. „Du musst die Sendung von Robert Lembke weitermachen!"

Vor Schreck ließ ich um ein Haar den Telefonhörer fallen. Niemand würde sich ungestraft in Lembkes Sessel setzen können. Der Schuh schien mir einfach zu groß. Wolf Feller aber ließ nicht locker. Mit Engelszungen versuchte er, mir seine Idee schmackhaft zu machen.

„Dann muss aber die Besetzung des Rateteams geändert werden", forderte ich.

„Und das Konzept!"

„Auch – und wir brauchen einen anderen Titel." Wir einigten uns auf *Ja oder Nein*.

„Und wer soll ins Rateteam?"

„Alice Schwarzer", entgegnete ich und dachte: Jetzt springt er dir gleich durchs Telefon ins Gesicht.

„Okay! Alice Schwarzer frage ich selbst. Wer noch?"

Die endgültige Zusammensetzung des Rateteams war ein gelungener

Unter dem Kreuz des Südens

Ich bin Schwabe. Als solcher unterliege ich dem diesem Volksstamm angeborenen Fernweh. Was sagt man uns Schwaben sonst noch nach? Sparsamkeit, Fleiß und unseren ausgeprägten Dialekt. „Wir können alles. Außer Hochdeutsch", behauptet ein gelungener Fernsehspot. Ich versuchte unter größten Mühen, meinen schwäbischen Dialekt abzulegen. Dass ich ihn durch einen betont rheinischen Singsang ersetzte, störte mich weniger, den sprachen ja die meisten.

Die beiden anderen deutschen Mundarten, die ich schätze, sind Hessisch und Sächsisch. Und was ich uneingeschränkt liebe, aber nie mehr so ganz sprechen lernen werde, ist Bayerisch – obwohl ich nunmehr seit 1949 in Bayern lebe.

Es war die Begegnung mit einem waschechten Sachsen, die das Leben meiner Familie verändern sollte. Im Haus des Filmstars Luise Ullrich – eigentlich Luise Gräfin Castell-Rüdenhausen – waren wir zu einem Empfang zu Ehren eines Ehepaars aus Australien geladen. Etwas abseits in einem Ohrensessel saß ein netter älterer Herr um die siebzig und betrachtete lächelnd das Gewusel um sich herum. Irgendetwas zog mich zu ihm hin. Er war klein, korpulent, glatzköpfig, seine Kleidung war von erlesenem Geschmack. Er sah mich freundlich an.

„Ich bin Erich Glowatzky aus Sydney", erklärte er in breitem und unverfälschtem Sächsisch. „Ich kenne Sie aus dem Fernsehen!"

Auf einem Hocker, eine andere Sitzgelegenheit bot sich im Moment nicht, saß ich quasi zu seinen Füßen und hörte mir an, was er mir unaufgefordert erzählte. Plötzlich waren wir in ein sehr persönliches Gespräch vertieft, und ich vergaß alles um mich herum.

Er berichtete, dass er seit 1935 in Sydney lebte, seit er als Schiffsingenieur mit einem deutschen Frachter nach Australien gekommen und dort hängen geblieben war. Nach dem Krieg hatte er ein Stahlbauunternehmen gegründet, mit dem er für deutsche Präzisionsarbeit bekannt wurde. So bewarb sich Glowatzkys Firma um den Auftrag für den Bau einer breiteren Auffahrt zur Sydney Harbour Bridge. Glowatzky bekam den Zuschlag, baute Anfang der Fünfzigerjahre den Expressway

DENN ERSTENS KOMMT ES ANDERS ...

in kürzester Zeit und wurde dadurch berühmt und reich. „Wenn Se mal nach Australien kommen, rufen Se mich an", sagte Erich Glowatzky beim Abschied, und diese Einladung ging mir nicht mehr aus dem Sinn.

Auch eine junge Dame aus dem Freundeskreis unseres Sohnes, Isabel Biggs, Tochter eines englischen Kapitäns der Handelsmarine, war nach Australien ausgewandert und schrieb uns begeisterte Briefe, denen sie nicht selten Fotos beilegte, um zu zeigen, wie schön es in ihrer neuen Heimat war. „Nun bin ich seit einem halben Jahr hier", schrieb sie eines Tages, „habe einen guten Job bei der Lufthansa gefunden und sitze an einem Schreibtisch mit einem unbeschreiblich schönen Blick auf den Botanischen Garten und die Rückseite des berühmten Opernhauses. Jeden Morgen komme ich mit der Fähre von der anderen Hafenseite. Das Wasser ist blitzsauber, die Menschen sind meist fröhlich, auch wenn's mal regnet, was selten genug passiert. Aber was soll ich euch lange erzählen – am besten, Ihr kommt einfach mal her und seht selber, wie schön es hier ist."

Gundel und ich fingen an zu überlegen, ob es eine Möglichkeit gab, das Nützliche mit dem Abenteuer einer Reise um die halbe Welt zu verbinden. Vielleicht könnten wir unsere Talkshow drüben verkaufen? SBS, der ethnische Fernsehkanal, sendete in mehr als fünfzig Sprachen. Eventuell konnte der unsere Sendung für die deutschen Zuschauer brauchen.

Eines Abends war Elly Beinhorn, die Legende der frühen deutschen Luftfahrt und Heldin meiner Jugendjahre, Gast bei *Heut' abend*. Sie war als erste Frau mit einem kleinen Eindecker um die Welt geflogen und 1932 unter dem Jubel Tausender von Zuschauern auf dem kleinen Ascot Airfield in Sydney gelandet. In der Menge hatte auch eine junge australische Flugschülerin gestanden, voller Bewunderung für den Fliegerstar aus Deutschland: Nancy Bird.

Bei den Gesprächen mit Elly Beinhorn erwähnten Gundel und ich ganz nebenbei, dass wir planten, demnächst nach Australien zu reisen. Impulsiv, wie Elly war, rief sie Nancy Bird an, die inzwischen als Pilotin und Mitbegründerin der berühmten „Flying Doctors" in die australische Luftfahrtgeschichte eingegangen war. „Da kommen Freunde von mir nach Sydney, bitte kümmere dich doch ein bisschen um sie!"

„Gern", erwiderte Nancy und vergaß unsere Namen in der nächsten Minute. Also suchte sie Hilfe bei dem einzigen Bekannten, von dem sie wusste, dass er deutscher Abstammung war und eine Wohnung in München hatte: Erich Glowatzky.

„Na ja", meinte der, „wie ich das letzte Mal drüben war, hab ich den Fuchsberger getroffen, bei der Luise Ullrich. Könnte der das sein?"

„Genau, das ist er!", sagte Nancy erleichtert.

Eines Abends klingelte das Telefon bei uns zu Hause in Grünwald. „Hier ist Erich Glowatzky aus Sydney", kam eine sächsische Stimme vom anderen Ende der Welt. „Ich höre grade, dass Sie nach Sydney kommen! Großartig! Wann landen Sie?" Ich war verdattert und verstand überhaupt nichts. „Vor ein paar Minuten hat mich Nancy Bird angerufen, die Freundin von Elly Beinhorn. Wenn Sie wissen, wann Sie kommen wollen, rufen Sie mich an, damit ich alles vorbereiten kann!"

Das war ein Ding. War es Zufall, oder ist so etwas Fügung?

„Was meinst du?", fragte ich Gundel. „Fliegen wir?"

AUCH wenn man es gewohnt ist, sich ständig irgendwo herumzutreiben – eine Reise um den halben Erdball ist kein Wochenendausflug. 1982 war man noch gute dreißig Stunden unterwegs, um von Frankfurt oder London über Kuala Lumpur oder Hongkong oder Bangkok oder Singapur nach Sydney zu kommen.

Die letzte Stunde des Fluges war besonders aufregend. Die Sonne ging über dem „fünften Kontinent" auf und beleuchtete unter uns kahle, unendlich weite rote Wüste. Kein Baum, kein Strauch, kein Wald, keine Straßen, keine Bahnlinien, nichts! Rote Erde ohne Ende.

Eine halbe Stunde vor Sydney hatte sich die Landschaft im Bullaugenausschnitt total verändert. Da waren jetzt dunkelgrüne Wälder, über denen ein seltsamer blauer Schleier lag. Die Karte im Bordmagazin klärte uns auf: Wir flogen über die Blue Mountains im Nordwesten der Metropole Sydney. Später erfuhren wir, dass der blaue Schleier durch den Austritt ätherischer Öle aus Millionen von Bäumen kommt.

Der Anflug auf Sydney von Norden her über die Stadt war atemberaubend. Links und rechts lag sie da, die Perle im südlichen Pazifik, die 4-Millionen-Metropole, die man nicht zu Unrecht als eine der schönsten Städte der Welt bezeichnet. Port Jackson, der Hafen von Sydney, war auch zu dieser frühen Morgenstunde schon sehr lebendig. Fähren und große Frachtschiffe zogen weiße Linien durch das tiefblaue Wasser, dazwischen die Heckwirbel der überschnellen „Jet-Ferries", die die Frühaufsteher zum Geldverdienen in die Stadt brachten.

Es war Juli, also im australischen Winter des Jahres 1982. Die Temperaturen waren nicht mit unseren zu vergleichen. Ein schöner Wintertag brachte es immerhin noch auf fünfzehn bis zwanzig Grad Celsius, und die meisten Australier sind, was Kleidung betrifft, recht abgehärtet und ohnehin weniger formell als wir Europäer. Weißes kurzärmeliges Hemd, im Geschäftsbereich allerdings mit Krawatte, kurze Hose mit Knie- oder überhaupt keinen Strümpfen sowie die abenteuerlichsten

Ausführungen von Sandalen. Nachdem sich die gläsernen Türen, die den Zollbereich von der erwartungsfrohen Menge trennten, geöffnet hatten, sahen wir uns solcherart gekleideten Australiern gegenüber, die in der riesigen Ankunftshalle auf ihre Lieben warteten. Unter ihnen stachen drei Figuren durch ihre Aufmachung sofort heraus: Erich und Edith Glowatzky sowie eine zierliche ältere Dame mit einem Korb wundervoller Kamelienblüten in verschiedenen Farben. Nancy Bird hatte Tränen in den Augen, was im Gegensatz zu der sonoren Stimme stand, mit der sie uns begrüßte. Und die Glowatzkys zeigten jetzt, gegen 5.30 Uhr, was australische Gastfreundschaft bedeutet. „Ihr müsst doch hungrig sein nach dem langen Flug?"

Erich hatte im „Sebel Townhouse", einer Luxusabsteige für Künstler, ein Champagnerfrühstück arrangiert, bei dem er uns seine Pläne für die nächsten Tage unterbreitete. „Morgen Abend haben wir in unserem Haus in Killara einen Empfang für euch organisiert. Der Präsident des Saarländischen Landtags und der deutsche Generalkonsul kommen auch. Sicher werdet ihr ein paar interessante Einladungen bekommen. Und übermorgen wird Nancy euch die Stadt zeigen."

Da saßen wir nun in aller Herrgottsfrüh auf der anderen Seite des Globus in einem Hotel, in dem das Personal schon um diese Zeit überaus freundlich war, betreut von einem alten Migrantenehepaar und einer VIP-Vertreterin des fünften Kontinents, und fühlten so etwas wie aufkommende Liebe auf den ersten Blick.

Der folgende herrliche Tag bestätigte dieses Gefühl. Eine Brise vom Pazifischen Ozean stieg uns in die Nase. Die Luft war wie Seide, die Menschen freundlich – es gefiel uns, was wir sahen, hörten und rochen: der Hafen von Sydney, die Stadt, die Skyline, der Centre Point, das Opernhaus.

Der Abend im noblen Bungalow von Erich und Edith Glowatzky hielt mehr, als der Hausherr versprochen hatte. Das stattliche Haus war von einem exotischen Garten mit Pool umgeben. Alles war festlich beleuchtet und durchzogen von köstlichen Düften, teils vom Barbecue, teils von Blüten und Sträuchern wie zum Beispiel meterhohem Lavendel. Die Stimmung war unbeschwert fröhlich – und laut. Untrügliches Erkennungszeichen australischen Wohlbehagens und guter Laune ist die Lautstärke, wie wir rasch lernten. Da der Empfang für uns stattfand, waren alle bemüht, uns zu verwöhnen, uns etwas Besonderes zu zeigen. Meine Jackentasche beulte sich bald ob der Fülle von Visitenkarten.

Eine besonders schöne gehörte dem Generalkonsul der Bundesrepublik Deutschland für New South Wales und Queensland, Dr. Gottfried

Pagenstert. Der Mann war eine stattliche Erscheinung, groß, schlank, grau meliert. Fast noch bemerkenswerter war seine Frau Elena: eine faszinierende norditalienische Schönheit, die sehr amüsant in mindestens fünf Sprachen parlierte.

Schon am nächsten Tag holte uns Seine Exzellenz zu einer ausgedehnten Stadtrundfahrt ab. Er erklärte uns die Bedeutung der über vierhundert Stadtteile, die in einem ständigen Wettstreit miteinander liegen. Einmal im Jahr wird die Rangfolge in den großen Tageszeitungen veröffentlicht, wonach sich Mietpreise und Verkaufswert der Immobilien richten. In Australien ist der Stadtteil, in dem man wohnt, eine Art Statussymbol.

Seit Jahrzehnten rangiert auf dieser Stadtteilliste Point Piper als die unbestrittene Nummer eins. Hier liegen die Villen und Paläste der Reichen, natürlich am Wasser des Port Jackson – und am besten zu besichtigen vom Deck eines der unzähligen Schiffe aus, die das Millionärsparadies abfahren. Gottfried Pagenstert zeigte uns dieses Eldorado von der Straßenseite her. Nicht weniger imposant, mit großzügigen Auffahrten und prächtigen Parkanlagen. Schließlich kutschierte er uns in Richtung Residenz des Generalkonsuls, die natürlich ebenfalls in Point Piper lag. „Meine Frau erwartet Sie!" Elena Pagenstert zeigte sich hocherfreut über unseren Besuch und war die perfekte Gastgeberin. Wir blieben bis weit nach Mitternacht.

Sydney war für uns wie ein Traum. Was uns am meisten begeisterte, war die Freundlichkeit der Menschen. Drei Wochen hatten wir für unsere erste Reise nach Australien geplant. Doch schon in der ersten Woche wurde klar, dass die Zeit kaum reichen würde, um auch nur die wichtigsten Attraktionen von Sydney kennen zu lernen. Elena Pagenstert und Nancy Bird lösten sich als Fremdenführerinnen ab und „verkuppelten" uns regelrecht mit dieser Stadt. Am Ende der drei Wochen stand für uns fest: Wir würden im nächsten Jahr wiederkommen.

Im Jahr darauf, 1983, zogen wir auf Einladung von Elena und Gottfried Pagenstert in das Gästezimmer der Residenz des Generalkonsuls ein.

„Fühlt euch wie zu Hause!", sagte Elena und meinte es auch so, wie wir sehr schnell konstatierten. Eines Tages – Gundel und ich gingen durch den hinreißend schönen, nahe gelegenen Botanischen Garten – nahm mich meine geliebte Frau unvermittelt bei der Hand und fragte: „Wäre es nicht schön, wenn wir uns hier was kaufen würden?" Ich hätte fast einen Luftsprung vollführt. „Es wäre großartig, aber was und wo?"

„Fragen wir Elena und Gottfried oder Erich und Edith!"

Elena war sofort Feuer und Flamme, als wir ihr von unserem Vor-

DENN ERSTENS KOMMT ES ANDERS ... 395

haben berichteten. „Ab morgen fahre ich euch durch die verschiedenen Stadtteile, die infrage kommen. Natürlich wäre es hier, in Point Piper, am schönsten."

„Aber auch am teuersten", wagte ich zu bemerken.

Ab sofort sahen wir keine Wolkenkratzer und Parks mehr, sondern konzentrierten uns auf Apartments, Wohnungen und die vielen wunderschönen kleinen Stadthäuser aus den Anfangsjahren der Kolonie. Sie sind aus Sandstein gebaut und haben Balkone mit kunstvoll geschmiedeten Eisengeländern und prachtvollen Blumenkästen.

Eines frühen Morgens trommelte Elena an die Gästezimmertür. „Bitte aufstehen, schnell anziehen, da ist eine Wohnung auf dem Markt, ganz in der Nähe. Am Wasser!" Sie klang aufgeregt. „Wir müssen sofort los!"

Tatsächlich fuhren wir nur um zwei Ecken, passierten den berühmten Royal Yacht Club und hielten hundert Meter weiter links vor einer großen schneeweißen Villa mit einem schwarzen Walmdach. „Es ist die Wohnung im Erdgeschoss", erklärte Elena begeistert. „Mit Garten zum Wasser hin!"

Offensichtlich war das Anwesen früher die Stadtvilla einer wohlhabenden Familie gewesen. Später war der Besitz geteilt worden, die untere Wohnung war verkauft worden und hatte einen Seiteneingang bekommen. Dort erwartete uns der Makler. Beim Eintreten traf uns fast der Schlag. Alles war grün! Der Boden, die Wände, die Vorhänge, die Decke – alles. „Das braucht viel weiße Farbe", sagte Gundel leise und hielt sich an mir fest.

Doch der Blick aus dem Panoramafenster entschädigte uns für diese grüne Hölle: Vor uns lag der Hafen, Jachten segelten vorbei, riesige Containerschiffe bahnten sich ihren Weg in Richtung Industriehafen. Direkt vor uns lag Shark Island, eine kleine, kreisrunde, mit Palmen bewachsene Insel. Allein der Gedanke, man könnte jeden Morgen beim Frühstück dieses Bild inhalieren, machte fröhlich. Gundels Händedruck wurde immer fester. Sie schien Feuer gefangen zu haben. Auch Elena und ihr Mann fanden, dass dieses „halbe Haus" eigentlich genau richtig für uns sei. Nun fehlte nur noch die alles entscheidende Stellungnahme von Erich Glowatzky. Er kam, sah und nickte. „Des koofste, da verlierste kein Geld", sagte er auf Sächsisch, und damit war der Kauf besiegelt. Der Rest war Formsache.

BEVOR wir zurück nach Deutschland mussten, wollten wir zeigen, dass wir nicht nur dankbar für die Hilfe waren, die uns in Sydney zuteil geworden war, sondern dass wir ernste Absichten hatten, beruflich hier tätig zu werden, und dafür die wichtigsten Leute kennen lernen wollten.

„Gebt eine Einladung", schlugen die Pagensterts vor, „wir stellen unser Haus zur Verfügung!" Das war mehr als großzügig.

„Nein, das können wir nicht annehmen", entgegneten Gundel und ich. „Es sollen an die einhundertfünfzig Gäste werden. Ein guter Einstand."

„Wie wäre es dann mit der Reception Hall im Opernhaus?"

Das war's! Wenn schon, denn schon! Grundig Australien stellte uns mehrere der größten Fernsehgeräte zur Verfügung, die wir im Saal verteilten. Auf jedem der Monitore sollte ein anderer Film von mir laufen. So liefen am fraglichen Abend im Sydney Opera House auf den großen Bildschirmen verschiedene Produktionen, von *Auf los geht's los* bis zu *Heut' abend*, und zeigten der ahnungslosen Schar erlauchter Gäste, was ihr Gastgeber eigentlich machte.

Die Pagensterts und wir standen am Eingang und begrüßten die Gäste. Nach 150 geschüttelten Händen wussten wir, wie anstrengend diplomatische Empfänge sein können. Schon bald sahen wir, dass die Gäste in Gruppen vor den Fernsehgeräten standen und sich interessiert ansahen, was da über die Bildschirme flimmerte.

„Ich glaube, das hat geklappt!", sagte Gottfried Pagenstert. „Mit der Einladung dürftet ihr in die Sydney-Society aufgenommen sein."

Und so war es.

Als wir im nächsten Jahr wieder in Sydney einliefen, verwandelten wir die grüne Hölle in ein lichtdurchflutetes weißes Paradies, mit einem atemberaubenden Blick über das Wasser des Port Jackson, in dem die Segeljachten zu Dutzenden ihre Regatten fuhren. Natürlich gab es bei der Einweihungsparty auch einige wenige kritische Anmerkungen, zum Beispiel, dass wir von der berühmten Harbour Bridge nur das nördliche Ende sehen konnten. Der volle Blick auf die Brücke, den „Kleiderbügel", wie sie von den Einheimischen genannt wird, gilt in Sydney als Statussymbol. Auf diesen Blick sollten wir noch zwanzig Jahre warten, aber das ist eine andere Geschichte.

Unsere Australienaktivitäten hatten sich in Deutschland herumgesprochen. Von überall kamen Fragen zum fünften Kontinent. Australien schien für viele eine besondere Faszination zu haben, was nicht selten zu völlig falschen Vorstellungen von einem Schlaraffenland führte, wo Milch und Honig fließen. Australien ist alles andere als das. Allerdings bot das Land damals wie heute Chancen für Leute mit Ideen und solche, die sich vor keiner Arbeit scheuen. Wer kommt und meint, alles besser zu können, gerät schnell ins Abseits. Irgendwelche Zeugnisse oder Titel gelten nicht mehr als das Papier, auf dem sie stehen.

Ein Satz, den ich häufig hörte: „Ja, wenn du Australier wärst, wäre

DENN ERSTENS KOMMT ES ANDERS ...

das kein Problem ...", brachte mich schließlich auf den Gedanken, unsere Bindung an dieses Land zu vertiefen, indem wir eine ständige Aufenthaltsgenehmigung, eine *Permanent Residency*, beantragten. Ein schwieriges Unterfangen. Die Genehmigung gilt für jeweils fünf Jahre und erlaubt es dem Inhaber, jede Arbeit im Land anzunehmen, Grundbesitz zu erwerben oder ein Geschäft zu betreiben. Außerdem muss man drei der fünf Jahre zusammenhängend im Land bleiben, wenn man die Genehmigung nicht wieder verlieren möchte, und das war in unserem Fall ja nicht möglich. Trotzdem bekamen wir das wertvolle Papier.

Je länger wir uns mit den Gegebenheiten unserer zweiten Heimat befassten, desto klarer wurde uns, dass auch auf der anderen Seite der Erde die Bürokratie das Leben weitgehend bestimmt. Und trotz der unglaublichen Freundlichkeit der Menschen sind auch in Australien Charaktereigenschaften wie Neid und Missgunst keineswegs unbekannt. Das bekamen wir schon bald in unserem Haus zu spüren. Die über uns wohnenden Nachbarn, ein Geschwisterpaar, gehörten leider zu der Sorte von Menschen, die andere nicht gerne in Frieden leben lassen. Nach außen hin sehr freundlich, versäumten sie keine Gelegenheit, uns klarzumachen, dass wir Fremde waren. Der Streit eskalierte, als wir beschlossen, an unseren Hausteil eine Terrasse zur Hafenseite hin anzubauen. Nach anfänglichem Zögern eröffneten sie uns, dass sie damit nicht einverstanden seien. Damit begann ein Grabenkrieg. Was immer wir taten, fand das Missfallen unserer Nachbarn, die gerne darauf hinwiesen, dass sie länger dort wohnten als wir, also ein gewisses Gewohnheitsrecht hätten. Das waren vielleicht die ersten bitteren Tropfen im Kelch unserer Begeisterung für Australien. Mit Sicherheit aber begannen damit die ersten Überlegungen, ob die Wunulla Road in Point Piper unsere letzte Station bleiben würde.

Zwei Mäntel kälter

Während sich die Zeit in Australien mehr und mehr zu einem aufregenden Abenteuer in einer anderen Welt entwickelte, brauten sich zu Hause dunkle Wolken zusammen. Beruflich geriet die Arbeit zu einer Art Wechselbad. Die einen tadelten meine „verbalen Entgleisungen" in den Samstagabend-Shows, die anderen hielten mich für einen „Softie" bei den Talkshows. Plötzlich kümmerten sich auch *Spiegel* und *Stern* in schmerzlicher Weise um meine Unzulänglichkeiten und machten mir damit das Leben ziemlich schwer. Das Ende von *Auf los geht's los* kam unaufhaltsam näher. Besonders die negative Beurteilung der Sendung durch die so genannten Entscheidungsträger tat mir und dem Team weh. Im Lauf der Jahre waren wir zu einer Familie zusammengewachsen.

WÄHRENDDESSEN wuchs in Sydney die Vorfreude auf ein Ereignis, dessen Feierlichkeiten alles bisher Dagewesene übertreffen sollten: den zweihundertsten Jahrestag der Ankunft der „First Fleet" unter dem Kommando des britischen Captains Arthur Phillip am 26. Januar 1788. Mit seiner Flotte von elf Schiffen mit Soldaten und Sträflingen an Bord hatte er die Einfahrt in den Naturhafen Port Jackson entdeckt. Der Stelle, an der sie landeten, gaben sie den Namen „Sydney Cove", zu Ehren ihres Auftraggebers, des britischen Innenministers Lord Sydney.

Die Spannung, was zu dieser Zweihundertjahrfeier alles erfunden und erdacht werden würde, stieg ins Unermessliche. Der Fantasie waren keine Grenzen gesetzt, die 4-Millionen-Stadt machte sich selbst besoffen. Mir kam da eine Idee. „Wenn wir mit *Auf los geht's los* nicht weitermachen, hätte ich einen Wunsch", sagte ich eines Tages zu Hans Hirschmann, dem Leiter der Hauptabteilung Unterhaltung-Fernsehen beim Südwestfunk Baden-Baden. „Ich würde gerne einen Dokumentarfilm über die Zweihundertjahrfeier von Sydney drehen!"

Hirschmann reagierte zuerst freundlich-ablehnend. Am Ende fanden wir aber doch eine beide Seiten befriedigende Lösung, und der Weg für eine lange und erfolgreiche Dokumentarserie war frei. Die erste Folge von *Terra Australis* sollte 1988 mit einer Doppelausgabe starten: „Sydney – Perle am Pazifik" und „Sydney – Eine Stadt feiert Geburtstag".

Am 26. Januar 1988 hatten sich an die 7000 Schiffe im Hafen von Sydney eingefunden. „Der Tag, an dem man zu Fuß über den Hafen gehen konnte", sagten die Sydney-Sider, die so etwas noch nie erlebt hatten. Die größten Kreuzfahrtschiffe aus aller Welt, die schönsten und teuersten Jachten der cleversten Steuerhinterzieher und unzählige mittlere, kleine und kleinste Hobbyboote, insgesamt an die 7000 Schiffe, hatten sich versammelt, um den Nationalfeiertag bei strahlender Sonne in einem der schönsten Häfen der Welt zu feiern.

Unser Boot *Calypso* wurde meisterhaft durch das Gewühl gesteuert. Wir hatten die Pressefahne gehisst, die es uns erlaubte, unbegrenzt hin und her zu manövrieren, um die bestmöglichen Filmaufnahmen für das deutsche Fernsehen zu bekommen. Schwer, das Bild zu beschreiben, das sich der Kamera bot, als hinter der Harbour Bridge die voll aufgetakelten *tall ships* aus aller Welt auftauchten und unter der Brücke durchsegelten. Tall Ships sind die alten Segelschulschiffe der Marine der Länder an den Weltmeeren, herrliche Drei- und Viermaster.

Als wir den fertig geschnittenen und vertonten Film in einer der Hallen auf dem Gelände der Bavaria Film in Geiselgasteig vorführten, war die Begeisterung einhellig. Sehr zu unserer Freude wurde die Musik unseres Sohnes Thomas gelobt. Er hat bei diesem ersten Film ein besonderes Gespür für die Umsetzung von Bildern in Musik entwickelt. Der Film hatte in der ARD den erhofften Erfolg, und so wurde die Fortsetzung des Projekts beschlossen. Insgesamt wurden 21 Folgen von *Terra Australis* gedreht.

DIE FOLGEN drei und vier brachten uns nach Queensland, in den Norden Australiens, danach stand ein Film über den siebten und kleinsten Bundesstaat auf dem Plan: Tasmanien. Diese Insel am südlichsten Ende von Australien, quasi der Ausgangspunkt zur Antarktis, war uns als etwas ganz Besonderes geschildert worden. Nicht nur was die Schönheit der Landschaft betraf, eigentlich mehr noch die Eigentümlichkeiten der Menschen, die dort lebten, und die Historie der Insel, die mehr als hundert Jahre vor dem australischen Festland entdeckt worden war.

Wir suchten ein tasmanisches Team für den Film, und als wir in Sydney ankamen, sahen wir uns mehrere VHS-Kassetten an. Der Film einer Produktion namens Eyelevel begeisterte uns besonders. Acht Tage später holte ich den Inhaber von Eyelevel am Flughafen ab, um ihn kennen zu lernen. Aus der Begegnung mit Robert Heazlewood sollte eine Freundschaft für den Rest des Lebens werden. Wir vereinbarten per Handschlag, den Film über Tasmanien zusammen zu drehen, mit Robert Heazlewood als Kameramann, seinem Assistenten Toni Kingston und dem Tonmann Brendon Leonard. Die Zusammenarbeit erbrachte einen Film, der wirklich Aufsehen erregte und der Anfang einer Reihe von weiteren 15 Folgen über ganz Australien werden sollte. Es stellte sich bald heraus, dass es kaum jemanden gab, der Australien besser kannte als Robert Heazlewood.

DIE DREHARBEITEN am Tasmanien-Film waren fast euphorisch. Jeden Tag verliebten wir uns ein bisschen mehr in die Insel. Das Klima war kühler, die Luft besser, und die Tage waren weniger hektisch als in Sydney. Wir fingen an zu vergleichen. Mit Robert und seinem Team könnten wir sicherlich die künftigen Filme auch von hier aus organisieren, ohne ständig zwischen Sydney und Hobart hin- und herfliegen zu müssen.

„Könntest du dir vorstellen, hier zu leben?"

„Ja", antwortete Gundel, „für die Zeit, die wir in Australien sind!"

Wir vertrauten uns Robert Heazlewood an. Er sagte nicht viel, wie es seine Art war, aber in seinen Augen war das gleiche Lächeln, das mir bei der Arbeit zeigte, dass er zufrieden war. „Schön, wenn ihr zu uns kommt", sagte er, „ihr passt zu uns!"

Durch seine Vermittlung erhielten wir eine Einladung zu einer Hafenrundfahrt an Bord der *Egeria*, der Jacht des Marine Board of Hobart, bei der wir Hobart jeweils aus den besten Winkeln sehen konnten. Besonders gut gefiel uns ein Streifen mit noblen Häusern am Sandstrand des Derwent River. „Da drüben, das wär was", meinte Gundel.

„Da ist jeder Quadratmeter besetzt", erwiderte Robert, „aber es gibt andere Stellen, genauso schön."

Eine davon sollte ich wenige Tage später kennen lernen, bei Dreharbeiten zu einem Interview mit dem tasmanischen Premierminister Michael Field. Als Motiv hatten wir den Hausberg von Hobart bestimmt, Mount Nelson. Auf dem Gipfel steht noch heute die alte Signalstation, die die Schiffe seit der Entdeckung der Insel Mitte des 17. Jahrhunderts sicher in den letzten Hafen vor der Antarktis leitete.

Um 6.50 Uhr stand das Team drehbereit auf dem Gipfel. Aus dem Tal hörten wir das Brummen unseres gemieteten Hubschraubers, der den Premier zu uns brachte. Nach der Landung kam er gleich zur Sache. Michael Field war von einer staunenswerten Eloquenz. Ohne Unterbrechung, ohne „Ööhhs" und „Äähhs" beantwortete er Fragen, die ich noch gar nicht gestellt hatte. Um Punkt 8.30 Uhr holte sein Chauffeur ihn ab.

Früher als gedacht fertig, der Hubschrauber für eine weitere Stunde gebucht und bezahlt, was macht man da? „Wir könnten ein paar tolle Aufnahmen aus dem Hubschrauber machen", meinte Robert. „Das Licht ist perfekt, die Luft ist glasklar, die Sonne scheint, und die Genehmigung haben wir auch!"

Es war ein unbeschreibliches Gefühl, als der *chopper* in den blauen Himmel stieg und den Blick auf die ganze Bucht des Derwent River freigab. An diesem Morgen entstand meine „Hubschrauberaufnahmen-Sucht", über die bald das ganze Team lachte. Später zeigte sich, dass die Aufnahmen wirklich spektakulär waren. Was mir während des Fluges aber zuerst ins Auge stach, war ein grüner Hügel, eigentlich schon ein Bergrücken, auf dem außer einem fast schlossartigen Klosterbau keine Häuser weit und breit zu sehen waren. „Das ist das Kloster der Schwestern des Guten Hirten!", brüllte der Pilot durch die Kopfhörer.

„Das wäre ein Grundstück für mich!", brüllte ich zurück und meinte, einen guten Scherz gemacht zu haben. Der Pilot lächelte freundlich. „Na, red doch mal mit den Nonnen, vielleicht verkaufen die was?"

Mit Gundula vor dem Sydney Opera House, 2000

In Australien, der „zweiten Heimat", wurde die erfolgreiche Serie *Terra Australis* produziert: Joachim Fuchsberger mit Mitgliedern eines Aborigine-Stammes im Northern Territory.

Auf einem der gewaltigen *Road Trains* in einer Wiegestation in Queensland, 1991

TASMANIEN, eine Insel am Ende der Welt wurde ein Erfolg im Programm der ARD. Zurück in Grünwald, ließen uns die Erinnerungen an die Motive nicht los.

„Würden Sie bitte hier unterschreiben", sagte der Postbote, „da ham S' a Packerl aus Australien!" Robert Heazlewood schickte uns wahrscheinlich eine VHS-Kassette mit besonders schönen Aufnahmen aus unserem Tasmanien-Film. Aber es war etwas ganz anderes. Ein Mann namens Freddie Forstner richtete das Wort an uns. „Ich war bei den Schwestern", sagte er. „Die sind bereit, an euch zu verkaufen, sie wollen einen Teil ihres Berges parzellieren lassen." Freddie Forstner, gebürtiger Ungar, Krokodil- und Schlangenjäger, Journalist, Gastronom und Immobilienmakler und in Bayern aufgewachsen, war auf der Insel bekannt wie ein bunter Hund. „Das ist euer Grundstück", grinste er in die Kamera, die ihn umkreiste und dabei die schönsten Bilder der Umgebung einfing: den Derwent River, der sich aus dem Innern der Insel durch die Hügel dem Pazifik entgegenschlängelt, den 1200 Meter hohen Mount Wellington, zu seinen Füßen Hobart mit seinen alten Häusern. „Hier oben kommen die Winde meist aus Süden. Ihr seid also durch den Mount Wellington geschützt, der Blick ist unverbaubar, und wenn ihr zwei Grundstücke nehmt, habt ihr Ruhe vor den Nachbarn. Ich garantiere euch einen fairen Preis."

Danach ging alles ziemlich schnell. Im März 1991 erteilten wir über 18 000 Kilometer Entfernung hinweg den Auftrag, zwei Grundstücke auf einem Hügel in Tasmanien zu kaufen, den ich nur wenige Sekunden von einem Hubschrauber aus gesehen hatte. Cool – oder total verrückt?

Wir hatten noch nicht so ganz begriffen, was wir da angerichtet hatten. Erst auf dem nächsten Flug nach Sydney beschlich uns ein mulmiges Gefühl. Natürlich hatten unsere Freunde, als sie von unseren Filmplänen auf Tasmanien hörten, uns darauf hingewiesen, dass wir uns für die Zeit dort eben damit abfinden müssten, in einer unkomfortablen Wildnis zu leben, unter Menschen, die man auf dem Festland als *doubleheaded inbreeds* – doppelköpfige Inzüchtler – bezeichnet. Und jetzt würden wir ihnen mitteilen, dass wir sie und Sydney verlassen wollten, um den Rest unseres Australienlebens am Rand der Antarktis zu verbringen.

Was über uns hereinbrach, war eine Mischung aus Entsetzen, Unverständnis und Zweifel an unserem bis dato für relativ gesund gehaltenen Menschenverstand. Für all das gibt es den Ausruf: *„Oh my God!"*, „Oh my God, wer geht denn dort unten hin?" Die ganze Missachtung für den von uns erkorenen neuen Wohnsitz lag in den beiden Worten „dort unten".

„Da unten ist es ,zwei Mäntel kälter' als hier", sagte Elena und meinte damit, dass es in Tasmanien immer saukalt sei.

DENN ERSTENS KOMMT ES ANDERS ...

„Ihr werdet schon sehen, was ihr davon habt!", hatten wir so oder ähnlich auch immer wieder von unseren Münchner Freunden zu hören bekommen. Was wir davon hatten, sahen wir bei unserer Rückkehr nach Tasmanien neun Monate später. Wir standen vor dem ehemals grünen Hügel, der jetzt aussah, als habe ihn ein Bombenteppich getroffen. Ein Bauloch neben dem anderen, statt eines atemberaubenden, friedlichen Panoramas erwartete uns der Lärm von circa zwanzig Baustellen. Die Straßenführungen waren bereits erkennbar, und zwar so, dass man schon das Geräusch der Schaltvorgänge der Autos zu hören glaubte, die über die sehr steilen Straßen frühmorgens fortfahren und abends zurückkehren würden. Gar nicht zu reden von den Rasenmähern, die dann auf circa zwanzig kleinen Grundstücken die abendliche Freizeit einheulen würden, gefolgt von zwanzig verschiedenen Gerüchen der in diesem Teil der Welt besonders gern und oft benutzten Barbecues.

„Wollten wir das?", fragte Gundel. Wir wollten es nicht. Wir wohnten im „Grand Chancellor Hotel" am Hafen, mit einem herrlichen Blick auf den Derwent River, und waren ziemlich sauer.

„Wir brauchen frische Luft", sagte Gundel mit Blick auf den fernen Sandstrand. „Lass uns dort über alles nachdenken."

„Wollen wir trotzdem hierherziehen?", fragte ich, während wir am Strand entlanggingen.

„Ja", antwortete Gundel, „aber hier in der Gegend werden wir wohl kaum etwas finden."

„Also verkaufen wir die Grundstücke oben am Hügel?"

In diesem Moment entdeckte ich etwas: Ein weißes Dach schimmerte hinter einer Düne hervor, die mit Gräsern und ein paar Oleanderbüschen bewachsen war. Es zog mich die drei Meter hoch. Vor mir lag ein wundervoller Garten, an dessen Ende ein schneeweißes Haus stand, ziemlich alt, vielleicht hundert Jahre, mit fünf Kaminen auf dem Dach. Und an der Ecke des Hauses entdeckte ich ein gelbes Schild. Ich wusste, was daraufstand, auch ohne es auf die Entfernung lesen zu können: FOR SALE. Das Haus stand zum Verkauf.

„Komm doch mal bitte hier rauf!"

„Warum denn?", wollte Gundel wissen, und dann war es still.

„Lass uns Freddie anrufen, der weiß sicher Näheres!"

Den konnte wohl nichts aus der Fassung bringen, und er organisierte sofort einen Besichtigungstermin für den nächsten Tag, einen Sonntag. Wir schliefen nicht besonders gut in dieser Nacht.

„Hoffentlich gefällt es uns nicht, dann haben wir weniger Stress", meinte Gundel, als wir am nächsten Morgen vor einer blumengesäumten

Abfahrt standen, die unter dem Eingang zu einer schneeweißen Villa endete. Im Hintergrund sahen wir eine weite Rasenfläche mit einer Art Bootshaus, und dann kam der Strand. „O Gott, ist das schön", seufzte Gundel, womit bereits eine Vorentscheidung getroffen war.

Ein recht attraktives Ehepaar empfing uns mit großer Herzlichkeit. Tee und Gebäck standen auf dem Tisch vor einem Panoramafenster, das den Blick in den großen Garten freigab. Unsere Augen suchten sich von Zeit zu Zeit, und wir wussten ziemlich bald: Das musste es sein!

Vielleicht hätten wir etwas genauer hinsehen sollen, aber was wir gesehen hatten, reichte für den folgenschweren Entschluss: Das „Weiße Haus von Sandy Bay" sollte unser neues Domizil werden. Freddie verkaufte die Grundstücke am Hügel und bereitete die Kaufverträge vor.

Nach Erledigung aller juristischen und finanziellen Einzelheiten kam der Tag des Umzugs von Sydney nach Hobart. Die erste Woche verbrachten wir im Hotel mit Blick auf den Hafen und die Anlegestelle für den Frachter, der das Umzugsgut durch die Bass Strait bis fast vor unsere neue Haustür schaukelte. Diese neue Haustür entpuppte sich bald als Teil eines Hauses, in dem so ziemlich alles dem Verfall überlassen worden war. Es dauerte nicht lange, bis der Entschluss gefasst wurde: Das Äußere bleibt unangetastet, im Innern bauen wir ein neues Haus. Wände fielen, um große Räume zu schaffen, Querbalken zur Stützung der Decken wurden eingezogen, Badezimmer neu gestaltet. Der Garten erhielt eine automatische Bewässerungsanlage, und um die gesamte Nachbarschaft wirklich davon zu überzeugen, dass die Zuzügler aus Deutschland nicht alle Tassen im Schrank hatten, bauten wir trotz eigenem Strand vor der Haustür auch noch ein Schwimmbad in den Garten.

Während der Renovierungsarbeiten fanden wir einen Lageplan von 1901, in dem das Grundstück mit dem Namen „Koranui" verzeichnet war. Nach langen Recherchen fanden wir heraus, dass dieser Name aus der Sprache der Maoris stammt, der Ureinwohner von Neuseeland. „Koranui" bedeutet so viel wie „Weisheit", „Lebenserfahrung", „Schule des Lebens". Beim Richtfest tauften wir unser „Weißes Haus von Sandy Bay" deshalb auf den Namen „Koranui".

Anfangs merkten wir deutlich, dass die Einheimischen den Verdacht hegten, unser Umzug aus der Millionenstadt Sydney auf die verschlafene Insel sei lediglich eine Laune. Aber das erkennbar große Engagement, der Film über Tasmanien und unsere Begeisterung überzeugten sie nach und nach von der Ernsthaftigkeit unserer Aktion.

„Kannst du dir vorstellen, eine Funktion in unserer Regierung zu übernehmen?", fragte Robert Heazlewood mich eines Tages. „Ich habe

DENN ERSTENS KOMMT ES ANDERS ...

dem Wirtschafts- und Tourismusminister Peter Hodgman den Tasmanien-Film gezeigt. Er möchte dich zum Crown Commissioner für Tourismus machen. Du würdest in einer Plenarsitzung des Parlaments nach erfolgreicher Abstimmung ernannt. Es ist ein Ehrenamt."

„Und was muss ich tun?"

„Im deutschsprachigen Europa für unsere Insel werben."

„In Ordnung!"

Und so war ich am Ende der Sitzung als „Beauftragter der Regierung des Staates Tasmanien" bestätigt. Durch Presse und Fernsehen wurde die Neuigkeit schnell verbreitet, die „Fuchsberger Family" war in der Gesellschaft des siebten und kleinsten Bundesstaats der konstitutionellen Monarchie Australien angekommen.

IN ANERKENNUNG unserer Arbeit hatte man uns schon einige Male angeboten, die australische Staatsbürgerschaft anzunehmen. Wir hätten es gerne getan, waren aber auf keinen Fall bereit, die deutsche Staatsbürgerschaft zu verlieren, was nach der deutschen Gesetzgebung die Folge gewesen wäre. In diesem Zusammenhang kam immer auch die Frage auf: Wo sind wir eigentlich zu Hause? Wir hatten uns auf die Formel geeinigt: Australien ist zu Hause, Deutschland ist die Heimat. Nur manchmal beschlich uns ein seltsames Gefühl. Je länger wir auch auf der anderen Seite der Erde wohnten, desto weniger verstanden wir die Sprache unserer Freunde. Sie vergaßen, dass wir Ausländer waren, nahmen keine Rücksicht mehr, sprachen unbekümmert schnell, sodass wir oft nicht mehr folgen konnten. Manche dachten deshalb, wir hätten keinen Sinn für ihren Humor, und sahen uns verständnislos an, wenn wir unsere Sprachschwierigkeiten zu erklären versuchten. In solchen Momenten wurde mir klar, dass ich in Australien als Schauspieler oder Fernsehmoderator wohl kaum ein Bein auf die Erde bekommen würde. Als Filmproduzenten, die viel Geld ausgaben und Arbeitsplätze schufen, waren wir willkommen und fanden Hilfe und Unterstützung.

Unsere Filme waren auch der Grund für die ehrenvolle Einladung des damaligen Bundespräsidenten Richard von Weizsäcker, ihn auf seiner letzten Reise im Amt durch Australien zu begleiten. Die Protokollabteilung hatte mir die privilegierte Rangfolgenummer fünf zugeteilt, was bedeutete, dass ich ständig in unmittelbarer Umgebung des Bundespräsidenten sein sollte. So auch bei seinem Besuch des Ministerpräsidenten des Bundesstaats New South Wales in Sydney. Ort der Begegnung mit John Fahy war der Kabinettstisch im Parlament.

Zum ersten Mal in meinem Leben war ich Zeuge einer Begegnung auf höchster diplomatischer Ebene. Zunächst herrschte andächtige Stille im Raum. Sicher gibt es feste Regeln, wer bei einer solchen Begegnung als Erster das Wort ergreift. Hier ergriff es niemand. Meiner Meinung nach hätte der Ministerpräsident den Bundespräsidenten willkommen heißen müssen. Der dachte wohl, dass sein Gast den weit höheren diplomatischen Rang einnahm, und wollte ihm deshalb die Eröffnung des Gesprächs überlassen. Richard von Weizsäcker tat das auch, und zwar so, dass mir der Schreck in die Glieder fuhr.

„Mr Premier", sagte er, „es ist mir eine Ehre, Sie zu den Eröffnungsfeierlichkeiten der Olympischen Spiele 2000 nach Berlin einzuladen!"

Pause. Der Premierminister lächelte.

„Herr Bundespräsident, es ist mir eine Ehre, Sie zu den Eröffnungsfeierlichkeiten der Olympischen Spiele 2000 nach Sydney einzuladen!"

Erleichtert sah ich, wie beide Herren lachten und so taten, als sei die gegenseitige Einladung ein gelungener Scherz. Beide Städte hatten sich um die Olympischen Spiele 2000 beworben.

Nach dem Austausch diplomatischer Höflichkeiten erhob sich die Runde und verließ den Kabinettssaal. Im Foyer warteten die Damen, Marianne von Weizsäcker, Mrs Fahy und meine Frau. Der Bundespräsident hatte es eilig und marschierte zum Ausgang.

Rasch steuerte ich auf Mrs Fahy zu. „Mrs Fahy, bitte sagen Sie Ihrem Mann, dass Sydney die Olympischen Spiele 2000 bekommen wird. Ich habe nämlich schon mal gewettet, dass die Spiele 1972 München zugesprochen werden. Diesmal bin ich sicher, es wird Sydney sein!"

Nach dieser kühnen Tat rannte ich hinter der Entourage des Bundespräsidenten her und kam gerade noch rechtzeitig, um in den Wagen Nummer fünf einzusteigen, bevor sich die Präsidentenkolonne in Bewegung setzte.

Was mag sich Mrs Fahy wohl gedacht haben, als ihr Mann wenige Wochen später, bei der entscheidenden IOC-Sitzung in Monte Carlo, von seinem Stuhl hochsprang, nachdem IOC-Präsident Juan Antonio Samaranch bekannt gegeben hatte: „Die Spiele des Jahres 2000 werden vergeben an die Stadt Sydney!" Premierminister John Fahy dankte mir später in einem sehr freundlichen Brief für meine eingetroffene Voraussage und lud mich zu den Spielen ein.

DIE STADT SYDNEY fing an, sich während der Vorbereitungen für die Olympischen Spiele zu verändern. Auf der einen Seite überwog die Skepsis, so ein gigantisches Unternehmen wie die Olympischen Spiele in der gebotenen Zeit zu schaffen. Die Optimisten dagegen meinten, endlich könnten sie dem Rest der Welt beweisen, wozu Australier fähig sind. Wir begannen mit der Kamera einzufangen, was es uns wert erschien, im Bild festgehalten zu werden. Natürlich waren meine Erfahrungen von 1972 in München dabei sehr hilfreich.

Die Eröffnungsfeier sollte für viele erfahrene Olympioniken die schönste und gelungenste werden, die sie je mitgemacht hatten, ein Fest ungetrübter Freude vor den Augen der Welt. Mein Sohn kommentierte das Geschehen als Kokommentator live für das Schweizer Fernsehen, ich saß für die ARD am Mikrofon.

Heimlich schickte ich ein Stoßgebet zum Olymp: „Ihr Götter, bewahrt Sydney vor dem, was in München geschehen ist!"

Für dich gibt's bald keine Ersatzteile mehr

Zugegeben, ich stehe gern vor einer Film- oder Fernsehkamera, aber ich leide wie ein Hund bei Fotositzungen. Spätestens nach der dritten Ermahnung des Fotografen, vielleicht etwas freundlicher in die Kamera zu grinsen, verkrampfe ich total und ärgere mich über mich selbst.

„Schickt mir einen Fotografen, den ich während der Aufnahmen nicht sehe!", forderte ich vom Redakteur der Illustrierten *Gala*, der eine Fotogeschichte über mich machen wollte.

„Das wird wohl nicht gehen", meinte der. Der Fotograf aber meinte, es ginge. Wir fuhren ins Isartal bei Grünwald.

„Sie machen jetzt einen Spaziergang, und ich verdrücke mich in die Büsche." Damit verschwand er. Ab und an tauchte er plötzlich vor mir auf, wechselte auf die andere Seite des Wanderwegs und verschwand wieder wortlos. „Ich glaube, wir haben's", sagte er nach zwei Stunden, „es sind ein paar gute Sachen dabei."

Als ich die Fotos in der *Gala* sah, war ich selbst begeistert. Schwarzweiß, ohne jeden Krampf, einfach gut.

Ein paar Wochen später kam ein Anruf aus Rom, von Titanus Film. Der Produzent hatte die Fotos in der Zeitschrift gesehen und bot mir eine Hauptrolle in seinem Fernsehfilm *Il Grande Fuoco* an, der geheimnisvollen Geschichte von Graf Alessio Capilupi, dem Finanzberater des Papstes. In Deutschland hieß der Film *Flammen der Liebe*, meine Partnerin war die wunderschöne Amerikanerin Carol Alt. 1998 folgten noch zwei weitere Filme für Titanus Film: *Die vier Könige* und *Tristan und Isolde*. Die Rolle des Tristan spielte Ralf Bauer, ein junger, sehr gut aussehender und überdurchschnittlich begabter Schauspieler. Schon die ersten Aufnahmen in einem alten Schloss bei St-Malo in der Bretagne – der junge Tristan lag sterbend in den Armen seines Onkels, König Marc von Cornwall – begründeten eine sehr emotionale Bindung zwischen dem jungen Talent Ralf Bauer und mir, dem alternden Mimen.

Bei den Aufnahmen in der Bretagne war es bitterkalt, und bald hustete und schniefte das ganze Team. „Wenn Sie so weitermachen", sagte der französische Arzt, zu dem mich meine Frau geschleift hatte, weil ich ziemliches Fieber bekommen hatte, „werden Ihre Bronchien bald nicht mehr mitmachen. Wie viele Zigaretten rauchen Sie am Tag?"

„An die zwanzig – und dazu ein paar Pfeifen ...!"

„Aber die inhalieren Sie nicht?"

„Nur die ersten Züge ..."

Statt weiterer ärztlicher Warnungen zeigte er mir auf den Röntgenaufnahmen die Stellen, die mich mehr als Worte davon überzeugen sollten, mit der Raucherei aufzuhören, am besten sofort.

Arztbesuche häuften sich, und die Diagnosen wurden düsterer. „Sie haben Hautkrebs!", sagte der Schönheitschirurg in Tasmanien. „Wir schneiden das betroffene Stück am Bein heraus, schälen einen Hautlappen vom Hintern und setzen ihn am Bein ein. Das wird man kaum sehen!" Ob man das sehen würde, war mir ziemlich egal. Aber dass ich Hautkrebs hatte, war mir nicht egal. Hatte ich mich zu lange der australischen Sonne ausgesetzt? Aber warum hatte ich dann nichts an den Händen und wieso nicht im Gesicht, nach 21 Filmen in den Wüsten des australischen Kontinents?

Ab jetzt war also Vorsicht geboten. Immer öfter und immer deutlicher kamen die Signale, die da sagten: „Du bist nicht mehr der Jüngste, fang langsam an, kleinere Brötchen zu backen!"

Ein Professor am St-Vincent's-Krankenhaus in Sydney riet mir: „Du musst lernen, Nein zu sagen!" Natürlich befolgte ich diesen Rat nicht.

Alles war so, wie wir uns das nur wünschen konnten. Das Leben auf zwei Seiten der Erde gefiel uns. Es war erkennbar, dass ich in irgendeiner Weise mit den Spielen 2000 in Sydney zu tun haben würde. Auf jeden Fall wollten wir dabei sein.

„Es wird nicht einfach sein, während der Spiele dort eine Unterkunft zu finden!", meinte Gundel, die immer vorausdachte. Das Haus in der Wunulla Road war vermietet. Wir hatten bereits für teures Geld Kartenpakete erstanden, die in den verschiedenen Stadien die besten Plätze garantierten. „Wenn wir keine Hotelzimmer kriegen, können wir vielleicht wenigstens die Karten mit Gewinn wieder verkaufen? Oder wir suchen

DENN ERSTENS KOMMT ES ANDERS ...

jetzt schon eine Wohnung, damit verlieren wir in Sydney kein Geld, wenn sie eine gute Lage hat." *Oh my God!* Waren wir denn nicht gerade besonders glücklich mit unserem Haus in Tasmanien?

Wir suchten und fanden – ein Penthouse im Zentrum mit atemberaubendem Blick über die Brücke und den Hafen von einer großzügigen Terrasse im 18. Stock aus. Das Gebäude war noch im Rohbau, die Fertigstellung ein Jahr vor den Spielen war aber garantiert. Das war's!

EINES Tages kam eine verlockende Einladung von BMW Australien, am 7. März 1999 das so genannte Celebrity Race in Melbourne mitzufahren. Das Prominentenrennen für Künstler aller Sparten wird traditionell eine Stunde vor dem „Großen Preis von Australien" ausgetragen. Diesmal sponserte BMW mit 27 Sportwagen vom Typ Z3 das Rennen. Der Einladung beigefügt waren ein Anmeldeformular und der Vordruck für eine Untersuchung beim Vertrauensarzt der Versicherung.

„*Was* wollen Sie ...?!", fragte mich der Arzt ungläubig.

„Ich möchte das Celebrity Race in Melbourne mitfahren!"

„Dann legen Sie sich mal hin!"

Das Ergebnis war zufriedenstellend. „Trotzdem", meinte der Doktor, „mit zweiundsiebzig halte ich das für puren Unsinn!" Ich glaube, meine Frau dachte das Gleiche, sagte es aber nicht so deutlich.

Ich stand an 17. Stelle, das Fahrzeug trug die Nummer 27, auf der Windschutzscheibe prangte der Name „Blacky" in großen weißen Lettern.

Start. Gerangel in der ersten Kurve, einige flogen hier schon raus. Bis ich von hinten ankam, war Platz. Fünf Runden, ich machte zwei Plätze gut, verlor sie wieder und kam als Siebzehnter ins Ziel. Dass mir ein paar junge Damen um die Ohren fuhren, störte meine Freude an der Sache nicht, zeigte aber deutlich, wo inzwischen meine Grenzen lagen.

Die erste Warnung kam bald darauf. Atemnot, nachlassende Spannkraft, zunehmende Müdigkeit, manchmal ein leichter Druck in der Brust oder Ziehen im linken Arm. Zurück in München, wurde klar: Es würden präzise kardiologische Untersuchungen notwendig.

„Wenn es bei Ihnen geht, würde ich Sie am 24. März operieren. Sie brauchen nach unserem Befund drei Bypässe", erklärte mir der Herzpapst von Großhadern. Der 24. März 2000 war Gundels siebzigster Geburtstag. Was für ein Geschenk stand ihr da ins Haus?

SO LAG ich also nackt auf dem Metalltisch, und endlich übermannte mich der künstliche Schlaf, aus dem ich einige Stunden später zum Glück wieder erwachte. Langsam begann mein Kopf wieder zu arbeiten.

Vorbei, wovor ich solche Angst gehabt hatte. Die Brust aufgeschnitten, das Herz freigelegt, ein paar verstopfte Stellen in den Arterien entfernt oder dilatiert, das zersägte Brustbein mit Draht wieder zusammengeflickt – und das war's dann.

Zunächst hatte ich keine Möglichkeit selbst festzustellen, ob es was gebracht hatte. Das beunruhigte mich am meisten. Die wiederholten Versicherungen von Ärzten und Schwestern: „Alles ist gut gegangen, Sie sind wieder wie neu!", erregten Verdacht. Mit Macht betrieb ich die Verlegung in ein anderes Krankenhaus, in der Nähe unseres Hauses in Grünwald.

Eines Morgens erschien ein größeres Aufgebot von Ärzten zur Visite. „Sie haben sich leider infiziert", sagte der Chef, „wir müssen Sie nach Großhadern zurückverlegen lassen. Die müssen Sie noch mal aufmachen und den Brustraum desinfizieren."

Nach der zweiten Operation hielten sie mich in Großhadern für ein Weichei, weil ich ständig über Schmerzen in der Brust klagte.

„Heute muss ich Ihnen leider mal richtig wehtun", sagte eines Morgens der Professor, der die zweite Operation durchgeführt hatte. Er drückte mit beiden Händen auf den Brustkorb – ich jaulte auf wie ein getretener Hund. Der Professor ließ von mir ab, und ich verstand klar und deutlich, was er leise sagte: „Ach du Scheiße …"

„Was heißt das?", wollte ich wissen.

„Das heißt, dass ich Sie in drei Stunden noch mal operieren muss. Die Verdrahtung um Ihr Brustbein hat sich gelöst – das klafft offen! Keine Angst", sagte der Chirurg zur ängstlich um ihn versammelten Familie, „die Operation dauert nicht lange."

Gundel, Thomas, mein Bruder Otmar und seine Frau Erika waren etwas skeptisch. Der Chirurg spürte wohl die negative Stimmung. „Sie können auf den Patienten warten, er wird bald wieder bei sich sein."

Später erzählten sie mir, dass es Stunden gedauert hatte, bis sich endlich jemand erbarmt und ihnen mitgeteilt hatte, dass die Operation beendet und gelungen sei.

Drei Bypässe, vier Stents und ein Herzschrittmacher veranlassten meinen Arzt in Australien später zu dem Spruch: „Ab jetzt musst du vorsichtig sein, für dich gibt's bald keine Ersatzteile mehr!"

DIE REKONVALESZENZ war mühsam und dauerte lang. Die Zeit in der Rehabilitationsklinik „Lauterbacher Mühle" an den oberbayerischen Osterseen war trotz aller Beschwerden sehr schön, die Patienten wurden perfekt umsorgt. Gundel war Tag und Nacht an meiner Seite. Gedanken an die berufliche Zukunft waren unwichtig. Wir hielten uns an den Händen, dankbar, dass wir uns noch hatten.

Der innere Friede war beendet, als der österreichische Regisseur und Theaterleiter Helmuth Fuschl mir ein amerikanisches Theaterstück von Bill C. Davies brachte: *Mass Appeal*. Er wollte es für eine Theatertournee durch Deutschland für mich inszenieren.

„Eine Tournee? Nach drei Herzoperationen tue ich mir das nicht mehr an. Das halte ich nicht aus!"

„Dann lesen S' wenigstens, damit S' wissen, was Sie versäumen!"

Nach wenigen Seiten wusste ich, dass ich das Stück spielen würde. Selbst in der noch nicht bearbeiteten Fassung bildeten die darin angesprochenen religiösen Probleme die Summe meiner Gedanken über den institutionalisierten Glauben, über die Dogmen der katholischen Kirche, die einst zu meinem Austritt geführt hatten. Seit dem Krieg war mir der Gedanke unerträglich, dass es einen Gott geben sollte, der beiden Seiten seinen Segen erteilte, bevor sie sich gegenseitig umbrachten.

Ein Mitpatient, ein bekannter und erfolgreicher Filmarchitekt, stellte mich eines Tages einem anderen Mitpatienten vor. Es war ein Monsignore, vom Vatikan dazu bestimmt, Priester in Lateinamerika auszubilden. Er hörte mir aufmerksam zu. „Glauben Sie, Monsignore, dass wir mit diesem Stück ein Sakrileg begehen? Ist es polemisch oder agitatorisch, ketzerisch oder unwahr?"

„Nichts davon", antwortete der Kirchenmann. „Es ist unangenehm für unsere Kirche, weil es die Probleme, mit denen wir zu kämpfen haben, deutlich macht und beim Namen nennt."

Da machten Fuschl und ich uns daran, das Stück umzuschreiben, um es den Verhältnissen in Deutschland anzupassen. Übersetzt war es bereits, jetzt ging es um die Dialoge und den Titel. Ich gab ihm den Titel *Der Priestermacher*. Verlag

Im Theaterstück
Der Priestermacher, 2001

und Autor waren einverstanden. Als ich die Lauterbacher Mühle verließ, war die deutsche Version fertig.

Gundel und ich warteten sehnlichst auf den Tag, an dem uns die Ärzte endlich den langen Flug nach Australien erlaubten. Ein Angebot des NDR wartete auf uns, während der Olympischen Spiele acht kurze Filme über die Stadt am Rande der Spiele zu produzieren. Wie gut erwies sich unsere Entscheidung, das Penthouse zu kaufen! Die „Familienproduktion" machte sich auf den Weg nach Sydney und an die Arbeit. Die Filme wurden unter dem Titel *Blacky's Sydney* recht erfolgreich.

Die Spiele ernteten weltweite Bewunderung wegen ihrer perfekten Organisation und wegen der guten Stimmung. Was für ein Jahr, dieses 2000! Von tiefen Depressionen auf verschiedenen Intensivstationen in Deutschland bis zu den Höhen olympischer Euphorie auf der anderen Seite der Erde.

Gegen Ende des Jahres erholten wir uns in unserem weißen Haus am Strand des Derwent River. Tasmanien, unsere Freunde dort und das weiße Haus Koranui brachten mir schneller als gedacht meine alte Tatkraft zurück.

ZUR RECHTEN Zeit kam aus München die Nachricht, dass die Theatertournee *Der Priestermacher* im März 2001 in Siegen beginnen sollte.

Eine wichtige Frage war zu entscheiden: Wer sollte mein Partner werden? Der junge Seminarist, der sich mit dem alten rotweinseligen, der Institution Kirche angepassten Priester streitet? Um Wahrheit im Glauben, um die Ablehnung von Frauen im Priesteramt, die Aufrechterhaltung der Dogmen der katholischen Kirche, um die Verdammung der Homosexualität, das Verbot von Verhütungsmitteln, die Unfehlbarkeit des Papstes und das Beharren auf der Ehelosigkeit von Priestern?

Nach unserer Arbeit an *Tristan und Isolde* kam für mich nur einer infrage: Ralf Bauer. Er würde den streitbaren Geist, die Unschuld und den Mut, gegen Kadavergehorsam und Kuttendemut aufzubegehren, glaubhaft darstellen können.

Die Tournee sollte durch siebzig Städte führen. Ein Mammutunternehmen, das gründliche Vorbereitung verlangte. Da wir seit zwanzig Jahren die Zeit zwischen Oktober und März in Australien verbringen, mussten alle Beteiligten für die Proben nach Tasmanien kommen. Als Probenraum stellten wir unser umgebautes Bootshaus zur Verfügung. Alle waren begeistert. Die Proben waren nur hin und wieder etwas gefährdet durch die Surfer, die direkt vor Ralf Bauers Nase durch die Wellen des Derwent River ritten und seine Aufmerksamkeit in Anspruch nahmen.

Mit Ralf habe ich den *Priestermacher* 170-mal gespielt, mit seinem Nachfolger, Pascal Breuer, sind es bis heute 63 Vorstellungen geworden. Die Komödien in München und Frankfurt waren ständig ausverkauft, und bei allen 233 Vorstellungen bedankten sich die Zuschauer mit Standing Ovations – ich glaube fast, das ist Rekord.

Natürlich war die Tournee belastet durch meine drei vorangegangenen Herzoperationen. Niemand konnte sagen, ob ich durchhalten würde, aber bald war klar, dass die nachlassende physische Kraft ausgeglichen wurde durch die psychische Kraft, die der Erfolg mit sich brachte.

TROTZDEM begann auch bei mir, was sich bei den älteren unserer nach Australien ausgewanderten Freunde deutlich zeigte. Waren sie in jüngeren Jahren überzeugt, nie wieder nach Deutschland zurückkehren zu wollen, änderte sich diese Einstellung mit zunehmendem Alter.

„Hier gehen wir nie wieder weg", sagten auch wir gern, wenn wir am späten Nachmittag an „unserem" Strand in Sandy Bay beobachteten, wie die Sonne langsam den glitzernden Wellen des Pazifiks entgegensank. Und doch kam der Tag, als wir vor dem Feuer des *wood heater* saßen und den Tag überdachten. Gundel hatte Rückenschmerzen von der geliebten Gartenarbeit, ich hatte mal wieder Atemnot und andere Beschwerden.

„Ist das nicht alles ein bisschen zu viel für uns?", fragte Gundel leise.

Wir spürten beide, das war der Anfang vom Ende unseres tasmanischen Traums.

„Und was machen wir mit dem Haus?"

Dafür gab es eine naheliegende Lösung: Die Nachbarn, ein junges Ehepaar, er ein erfolgreicher Börsenmann, hatten schon ein paar Mal die Bemerkung gemacht, unser „Weißes Haus von Sandy Bay" sei ihr Traum.

„Das können wir uns noch nicht leisten!", sagten sie, als wir es ihnen anboten.

„Wir helfen euch bei den Zahlungsmodalitäten", schlug ich vor. „Wir hätten euch gerne als Nachfolger in unserem Haus." Und so geschah es.

Inzwischen haben unsere Nachfolger das Haus abreißen lassen. Alle Nachbarn waren entsetzt, wir wurden nachdenklich, als wir davon erfuhren.

WAS ZU ALT ist, muss weg! Muss Neuem Platz machen! Ganz einfach! Aber ist das tatsächlich so einfach?

Offensichtlich nicht. Es fällt auf, dass Politik und Gesellschaft das

Alter entdeckt haben. Die Medien kennen derzeit kaum ein anderes Thema: die demografische Entwicklung in unserem Land, die jetzt schon erkennbare Überalterung und deren gesellschaftliche Folgen. Immer weniger Jugendliche müssen für immer mehr Alte arbeiten und sorgen, die Rente mit 67 erregt die Gemüter, die Pflege derer, die sich nicht mehr selbst helfen können, wird zum unlösbaren Problem.

„Geht mich alles nichts mehr an!" Kann man das mit achtzig sagen? Zugegeben, oft möchte man. Wir haben uns daran gewöhnt, selbst auf dem Fahrrad noch ein Handy mit Navigationssystem zu gebrauchen, um unseren Weg zu finden. Aber für Köpfe, vor allem für junge, gibt es kein Navigationssystem. Sie sind dabei, im Kreis herumzulaufen, die Orientierung ist verloren gegangen. Immer öfter fragen die Jungen uns Alte nach dem Weg, immer öfter höre ich die Frage: „Wie habt ihr das gemacht, als ihr jung wart ...?" Die Zeit des dummen Spruches „Trau keinem über dreißig" scheint out zu sein. In ist eher: „Trau keinem unter fünfzig."

Ich spüre es überall: Die Jugend reicht dem Alter die Hand. Vielleicht haben die Jungen endlich kapiert, dass wir gegeneinander keine Chancen haben, die immer größer werdenden Probleme zu lösen. Miteinander können wir das, was wir alle zusammen angerichtet haben, noch korrigieren – vielleicht.

Ob wir im Garten in Grünwald oder auf der Terrasse in Sydney sitzen und uns Gedanken über die Zukunft machen, die Gegenwart lässt uns nicht aus den Klauen. „Mach weniger!", sagen die einen. „Machen Sie für uns doch noch das und das und das ...", sagen die anderen.

Unter diesen „anderen" war eines Tages ein junges Autorenteam, hochbegabt und sehr erfolgreich. Sie boten mir eine Rolle in ihrem Kinofilm *Der WiXXer* an, ein neuer Anlauf, die alten, mittlerweile zum Kult gewordenen Edgar-Wallace-Filme zu persiflieren. Alle bisherigen Versuche dieser Art waren unzulänglich und nicht intelligent genug gewesen, den alten Filmen das Wasser zu reichen. Deshalb lehnte ich das Angebot ab.

Oliver Kalkofe und Bastian Pastewka aber ließen nicht locker. Sie schickten mir eine DVD des fertigen Films nach Sydney mit einem sehr höflichen Appell, meine Voreingenommenheit abzulegen und mir den Film wenigstens anzuschauen. Gundel und ich waren begeistert von der intelligenten und humorvollen Machart, vor allem aber von der darstellerischen Leistung von Oliver Kalkofe, Bastian Pastewka und den anderen Kollegen.

DENN ERSTENS KOMMT ES ANDERS ...

„Wollen Sie im zweiten Teil *Neues vom WiXXer* mitmachen?", kam die Frage per E-Mail nach Sydney.

„Wenn ihr mir eine gute Rolle gebt, gern!"

Die Begegnung mit der Rat Pack Filmproduktion war eine Offenbarung, ein Jungbrunnen für mich. Die wochenlange Arbeit im Atelier in Prag war etwas, von dem ich schon längst nicht mehr geglaubt hatte, dass ich es noch einmal würde erleben dürfen. Der Höhepunkt war das noble Geschenk von Rat Pack und Constantin Film, die Weltpremiere des Films an meinem 80. Geburtstag in München zu feiern.

IM FEBRUAR 2007 haben wir Fuchsbergers, nach 22 Jahren in Australien, die Erlaubnis bekommen, die australische Staatsbürgerschaft anzunehmen. Nun haben wir also einen deutschen und einen australischen Pass, und die Frage kam immer wieder: „Wollen Sie nicht für immer in Australien bleiben?"

Die Antwort ist eindeutig: „Nein!"

„Was haben Sie dann noch für Pläne, in Ihrem Alter?"

Eine Frage, die ich nicht beantworten kann. Mit achtzig macht man nicht mehr so viele Pläne. Man hört mehr in sich hinein als auf das, was von außen kommt.

Gundel und ich erfahren das Gegenteil von dem, was man für den letzten Lebensabschnitt manchmal in stillen, nachdenklichen Stunden befürchtet: allein gelassen zu werden, zur Last zu fallen, geduldetes Übel zu werden. Wir erfahren Hilfsbereitschaft, Zuneigung, Respekt, zu hohen Anlässen Verehrung.

Ich fühle mich weit davon entfernt, die Bilanz meines Lebens zu ziehen, fühle mich keineswegs am Ende, wenn auch manchmal nicht besonders fröhlich, wenn ich früh am Morgen feststelle, wie schmerzlich es sein kann, die müden Knochen in Schwung zu bringen. Aber mir wird bewusst, wie dankbar ich sein muss, gegenüber dem Schicksal, das es gut mit mir gemeint hat, und so vielen Menschen, denen ich begegnen durfte.

Oft denke ich: Das täte ich noch gerne – da würde ich gerne noch hin ... aber mir ist klar geworden: Pläne sind nur Wegweiser in eine unbekannte Zukunft, ohne Garantie, auf dem geplanten Weg nicht doch noch zu straucheln, sich zu verirren oder auf die Schnauze zu fallen.

Denn erstens kommt es anders – und zweitens, als man denkt!

Angelika Jung-Hüttl

FEUER GEFANGEN

Meine Reisen zu den Vulkanen der Erde

„Angelika Jung-Hüttls Buch ist eine Kombination aus einem schön erzählten und auch spannenden Reisebericht mit wissenschaftlicher Sachinformation – anschaulich verpackt und gut zu lesen."

Westfalen-Blatt

Wie alles begann

Warum tust du dir das eigentlich an?, fragt mich Pina, als ich wieder einmal schmutzig, hungrig und müde mitten in der Nacht vom Gipfel des feuerspuckenden Ätna zurückkomme. Pina ist Sizilianerin. Sie betreibt zusammen mit ihrem Mann Dieter, einem Deutschen, eine Pension im Städtchen Zafferana an der Ostflanke des Vulkans, den sie fürchtet wie nichts anderes in ihrem Leben. Trotzdem würde sie Zafferana nicht verlassen. Hier wohnen ihre Familie und eines ihrer beiden erwachsenen Kinder. Hier hat sie ihre Freunde. Und sie verdient Geld mit dem Ätna. Schließlich kommen die meisten Gäste wegen dieses Feuerbergs in ihr Haus, egal ob er Lava ausstößt, wie gerade jetzt, oder ob er nur raucht.

Ich weiß nicht, wie oft ich mich schon in Pinas Pension eingemietet habe. Jedenfalls haben wir uns im Lauf der Jahre angefreundet. Pina umsorgt mich wie eine Mutter. Und wie eine Mutter stellt sie manchmal ganz entscheidende Fragen.

Ja, warum tue ich mir das an? Wie bin ich überhaupt auf die Idee gekommen, auf Vulkane zu steigen – noch dazu wenn sie gerade glühende Schmelze speien und es daher nicht ungefährlich ist, auf ihnen herumzuspazieren?

Einerseits mache ich es sicher aus demselben Grund wie Pina: Ich bin von Beruf Wissenschaftsautorin, und Vulkanthemen bilden einen Schwerpunkt der Arbeit, mit der ich meinen Lebensunterhalt verdiene. Andererseits mag mein Hang zu Vulkanen auch schlicht psychologische Gründe haben. Die Seelenforscher gehen davon aus, dass der Mensch im Wesentlichen zwei Dinge im Leben braucht: zum einen sind es Geborgenheit und Sicherheit, zum anderen Herausforderung und Abenteuer. Ich suche die Portion Abenteuer, die ich nötig habe, offenbar auf Vulkanen.

Dazu kommt, dass ich seit mehr als zehn Jahren mit einem Fotografen zusammenarbeite und -lebe, der sich beruflich ganz auf die Erdkruste konzentriert. Ein wesentlicher Teil davon ist das erschreckend schöne Naturphänomen der Vulkane, dieser Ventile unseres Planeten, durch die das glutflüssige Innere der Erde nach außen dringt, die mit ihren Auswürfen zunächst alles Leben vernichten, letztlich jedoch neues Land und fruchtbaren Boden schaffen.

Das Reisen in Vulkangebiete, das sich beruflich zunächst eher zufällig ergab, ist mit den Jahren zur Passion geworden. Je öfter ich mit dieser Naturgewalt konfrontiert wurde, je mehr ich davon sah, desto mehr lernte ich über die Feuerberge, und mein Interesse wuchs.

Vulkane, das bedeutet nicht nur Feuer und glühende Lava, sondern auch brodelnde Schlammtöpfe, knallgelbe Schwefelteppiche, Böden bunt gefärbt von seltenen Mineralien, heiße Quellen und dampfende Geysire; es sind nicht nur spitz zulaufende, rauchende Kegel, die aus der Landschaft ragen, sondern mächtige, archaisch anmutende Bergmassive, tief ins Erdinnere reichende Schlünde oder mit Säureseen gefüllte Krater.

Es ist auch gar nicht so einfach, auf glühende Lava zu treffen, denn die meisten der etwa 1500 aktiven Vulkane auf der Erde brechen nur in bestimmten Zeitabständen aus. Oft liegen viele Jahre zwischen den einzelnen Eruptionsphasen, in denen der Feuerberg nur durch ätzende Gasschleier, die aus seinen Öffnungen strömen, und durch heiße Quellen kundtut, dass er zwar ruht, aber noch nicht erloschen ist. Ich war zum Beispiel drei mal auf dem Ätna, bis ich ihn einmal Lava speiend erlebte.

All diese vulkanischen Phänomene sind faszinierend. Doch noch viel interessanter und für mich immer wieder lehrreich ist es zu sehen, wie sich die Menschen, die in der Umgebung von aktiven Vulkanen leben – das sind immerhin etwa fünfhundert Millionen, knapp zehn Prozent der Weltbevölkerung –, mit dieser Naturgewalt arrangieren. Denn keine Technik der Welt vermag Vulkanausbrüche und die damit verbundenen Erdbeben, die alles versengenden und erstickenden Ascheregen, Glutwolken und Lavaströme aufzuhalten oder gar zu verhindern. Wer einen aktiven Vulkan als Nachbarn hat, geht das Risiko ein, bei einer Eruption plötzlich sein Hab und Gut oder vielleicht sogar sein Leben zu verlieren. Die einen tun dies gleichmütig und schicksalsergeben, als hätten sie einen geheimen Pakt mit dieser Naturgewalt geschlossen. Andere begegnen den Feuerbergen mit Respekt und Achtung, mit Furcht, Demut und Verehrung. Das geht so weit, dass sogar moderne aufgeklärte Menschen die Existenz von Göttern oder Geistern in der Natur nicht ausschließen. Wieder andere reagieren mit Wut und Aktionismus. Wissenschaftler, die aktive Feuerberge beobachten, um die Menschen vor Ausbrüchen wenigstens rechtzeitig zu warnen und ihnen so die Flucht zu ermöglichen, begeben sich bei ihrer Arbeit oft sogar bewusst in Lebensgefahr.

FEUER GEFANGEN

Mit jeder Reise, die ich in den vergangenen zwölf Jahren zu Vulkanen unternommen habe, bin ich dem Feuer aus dem Innern der Erde ein Stück nähergerückt. Erstmals „Feuer gefangen" habe ich, wie viele andere vulkanbegeisterte Menschen auch, auf dem daueraktiven Nachbarn des Ätna, dem Stromboli. Das war vor über 25 Jahren.

Auf Stromboli, der Insel aus Feuer und Wind

Es ist März 1978. Ich habe gerade die Vordiplomprüfungen in Geologie hinter mich gebracht und möchte nach der langen Zeit am Schreibtisch endlich wieder eine Reise machen. Möglichst billig soll sie sein. Und es sollte Richtung Süden gehen, wo im März die Natur schon zu grünen beginnt und die Sonne ein wenig wärmer vom Himmel scheint als zu Hause.

In einer der letzten Vorlesungsstunden vor Semesterende hatte der Professor etwas über Vulkane erzählt, auch über die rhythmische Ausbruchstätigkeit des Stromboli. Alle zwanzig Minuten etwa schleudert dieser Feuerberg, der im Süden Italiens aus dem Tyrrhenischen Meer ragt, glühende Lavabrocken aus seinem Krater. Er tue dies seit Jahrhunderten und sei damit der einzige Vulkan in Europa, so der Professor, der ununterbrochen Feuer spuckt.

Somit kommt Stromboli bei den möglichen Reisezielen in die engere Wahl – schon auch deshalb, weil man, wenn man Geologie studiert, zumindest einmal einen Vulkan in Aktion gesehen haben sollte. Damals hätte ich mir nicht träumen lassen, dass dies nur die erste von mehreren Reisen nach Stromboli ist und dass Vulkane zehn Jahre später eine wesentliche Rolle in meinem Leben spielen würden.

Ich frage meine Freundin Ingrid, ob sie nicht mitkommen will. Sie ist sofort dabei. Wir kopieren Wegbeschreibungen und Karten aus einem geologischen Führer zu den Vulkanen Süditaliens, packen unsere Rucksäcke samt Isomatten und Schlafsäcken, denn wir wollen auf dem Gipfel des Vulkans übernachten. Damals durfte man das noch, heute ist es strengstens verboten, zum einen weil viel mehr Menschen den Stromboli besteigen als vor 25 Jahren, zum anderen weil es nicht ungefährlich ist.

Mit der Bahn geht es über Rom nach Neapel und von dort aus während der Nacht mit einem großen Fährschiff über das Tyrrhenische Meer nach Stromboli. Etwa um zehn Uhr vormittags schiebt sich die Fähre langsam auf die Insel zu.

Stromboli präsentiert sich wie eine Vulkaninsel aus dem Bilderbuch – ein dunkler, kahler, mächtiger Felskegel, der gut 900 Meter aus dem Meer ragt. Über dem Gipfel steigt eine kleine Wolke in den strahlend blauen Aprilhimmel. Sie ist grau vom Staub, den der Vulkan bei jeder Eruption in die Luft pustet. Grün ist nur ein schmaler Streifen an der Küste. Dort liegen auch aufgereiht die weiß getünchten, würfelförmigen Häuser der beiden Inseldörfer, Stromboli im Osten und Ginostra im Westen.

Die Fähre legt an der kleinen Mole vor dem Ort Stromboli an. Noch müde von der fast schlaflosen Nacht an Deck steigen wir aus. Neben uns verlassen nur noch ein paar Einheimische das Schiff.

Links und rechts der Mole liegen bunte Fischerboote auf dem Strand, der hier auf der Vulkaninsel nicht fein und hell, sondern grob und schwarz ist. Wir füllen unsere Flaschen mit Wasser aus einem Trinkhahn am Ortsrand, schultern unsere Rucksäcke und ziehen los.

Die Gassen sind eng und meistens begrenzt von hohen, weiß getünchten Mauern, über die sich die Zweige rot und lila blühender Bougainvillea-Sträucher in üppigen Kaskaden ergießen. Wir suchen gar nicht erst nach einem Quartier, denn das Wetter ist schön und wir sind fest entschlossen, auf dem Vulkan zu übernachten.

Die Vulkaninsel Stromboli wirkt hier friedlich – wie imposant eine nächtliche Explosion des Vulkans aussieht, zeigt die Titelseite.

Kaum haben wir die letzten Häuser hinter uns gelassen, wird uns ein wenig mulmig. Es ist plötzlich einsam. Kein Mensch mehr zu sehen. Die geteerte Straße geht in die Mulattiera über, einen alten gepflasterten Saumpfad, der sich in weiten Serpentinen das erste Stück der Vulkanflanke hinaufzieht.

Bis Anfang des 20. Jahrhunderts war Stromboli eine wirtschaftlich blühende Insel, auf der Olivenbäume, Kapernsträucher, Wein und Gemüse wuchsen. Sie hatte damals etwa dreitausend Einwohner, zehnmal mehr als heute. Diese betrieben nicht nur Landwirtschaft, sondern auch eine eigene Handelsflotte von etwa sechzig Schiffen.

Der technische Fortschritt in der Welt machte den Transport per Segelboot und den mühsamen Anbau an den steilen Hängen der kleinen Insel jedoch allmählich unrentabel. Dazu kam 1930 ein großer Ausbruch des Vulkans. Heiße Asche versengte die Felder, Lavabomben zerstörten die Dörfer, fünf Tote waren zu beklagen. Die meisten Menschen verließen Stromboli für immer.

Die ehemaligen Terrassenfelder sind heute von einem dichten Wald aus mannshohem, trockenem Schilfgras überwuchert. Es leuchtet goldgelb in der Sonne und raschelt laut, wenn der Wind durch die Halme streift. Hin und wieder überschattet ein knorriger alter Olivenbaum unseren Weg.

Ingrid bleibt plötzlich stehen und lauscht. War da nicht ein Rumpeln und Rumoren, wie ein Donner in der Ferne? Wir warten einige Minuten ab, doch es ist nichts mehr zu hören.

Langsam steigen wir weiter. Dann wieder dieses eigenartige Donnern in der Luft. Wir blicken den Berg hinauf und sehen weit oben schwarze Steine fliegen. Ein Prasseln ist zu hören und ein Klimpern, wie wenn Felsbrocken zusammen mit Keramikscherben irgendwo aufschlagen und dann noch ein Stück weiterspringen und -rollen. Wir halten den Atem an. Das ist der Vulkan.

Zum ersten Mal erlebe ich einen Feuerberg in Aktion. Die anfängliche Euphorie ist wie weggeblasen. Wie weit fliegen die Steine? Was ist, wenn die Eruptionen plötzlich stärker werden?

Doch wir setzen unseren Weg fort. Der gepflasterte Saumpfad wird zu einem schmalen, steilen und ausgetretenen Steig. Längst hat Macchia das Schilfgras abgelöst. Je höher wir kommen, desto mehr lichtet sich das Gestrüpp. Die Landschaft wird felsig, kahl und öde.

Langsam, im immer gleichen Rhythmus, steigen wir bergan. Etwa alle zwanzig Minuten donnert der Berg. Doch die Sicht auf den Gipfel ist durch einen vorgelagerten Felsrücken versperrt. Zwischendurch wird der Weg so steil, dass wir beim Steigen die Hände zu Hilfe nehmen müssen.

Allmählich legt sich der leichte Wind, der uns begleitet hat. Der Karte nach sind wir nur noch etwa dreihundert Meter unterhalb des Gipfels, ein Stück östlich von den aktiven Kratern, als plötzlich Nebel aufkommt. Der Weg ist flacher geworden und verläuft nun durch lockeren schwarzen Vulkansand, in dem wir nur mühsam vorankommen.

Der Nebel wird dichter. Wir halten uns streng an die Fußspuren, die im Vulkansand nach oben führen.

Die Luft fängt an, in der Nase zu stechen. Vom Studium her weiß ich, dass aus den Kratern von aktiven Vulkanen Schwaden ätzender Schwefelwasserstoffgase austreten. Das muss es wohl sein.

Wir setzen die schweren Rucksäcke ab, packen Kopftücher aus und binden sie uns um Mund und Nase. Unsere Kleidung wird feucht. Feine Tröpfchen hängen in unseren Haaren. Damit haben wir nicht gerechnet. Der Feuerberg erscheint uns plötzlich wie ein unsichtbares Ungeheuer, das uns auflauert und nur darauf wartet, uns zu verschlingen. So haben wir uns das nicht vorgestellt. Trotzdem wollen wir jetzt, so kurz vor dem Ziel, nicht umkehren.

Also beschließen wir zu warten. Auch außerhalb der Feriensaison klettern Bergsteiger vor allem gegen Abend auf den Stromboli, um die Auswürfe des Vulkans am dämmrigen Himmel leuchten zu sehen, steht in dem geologischen Führer, mit dem wir uns vorbereitet haben. Doch niemand erscheint. Auch die Sicht wird nicht besser. Im Gegenteil. Der Nebel wird sogar noch dichter, es wird dunkler, und wir beginnen zu frieren. Schließlich siegt die Vernunft. Schweren Herzens machen wir uns auf den Rückweg.

Mitten in der Nacht kommen wir unten im Ort an. Zum Glück ist in dem einzigen kleinen Hotel, das um diese Jahreszeit geöffnet hat, noch jemand wach. Wir mieten ein Zimmer und versuchen, unseren Frust wegzuschlafen.

Die nächsten Tage warten wir noch, verbringen die Zeit am kalten Strand und in der einzigen offenen Bar im Ort. Die Einheimischen schauen uns zuerst verwundert an. Aber sie sind freundlich und geben uns Tipps für den Fall, dass wir es nochmals versuchen sollten.

Doch das Wetter bessert sich nicht. So fahren wir enttäuscht, aber dennoch sehr beeindruckt von dem mächtigen grollenden Berg wieder ab, mit dem großen Fährschiff zurück nach Neapel – ohne auch nur eine einzige Fontäne aus glühenden Lavafetzen gesehen zu haben, für die der Stromboli so berühmt ist.

23 Jahre später, im März 2001. Zweck meines jüngsten Besuchs auf Stromboli sind Recherchen für einen Bildband über Vulkane, an dem ich mit meinem Kollegen und Lebensgefährten Bernhard Edmaier gerade arbeite. Wir setzen nicht von Neapel mit der Fähre, sondern mit dem viel schnelleren Tragflügelboot von der sizilianischen Hafenstadt Milazzo auf die Insel über.

Auf keiner meiner früheren Reisen nach Stromboli wurde mir so deutlich bewusst, dass die Insel – so heißt es in der griechischen Sage – nicht nur eine Heimstatt des Feuergottes Hephaistos ist, sondern dass auch Äolus, der griechische Windgott, hier seine Kräfte walten lässt und seine Winde an dem Vulkanberg angekettet hat.

Der März ist die Zeit der Frühjahrsstürme. Als wir an Bord gehen, schaukelt das Boot ein wenig auf den Wellen, aber von Sturm noch keine Spur. In ruhiger Fahrt verlässt das Tragflügelboot, das uns zunächst bis zur Insel Lipari bringen soll, den Hafen. Um diese Jahreszeit sind fast nur Einheimische zwischen den Inseln im Tyrrhenischen Meer unterwegs.

Das Boot beschleunigt. Wie im Flug gleiten wir auf den Kufen über das Meer.

Zwischenstopp an der Hafenmole der Insel Vulcano. Das kleine Eiland ist namengebend für alle Vulkane der Erde. Hier hat der antike Feuergott, der bei den Griechen Hephaistos heißt, sozusagen seinen Hauptwohnsitz. Bei der Einfahrt in die Hafenbucht erhaschen wir durch das Salonfenster einen Blick auf die Fossa, den aktiven Feuerberg der Insel. Er sieht mit seinen nur gut vierhundert Meter Höhe und seiner gedrungenen Form recht harmlos aus. Dabei gehört er zu den unberechenbarsten Vulkanen Italiens. Die Wissenschaftler vom italienischen Nationalinstitut für Vulkanologie haben immer ein Auge auf die heißen Gase, die aus seinem Krater quellen und an dessen Rand eine leuchtend gelbe Schwefelkruste hinterlassen. Wenn deren Temperatur zunimmt, steigt die Alarmbereitschaft. Der letzte Ausbruch der Fossa, der verheerende Schäden anrichtete, liegt allerdings schon über hundert Jahre zurück.

Deutlich sind vom Boot aus die dichten weißen Gaswolken und der gelbe Schwefelkranz des Vulkans zu sehen. Das Meer ist auf der nächsten Reiseetappe zwar etwas bewegter, doch wir legen ohne Probleme im Hafen von Lipari an. Jetzt heißt es umsteigen. Ein Großteil der Passagiere ist hier zu Hause und zieht schwer bepackt ab. Nur ein kleiner Rest, darunter auch wir, wartet.

Eine halbe Stunde später kommt ein anderes Tragflügelboot, das uns nach Stromboli bringen soll. Das Schiffspersonal drängt. „Bitte rasch einsteigen", dröhnt es aus dem Lautsprecher. Und dann die Begründung zur

Eile. Der prognostizierte Sturm setzt ein. Womöglich können wir nicht auf Stromboli anlegen. Doch der Kapitän will es zumindest versuchen.

Kaum hat das Boot die Bucht verlassen und Kurs auf die Insel genommen, kämpft es gegen die Wellen an, die sich jetzt aufbäumen. Der Kapitän drosselt das Tempo. Dennoch werden wir kräftig durchgeschüttelt. Salzwasser spritzt an die Scheiben und trübt die Sicht.

Stromboli hat keine geschützte Bucht und keinen Hafen. Nur die alte Mole zieht sich an der Ostseite der Insel ein Stück ins Wasser hinaus. Der Wind, der vom Berg herab aufs Meer hinausstürmt, drückt das Wasser platt. Es gibt keine hohen Wellen, die beim Anlegen Schwierigkeiten machen könnten. Probleme bereiten jedoch die kräftigen Böen, mit denen der Wind vom Himmel herabfährt.

Etwa eine Viertelstunde lang tuckert das Tragflügelboot mit laufendem Motor ein Stück von der Mole entfernt vor sich hin. Immer wieder dreht es ab. Böen peitschen übers Wasser.

Der Kapitän wagt es. Zwischen einzelnen Windstößen manövriert er das Boot an die Mole. Die Mannschaft treibt die Passagiere zur Eile an. Nichts wie raus – lang kann das Boot da nicht liegen.

Schon die ersten Schritte auf der Mole verlangen Stehvermögen. Man muss sich gegen die Windböen stemmen, um nicht umgeweht zu werden.

Diesmal müssen wir nicht zu Fuß bis zu unserem Quartier marschieren. Ein Mann namens Italo erwartet uns schon mit einem knallroten Kabinenroller. Er hievt unser Gepäck auf die Ladefläche. Wir klettern hinterher. Diese lustigen Gefährte sind neben Vespas die einzigen Motorfahrzeuge auf der Insel. Autos sind nicht zugelassen.

Gemächlich rattern wir durch die engen Gassen, vorbei an den beiden Kirchen und am Haus der Filmgöttin Ingrid Bergman, das sofort auffällt, weil es nicht weiß ist wie alle anderen Häuser, sondern dunkelrot. Dort verbrachte die Schauspielerin im Jahr 1949 eine wohl sehr aufregende Zeit. Stromboli war damals, knapp zwanzig Jahre nach dem großen Ausbruch 1930, der die meisten Bewohner von der Insel vertrieben hatte, ein halb verfallener, ziemlich trauriger Ort, in dem nur wenige Menschen lebten. Ingrid Bergmann, damals bereits weltbekannt, hatte Mann und Tochter in den USA verlassen, um mit dem noch unbekannten, exaltierten italienischen Regisseur Roberto Rossellini, ihrem neuen Geliebten, auf der Insel den dramatischen Film „Stromboli" zu drehen.

Italo bringt uns mit seinem Kabinenroller bis ans andere Ende des Ortes, nach San Bartolo. Dort haben wir, nicht weit vom Beginn des Saumpfads zum Vulkankrater entfernt, ein kleines altes Haus gemietet.

Am nächsten Nachmittag steigen wir auf zum Vulkan. Es ist derselbe Weg, den ich 23 Jahre zuvor erstmals gegangen bin. Alles ist immer noch so wie damals, bis auf das neue große Lokal, das etwa fünfzig Meter über der Küste anstelle der ehemaligen Ruine eines alten Leuchtturms steht, des Semaforo Labronzo. Von dort aus kann man die Eruptionen am Gipfel sehen.

Bernhard hat den schweren Fotorucksack auf dem Rücken, ich schleppe den Rest – Wasser, warme Kleidung, Sitzmatten und Proviant. Wir haben alles dabei, um notfalls auch am Gipfel übernachten zu können. Aber eigentlich wollen wir nur die Dämmerung auf dem Vulkan verbringen, wenn die Lavabrocken, die der Stromboli in die Luft schleudert, zu leuchten beginnen, und dann wieder absteigen.

Der Schirokko, der Wüstenwind aus der Sahara, ist zwar schwächer geworden, hat sich jedoch noch nicht gelegt. Einerseits ist er sehr angenehm, weil er für ungewöhnlich warme Temperaturen sorgt – dreißig Grad im März zur Mittagszeit. Doch jetzt, als wir die Wälder aus übermannshohem, trockenem Schilfgras verlassen und durch die niedrige Macchia aufsteigen, packen uns die Böen mit voller Wucht. Trotzdem kämpfen wir uns langsam nach oben und hören aufmerksam auf das Rumpeln des Vulkans, das mir im Lauf der Jahre vertraut geworden ist.

Nach zwei Stunden Aufstieg erreichen wir die Biwaklöcher etwa zweihundert Meter unterhalb des Gipfels – Mulden im sandigen schwarzen Boden, die von niedrigen, halbrunden Mauern aus übereinandergestapelten Lavabrocken umgeben sind. Sie bieten einigermaßen Schutz vor dem Wind. Und wir haben von hier aus einen guten Blick auf den größten der drei aktiven Krater des Stromboli.

Im Sommer, wenn an klaren Abenden Menschenmassen im Licht ihrer Taschenlampen den Vulkan hinaufziehen, um in dessen glühende Schlünde zu schauen, gleichen die Biwaklöcher Müllhalden. Doch jetzt sind sie sauber. Der Wind hat sie ausgeblasen.

Der Stromboli ist an diesem Abend erstaunlich ruhig. Normalerweise spuckt er zwei- bis dreimal pro Stunde Lavafetzen und kleine Aschewolken aus. Doch in jüngster Zeit, sagte man uns heute Morgen schon im Dorf, rührte er sich nur jede knappe Stunde, dann aber heftig.

Wir machen es uns, so gut es geht, in einer der ummauerten Mulden bequem und warten. Nach etwa einer halben Stunde ist es endlich so weit. Als wollte der Vulkan noch einmal kurz Luft holen vor dem nächsten Auswurf, ertönt ein Zischen und Fauchen. Dann ein tiefes Grollen. Dann schießen unter lautem Donnern Kaskaden glühender Steine hundert bis zweihundert Meter hoch in den dämmrigen Abendhimmel. Ein

Teil fällt zurück in den Schlot. Doch die meisten Brocken regnen auf den Kraterrand herab. Laut klirrend wie zerberstende Klinkersteine schlagen die noch brennend roten Lavafetzen auf der Flanke auf. Große Trümmer rollen und poltern die Sciara del Fuoco herunter, die Straße des Feuers, eine Schutthalde aus jungem Vulkangestein. Sie zieht sich als breite Schneise vom Kraterrand hinab bis zum Meer.

Windböen wehen die Wolke aus feiner grauer Asche fort, die mit den Lavafetzen herausgeschleudert wurde. Doch nur noch einmal können wir das feurige Schauspiel in Ruhe beobachten. Dann frischt der Wind auf. Die Böen werden so stark, dass sogar das schwere Fotostativ vibriert. Die aufgewirbelten Körner aus schwarzem Lavasand und Staub stechen wie Nadeln ins Gesicht. Wir verschanzen uns hinter dem Mäuerchen des Biwaklochs, unter der Plastikplane, die wir mitgebracht haben.

Allmählich wird es Nacht. Der Wind nimmt nicht ab, sondern wird noch stärker. In der Dunkelheit kreisen die Gedanken. Was ist, wenn der Stromboli plötzlich so kräftig schießt, dass es uns erwischt? Laut Statistik sind die Eruptionen ein- bis zweimal im Jahr so heftig, dass die ausgeschleuderten heißen Brocken den Aufstiegspfad und sogar die Biwaklöcher erreichen.

Der Wind heult und zerrt an unserem provisorischen Unterschlupf. Dazu in regelmäßigen Abständen das Donnern der Eruptionen, gefolgt vom Prasseln der Steine. Dann wieder Ruhe. Unheimlich.

Nach einer langen, anstrengenden Nacht kriechen wir im ersten Morgengrauen wieder unter unserer Plane hervor. Der Wind ist schwächer geworden. Das Licht der Morgendämmerung ist für Bernhard ideal, um noch ein paar Aufnahmen von den Eruptionen zu machen. Dann brechen wir auf. Die Luft wird glasklar. Dunkelblau glänzt das Meer in der Morgensonne, als wir bis zum höchsten Punkt über den Kratern aufsteigen.

Gern würden wir dem Vulkan noch ein paar Stunden zuschauen. Doch der Proviant ist aufgebraucht. Der Hunger treibt uns hinunter in unser kleines Haus. Wir nehmen die Route über die weiten, weichen Aschefelder an der Ostflanke des Stromboli, die nach der stürmischen Nacht glatt, ohne menschliche Trittspuren, vor uns liegen. Wie durch frischen Schnee können wir mit unseren Bergstiefeln in großen Schritten fast die Hälfte der Vulkanflanke absteigen. Noch gut eine Stunde laufen wir durch die Macchia auf den unteren Hängen des Vulkans und durch das Dorf. Dort kaufen wir frisches Brot. Im Haus angekommen, stürmen wir in die Küche und frühstücken dann bei 25 Grad in der Sonne auf der Terrasse – und das im März.

FEUER GEFANGEN 429

WIE LEICHT und angenehm ist doch das Leben auf diesem Feuerberg! Ich genieße es immer wieder. In den meisten anderen Vulkangebieten, die ich bisher bereist habe, sind die Lebensumstände wesentlich schwieriger, entweder wegen der politischen Lage oder wegen der wirtschaftlichen Situation des Landes. Es kostet viel Zeit und Mühe, um überhaupt an die Vulkanberge heranzukommen und die nötige Ausrüstung und den Proviant zu organisieren.

Mit am schwierigsten war die Reise zu den Vulkanen auf der Halbinsel Kamtschatka an der Pazifikküste Russlands im Osten Sibiriens, die ich nur zwei Jahre nach dem Zusammenbruch der Sowjetunion mit Bernhard unternommen habe.

Im wilden Osten Russlands

Frisch geschrubbte, knackige Karotten und Berge von Kartoffeln neben Nagellack und amerikanischen Zigaretten, chinesischen Jeans, Socken, weißen Turnschuhen, bunten T-Shirts – und eine ganze Batterie Wodkaflaschen ohne Etikett, ordentlich aufgereiht auf einer umgedrehten Holzkiste. Mit strengem Blick wacht die stämmige Frau über die Waren, die sie auf dem öffentlichen Markt in Petropawlowsk-Kamtschatski, der Hauptstadt der sibirischen Halbinsel Kamtschatka, feilbietet. Das Gemüse stammt aus dem Garten ihrer Datscha etwas außerhalb, erzählt sie und steckt dabei ein dickes Bündel Rubel in die Tasche ihrer Kittelschürze. Der Rest ist Schmuggelware, vermute ich.

Es ist August 1993, kurz nach dem Umbruch durch Glasnost und Perestroika. Wir sind, von Deutschland aus gesehen, auf der anderen Seite der Erde, im dünn besiedelten äußersten Osten Russlands, wo Sibirien an den Pazifik stößt. Die Wirtschaft des ehemaligen Sowjetreiches ist zusammengebrochen. Viele der knapp 300 000 Menschen in Petropawlowsk-Kamtschatski sind arbeitslos oder bekommen für ihre Arbeit kein Gehalt ausbezahlt. Die Fischfabriken sind marode, im Hafen geht fast nichts mehr. Um zu überleben, verdienen sich eine Menge Leute ihr Geld als Zwischenhändler von Waren, die irgendwie aus Japan, China oder den USA ins Land kommen. Wenigstens ist der Boden sehr fruchtbar auf Kamtschatka, sodass in dem kurzen sibirischen Sommer vor allem Gemüse und Beeren gut gedeihen. Er ist aus reiner Vulkanerde.

160 Feuerberge gibt es auf der langgestreckten Halbinsel, die etwa dreimal so groß ist wie England. Sie ragt zwischen den Kurileninseln

und dem Aleutenbogen wie der Rücken eines riesigen Wals aus dem Pazifischen Ozean. Dreißig Feuerberge sind aktiv. Wie Perlen auf einer Schnur reihen sie sich entlang der Küste aneinander, thronen über den bewaldeten Hügeln, über Sümpfen und Seen der Tundra. Die höheren Gipfel sind das ganze Jahr über schneebedeckt.

Kamtschatka ist, in erdgeschichtlichen Zeiträumen gemessen, noch ein sehr junges Land. Gewaltige Kräfte sind hier erst seit etwa zwei Millionen Jahren am Werk. Die pazifische Erdplatte schiebt sich in breiter Front mit einer Geschwindigkeit von acht bis zehn Zentimetern pro Jahr unter den Rand der eurasischen Platte. Dabei wurde die Halbinsel hochgedrückt. Durch Spalten und Risse im Gestein stieg Magma aus dem Bauch der Erde auf und durchstieß die Erdkruste. So sind die vielen Vulkane entstanden.

Nach den Statistiken, so hat uns ein russischer Vulkanologe vor unserer Abreise nach Sibirien per E-Mail mitgeteilt, brechen im Jahr sechs der dreißig aktiven Feuerberge aus. Grund genug für Bernhard und mich, uns auf den Weg auf die andere Seite der Erde zu machen. Wir arbeiteten gerade an unserem ersten gemeinsamen Buch über Vulkane. Kamtschatka, das in Europa kaum jemand kennt, sollte darin unbedingt beschrieben werden.

1993 waren kaum Informationen über diesen Teil der Erde aufzutreiben, der fünfzig Jahre lang militärisches Sperrgebiet war. Von dort aus spähte die Sowjetmacht nach dem Feind an der gegenüberliegenden Küste des Pazifiks aus, nach den Vereinigten Staaten. Erst seit 1990 ist das Gebiet zugänglich, auch für Fremde.

Das Einzige, was wir in Deutschland an Reiseunterlagen über Kamtschatka auftreiben konnten, war eine Luftfahrtkarte aus der alten Sowjetzeit mit dem Aufdruck WARNING – AIRCRAFT INFRINGING UPON NON-FREE-FLYING TERRITORY MAY BE FIRED ON WITHOUT WARNING (Warnung – Flugzeuge, die die Flugverbotszone verletzen, können ohne Warnung beschossen werden). 1983 feuerte das sowjetische Militär, angeblich in der Annahme, es handle sich um ein amerikanisches Spionageflugzeug, tatsächlich auf eine Verkehrsmaschine der Korean Airlines. Sie stürzte ab. Alle 269 Insassen kamen ums Leben.

„Diese Zeit ist längst vorbei, in der Hinsicht ist nichts zu befürchten", versicherte man uns in dem kleinen russischen Reisebüro in München, das unsere Flüge über Moskau nach Petropawlowsk organisierte. „Im fernen Osten Russlands müssen Sie heute mit ganz anderen Schwierigkeiten rechnen. Aber die Leute dort sollen sehr offen sein. Sie kommen schon durch."

Nach dieser Prognose zogen wir mit zwiespältigen Gefühlen los. Zwei

FEUER GEFANGEN   431

Tage sollte die Reise dauern. Die erste Hürde hatten wir am Inlands-
flughafen in Moskau zu nehmen. Mit unserem großen Expeditionssack,
in dem Schlafsäcke und Liegematten steckten, hatten wir fast 15 Kilo
Übergepäck. Die Beamtin am Check-in-Schalter, die nur Russisch sprach,
schüttelte den Kopf und bedeutete uns immer wieder, dass sie den Sack
so nicht einchecken könne. Sollen wir nun also zurückfahren, nur weil
wir etwas mehr Gepäck haben als erlaubt, fragte ich sie auf Englisch.
Überall auf der Welt kann man dafür bezahlen.

Sie verstand uns jedoch nicht oder wollte uns nicht verstehen. Sie ließ
uns eine halbe Stunde schmoren, telefonierte, scherzte mit Kollegen.
Erst als wir mit ein paar Dollarscheinen winkten, ließ sie sich herab,
die Summe für das Übergepäck auszurechnen – und samt Trinkgeld zu
kassieren.

Dann saßen wir als einzige Passagiere im Interflug-Abfertigungsraum
für Ausländer. Auch kein Flughafenpersonal war zu sehen. Hatten die
uns vergessen? Schließlich durchquerte eine Beamtin in grüner Uniform
die Halle. Ohne stehen zu bleiben und ohne uns eines Blickes zu wür-
digen, forderte sie uns wortlos mit einer herrischen Handbewegung auf,
ihr zu folgen. Wir packten unsere Taschen und stolperten durch einen
schlecht beleuchteten Gang hinter ihr her.

Sie brachte uns über das regennasse Rollfeld zum Flugzeug. Wir waren die letzten Passagiere in der mit Menschen, Gepäckstücken aller Art
und Plastiktaschen vollgestopften Maschine – und erhielten auch die
letzten Plätze. In der hintersten Reihe, mit nur wenig Fußraum. Aber
wenigstens waren wir drin.

Kaum war das Flugzeug gestartet, begannen unsere Sitznachbarn, in
ihren Plastiktüten herumzukramen. Holten Getränke und belegte Brote
heraus. Eigenartig. Als ein paar Stunden später unser Magen zu knurren
begann, wussten wir, warum. Außer lauwarmem schwarzem Tee gab es
während des neunstündigen Flugs lediglich ein paar harte, trockene Kekse. Niemand hatte uns informiert. Das fing ja gut an.

Kaum waren wir gelandet, zerstreuten sich jedoch unsere Bedenken.
Das Wetter war herrlich, und die russischen Wissenschaftler, die uns in
Empfang nehmen sollten, erwarteten uns schon und begrüßten uns herzlich. Diesen Kontakt hatten wir bereits von Deutschland aus geknüpft.
Professor Rolf Schick, – mittlerweile emeritierter – Geophysiker mit internationalen Beziehungen, hatte uns die Adresse vermittelt. „Versuchen
Sie gar nicht erst, den Leuten zu schreiben, zu telefonieren oder zu fa-
xen", hatte er gesagt. „Herkömmliche Kommunikationswege funktionieren nicht, das kommt nicht an. Es geht wirklich nur per E-Mail."

Und so hatten wir auf einem für 1993 hochmodernen virtuellen Weg unseren ersten Kontakt mit einer der abgelegensten und unzugänglichsten Ecken der Erde geknüpft und dabei Wladimir Kirianow, Sergei Zharinow und seine Frau Ira kennengelernt. Sie waren Mitglieder eines Stabs von insgesamt 158 Vulkanologen, die im Auftrag der altehrwürdigen russischen Akademie der Wissenschaften auf Kamtschatka die Vulkane und deren Ausbrüche beobachteten.

Und sie gehörten auch zu den Menschen auf der sibirischen Halbinsel, die nach neuen Möglichkeiten suchen zu überleben, denn die vom Staat finanzierte Akademie hatte kaum noch Geld für die Forschung. Sergei, Wladimir und Ira, die alle perfekt Englisch sprechen, betrieben neben ihrem durch die Finanznot eingeschränkten Job am Vulkanologischen Institut ein kleines Reiseunternehmen. Sie nutzten dabei ihre guten Beziehungen zu amerikanischen Kollegen, die sie in früheren Jahren bei den seltenen und nur mit großem Aufwand erstrittenen Forschungsreisen in die USA aufgebaut hatten. Befreundete Wissenschaftler aus dem ehemaligen Feindesland auf der anderen Seite des Pazifiks hatten ihnen ihre ausgedienten Computer zur Verfügung gestellt, über die sie auch unsere E-Mails erhalten hatten. Und die amerikanischen Vulkanologen vermittelten ihnen auch Reisende aus den Vereinigten Staaten. Mit einer solchen Gruppe sollten wir die ersten zehn Tage auf Kamtschatka verbringen, um zunächst einen Eindruck von den Feuerbergen zu gewinnen.

DREI Tage sind nun seit unserer Ankunft vergangen. Jetzt schlendern wir über den Markt von Petropawlowsk. Wir wollen noch ein paar Kleinigkeiten für die erste Vulkantour mit der amerikanischen Reisegruppe kaufen. Den Wodka von der Frau in der Kittelschürze zum Beispiel, für die kalten Abende im Zelt. Doch ist das in den Limoflaschen ohne Etikett wirklich Wodka? Ich spreche kein Russisch. Dennoch kann die Frau in der Kittelschürze meine Zweifel verstehen. „Ja, sicher ist das Wodka, bester russischer Wodka", sagt sie, und Wladimir, der uns begleitet, übersetzt. „Ich habe viele Stammkunden. Die würden nicht wiederkommen, wenn ich sie übers Ohr hauen würde", sagt sie eindringlich. Also gut, wir nehmen fünf Flaschen zu je 600 Rubel (damals etwa eine Mark).

Petropawlowsk-Kamtschatski ist eine eigenartige Stadt. In meiner Erinnerung besteht sie hauptsächlich aus tristen, ziemlich heruntergekommenen Plattenbauten und kommunistischen Denkmälern. Nur im Zentrum und in den weit abgelegenen Außenbezirken stehen noch ein paar alte russische Holzhäuser. Ein Großteil des Hafens liegt lahm. Fischtrawler und Frachtschiffe rosten vor sich hin.

FEUER GEFANGEN

Nicht nur die vielen Vulkanologen leiden unter der schlechten wirtschaftlichen Situation, sondern Menschen aus allen Berufssparten. Dabei bietet die Stadt durch ihre Lage an der Awatscha-Bucht alle Vorzüge einer Handels- und Wirtschaftsmetropole. Diese Bucht gehört zu den größten Naturhäfen nicht nur am Pazifik, sondern in der ganzen Welt. Schon der berühmte Entdecker Vitus Bering wusste dies für seine Zwecke zu nutzen. Er konnte für seine große Nordische Expedition keinen besseren Ausgangspunkt finden als diese Bucht, die durch breite Landzungen vom Pazifik abgeschnürt und trotz des hohen Breitengrades im Winter eisfrei ist. Dort bereitete er sich auf die Fahrt über die Aleuten nach Alaska vor.

Durch den Pelzhandel wuchs die ehemalige Fischersiedlung an der Awatscha-Bucht schnell zu einer Stadt heran. Bering selbst benannte sie 1740 nach seinen beiden Postschiffen *Sankt Peter* und *Sankt Paul* Petropawlowsk.

Während des Kalten Krieges war die Pazifik-U-Boot-Flotte in der Awatscha-Bucht stationiert. Das dortige Pro-Kopf-Einkommen war etwa dreimal so hoch wie anderswo im Land – bis mit dem sowjetischen Reich auch die Wirtschaft zusammenbrach.

Heute leben knapp 500 000 Menschen auf Kamtschatka. Nur 2,5 Prozent davon sind Ureinwohner. Noch liegen russische Atom-U-Boote im Wasser des Naturhafens von Petropawlowsk, aber es gibt keine Industrie mehr. Mit der Fischerei, so erzählt uns ein Mann im Hafen, könnte man viel Geld verdienen – vor allem mit dem Lachs und den riesigen Kamtschatka-Krabben, das sind Seespinnen, die bis zu zwei Meter groß und bis zu 13 Kilo schwer werden. Doch die vielen amerikanischen Dollar und die japanischen Yen, die die Fischer einnähmen, müssten sie abgeben und bekämen dafür russische Rubel, eine Währung, bei der man zuschauen kann, wie sie verfällt. Die Stadt und die Menschen können also kaum genug investieren, um wenigstens Straßen und Häuser in Schuss zu halten. Alles verwittert und verrottet. Vermutlich hat sich daran bis heute nicht viel geändert.

DIE TROSTLOSIGKEIT der Stadt ist schnell vergessen, als wir am vierten Tag nach der Ankunft mit der Reisegruppe aus den USA und dem russischen Vulkanologenteam endlich zu unserer ersten Tour aufbrechen.

Wir stehen am Flughafen Jelesovo, etwa 40 Kilometer außerhalb der Stadt, und warten auf den Transporthubschrauber, der uns 130 Kilometer weiter nach Norden zum Vulkan Karimski bringen soll.

Das Wetter ist sonnig und klar. Die Hausberge von Petropawlowsk, die

Vulkanriesen Awatschinski, Koriaski und Koselski, sind zum Greifen nah. Vom Gipfel des Awatschinski, auch kurz Awatscha genannt, steigt ein Nebelschleier auf – Fumarolen, heiße Schwefelwasserstoffgase, sagt Wladimir.

Die drei majestätischen Bergkegel überragen, von fast überall sichtbar, die Küste und die Awatscha-Bucht. Ihre Gipfel scheinen heute wie leicht mit Zucker bestäubt. Während es in der Nacht in Petropawlowsk regnete, fallen dort oben in 2500 bis 3000 Meter Höhe Schnee.

Nach dem Glauben der Itelmenen wohnen in den Vulkanen Teufel und böse Geister. Die Ureinwohner der Halbinsel meiden daher die rauchenden Berge, obwohl sie sonst die Natur, die sie umgibt, sehr verehren.

Eine Menge Gepäck stapelt sich am Rand des Flugfeldes: Koffer, Säcke, Taschen, Zelte und Kisten mit Proviant. Die Mitglieder unserer Reisegruppe sind sich noch fremd. Alle stehen etwas steif und unbeholfen herum. Erste Kontakte werden geknüpft. Woher kommen Sie? Dabei sind ein Fotograf aus Kanada, ein älteres Ehepaar aus Mexiko und Andree, ein junger rothaariger Mann. Mit ihm komme ich gleich ins Gespräch. Er ist in der ehemaligen DDR geboren, hat vier Jahre in Moskau studiert, spricht also perfekt Russisch und arbeitet heute als Wirtschaftsfachmann zeitweise in Frankfurt am Main.

Außerdem sind noch fünf US-Staatsbürger mit von der Partie, darunter die junge blonde Studentin Pamela und ihr Bruder Glenn Lockwood, Kinder eines namhaften Vulkanologen auf Hawaii, deren kleines Reiseunternehmen East-West-Discovery den Vulkanologen auf Kamtschatka schon einige Reisegruppen vermittelt hat, so auch diese hier. Betreut werden wir von Ira und Wladimir, außerdem von deren Kollegin Swetlana und Andrejew aus Moskau. Sergei bleibt in Petropawlowsk, als Kontaktmann in der Zivilisation, falls wir im Camp am Karimski-Vulkan etwas brauchen sollten. Aus dem Krater am Gipfel dieses Feuerbergs ist acht Jahre zuvor zum letzten Mal Lava ausgeflossen. Seither ist er ruhig.

Ein großer Hubschrauber rollt an. Ein MI-8 der russischen Fluggesellschaft Aeroflot. Solche Fluggeräte sind in den Weiten Kamtschatkas das übliche Transportmittel. Im Cockpit sitzen drei Männer – Pilot, Kopilot und Mechaniker. Die Turbinen dröhnen so laut, dass man sein eigenes Wort nicht mehr versteht.

In etwa hundert Meter Entfernung bleibt der Hubschrauber stehen. Langsam kommen die Rotoren zum Stillstand. Es wird wieder ruhig. Die Besatzung steigt aus. Ich reibe mir den Sand, den die Rotorblätter aufgewirbelt haben, aus den Augen.

FEUER GEFANGEN

Der Transporthelikopter ist blassrosa, mit breiten blauen Längsstreifen am Rumpf und dem kyrillischen Schriftzug der Aeroflot. Stellenweise ist der Lack abgeblättert. Eine Verschraubung an der Seite, vermutlich ein Tankdeckel, ist mit Draht gesichert und rundum ölverschmiert. Die gesamte Partie hinter den Turbinen ist rußgeschwärzt von den Abgasen. Die Reifen sind abgefahren. Sehr vertrauenerweckend wirkt die Riesenlibelle nicht auf mich.

Alle helfen beim Einladen. Dann steigen wir ein, ein kurzes Gerangel um die Plätze an den runden Fenstern – und los geht's. Zu meinem Erstaunen rollt der Hubschrauber auf der Startbahn an wie ein Flugzeug, bevor er abhebt. Hier drinnen ist es noch lauter als draußen. Das Dröhnen lässt nicht nur mein Trommelfell schmerzen, sondern auch meinen Magen erzittern. Die ganze Maschine vibriert.

Zügig erheben wir uns in die Luft. Die Distanz zum Boden wird immer größer. Unter uns blau schimmernd die Bucht von Awatscha. Dann geht es über die bunten Datscha-Siedlungen um Petropawlowsk hinweg und an den Hausvulkanen der Stadt vorbei nach Norden. Unter uns nur noch weite Tundra, dann ein Stück Fluss, der in weiten Schlingen dahinströmt. In seinem Tal liegen Waldparzellen, die irgendwann einmal kahl gerodet wurden, dicht neben wilder, ursprünglicher Landschaft aus lichtem Gebüsch, gelbgrünen Grasflächen und ausgedehnten Sümpfen mit kleinen Tümpeln, die wie dunkelbraune Augen zu uns heraufstarren. Wir passieren noch weitere Vulkane mit komplizierten Namen wie Zschupanowski, Wilutschinski oder Wostriaki.

„Gleich sind wir da", sagt Wladimir. „Vorne rechts ist der Karimski." Wer einen Fensterplatz ergattert hat, drückt das Gesicht an die kleine, runde Glasscheibe. Ich gehöre zu den Glücklichen, die den Vulkan als Erste erspähen. Ein ebenmäßiger schwarzer Kegel. Nur die Lavafontänen auf dem Gipfel fehlen. Der letzte Ausbruch kann aber noch nicht so lange zurückliegen, denn die jüngste Lavaschicht, die wie geronnener Zuckerguss an den Flanken klebt, ist noch pechschwarz und unverwittert. Sie läuft am Fuß des Kegels in dicken Wülsten über älteren grauen Lavalagen auseinander.

Der Karimski-Vulkan ist mit 1536 Metern nicht besonders hoch. Dennoch wirkt er wie ein dunkler Riese über der Tundra, die an diesem heißen Sonnentag gelbgrün leuchtet.

Wir landen direkt am Karimski-Fluss, der sich durch das Sumpfgebiet am Fuß des Vulkans schlängelt. Dort steht auch ein blaues Holzhaus. Es ist das Observatorium der Wissenschaftler, die den Karimski überwachen. Zurzeit ist es aus Spargründen nicht besetzt. Doch die

Der Vulkan Karimski
liegt auf der russischen Halbinsel Kamtschatka.

Das einfache Lager am Mutnowski in Kamtschatka

FEUER GEFANGEN

Instrumente sind jederzeit einsatzbereit. Etwa fünfhundert Meter davon entfernt ist schon das große Gemeinschaftszelt aufgebaut. Auch die Plane über der offenen Kochstelle ist bereits gespannt.

Schon beim Ausladen machen uns die Mücken zu schaffen. Andrejew beeilt sich daher, ein zeltgroßes Moskitonetz aufzubauen. Wem die Plagegeister zu lästig werden, der kann sich da hineinflüchten.

Noch bevor wir auspacken und die kleinen Schlafzelte aufstellen, ruft Wladimir die Gruppe zusammen. „Ich möchte euch bitten, das Lager nicht allein, sondern immer zu zweit oder zu mehreren zu verlassen", sagt er. „Wegen der Bären."

Auf Kamtschatka leben noch Tausende von Braunbären, die größer werden können als die Grizzlys in Nordamerika. Normalerweise flüchten die Tiere, sobald sie Menschen in ihrer Umgebung wahrnehmen. „Doch wenn man sie plötzlich überrascht, können sie unangenehm werden", sagt Wladimir. Dabei öffnet er einen Karton und holt Leuchtstäbe heraus. „Deshalb bekommt jetzt jeder so ein Ding, das er immer griffbereit haben sollte, für Notfälle."

Wenn ein Bär angreift, erklärt er, sollen wir einfach nur die Schnur am einen Ende des Stabes abreißen. „Dann entzündet sich ein Leuchtsignal, das die Bären auf Abstand hält." Ich habe diesen Stab, der im Notfall brennt wie eine überdimensionale Wunderkerze, jede Sekunde bei mir getragen.

Doch zunächst machen die Mücken Ärger. Solange wir mit dem Auspacken und Aufstellen meines Kuppelzeltes beschäftigt sind, höre ich zwar das Summen der kleinen Insekten, aber ich spüre sie kaum. Erst als ich mich mit einer Tasse frisch aufgebrühtem Tee auf einen Stein in die Sonne setze, registriere ich den Angriff. Mücken überall. Also das Mückenmittel herausgekramt. Jedes Fleckchen unbedeckte Haut wird eingerieben. Doch die Stechtiere lassen sich davon nicht beeindrucken. Ich kapituliere, binde mir ein großes Kopftuch um und ziehe es weit ins Gesicht.

Andrejew, der meine Abwehrversuche beobachtet hat, lacht. Er läuft mit nacktem Oberkörper herum und wird von keiner einzigen Mücke geplagt. Wir plaudern ein wenig. Andrejew ist eigentlich Physiklehrer in Moskau. In den Ferien besucht er immer seine Freunde in Kamtschatka. „Mich faszinieren die Vulkane, und ich nutze jede Gelegenheit, um an sie heranzukommen", erzählt er. Er verdient sich den Aufenthalt mit kleinen Hilfsarbeiten im Camp. Dafür bekommt er freie Kost und Logis. „Und wie bist du gegen die Mücken immun geworden?", frage ich. Andrejew zieht Pfeife und Tabak aus der Tasche. „Probier's mal damit", meint er und hält mir den Tabaksbeutel unter die Nase. Ich schnuppere. Das Kraut riecht scharf und süßlich zugleich. „Geheime russische Spezialmischung Kamtschatski", sagt Andrejew augenzwinkernd und steckt sich die Pfeife an. Ich rieche am Rauch – und muss husten. „Diesen Tabak mögen die Mücken überhaupt nicht." Kann ich verstehen.

AM NÄCHSTEN Tag sind die Mücken weg. Aber auch die Sonne. Nebel hängt tief über dem Camp. Alles ist feucht. Es duftet nach Erde und frischem Moos. Die ganze obere Hälfte des Karimski-Vulkans steckt in den Wolken. Trotzdem ziehen wir los, um ihn zu besteigen.

Was aus dem Helikopter wie festes schwarzes Lavagestein ausgesehen hat, entpuppt sich aus der Nähe als reine Aa-Lava. So nennen Vulkanologen die Schmelze, die beim Fließen und Erkalten in bizarre, scharfkantige Brocken zerfällt. Man kann nur schwer darauf laufen. Der Fels ritzt sogar in das feste Leder meiner schweren Bergschuhe.

Den Mexikanern wird es zu anstrengend. Sie kehren wieder um. Wladimir begleitet sie, damit sie sich in dem weglosen Gelände nicht verlaufen. Der Rest der Gruppe steigt weiter. Andrejew ist jetzt unser Führer. Er kennt den Berg. Er war schon mehrmals oben.

Der Hang ist steil. Manchmal sind die Lavabrocken so fest miteinander verbacken, dass man wie auf Treppen hinaufsteigen kann. Dann plötzlich rutschen sie unter den Füßen weg und man gleitet ein Stück zurück. Ich trage Handschuhe, um mir, wenn ich mich abfange, nicht die Haut aufzuschneiden.

Gut drei Stunden dauert der Aufstieg. Die Mühe hat sich gelohnt. Der Gipfel des Karimski ragt über die Nebeldecke hinaus. In der Ferne durchstechen die Nachbarvulkane das weiße Wolkenmeer. Doch ich habe kaum Augen dafür, so sehr fasziniert mich der mächtige Krater. Er hat einen Durchmesser von schätzungsweise zweihundert Metern. Wie ein steiler Trichter läuft er nach unten konisch zu. Gestein, das nach dem letzten Ausbruch vor etwa neun Jahren von den Kraterwänden nachgebrochen ist, hat den Schlot des Vulkans verschlossen. Die Geister, die den Mythen der Ureinwohner Kamtschatkas zufolge auch im Karimski wohnen, sind derzeit wohl ausgeflogen.

Einige riesige Gesteinsblöcke hängen so schräg über der steilen Kraterwand, dass es aussieht, als könnte ein leichter Windstoß sie in die Tiefe stürzen. „Die wurden durch die Wucht der letzten Eruptionen vor einigen Jahren aus den Kraterwänden gerissen und hierhergeschleudert", sagt Andrejew nüchtern. „Und da liegen sie nun, bis sie vielleicht beim nächsten Erdbeben abrutschen und in den Krater hineinpoltern."

Aus dem Boden des Trichters, der etwa fünfzig Meter weit hinunterreicht, quellen dünne Gaswolken. Ein untrügliches Zeichen dafür, dass der Karimski noch aktiv ist.

Ein Großteil der Gruppe hat sich schnell sattgesehen an der grauen Mondlandschaft über den Wolken und drängt zum Abstieg. Doch Bernhard steht auf der anderen Seite des Kraters. Er möchte noch ein paar Aufnahmen machen. Andree und ich wollen auf ihn warten. Andrejew ist einverstanden. „Ihr könnt nachkommen", meint er. „Der Abstieg ist ganz einfach." Dann erklärt er Andree den Weg.

Ich beobachte die beiden. Sie sprechen Russisch. Andrejew zieht mit den Armen einen großen Kreis und beschreibt kurz die Route – und Andree nickt. Hoffentlich versteht er auch alles richtig.

Im Lauf der nächsten Stunde reißt die Wolkendecke auf, und wir können sogar das Camp sehen. Der Abstieg dürfte also nicht sonderlich schwierig werden.

Doch weit gefehlt. So schnell wie sich die Wolkendecke geöffnet hat, so schnell schließt sie sich wieder. Als Bernhard endlich fertig ist, kann ich den Fuß des Vulkans kaum noch erkennen. Ich schultere meinen Rucksack, und wir brechen auf. Schon nach zehn Minuten ist Andree unsicher. Er mag ja gut Russisch sprechen und ein Experte in Sachen Wirtschaft sein, aber die Orientierung im Gelände ist offenbar nicht seine Sache.

Jetzt stehen wir hier verloren mitten in der Wildnis Kamtschatkas, ohne Weg und ohne Kompass. Wir versuchen, anhand des Sonnenstandes und der Landschaft, die wir durch ein Wolkenloch wenige Minuten lang zu sehen bekommen, unseren Standort zu bestimmen. Vor uns liegt eine steile Flanke aus lockerem Vulkansand. Sie müsste nach unserer Schätzung in die Richtung führen, in der dann, einige Hundert Meter tiefer, unter den Wolken das Camp liegt. In raschem Tempo gleiten wir mit großen Schritten den Hang hinunter.

Als wir in die Wolkendecke eintauchen, ist es auch mit dem weichen Vulkansand vorbei. Jetzt beginnt wieder die unangenehme, scharfkantige Schlacke. Die Richtung ist nun nicht mehr so leicht einzuhalten, die Sicht beträgt höchstens hundert Meter. Mal mehr, mal weniger. Je nachdem, wie die Nebelschleier ziehen.

Jeder Schritt ist mühsam. Oft kippt ein Lavabrocken unter meinen Füßen zur Seite, und ich knicke um.

So kämpfen wir uns eine Stunde lang hangabwärts. Dann wird das Gelände flacher, der Boden erdig. Die ersten Büsche tauchen auf. Wir halten nach Fußspuren Ausschau. Doch es ist nichts zu entdecken. Auf gut Glück gehen wir weiter in die Richtung, die bergab zu führen scheint. Vielleicht stoßen wir ja auf den Sumpf, der zwischen Lager und Vulkan liegt und den wir beim Aufstieg durchquert haben. Alle paar Minuten lassen Bernhard und Andree jetzt einen schrillen Pfiff los. Verzweifelt versuche ich es mit lautem Rufen: „Hallo! Wo seid ihr?" Wenigstens schlagen wir mit dem Krach jeden Bären, der sich in der Nähe aufhält, in die Flucht.

So geht es noch eine Stunde. Es wird allmählich dunkel. Unsere Jacken sind feucht vom feinen Nieselregen. Der Magen knurrt. Bis auf ein paar Kekse und eine halbe Flasche Wasser ist nichts mehr im Rucksack. Ich werde allmählich heiser vom Schreien.

Dann endlich. Nach einem langen Pfiff von Bernhard ist weit in der Ferne ein Ruf zu hören, dann noch einer. Wir lauschen. Die Rufe kommen näher. Wir bleiben stehen. Jetzt pfeift Andree. Wir ändern die Richtung und gehen langsam auf eine Wand aus dichten Büschen zu, aus der wir eine Antwort auf unsere Schreie hören. Es dauert keine zehn Minuten, da raschelt es in den Sträuchern, und Andrejew taucht auf. Wladimir folgt ihm auf den Fersen.

Es fallen nicht viele Worte. Nur ein kurzes „Alles okay?" von Wladimir und ein beruhigendes Schulterklopfen. Wir sind alle erleichtert. Noch etwa eine halbe Stunde lang laufen wir durch den Nieselregen, durch das feuchte Gebüsch und über die weichen Sumpfwiesen. Im Camp angekommen, bringt Swetlana jedem von uns ein volles Glas Wodka. Er brennt ein wenig im Hals, aber die Wärme im Bauch tut gut. Allmählich löst sich die Anspannung. Zum Abendessen gibt es Gulasch und gekochte Kartoffeln. Dann krieche ich in mein Zelt und wickle mich in den Schlafsack. Er ist bereits ein wenig feucht. Aber das merke ich fast nicht. Fünf Minuten später falle ich in einen tiefen, traumlosen Schlaf.

AM NÄCHSTEN Morgen steht Wasser in meinem Zelt. Der Rucksack ist nass. Die dick aufgeblasene Luftmatratze hat wenigstens den Schlafsack einigermaßen trocken gehalten. Das Zelt ist nicht dicht.

Mein Missmut schwindet, als ich den Kopf hinausstrecke. Da steht Bernhard mit zwei Paar Fischerstiefeln unterm Arm. „Nimm dein Badezeug mit", sagt er, „Andrejew will uns was zeigen." Ich schlüpfe schnell in Hose und Anorak, denn es ist kühl draußen im Regen. Dann stolpere ich schlaftrunken über den weichen Teppich aus Moos und Flechten hinter den beiden her.

Am Karimski-Fluss stülpen wir die Schäfte unserer Stiefel hoch. Sie

FEUER GEFANGEN

reichen bis über die Oberschenkel. Dann waten wir durch das mehr als kniehohe Wasser.

„Jetzt könnt ihr allein weiter", meint Andrejew und deutet auf ein paar kleine Holzhütten etwa hundert Meter entfernt mitten im Sumpf. Bis zu den Knöcheln versinken wir im weichen Boden. Die kleinen Hütten sind Badehäuser. Die Vulkanologen des Observatoriums haben dort die warmen Quellen des Karimski-Vulkans gefasst.

Die Gummistiefel lassen wir unter der alten Holzbank vor dem Häuschen stehen, um keinen Schlamm in die Hütte zu tragen. Die Tür knarzt beim Öffnen laut in den verrosteten Angeln. Ein Schwall warmer Luft kommt uns entgegen. Schnell hinein, damit keine Wärme verloren geht.

Drinnen ist es ziemlich eng. Die beiden Fensterscheiben sind beschlagen. Aus den Wänden ragen in Kopfhöhe ein paar Astgabeln zum Aufhängen der Kleider. Im Boden ist eine Grube ausgehoben, fast zwei Meter tief und etwa drei Meter im Durchmesser. Ihre senkrechten Wände sind mit Holz ausgekleidet. Das Wasser in diesem primitiven Becken perlt und ist so milchig, dass man nicht bis auf den Grund sehen kann. Deshalb setzen wir uns zuerst vorsichtig an den Rand, stützen uns ab und lassen uns dann langsam hineinsinken. Das Wasser ist badewannenwarm. Wir sinken tiefer und tiefer. Das Wasser reicht jetzt bis zum Hals. Herrlich. Heute kann uns das kühle, regnerische Wetter nichts mehr anhaben.

So geht es zwei Tage. Regen, Essen, Baden, kleine Wanderungen in der Umgebung des Vulkans zu warmen Seen und Mineralwasserquellen. Ich bin mit meinen Sachen mittlerweile ins Gemeinschaftszelt gezogen, weil sich mein eigenes Zelt nicht abdichten lässt.

Am dritten Tag soll uns der Helikopter wieder abholen. Aber er kommt nicht. Ira und Wladimir funken vom Observatorium aus Sergei in Petropawlowsk an und erhalten eine schlechte Nachricht. Ein Taifun zieht von Japan herauf. „Deshalb dürfen am Flughafen keine Flugzeuge starten und landen, weder Jets noch Hubschrauber", erklärt Ira. Es kann zwei Tage dauern, bis der Taifun vorbei ist.

Wir sitzen also fest. Zum Regen kommt jetzt noch ein Sturm. Sämtliche Kleidungsstücke sind feucht und stinken nach Rauch, weil wir sie ständig am offenen Feuer zu trocknen versuchen. Der Proviant geht allmählich zur Neige.

Tags darauf geht der Dauerregen in ein leichtes Nieseln über. Die Wolken hängen immer noch tief. Diesmal kommt Wladimir mit einer guten Nachricht vom Funkgerät zurück. Unser Transporthubschrauber hat die Starterlaubnis bekommen.

Wir brechen die Zelte ab, packen alles zusammen und harren, eng beieinandersitzend, geduldig unter der Küchenplane aus. Nach etwa einer Stunde ist ein Wummern hinter den Bergrücken zu hören. Tatsächlich taucht in dem Taleinschnitt knapp über dem Boden der Helikopter auf.

Kaum stehen die Rotorblätter still, gehen die beiden Heckklappen auf. Zelte, Koffer, Kisten, Säcke, Matratzen – alles wird zwischen den beiden großen knallgelben Treibstofftanks im hinteren Teil des Hubschraubers verstaut. Die Sachen haben kaum Platz. Die Amerikaner finden keinen Sitz mehr und machen es sich auf dem Berg Gepäck bequem. Ich steige mit Ira zuletzt ein und bekomme den Notsitz in der Pilotenkanzel. Bernhard hat einen Stehplatz hinter mir an der Tür. Sicherheitsbestimmungen gibt es hier offenbar keine.

Die Rotorblätter beginnen zu kreisen. Der ganze Helikopter vibriert. Das Dröhnen wird allmählich unerträglich laut. Dann heben wir langsam ab.

Doch das Ding kommt kaum vom Boden weg. Was ist los? Sind wir zu schwer? Der Pilot arbeitet an seinen Pedalen und Hebeln, Kopilot und Mechaniker schauen ihm ruhig dabei zu.

Dann treiben wir etwas zur Seite. Der Hubschrauber dreht und zieht noch unter der Nebeldecke davon. Er ist nicht für Instrumentenflug ausgerüstet. Wir fliegen auf Sicht. Der Kopilot hat eine Landkarte in der Hand. Zwei Ventilatoren an den Fenstern verhindern, dass die Scheiben innen zu sehr beschlagen. Draußen hetzen die Scheibenwischer hin und her. Der Pilot blickt angestrengt abwechselnd nach vorn, zur Seite und nach unten.

Wir fliegen beängstigend knapp über dem Boden. Wir fliegen der Karte nach immer die Täler entlang – bis zum Meer.

Endlich. Hier hebt sich die Wolkendecke, und in einem großen Bogen geht es an der Küste entlang nach Petropawlowsk-Kamtschatski.

Gleich nach der Landung verabschieden wir uns von der Reisegruppe, die, bevor sie in die USA zurückfliegt, noch eine Bootstour auf dem Kamtschatka-Fluss unternimmt. Bernhard und ich werden in der Stadtwohnung von Iras Freunden untergebracht, die gerade verreist sind.

Sie liegt in einem der tristen Plattenbauten am Rand des Zentrums. Der Eingang des Wohnblocks wurde früher wohl durch ein frei schwebendes Betondach geschützt, das irgendwann einmal heruntergebrochen ist. Jetzt ragen nur noch die Eisenträger aus der Wand. Die Haustür schließt nicht mehr, weil der Holzrahmen gesplittert ist. Das Klingelbrett hängt nur noch an ein paar Drähten. Das Treppenhaus ist völlig verdreckt. Überall bröckelt der Putz.

FEUER GEFANGEN

Die Wohnung jedoch ist hell und sauber. Der Blick aus den Fenstern reicht bis zu den Hausvulkanen der Stadt. Sollte der Awatscha jetzt ausbrechen, könnten wir die Eruptionen vom Küchentisch aus verfolgen. „Genau das haben meine Freunde getan, während der letzten Eruption vor zwei Jahren", erzählt Ira. Nachts sahen sie die Lavaströme an den Hängen des Awatscha leuchten, und tagsüber konnten sie die Aschewolken beobachten, die in den Himmel schossen.

UNSERE letzte Tour auf Kamtschatka geht zum Mutnowski-Vulkan etwa siebzig Kilometer südlich von Petropawlowsk. Dort gibt es große Schwefelfelder, die zu den spektakulärsten der Welt gehören. In dieses Gebiet führen keine Straßen. Sergei lässt wieder einmal seine guten Beziehungen spielen. Er weiß, dass ein paar ehemalige Kollegen vom Institut dringend Messreihen im Krater des Mutnowski durchführen müssten. Außerdem sollte ihr Camp winterfest gemacht werden. Die Reise dorthin ist in Anbetracht der leeren Institutskassen jedoch kaum zu finanzieren. „Mit denen könnte ich euch zusammenbringen", sagt Sergei. Wenn wir einen Teil der Kosten übernehmen, organisiert er einen großen Lastwagen. Die Summe von umgerechnet 150 Dollar für die Fahrt mit dem alten Militärtruck, Unterkunft und Verpflegung für drei Tage, mit Ira als Köchin und Wladimir als Führer, ist für uns in Ordnung. Wir haben nie erfahren, ob wir mit der für dortige Verhältnisse großen Summe nicht doch die Gesamtkosten übernommen haben.

Yanni heißt der Fahrer, der uns am nächsten Tag am Vulkanologischen Institut abholt. Mit seinem unrasierten Gesicht, dem olivgrün gefleckten Tarnanzug, einem Messer am Gürtel und den verdreckten, fast kniehohen schwarzen Stiefeln sieht er aus, als käme er frisch vom Kampfeinsatz. Die drei Vulkanologen Anatoli, Nikolai und Sascha, Spezialisten für Gasanalysen, stehen schon auf der mit einer Plane überspannten Ladefläche. Dort stapeln sich Unmengen von Holz für den Winter. Ira und Wladimir klettern auch auf die Ladefläche, Bernhard und ich sitzen neben Yanni im Führerhaus.

Gleich hinter Petropawlowsk biegen wir auf eine Sandpiste ab. Wir fahren an einigen Vulkanriesen vorbei, bis die Straße endet. Dort halten wir, um zu tanken. Yanni führt seinen Sprit immer in alten, verrosteten Fässern auf der Ladefläche mit. Anatoli und Sascha ziehen ein Fass nach vorne. Yanni steckt einen Schlauch in den Behälter. Dann öffnet er den Tankdeckel. Es stinkt stark nach Diesel. Jetzt nimmt Yanni das andere Ende des halb durchsichtigen Schlauchs in den Mund und zieht kräftig daran. Man sieht die braune Flüssigkeit hindurchschießen.

Rasch zieht Yanni den Kopf zurück, schiebt den Schlauch in den Tank, und schon fließt der Diesel.

Nun geht es über offenes Gelände. Eine Zeit lang sind noch Wagenspuren auf dem steinigen Boden zu sehen. Doch in dem weiten Sandmeer am Vulkan Goreli hat der Wind sie verweht. Für Yanni kein Problem. Er war schon oft am Mutnowski. Er kennt den Weg.

Die Landschaft wird bizarr. Das Meer aus Sand überdeckt ein riesiges Lavafeld, aus dem stellenweise Türme aus schwarzem Lavagestein ragen. Dann überqueren wir ein Eisfeld und einen Fluss, der etwa einen Meter tief sein dürfte. Oft kann Yanni nur im Schritttempo über den steinigen Boden fahren. Er raucht eine Zigarette nach der anderen. Dieselben stinkenden Glimmstängel mit dem langen, hohlen Filter, die auch die Marktfrauen geraucht haben.

Nach sechs Stunden taucht der Mutnowski auf. Er hat keinen so schönen Kegel wie die Vulkane um Petropawlowsk. Er gleicht eher einer stumpfen Bergkette und ist mit Schnee bedeckt. In der Mitte quillt eine dicke Dampfwolke empor.

In der kahlen Landschaft ist das Camp schon von Weitem zu sehen. Wie ein paar verlorene Kisten liegen die Wohncontainer in der Wildnis. Ich bin leicht schockiert, als ich aus dem Führerhaus des Trucks herausklettere. Das Camp gleicht einem Schrottplatz. Ein Windrad mit hängenden Flügeln, eine verlassene, unaufgeräumte Feuerstelle, eine alte Teppichstange – und jede Menge Eisenteile rund um die ehemals grünen, jetzt völlig verrosteten Container.

Einer davon wird Ira, Wladimir, Bernhard und mir zugewiesen. Ira öffnet die Tür an der Längsseite. „Wir haben einen Kanonenofen!", ruft sie erfreut. So müssen wir bei der Kälte wenigstens nicht draußen an der offenen Feuerstelle kochen.

Ich inspiziere mit ihr die Behausung. Links und rechts neben dem Ofen sind Pappwände eingezogen. Offene Türrahmen führen in je ein Zimmer. Ein Blick hinein steigert noch mein Entsetzen. Alte, zerschlissene Matratzen mit großen Wasserflecken hängen über verrosteten Eisenbettgestellen, eine alte Kommode, überall auf dem Boden verstreut Holzscheite, verbogene Nägel, Reste von Plastiktüten. Und alles verstaubt und verdreckt.

Ira macht mir Mut. „Komm", sagt sie, „das räumen wir schnell auf." Sie drückt mir einen alten Besen in die Hand, der die Hälfte seiner Kehrhaare eingebüßt hat. Sie selbst holt Wasser am nahe gelegenen Bach, um die Kommode abzuwischen, damit wir dort wenigstens die Fototaschen abstellen können.

Ira ist ein Organisationstalent. Eigentlich ist sie Computerspezialistin am Vulkanologischen Institut in Petropawlowsk. Seit immer wieder einmal eine Reisegruppe vorbeikommt, kümmert sie sich um deren Versorgung. Nur wenn einer der Vulkane auf der Halbinsel ausbricht und die Aschewolken so hoch in die Atmosphäre steigen, dass der Flugverkehr über dem Nordpazifik gefährdet ist, kann sie wieder als Computerspezialistin arbeiten. Dann sammelt sie mit Wladimir sämtliche verfügbaren Messdaten über den Ausbruch, schätzt die Bedrohung ab und funkt alles auf die andere Seite des Ozeans nach Alaska zum Observatorium in Anchorage. Die Wissenschaftler dort geben dann die Warnung für den Luftverkehr heraus.

Während der vielen Jahre in Kamtschatka hat Ira gelernt, aus sehr wenig etwas Großes zu machen. Auf unseren Wanderungen am Karimski-Vulkan zum Beispiel sammelte sie unterwegs alle möglichen Beeren und kochte abends daraus im Handumdrehen Marmelade zum Süßen des Tees, der dann köstlich nach Blau- oder Krähenbeeren schmeckte.

Jetzt fegt sie durch den Container wie ein Wirbelwind, räumt auf, organisiert sogar einen Tisch und ein paar Stühle bei den Wissenschaftlern in den Nachbarcontainern. Ich habe gerade mal die zwei kleinen Räume ausgekehrt, die unappetitlichen Matratzen ausgeklopft, unsere Isoliermatten draufgelegt und die Schlafsäcke ausgepackt, da steht schon ein frisch aufgebrühter Tee bereit. „Hier, trink", sagt Ira, „dann geht's dir gleich besser."

So abscheulich das Camp, so reizvoll ist die Umgebung. Ein bunter Pflanzenteppich überzieht den Tundraboden, so weit man schauen kann. Gut drei Stunden dauert es zu Fuß von hier aus die Hügel hinauf zum aktiven Krater des Vulkans oben am Gletscher des Feuerbergs. Wir ziehen los, die Wissenschaftler mit ihren Messgeräten im Rucksack. Wladimir, Ira, Bernhard und ich schleppen Proviant und Fotoausrüstung. Der Weg ist nicht ungefährlich. Er führt vorbei an der neunzig Meter tiefen Opasni-Schlucht, in die mit großem Getöse das Schmelzwasser des Mutnowski hinabstürzt. Weiter oben verläuft der Pfad in einem Canyon mit über hundert Meter hohen, nahezu senkrechten Felswänden, aus denen immer wieder Stücke herausbrechen und herabpoltern.

Wir queren einen Schuttkegel, der erst wenige Wochen zuvor entstanden ist und den Weg unter sich begraben hat. Anatoli zeigt auf die Felswand. „Dort", sagt er, „wo dieser Einschnitt klafft, sind etwa fünftausend Tonnen Gestein herausgebrochen." Das sind rund 250 Lastwagenladungen voll. „Manchmal genügt nur ein kleines, für Menschen kaum wahrnehmbares Erdbeben, um so etwas auszulösen." Anatoli selbst war zu der Zeit gerade mit ein paar Kollegen oben im Krater. Sie hörten nur das Krachen und Dröhnen, als die Felslawine abging. Auf dem Rückweg wurde ihnen klar, welches Glück sie gehabt hatten. „Diese Lawine hätten wir garantiert nicht überlebt, wenn wir hineingeraten wären", sagt er.

Um möglichen Steinschlägen zu entgehen, laufen wir genau in der Mitte des etwa fünfzig Meter breiten Canyons. Der Boden ist schlammig und weich. Am Rand des Gletschers tauchen wir ein in eine Hexenküche aus Feuer und Eis. Etwa so groß wie ein Fußballfeld ist das Terrain, in dem die Erde zu brodeln scheint. Ätzendes Schwefelwasserstoffgas schießt dort unter lautem Zischen und Fauchen aus mehreren Löchern im Boden.

Dieses Gas hat das Gestein zu einer grauen, feinkörnigen Masse zersetzt, die, wenn sie nass ist, zur Rutschbahn wird. In Senken, wo sich das Wasser sammelt, blubbern unaufhörlich Schlammblasen. Wo das Gas direkt aus dem Boden quillt, hat sich leuchtend gelber Schwefel abgesetzt. Teilweise liegt er wie ein Kranz um die Löcher, teilweise fällt aus dem heißen Dampf an der kalten Luft so viel Schwefel aus, dass sich daraus bis zu ein Meter hohe Kamine aufgebaut haben.

Anatoli und Sascha messen die Temperatur. Die meisten Dampfquellen sind ungefähr 280 Grad Celsius heiß. Wir halten uns nasse Tücher vor Mund und Nase, um uns vor dem stechend riechenden, beißenden Gas zu schützen. Sascha setzt seine Gasmaske auf, geht ganz dicht an eine der weniger heftigen Dampfquellen heran und stülpt einen sackähnlichen Apparat darüber. Er will die Menge an Schwefelmineralien messen, die sich pro Stunde absetzt. Morgen wird er den Apparat wieder abnehmen.

Wladimir mahnt uns zur Vorsicht. „Geht nicht zu nah ran, oft ist die Kruste nur dünn und der Boden unten hohl und voll kochendem Schwefel." Ich stampfe mit dem Fuß auf. Der Boden unter mir vibriert spürbar. Langsam ziehe ich mich ein Stück zurück.

Im vergangenen Jahr ist ein Student von Wladimir hier tödlich verunglückt. Er wollte Fotos von einem der großen Schwefelkamine machen. Da brach plötzlich der Boden unter ihm ein. Bis zu den Oberschenkeln steckte er in der kochenden Brühe. Seine Kollegen konnten ihn zwar wieder herausziehen, doch ärztliche Hilfe kam in der abgelegenen Gegend viel zu spät. Der Student starb auf dem Weg ins Krankenhaus. Wladimir spricht nur kurz darüber. Er leidet wohl noch unter dem schrecklichen Unfall.

Während die Wissenschaftler arbeiten und Bernhard fotografiert, gehe ich mit Wladimir noch tiefer hinein in den Krater bis zu einer Steilwand. An einem Seil ziehen wir uns etwa zwanzig Meter hoch zu einem schmalen Grat. Von dort aus blicken wir in einen Kessel mit etwa hundert Meter Durchmesser, den derzeit aktivsten Kraterbereich des Mutnowski. Auf der Innenseite des Kessels führen eine Eisenstange und ein Seil in die Tiefe. Hier lassen sich die Vulkanologen manchmal zum Kraterboden hinunter, um Proben zu nehmen.

Mich würden keine zehn Pferde in dieses Inferno hineinbringen. Noch viel stärker und lauter als in dem Fumarolenfeld am Gletscher zischen hier die Schwefeldämpfe aus den steilen Felswänden und überziehen sie mit einem krustigen, leuchtend gelben Vorhang. Wir halten es hier nur wenige Minuten aus. Ich huste und spucke. Das Gas schmeckt bitter. Die Nase brennt. Die Augen tränen. Fast blind lasse ich mich wieder an dem Seil hinunter, zurück auf sicheren Boden.

SCHON am nächsten Tag bringt uns Yanni mit seinem Lastwagen wieder zurück nach Petropawlowsk. Wir halten kurz am Flughafen, um unseren Rückflug am übernächsten Tag zu bestätigen. Dort erwartet uns eine neue Überraschung. „Der letzte Flug nach Moskau geht heute Abend", sagt der Schalterbeamte, „dann gibt es erst wieder einen in zwei Wochen. Die haben kein Kerosin mehr."

Also schnell in die Wohnung, innerhalb von drei Stunden waschen und packen. Ira kocht noch rasch eine Suppe und macht uns ein Lunchpaket. Falls es wieder nichts zu essen gibt im Flugzeug. Pünktlich zum Einchecken sind wir wieder an der Abfertigung für Ausländer.

Menschen kommen und gehen. Ich kann außer uns keinen Fremden sehen. In meinen Augen sind die Menschen, die hier Schlange stehen, alle gleich. Warum also eine spezielle Abfertigung für Ausländer, frage ich Wladimir. Der zuckt nur die Schultern. Dann sind wir an der Reihe. Doch wir sind zu spät dran. Wir kommen nicht mehr mit. Und wie sieht es morgen aus? Vielleicht nicht doch noch ein Flug? Die Dame am Schalter zuckt die Achseln. Keine Ahnung. Wir sollen morgen nachfragen.

Telefonisch ist am nächsten Tag keinerlei Auskunft zu erhalten. Also wieder zum Flughafen und warten. Wladimir und Ira begleiten uns auch diesmal. In der Schalterhalle für Ausländer heißt es erneut warten. Stunde um Stunde.

Auf einmal greift Wladimir nach unseren Taschen und schleppt sie zur Kofferwaage. Wir geben die Tickets am Schalter ab, zahlen die Flughafengebühr – in Dollar, versteht sich – und erhalten dann unsere

448 FEUER GEFANGEN

Bordkarten. Das Übergepäck ist diesmal offenbar kein Problem. Ein schneller Abschied von Ira und Wladimir. Dann führt uns eine Frau zusammen mit anderen Passagieren zum Flugzeug. Wo das plötzlich herkommt? In Russland soll man nicht zu viel fragen.

In den vier Wochen, in denen wir in Kamtschatka waren, verhielten sich die Vulkane ruhig. Doch sie gehören zu den hochexplosiven Feuerbergen der Erde. Wenn sie ausbrechen, können sie ganze Landstriche verwüsten, was aus menschlicher Sicht in der Wildnis nicht tragisch ist.

Auf Island,
wo der Teufel heißes Wasser speit

Auf Island lebt das Volk der Hexen und Riesinnen, Elfen und Trolle. Die Sagenwelt der Nordatlantikinsel ist voll von Geschichten über wundersame Wesen, die oft grob, brutal und bösartig sind. Elfen zum Beispiel wohnen unter großen Steinen und nehmen es übel, wenn man sie dort stört oder gar vertreibt. Hexen fahren in Vulkanschlote hinein, und bei den Geysiren des Landes soll der Leibhaftige selbst seine Finger im Spiel haben. Noch vor hundert Jahren, so erzählt man, sei kein Isländer an den heißen Springquellen vorbeigegangen, ohne „dem Teufel ins Maul zu spucken". Wer sonst könnte so höllisch heiße Wasserfontänen mit solcher Wucht gen Himmel blasen?

Tatsächlich haben noch heute viele Inselbewohner einen Hang zum Unerklärlichen und Gespenstischen. Ihre Straßen bauen sie manchmal um große Felsen herum, die als Elfenheime gelten, um nicht den Unmut der unsichtbaren Gestalten zu erregen. Das ist die irrationale Seite des aufgeklärten Island, das bereits vor tausend Jahren ein demokratisches Parlament hatte, das als erstes Volk Europas eine Frau zur Staatspräsidentin wählte und heute bei modernen Technologien wie etwa der Genforschung oder der Nutzung von Erdwärme an der Weltspitze steht. Selbst gestandene isländische Männer glauben daran, dass es auf der Insel Gespenster gibt.

Was mich vor allem nach Island gezogen hat, waren die heißen Quellen und Geysire auf der kalten Insel im Nordatlantik, das Zusammentreffen von Feuer und Eis. Die Geothermalgebiete des vulkanischen Eilandes zählen zu den aktivsten, größten und eindrucksvollsten Arealen dieser Art auf der Welt. Außerdem sollte ich für die Reiseredaktion einer großen Tageszeitung recherchieren, ob es stimmt, was das islän-

FEUER GEFANGEN 449

dische Fremdenverkehrsamt verspricht: dass man auf der Halbinsel Snaefellsness an der Westküste, am Fuß des vergletscherten Vulkans Snaefellsjökull, tatsächlich etwas von der mystischen Kraft der Insel zu spüren bekommt.

Es sind nur wenige Tage nach der Sommersonnwende 2003, als Bernhard und ich nach Island aufbrechen. Etwa um Mitternacht nähert sich das Flugzeug der Insel. Es wird von schweren Turbulenzen durchgeschüttelt, während es langsam durch eine dicke graue Wolkendecke hinabgleitet. Ein paar Lichter erscheinen in der Dämmerung, sonst ist von der Insel zunächst nicht viel zu sehen, obwohl die Mitternachtssonne doch eigentlich auch um diese Nachtzeit noch für ein wenig Helligkeit sorgen sollte. Nur am Horizont glimmt ein orange leuchtender Streifen, an dessen einem Ende sich ein hoher Berg abzeichnet. Bernhard, der auf früheren Reisen schon viel von Island gesehen hat, deutet darauf. „Das ist Snaefellsness mit seinem Vulkan", sagt er. Die Strahlen der Mitternachtssonne verleihen der Silhouette der Halbinsel, die gut hundert Kilometer vom Flughafen entfernt wie ein ausgestreckter Finger weit in den Nordatlantik hinausragt, etwas Übernatürliches, Märchenhaftes.

Sofort springt der Funke auf mich über. Am liebsten würde ich gar nicht erst nach Reykjavík fahren, sondern gleich auf die Halbinsel. Zuerst aber gibt es in der Hauptstadt noch einiges zu organisieren und einen Termin wahrzunehmen, den wir bereits von Deutschland aus vereinbart haben.

Gleich am ersten Tag treffen wir uns am Nordic Volcanological Institute mit Wissenschaftlern, die die aktiven Feuerberge Islands überwachen, um uns nach Hekla, dem bekanntesten Vulkan Islands, zu erkundigen und uns auf einer großen Landkarte interessante und spektakuläre Geothermalgebiete zeigen zu lassen. Die meisten liegen weitab von Wanderwegen, Straßen und Pisten, die nur mit Allradfahrzeugen befahren werden dürfen.

Zum Team der Wissenschaftler gehört auch die Finnin Heidi Soosalu. Die aschblonde, zierliche Frau, die in ihren Jeans und dem verwaschenen T-Shirt eher wie eine Studentin und weniger wie eine erfahrene Geophysikerin aussieht, ist die Wächterin der Hekla.

Im Mittelalter war dieser Feuerberg wegen seiner Explosivität gefürchtet. Seine Ausbrüche waren so heftig, dass die Menschen in ganz Europa darüber sprachen. Vertreter der Kirche behaupteten sogar, Gott habe den Ort hoch im Norden geschaffen, um den Menschen die Qualen des Fegefeuers stets vor Augen zu halten. Die Hekla galt als das Haupttor

450 FEUER GEFANGEN

zur Hölle. Die Lava- und Aschemassen, welche die Hekla damals ausstieß, vernichteten Höfe und Weideland im weiten Umkreis des Vulkans.

Auch wenn die Eruptionen dieses Feuerbergs in den vergangenen Jahrzehnten weniger heftig waren und keine bewohnten oder bewirtschafteten Gebiete erreichten, gehört die Hekla doch zu den am intensivsten überwachten Vulkanen Islands. Die letzten Ausbrüche fanden 1991 und im August 2000 statt. Heidi Soosalu hat sie genau verfolgt und charakterisiert sie als „kurz und heftig“. Zuerst beginne die Erde in der Umgebung des Vulkans zu erzittern, erläutert sie und zeigt uns auf einer Wandkarte, wo überall Messstationen aufgebaut sind. Am 17. Januar 1991 sei der 1491 Meter hohe Berg bereits wenige Stunden nach dem Anstieg der Bebentätigkeit aufgerissen. Die Initialzündung des Ausbruchs war so stark, dass innerhalb von nur zehn Minuten eine über elf Kilometer hohe Aschewolke in den Himmel schoss. Danach floss die Lava in breiten Strömen aus. „Die Schmelze hat eine Fläche von 23 Quadratkilometern bedeckt. Am 11. März war schon wieder alles vorbei. Es war eine kleinere Eruption, ebenso wie der letzte Ausbruch im Winter 2000.“ Dieser begann am 26. Februar. Bereits zehn Tage später hatte sich der Berg wieder beruhigt.

Diese jüngsten Eruptionen der Hekla waren für die Menschen nicht gefährlich. Im Gegenteil. Viele Isländer waren begeistert von dem grandiosen Naturschauspiel. Zu Hunderten strömten sie in ihren Geländewagen in das Gebiet um den Feuerberg. Er liegt nur hundert Kilometer von Reykjavík entfernt und ist im Sommer über Pisten gut zu erreichen, im Winter allerdings schwer zugänglich. Auch die Wissenschaftler waren beim letzten Hekla-Ausbruch mehrmals draußen.

DEN KOPF voller Informationen und Geschichten der Wissenschaftler, gehen wir ins Zentrum von Reykjavík, um, wie man uns empfohlen hat, die Möglichkeit für eine Tour zu den entlegenen Geothermalgebieten zu erkunden. Wir suchen Saevar Skaptason auf, einen Freund, den Bernhard vor Jahren auf Island kennen gelernt und der ihm schon oft weitergeholfen hat. Ihm schildern wir unser Problem. Um zu Fuß in mehreren Tagesetappen kilometerweit durchs Hochland zu wandern, haben wir nicht genug Zeit. Außerdem hätten wir mindestens einen, besser zwei Begleiter gebraucht, die mit uns die nötige Ausrüstung schleppen, denn außer Zelt, Schlafsäcken, Kleidung, Regenschutz und Proviant musste auch noch die aufwändige Fotoausrüstung mit, die allein 15 Kilo wiegt.

„Da gibt's eigentlich nur eins“, sagt Saevar. „Ihr braucht einen Super-Jeep.“ Ich schnappe nach Luft. Sind das vielleicht die überdimensionier-

FEUER GEFANGEN 451

ten, aufgebockten Geländewagen, die man immer wieder in den Straßen von Reykjavík sieht? Saevar bejaht meine Frage. Ich bin skeptisch. Sollen wir uns wirklich in so eine, in meinen Augen aufgeblasene, Karosse setzen, um damit – womöglich noch an natur- und umweltbewussten Wanderern vorbei – durchs unberührte Hochland von Island zu düsen?

Ich erkläre Saevar meine Bedenken. Er lacht und meint, in Reykjavík besäßen viele Leute solche Autos. Die meisten seiner Landsleute haben die Geländewagen selbst umgebaut und aufgerüstet, um mit ihren Familien sicher und gefahrlos „ins Grüne" fahren zu können. Und das bedeutet in Island, wo es außerhalb der Städte kaum geteerte Straßen gibt, Flüsse zu durchqueren, von Schlaglöchern übersäte Pisten zu befahren und plötzliche Wetterumschwünge durchzustehen. „Ein normaler Geländewagen reicht da oft nicht", erklärt Saevar. Dann gibt er uns die Adresse von Kristján Kristjánsson.

Das Büro des Fuhrunternehmers liegt ein wenig außerhalb von Reykjavík. WIR BRINGEN SIE SICHER BIS ZUM MOND, verkündet das Plakat am Fenster, auf dem ein großer schwarzer Super-Jeep abgebildet ist. Wir klopfen. Eine dunkle Stimme bittet uns herein.

Kristján sitzt hinter seinem Schreibtisch, ein blonder kräftiger Mann mit aufgekrempelten Hemdsärmeln, etwa 45 Jahre alt. Jetzt während der Hauptreisezeit kutschiert das Unternehmen mit seinen Geländewagen und Bussen hauptsächlich Touristen über die Insel. Ansonsten fährt Kristján für Firmen und wird auch zu Hilfe gerufen, wenn jemand in der weiten, menschenleeren Landschaft in Not gerät.

Wir zeigen Kristján auf der Landkarte unsere Wunschziele. Hrafntinnusker gehört zu den entlegensten Winkeln des isländischen Hochlands. Dort liegen die Geothermalgebiete, die uns interessieren. Kristján nickt. Kein Problem. Allerdings muss er für manche Bereiche noch die Genehmigung der Naturschutzbehörde einholen und sich erkundigen, ob das Gelände beim gegenwärtigen Wasserstand der Flüsse überhaupt zugänglich ist. „Aber wir können heute Nachmittag noch los, wenn ihr wollt", sagt er. Mit dem Wetter sehe es für die nächsten drei Tage auch gut aus. Seine Fahrer seien allesamt bereits eingeteilt. Aber er habe Zeit und fahre uns selbst.

ICH FREUE mich, dass es so schnell losgehen soll. Wir teilen die Vorarbeiten ein. Bernhard und ich müssen noch unsere Sachen umpacken, die Fotoausrüstung vorbereiten. Und wir besorgen auch die Verpflegung. Kristján richtet das Fahrzeug her und kümmert sich um die Genehmigungen und die Zeltausrüstung.

Drei Stunden später treffen wir uns wieder in Kristjáns Büro. *„We take the beast"*, sagt er und kippt noch rasch den letzten Schluck Kaffee hinunter. Dann gehen wir in die Garage nebenan. Dort wartet es schon, das „Tier". Es ist eine Limousine mit der schwarz lackierten Karosserie eines großen amerikanischen Geländewagens und riesigen Spezialreifen, die auch einem Lastwagen gut anstehen würden. Der Kühler zwischen den beiden wuchtigen Frontscheinwerfern erinnert an ein zähnefletschendes, stählernes Maul. Deshalb der Name? Nein, nicht wegen des Aussehens, sagt Kristján, sondern weil der Wagen steilste Pisten hochklettern kann.

Dann klärt er uns über das Innenleben des Fahrzeugs auf: 310 PS schlummern unter der Motorhaube des 3,5 Tonnen schweren Kolosses. Drei Antennen überragen das Dach des Super-Jeeps – eine fürs GPS, das Satelliten-Navigationssystem. Sie ist mit einem 13-Zoll-Flachbildschirm rechts neben dem Lenkrad verbunden. Ein Pfeil zeigt fast auf den Meter genau an, wo sich das Fahrzeug befindet. Die beiden anderen Antennen sind für das Auto- und das Funktelefon. Für die Sicherheit ist damit dreifach gesorgt.

An einem Griff aus Edelstahl ziehe ich mich am ausgestreckten Arm hinauf auf den Beifahrersitz. Innen ist das Tier mindestens ebenso imposant wie außen: helle Ledersitze, rückenfreundlich gefedert, mit breiten Armstützen, dazu Halterungen für Landkarten und Gläser. Das Armaturenbrett ist aus lackiertem Holz. Der Laderaum hinter den beiden Sitzreihen ist so groß, dass mein Kleinwagen, der in München in der Garage steht, leicht darin Platz hätte. Der ganze hintere Raum ist mit Teppichboden ausgekleidet. Das Tier ist nicht nur ein zuverlässiger, kraftvoller Geländewagen, sondern auch ein schickes, bequemes fahrendes Wohnzimmer.

Kristján wirft das Gepäck in den Laderaum, prüft noch rasch den Ölstand und achtet penibel auf den richtigen Luftdruck in den Reifen. „Die teuren Dinger sind nicht leicht zu kriegen, die muss man schonen", sagt er. Dann schwingt er sich hinauf in den Fahrersitz und dreht den Zündschlüssel um. Ein kurzes Aufheulen – und der Motor wummert dumpf vor sich hin.

Zuerst geht es über die geteerte Ringstraße der Insel, dann nach etwa einer Stunde über eine Abzweigung auf die offene Piste bis zum Fuß des Hekla-Vulkans. Kristján hält kurz an. Wieder liegen ihm die Reifen am Herzen. Er lässt ein wenig Luft heraus, sodass sie geschmeidiger über die nun sehr schlechte Piste rollen.

Wind kommt auf. Dunkle Wolken verhüllen den Gipfel der Hekla und lassen ihre wahre Höhe nur erahnen. Ihre Flanken aus pechschwarzem Gestein sind mit weißen Gletscherresten bedeckt. Ein paar Sonnenstrahlen, die sich durch die Wolken bohren, verleihen dem Feuerberg ein magisches Aussehen. Zurzeit ruht er. Trotzdem wirkt er bedrohlich.

Wir fahren an seinem Fuß entlang durch ein Gebiet, in dem, wie ich vor unserer Abreise in einem Buch über isländische Mythen nachgelesen hatte, der Sage nach zwei Riesinnen hausten, zwei Schwestern – eine schlechte und eine gute, die eine links des Flusses Thjorsa, die andere rechts. Um sich die Füße nicht nass zu machen, wenn sie sich gegenseitig besuchten, hatten sie zwei riesige Felsbrocken in den Fluss gelegt, die das Wasser bis heute am so genannten Riesinnensprung in drei Arme teilen.

Gerade als ich Kristján fragen will, was er denn von Riesinnen und generell von dem sprichwörtlichen Aberglauben seiner Landsleute hält, taucht vor uns eine Furt auf. Konzentriert steuert er den Flusslauf an, bleibt ein paar Sekunden stehen, um die Wirbel auf dem langsam dahinströmenden Wasser zu beobachten, die ihm Auskunft über den Untergrund geben. Dann schaltet er und wir rollen langsam die steile Uferböschung hinunter in den Fluss hinein. Unter mir rauscht es. Das Wasser ist nicht sehr tief, einen halben Meter vielleicht. Es dauert ein paar endlos lange Sekunden. Dann lenkt Kristján den Wagen mit Schwung ans andere Ufer und fängt an, mit Bernhard über Geländewagentypen und deren Leistungsfähigkeit, unterschiedliche Getriebe, Differenzialsperren und die Gefahren, die im Flussbett lauern können, zu fachsimpeln.

Auch wenn man sich auf das „Tier" in solchen Situationen besser verlassen kann als auf einen einfachen Geländewagen, atme ich doch jedes Mal tief durch, wenn wir eine Furt hinter uns gebracht haben. Aber es wird noch viel spannender. „Gleich überqueren wir den Ausläufer eines Gletschers", sagt Kristján und zweigt nach einem Blick auf den GPS-Monitor von der Piste ab. Nach wenigen Minuten kommt ein Eisfeld in Sicht.

Es ist gesäumt von dem dunklen, extrem harten Gestein alter Lavaströme, das die Vulkanologen als Obsidian bezeichnen. Es entsteht aus besonders dünnflüssiger Lava, die viel Siliziumoxid – das ist nichts anderes als Glas – enthält und sehr schnell an der Erdoberfläche erstarrt. Obsidian findet man auf vielen Vulkanen. Menschen haben daraus schon vor Tausenden von Jahren Pfeilspitzen und Klingen gemacht. Seine Oberfläche sieht aus wie Glas, die Kanten sind rasierklingenscharf, und seine Farbe ist pechschwarz. Daher auch die isländische Bezeichnung: Hrafntinnusker heißt „Rabenstein".

Der Boden ist jetzt übersät mit Obsidianbrocken. „Es ist, als würde man über Messerschneiden fahren", sagt Kristján, der wieder ausgestiegen ist, um noch einmal Luft aus den Reifen zu lassen. Je weicher sie sind, desto unempfindlicher sind sie gegen spitze Steine und desto besser greifen sie auf dem Firn des Gletschers.

Dann zieht er sich wieder hoch auf den Fahrersitz und schaltet mehrmals. Der Motor wummert lauter als zuvor. Kristján steuert den schweren Koloss jetzt im Schneckentempo Zentimeter um Zentimeter über das ansteigende Feld aus Obsidianschutt auf das Eis zu.

Die Gletscheroberfläche strahlt rosarot im Licht der untergehenden Sonne. Sie ist aufgeweicht von der Wärme des Tages. Der Super-Jeep gleitet wie auf Butter darüber hinweg. Noch eine Schrägfahrt kurz vor dem nächsten Schuttfeld – dann ist der Eisstrom überwunden.

Kristján schaltet zurück. Irgendetwas stimmt nicht. Das Tier bockt. Er lässt das Seitenfenster herunter. „Verdammt!" Er springt aus dem Wagen und legt sein Ohr an den linken Vorderreifen. Ein leichter Pfeifton ist zu hören. „Es hat uns erwischt, ein Loch." Wir werfen die Jacken über und springen ebenfalls aus dem Fahrzeug. Kristján deutet auf einen Schlitz im Reifen. Ein spitzer Obsidianbrocken hat sich trotz aller Vorsicht durch den dicken Gummi gebohrt. Das Gewicht des Wagens in Schräglage droht den immer schlapper werdenden Reifen von der Felge zu ziehen.

Jetzt wird Kristján hektisch. In Windeseile holt er einen Kompressor aus dem Laderaum, schließt ihn bei laufendem Motor an die Batterie an, legt einen Schlauch und pumpt Luft in den lädierten Reifen. Mit aller Kraft stemmt er sich gegen das schwere Fahrzeug, um den Reifen auf der Felge zu halten. Bernhard hilft ihm nach Leibeskräften. Eine Autopanne auf einem Gletscher in den entlegenen Bergen Islands. Wenn wir nicht selbst damit fertig werden, müssen wir eine kalte Nacht auf dem Eis verbringen. Ich stehe hilflos herum und schicke ein Stoßgebet zum Himmel.

Gott sei Dank – es klappt. Ganz langsam bläht sich der Reifen wieder auf, auch wenn immer noch Luft aus dem Loch strömt.

Was nun? Kristján greift nochmals in den Laderaum und zieht einen Werkzeugkoffer heraus. „Jetzt kann nur noch eine Notoperation helfen", sagt Bernhard, der, in Island geländeerfahren, schon weiß, was jetzt kommt. Mit einer Art Ahle stößt Kristján dicke, mit Klebstoff bestrichene Gummistücke in den Schlitz – eins, zwei, drei und noch ein viertes, bis sie dicht halten.

Er ist ebenso erleichtert wie wir. Schweiß tropft ihm von der Stirn, als er einsteigt. Wir klettern wieder auf unsere Sitze. Jetzt ist es nicht mehr weit. Hinter dem Schuttfeld aus Obsidianbrocken ist die kurze Offroad-

Fahrt vorbei. Der Super-Jeep trifft auf eine Piste. Nur noch ein steiler Hügel ist zu überwinden. Es ist mittlerweile nach zehn Uhr abends. Im nächsten Tal sind bereits die weißen Dampfschwaden von heißen Quellen zu sehen. Das Licht der tiefstehenden Mitternachtssonne taucht sie in ein zartes, kaltes Lila.

Wir übernachten auf einem kleinen Zeltplatz nahe der Hütte von Hrafntinnusker. Hinter jedem größeren Felsbrocken duckt sich ein Kuppelzelt, und aus dem Kamin des Häuschens raucht es. Stimmen sind zu hören. Die Hütte ist voll besetzt.

Die Zeltbewohner beäugen uns teils erstaunt, teils entrüstet. Sie sagen es zwar nicht laut, aber ich kann es an ihren Blicken ablesen: Eine solche Karosse hat ihrer Meinung nach nichts in der Stille und der Abgeschiedenheit Islands zu suchen. Ich würde wahrscheinlich ähnlich darauf reagieren.

Schon kurz nach unserer Ankunft kommt die Hüttenwirtin aus dem Haus und steuert mit ärgerlicher Miene auf uns zu. Doch als sie in Kristján den Mann erkennt, der vor nicht allzu langer Zeit ein paar Wanderer aus einem Schneesturm geholt hat, wird sie sofort freundlich. Aber selbstverständlich können wir hier zelten und Wasser holen, meint sie und verschwindet wieder.

Es ist schon ein Uhr morgens, als wir im Zelt die letzten Bierdosen öffnen. Wir kommen auf isländische Hütten zu sprechen. Bernhard erzählt von dem kleinen Holzhaus am Hvitavatn, einem Schmelzwassersee an der Piste, die quer durchs Hochland zur Nordküste der Insel führt. Dort hat er vor ein paar Jahren mit einem Freund übernachtet. Kristján schreit auf. Dort würde er nie eine Nacht verbringen, sagt er. Da ginge nämlich eine alte Bäuerin um!

Ich traue meinen Ohren kaum. Liegt es am Bier oder fürchtet sich dieser erfolgreiche isländische Geschäftsmann, der so aussieht, wie man sich einen Wikinger vorstellt, tatsächlich vor Gespenstern? Ich lache los. Doch Kristján lässt sich davon nicht stören. „Dort lag ursprünglich ein Bauernhof", berichtet er. „Genau an der Stelle, wo heute die Hütte steht." Einer der Schlafräume liege direkt über dem Flur des ehemaligen Hofs. Dort gehe noch heute die alte Bäuerin nachts auf und ab, „und das hört man, wirklich". Seine Schwiegereltern haben am Hvitavatn einmal mitten in der Nacht ihr Zelt abgebrochen, das sie neben der Hütte aufgestellt hatten, und sind weggefahren, weil der Spuk so laut war, dass sie nicht schlafen konnten.

Vor dem Zelt ist es bitterkalt. Noch ein kurzer Blick in das dämmrige Licht des hellen Nachthimmels. Messerscharf zeichnen sich die Umrisse der dunklen Berge ab. Dampfquellen zischen in der Ferne. Sonst ist kein Laut zu hören. Dann schlüpfen wir in unsere Schlafsäcke. Ein leichter Wind kommt auf. Er lässt die lockere Zeltwand rhythmisch über den sandigen Untergrund streichen. Gespenstisch.

AM NÄCHSTEN Tag fahren wir im Schneckentempo auf wenig befahrenen Pisten, deren Spuren sich in der kahlen Landschaft kaum abzeichnen, von einem Geothermalgebiet zum nächsten. Das „Tier" hängt dabei manchmal so schräg an den Bergflanken, dass ich Angst habe, wir kippen um. Stellenweise ist der Boden vom Schmelzwasser der Gletscher durchtränkt und so schlammig, dass wir fast stecken bleiben. Doch wir überwinden alle Hindernisse ohne Probleme.

Jedes Areal ist hier anders. Eines besteht aus vielen flachen, von Eisenmineralien rostrot gefärbten kochenden Pfützen, in denen die Wasseroberfläche überall Blasen schlägt. Glitzernde Tropfen springen wild in alle Richtungen. Wir steigen aus und sehen uns die Tümpel näher an. Einige Spritzer landen auf meiner Hand. Sie sind kochend heiß. An anderer Stelle überziehen Decken aus filigranen Schwefelkristallen die Felsbrocken, aus deren Spalten ähnlich ätzend riechende heiße Gase entweichen, wie ich sie schon in Kamtschatka erlebt habe.

Am spektakulärsten jedoch sind die heißen Quellen an der Front einer Gletscherzunge, die sich vom Bergrücken des Hrafntinnusker, des Rabensteins, herabzieht. Feuer und Eis treffen hier aufeinander. Kochendes Wasser sprudelt am Fuß der etwa fünfzig Meter hohen, senkrechten Gletscherwand in unzähligen kleinen Quellen aus dem Boden, sammelt sich in Bächen und fließt über ein Mosaik aus grauen, roten und schwarzen Lavasteinen ab. Schlieren aus weißen und grünen Algen schwingen in dem heißen Wasser. Dampfschleier steigen auf. Am Rand der Bäche wachsen Teppiche aus knallgrünem, weichem Moos. Dazwischen reflektieren die Bruchflächen von schwarzen, glasigen Obsidiantrümmern die Strahlen der Sonne. Es scheint, als habe hier eine gute Fee die karge, kalte Landschaft vor dem Gletscher in einen geheimnisvoll schillernden Wassergarten verwandelt.

Die Gletscherwand ist quer gestreift. Dünne dunkle Lagen aus schwarzer Vulkanasche sind ins Eis eingelagert. Sie wechseln sich ab mit dicken blauen Eisschichten. Am Fuß hat das heiße Wasser eine mehrere Meter hohe Höhle ausgespült. Hinein trauen wir uns jedoch nicht, denn Eisblöcke, bis etwa einen Kubikmeter groß, liegen auf dem Boden. So frisch, wie sie aussehen, sind sie erst vor Kurzem aus der Decke der Höhle herausgebrochen.

FEUER GEFANGEN

Auf der Rückfahrt nach Reykjavík machen wir noch einen Abstecher zum Solheimajökull, einer Gletscherzunge des großen Eisfeldes Myrdalsjökull, unter dem der Vulkan Katla rumort. 1918 ist er zuletzt ausgebrochen. Alles zerstörende Sturzfluten strömten dabei bis ins zehn Kilometer entfernte Meer und rissen alles mit – Häuser, Tiere und Menschen. Seither ist der Vulkan ruhig. Zu ruhig. Der nächste Ausbruch hätte, seiner Eruptionsstatistik zufolge, schon längst stattfinden müssen. Deshalb sind die Vulkanologen Islands wegen des Katla-Vulkans schon seit Jahren in Habtachtstellung.

Das Tal des Solheimajökulls, in das wir hineinfahren, ist nur eines der großen Abflussgebiete dieser Sturzfluten. Friedlich liegt es jetzt da, leuchtend grün mit einer dicken Moosdecke überzogen. Doch Schilder am Straßenrand warnen vor der trügerischen Ruhe: WEGEN DER VULKANISCHEN UNRUHE UNTER DEM GLETSCHER SOLLTEN TOURISTEN HIER SEHR VORSICHTIG SEIN. KEIN CAMPING! Das Wasser stinkt nach faulen Eiern. Das kommt vom Schwefelwasserstoff. Das ätzende Gas stammt aus den Schloten des Vulkans unter dem Gletscher. Es ist ein untrügliches Zeichen dafür, dass der Feuerberg aktiv ist.

Der Myrdalssandur, die große flache Sandfläche an der Küste, die wir auf dem Weg hierher überquert haben, ist ein Ergebnis vieler Sturzfluten nach Ausbrüchen der Katla. Er besteht aus den Massen von Sand und Geröll, die die Fluten mit sich reißen und vor der Küste ablagern. Die Mengen sind so groß, dass sich die Küstenlinie bei jeder größeren Eruption um einige Meter oder sogar mehrere zig Meter weiter in den Atlantik vorschiebt.

Natürlich gibt es auch zum gefährlichen Vulkan Katla eine Sage. Der Feuerberg ist nach einer Pfarrersköchin benannt, einer Hexe, die einst in einer Pfarrei am Rand des Gletschers Myrdalsjökull lebte. Sie soll eine Zauberhose besessen haben, mit der sie schnell sehr weit laufen konnte. Ein Hirte hatte sich ohne ihr Wissen diese Hose ausgeliehen, um verirrte Schafe zu suchen. Da wurde Katla so böse, dass sie den Mann in einem Fass Molke ertränkte. Als das Verbrechen aufgedeckt wurde, schlüpfte die Hexe in ihre magische Hose, raste auf den Gletscher und stürzte sich ins Eis. Genau an dieser Stelle brach ein Vulkan aus, und unter dem Gletscher quoll eine Sturzflut hervor.

DREI Tage verbringen wir mit Kristján Kristjánsson im Hochland bei den Geothermalfeldern um Hrafntinnusker. Gleich nach unserer Rückkehr mieten wir uns in Reykjavík einen ganz normalen Pkw und brechen auf zur Halbinsel Snaefellsness, die sich bei unserer Ankunft so

Wo Feuer und Eis aufeinandertreffen: sprudelnde heiße Quellen am Hrafntinnusker in Island

FEUER GEFANGEN

mystisch am Horizont abgezeichnet hat. An ihrem äußersten Ende thront einer der schönsten Feuerberge Islands, der Snaefellsjökull, 1443 Meter hoch und am Gipfel vergletschert.

Die Halbinsel ist sehr dünn besiedelt. An der Küste und rund um den Snaefellsjökull gibt es nur ein paar Bauernhöfe und Weiler, darunter auch Hellnar. Ziemlich verloren liegt die kleine Siedlung auf einem alten, schon lange von Wiesen überwachsenen Lavastrom an der Küste am Fuß des Feuerbergs.

Hellnar – das ist eine Kirche mit Friedhof, ein paar verwitterten Gehöften und einem Quartier für Reisende, das aus ein paar Holzhäusern mit blauem Wellblechdach besteht. Umgeben sind sie von Steinkreisen und großen Kristallen. Dort, so sagt man uns im Fremdenverkehrsamt in Reykjavík, soll man die mystische Kraft spüren können, die von dem vergletscherten Feuerberg ausgeht. Vielleicht erfahre ich dort etwas mehr darüber, was es mit dem Glauben der Inselbewohner an Überirdisches auf sich hat.

„Sie bekommen Zimmer neun", sagt Gudlaugar Bergmann, der Betreiber des Gästeheims. „Das ist in der isländischen Mythologie die Zahl für Integrität, Makellosigkeit und Unbestechlichkeit." Der stämmige, graubärtige Mann mit den wässrigen blauen Augen blinzelt, als meine er nicht ganz ernst, was er sagt. Ich frage auch gleich nach der Bedeutung des weißen Holzrondells vor der Tür. Gudlaugar zufolge soll es dazu dienen, die Kraftfelder des Berges einzufangen und zu nutzen.

Später, nach dem Abendessen, bitte ich ihn nochmals um genauere Auskünfte über die Kraftfelder und den irrationalen Glauben der Isländer an überirdische Wesen. Gudlaugar erklärt das Phänomen. „Die rasante wirtschaftliche Entwicklung in den letzten Jahrzehnten hält uns Isländer nicht davon ab, uns immer wieder an unsere Mythologie zu erinnern, wahrscheinlich wegen der rauen, ungebändigten Natur, in der wir leben." Die Inselbewohner würden weitaus stärker mit den Kräften der Natur konfrontiert als zum Beispiel viele Menschen in Mitteleuropa. Sie hätten mit Kälte und langer Dunkelheit im Winter, Erdbeben, zerstörerischen Schmelzwasserfluten und Vulkanausbrüchen zu kämpfen. Viele verdienten ihren Lebensunterhalt mit der Fischerei auf dem oft stürmischen Nordatlantik. „Die Menschen hier müssen sich mit der Natur viel intensiver auseinandersetzen. Da wundert es einen nicht, dass sie manchmal einen etwas ungewöhnlichen Zugang zu den Dingen finden."

Gudlaugar hat aus dem Hang zu alten Mythen ein Geschäft gemacht. Seine Landsleute besuchen sein Gästehaus ebenso gern wie Touristen. Der Kraftberg vor seiner Haustür gibt jedoch zunächst nicht viel von sich preis. Am Tag nach unserer Ankunft umhüllen dicke Wolken das Haupt des Snaefellsjökull, der durch zwei Literaten weltberühmt wurde. Der französische Schriftsteller Jules Verne lässt in seinem Roman „Reise zum Mittelpunkt der Erde" Professor Lindenbrock und dessen Gefährten durch den Schlot dieses Feuerbergs ins Innere unseres Planeten hinabsteigen, wo sie so lange in Gängen und Höhlen herumforschen, bis sie bei einem Ausbruch des Stromboli weit im Süden wieder ausgespuckt werden. Der isländische Literatur-Nobelpreisträger Halldor Laxness macht den Berg und dessen sprichwörtliches Kraftfeld zum Schauplatz für seinen skurrilen Roman „Seelsorge am Gletscher".

Wir ziehen unsere Jacken an und machen einen Spaziergang an die Küste zwischen Hellnar und dem Nachbarort Arnarstapi. Dort flossen während des letzten Vulkanausbruchs vor etwa 1750 Jahren mächtige Lavaströme bis weit ins Meer hinaus. Als sie erstarrten, kristallisierte die glühende Schmelze in unzähligen schwarzen, eng nebeneinanderstehenden Basaltsäulen aus. Die Wellen, die unaufhörlich gegen die dunklen Felsen klatschen, haben sie im Lauf der Jahrhunderte angefressen und eine bizarre Steilküste mit Brandungstoren und -höhlen geschaffen.

Die Felswände gleichen trutzigen Burgmauern aus teils gerade stehenden, teils schräg liegenden oder auch in Rosetten angeordneten Säulen. Sich hier an der Steilküste bei Nebel oder Sturm in den unwegsamen Lavafeldern zu verirren – schon bei dem Gedanken bekomme ich eine Gänsehaut. Ist hier einer der vielen Tummelplätze für die Trolle, Elfen und anderen Spukgestalten Islands?

Im Frühjahr und auch jetzt noch im Sommer nisten Abermillionen von Seevögeln in den Spalten und Vorsprüngen der Basaltfelsen. Ihr Dung färbt den schwarzen Stein weiß. Die Luft ist Tag und Nacht von ihrem Kreischen und Schwatzen erfüllt. Unermüdlich gleiten sie von den senkrechten Felswänden aufs Meer hinaus, um sich dort in die Wellen zu stürzen und Futter für ihre Jungen zu holen. Diese schreien bei der Rückkehr der Alten los, reißen gierig ihre Schnäbel auf und lassen sich Futter hineinstopfen.

Plötzlich schießen schrill kreischende, kleine schwarz-weiße Vögel mit knallroten, spitzen Schnäbeln auf uns herab. Immer von hinten, sodass der Schreck jedes Mal groß ist. Das hat nichts mehr mit Neugier zu tun. Das ist Angriff. Es sind Küstenseeschwalben. Sie dulden keine Menschen in ihrem Brutrevier – aus Angst um ihre Jungen, die noch nicht flügge sind und ungeschützt im weichen Gras der Wiesen über der Steilküste hocken. Schnell die Anorakkapuze über den Kopf gestülpt und nichts wie weg.

FEUER GEFANGEN 461

ENDLICH beginnt sich die Wolkendecke auf dem Snaefellsjökull zu lichten. Vielleicht lässt sich der mystische Berg ja doch noch in seiner ganzen Pracht blicken? Wir folgen der Straße, die teils geteert, teils als offene Piste um den Snaefellsjökull herumführt und an der Ostflanke des Vulkans bis in 700 Meter Höhe führt. Die schwarzen Lavastränge dort sind mit leuchtend grünem Moos überzogen, das im schwachen Sonnenlicht glänzt.

Hier wird der Nebel dünner. Schemenhaft zeigt sich die Sonnenscheibe. Plötzlich reißen die weißen Schleier auf und das Eis des Gletschers wird sichtbar. Unten am Rand von tiefen Spalten durchzogen, dann bis hinauf zum Gipfel eine graue und hellblaue Fläche. Nur einen kurzen, scheinbar magischen Moment lang taucht der Snaefellsjökull auf, dann verhüllt er sich wieder.

Die Magie lässt mich an diesem Tag nicht los. Beim Nachmittagstee im Gästeheim in Hellnar lerne ich eine Holländerin kennen. Sie ist Schriftstellerin und Spezialistin im Umgang mit der Wünschelrute. Sie sucht nach einer heißen vulkanischen Quelle in der Umgebung des Hauses und ist gern bereit, über ihr Tun Auskunft zu geben. Die Rute ist aus zwei gebogenen Metallstäben gemacht, die sich in den Händen der Wünschelrutenfrau immer dann bewegen, wenn sie bestimmte, für den Laien nicht wahrnehmbare Energielinien im Boden überschreitet.

„Wollen Sie es auch mal probieren?", fragt sie mich. Warum nicht? Auf der Wiese vor dem Gästeheim gibt sie mir ihre Stäbe, einen in die linke, den anderen in die rechte Hand. Meine Finger legen sich fest um das Metall. Ich mache ein paar langsame Schritte vorwärts, halte die Stäbe umklammert – und plötzlich schlagen sie trotz des festen Griffes aus, drehen sich zuerst nach rechts und, als ich die Gehrichtung ändere, nach links. „Das nenne ich Sensibilität für die Energieströme in der Erde!", meint die Spezialistin und freut sich über die gelungene Vorstellung und über meine Verwirrung. Erstaunlich, unerklärlich. Ist das die Kraft des Berges? Halten mich Elfen und Trolle zum Narren?

Ich kann das Erlebnis nur hinnehmen. Schließlich haben schon viele ernst zu nehmende Physiker vergeblich nach einem Zusammenhang zwischen Erdstrahlen und Reaktionen des menschlichen Körpers gesucht. Vielleicht kann ja der Mensch „Kraftfelder" unterbewusst wahrnehmen? Vielleicht sind die Erdstrahlen oder Energieströme, die elektrischen und magnetischen Felder im Lavagestein des Snaefellsjökull stärker als anderswo? Außer Gudlaugar hat das in Hellnar noch nie ein Wissenschaftler untersucht.

Auf der Rückfahrt nach Reykjavík am Abend des nächsten Tages offenbart der Snaefellsjökull genau jene magische Seite, die er uns bereits bei unserer Ankunft auf Island andeutete. Die Luft ist so klar, wie sie nach den heftigen Regenfällen der letzten Stunden nur sein kann, und die Sonne sinkt immer tiefer. Das sind wohl die Momente, in denen Elfenwidder mit goldenem Vlies an den Flanken des Snaefellsjökull auftauchen.

Mit sinkender Sonne leuchtet der vergletscherte Vulkan intensiv orangerot. Doch nur der schmale Streifen der Halbinsel und ein Stück Meer sind in dieses magische Abendlicht getaucht. Der Rest von Island liegt düster und grau unter einer schweren Wolkendecke.

Kochendes Wasser und heiße Schwefelwasserstoffgase sind nicht nur auf Island, sondern in den Vulkangebieten überall auf der Welt ein sicheres Zeichen dafür, dass Feuerberge aktiv sind, auch wenn sie gerade keine Lava ausstoßen oder Asche speien. In der Eifel im Westen Deutschlands treten ebenfalls Gase und Quellen aus dem Boden, die eine vulkanische Vergangenheit verraten. Bernhard und ich hatten Gelegenheit, ein paar Tage lang Wissenschaftler zu begleiten, die nach dem Ursprung der Eifelvulkane suchten. Einer der spannendsten Momente dabei war die Sprengung einer alten Kraterwand in einem Steinbruch.

Auch in Deutschland spuckten einst Vulkane

Wir sollen uns jetzt schleunigst verziehen, sagt der Sprengmeister ein wenig barsch. In etwa zehn Minuten werde er zünden. Also steigen wir rasch den steilen, schmalen Trampelpfad auf den höchsten Punkt am Rand des Steinbruchs hinauf und setzen uns dort auf einen alten Baumstumpf. Es ist Frühsommer 1997. Schwere dunkle Regenwolken hängen am Himmel. In der dunstigen Ferne sehen wir das dicht besiedelte Rheintal bei Koblenz.

Der Steinbruch zu unseren Füßen ist hufeisenförmig in einen Berg am Rand der Eifel eingeschnitten. Hier wird ein ganz besonderer Fels abgebaut – Lava, die an dieser Stelle in einer Zeit ausgeflossen ist, als in Deutschland noch Vulkane tobten.

Erdgeschichtlich gesehen ist das noch gar nicht so lange her. Die jüngsten Ausbrüche fanden vor etwa 10 000 Jahren statt, am Ende der Eiszeit. Die Steinzeitmenschen, die damals die Eifel durchstreiften, erlebten sie mit. Bei einer der letzten Eruptionen entstand das Becken des Laacher Sees. Dieser Ausbruch soll so heftig gewesen sein wie der des Pinatubo auf den Philippinen im Jahr 1991 oder der des Mount St Helens in Washington in Nordamerika, der 1980 seinen Gipfel in die Luft sprengte. Wenn man die sanften grünen Hügel der Eifellandschaft mit ihren Feldern und Waldflecken und den vielen verstreuten Ortschaften heute so ruhig daliegen sieht, kann man sich das unmöglich vorstellen.

Wenige Minuten vor unserer Vertreibung aus dem Steinbruch haben Arbeiter die letzten Sprengstoffstäbe in den eigens dafür gebohrten Löchern versenkt. Einige dieser insgesamt 208 Bohrungen reichen bis zu zwölf Meter tief in das Lavagestein hinein. 4,5 Tonnen von dem hochexplosiven Material stecken jetzt im Leib des ehemaligen Vulkankegels und warten darauf, dass sie gezündet werden.

Nur der Sprengmeister und seine Helfer halten sich jetzt noch im Steinbruch auf. Das letzte Warnsignal erklingt. Ein langer, tiefer Ton, wie von einem Horn. Der Sprengmeister dreht an der Kurbel seines bierträgergroßen Kastens, der Zündmaschine, und drückt auf den Hebel. Der Boden unter uns macht einen kleinen Ruck. Dann schlägt uns ein lauter Knall entgegen. Die Erde bebt einen kurzen Moment.

Angestrengt schaue ich auf die mit Sprengstoff gespickte Steinbruchwand gegenüber. Auch sie macht einen Ruck, und ein Teil von ihr beginnt wie in Zeitlupe abzurutschen. Staubwolken steigen auf, grau vom Gestein und gelb vom Abbrand des Sprengstoffs. Sie versperren die Sicht. Es dauert ein paar lange Sekunden, bis sich der Staub allmählich legt und der Blick auf die Steilwand wieder frei wird. Ein großes Stück fehlt. Es liegt zerbrochen als Schutthaufen da. Wie Blut aus einer frischen Wunde rieselt noch ein wenig Sand aus der angeschnittenen Steinbruchwand nach.

Die Arbeiter steigen bereits wenige Minuten nach dem Ereignis wieder in ihre Fahrzeuge, während ich immer noch auf dem Baumstumpf sitze. Der erste Lastwagen fährt auf das Gelände und wird gleich mit dem frischen Schutt beladen. Er bringt die Felstrümmer zum Brechwerk, wo sie zerkleinert werden und die Bruchstücke dann durch eine Sortiermaschine laufen. Das Lavagestein, das ursprünglich tief aus dem Bauch der Erde kommt, wird für den Straßenbau und für Betonbeimischungen vorbereitet. Aus diesem Grund wurden schon viele kleine Vulkankrater der Eifel angegraben, einige sogar fast völlig abgetragen.

Bernhard und ich sind nicht die Einzigen, die die Sprengung gespannt verfolgt haben. Als wir wieder in den Steinbruch hinuntersteigen, treffen wir auf Joachim Ritter. Der Geophysiker aus Göttingen packt mit seinen Leuten gerade einen kleinen Computer und ein paar Instrumente, hoch empfindliche Geofone zum Aufzeichnen von Erdbeben, vorsichtig wieder in ihre Kisten. Sie hatten ihren Blick, während die Steilwand einstürzte, allerdings nicht auf die Sprengung gerichtet, sondern starrten auf den Bildschirm des Laptops. Dort waren nämlich die Ausschläge zu sehen, die die Schwingungen im Boden auslösten. Diese wurden von den in der Erde steckenden Geofonen erfasst und an den Computer weitergeleitet. Das Diagramm, das sich aus diesen Daten ergibt, lässt Rückschlüsse über Aufbau und Struktur des Untergrunds zu. Joachim Ritter und seine Kollegen suchen in der Tiefe der Erdkruste nach den Magmaquellen der Eifelvulkane. Sie gehören zu den wenigen Feuerbergen auf der Erde, die sich mitten in einem Kontinent befinden. Die meisten Vulkane, wie zum Beispiel die im Feuerring um den Pazifik, liegen dagegen aufgereiht an den Nahtstellen der Erdkruste, wo die großen Kontinentalplatten zusammenstoßen. Dort dringt glutflüssige Schmelze durch Risse und Spalten empor und bricht an der Erdoberfläche aus.

Schon vor etwa 50 bis 15 Millionen Jahren rauchten in der Eifel Vulkane. Damals herrschten in Deutschland subtropische Temperaturen, und in den dichten Wäldern lebten die berühmten, längst ausgestorbenen Urpferdchen, die nur einen halben Meter groß waren und sich ausschließlich von Blättern ernährten. Vor 650 000 Jahren begann dann die zweite vulkanische Phase, „und die ist vermutlich noch nicht zu Ende", sagt Iradj Eschgi, der Leiter des Vulkanmuseums in dem Städtchen Daun. Doch ganz zuverlässig könne das niemand sagen. „Das heißt aber nicht, dass sich die Menschen in der Eifel deshalb Sorgen machen müssen", fügt er beruhigend hinzu. Es gebe keine Anzeichen für einen baldigen Ausbruch.

Die letzte Eruption in der Eifel ereignete sich vor etwa 9500 Jahren. Es war zugleich der letzte Vulkanausbruch in Deutschland. Dabei wurde das Becken des kleinen Ulmener Maares aus dem Boden gesprengt, das heute von Landstraßen und Autobahn eingeschnürt ist. Dieser Ausbruch war jedoch harmlos im Vergleich zur Laacher-See-Explosion vor etwa 12 900 Jahren am Ende der letzten Eiszeit. Die Alpen und das norddeutsche Tiefland lagen damals unter einer dicken Gletscherdecke. In der Eifel herrschte ein kühles Klima, ähnlich wie heute in der Tundra Sibiriens. Lichte Birkenwälder überzogen die Hügel, in denen Hirsche und Przewalski-Pferde, Auer- und Birkhühner, Wölfe und Bären lebten.

Steinzeitmenschen durchstreiften die Gegend, um zu jagen und Beeren zu sammeln.

Es muss an einem Tag im Frühsommer gewesen sein, als plötzlich eine heftige Detonation Mensch und Tier aufschreckte. Glühendes Magma war im Laacher-See-Vulkan aus der Tiefe emporgedrungen und traf dort auf Grundwasser, das schlagartig verdampfte. Immer wieder kam es zu Explosionen, mehrere Tage, vielleicht sogar ein paar Wochen lang. Die Ausbrüche waren so heftig, dass kaum Lava ausfließen konnte. Der Großteil der Schmelze zerplatzte in feinste Partikel. Die Aschewolken stiegen mehr als dreißig Kilometer hoch in die Atmosphäre. Der Wind trug sie bis zur Ostsee und ins heutige Polen, nach Frankreich im Westen und nach Norditalien im Süden.

Gegen Ende des Ausbruchs wurden die Eruptionen immer heftiger. Schließlich geschah das Grauenvollste, was bei einer Vulkanexplosion passieren kann: Die Aschewolken waren so schwer, dass sie sich nicht mehr in die Luft erheben konnten, sondern als Glutlawinen die flachen Hänge des Vulkans herunterrasten. Diese heißen Gaswolken, die beladen waren mit feinsten Lavapartikeln und Bimssteinbrocken und die auch große Felstrümmer mit sich rissen, wälzten sich durch das Brohltal auf den Rhein zu. Sie knickten Bäume um wie Streichhölzer und versengten alles, was ihnen im Weg stand.

Sie verschütteten das Flussbett, sodass sich der Rhein staute und ein zwanzig Kilometer langer See entstand. Er reichte vom heutigen Andernach bis zum Hauptbahnhof von Koblenz. Doch das Wasser des Rheins konnte nur wenige Tage danach den Damm durchbrechen und wieder in sein ursprüngliches Bett zurückkehren.

Trotz der Heftigkeit und der großen Reichweite der Eruptionen des Laacher-See-Vulkans kamen nur wenige Tiere um und möglicherweise kein einziger Mensch – obwohl sich zu jener Zeit Steinzeitmenschen in der Gegend aufhielten. „Der Ausbruch", so erzählt Axel von Berg, „hat vier Siedlungen verschüttet und etwa zehn Feuerstellen, die Jäger im Wald angelegt hatten." Der Archäologe arbeitet am Rheinland-Pfälzischen Amt für Denkmalpflege in Koblenz. Er kennt die jüngsten Ausgrabungen und erläutert, was Wissenschaftler daraus ablesen können. „Alle diese Plätze waren während des Ausbruchs verlassen", sagt er, „wahrscheinlich hat sich die Eruption durch Erdbeben angekündigt." Menschen und Tiere hätten wohl gespürt, dass etwas nicht in Ordnung war, und konnten sich rechtzeitig in Sicherheit bringen.

In einigen vulkanischen Schichten sind jedoch Spuren von Tieren erhalten, die sich zwischen den Explosionen offenbar wieder in der Nähe des Vulkans aufgehalten haben – Tatzenabdrücke von Braunbären, die Hufspuren von Przewalski-Pferden, sogar Knochen und Geweihstücke eines Elchs, an dem Wölfe genagt haben. Diese Relikte und die genaue Untersuchung der Vulkanablagerungen sind es, die den Wissenschaftlern eine so genaue Rekonstruktion der damaligen Zeit ermöglichen.

Insgesamt soll der Laacher-See-Vulkan damals, vor 12 900 Jahren, fünf bis sechs Kubikkilometer Lava hauptsächlich in Form von Asche und Bims ausgestoßen haben – damit ließe sich das Chiemseebecken dreimal füllen. Das ist mehr, als der Vesuv bei seinem berühmten Ausbruch 79 n. Chr. ausspuckte und womit er Pompeji, Herculaneum und andere Ortschaften an seinen Hängen verschüttete.

DER GÖTTINGER Geophysiker Joachim Ritter nimmt uns mit auf seine Tour. Alle drei Wochen müssen an den gut achtzig Erdbebenmessstationen, die er und sein Team für ihre wissenschaftliche Arbeit in der Eifel installiert haben, die Daten abgefragt werden. „Die Methode bezeichnet man als seismische Tomografie", erläutert der Geophysiker. Damit könne man, vergleichbar mit der Tomografie in der Medizin, die Erde durchleuchten und auf diese Weise einen indirekten Blick in ihr Inneres tun.

Ritters Eifel-Projekt ist das größte physikalische Experiment, das jemals in Europa gemacht wurde. Wissenschaftler aus vier Ländern sind daran beteiligt. Die Erdbebenmesspunkte liegen weit verstreut – sie reichen bis in die Beneluxstaaten und ins französische Zentralmassiv hinein. 84 sind es insgesamt. Zusätzlich ständig im Einsatz sind noch 158 mobile Messstationen wie die, mit der Ritter die Erschütterungen bei der Sprengung im Steinbruch gemessen hat.

Für ihre fest installierten Seismometer brauchen die Wissenschaftler möglichst ruhige Stellen, denn nicht alltägliche Bodenschwingungen, wie sie etwa durch vorbeifahrende Lastwagen erzeugt werden, sollen Ausschläge verursachen, sondern möglichst nur die Wellen von Sprengungen oder Erdbeben. „Am liebsten sind mir Leichenhallen", sagt Ritter, „die sind nicht nur ruhig, sondern auch gut zugänglich und haben Steckdosen. Wir bekommen also ohne Probleme Strom, um die Geräte zu betreiben."

Uns führt er in einen uralten Steinkeller neben einem Bauernhof. Er wurde in früheren Zeiten aus einem alten Basaltlavastrom herausgebrochen. In diesem Keller lagerten die Menschen ihre Lebensmittel, als es noch keine Kühlschränke gab.

Jetzt stehen dort nur noch ein paar alte Bierkästen herum. Ansonsten ist es dunkel, feucht und kalt, ungemütlich. Deshalb sind die Messgeräte auch gut in isolierte Holzkisten eingepackt. Ein langes Stromkabel führt nach draußen bis zum Haus. Joachim Ritter öffnet vorsichtig die Kisten, schließt seinen kleinen Computer an und liest die Daten ein. Dann stellt er alle Geräte wieder neu ein und schließt die Deckel.

Nachdem wir noch andere Stationen besucht haben, geht es zurück nach Daun in den Keller des Museums. Dort hat Ritter die Messzentrale eingerichtet. Drei Kollegen überspielen die mitgebrachten Daten auf CD-ROM. Wir erfahren, dass all die Messungen zunächst nur abgespeichert werden. Allein die Daten eines Tages füllen vier CD-ROMs, jede einzelne enthält so viele Informationen wie sämtliche Telefonbücher Deutschlands zusammen. Am Ende der Messkampagne werden etwa tausend CD-ROMs auf ihre Auswertung warten.

Anschließend folgen umfangreiche Erklärungen über Seismogramme und über ihre möglichen Interpretationen und die tiefen Einblicke, die die Wissenschaftler mit diesem Großversuch in der Erdkruste unter den Eifelvulkanen erhalten wollen.

Nach einer Stunde verlassen wir die Messzentrale. Mir schwirrt der Kopf von all den Details. Deshalb bin ich froh, als uns Iradj Eschgi begegnet und vorschlägt, ein wenig frische Luft zu schnappen. Eschgi ist ein spitzbübischer Mann. Er ist in Persien, dem heutigen Iran, geboren und hat in Aachen Geologie studiert. Nachdem sich die politische Situation in seinem Heimatland in den 70er-Jahren immer mehr zuspitzte und ein freies Leben, wie er es sich vorstellte, für ihn dort nicht mehr möglich war, beschloss er, in Deutschland zu bleiben. Er engagierte sich in der Eifel, half mit, das „Potenzial Vulkanismus", wie er sagt, nicht nur wissenschaftlich zu erforschen, sondern auch zu nutzen, um Touristen in die nicht gerade wohlhabende Eifelregion zu holen. Eschgi verstand es mit seiner freundlichen Art und seinem Engagement, eine Menge Geld dafür lockerzumachen. Sein Meisterstück ist die Einrichtung des neuen Geozentrums in Daun, in dem wissenschaftliche Tagungen stattfinden und in dessen gut ausgestattetem Vulkanmuseum die Besucher sogar einen Feuerberg zum Ausbruch bringen können.

Eschgi macht es spannend. „Nach so viel geophysikalischer Theorie zeige ich euch jetzt die letzten Reste von wirklich aktivem Vulkanismus in der Eifel", sagt er.

Eschgi fährt mit uns in die kleine Ortschaft Altstraßbach. Wir parken etwas außerhalb und gehen ein paar Schritte über eine Wiese, als sich plötzlich mitten im hohen Gras eine Art Schacht auftut – wie ein Tor zur Unterwelt. Zwei Mauern aus großen, vermoosten Steinen säumen den kurzen Weg, der zum vergitterten Eingang einer Felsenhöhle führt.

Ein Schild mahnt zur Vorsicht. Das Kleingeschriebene kann ich im Vorbeigehen nicht lesen, denn Eschgi eilt zielstrebig auf das Gitter zu und wir hinterher.

Der Himmel über uns ist immer noch düster, und die Luft riecht feucht. Die Stimmung ist ein wenig unheimlich. „Das ist eine alte Quelle", sagt Eschgi, kramt in seiner Jackentasche und zieht einen Schlüssel hervor. „Sie wurde zu Westwallzeiten gefasst, als nicht weit von hier im Ersten Weltkrieg Frankreich gegen Deutschland gekämpft hat", erklärt er weiter, „deshalb sieht der Verbau hier auch so martialisch aus."

Während er spricht, sperrt er das Gitter auf. Direkt vor uns öffnet sich das Wasserbecken, in das die Quelle sprudelt. An seinen Rändern liegen fünf tote Vögel.

„Die hat es erwischt", sagt der Geologe bedauernd. „Das Quellwasser befördert eine Menge Kohlendioxidgas aus dem Erdinnern" – ebenjenes Kohlendioxid, das an vielen Stellen der Eifel aus dem Boden dringt und die Menschen immer wieder daran erinnert, dass hier vor langer Zeit Vulkane gespuckt haben, die eventuell wieder ausbrechen könnten. Fragt sich nur, wann.

Weil Kohlendioxid schwerer ist als Sauerstoff, sammelt es sich am Boden und verdrängt dort die Atemluft. Die Vögel sind wohl in die Gasschicht hineingeraten, als sie Wasser trinken wollten, und sofort erstickt. „Auch mit Kindern muss man hier aufpassen", sagt Eschgi. Das Gas ist hinterhältig, weil es unsichtbar ist, weil man es nicht schmeckt und nicht riecht. Um nicht arglos in die tödliche Falle zu tappen, sei es am besten, hierher immer eine brennende Kerze mitzunehmen und etwa in Gürtelhöhe oder tiefer zu halten. „Sie erlischt, wenn sich an windstillen Tagen hier so viel Kohlendioxid angesammelt hat, dass die tödliche Gasschicht höher als normal ansteigt."

Wir fahren von Altstraßbach aus noch ein Stück Richtung Nürburg. An einem Waldrand steigen wir aus. Eschgi führt uns querfeldein zwischen Baumstämmen und Brombeersträuchern hindurch, deren feine Stacheln über meine Hosenbeine kratzen.

Nach etwa zehn Minuten erreichen wir einen Sumpf. „Jetzt sind wir gleich da", sagt Eschgi und stapft weiter. Das kniehohe feuchte Gras durchnässt Hosenbeine und Schuhe. „Hier, das ist der rasende Drees!", ruft Eschgi begeistert und deutet auf ein Wasserloch. Darin sprudelt es gewaltig. Große und kleine Kohlendioxidblasen sprudeln aus dem veralgten Boden und zerplatzen an der Wasseroberfläche.

Der rasende Drees ist Eschgis private Kohlendioxidquelle in der Eifel, die er nur auserwählten Besuchern zeigt. Zugegeben, sie ist nicht sehr

FEUER GEFANGEN

spektakulär im Vergleich zu den vulkanischen Gasquellen in den großen Geothermalgebieten der Erde. Doch wir wissen Eschgis Tipp zu schätzen und schlagen uns ein paar Tage später bei Sonnenschein noch einmal durch Wald und Sumpf, um sie zu fotografieren.

DIESE aufschlussreiche Reise zu den Vulkanen der Eifel liegt nun schon einige Jahre zurück. Mittlerweile ist Iradj Eschgi pensioniert, und Joachim Ritter hat die Universität gewechselt und lehrt jetzt in Karlsruhe. Inzwischen wurde ein Teil der Daten ausgewertet. Ritter und sein Team veröffentlichen die Ergebnisse nach und nach in Fachzeitschriften und Magazinen.

Die Eifelvulkane werden von einem so genannten Mantelplume gespeist, heißt es in Fachberichten. Das ist ein Aufstrom von zähflüssigem, weit über tausend Grad heißem Material aus der Tiefe der Erde. Wissenschaftler stellen so einen Plume gern wie einen Pilz dar, der nahe dem Erdkern oder irgendwo im Erdmantel wurzelt und dessen Kappe gegen die harte Gesteinsschale der Erde drückt.

Weil der Plume etwa hundertfünfzig bis zweihundert Grad heißer ist als seine Umgebung, steigt die Schmelze Richtung Erdoberfläche auf. Der Plume kann sich auf seinem Weg nach oben dann in mehrere Äste auffingern. Ist der Druck von unten groß genug, dringt Magma durch Risse und Spalten in der Erdkruste bis zur Oberfläche und bricht dort in Vulkanen aus. „Der Aufstrom von Magma unter der Eifel", so Ritter, „reicht mindestens vierhundert Kilometer in die Tiefe. Dann verliert sich seine Spur." Was jedoch nicht zwingend bedeutet, dass er dort schon endet.

Der Hut des heißen Pilzes besitzt einen Durchmesser von ungefähr hundert Kilometern. Von diesem Plume lösten sich in den vergangenen 650 000 Jahren immer wieder Schmelzen ab, drangen bis an die Erdoberfläche empor und ließen dort die Vulkane und die Maare entstehen. Wann die nächste Eruption in der Eifel stattfindet wird Joachim Ritter immer wieder gefragt. Er kann jedoch auch nach Auswertung aller tausend CD-ROMs nur so viel sagen: „Für einen Ausbruch in naher Zukunft haben wir keine Anzeichen im Untergrund gefunden."

WELTWEIT gibt es etwa fünfzig solcher Plumes. Einer der gewaltigsten liegt unter Äthiopien und Dschibuti am Horn von Afrika. Er drückt seit vielen Jahrmillionen so stark gegen die äußere harte Gesteinsschale der Erde, dass die Kruste ausdünnt, weiträumig aufplatzt und dann stellenweise einsackt. Überall in der Wüste, die direkt über diesem heißen

Fleck, diesem Hotspot in der Erdkruste, liegt, klaffen Risse im Boden, die Hunderte von Metern lang und mehrere Meter breit sein können. Kleine Vulkankegel sitzen darauf und zeugen davon, dass dort einmal Magma aus dem Erdinnern nach oben gedrungen ist.

Dorthin führten mich zwei meiner spannendsten Reisen. Mit einer Gruppe von Wissenschaftlern machten Bernhard und ich im Februar 2002 eine Expedition in die Danakilwüste zum Erta-Ale-Vulkan, in dessen Krater ein Lavasee brodelt, und gut eineinhalb Jahre später verbrachten wir eine Woche in Dschibuti, um nach spektakulären Bruchstrukturen zu suchen. Die Entscheidung, dorthin zu reisen, fiel mir nicht leicht, weil der Erta-Ale-Vulkan in einem Gebiet liegt, in dem bis vor Kurzem noch ein Bürgerkrieg wütete und das man derzeit nur mit Erlaubnis und Unterstützung des äthiopischen Militärs besuchen kann. Außerdem brauchte man eine Genehmigung vom dort lebenden Stamm der Afar, der als sehr kriegerisch bekannt ist. Und in Dschibuti bestand zu der Zeit Reisewarnung wegen der Gefahr terroristischer Anschläge.

Im Land der „Freien" am Horn von Afrika

Es ist sieben Uhr morgens. Die Sonne kämpft sich durch die Dunstschicht am Horizont, wo das Plateau des äthiopischen Hochlandes steil zur Danakilwüste hin abfällt. Ihre Strahlen tauchen die kahle Welt rundum in ein mildes gelbes Licht: das Flugfeld inmitten einer trockenen Ebene, die weit entfernt liegenden Hangars des äthiopischen Militärs, die Wellblechhütten, in denen eine „American Snack Bar" und die Abfertigungsschalter untergebracht sind, und den gewaltigen Rohbau aus Beton, das künftige Flughafengebäude von Mekele, der letzten größeren Stadt an der Straße von Addis Abeba zur Grenze nach Eritrea.

Ein kühler Wind weht über den nur spärlich bewachsenen Boden. Ich stülpe mir die Anorakkapuze über den Kopf und ziehe eine Matratze aus dem mannshohen Berg von Ausrüstung, der aufgestapelt am Rand des Flugfeldes liegt. Darauf mache ich es mir bequem. Es kann noch eine Weile dauern, bis der Militärhubschrauber kommt, der uns zum Erta-Ale-Vulkan in die Danakilsenke bringen soll, in eine der heißesten Wüsten der Erde. Wir, das sind sechs Geowissenschaftler aus Italien, den USA, der Schweiz und Deutschland, außerdem der Wüstenfotograf Michael Martin, der Koch Damtu mit seinem Helfer, der Expeditions-

FEUER GEFANGEN

471

leiter Asrad und eine junge Frau namens Saada vom Volk der Afar, das in der Danakilwüste lebt, Bernhard und ich.

Während ich auf der Matratze hocke, fallen mir fast die Augen zu. Ich habe in der vergangenen Nacht kaum geschlafen. Asrad, den wir tags zuvor im Hotel getroffen hatten, versicherte zwar immer wieder, dass wir uns um nichts kümmern müssten. Trotzdem ist mir äußerst mulmig zumute. Immerhin soll uns der Helikopter in einem der heißesten, lebensfeindlichsten und entlegensten Winkel der Erde absetzen. Die Danakilwüste ist mit gut 70 000 Quadratkilometern etwa so groß wie Bayern. Manchmal klettert das Thermometer dort mittags auf über fünfzig Grad. Es gibt kein Wasser und keinen Schatten.

Doch es sind nicht nur die klimatischen Bedingungen, die mich beunruhigen. Bis vor zwei Jahren herrschte im Grenzgebiet zwischen Eritrea und Äthiopien Bürgerkrieg. Es soll noch alte Minenfelder geben. Und das Nomadenvolk der Afar, in deren Land unser Ziel, der Erta-Ale-Vulkan, liegt, sieht noch heute nicht gern Fremde auf seinem Terrain. Noch vor wenigen Jahren wurden Leute, die sich ohne Erlaubnis in ihrem Gebiet aufhielten, ins Gefängnis gesteckt. Auch sollen dort Reisende unter ungeklärten Umständen verschwunden sein.

Der Schweizer Expeditionsunternehmer, der die Logistik für unsere Reise übernommen hat, kennt sich zwar in der Gegend aus und hat aufgrund eigener Reisen gute Beziehungen zu den Afar sowie zum äthiopischen Militär und auch Partner in Addis Abeba für die Organisation. Damit versuche ich mich in der vorangegangenen Nacht, die wir in einem Hotel in Mekele verbringen, zu beruhigen. Dennoch kann ich keinen Schlaf finden. Worauf habe ich mich da nur wieder eingelassen!

Am Tag sieht die Welt dann anders aus. Meine Bedenken schwinden, als ich die vielen nagelneuen, knallblauen Kanister voll Trinkwasser, die dicken, weichen Matratzen für unser Nachtlager, zwei großflächige blaue Plastikplanen und ein paar entrindete Baumstämme zum Errichten eines Sonnenschutzes sehe, die Kartons mit Proviant und Küchenutensilien, fertig zum Verladen am Rand des Flugfelds aufgestapelt.

Wir stellen unser Reisegepäck dazu, auch die Taschen mit der Fotoausrüstung, die großen Kisten mit den empfindlichen Messgeräten der Wissenschaftler, die schweren Autobatterien für deren Betrieb und den kleinen Stromgenerator zum Laden der Batterien. Jetzt kann ich kaum erwarten, dass es losgeht.

Endlich rollt der Transporthubschrauber an. Der Lärm der Turbinen ist ohrenbetäubend. Der Wind, den der Rotor entfacht, wirbelt Unmengen Staub auf. Es ist ein alter russischer Hubschrauber vom Typ MI-8, in den Tarnfarben olivgrün und sandbeige bemalt. Mit so einem sind wir auch schon in Kamtschatka geflogen.

Ein Stück von unserem Ausrüstungsberg entfernt hält er an. Der Pilot stellt die Turbinen ab. Drei Männer in Uniform springen aus der Kanzel – Pilot, Kopilot und Bordingenieur. Sie begrüßen uns alle mit Handschlag, aber mit ernsten Gesichtern. Wir dürfen erst starten, wenn sich der Dunst am Horizont verzogen hat, sagen sie, denn er könnte ein Zeichen dafür sein, dass am Abbruch des Plateaus zur Wüste hin Wolken hängen. Das wäre schlecht, weil der Helikopter nur auf Sicht fliegen kann. Moderne Navigationsinstrumente fehlen.

Gemeinsam laden wir ein, verstauen einen großen Teil der Kisten und Kanister im Bauch des Hubschraubers. Eine Stunde später kann die erste Gruppe starten. Ich muss mich noch gedulden, bis der Helikopter nach zwei Stunden wieder zurückkommt. Dann hieven wir das restliche Gepäck in den Laderaum. Ich suche mir an einem der runden Fenster einen Platz auf der langen Bank, die sich von der Innenwand herunterklappen lässt. Sitze wie in Flugzeugen gibt es hier nicht. Dann endlich erhebt sich der MI-8 wieder in die Luft. Das Flugfeld wird immer kleiner. Der Helikopter passiert die Kante des Plateaus, und von nun an geht es nur noch abwärts.

DIE DANAKILWÜSTE ist Teil des Afar-Dreiecks, eines Stücks Erdkruste, das im Nordosten vom Roten Meer und dem Golf von Aden, im Westen vom äthiopischen Hochland und im Südosten vom somalischen Hochplateau begrenzt wird. Es liegt 1000 bis 2200 Meter tiefer als das Hochland ringsum, stellenweise sogar mehr als hundert Meter unter dem Meeresspiegel. Der Grund: Unter dem Afar-Dreieck dringt heißes Gesteinsmaterial nach oben – ein Plume ähnlich wie der in der Eifel, nur viel größer und aktiver. In einem Prozess, der schon seit vielen Jahrmillionen andauert, drückt der heiße Aufstrom gegen die Erdkruste. Sie wurde zunächst dünner, dann zerbrach sie und das Afar-Dreieck sackte ab. Noch heute bewirkt das andauernde Zerren und Ziehen in der Erdkruste, dass der Wüstenboden immer wieder aufreißt und Vulkane ausbrechen. Einer davon ist der Erta-Ale, auf dem wir nun sechs Tage und Nächte verbringen werden.

Der Weg dorthin ist auch mit einem Militärhelikopter nicht ohne Hindernisse. Kurz nach dem Start ziehen neue Wolken auf und hängen nun zwischen den steilen Felsstufen am Abhang des äthiopischen Hochplateaus zur Danakilwüste. Der Pilot fliegt tiefer, um darunter durchzutauchen und durch eines der vielen Täler den Ausgang zur Danakilwüste zu finden. Doch die Wolken versperren die Sicht. Wir hängen in einem Talkessel fest. Ich werde ein wenig nervös.

Der Pilot nimmt die Geschwindigkeit zurück. Der Hubschrauber wummert wie ein schwerer Traktor, als wir für kurze Zeit in der Luft stehen bleiben. Die drei Militärpiloten in der Kanzel blicken schnell um sich. Es muss doch irgendwo einen Weg aus diesem Kessel geben. Hier in dem steilen Gelände zu landen ist nahezu unmöglich. Da hebt sich die Wolkendecke vor uns ein wenig. Der Pilot nimmt wieder Geschwindigkeit auf, und wir können den Kessel verlassen.

Das Gelände unter uns wird flacher. Erste schwarze Lavaströme sind zu erkennen. Heller Sand hat sich in den Vertiefungen angesammelt und zeichnet bizarre Muster auf das dunkle Gestein. Die Wolkendecke über uns wird immer lichter. Und endlich sind wir am Ziel.

„Da ist er!", schreit der Pilot aus der Kanzel nach hinten in den Laderaum, wo wir alle mit der Nase an den kleinen Fensterscheiben kleben, um ja nichts von der Landschaft unter uns zu verpassen. Am Horizont taucht ein langgestreckter, flacher Hügel auf, der Erta-Ale-Vulkan. *Erta* und *ale* sind Wörter aus der Sprache der Afar. Sie bedeuten so viel wie rauchender Berg. Der Vulkan hat eine Caldera im Gipfelbereich, eine steilwandige, flache Senke mit mehreren Hundert Meter Durchmesser, die mit dunklem Lavagestein gefüllt ist. Dort sind auch die beiden Kraterlöcher zu sehen, gut hundert Meter weite Schlünde. Sie scheinen senkrecht ins Erdinnere zu führen. Aus einem quellen Gaswolken hervor. Im anderen brodelt ein Lavasee. Nicht weit davon entfernt sind bereits die beiden blauen Plastikplanen aufgespannt. Dort liegt also das Camp.

Langsam dreht der Helikopter ab, bleibt in der Luft stehen und geht tiefer. Vorsichtig setzt er auf der spröden Lavakruste auf, die wie ein verrutschter, faltiger Teppich den Boden der Erta-Ale-Caldera bedeckt. Das schwarze Gestein, das aus der Ferne so stabil aussieht, ist brüchig. Tückische Hohlräume verbergen sich zwischen den Lavaschichten, die sich, als bei den letzten Ausbrüchen der Lavasee übergeflossen ist, nach und nach aufgestapelt haben und erkaltet sind.

Es wäre eine Katastrophe, wenn die Räder des Helikopters einbrechen würden. Deshalb wird unter dem Höllenlärm der Turbinen bei laufenden Rotoren ausgeladen – zwanzig Kanister Wasser, die Kisten mit den Kochutensilien, die Lebensmittel und unser Reisegepäck. Den Rest haben die anderen schon beim ersten Flug mitgenommen. Auch die blauen Plastikplanen sind bereits aufgespannt und spenden ein wenig Schatten gegen die erbarmungslos brennende Sonne. Dann hebt der Hubschrauber ab und verschwindet.

Der Helikopter landet zum Abladen in der Caldera.

Saada vom Volk der Afar begleitete uns in Äthiopien.

Salzkrusten, die sich um die heißen Quellen im Dallol in der Danakilwüste gebildet haben

FEUER GEFANGEN

Jetzt sind wir auf uns allein gestellt in dieser öden, trockenen, völlig leblosen Landschaft, die aus nichts anderem besteht als aus Lavagestein. Eine unendliche Stille breitet sich aus. Ich sitze noch immer auf den Matratzen, die ich mit meinem Körpergewicht beschwert hatte, damit sie nicht davongeweht wurden, als der Helikopter wieder abhob. Schweiß rinnt mir aus allen Poren. Die Temperatur dürfte mindestens 35 Grad betragen.

Die Wissenschaftler, die schon bei der ersten Flugtour abgesetzt worden sind, packen bereits ihre Geräte aus. Damtu, der Koch, und sein Gehilfe machen sich daran, nur etwa hundert Meter vom Kraterrand entfernt im Schatten einer der blauen Plastikplanen ihre provisorische Küche einzurichten.

Wir Neuankömmlinge stiefeln als Erstes auf den Kraterrand zu, um uns den Lavasee anzuschauen. Obwohl ich schon oft über brüchiges Lavagestein gelaufen bin und die Tücken kenne, muss ich mich erst wieder an den fragilen Untergrund gewöhnen. Die seilartig verzwirbelte Lavakruste knirscht unter meinen Schuhsohlen und zerbröselt bei jedem Schritt zu feinem Pulver. Dort, wo sie in größeren Falten erstarrte, kann man leicht stolpern. Es gibt auch besonders viele kleine Hohlräume, die schon einbrechen, wenn man nur leicht auf die Kruste tritt. Trotz der Hitze empfiehlt es sich deshalb, lange Hosen und feste Schuhe zu tragen, denn man kann leicht umknicken und sich die Knöchel verletzen, und die scharfen Bruchkanten schlitzen die Haut auf. Als ich endlich in den Abgrund des Kraterloches blicke, schlägt mir brüllende Hitze entgegen. Mir stockt der Atem. Die Felswand ist stark zerklüftet. Sie fällt etwa fünfzig Meter senkrecht auf eine Art Terrasse ab, auf der sich Schutt ansammelt, der aus der Wand herausbricht.

Noch einmal dreißig Meter tiefer liegt der Lavasee. Er ist von einer schwarzen, metallisch glänzenden Haut bedeckt, die leicht schwankt, so als würde sie von Wellen bewegt. Sie ist von rot glühenden Rissen durchzogen. Plötzlich durchstößt diese Haut ein Schwall gleißender Schmelze. Ein Loch reißt auf, in dem die kochende Lava zunächst nur sanft brodelt. Dann auf einmal schießen zehn bis fünfzehn Meter hohe Fontänen aus glühender, zäher Lava empor. Ein lautes Fauchen füllt das riesige Kraterloch, und ätzendes Gas steigt mir in die Nase.

Tatsächlich gehen die Wissenschaftler davon aus, dass es dort unten im Lavasee zugeht wie in einem Topf mit kochendem Wasser. Gase dringen aus der Tiefe des Lavasees auf, reißen, sobald sie an der Oberfläche austreten, die Schmelze mit sich und schleudern sie in die Höhe.

Ein bis zwei Minuten lang dauert das Schauspiel, bevor die Fontäne in sich zusammenfällt. In einem feurigen Strudel zieht sie sich in die Schmelze zurück, wobei sie große Teile der dunklen Haut mit sich reißt. Zurück bleibt eine glühende Wunde, die allmählich abkühlt und wieder das metallisch glänzende Schwarz der Seeoberfläche annimmt. Alle paar Minuten kommt es zu solchen Ausbrüchen auf dem Lavasee, oft an mehreren Stellen gleichzeitig.

Nur sehr wenige der insgesamt etwa 1500 tätigen Vulkane auf der Erde entwickeln Lavaseen in ihren Schloten. Die Feuerberge auf Hawaii gehören dazu. Auf dem Gipfel des Kilauea-Vulkans brodelte über hundert Jahre lang ein solch glühendes Ungetüm, der berühmte Halemaumau. Er ist jedoch 1924 erkaltet. Heute strömen dort nur noch Schwefelwasserstoffgase aus. Auch im Schlot des Mount Erebus, des tätigen Vulkans am Eisrand der Antarktis, kocht manchmal die Lava. Diese Seen aus glühender Schmelze existieren meistens nur wenige Monate oder Jahre. Dann erkalten sie. Schutt füllt die Krater, bis sie oft viele Jahre später durch neue Eruptionen frei gesprengt werden.

Der Lavasee im Nordkrater des Erta-Ale-Vulkans ist derzeit der einzige auf der Welt, der seit vielen Jahrzehnten ununterbrochen brodelt, vermutlich seit 1873, mindestens jedoch seit 1906. Bis in die 70er-Jahre kamen immer wieder einmal Wissenschaftler hierher, um den Lavasee zu beobachten. Während des Bürgerkrieges in Eritrea, als die Danakilwüste militärisches Sperrgebiet und daher unzugänglich war, bezeugten Satellitenbilder seine aktive Existenz.

Lavaseen sind kaum erforscht. Die Wissenschaftler, mit denen ich hierhergekommen bin, wollen keine Zeit verlieren. Am Tag der Ankunft setzen sie sich nicht einmal in der Mittagshitze, als das Thermometer auf 38 Grad klettert, in den Schatten. Nachdem sie direkt am Kraterrand ein Radiometer angebracht haben, mit dem sie die Hitzeabstrahlung des Lavasees während unseres Aufenthalts aufzeichnen wollen, installieren sie in einem Umkreis von mehreren Hundert Metern um das Kraterloch die vier mitgebrachten mobilen Erdbebenmessstationen. Sie wollen herausfinden, wie stark die Mikrobeben in der Umgebung des Kraters sind und ob es einen Zusammenhang mit den Ausbrüchen im Lavasee gibt. Ich helfe beim Schleppen der Autobatterien, die die Messstationen mit Strom versorgen.

Wir werden auf Schritt und Tritt von einem der beiden bewaffneten Soldaten begleitet, die im Lauf des Tages zu uns gestoßen sind. Mit nichts anderem als ihren Kalaschnikows, der Uniform, die sie am Leib tragen, und einem großen Tuch unter dem Arm sind sie von ihrer etwa 120 Kilometer von unserem Camp entfernt stationierten Garnison durch

Krater des Vulkans Erta-Ale, Danakilwüste

die sengende Wüste hierhergelaufen. 120 Kilometer zu Fuß durch die Wüste! Ich kann es kaum glauben. Doch die Einheimischen sind es gewohnt, lange Strecken durch das heiße Land, in dem es keine Straßen, nur ein paar Karawanenwege gibt, zu Fuß zu bewältigen.

Die Soldaten seien zu unserem Schutz hier, für den Fall, dass wir von Dieben attackiert werden sollten, hat Asrad gesagt. Ich bin mir jedoch nicht sicher, ob sie uns nicht eher bewachen. Sie beobachten jeden Handgriff der Wissenschaftler, bleiben aber immer auf Distanz. Als ich sie frage, ob sie Englisch sprechen, schütteln sie den Kopf. Trotzdem habe ich das Gefühl, dass die zwei stolzen Männer einiges von dem, was in der Gruppe diskutiert wird, verstehen.

Beide gehören zum Nomadenvolk der Danakil oder Afar, was übersetzt „die Freien" bedeutet. Dieses Volk, nach dem das Land hier benannt ist und das von seinen Viehherden und vom Salzabbau in der Wüste lebt, soll früher sehr kriegerisch und grausam gewesen sein. Es ist bis heute gefürchtet. Bis vor wenigen Jahrzehnten wurden die Afar noch von Sultanen regiert. Heute ist ihr Land als eigene Region in den Vielvölkerstaat Äthiopien eingegliedert. Doch ihr ursprüngliches Gebiet erstreckt sich über die äthiopische Grenze hinweg nach Eritrea und Dschibuti hinein, und die alten Strukturen sind noch lebendig – ebenso wie der Drang nach Unabhängigkeit.

Saada zum Beispiel, die bereits in Mekele zu uns gestoßen ist und uns zusammen mit Asrad betreut, ist die Tochter eines ehemaligen Afar-Sultans, also eine Afar-Prinzessin. An der Art, wie sie mit den Köchen, mit Asrad und auch den Soldaten spricht und wie diese mit ihr umgehen, erkennt man, dass sie sehr angesehen ist. Die etwa 35 Jahre alte Frau, die ihre dunklen Haare zu dicken Zöpfen geflochten hat und Englisch spricht, erwiderte meine Begrüßung am Flughafen von Mekele sehr freundlich, verhielt sich dann aber, ähnlich wie die Soldaten, äußerst zurückhaltend. Erst im Lauf der Tage kommen wir ins Gespräch.

Saada ist eines von neun Kindern, zwei Mädchen und sieben Jungen. Die Mutter lebt nicht mehr, ein Bruder ist im Eritreakrieg gefallen. Der Vater wurde vor elf Jahren aus politischen Gründen verhaftet und ins Gefängnis geworfen. Überraschenderweise kommt er während unseres Aufenthalts am Erta-Ale frei.

Ich bin zufällig gerade im Camp, als die Nachricht per Funk eintrifft. Da ich völlig ahnungslos bin, kann ich mir die plötzliche Aufregung zunächst nicht erklären. Asrad ruft laut nach Saada, und auch die Soldaten und die Köche laufen zur Funkstation, die direkt neben meinem kleinen Zelt liegt. Saada lacht, spricht aufgeregt in das Funkgerät und hebt immer wieder die Arme – vor Freude, wie es scheint. Die Soldaten schwingen die Gewehre. Sie wollen Schüsse abfeuern. Doch Saada hält sie zurück. Das wäre wohl zu viel des Guten. Dann kommt sie strahlend auf mich zu, nimmt meine beiden Hände und küsst sie. Ich bin gerührt und zugleich erschrocken, denn noch kenne ich den Grund für die große Freude nicht. Da erzählt mir Saada kurz die Geschichte ihrer Familie, und wir umarmen uns herzlich. Am liebsten würde sie gleich nach Addis Abeba fahren, um ihren Vater zu sehen. Doch vorerst muss sie sich mit dem kurzen Gespräch über Funk begnügen. Erst in drei Tagen kommt der Hubschrauber, um uns hier wieder abzuholen.

Von Saada erfahre ich auch, dass die Afar die Gegend um den aktiven Erta-Ale mit seinem brodelnden Lavasee und den ätzenden Schwefeldämpfen in der Regel meiden. „Für die Leute meines Volkes ist dieser Vulkan ein Ort des Todes", sagt sie. Früher gab es hier, wie noch heute viele Angehörige des Volkes der Afar glauben, ein Paradies mit blühenden Städten. Doch dann kam das Feuer aus der Erde und verschlang die ganze Pracht. Und nun sitzt der Teufel in dem brodelnden Lavasee.

Vielleicht beobachten uns die Soldaten deshalb so misstrauisch, weil sie sich nicht erklären können, was Fremde aus dem fernen Europa und Amerika an diesem lebensfeindlichen, gottverlassenen Ort wollen, und weil sie uns nicht abnehmen, dass wir uns nur für die außergewöhnlichen vulkanischen Phänomene interessieren. Vielleicht befürchten sie, die Wissenschaftler suchten nach Bodenschätzen und könnten, falls sie fündig würden, die Afar um ihr Eigentum betrügen. Als ich Saada danach frage, antwortet sie ausweichend. Bis heute weiß ich nicht, ob ich mich missverständlich ausgedrückt habe oder ob sie meine Frage nicht verstanden oder womöglich unangemessen gefunden hat.

DIE SECHS Tage fliegen nur so dahin. Jeden Morgen werde ich pünktlich von den knirschenden Schritten der Köche und der Soldaten geweckt, die hinter den flachen Hügel neben meinem Zelt marschieren, um dort zu beten. Die Afar sind strenggläubige Muslime.

Die Temperatur um diese Tageszeit dürfte etwa 25 Grad betragen. Die Luft ist angenehm kühl und frisch, wenn nicht gerade der Wind die ätzenden Gaswolken, die der zweite, verschüttete Krater des Erta-Ale unablässig ausstößt, in das Camp weht. Das Gas reizt die Schleimhäute manchmal so sehr, dass ich mir ein Tuch um Mund und Nase binde.

Noch vor dem Frühstück trifft sich die ganze Gruppe am Kraterrand. Es ist immer wieder faszinierend zu sehen, wie Fontänen aus glühender Schmelze aus der dunklen Haut des Lavasees sprudeln und wie sich diese

Haut bewegt und verändert. Tagsüber begleite ich die Wissenschaftler zu ihren Messstationen oder unternehme, immer in stummer Begleitung eines der beiden Soldaten, kurze Touren auf den Rand der Caldera, um über die Wüste zu blicken.

Der Erta-Ale ist kein steiler, kegelförmiger Vulkan, sondern ein dreißig Kilometer langer Rücken, der sich flach über die Felswüste erhebt. Das völlig kahle schwarze Lavagestein, das den Boden seiner Caldera bedeckt, bildet einen seltsamen Kontrast zu dem hellen Fels an seinen Flanken. Dort wachsen sogar ein paar Grasbüschel, und eine verdorrte Akazie trotzt der Hitze. In der Ferne sind weitere Vulkane mit steileren Kegeln zu sehen. Sonst nur in der Hitze flimmernde Felswüste, so weit das Auge reicht.

Die Nächte sind lang, denn alle ziehen sich schon bald nach Sonnenuntergang und dem gemeinsamen Abendessen an die Schlafplätze zurück. Die meisten haben es sich in einer Mulde in der Lavakruste unter freiem Himmel bequem gemacht. Ich verkrieche mich jedoch gern in mein kleines Kuppelzelt, das zum Krater hin geöffnet ist, blicke noch lange auf den roten Lichtschein, der den Nachthimmel erhellt, und lausche dem Schmatzen der Lava tief unten im Krater und dem unheimlichen, aggressiven Fauchen der Gase.

VOM ERTA-ALE geht es nicht sofort zurück ins Hochland nach Mekele. Zuvor setzt uns der Militärhelikopter etwa fünfzig Kilometer weiter nördlich noch einmal für einen Tag und eine Nacht ab – an einem der heißesten Orte nicht nur der Danakilwüste, sondern der ganzen Erde: im Geothermalgebiet Dallol, das 120 Meter unter dem Meeresspiegel liegt. Dort kann es bis zu 60 Grad heiß werden. Als wir landen, hat es 44 Grad. Gleich nach dem Verlassen des Helikopters tränke ich ein Tuch mit Wasser und wickle es mir um den Kopf. Anders ist die Hitze hier nicht auszuhalten.

Dallol bedeutet „Ort des Wassers". Sprudelnde Quellen transportieren Salz aus dem Boden, das sich ablagert und eine intensiv gefärbte, surreale Landschaft hervorbringt, die einzigartig sein dürfte auf der Welt. Wuchtige, blendend weiße Kamine wachsen um die Wasseraustritte mehrere Meter empor. Sie sind umgeben von knallgelben Krusten, in deren Vertiefungen sich klares grellgrünes, ätzendes Wasser sammelt. Es ist heiß und kribbelt, wenn man den Finger hineinhält.

Die Quellen sprudeln nicht immer. Vermutlich abhängig davon, wie viel Regen im äthiopischen Hochland fällt, versickert und unterirdisch bis in die Danakilwüste hinein abfließt, sind sie aktiv oder fallen trocken.

FEUER GEFANGEN 481

Sobald sie versiegen, verblassen die bunten Farben. Die Kamine zerfallen, und zurück bleibt eine rostbraune Kruste.

Die Hitze im Boden, die das Grundwasser im Dallol zum Kochen bringt, stammt auch von dem Plume, dem heißen, pilzförmigen Aufstrom in der Tiefe der Erdkruste, der die Vulkane im Afar-Dreieck speist. Bis heute weiß jedoch niemand genau, woher das viele Salz am tiefsten Punkt der Danakilsenke kommt. Wissenschaftler gehen davon aus, dass das Rote Meer vor Jahrmillionen in mehreren Schüben bis ins Afar-Dreieck vorgedrungen und in der Hitze verdampft ist. Das Salz blieb zurück.

Vor dem Bürgerkrieg 1968 versuchten deutsche Wissenschaftler, die Salzschichten zu durchbohren. Sie kamen bis in 980 Meter Tiefe, waren aber noch nicht unten angelangt. Experten schätzen, dass die Salzlagerstätte der Danakilwüste etwa 5000 Meter mächtig ist.

Wenige Kilometer vom Dallol entfernt liegen die Salzseen, an deren Ufern die Afar Salz abbauen und als Platten mit Karawanen ins Hochland transportieren. Saada, die mit dem Helikopter gleich weitergeflogen ist, um endlich ihren Vater wiederzusehen, erzählte mir, die Afar spielten mit dem Gedanken, das Gebiet um den Erta-Ale und vielleicht auch Dallol zu einer Art Nationalpark zu machen. Schließlich bringt es Geld, wenn interessierte Reisende wie wir und Wissenschaftler zu Forschungszwecken hierherkommen. Das könnte den Afar helfen, ihre alten Traditionen aufrechtzuerhalten, vor allem den Salzhandel.

Viele Tage lang dauert die Reise einer Kamelkarawane zwischen den Salzseen in der Danakilwüste nördlich des Erta-Ale bis ins Hochland nach Aguela, einem wichtigen Lagerplatz zwanzig Kilometer nördlich von Mekele. Der Abbau in der Hitze der Wüste und der Transport ins zweitausend Meter höher gelegene äthiopische Hochland sind hart. Doch die Afar, die in Äthiopien zum größten Teil noch heute, wie schon seit Jahrhunderten, vom traditionellen Salzhandel mit Kamelkarawanen leben, sind zufrieden. Vermutlich wird es aber nicht mehr lange dauern, bis auch dort die modernen Abbaumethoden mit Radladern und riesigen Lastwagen Einzug halten, wie bereits bei den Afar in Dschibuti am Assalsee.

Als Bernhard und ich Anfang Dezember 2003 in Dschibuti, dem kleinen Land direkt am Horn von Afrika, ankommen, setzen die Akazien gerade frisches Grün an, weil es ungewöhnlich heftig geregnet hat. Damit haben wir nicht gerechnet. Schließlich gehört Dschibuti zu den trockensten und heißesten Ländern der Erde. Jetzt im Winter sollen dort zwar hin und wieder ein paar Tropfen vom Himmel fallen, aber kurz vor

482 FEUER GEFANGEN

unserer Ankunft hat es gleich mehrmals wie aus Kübeln geschüttet. Auch vor dem Flughafengebäude steht das Wasser. Ein paar Träger helfen uns, das Gepäck über die knöcheltiefen Pfützen zu schleppen. Um selbst keine allzu nassen Füße zu bekommen, verstauen sie es gleich im Kofferraum des nächstbesten Taxis, eines ziemlich alten, klapprigen Vehikels. Fünf Minuten dauert es, bis es dem Fahrer, den wir zunächst nur von hinten sehen, gelingt, die Karre zu starten. Inzwischen sind wegen der ungewöhnlichen Feuchtigkeit die Scheiben innen beschlagen. Das Gebläse funktioniert natürlich auch nicht richtig. Trotzdem steigt der Fahrer aufs Gaspedal und wir rollen ein paar Meter. Dann scheppert und quietscht es. Unser Taxi schleift mit der rechten Seite an einer niedrigen Mauer entlang. Dann stirbt der Motor ab.

Das fängt ja gut an. Ich kann nur mühsam meinen Zorn unterdrücken, als ich dem Mann sage, er möge uns doch bitte ein anderes Taxi besorgen. Jetzt dreht er sich zum ersten Mal um. Er hat eine dicke Backe, und seine Augen sind so glasig, als hätte er ein paar Bier zu viel getrunken. Er stammelt etwas, das ich nicht verstehe, und rührt sich nicht vom Fleck. Was ist denn mit dem los?

Nachdem der Mann sich nicht weiter bemüht, steigen wir einfach aus. Zum Glück steht das Auto wie auf einer Insel mitten in einem großen braunen Teich aus Regenwasser. Schon kommt ein anderes Taxi, diesmal ein nagelneues, hält an, der Fahrer spricht kurz mit seinem Kollegen und beginnt, unser Gepäck in sein Auto umzuladen. Bevor ich einsteige, sehe ich mir sein Gesicht genau an. Er scheint in Ordnung zu sein.

Der Dauerregen hat sogar die großen Straßen von Dschibuti-Stadt in schlammige Seen verwandelt. Eselskarren pflügen genauso durch die Brühe wie Autos und Kleinbusse. Sie setzen dabei Wellen in Gang, die bis an die Wände von Hütten und Häusern schwappen und dort Plastiktüten, Papierreste, Dosen und sonstigen Müll zusammentreiben.

Ich wollte schon immer nach Dschibuti. Denn nirgendwo auf der Erde – das haben mir viele Vulkanologen versichert – kann man so deutlich sehen, was der Druck eines Plumes, eines heißen Magma-Aufstroms aus der Tiefe, an der Erdoberfläche bewirken kann.

Doch seit dem schrecklichen Attentat auf das World Trade Center am 11. September 2001 ist mir immer mulmig zumute, wenn ich in Länder reise, die im weltweiten „Kampf gegen den Terror" in der ersten Reihe stehen. Zum einen grenzt Dschibuti an Somalia, das zu den von George W. Bush ausgerufenen „Schurkenstaaten" zählt. Zum anderen besitzt das kleine Land, das seit Ende der Kolonialzeit ein wichtiger Militärstützpunkt Frankreichs ist, einen sicheren Hafen und kontrolliert den

Zugang zum Roten Meer. Deshalb ist es jetzt auch noch besonders wichtig im „Kampf gegen den Terror". Neben den französischen sind nun auch britische, spanische, deutsche und, seit 2002, außerdem dreitausend amerikanische Soldaten dort stationiert. Das viele Militär ist vor allem in der Hafengegend und im europäischen Viertel von Dschibuti-Stadt allgegenwärtig.

THIERRY MARRILL, ein französischer Geschäftsmann, dessen Familienunternehmen schon seit Jahrzehnten einer der wichtigsten Arbeitgeber in Dschibuti ist, vermietet uns sein Kleinflugzeug, eine Cessna. Bernhard hat den Mann ausfindig gemacht, als er in Dschibuti-Stadt nach einem Piloten suchte. Denn aus der Luft lassen sich die verschiedenen Bruchstrukturen, die vom Aufdringen des Magmas im Untergrund zeugen, am besten erfassen und fotografieren.

Thierry selbst hat leider keine Zeit, uns zu fliegen. Das übernimmt sein Freund Olivier, Flugingenieur bei der französischen Luftwaffe in Dschibuti. Wir treffen den dunkelhaarigen Mann, der einen buschigen Schnurrbart trägt, am Flughafen, an dem großen Tor, das auf das Rollfeld führt. Nur mit Mühe kann er uns durch die Absperrung schleusen. Eine Menschenmenge hat sich dort versammelt, hauptsächlich Männer. Sie drängen sich um zwei Lastwagen und mehrere Autos, die anscheinend durch das Tor auf das Flugfeld fahren möchten. Doch die Wächter halten sie zurück.

Olivier scheint die Aufregung nicht zu stören. Er bringt uns zu einer Hütte, nur wenige Meter vom Tor entfernt. Sie ist vorne mit Wellblech verkleidet und weiß gestrichen. Davor steht die Cessna, festgezurrt auf einer betonierten Fläche.

Während Olivier ein Fass mit Flugbenzin aus der Hütte rollt, die Handpumpe anschließt und das Flugzeug auftankt, landet eine uralte DC-10, eine Propellermaschine, die in Europa als museumsreif gelten würde. Kaum kommt sie zum Stehen, öffnen die Wächter das Tor, und die Menschen stürmen auf das Rollfeld. Mit wehendem Kaftan laufen die Männer auf das Flugzeug zu. Das Wasser spritzt nur so aus den Pfützen, die der letzte Regen auf dem Teer hinterlassen hat. Die beiden Lastwagen und die Autos rollen langsam hinterher.

Olivier blickt nur kurz auf. „Ah, der Qat-Bomber ist gelandet." Das muss er mir näher erklären. „Jeden Tag um die Mittagszeit kommt hier ein Flugzeug aus Äthiopien an, voll beladen mit Qat." Das ist das Aufputschmittel, das alle einheimischen Männer kauen und das im Gegensatz zu Alkohol nicht ausdrücklich verboten ist. Weil die grüne Blattpflanze in

Dschibutis Wüste nicht wächst, wird sie aus dem Nachbarland eingeflogen, „pro Tag angeblich rund acht Tonnen".

Während Olivier ins Flughafengebäude geht, um die erforderlichen Genehmigungen für unseren Rundflug abzuholen, öffnen sich die Ladeluken der DC-10. Schreiend und wild gestikulierend versuchen die Männer, mit ausgestreckten Armen einen der mit Qat gefüllten Säcke zu erhaschen, die nacheinander aus dem Flugzeug geworfen werden. Haben sie einen ergattert, verlassen sie auf schnellstem Weg den Flughafen.

Olivier kommt zurück. Wir starten, und er nimmt Kurs auf den Lac Abbé im Südwesten von Dschibuti. Es ist nicht allzu weit dorthin, denn das Land ist nur 21 000 Quadratkilometer groß, etwa halb so groß wie die Schweiz. Der Salzsee, der von warmen Quellen gespeist wird, liegt nach wissenschaftlichen Angaben direkt über dem Zentrum des heißen Aufstroms, der unter dem Horn von Afrika aus der Tiefe empordringt. Das heiße, mineralreiche Wasser, das aus dem Wüstenboden sprudelt, hat nach oben spitz zulaufende Travertinsäulen geschaffen, die einzeln aufragen oder ganze Ketten bilden. Manche sind mit saftig grünen Wiesen gesäumt, auf denen Schafe und Ziegen weiden. Wir drehen ein paar Runden in der Luft. Dann geht es in weitem Bogen über die Wüste hinweg.

Die Erdkruste ist hier in gewaltige, parallel verlaufende Stufen zerbrochen. Die Senken zwischen den langgezogenen Steinrücken sind wegen der starken Regenfälle mit Wasser gefüllt. Die wenigen sonst braunen, vertrockneten Büsche haben frische Blätter angesetzt. „Das sieht man hier nicht oft", sagt Olivier.

Die Bruchzone verschwindet unter dem Assalsee mit seiner leuchtend weißen Salzdecke am Westufer. Am Ostufer tauchen die Risse und Spalten in der Erde wieder auf. Frischer und dichter aneinanderliegend, durchziehen sie das dunkle Lavagestein, das den Assalsee von der langgestreckten Meeresbucht des Goubet al-Karab trennt. Diese Bucht, an deren Ufer schwarze Vulkankegel im glasklaren, türkisblauen flachen Wasser liegen, mündet in den Golf von Aden. Gerade will Olivier Richtung Dschibuti-Stadt abdrehen, als ein Funkspruch über Kopfhörer kommt. Er soll die Flughöhe genau einhalten, denn gleich werden zwei Mirage-Kampfflugzeuge unseren Weg kreuzen. Mir rutscht das Herz in die Hose. Doch Olivier bleibt völlig ruhig und lässt den Blick nach allen Seiten wandern, um die olivgrünen, raketengleichen Geschosse nicht zu verpassen. Da, rechts von unserer Cessna, tauchen sie ein Stück unter uns auf. Ich habe einen Höllenlärm erwartet. Doch das Motorgeräusch der Cessna ist auch nicht gerade leise. Offenbar übertönt es die Düsenjäger. Sie scheinen lautlos unter uns durchzugleiten und entschwinden.

Riss in der Erdkruste am Goubet al-Karab, Golf von Aden, Dschibuti

486 FEUER GEFANGEN

Auf dem Rückflug kommt Olivier noch einmal auf den Qat zu sprechen. Er selbst hat das Zeug noch nicht ausprobiert, aber seine Wirkung soll nicht besonders stark sein. Fast alle Männer in Dschibuti kauen es, sagt er, alle Geldwechsler, Verkäufer, die Männer, die vor den vielen Cafés und Geschäften am Straßenrand sitzen, auch die Taxifahrer. Sogar Staatsbeamte kauen es regelmäßig, allerdings zu Hause in ihren Wohnzimmern. Gekaut wird, so Olivier, bis die Augen glasig und die Lippen grün sind. Zwischendurch schiebt man einen dicken Ballen der Pampe wie ein Hamster in eine Backe, um ihn später mit einem Schluck Wasser wieder zu aktivieren.

Ich traue meinen Ohren nicht. Jetzt wird mir alles klar: Der Taxifahrer, der uns an die Wand gefahren hat, stand unter dem Einfluss dieser Droge.

DER TAG unserer Abreise aus Dschibuti fällt genau mit dem Tag zusammen, an dem im Irak Saddam Hussein gefangen genommen wird. In der Empfangshalle unseres Hotels flimmern immer wieder die Bilder über den Fernsehschirm, die gnadenlos zeigen, wie eine Hand im offenen Mund des bärtigen Mannes herumstochert. Sämtiche Hotelangestellten und zahlreiche Gäste, fast alle aus dem arabischen Raum, starren darauf. Sie reden kaum miteinander. Viele schütteln nur den Kopf.

Unsere Koffer sind schon gepackt, wir warten auf ein Taxi. „Ich glaube nicht, dass er es ist", sagt der Portier zu mir. „Das ist bestimmt ein Doppelgänger." Sein Kollege ist anderer Meinung. „Das ist er, irgendwann mussten sie ihn ja erwischen. Aber dass damit der Terror vorbei ist, glaube ich nicht."

Glutlawinen in der Karibik

Montserrat ist eine kleine, gebirgige Insel in der Karibik – mit dichtem grünem Tropenwald bewachsen, mit sonnigen Stränden, umspült von den Wellen des blauen Meeres. Eine Trauminsel, nur zwölf Kilometer lang und bis sieben Kilometer breit, Geheimziel reicher Touristen – bis zum Juli 1995, als plötzlich wie aus einem geplatzten Rohr ätzende Gase aus einem Hang der alten Soufrière Hills zischten, einer Hügelkette nahe der Hauptstadt Plymouth. Gewaltige Eruptionen folgten. Die Aschewolken stiegen kilometerhoch in den Himmel. Ein alter Vulkan war nach 400 Jahren Ruhe wieder zum Leben erwacht und veränderte schlagartig das Leben der 12 000 Inselbewohner. Ihre Haupteinnahmequelle, der Tourismus, versiegte. 8000 Menschen verließen Montserrat. Die, die zu Hause blieben, wurden in den sicheren Norden des Eilandes umgesiedelt. Der Süden um den Vulkan war verwüstet und wurde zum Sperrgebiet erklärt. Niemand außer den Wissenschaftlern, die dort ihre Überwachungsstationen installiert haben, darf es betreten, denn der Vulkan könnte jederzeit wieder losbrechen.

Als Bernhard und ich im November 2000 auf die Insel kommen, ist der neu erwachte Vulkan zu einem Kegel angewachsen, der sogar den Chances Peak überragt, den mit 914 Metern höchsten Berg auf Montserrat. Er ist immer noch nicht zur Ruhe gekommen. Im Gegenteil. Die Wissenschaftler am Observatorium, die ihn überwachen, erwarten noch mehr Aktivität. Die Geschwindigkeit, mit der sich das bereits harte, aber immer noch 850 Grad heiße Lavagestein aus dem Schlot schiebt, hat nämlich wieder zugenommen. Bis zu fünf Kubikmeter heiße, bereits erstarrte Lava schieben sich pro Sekunde aus dem Schlund des Feuerbergs wie zähe Zahnpasta aus der Tube und lassen auf dem Gipfel gigantische Monolithen entstehen, turmgleiche Felsnadeln, die bis zu hundert Meter hoch werden können.

Wir haben vor Antritt dieser Reise mit dem Observatorium Kontakt aufgenommen und erfahren, dass die Gelegenheit günstig sei, am Soufrière-Hills-Vulkan Glutlawinen zu beobachten. Glutlawinen gibt es oft an explosiven Vulkanen. Sie sind unberechenbar, sehr schnell und daher höchst gefährlich. Dieses Gemisch aus Gas, Staub und Steinen bis hin zu hausgroßen Blöcken ist mehrere Hundert Grad heiß und rast mit einer Geschwindigkeit von zweihundert bis dreihundert Stundenkilometern den Berg herunter. Wer in die Bahn einer Glutlawine gerät, ist verloren.

Auf Montserrat, so teilten uns die Vulkanologen vom Observatorium mit, könne man dieses schwer kalkulierbare Phänomen gut beobachten, ohne sich in Lebensgefahr zu begeben. Diese seltene Gelegenheit wollen wir nutzen. Also fliegen wir über Kuba auf die Kleine Antilleninsel Antigua in die Karibik. Von dort aus gelangt man mit dem Schiff in etwa einer Stunde nach Montserrat.

Trotz der an sich beruhigenden Auskunft der Vulkanologen ist mir etwas mulmig zumute. Immerhin ereignete sich eine der größten Glutlawinen-Katastrophen seit Menschengedenken auf einer Nachbarinsel von Montserrat, auf Martinique. Im Jahr 1902 starben dort 30 000 Menschen, als die glühende Wolke aus dem Schlund des Mont Pelée die Küstenstadt St-Pierre überrollte.

Es IST bereits später Nachmittag, als der große Katamaran auf die Insel zusteuert. Der Himmel ist nahezu wolkenlos, für karibische Verhältnisse sehr ungewöhnlich. Deshalb stehen fast alle Passagiere an Deck und betrachten den Vulkan, dessen Spitze heute nicht verhüllt ist, sondern sich scharf gegen die Sonne abzeichnet. Alle paar Minuten löst sich am Gipfel eine kleine Steinlawine und stürzt hinab. Auch wenn sich daraus keine Glutlawine entwickelt, zeigen diese Felsstürze, dass sich eine Menge heißes Lavagestein aus dem Schlot schiebt.

Der Hafen von Montserrat im Süden der Insel wurde bei größeren Ausbrüchen des Soufrière-Hills-Vulkans im Jahr 1997 zerstört. Wir legen an einer neuen Mole in Little Bay im Norden an. Da Montserrat bis heute britisches Territorium ist, müssen wir die Zollkontrolle in einem der Holzhäuser an der Küste passieren. Vor dem provisorischen Hafengebäude wartet bereits David Lea. Wir haben ihn über das Internet kennen gelernt, als wir nach einer Unterkunft auf Montserrat suchten. David ist Amerikaner, lebt aber schon seit vielen Jahren mit seiner Familie auf Montserrat.

Der große blonde Mann mit den hellen blauen Augen und Vollbart, Ringen im Ohr und an den Fingern ist Missionar und Hobby-Vulkanologe. Er hat alle Phasen des neuen Ausbruchs am Soufrière-Hills-Vulkan von Anfang an auf Videofilm dokumentiert.

David fährt einen Pick-up. Auf der Ladefläche lümmelt ein großer Hund. „Das ist Juda", sagt David. Dann zeigt er in die Fahrerkabine, auf einen etwa sechsjährigen Jungen. „Und das da ist Noah."

David lädt unser Gepäck auf. Wir steigen ein und fahren los. Die Straße ist sehr schmal und kurvig. Sie führt weg von der Küste, steil hinauf ins Gebirge. Nach einer Viertelstunde biegt David links ab und fährt durch ein Tor in einen wunderschönen Tropengarten. IGUANAS CROSSING steht auf einem gelben Schild, also ist mit regem Leguan-Verkehr zu rechnen. „Wir haben eine Menge dieser kleinen Drachen in unserem Garten", sagt David. Einige davon sitzen auf einem Felsen neben der Zufahrt. Kaum haben sie uns bemerkt, flitzen sie ins Gebüsch.

Am Haus, einem flachen, leicht angewitterten Holzbau über dem steil zur Küste abfallenden Garten, warten bereits Davids Frau Glover und der zweite Sohn Jessy, etwa zehn Jahre alt, sowie Katze Rosi. Die Begrüßung ist kurz und herzlich. Dann begleitet uns die ganze Familie zu einer Holztreppe, die an Bananenstauden vorbei zu einem Anbau auf Stelzen führt, in dem sie ihre Gäste unterbringen. Sie händigen uns den Schlüssel aus, wünschen uns einen schönen Abend und lassen uns allein.

Ich bin wie berauscht von der tropischen Umgebung. Die Treppe führt zu einer kleinen, überdachten Veranda hinauf, die an einer Seite von leuchtend rot blühenden Bougainvilleen überwuchert ist. Eine Hängematte schaukelt im Wind. Die Luft ist angenehm kühl.

Der Missionar und seine Familie leben wie im Paradies. „Hier in unserem Haus haben wir kaum etwas von den schweren Vulkanausbrüchen der letzten Jahre mitbekommen", erzählt er später. Manchmal sei Ascheregen niedergegangen, und natürlich habe man den Knall der Explosionen gehört und später das Grummeln des Vulkans, der etwa acht Kilometer weiter südlich rumort. Aber hier sei man sicher.

WIR HABEN Davids alten Pkw gemietet. Nach einer traumlosen Nacht und einem opulenten Frühstück auf unserer Veranda fahren wir zum Vulkan-Observatorium. Es wurde 1995, nur wenige Wochen nach den ersten Gasausbrüchen, in einem alten weißen Steingebäude, dem Haus eines ehemaligen Plantagenbesitzers, im sicheren Norden der Insel eingerichtet. Der Vulkan liegt ein paar Kilometer Luftlinie vom Observatorium entfernt hinter einer Bergkette und ist daher nicht zu sehen. Doch die Wissenschaftler haben ihn mithilfe von Livekameras und Messgeräten, die laufend Daten zum Observatorium funken, sozusagen ständig im Blick.

Wir treffen uns mit Glenn Thompson. Glenn ist Erdbebenexperte und immer in Alarmbereitschaft. Zusammen mit drei Kollegen, die wie er aus England hierhergekommen sind, überwacht er schon seit ein paar Jahren im Auftrag der britischen Regierung den Soufrière-Hills-Vulkan, um die Bevölkerung rechtzeitig zu warnen, falls es Anzeichen für neue große Ausbrüche geben sollte. Sein Arbeitszimmer ist voll mit Apparaten, die jede Regung des Feuerbergs registrieren. Am Gürtel trägt er, wie die Ärzte in Krankenhäusern, einen kleinen Funkempfänger, der Alarm schlägt, sobald die Messwerte auf den Instrumenten bestimmte Grenzen überschreiten.

Wir sitzen noch keine fünf Minuten in seinem Zimmer, als es piepst – zugleich ertönt ein schrilles Pfeifen. Glenn horcht auf. „Das ist das Signal, das Erdbeben unter dem Vulkan hörbar macht, sobald sie eine kritische Stärke erreichen", erklärt er kurz. Dann konzentriert er sich ganz auf die weißen Trommelrollen der Seismografen. Diese Apparate, mit denen Erdbeben aufgezeichnet werden, registrieren jede Erschütterung auf der Insel. Jetzt schlagen sie weit aus. Ihre Metallzeiger, die eben noch eine fast waagerechte Linie zeichneten, huschen hektisch hin und her und hinterlassen dabei kräftige Spuren auf dem Papier über den Drehtrommeln. „Wahrscheinlich ist wieder eine Glutlawine ins Tal des

Tar River niedergegangen", meint Glenn, also kein kleiner Steinschlag, wie wir sie vom Schiff aus gesehen haben, sondern ein gewaltiger Strom aus heißen Steinen, glühendem Staub und ätzendem Gas. Die Wissenschaftler bezeichnen sie als *pyroclastic flows* oder kurz PF. Im Tar River Valley, einer einst üppigen grünen Schlucht, können sie jedoch keinen Schaden mehr anrichten, sagt Glenn. Dort ist bereits alles vernichtet. Das Tal ist größtenteils verschüttet und gleicht einem Trümmerfeld.

Bernhard und ich warten gespannt, was passiert. Glenn blickt auf den Monitor, der das Bild der Livekamera am Vulkan zeigt, um seine Vermutung zu überprüfen. Doch es ist keine Hilfe, denn an vier von fünf Tagen verhüllen dichte Wolken die obere Hälfte des Feuerbergs. „So ist das leider in den Tropen", seufzt Glenn. Trotzdem bestätigt sich einige Minuten später seine Annahme. Auf dem Bildschirm erscheint plötzlich eine graubraune Masse über dem milchig weißen Wolkenvorhang – der Staub des Glutstroms, den das Gas in die Höhe treibt.

Glenns Kollege Peter Dunkley kommt herein. Glenn informiert ihn kurz, und Peter prüft sofort die Windrichtung. „Nordwest – die Wolke zieht ab übers Meer", sagt er erleichtert. „Also kein Staub- und Ascheregen über bewohnten Gebieten." Trotzdem will er über den Rundfunksender der Insel eine Meldung durchgeben.

Da die Vulkanologen jetzt beschäftigt sind, verabreden wir ein weiteres Treffen und fahren zurück in unsere exotische Unterkunft. Mittlerweile ist es sehr warm geworden, und der kühle Luftzug, der durch die schattige Veranda weht, macht die Temperatur erträglich.

David kommt aus dem Garten herauf und setzt sich zu uns. Von ihm erfahren wir, dass derzeit nur noch 4500 Menschen auf Montserrat leben. Vor fünf Jahren waren es dreimal so viele. Doch dann erwachte der Vulkan. Mitten im Tropenwald in den Hügeln im Süden sei er kontinuierlich angewachsen, etwa dort, wo lediglich ein paar dampfende Schwefelquellen darauf hingedeutet hatten, dass Montserrat, wie fast alle karibischen Inseln, vulkanischen Ursprungs ist.

Nachdem David in Fahrt gekommen ist, hört er so schnell nicht wieder auf. Als Chronist des Ausbruchs kennt er alle Einzelheiten. Er hat sich oft sehr nah an die Ausbruchstelle herangewagt, was die Vulkanologen vom Observatorium gar nicht so gern sahen. Doch David war, wie er sagt, ganz gebannt von der Gewalt und der Kraft, die in dem Vulkan stecken. Außerdem sei es wichtig für die Menschen, die hier leben, genau zu sehen und zu verstehen, was sich auf ihrer Insel abspielt.

David kennt auch viele wissenschaftliche Details. Der neue Feuerberg von Montserrat speit keine glutflüssige, glühende Gesteinsschmelze, son-

FEUER GEFANGEN

dern schiebt ganz langsam heiße Brocken aus schwarzer, bereits auskristallisierter Lava aus seinem Schlund. Auf diese Weise ist allmählich ein neuer Hügel herangewachsen, der im Innern mindestens 850 Grad heiß ist. Das lässt sich aus der Ferne anhand der Wärmeabstrahlung messen.

Wissenschaftler bezeichnen einen solchen Kegel als vulkanischen Dom. Je schneller und höher so ein Dom wächst, desto instabiler wird er. Sein Gestein wird durch den Druck und durch die Spannung beim Hochschieben aus dem Erdinnern mürbe. Immer wieder brechen Stücke ab. Glühende Felsen donnern dann den neuen Berg herunter. Sie zerspringen dabei in tausend Teile, wobei das Gas, das in den feinen Poren steckt, frei wird. Es treibt den heißen Staub in die Höhe. So baut sich eine blumenkohlartige, graubraune Wolke auf. Manchmal, so berichtet der Missionar mit der ihm eigenen getragenen Stimme, kommt es zu einem regelrechten Kollaps. Dann brechen plötzlich große Mengen heißen Gesteins im Gipfelbereich ab. Die Lava, die noch im Schlot steckt, wird dadurch entlastet. Gase werden schlagartig frei. Es kommt zu Explosionen. Dann wälzen sich gleich mehrere Glutströme die Hänge herab; zugleich schießen Aschewolken in den Himmel.

Das passierte erstmals zwei Jahre nach Beginn des Ausbruchs im Juli 1995. Dabei wurde die Hauptstadt Plymouth vollständig vernichtet. Auch der Hafen und der Flughafen wurden zerstört. Die Einwohner im Umkreis des Vulkans wurden evakuiert. Dennoch kamen 23 Menschen ums Leben. Der Dom wuchs erneut drei Jahre lang, bis er im März 2000, also acht Monate vor unserer Reise, wieder kollabierte. Nachdem sich die Staub- und Aschewolken verzogen hatten, zeigte sich, dass dem jungen Vulkankegel oben zweihundert Meter fehlten.

David hat all diese Vorgänge auf Video aufgenommen. Die Filme seien schon mehrere Male von dem kleinen Fernsehsender auf Montserrat ausgestrahlt worden, berichtet er stolz.

David ist immer mit einem Ohr am Funkgerät in seinem Wohnhaus. Kein Funkspruch, in dem der Vulkan erwähnt wird, entgeht ihm. Denn er will, wenn größere Glutströme abgehen, sofort zur Stelle sein, um sie zu filmen und die Dokumentation fortzusetzen.

Nach dem letzten Domkollaps im März presst der Feuerberg weiterhin harte Lava aus seinem Schlot. „Der Gipfel des Doms liegt jetzt bei 1077 Metern, höher als jemals zuvor", sagt David und empfiehlt uns, zum Garibaldi Hill zu fahren, einem Hügel am Rand des Sperrgebiets. „Von dort aus hat man einen guten Blick auf den Vulkan, auf die Wege der Glutströme und auf Plymouth – das heißt auf das, was davon noch übrig ist."

Bernhard und ich folgen seinem Rat und steigen ins Auto. Kurvenreiche, schmale Straßen führen durch den tropischen Wald, durch kleine Siedlungen und Bananenpflanzungen. Viele Menschen, die vor dem Ausbruch im Süden der Insel gewohnt und ihre Häuser und Felder verloren haben, wurden inzwischen in neue Behausungen im sicheren Norden umgesiedelt. Geschäftsleute haben in frisch gezimmerten und farbig bemalten Holzhäuschen neue Läden eröffnet. Sie alle hoffen, dass sich der Vulkan wieder beruhigt und sie dann in ihre alten Häuser zurückkehren können.

Der Garibaldi Hill ist nicht üppig grün, sondern mit trockenem Gras überwuchert. Er gehört auf der Insel zu den Regionen im Windschatten der hohen Berge, wo es nicht besonders viel regnet. Auf dem Hügel steht ein kleines Steingebäude. Daneben ragt eine Antenne in den Himmel. Vermutlich handelt es sich um eine der vielen Funkstationen des Observatoriums.

Vor uns liegt eine niedrige Hügelkette. Sie bildet die Grenze zwischen Sperrgebiet und sicherem Inselbereich. Dahinter ist Plymouth zu sehen.

Die Stadt erstreckt sich von der Küste ein Stück den Hang hinauf, der sich heute unter Wolken verliert. Plymouth muss eine sehr schöne, gemütliche Stadt gewesen sein, mit vielen bunten Häusern und karibischem Flair. Dort gab es früher auch ein Tonstudio, das Air Studio, in dem prominente Musiker und Bands berühmte Songs produzierten.

Heute ist es eine Geisterstadt. Durchs Fernglas kann ich an der Küste, wo das Stadtzentrum gelegen haben muss, einen Schuttstrom erkennen, aus dem die oberen Stockwerke von Häusern und der weiße Uhrenturm, das ehemalige Wahrzeichen der Stadt, ragen. Die meisten Dächer sind eingedrückt. Große Wassertanks liegen herum, als hätte ein Riese damit Fußball gespielt.

Ich muss an das Gespräch mit David denken. Nicht nur Glutströme hätten die Stadt vernichtet, erfuhren wir, sondern bei jedem starken Regenguss wälzten sich immer neue Schlammlawinen den Berg herunter. Die Glutlawinen haben die Wälder, die früher den Regen abfingen, niedergewalzt und versengt. Deshalb kann das Wasser den Boden am Berghang leicht ausschwemmen und Steine, Sand und Staub, die sich aus den Glutströmen abgelagert haben, mit sich fortspülen.

Ich schwenke das Fernglas an den Rand der Stadt. Dort scheint auf den ersten Blick nicht viel passiert zu sein. Intakte Häuser stehen in grünen, ein wenig verwilderten Gärten an Straßen, auf denen jedoch keine Autos zu sehen sind. Die Fenster sehen aus wie schwarze Löcher. Stille liegt über der Landschaft. Grabesstille. Das sind die Bereiche, die zwar

FEUER GEFANGEN 493

von einigen großen Glutwolken gestreift, aber nicht zerstört wurden und jetzt wieder ergrünen. Doch sie liegen direkt in der Falllinie möglicher Glutlawinen und wurden deshalb zum Sperrgebiet erklärt, das kein Mensch, auch kein Hauseigentümer, betreten darf.

DIE NÄCHSTEN fünf Tage auf Montserrat sind sonnig und warm. Weiße Bauschwolken zieren den blauen Himmel. Ich wünsche sie zum Teufel. Sie legen sich auf die höchsten Berggipfel und bewegen sich nicht mehr von dort weg. Vom Soufrière-Hills-Vulkan habe ich bislang immer nur die untere Hälfte gesehen und damit auch nur die untere Hälfte der Glutlawinen, die sich alle paar Stunden an seinem Gipfel lösen und in Richtung Tar Valley herunterrauschen.

Unverdrossen fahren wir Tag für Tag quer über die Insel zum Jackboy Hill an der Ostküste. Von dort aus hat man den besten Blick ins Sperrgebiet und auf den neuen Vulkankegel mit dem dampfenden Dom am Gipfel.

Erst am sechsten Tag haben wir Glück. Die Luft ist klar. Nur wenige Wolken ziehen über den Himmel. Schon um sieben Uhr morgens treffen wir am Jackboy Hill ein. Auch hier stehen, wie am Garibaldi Hill, ein Steinhaus und eine Funkantenne des Observatoriums. Außerdem dreht sich ein Windmesser, und eine Livekamera ist installiert.

Heute ist der Gipfel frei. Drei mächtige Zacken ragen empor. Das müssen Felstürme aus der heißen, bereits erhärteten Lava sein, die der Vulkan kontinuierlich aus seinem Schlot schiebt. Da – eine Lawine hat sich gelöst. Steine springen die Flanke des Kegels herunter, der von hier aus wie ein riesiger Haufen Schutt aussieht. Staub wirbelt auf. Doch schon im oberen Drittel kommt die Lawine zum Stehen. Es war nur ein kleinerer *rock fall*, ein Felssturz, und keine Glutlawine.

Bernhard schraubt die Kamera aufs Stativ. Er will bereit sein, wenn die nächste Glutlawine ins Rollen kommt.

Es dauert nicht lange, da nähert sich ein Auto des Observatoriums. Es ist Tappi, ein einheimischer Mitarbeiter des englischen Vulkanologen-Teams. Er packt ein Vermessungsgerät aus. Die Wissenschaftler nutzen jeden freien Blick auf den Gipfel, um die Veränderungen zu dokumentieren. Weil das Wetter heute so schön ist, hat Tappi seine Familie mitgebracht, seine Frau Ariane und die beiden kleinen Kinder. Alle schauen zuerst auf die Silhouette des Feuerbergs, denn so klar ist er nicht oft zu sehen.

Während Tappi sich auf seine Arbeit konzentriert, komme ich mit Ariane ins Gespräch. Die große, dunkelhäutige Frau, die ihr schwarzes

494 FEUER GEFANGEN

Haar kunstvoll in Zöpfen am Kopf entlanggeflochten hat, ist auf Montserrat geboren und hat die Insel noch nie verlassen. Sie lebte in Plymouth und war zum ersten Mal schwanger, als der Vulkan 1997 die Hauptstadt zerstörte. „Wir wurden insgesamt viermal evakuiert", erzählt sie. „Zuerst waren wir in einer Kirche untergebracht, später dann in einem Zeltlager noch ein Stück weiter vom Vulkan entfernt." Einmal sei so viel Asche vom Himmel gefallen, dass die Zelte über den Menschen zusammenbrachen. „Es war furchtbar", sagt Ariane. „Ich war hochschwanger und habe das Zeltdach über mir hochgestemmt, solange es ging, damit andere, die noch weniger Kraft hatten als ich, aus dem Chaos rauskamen." Dann seien Soldaten eingesetzt worden, um zu helfen. „In all dem Durcheinander wurden Kinder von ihren Müttern getrennt, es war ein Suchen und Schreien, und es dauerte Tage, bis sich die Aufregung gelegt hatte." Ihren ersten Sohn brachte Ariane in einer Schule zur Welt, nur durch ein aufgespanntes Leinentuch von ihren kranken Bettnachbarn getrennt. Draußen grollte der Vulkan. Bei der Erinnerung daran schüttelt sie den Kopf. Doch sie hat alles gut überstanden. Wegen des Feuerbergs würde sie die Insel nie verlassen, sagt sie. Sie möchte nirgendwo anders leben, wenn es nicht unbedingt sein muss. Jetzt wohnt Ariane mit ihrer Familie in der Neubausiedlung *Look-out* im sicheren Teil der Insel.

Ariane deutet auf den Vulkan. Ein größerer Felssturz hat sich gelöst. Er scheint sich zu einer Glutlawine zu entwickeln. Immer mehr Fels bricht in der Gipfelregion ab und stürzt zu Tal. Unmengen Staub wirbeln empor. Obwohl die Lawine mehr als hundert Stundenkilometer schnell sein dürfte, wirkt es aus der Entfernung, als würde sie sich in Zeitlupe lautlos den Hang herunterbewegen. Sie erreicht den Fuß des Vulkans, nicht aber das Meer. Erst nach zehn Minuten hat sich der Staub gelegt und der Gipfel ist wieder zu sehen.

Noch ein Auto fährt den Jackboy Hill herauf. Es ist Rick Herd vom Observatorium. Er hilft Tappi und macht ein paar Fotos vom Vulkan. „Soweit wir das abschätzen können, sind die *spines*, die Felstürme da oben, bis zu siebzig Meter hoch", sagt er. „Es dürften die größten sein, die wir bislang hier erlebt haben."

Rick muss heute zum ehemaligen Inselflughafen im Sperrgebiet, um dort Messungen zu machen, und fragt, ob wir mitkommen wollen. Es werde etwa einen halben Tag dauern. Natürlich nutzen wir die Gelegenheit. Über Funk holt Rick noch die Genehmigung vom Observatorium ein. Dann steigen wir zu ihm in den Landrover und fahren los, den Jackboy Hill hinunter, diesmal aber nicht nach Norden, sondern nach Süden.

FEUER GEFANGEN

Nach etwa zwei Minuten kommen wir an eine rot-weiß gestreifte Schranke und ein großes Schild: GEFAHR – SPERRGEBIET. KEIN ZUTRITT FÜR UNBEFUGTE. Rick holt einen Schlüssel aus dem Handschuhfach, öffnet den Schlagbaum und schließt hinter uns wieder ab. Es geht noch ein ganzes Stück auf der verlassenen Teerstraße den Hügel hinab bis ans Meer.

Am Fuß des Jackboy Hill liegen üppig grüne Wiesen, ehemaliges Weideland. Langsam beginnen sie zu verwildern. Sträucher und Bäume machen sich breit. Wir treffen auf eine Herde wilder Esel. Die Jungtiere springen übermütig herum, als sie das Auto kommen sehen. Dann geht es an den Ruinen einer alten Zuckerfabrik vorbei, deren Kamin hoch in den Himmel ragt. Hundert Meter weiter kommen die Überreste des Flughafens in Sicht.

Seit fünf Jahren waren keine Menschen mehr hier. Nur die Wissenschaftler, die zu ihren Messstellen fahren, oder ein paar Einheimische, die trotz des Verbots manchmal versuchen, zu ihren Häusern vorzudringen, um nach dem Rechten zu sehen.

Rick fährt auf die Start- und Landebahn, die mit etwa zweihundert Meter Abstand parallel zur Küste verläuft. Zur Hälfte ist sie noch intakt. Die andere Hälfte wurde von einer Glutlawine verschüttet. Rick erklärt uns, dass das ursprünglich glühend heiße Lawinenmaterial nur sehr langsam abkühlt. Das Observatorium habe bei Messungen im bis zu zehn Meter dicken Schutt der Glutlawinen festgestellt, dass noch sieben Monate nach der Ablagerung zwei Meter unter der Oberfläche eine Temperatur von 350 Grad herrschen kann.

Rick parkt den Wagen so, dass wir jederzeit schnell hineinspringen und flüchten können, denn wir stehen hier direkt in einer Lawinenbahn. „Derzeit gehen zwar fast alle PFs ins Tar River Valley etwa zwei Kilometer weiter südlich, aber man weiß ja nie", sagt er und greift zum Funkgerät, um seinen Kollegen im Observatorium unsere Position durchzugeben. Dann erkundigt er sich nach der Erdbebenaktivität im Berg. Im Moment gibt es dafür jedoch keine Anzeichen.

Also packt Rick das Vermessungsgerät aus. Bernhard bringt seine Kamera in Stellung, und ich habe viel Zeit, um mir die Umgebung genauer anzusehen. „Geh aber nicht zu weit weg", mahnt Rick, „uns bleiben nur zwei bis drei Minuten zur Flucht, wenn sich da oben ein größerer PF lösen sollte."

Die Sonne sticht. Ich ziehe meinen Hut weiter in die Stirn.

Wir sind nun viel näher an dem graubraunen, über tausend Meter hohen Schuttkegel als zuvor am Jackboy Hill. Von hier aus sind auch die hellen Gaswolken gut zu sehen, die ständig aus dem Dom quellen. Alle paar Minuten lösen sich ein paar Felsbrocken am Gipfel und rollen ein Stück die Vulkanflanke herunter.

Die Bahn der Glutlawinen, an deren Ende ich stehe, ist übersät mit riesigen Felsblöcken. Auch völlig verkohlte Holzstücke liegen herum. Diese Schuttmassen haben weiter oben am Berg einige Häuser unter sich begraben, bevor sie hier an der Küste ans Flughafengebäude schlugen. Der Tower steht zwar noch, aber das oberste Stockwerk wurde weggerissen. Auf dem lang gestreckten Gebäude, in dem noch vor wenigen Jahren die Passagiere abgefertigt wurden, fehlt das Dach. Türen und Fenster sind herausgebrochen.

Plötzlich ist ein dumpfes Grollen zu hören. Ich blicke auf den Gipfel des Soufrière-Hills-Vulkans. Ein riesiger Brocken Lava bricht vom Fuß eines der mächtigen Felstürme ab, zerspringt in unzählige Bruchstücke, die so zu Tal poltern, dass wir sie bis hierher hören. „Das könnte was werden!", ruft Rick. Da die Lawine Kurs auf das Tar Valley nimmt, haben wir an unserem Standort zunächst nichts zu befürchten. Doch mir schlägt das Herz bis zum Hals. Ein englischer Mediziner namens Peter Baxter hat Glutlawinenopfer untersucht und beschrieben, wie sie sterben. Da ist zunächst die Hitze. Kein Mensch kann Temperaturen über zweihundert Grad aushalten. Der Körper verkohlt in kürzester Zeit. Außerdem wird durch den Druck glühender Staub in die Lungen gepresst und verbrennt die Lungenbläschen, was sofort zum Tod führt.

Vor meinen Augen entwickelt sich tatsächlich ein PF. Die Gase, die beim Zerplatzen der Felsblöcke frei werden, treiben den Staub immer höher in die Luft. Die ganze Flanke des Vulkans ist jetzt in eine graubraune Wolke gehüllt, die zu Tal rast und an ihrer Front wie ein riesiger Bulldozer Steine und Felsblöcke aufwirbelt. Erst kurz vor der Küste kommt sie zum Stehen, dehnt sich aber immer noch weiter nach oben aus. Immer neue Staubwölkchen quellen aus der großen Wolke empor und breiten sich aus.

Gleichzeitig knackt das Funkgerät. Ricks Kollegen im Observatorium sind besorgt. Der Piepser hat Alarm geschlagen. Rick erläutert die Lage, gibt durch, wann genau der Glutstrom losgebrochen ist, und beschreibt die Wolke. „Bei uns ist alles klar", meint er und konzentriert sich wieder auf seine Arbeit. Als Vulkanologe hat er Erfahrung mit Glutlawinen.

VIER Jahre später ist der Vulkan immer noch aktiv. Das Sperrgebiet wurde zwar etwas verkleinert, aber Plymouth und andere Ortschaften sind nach wie vor unzugänglich, obwohl der Vulkan inzwischen weniger

Eine Glutlawine wälzt sich die Flanke
des Soufrière-Hills herunter.

Von den Glutlawinen zerstörtes Gutshaus
auf der Karibikinsel Montserrat

gefährlich ist. Im Juli 2003 ist wieder einmal der Dom kollabiert. Eine Glutlawine nach der anderen wälzte sich das Tar River Valley herunter bis ins Meer. Dadurch wurde eine Flutwelle in Gang gesetzt, die bis zur Nachbarinsel Guadeloupe achtzig Kilometer weiter südöstlich rollte. 15 Zentimeter hoch lag die Asche, die aus den Eruptionswolken fiel, im Norden von Montserrat. Nur ein kläglicher Rest des vorher etwa 1100 Meter hohen Vulkankegels blieb übrig. Trotzdem, der Vulkan ist immer noch sehr aktiv. Erst im März 2004 ist ein Teil des alten Domrestes zusammengestürzt, und deshalb, so meinen die Leute vom Observatorium, sei der Ausbruch noch nicht beendet.

Wie sehr Ascheregen und auch Erdbeben, die einen Ausbruch oft begleiten, das alltägliche Leben der Menschen beeinträchtigen, habe ich in Sizilien erlebt, als dort im Oktober 2002 der Ätna ausbrach.

Beim Ausbruch 2002 am Ätna

Achtung, Achtung! Alle Flüge nach Catania sind gestrichen. Der dortige Flughafen ist wegen des Ätna-Ausbruchs bis auf Weiteres geschlossen", tönt es aus dem Lautsprecher auf dem Flughafen in Rom. So ein Pech. Jetzt sitzen Bernhard und ich fest. Dabei erwarten uns in Catania auf Sizilien ein Mietauto und am Ätna, einem der mächtigsten Vulkane Europas, eine Menge Arbeit. Ich gehe zum nächsten Schalter. Dort steht bereits eine Menschenschlange. „Ich kann Ihre Tickets nach Palermo umbuchen", sagt die Stewardess, als ich endlich an der Reihe bin. Doch die nächste Maschine ist bereits voll. Erst im Flieger zwei Stunden später ist noch Platz.

Palermo liegt am anderen Ende von Sizilien, etwa 250 Kilometer von Catania und dem Ätna entfernt. Wenn man die Fahrt von dort quer über die Insel in das Städtchen Zafferana mitrechnet – wie immer haben wir uns bei Pina in der Pension eingemietet –, ist fast schon ein ganzer Tag von der geplanten Woche verloren. Ob wir in der restlichen Zeit alles schaffen, was wir uns vorgenommen haben? Ich soll für eine Zeitung, für eine Online- und eine Hörfunkredaktion über den Ätna-Ausbruch berichten, möglichst schnell und aktuell, und wir brauchen spektakuläre Feuerfotos für ein Buchprojekt.

Meine Aufregung legt sich in dem Moment, als wir in Palermo landen. Die Sonne scheint vom blassblauen Oktoberhimmel. Es ist angenehm warm. Unser Gepäck ist trotz des Routenwechsels mit uns einge-

FEUER GEFANGEN

troffen. Die Autovermietung, bei der wir einen kleinen Fiat gebucht hatten, besitzt auch eine Niederlassung am Flughafen in Palermo, sodass wir problemlos umbuchen können.

Es herrscht nicht allzu viel Verkehr auf der Autobahn quer durch das ausgedörrte, kahle, bergige Binnenland Siziliens. Wir kommen schnell voran. Etwa auf halber Strecke liegt die alte Stadt Enna. Von dort aus sehen wir bereits die gewaltige Eruptionswolke des Ätna. Grau und bedrohlich steht sie über dem Horizont.

Nach einer weiteren Stunde Fahrt, immer auf den gut 3300 Meter hohen Vulkanrücken und seine Eruptionswolken zu, erreichen wir Catania. Je näher wir der Stadt kommen, desto finsterer wird es. Die Sonne ist hinter den gigantischen Aschewolken verschwunden, die den halben Himmel bedecken. Es ist, als würden wir in ein schweres Gewitter geraten. Dabei verursacht allein der Vulkan die Düsternis.

Wir umfahren die Stadt weiträumig. Die Autobahn ist mit schwarzen Sandhaufen eingefasst – der Asche, die der Berg in den letzten beiden Tagen ausgespien hat und die aus den Eruptionswolken herabgerieselt ist. Kehrmaschinen haben sie zur Seite geschoben.

Am frühen Nachmittag erreichen wir die Abzweigung nach Zafferana, das auf der Ostflanke des Ätna liegt. Direkt über uns ist die Eruptionswolke besonders dunkel. Plötzlich ein Geräusch, als würden Regentropfen auf die Windschutzscheibe prasseln. Doch kein Wasser regnet herab, sondern feinste schwarze Sandkörner.

Schilder mit der Aufschrift ATTENZIONE – SABBIA VULCANICA, „Achtung – Vulkansand", stehen am Straßenrand. Die Abermillionen feinen schwarzen Körnchen machen die steile, gewundene Straße hinauf in das malerische sizilianische Städtchen zur Schleuderstrecke. Sand und Staub hüllen die Landschaft in einen schwarzen Trauerflor. Autos, Hausdächer – alles ist bedeckt. Kaum ein Mensch ist auf den Straßen zu sehen. Das liegt jedoch nicht nur am Ascheregen, sondern sicher auch an der Tageszeit. Jetzt ist noch Mittagspause in Zafferana.

Zu den wenigen, die keine Siesta halten, gehört Pina. Ihre Pension liegt ein Stück oberhalb des Ortes. Pina trägt ein Kopftuch, um ihre roten, lockigen Haare vor der immer noch vom Himmel rieselnden Asche zu schützen. Sie kehrt gerade ihren Hof, als wir auf den kleinen Parkplatz neben ihrem Haus einbiegen.

„Schlimm, schlimm, schlimm", jammert sie mit ihrer rauchigen Stimme, während sie uns mit verzweifelter Miene entgegenkommt, um uns zu begrüßen. Seit ein paar Tagen gehe das nun schon so. Sie werde mit dem Kehren gar nicht mehr fertig. Dabei sei die Asche vor dem

Pina kehrt staubfeine Vulkanasche vor ihrer Pension in Zafferana an der Ostflanke des Ätna.

Hauseingang noch das geringste Problem. Dieter, ihr Mann, müsse den schwarzen Sand und Staub immer wieder vom Hausdach schieben. Das Dach sei zwar sehr stabil, aber wenn es regnet, verbäckt die Asche zu einer Art Zement, wird dabei äußerst schwer und ist später kaum mehr wegzubekommen. Außerdem bläst der Wind sie ständig vom Dach auf die Balkone und den Garten.

Wir umarmen uns herzlich. Ich kann es Pina nachempfinden. Schon oft haben wir über ihre Ängste gesprochen. Der Berg ist ihr immer ein wenig unheimlich, auch in ruhigen Zeiten, in denen nur helle Gasschleier aus den vier Schlünden auf dem Gipfel aufsteigen. Sie würde Zafferana jedoch nie verlassen. Es sei denn, die ganze Familie käme mit. Aber das ist unwahrscheinlich, denn ihr Mann Dieter sieht im Ätna einen interessanten Nachbarn, über den es immer etwas zu erzählen gibt, der allerdings auch sehr lästig werden kann – so wie jetzt.

„Es ist aber nicht nur der Ascheregen", sagt Pina. Zurzeit machen ihr vor allem die vielen Erdbeben Sorgen. Erst zwei Tage vor unserer Ankunft wurde das historische Zentrum im Nachbarort Santa Venerina durch starke Erschütterungen zerstört und unbewohnbar gemacht. Viele Menschen mussten ihre Häuser verlassen und leben in einer provisorischen Zeltstadt. Auch in Zafferana mussten einige Balkone abgestützt werden, weil sie Risse bekommen haben und abzubrechen drohen.

„Komm, komm mit, auch bei uns was kaputt", sagt sie in ihrem eigenwilligen Deutsch. Sie führt mich in ein Gästezimmer, das sie gerade frisch hat streichen lassen. Zwei Risse ziehen sich über Kreuz durch eine der pfirsichfarbenen Seitenwände – typische Bruchstrukturen an erdbebensicheren Gebäuden, die bei starken Erschütterungen zwar beschädigt werden, aber standhalten. „Schlimm, schlimm, schlimm", sagt Pina immer wieder und schüttelt dabei den Kopf.

„Na, Pina, da haben wir doch schon viel Schlimmeres überstanden." Die tiefe Stimme von Dieter ertönt draußen vor dem Fenster. Er kommt gerade nach Hause. Auch er begrüßt uns sehr herzlich – und erzählt uns zum wiederholten Mal die Geschichte von dem schweren Beben, das das neu erbaute Haus vor rund 35 Jahren durchschüttelte. „Da hat sich die teure, schwere Stahlkonstruktion zum ersten Mal bewährt." Für ihn sei das der beste Beweis dafür, dass in diesem Haus nichts passieren kann.

Pina ist skeptisch. Auch mir geben die Risse in der pfirsichfarbenen Wand zu denken. In den wenigen Stunden seit unserer Ankunft auf Sizilien habe ich zwar noch kein Beben gespürt, aber man weiß ja nie.

Inzwischen hat der Ascheregen aufgehört. Wir holen unser Gepäck aus dem Auto. Jeder Schritt auf der mit schwarzer Vulkanasche bedeckten Straße knirscht. Die Schuhsohlen zermahlen die Körner zu feinstem Staub, ebenso wie die Reifen der Autos, die vorbeifahren. Dieser Staub kriecht überall hin, ins Haus, in die Schränke, in die Betten. Man spürt ihn zwischen den Zähnen, in der Nase und in den Ohren. Manchmal macht er das Atmen schwer.

Wir schleppen unsere Taschen in den zweiten Stock, in eines der Zimmer unter dem Dach. Dann gehen wir hinunter in den Gemeinschaftsraum. Dieter hat den Fernseher eingeschaltet. Der Lokalsender *Antenna Sicilia* informiert laufend über den Ausbruch. Mehr als einen Kilometer lang ist der Riss, der sich von Norden nach Süden über den Vulkan zieht, heißt es in den Nachrichten. In Linguaglossa im Norden wurde das Katastrophenzentrum eingerichtet. Oberhalb des Städtchens haben sich an diesem Riss 16 neue Kraterlöcher aufgetan. Aus einigen dieser Schlünde schießen unter ohrenbetäubenden Detonationen Lavafetzen. Aus anderen fließen Ströme von Lava. Sie vereinigen sich zu einem breiten Glutfluss, der Kurs auf Linguaglossa genommen hat. Das Hotel, die Restaurants und Souvenirläden des Bergsteigerzentrums Piano Provenzana oberhalb des Ortes sind bereits von dem Strom überrollt und völlig zerstört worden. Die Zufahrtsstraße ist abgeschnitten. Teile des Waldes stehen in Flammen. Aus neuen Löchern, die über den ganzen Berg hinweg eine Linie bilden, quillt Lava.

Bürgermeister, Zivilschutzbeauftragte und Wissenschaftler vom Nationalinstitut für Geophysik und Vulkanologie in Catania, die jede Regung des Vulkans genau im Auge haben, werden interviewt. Nein, es sei noch kein Ende des Ausbruchs abzusehen, sagen sie. Es könne sogar schlimmer werden. Bisher bedrohe die Lava jedoch noch keine Wohngebiete.

MICH hält es kaum länger im Haus. Ich will raus und sehen, was weiter oben am Ätna los ist. Doch die Straßen an den Hängen des Vulkans sind, wie wir aus dem Regionalfernsehen erfahren, ab neunhundert Meter Höhe gesperrt. Die Polizei hält alle Schaulustigen zurück. Um da durchzukommen, brauchen wir erst eine Genehmigung. Und die ist – das wissen wir vom Ausbruch im Jahr zuvor – nur schwer zu erhalten. Da weder Bernhard noch ich gut genug Italienisch sprechen, begleitet uns Dieter nach Linguaglossa ins Katastrophenzentrum.

Wir kommen gegen 17 Uhr dort an. Die Abteilung, die für unser Anliegen zuständig ist, sitzt im Rathaus. Wir legen unsere Presseausweise vor, dazu die Empfehlungsschreiben der diversen Auftraggeber. Man schickt uns vor die Tür. Wir sollen kurz warten.

Nach etwa einer Stunde kommt endlich ein Beamter aus dem Büro, um uns mitzuteilen, dass der Verantwortliche gerade nicht da sei. Wir sollten doch morgen früh wiederkommen. Das ist zu spät, sage ich.

„Sie können es ja mal mit dem Presseausweis allein versuchen", sagt der Beamte. „Vielleicht lässt die Polizei Sie durch." Wir folgen seinem Rat und fahren Richtung Ätna zur Absperrung an der Straße außerhalb des Ortes. Auch dort drängen sich die Menschen. Wir kämpfen uns zur Schranke durch. Doch die Beamten in den schicken Uniformen bleiben hart. Nur mit ausdrücklicher Genehmigung dürften wir passieren. Also bleibt auch uns nur der Blick aus der Ferne.

Mittlerweile ist es dunkel geworden. Der Feuerschein der Eruptionen erleuchtet den Nachthimmel. Die ganze Bergkante scheint zu brennen. Auch die Explosionen sind zu hören. Schweren Herzens entscheiden wir uns umzukehren.

Auf dem Rückweg zum Auto treffen wir auf eine Prozession. „Die schicken wieder mal den Stadtheiligen an die Front", sagt Dieter. „Hier in Linguaglossa ist das Sant' Egidio." Das muss die fast lebensgroße Statue unter dem weiß-goldenen Baldachin sein, die, von Kerzen erleuchtet, vor dem Zug hergetragen wird. Dieter erzählt leise, was es mit dem Heiligen auf sich hat. 1923 sei schon einmal ein Lavastrom des Ätna auf Linguaglossa zugeflossen. Auch damals habe man Sant' Egidio um Hilfe gebeten. Dort, wo die Bürger den Stock des Heiligen in den Boden rammten, sei die Lava stehen geblieben.

PÜNKTLICH um neun Uhr am nächsten Morgen sind wir wieder in Linguaglossa im Rathaus, um unsere Genehmigungen abzuholen. Der Beamte schickt uns jedoch weiter ins Nachbargebäude zum C. O. M., dem Centro Operativo Misto, der Leitzentrale des Katastrophenzentrums.

Dort bekommen wir endlich, was wir brauchen – unsere Erlaubnisscheine, zwei von Hand unterschriebene Formulare im DIN-A5-Format in einem Plastiketui, das man sich an einer Schnur um den Hals hängen kann.

Wir informieren uns bei einem der Wissenschaftler, bei denen alle Details über die Eruptionen zusammenfließen, nochmals über die aktuelle Lage an den Ausbruchsstellen im Norden und im Süden. Der Lavastrom, der in Richtung Linguaglossa fließt, sei viel langsamer geworden, sagt er. Auch die Explosionen an den 16 Kraterlöchern oben beim zerstörten Bergsteigerzentrum seien viel weniger heftig. Doch der Tremor halte unvermindert an.

Unter Tremor verstehen die Vulkanologen fortwährende leichte, für den Menschen meist nicht spürbare Erdbeben. Sie werden als Zeichen dafür gewertet, dass – auch wenn der Ausbruch an der Erdoberfläche abzunehmen scheint – unter dem Vulkan nach wie vor Magma aufdringt und den Berg erzittern lässt. Im Süden speie der Ätna unvermindert große Mengen Asche aus. In zwei Stunden finde eine Pressekonferenz statt, fügt der Beamte noch hinzu.

Zwei Stunden später sind wir jedoch hoch oben im Wald auf der Nordflanke des Ätna – dort, wo der Lavastrom über die Teerstraße geflossen ist, die zum Bergsteigerzentrum Piano Provenzana führt. Die Sicherheitsbeamten unten an der Schranke ließen uns diesmal passieren, warnten uns jedoch vor Erdbebenschäden im Straßenbelag und vor Waldbränden, die wieder aufflackern könnten.

Die Erdbeben haben der Straße tatsächlich an manchen Stellen stark zugesetzt. Der Teer ist aufgebrochen, zentimeterbreite Spalten klaffen, größere Platten wurden hochgedrückt und ragen wie spitze Zähne in die Luft. Einige der kurzen Leitplanken an den Kurven wurden aus ihrer Verankerung gerissen und so abstrus verbogen, als hätte ein Riese dagegen getreten. Viele der niedrigen Steinmauern am Straßenrand sind eingefallen.

Wir parken unseren kleinen Fiat neben den Fahrzeugen der Forstpolizei ein Stück von der Stelle entfernt, wo der Lavastrom die Straße abschneidet.

Hier bekomme ich einen ersten Eindruck von den Lavamassen, die innerhalb der letzten Tage ausgeflossen sind. Etwa sechs Meter hoch ist die Wand aus dunkler, dampfender Aa-Lava, die die Straße versperrt. Die erstarrte Gesteinsschmelze erinnert an einen Haufen verbackener Schlacke. An seinem Rand ist der Glutfluss bereits zum Stillstand gekommen. Er strahlt eine Hitze ab wie ein Hochofen. Obwohl sie kaum zu ertragen ist, versuche ich noch näher heranzugehen. Innen glüht die Lava noch, und ich möchte den Feuerschein, der durch Risse und Spalten dringt, besser sehen.

Wir steigen einen bewaldeten Hügel hinauf, um den Glutfluss von einer höheren Warte aus zu überblicken. Die Bäume ringsum sind verkohlt. Der Waldboden raucht noch an manchen Stellen. Ein Löschhubschrauber fliegt über unsere Köpfe hinweg. Er hat ein Stück weiter oben gerade seinen Wassercontainer entleert, der jetzt unter ihm an einem Seil baumelt. Mehrere dieser großen Helikopter schwirren mit knatternden Rotoren durch die Luft. Sie versuchen nicht nur die Brandherde in den Wäldern rundum einzudämmen, sondern auch den Lavastrom an seiner Front mit Wasser zu kühlen, damit er erstarrt und sich selbst abbremst.

Dieses Bemühen erscheint uns wie der Kampf Davids gegen Goliath angesichts der Lavamassen, die wir vom Hügel aus sehen können. Der mächtige Glutfluss ist weit über hundert Meter breit. An den Rändern ist die Lava zum Stillstand gekommen. Weiter innen jedoch schiebt sich die glühende Masse im Schritttempo unaufhaltsam vorwärts. Die Schlackestücke an ihrer Oberfläche klirren und knacken wie ein Haufen glühender Holzkohle. Die Luft flirrt vor Hitze.

Eigentlich wollten wir bis zur verschütteten Bergstation Piano Provenzana hochlaufen und vielleicht noch ein Stück weiter bis zu den 16 neuen Ausbruchstellen. Aber die vielen kleinen Brandherde zwischen den schwarzen Baumskeletten lassen uns vorsichtig werden. Jederzeit könnte das Feuer wieder auflodern. Wir entschließen uns umzukehren.

Etwa eine Dreiviertelstunde dauert die Fahrt von Linguaglossa an der Nordseite des Ätna zurück nach Zafferana an seiner Ostflanke. In Linguaglossa schien noch die Sonne, doch in Zafferana verdunkelt die Eruptionswolke den Himmel. Der Wind hat gedreht und bläst jetzt den schwarzen Auswurf des rumorenden Vulkans direkt über den Ort hinweg Richtung Meer. Wieder prasselt schwarzer Sand auf unsere Windschutzscheibe.

In Zafferana ist die Straßenbeleuchtung bereits mitten am Nachmittag eingeschaltet, so düster ist es. Die Menschen tragen Regenschirme, damit sich der Staub nicht in Haaren und Kleidung festsetzen kann. Manche haben sogar einen Mundschutz umgebunden, weil die vielen Autos die Körnchen zu feinstem Pulver zermahlen, das bei jedem Luftzug aufgewirbelt wird und, da es so leicht ist, eine Zeit lang in der Luft hängen bleibt. Vor allem alten Menschen und Kindern bereitet das Atmen Schwierigkeiten.

Lavastrom am Ätna beim Ausbruch 2001

Eine Straßenkehrmaschine ist unterwegs. Ein Schneepflug schiebt die Haufen aus Vulkanasche, die die Menschen vor ihren Häusern aufgeschüttet haben, zu einem großen Berg zusammen.

KURZ vor unserer Ankunft in Pinas Pension klingelt mein Handy. Es ist Domenico, der junge Bergführer, den wir schon von früheren Aufenthalten am Ätna kennen und mit dem wir am Abend zuvor Kontakt aufgenommen hatten. „Wenn ihr zu dem neuen Asche spuckenden Krater hinaufsteigen wollt, ich hätte heute Nachmittag Zeit, euch zu begleiten", sagt er.

Ich bin froh, dass Domenico mitkommt, denn er kennt den Berg in- und auswendig. Wir treffen ihn um zwei Uhr nachmittags in einer Bar an der Sapienza, der Bergstation auf der Südseite in etwa 1900 Meter Höhe. Hier ist nichts mehr von der üppigen Vegetation am Fuß des Vulkans zu finden. Das Gelände ist kahl, ohne Baum und Strauch, nur niedriges Gras, Moos und Flechten bedecken den Boden. Von der Sapienza aus führte früher eine Kabinenseilbahn bis auf 2400 Meter hinauf. Doch ebenso wie die Skilifte wurde sie beim Ausbruch im August 2001 zerstört. Die Sapienza blieb verschont, nur die Zufahrtsstraße wurde von einem Lavastrom abgeschnitten, und ein Teil des Parkplatzes verschwand unter dem bizarren, scharfkantigen Fels. Beide sind mittlerweile wieder benutzbar.

Jener Ausbruch 2001 dauerte nur etwa drei Wochen. Er hörte so schnell auf, wie er begonnen hatte. Ob die jetzige Eruption auch nur wenige Tage dauert? „So wie der Ätna jetzt rumort", sagt Domenico, „hört er nicht so bald auf. Solange ich ihn jetzt kenne und auch solange mein Vater ihn kennt, hat er noch nie solche Aschewolken produziert." Domenicos Vater ist seit einigen Jahrzehnten Bergführer am Ätna. Beide waren seit Beginn der Eruptionen vor wenigen Tagen fast die ganze Zeit über auf ihrem Vulkan, ganz oben bei den Ausbruchsstellen. Domenico hat jede Phase auf Video aufgenommen. Er will einen Film daraus machen. Vielleicht lässt sich damit ja etwas dazuverdienen.

Wir trinken einen Espresso und marschieren los. Etwa zweieinhalb Stunden dauert der Aufstieg bis zum offenen Schlund auf 2500 Meter Höhe, aus dem der Ätna fauchend Unmengen feiner Asche und zerfetzte Lava gen Himmel katapultiert. Je höher wir kommen, desto mühsamer wird es. Zuerst müssen wir das bröckelige, raue Gestein der Lavaströme vom letztjährigen Ausbruch passieren. Ein Stück weiter oben hat die frisch ausgeworfene Asche alle Unebenheiten überdeckt. An steileren Stellen rutschen wir bei jedem Schritt bergauf wieder ein Stück zurück.

FEUER GEFANGEN

Langsam nähern wir uns dem Asche speienden Ungetüm. Vor etwa zehn Jahren am Krakatau hatten mich die Eruptionswolken, die der indonesische Vulkan unter ohrenbetäubenden Detonationen ausspuckte, noch schaudern lassen. Die Aschewolken, die der Ätna ausstößt, sind um ein Vielfaches größer. Trotzdem verspüre ich überhaupt keine Angst. Im Gegenteil. Ich bin fasziniert von dem Wummern im Berg und von den ungeheuren Mengen an Sand und Staub, die der neue Krater pausenlos alle paar Sekunden ausstößt.

Wir kommen dem grollenden Schlund, der einen Durchmesser von etwa 250 Metern haben dürfte, immer näher. Domenico bleibt wiederholt stehen, um die Lage zu peilen. In schnellem Rhythmus wird eine dunkle Salve nach der anderen in den Himmel katapultiert. Die Auswürfe speisen die gigantische Aschewolke laufend mit frischem Material. Die ersten dreißig bis vierzig Meter schießt der feine Staubstrom zusammen mit riesigen Gesteinsbrocken und rot glühenden Lavafetzen pfeilschnell senkrecht in die Höhe. Dann wird er langsamer. Die schweren Trümmer und die Lavabrocken, die der Vulkan ausstößt, fallen zurück, prasseln auf den etwa achtzig Meter hohen Kegel und seine nähere Umgebung nieder. Sand und Staub jedoch verbleiben in der Luft, breiten sich dort aus, pflanzen sich in immer neuen, sich aufbauschenden Einzelwölkchen, die Blumenkohlröschen ähneln, nach oben fort und steigen unendlich hoch in den Himmel auf. Ich muss den Kopf weit in den Nacken legen, um sie zu verfolgen. An ihrem scheinbar höchsten Punkt schwenkt die Aschewolke nach Osten ab.

In der näheren Umgebung des Kegels stoßen wir auf zahlreiche Mulden in den frischen Ascheablagerungen. Das sind die Einschlagtrichter der herabfallenden Steintrümmer. Die Brocken selbst sind oft schon wieder von nachfallender Asche überdeckt. „Je stärker die Explosionen, desto größer die Reichweite dieser Bomben", sagt Domenico. Entweder müssen wir die Helme aufsetzen oder uns ein Stück vom Krater entfernen.

Die Brocken, die aus diesem Schlund fliegen, sind teilweise so groß wie Fußbälle. Auch ein Helm könnte uns nicht davor bewahren, erschlagen zu werden. Im Moment sieht es zwar nicht so aus, als ob uns die fliegenden Trümmer erreichten. Dennoch ziehen wir uns ein Stück zurück und lassen uns zweihundert Meter vom Krater entfernt nieder.

Die Dämmerung bricht herein – das beste Licht für Bernhard zum Fotografieren. Die emporgeschleuderten Lavafetzen beginnen erst jetzt richtig zu glühen und erfüllen den dunklen Staub mehrere Hundert Meter hoch mit rotem Licht. Der Himmel dahinter ist bereits dunkel, aber noch nicht schwarz. Aus den großen Kratern ganz oben am Gipfel quellen gewaltige, teils weiße, teils von ätzenden Schwefelwasserstoffgasen gelbliche Dampfwolken. Ein grandioser Anblick. Die Explosionen, die noch vor ein paar Stunden von der Sapienza aus zu hören waren, sind einem anhaltenden dumpfen Grollen und Fauchen gewichen, als würde der Berg zur Nacht hin ein wenig ruhiger werden. Die abnehmenden Geräusche stehen in einem seltsamen Kontrast zu der Wucht, mit der der Vulkan immer noch seine Wolken ausstößt.

Als es Nacht wird, haben die Explosionen wieder zugenommen. Abgesehen von dem Grollen und Wummern des Kraters knallt es manchmal so laut und plötzlich, dass ich erschrocken zusammenzucke. Jetzt in der Dunkelheit wird es mir doch unheimlich. Der Wind hat offenbar gedreht. Die Vulkanasche rieselt nun auf uns herab. Ich ziehe mir die Anorakkapuze über den Kopf. Wieder einmal haben wir Sand in den Ohren, in der Nase und, was ich als besonders unangenehm empfinde, in den Augen. Im Schein unserer Taschenlampen machen wir uns auf den Rückweg.

IN DEN folgenden Tagen steigen wir noch mehrmals auf den Berg. Der Ascheauswurf bleibt zunächst unvermindert heftig. Die staubbeladenen dunklen Wolken treiben je nach Windrichtung bis nach Griechenland oder bis nach Nordafrika. Der Lavafluss im Norden kommt jedoch zum Stillstand.

Der Flughafen in Catania bleibt geschlossen. Kein Flugzeug darf landen oder starten. Aber wir haben Glück. Pünktlich zum Tag unserer Rückreise spuckt der Vulkan zwar immer noch Asche aus, aber nicht mehr in solchen Mengen wie zu Beginn des Ausbruchs. Außerdem steht der Wind günstig. Die Kehrmaschinen schaffen es, die Start- und Landebahn vom schwarzen Sand zu befreien. Das Flugzeug, das uns nach Deutschland zurückbringt, kann in Catania abheben.

DIE MENSCHEN in der Umgebung des Ätna waren noch vier Monate lang immer wieder Ascheregen ausgesetzt. Erst im Februar 2003 hat sich der Berg beruhigt. Schon im Frühjahr war von der dunklen Decke aus Staub und Sand, die über der Landschaft gelegen hatte, kaum mehr etwas zu sehen gewesen. Die Asche war vom Wind verblasen oder vom Regenwasser in den Boden gespült worden, wo sie nun verwittert. Die Mineralien, die dabei frei werden, düngen die Erde.

Auch in Pinas Hof und Garten war die Asche verschwunden. Die Blumen schienen im Frühjahr nach dem Ausbruch besonders üppig und intensiv zu blühen. Nur im Haus, in den Ecken mancher Schränke, schimpft Pina am Telefon, finde sie jedes Mal wieder ein paar schwarze Körner.

FEUER GEFANGEN

Viel schlimmer als am Ätna traf im Januar 2002 der Ausbruch des Nyiragongo die Menschen, die in der Umgebung von Goma im Osten der Demokratischen Republik Kongo, dem ehemaligen Zaire, an der Grenze zu Ruanda leben. Der Vulkan gehört zu den aktivsten Feuerbergen im afrikanischen Great Rift Valley. Seine Lavaströme flossen quer durch die Stadt und begruben fast ein Drittel aller Gebäude unter sich. Bis heute haben sich die Menschen nicht davon erholt.

Inferno am Nyamulagira im Kongo

Die schmale Straße windet sich über steile Bergkuppen durch eine üppig grüne Landschaft. Wie bei einem Flickenteppich reihen sich Bananenpflanzungen an Mais- und Gemüsefelder und kleine Waldstücke. Die Sonne scheint warm vom blauen Nachmittagshimmel. Farbenfroh gekleidete Frauen schreiten am Straßenrand entlang und tragen geschnürte Bündel oder Schüsseln voller Bananen auf den Köpfen. Feldarbeiter sind mit ihrer Harke in der Hand auf dem Weg nach Hause. Kinder winken uns zu.

Knapp drei Stunden sind wir schon mit dem Auto unterwegs, von Kigali, der Hauptstadt Ruandas, nach Giseny an der Grenze zum Kongo. Alles wirkt im Vorbeifahren so friedlich. Kaum zu glauben, dass hier vor zehn Jahren ein grausamer Völkermord verübt wurde und dass diese Idylle nur Fassade für den immer noch schwelenden Hass zwischen den Volksgruppen der Hutu und Tutsi ist.

Evariste, unser Fahrer, geht mit hohem Tempo in die Kurven, denn wir sind spät dran. Um sechs Uhr schließt die Grenze. Gerade noch rechtzeitig erreichen wir den Schlagbaum. Die Passkontrolle befindet sich in einem langgezogenen Betongebäude. Bernhard und ich hasten die brüchigen Stufen hinauf. Drei Leute sitzen in dem kahlen Raum, zwei Frauen und ein Mann. Sie blicken gelangweilt von ihren Tischen auf. Ohne unseren Gruß zu erwidern, greifen sie wie in Zeitlupe nach unseren Pässen, füllen Formulare aus, kassieren deftige Visumgebühren und knallen schließlich ihre Stempel in unsere Reisedokumente. Ohne eine Miene zu verziehen, geben sie uns die Papiere zurück. Ich werde nie verstehen, warum afrikanische Beamte oft eine so arrogante Gleichgültigkeit an den Tag legen. In diesem Moment bin ich jedoch froh, dass sie sich nicht mehr für uns interessieren und dass wir problemlos in den Kongo einreisen können. Immerhin hätten sie auch ein Visum verlangen können, das schon in Deutschland beantragt und in der kongolesischen Hauptstadt Kinshasa abgestempelt worden ist. Doch in Deutschland wochenlang auf so ein Visum zu warten – dafür hatten wir keine Zeit. Der Ausbruch des Nyamulagira-Vulkans, der Grund für unsere Reise, wäre dann längst vorbei gewesen.

Draußen am Auto verabschiedet sich unser Fahrer. Ein anderer namens John – keine Ahnung, woher der plötzlich kommt – wartet schon. Wie es aussieht, darf Evariste nicht über die Grenze. Wir steigen ein, um endlich ans Ziel zu kommen – nach Goma, ein paar Kilometer weiter.

Es ist der 8. Juni 2004. Wieder bin ich wegen der Vulkane in Afrika gelandet, diesmal in einem Gebiet, das seit vielen Jahren für schreckliche Schlagzeilen sorgt: Flüchtlingselend, Epidemien, Bürgerkrieg, Rebellenkämpfe. Vor zwei Jahren kam auch noch der verheerende Ausbruch des Nyiragongo dazu. Im Moment schießt gerade ein Nachbar dieses Feuerbergs, der Nyamulagira, aus einer kilometerlangen Spalte Lava in spektakulären Fontänen bis zu hundert Meter hoch. Wir haben durch einen französischen Vulkanologen davon erfahren, der für die UN in Goma arbeitet und mithilft, ein Observatorium aufzubauen.

Lavaausbrüche dieser Größenordnung bekommt man nur alle paar Jahre und nur bei ganz wenigen Vulkanen auf der Erde zu sehen. Der Nyamulagira ist einer davon. Da Bernhard gerade für ein internationales Magazin an einer Geschichte über aktive Feuerberge im Great Rift Valley arbeitete, zu denen auch der Nyiragongo und der Nyamulagira zählen, wollte er unbedingt dorthin – und zwar sofort, weil die Vulkane nur ein paar Tage, vielleicht ein paar Wochen lang Lava mit dieser Vehemenz ausspucken. Ich musste mich also schnell entscheiden.

Aufgrund der schlimmen Nachrichten zögerte ich sehr, in den Kongo zu reisen. Doch die Leute vom Observatorium in Goma versicherten uns, dass es zurzeit politisch ruhig sei, die Einreise über Ruanda unproblematisch und dass man uns bei der Organisation vor Ort unterstützen werde. Also beschloss ich mitzufahren und die einmalige Gelegenheit zu nutzen, eine der schönsten und interessantesten Vulkangegenden Afrikas zu besuchen.

Die beiden aktiven Feuerberge liegen in den tropischen Wäldern des Virunga-Nationalparks, der sich von Ruanda aus ein Stück weit in den Kongo erstreckt. Bis vor etwa zwanzig Jahren hat es auf den Hängen des Nyiragongo und Nyamulagira noch Berggorillas und Waldelefanten gegeben. Heute jedoch sind diese Tiere infolge der Unruhen verschwunden. Von der sprichwörtlichen Schönheit dieser Gegend ist an der Grenze zunächst nicht viel zu sehen. Nur am Ufer des Kivusees, dessen Wasser in der Abendsonne golden glänzt, lässt sie sich erahnen. Yuccapalmen, Araukarien und andere exotische Bäume sowie blühende Büsche wachsen bis zum Wasser, dazu ist das Klima hier mitten im tropischen Afrika nicht heiß und schwül, sondern angenehm warm und oft sogar kühl.

Doch in Goma sind die Straßen holprig und staubig. Das Zentrum wird immer noch beherrscht von dem riesigen Trümmerfeld, das die Lavaströme im Januar 2002 hinterlassen haben. Menschenmassen drängen sich an den Straßenrändern zwischen kleinen Verkaufsständen, die alles Mögliche feilbieten. Ich habe keine Ahnung, wohin die vielen Menschen wollen. Vermutlich von den Märkten oder von ihrer Arbeit nach Hause zu ihren Familien, die am Stadtrand leben. Mopeds knattern, Lastwagen hupen. Ein mit gelben Wasserkanistern beladener Holzkarren rumpelt vor uns durch die Schlaglöcher. Wir kommen nur im Schritttempo voran.

Dominiert wird die Szene vom Vulkan Nyiragongo, dessen mächtiger, 3462 Meter hoher Kegel sich im Dunst am Horizont abzeichnet. Aus seinem Krater, der mehr als einen Kilometer Durchmesser hat und siebenhundert Meter tief ist, quillt eine gigantische Dampfwolke. Nachts, so erzählt unser neuer Fahrer John, färbt der Feuerschein die Wolke rot. Denn in dem riesigen Schlund des Kolosses brodelt seit einigen Monaten wieder ein Lavasee ähnlich dem am Erta-Ale-Vulkan in der äthiopischen Danakilwüste, nur viel, viel größer. Vom Kraterrand aus könne man, in den sehr seltenen Augenblicken, wenn der Dampf sich für Bruchteile von Sekunden lichtet, turmhohe Lavaeruptionen sehen.

Auch vor dem verheerenden Ausbruch im Januar 2002 hatte sich ein Lavasee im Krater des Nyiragongo gebildet. Irgendwie konnte die glühende Schmelze damals die nach Goma abfallende Flanke des Vulkans durchbrechen und ausfließen. Drei Ströme vernichteten unzählige Hektar Tropenwald, Ackerland und einen Teil der Stadt.

Leider können wir den Vulkan mit seinem nächtlichen Feuerschein von unserem Hotel aus nicht sehen. Die Stella Matutina Lodge ist ein sehr gepflegtes Haus. Es liegt direkt am Ufer des Kivusees in einem Stadtviertel, das beim letzten Mal von der Lava verschont geblieben ist. Das Hotel ist fast ausgebucht. Hier steigen viele Leute von internationalen Hilfsorganisationen ab, die in Goma stationiert sind. Eine hohe Mauer trennt das kleine Paradies mit seinem gepflegten Garten vom wirklichen Leben auf der staubigen Straße.

JOHN bringt uns am nächsten Morgen zum Observatorium. Es ist auf einem Hügel gelegen, von dem aus man an klaren Tagen einen wunderbaren Blick über die Stadt hinweg bis zum dreißig Kilometer entfernten

Nyiragongo-Vulkan hat. Nicht nur aus eigenem Interesse, sondern auch um John zu beruhigen, frage ich die Vulkanologen als Erstes nach den Aktivitäten dieses Feuerbergs. Bisher gebe es keine Anzeichen dafür, dass der Nyiragongo wieder ausbricht, sagen sie, auch wenn der Lavasee in seinem Krater kocht. Aber so genau wüssten sie das nicht. Sie könnten den Vulkan nämlich nicht optimal überwachen, weil sich wieder Rebellen in den Wäldern aufhielten. Das Gleiche gelte für den Nyamulagira, der hinter dem Nyiragongo liegt und von Goma aus deshalb nicht zu sehen ist. In manchen Waldgebieten sei es im Moment lebensgefährlich. Sie müssten sich daher auf die Daten verlassen, die die wenigen in der Umgebung der beiden Vulkane installierten Seismometer, die Erdbebenmessgeräte, zum Observatorium funkten.

Uns ist der Nyiragongo weniger wichtig als der Nyamulagira. Wegen seiner Lavafontänen sind wir hier. Wir wollen irgendwie an die Eruptionen herankommen und erkundigen uns danach. „Anhand der Bebensignale nehmen wir an, dass der Ausbruch noch in vollem Gang ist", meint einer der Vulkanologen. „Die Erde dort zittert gewaltig, weil offenbar immer noch Magma von unten hochdringt." Auf die anhaltende Aktivität deuten auch die Gaswolken hin, die man an diesem Tag hinter dem Nyiragongo aufsteigen sieht, sagen die Wissenschaftler. Die dunkleren Wolken stammten von den Waldbränden, die die Lava dort verursacht habe. Dörfer und Felder seien nicht gefährdet, aber große Waldareale im Nationalpark stünden anscheinend in Flammen.

Bernhard und ich schauen uns an. Das verspricht sehr spannend zu werden. Aber wie kommen wir dahin? Im Moment gar nicht, sagen die Vulkanologen einstimmig. Eben wegen der Rebellen. Wir würden uns in Lebensgefahr begeben, betonen sie nochmals.

Wir sind bitter enttäuscht. Natürlich mussten wir damit rechnen, dass sich die Lage innerhalb weniger Tage ändert – sowohl die politische Situation als auch die Aktivität des Nyamulagira. Aber nun sind wir schon mal hier, und der Vulkan brodelt zum Glück noch. Bernhard hakt noch mal nach. Gibt es denn wirklich gar keine Möglichkeit hinzukommen?

Die Vulkanologen denken nach. Doch, sagt dann einer, wir könnten fliegen. Es gebe eine kleine Cessna am Flughafen in Goma. Sie gehöre einem jungen Geschäftsmann namens Simba, der in diesen Tagen schon einmal zur Ausbruchstelle geflogen sei. Vielleicht habe er ja noch einmal Zeit und den Mut, die fünfzig Kilometer um den dicht bewaldeten Fuß des Nyiragongo herum bis zum Nyamulagira zu fliegen.

Nomen est omen. Das Kisuaheli-Wort *simba* bedeutet Löwe. Simba ist ein junger, großer Kongolese, sehr selbstbewusst. Er kümmert sich

FEUER GEFANGEN

zurzeit um die Geschäfte seines Vaters in Goma. Simba ist auch Berufspilot und fliegt große Transportmaschinen. In seiner frisch renovierten Cessna ist gerade genug Platz für uns drei und die große Fototasche. Simba ist auch bereit, die Tür auszubauen, damit Bernhard besser fotografieren kann. „Und was ist mit den Rebellen?", frage ich. Um die mache er sich keine Gedanken. Die haben viel zu viel Angst vor dem Vulkan, meint er, und werden sich bestimmt nicht in der Nähe der Lavafontänen aufhalten. Und auf das Flugzeug schießen werden sie auch nicht, denn damit würden sie nur ihre Verstecke im Dschungel preisgeben. Klingt alles logisch. Trotzdem werde ich meine Bedenken nicht ganz los.

Wir verabreden uns für den späten Nachmittag am Flughafen. Bis dahin haben wir noch eine Menge Zeit und machen mit John eine Stadtrundfahrt. Im Zentrum von Goma, an der von der Lava zerstörten Kathedrale, steigen wir aus.

Von dem modernen Bau stehen nur noch die beiden dreieckigen Außenmauern, auf deren höchstem Punkt noch das Kreuz sitzt, und ein paar Innenwände. Die Außenmauern, die wie der Bug eines Schiffes gegen den Lavastrom standen, haben den Schmelzfluss geteilt. Die Lava ist links und rechts um die Kirche herum und dann wieder zusammengeflossen, sodass der Altarraum erhalten blieb. Das schräge Dach ist jedoch vollständig abgebrannt. Nur noch ein paar verrostete Wellbleche hängen von den Außenmauern herab.

Rund um die Kirche liegt die Lavakruste noch genau so da, wie sie im Januar 2002 erkaltet ist. Sie muss extrem heiß und dünnflüssig gewesen sein, weil sie in großen, glatten Fladen und seilartig verzwirbelten Strängen erstarrt ist – typischen Formen für diese Art der Lava, die weltweit mit dem hawaiianischen Wort Pahoehoe-Lava bezeichnet wird. Dieses Lavagestein ist nicht scharfkantig und klotzig, sondern so ebenmäßig, dass man angeblich barfuß darauf laufen kann, ohne dass es wehtut.

Lava, so weit ich nur schauen kann. Ein paar alte Straßen unter dem Trümmerfeld wurden wieder freigelegt. Vereinzelt ragen noch Ruinen aus der schwarzen Kruste. Viele Menschen sind wieder zu den Grundstücken zurückgekehrt, auf denen einst ihre Häuser standen, und haben Holzhütten auf der Lava errichtet. In ihren neuen Behausungen gibt es jedoch weder Strom noch Wasser.

Zu den Rückkehrern gehört auch der Möbelschreiner Mihindo Jospin. Er wohnt zwar noch nicht wieder hier, aber er hat mit seinen Angestellten ein hohes Zelt aus Plastikplanen aufgestellt, genau an der Stelle, wo vorher seine Fabrik stand. Dort lässt er nun wieder voluminöse Polstermöbel mit plüschigen Überzügen schreinern, purpurrot, braun oder mit

514 FEUER GEFANGEN

Leopardenmuster. Im Schatten unter dem Zeltdach wird gearbeitet. Die fertigen Möbel werden auf der Lavakruste ausgestellt. Platz ist genug da.

Viele Menschen in Goma haben trotz andauerndem Bürgerkrieg und Vulkanausbruch offenbar den Mut gefunden, sich wieder eine Existenz aufzubauen. Etwas abseits des Zentrums, in einem alten Stadthaus mit dicken weißen Mauern, hat ein junger Mann ein Internetcafé eingerichtet. Die zehn Plätze sind mit erstaunlich schnellen Rechnern und sogar mit Flachbildschirmen ausgerüstet. Die einzige Schwachstelle ist das Stromnetz, das alle paar Stunden zusammenbricht.

Rasch schicke ich dort noch meine E-Mails ab. Bernhard und John sitzen schon im Auto, denn in etwa einer Stunde treffen wir Simba am Flughafen. Zuvor fahren wir noch ins Hotel, um die Fotoausrüstung und unsere Anoraks zu holen, denn in viertausend Meter Höhe – so hoch müssen wir fliegen, um die Vulkane und den Ausbruch fotografieren zu können – ist es auch im tropischen Afrika kalt.

Dann geht es durch die staubigen Straßen, auf denen sich ungeheure Menschenmassen drängen, zum Flughafen. „Wie viele Einwohner hat Goma denn jetzt?", frage ich John. Der zuckt die Schultern. Keine Ahnung. Er weiß nur, sagt er, dass es seit dem Völkermord in Ruanda, seit vor gut zehn Jahren die Flüchtlingsströme eintrafen, viel mehr geworden sind.

Ich bin später in einem alten Zeitungsartikel über das Flüchtlingselend in Goma zufällig auf die Zahlen gestoßen. Goma hatte ursprünglich etwa 140 000 Einwohner. Mit den Flüchtlingsströmen aus Ruanda kamen mehr als eine Million Menschen hinzu, das ist die Einwohnerzahl einer deutschen Großstadt. Heute, zehn Jahre danach, leben etwa 500 000 Menschen hier.

BEIM Ausbruch des Nyiragongo im Januar 2002 fiel auch der Flughafen der Lava zum Opfer. Ein Teil der ehemaligen Start- und Landebahn liegt unter einer meterdicken schwarzen Kruste begraben. Es stehen noch zwei große Passagiermaschinen von afrikanischen Fluggesellschaften herum, die gelandet sind, kurz bevor die Schmelze kam, dann aber nicht mehr weiterfliegen konnten, weil die Startbahn nicht mehr ausreichte. Jetzt sitzen sie hier fest. Ihr Lack hat mittlerweile an Glanz verloren. Niemand weiß, ob sie jemals wieder abheben werden.

Inzwischen ist der Flughafen Stützpunkt von Militär- und UN-Hubschraubern. Auch ein paar abenteuerliche alte Maschinen landen hier jeden Morgen und Abend. Simba wartet bereits in einer der großen Flugzeughallen auf uns. Zwei seiner Angestellten haben die Cessna schon vorbereitet, in Startposition gezogen und aufgetankt. Auch eine Tür ist ausgebaut. Simba prüft routinemäßig nochmals Landeklappen und Heckruder. Dann steigen wir ein. Bernhard sitzt vorn neben dem Piloten an der offenen Tür, ich mit der Fototasche auf dem Sitz dahinter. Simba startet den Motor. Das Flugzeug rollt aus dem Hangar und über einen holprigen, steinigen Weg quer über das Lavafeld auf die Startbahn.

Nur etwa zweihundert Meter neben der Startbahn liegt eine kaum überschaubare Hüttensiedlung. Kein Zaun und keine Mauer trennt sie vom Flugfeld. Frauen schleppen Wasserkanister quer über die Startbahn, zerlumpte Kinder sausen herum. Simba ruft ihnen mit strenger Miene etwas zu. Sofort ziehen sich die Kinder mit gesenkten Köpfen an den Rand des Rollfeldes zurück. „Die müssen lernen, dass es gefährlich ist, was sie hier tun!", sagt Simba verärgert.

Wir stehen jetzt in Startposition. Simba prüft zum letzten Mal den Motor und die Kontrollinstrumente. Dann heben wir ab. Ich ziehe meinen Anorak an, binde meine Haare zurück und stülpe mir die Kapuze über den Kopf. Im hinteren Teil des Flugzeugs fängt sich der meiste Wind, der durch die Türöffnung hereinbläst.

Wir fliegen zuerst auf den Nyiragongo zu. Seine Hänge sind bis fast

Die provisorische Schreinerwerkstatt
von Mihindo Jospin (rechts) in Goma, Kongo

516 FEUER GEFANGEN

hinauf zum Kraterrand mit dichtem grünem Tropenwald bedeckt. Die
weiße Dampfwolke, die aus der mächtigen Öffnung quillt, kann kaum
aufsteigen. Der starke Wind, der hier oben weht, drückt sie zur Seite.

Die Böen erfassen auch unser Flugzeug. Wir werden ziemlich durchgeschüttelt, wie bei einer Fahrt über eine holprige Straße voller Schlaglöcher. Der Wind kommt jetzt von hinten. Mit 140 Knoten – das sind
knapp 260 Stundenkilometer, fast schon mehr, als das kleine Flugzeug
verkraften kann, ohne Schaden zu nehmen – schießen wir seitlich am
Nyiragongo vorbei. Rechts von uns tauchen jetzt die anderen Vulkane
der Virunga-Kette auf, die auf der ruandischen Seite des Nationalparks
liegen: der über 4500 Meter hohe Karisimbi, der höchste der insgesamt
acht Feuerberge, und der 4400 Meter hohe Mikeno. Sie gelten als erloschen. Die weißen Wolken, die ihre Gipfel einhüllen, sind normale Wet-
terwolken. Auch diese beiden Vulkanriesen sind dicht bewaldet.

Nachdem wir den Gipfel des Nyiragongo hinter uns gelassen haben,
taucht endlich unser Ziel auf: der Nyamulagira. Er wirkt genauso mächtig, nur etwas gedrungener als sein großer Bruder. Seine ebenfalls von
Wald bedeckten Hänge sind weniger steil. Auch hat er auf dem Gipfel
keinen tiefen, dampfenden Schlot, sondern eine riesengroße Caldera, also
eine flache Senke, gefüllt mit erkaltetem schwarzem Lavagestein und mit
einem kleinen Kraterloch in der Mitte. Die Lava sprudelt jedoch nicht
aus dem Gipfel des Vulkans, sondern ein Stück tiefer aus einem mehrere
Hundert Meter langen, frischen Riss in der Seite. Schmutzig graue und
gelbliche Gaswolken steigen daraus empor. Das muss die Ausbruchstelle sein. Jetzt sind auch die glühenden Lavafontänen zu sehen und der
mächtige Lavastrom, der sich dampfend bis zum Horizont durch den
Wald zieht und eine Schneise der Verwüstung hinterlässt. Die ganze
Luft ist gelblich grau von den Vulkangasen und dem Rauch der Waldbrände, die überall auflodern. Mir ist, als flögen wir auf die Hölle zu.

Simba drosselt die Geschwindigkeit ein wenig, um sich zu orientie-
ren. Die Flugbedingungen sind hier extrem schwierig, vor allem wegen
der Thermik. Die Hitze der Lavaströme treibt die Luft senkrecht nach
oben. Die Waldbrände, die sie entfacht hat und die seit Tagen um den
Ausbruch toben, erzeugen eigene Luftwirbel von hoher Geschwindigkeit. Dazu kommt der starke Wind, der hier auch sonst immer zwischen
den Vulkanen bläst.

WIR FLIEGEN in ein Inferno, wie ich es noch nie erlebt habe. Die Rauchschwaden der Waldbrände mischen sich mit weißlichen Gaswolken
und verwandeln die Luft bis hoch in die Atmosphäre hinauf in einen

schmutzigen Nebel, der die Sonne verfinstert. Die Bergketten am Horizont, die sich an schönen Tagen klar abzeichnen, sind nur noch schemenhaft zu erkennen. Das nach faulen Eiern stinkende Schwefelwasserstoffgas dringt bis in unsere winzige Kabine. Wir fliegen jetzt etwa zweihundert Meter über Grund und kommen den Lavafontänen immer näher. Zum ersten Mal sehe ich glutflüssige Lava aus der Erde pulsieren. Ein Schwall nach dem anderen schießt aus zwei neuen Löchern in üppigen Fontänen bis hundert Meter hoch. Die meiste Lava fällt zurück in die gleißenden Öffnungen. Ein Teil jedoch klatscht daneben auf den Boden und hat sich auf diese Weise zu etwa fünfzig Meter hohen Schlackekegeln rund um die Löcher aufgebaut. Die Größe lässt sich an den verkohlten Baumriesen rundum abschätzen.

Manchmal steigt eine gigantische feurige Blase aus Gesteinsschmelze aus den Kraterlöchern, bleibt für den Bruchteil einer Sekunde stehen, um dann in unzählige Lavafetzen zu zerplatzen. Ich meine trotz des Motorengeräuschs das Schmatzen der kochenden Schmelze unter mir zu hören. Am Fuß der Schlackenkegel nimmt der Lavastrom seinen Anfang. Wie Wasser, so dünnflüssig und schnell schießt der Glutstrom den flachen Hang hinunter.

Plötzlich geht ein Ruck durch das Flugzeug. Mir fällt fast die Kamera aus der Hand. Mein Herz klopft vor Schreck bis zum Hals. Ich brauche einige Sekunden, um zu kapieren, was los ist. Um Bernhard in eine gute Schussposition zu bringen, ist Simba ziemlich waghalsig auf die Flanke des Nyamulagira zugerast. Die Fallwinde, die dort herrschen, haben das Flugzeug erfasst und nach unten gedrückt. Um nicht abzustürzen, musste Simba abrupt abdrehen.

Jetzt fliegen wir eine Runde über alte Lavafelder, vorbei an verbranntem Wald und wieder zurück zur Ausbruchsstelle, zuerst am Lavastrom entlang und zu den Lavafontänen, dann wieder auf die Flanke des Nyamulagira zu, so weit es eben geht, bis wir erneut abrupt abdrehen müssen. So kreisen wir fünf- oder zehnmal. Oder ist das jetzt schon die fünfzehnte Runde?

Simba konzentriert sich ganz aufs Fliegen, Bernhard aufs Fotografieren – zumal das Abendlicht die Lava jetzt noch stärker glühen lässt. Und ich bin damit beschäftigt, ihm verschiedene Kameras und Objektive zu reichen, dazwischen nach draußen zu blicken, um die Lavafontänen zu beobachten, und bei alldem nichts fallen zu lassen, wenn der kleine Flieger mal wieder einen unvermuteten Sprung macht.

Jetzt muss es doch endlich genug sein, denke ich und schaue in Richtung Horizont. War da nicht ein Blitz in der dunklen Wolke weit hinter

Der Vulkan Nyamulagira beim Ausbruch im Juni 2004

FEUER GEFANGEN

der Ausbruchstelle? Ich tippe Simba von hinten auf die Schulter und deute in die Richtung. Da – es blitzt noch einmal. Simba zieht nur kurz die Augenbrauen hoch, sagt dann etwas in das kleine Mikrofon vor seinem Mund, was leider nur Bernhard verstehen kann, weil ich keinen Kopfhörer habe. Er nickt. Simba dreht ab. Bernhard beugt sich so weit wie möglich nach hinten. „Da kommt ein Gewitter!", brüllt er mir zu. „Wir müssen so schnell wie möglich hier weg!" Ist mir nur recht.

Doch kaum haben wir den Nyamulagira passiert, baut sich vor uns eine Wolke auf. Sie hängt so tief über dem Dschungel, dass wir nicht unten durchfliegen können. Oben drüber schaffen wir es auch nicht, dazu ist der Motor zu schwach. Hinter uns steht das Gewitter. Wir sind eingeschlossen. Ich versuche einen Blick auf Simbas Gesicht zu erhaschen. Er wirkt völlig ruhig. Mir dagegen stehen Schweißperlen auf der Stirn. Jetzt fängt es auch noch an zu regnen. Dicke Tropfen klatschen gegen die Frontscheibe und trüben die Sicht nach vorn. Der Wind treibt sie auch durch die Türöffnung in die Kabine. Bernhard ist im Handumdrehen patschnass. Doch auch er bewahrt stoische Ruhe.

Simba blickt konzentriert auf die Instrumente. Wie es aussieht, müssen wir da durch. Hoffentlich ist die Cessna für Blindflug ausgerüstet.

Rundum wird es neblig. Ich schließe meine Augen, als wir in die Wolke eintauchen. Hat jetzt mein letztes Stündlein geschlagen? Ich drücke mich tief in den Sitz und verschränke die Arme fest vor der Brust, als könnte mich das im Notfall schützen. Mein Kopf dröhnt. Ich zähle langsam bis zehn. Und noch einmal bis zehn. Dann mache ich die Augen vorsichtig wieder auf. Wir fliegen gerade wieder aus der Wolke heraus. Rechts neben mir taucht die Flanke des Nyiragongo auf.

Jetzt müssen wir noch die Schneise zwischen dem Nyiragongo und dem Karisimbi passieren. Sie ist zwar mehrere Kilometer breit, wirkt aber manchmal wie eine Düse. Beim Hinflug haben uns die starken Böen vor sich hergeschoben. Jetzt muss das Flugzeug dagegen ankämpfen. Der Wind hat in der letzten Stunde anscheinend zugenommen. Er bläst uns so stark entgegen, dass Simba die Höhe nicht mehr halten kann. Trotz voller Motorkraft kommen wir kaum voran. An den Instrumenten sehe ich, dass wir, statt vorwärts zu fliegen, sinken – sehr schnell sogar, etwa acht Meter pro Sekunde. Simbas Stirn legt sich in Falten. Doch er hält stur den Kurs.

„Solche Windverhältnisse haben wir öfter zwischen den Vulkanen", sagt er eine halbe Stunde später, als wir glücklich gelandet sind. „Erfahrungsgemäß kommt man da schon wieder raus, wenn man genug Höhe hat. Aber diesmal bin sogar ich ein wenig nervös geworden."

Man sieht ihm den Stress nicht an. Wie ein Hüne steht er da, nicht einen Schwitzfleck auf dem blauen Hemd unter der Lederjacke. Er klappt seinen Pilotensitz nach vorn, um mich aussteigen zu lassen.

Mir zittern die Knie erst richtig, als ich wieder auf festem Boden stehe. So etwas habe ich in den zehn Jahren, seit ich mit Bernhard Fotoflüge mache, noch nicht erlebt – und ich schwöre mir in diesem Moment, so etwas nicht noch einmal mitzumachen, zumindest nicht hier in Goma.

Doch in den nächsten Tagen sind alle Vorsätze vergessen. Noch vier Mal fliegen wir mit Simba zu der Ausbruchsstelle am Nyamulagira, immer frühmorgens und am späten Nachmittag, damit Bernhard bei den schwierigen Licht- und Arbeitsbedingungen auch wirklich gute Bilder bekommt. Es ist jedes Mal wieder ein Abenteuer, in das Inferno einzutauchen, aber wenigstens werden wir von keinem Gewitter und keiner Wolkenwand mehr überrascht. An die Rebellen, die uns in dieser Region gefährlich werden könnten, denke ich längst nicht mehr.

SCHADE, dass man nicht einfach in einen Jeep steigen und durch den Dschungel bis zur Ausbruchstelle fahren oder laufen kann. Auch wenn gerade keine Eruption stattfindet, wäre es sicherlich fantastisch, durch den Wald zur Caldera des Nyamulagira aufzusteigen. Nyiragongo und Nyamulagira könnten, wenn sie durch Straßen erschlossen würden, eine Touristenattraktion abgeben. Außerdem wäre es ein gutes Geschäft.

Doch davon können die Menschen hier nur träumen. „Die politischen und wirtschaftlichen Bedingungen, die seit vielen Jahren bei uns herrschen, werden sich auch in absehbarer Zeit nicht ändern", sagt Simba und zuckt resigniert die Schultern. Man müsse schon froh sein, wenn man irgendwie überlebt, sogar in den wohlhabenderen Kreisen der Gesellschaft, zu denen seine Familie gehört.

Am Tag unserer Abreise erfahren wir, wie schnell die scheinbar friedliche Stimmung in Goma ins Gegenteil umschlagen kann. Zwei junge Soldaten, höchstens zwanzig Jahre alt, bewachen das Hotel. Mit ihren Kalaschnikows an der Seite sitzen sie am Eingang. Ein dritter patrouilliert im Garten.

Ich frage an der Rezeption nach. Etwa fünfzig Kilometer entfernt ist die Stadt Bukavu von den Rebellen zurückerobert worden, sagt der Hotelangestellte und versichert mir gleichzeitig, dass wir in Goma nichts zu befürchten hätten.

John, unser Fahrer, holt uns pünktlich ab, um uns nach Kigali zurückzubringen. Er hat sogar eine Tasche mit Proviant für die lange Fahrt dabei. Die endet für ihn jedoch schon an der Grenze. Bernhard und ich

FEUER GEFANGEN

521

haben bereits unsere Ausreisestempel im Pass, als sich herausstellt, dass John nicht nach Ruanda einreisen darf. Sowohl für Kongolesen als auch für Ruander ist die Grenze geschlossen. Wie lange, weiß niemand genau.

Also fahren wir zurück in die Stadt zum Eigentümer des Jeeps, mit dem John uns die letzten Tage gefahren hat. Der könne uns bestimmt weiterhelfen, meint John. Überall treffen wir auf Militärlastwagen voller Soldaten. Einmal werden wir sogar aufgehalten. Der Mann in Uniform mit dem Gewehr über der Schulter fragt streng, wohin wir wollen. Er lässt sich unsere Pässe zeigen und entdeckt die Ausreisestempel. Jetzt ist er verwirrt. Wir versuchen zu erklären. Doch er versteht uns nicht. John ist ganz still. Wir haben Glück, der Soldat lässt uns passieren.

Der Eigentümer des Jeeps hat sein Büro in einem der alten Häuser von Goma, mit dicken weißen Mauern und Schatten spendenden Arkaden zur Straßenseite hin. Ich befürchte schon die üblichen Probleme. Doch ich habe mich geirrt. Vor uns steht ein korpulenter kongolesischer Geschäftsmann. Er handelt, ohne zu zögern. Zuerst zahlt er uns das Geld zurück. Dann bringt er uns selbst zur Grenze. Dort ruft er über Handy ein ruandisches Taxi, hilft uns beim Umladen des Gepäcks, notiert sich sogar noch Taxi- und Autonummer – „falls ihr Schwierigkeiten bekommt" –, gibt uns seine Handynummer und verschwindet wieder. Ich bin sprachlos. Auch das ist Afrika.

Erleichtert setze ich mich ins Taxi, und nur wenige Minuten später sind wir unter wegs nach Kigali.

Ich kann es kaum glauben, dass es erst eine Woche her ist, seit wir durch die grünen Hügel Ruandas gefahren sind. Wie gern würde ich hier zum Virunga-Nationalpark abbiegen, um im Urwald auf den erloschenen Vulkanen die letzten Berggorillas zu sehen. Das ist seit einigen Jahren wieder möglich. Aber wir müssen zurück. Auf uns wartet eine Menge Arbeit, die wir wegen des Ausbruchs des Nyamulagira einfach haben liegen lassen. Wohin uns das vulkanische Feuer der Erde wohl das nächste Mal treibt?

ÜBER DIE AUTOREN

Elf Mal hat **Nando Parrado** mittlerweile die Stelle besucht, an der er mit dem Flugzeug abstürzte – um Blumen für die Toten niederzulegen, betont er, psychologische Aufarbeitung spiele keine Rolle. Auf die Frage, ob ihm beim Besteigen eines Flugzeugs nicht mulmig werde, schmunzelt er. „In der Nähe einer schönen Frau werde ich nervös, sonst nicht. Aber wenn ich heute fliege, ziehe ich feste Schuhe an."

Die Zeit in den Anden hat eine weitere Marotte hervorgebracht: „Es bereitet mir ein geradezu sinnliches Vergnügen, Eispickel und Steigeisen zu berühren. In keinem Sportgeschäft komme ich an ihnen vorbei. Wie sehr hätten uns solche Geräte damals geholfen!" Er lacht. „Meine Frau toleriert es, aber sie hat mich davor gewarnt, sie auch mit ins Bett zu nehmen."

Claudia Tabbert, geboren 1968 in Cottbus, ist Diplom-Wirtschaftsingenieurin. Nachdem sie längere Zeit beruflich in Australien verbrachte, lebt die Autorin heute mit ihrer vierjährigen Tochter in München, wo sie bei einem großen Konzern arbeitet. Die Hälfte der Erlöse aus ihrem Buch wird Claudia Tabbert der Stiftung „Ein Herz für Kinder" zukommen lassen.

Sabine Eichhorst arbeitete als Journalistin und Nachrichtenredakteurin für die ARD. Seit 1993 schreibt sie auch Biografien und Memoiren. 2002 wurde sie mit dem Civis Medienpreis der ARD ausgezeichnet. Dieser Preis geht an Hörfunk- und Fernsehproduktionen, die das friedliche Zusammenleben in Europa fördern.

Bis heute ist **Joachim Fuchsberger**, am 11. März 1927 in Stuttgart geboren, Publikumsliebling bei Jung und Alt – als Schauspieler in mehr als achtzig Filmen ebenso wie auf der Bühne. „Blacky" Fuchsberger war außerdem Moderator und Showmaster in über fünfhundert Fernsehsendungen wie *Auf los geht's los* oder *Heut' abend* und produzierte unter dem Titel *Terra Australis* eine erfolgreiche TV-Dokumentationsreihe über Australien. Für seine Arbeit wurde er mit zahlreichen Auszeichnungen bedacht, unter anderem mit der Goldenen Kamera, zweimal mit dem Goldenen Bambi und mit dem Großen Bundesverdienstkreuz.

Angelika Jung-Hüttl ist Diplomgeologin, promovierte Wissenschaftshistorikerin und Publizistin. Seit über zwanzig Jahren reist die in München lebende Wissenschaftlerin in die entlegensten Gebiete der Welt, um Naturphänomene – natürlich vor allem Vulkane – zu beobachten und anschließend darüber zu berichten. Sie schreibt für namhafte Zeitungen und Magazine wie die *Süddeutsche Zeitung* und *P. M. History*. Gemeinsam mit ihrem Lebenspartner, dem Landschaftsfotografen Bernhard Edmaier, hat sie zahlreiche preisgekrönte Bildbände veröffentlicht.

72 TAGE IN DER HÖLLE. WIE ICH DEN ABSTURZ IN DEN ANDEN ÜBERLEBTE
Titel der Originalausgabe: „Miracle in the Andes", erschienen bei Crown Publishing, New York. Nach der Übersetzung von Sebastian Vogel. © 2006 by Nando Parrado. © für die deutschsprachige Ausgabe: Wilhelm Goldmann Verlag, München, in der Verlagsgruppe Random House GmbH, 2007. © für die Fotos: S. 6: EL PAIS de Uruguay, Colección Caruso; S. 49: Gamma; S. 50 und 86: Group of Survivors/Corbis; S. 91: Keystone/Gamma; S. 120: EL PAIS de Uruguay, Colección Caruso (oben), EFE (Mitte), Copesa (unten); S. 140: Privatarchiv Familie Parrado (oben), Carlos Cardoso (Mitte), Veronique van Wassenhove (unten); alle weiteren Fotos: unbekannt. Der Abdruck sämtlicher Bilder erfolgte mit freundlicher Genehmigung des Wilhelm Goldmann Verlags, München.

ABER MEIN HERZ BLEIBT IN AFRIKA. MEINE ZEIT BEI DEN KINDERN VON PRETORIA
© 2007 by Knaur Taschenbuch. Ein Unternehmen der Droemerschen Verlagsanstalt Th. Knaur Nachf. GmbH & Co. KG, München. © für die Fotos: S. 148: FinePic, München; S. 255: ZDF/Thomas R. Schumann; alle weiteren Fotos: Privatarchiv Claudia Tabbert.

DENN ERSTENS KOMMT ES ANDERS ... GESCHICHTEN AUS MEINEM LEBEN
© 2007 by Verlagsgruppe Lübbe GmbH & Co. KG, Bergisch Gladbach. © für die Fotos: S. 258: Hipp-Foto; S. 344: Karl Beyer, Garmisch; S. 349: Pit Seeger; S. 350: Interfoto/Friedrich (oben), Neue Münchner Fernsehproduktion (unten); S. 357 und 361: unbekannt; S. 366: picture-alliance/dpa; S. 376: picture-alliance/kpa (oben), action press/US-Press (unten links); S. 376/377: Hipp-Foto; S. 377: Hipp-Foto (oben), interTOPICS/Wolfram J. Mehl (Mitte), teutopress (unten); S. 384: Cinetext/Kaatsch (oben links), teutopress (unten); S. 384/385 und S. 385: Hipp-Foto; S. 389: action press/Klaus Brenning; S. 411: Winfried Rabanus; alle übrigen Fotos: Privatarchiv Joachim Fuchsberger.

FEUER GEFANGEN. MEINE REISEN ZU DEN VULKANEN DER ERDE
© 2005 by Frederking & Thaler Verlag GmbH, München (www.frederking-thaler.de). © für die Fotos: S. 474 (Mitte), S. 500 und S. 515: Angelika Jung-Hüttl; alle übrigen Fotos: Bernhard Edmaier (www.bernhardedmaier.de).

© für die Autorenfotos: S. 522: Privatarchiv Familie Parrado (oben), FinePic, München (unten); S. 523: Privatarchiv Joachim Fuchsberger (oben), Bernhard Edmaier (unten).

Umschlaggestaltung Softcover: Reader's Digest Deutschland: Verlag Das Beste, Stuttgart, unter Verwendung der im Folgenden aufgeführten Fotos (von oben nach unten): 1) Flugzeug: Keystone/Gamma; 2) Gruppenfoto: Privatarchiv Claudia Tabbert; 3) J. Fuchsberger: Hipp-Foto; 4) Vulkan: Bernhard Edmaier.

Umschlaggestaltung Hardcover: Reader's Digest Deutschland: Verlag Das Beste, Stuttgart, unter Verwendung der im Folgenden aufgeführten Fotos: Flugzeug: Keystone/Gamma (oben links); J. Fuchsberger: Hipp-Foto (oben rechts); Vulkan: Bernhard Edmaier (unten links); Gruppenfoto: Privatarchiv Claudia Tabbert (unten rechts).

Die ungekürzten Ausgaben von „72 Tage in der Hölle", „Aber mein Herz bleibt in Afrika", „Denn erstens kommt es anders ..." und „Feuer gefangen" sind im Buchhandel erhältlich.